08915

BIBLIOTHÈQUE PUBLIQUE DE
ST-ISIDORE DE PRESCOTT
ET PLANTAGENET SUD

DISCARD / ÉLIMINÉ

D1064920

pouces*	cm
seizièmes	mm
	1 cm
	2 cm
1 po	
	3 cm
	4 cm
	5 cm
2 po	
	6 cm
	7 cm
3 po	
	8 cm
	9 cm
	10 cm
4 po	
	11 cm
	12 cm
5 po	
	13 cm
	14 cm
	15 cm
6 po	
	16 cm
	17 cm
7 po	
	18 cm
	19 cm
	20 cm

pouces	cm
8 po	
	21 cm
	22 cm
9 po	
	23 cm
	24 cm
	25 cm
10 po	
	26 cm
	27 cm
11 po	
	28 cm
	29 cm
	30 cm
12 po	
	31 cm
	32 cm
1 pi 1 po	33 cm
	34 cm
	35 cm
1 pi 2 po	
	36 cm
	37 cm
1 pi 3 po	38 cm
	39 cm
	40 cm

pouces	cm
1 pi 4 po	
	41 cm
	42 cm
1 pi 5 po	43 cm
	44 cm
	45 cm
1 pi 6 po	
	46 cm
	47 cm
1 pi 7 po	48 cm
	49 cm
	50 cm
1 pi 8 po	
	51 cm
	52 cm
1 pi 9 po	53 cm
	54 cm
	55 cm
1 pi 10 po	56 cm
	57 cm
	58 cm
1 pi 11 po	
	59 cm
	60 cm

pouces	cm
2 pi	61 cm
	62 cm
	63 cm
2 pi 1 po	
	64 cm
	65 cm
2 pi 2 po	66 cm
	67 cm
	68 cm
2 pi 3 po	
	69 cm
	70 cm
2 pi 4 po	71 cm
	72 cm
	73 cm
2 pi 5 po	
	74 cm
	75 cm
2 pi 6 po	76 cm
	77 cm
	78 cm
2 pi 7 po	
	79 cm
	80 cm

pouces	cm
	81 cm
2 pi 8 po	
	82 cm
	83 cm
2 pi 9 po	84 cm
	85 cm
	86 cm
2 pi 10 po	
	87 cm
	88 cm
2 pi 11 po	89 cm
	90 cm
	91 cm
3 pi	
	92 cm
	93 cm
3 pi 1 po	94 cm
	95 cm
3	
3 pi 3 po	99 cm
	100 cm

pieds	mètres
1 pi	30,5 cm
2 pi	61,0 cm
3 pi	91,4 cm
3 pi 3⅜ po	1 mètre (100 cm)
4 pi	121,9 cm
5 pi	152,4 cm
6 pi	182,9 cm
6 pi 6¾ po	2 mètres (200 cm)
7 pi	213,4 cm
	243,8 cm
	274,3 cm
9 pi 10 1/16 po	3 mètres (300 cm)

*On voudra bien noter qu'on a réduit les échelles de mesure reproduites ici.

Sélection du Reader's Digest

GUIDE DES TRAVAUX D'ARTISANAT

Sélection du Reader's Digest

GUIDE DES TRAVAUX D'ARTISANAT

Techniques et projets

Sélection du Reader's Digest
Montréal • Paris • Bruxelles • Zurich

Equipe de Sélection du Reader's Digest

Rédaction
Gilles Humbert

Préparation de copie
Joseph Marchetti

Recherche
Wadad Bashour
Michèle McLaughlin

Supervision graphique
John McGuffie

Graphisme
Francine Lemieux

Montage
Anne A. Racine

Fabrication
Holger Lorenzen

Coordination
Susan Wong

Collaborateurs externes

Traduction
Claire Dupond
Jean-Paul Partensky
Suzette Thiboutot-Belleau
Claire Vanier
Technitrans Inc.

Rédaction et révision
Lise Parent

Index
Gilbert Grand

Cet ouvrage est l'adaptation française de *Crafts & Hobbies*

Rédaction
John Speicher

Conception graphique
Judy Skorpil

Collaborateurs

Auteurs et rédacteurs invités
Susan Chace
Lilla Pennant
John Maury Warde
Daniel Weiss
David Wright

Illustrateurs
John A. Lind Corporation
Ken Rice
Jim Silks/Randall Lieu
Ray Skibinski
Vicki Vebell
Mary Wilshire

Photographe
Joseph Barnell

Conseiller technique
Sandra Cruickshank

Experts-conseils
Carolyn Bell (Macramé)
Anthony Bianchi (Menuiserie et ébénisterie : coffret à bijoux)
Nancy Bullard (Vannerie : panier en éclisses et panier cordé)
Victoria Chess (Dessin ; Peinture ; Gravure et imprimés : sérigraphie)
Robert Conover (Gravure et imprimés : eau-forte)
Barbara Montgomery Danneman (Quilting)
Doris R. Davis (Découpage)
Randi Feldman (Poterie : certaines techniques et projets)
Kathleen Finneran (Gravure et imprimés : gravure sur bois)
William J. Finneran, jr (Sculpture sur bois ; Modelage, moulage et coulage)
Maurice Fraser (Menuiserie et ébénisterie)
Allan Geschwind (Menuiserie et ébénisterie : table de couture de style Shaker)
Fay Halpern (Batik et teinture par liens)
Helen Hosking (Email)
Frank E. Johnson (Fabrication du vin)
Kathleen Adelmann Koch (Quilting : métier à quilt)
Michelle Lester (Tissage)
Sandra Newman (Vannerie : spiralé et tressé)
Richard Rapaport (Poterie : certaines techniques)
Joan Berg Victor (Papier mâché)
Carol Westfall (Vannerie : natté)

Les éditeurs remercient les organismes suivants pour la contribution qu'ils ont apportée à la réalisation de cet ouvrage :

Allcraft Tool & Supply Co., Inc.
The American Crafts Council
Associated American Artists, Inc.
Baldwin Pottery, Inc.
S.A. Bendheim
Brooklyn Botanic Garden
Charles Brand Etching and Litho Presses
Cooper-Hewitt Museum, Smithsonian Institution's National Museum of Design
Craft Students League, YWCA de New York
Editorial Photocolor Archives, Inc.
Excalibur Bronze Sculpture Corp.
Florence Duhl Gallery
Garrett Wade Co., Inc.
General Electric Co.
Joseph Dross Woodworking
The Max Corp.
Metropolitan Museum of Art
Milan Labs
Origami Center of America
J. Pascal Inc.
Robert Brent Corp.
Rockwell International, Power Tool Division
School Products Co., Inc.
Sculpture House
Sears, Roebuck and Co.
Simon's Hardware, Inc.
The Stanley Works
Wetzler Clamp Co., Inc.

AVERTISSEMENT

L'éditeur souligne que les informations contenues dans le présent guide proviennent de sources sûres et à jour, mais ne sont pas à l'abri d'erreurs ou d'oublis. Aussi, l'éditeur et ses collaborateurs déclinent toute responsabilité dans les dommages résultant de la publication et de l'utilisation, sous quelque forme que ce soit, de ce livre.

PREMIÈRE ÉDITION

Les sources des photographies et les remerciements de la page 368 sont, par la présente, incorporés à cette notice.

© 1984, Sélection du Reader's Digest (Canada) Ltée
215, avenue Redfern, Montréal, Qué. H3Z 2V9
© 1984, Sélection du Reader's Digest, S.A.
212, boulevard Saint-Germain, 75007 Paris
© 1984, N.V. Reader's Digest, S.A.
12-A, Grand-Place, 1000 Bruxelles
© 1984, Sélection du Reader's Digest, S.A.
Räffelstrasse 11, « Gallushof », 8021 Zurich

Tous droits de traduction, d'adaptation et de reproduction, sous quelque forme que ce soit, réservés pour tous pays.

ISBN 0-88850-131-5

Printed in Canada — Imprimé au Canada
84 85 86 87 / 4 3 2 1

Table des matières

Introduction

Nous vivons à une époque où du bout du doigt nous pouvons faire apparaître sur notre écran de télévision assez d'émissions divertissantes pour meubler toutes nos soirées et fins de semaine au fil des ans. Un bond au magasin à rayons ou au centre commercial du voisinage et c'est l'univers des produits manufacturés qui nous accueille : vêtements fabriqués en série, meubles de contre-plaqué, jouets en plastique, tissus en vinyle, aliments précuisinés, œuvres d'art célèbres en reproductions. Nous nous sommes habitués à ce monde artificiel ; pour l'essentiel, nous ne pouvons plus nous en passer. Et pourtant, de plus en plus de gens se tournent maintenant vers des passe-temps moins commerciaux, plus créateurs. Le charme d'une courtepointe maison, l'arôme réconfortant du pain qui cuit, la franche qualité des tissages en fibres naturelles, la beauté émouvante d'une sculpture sur bois que l'on a faite soi-même, tous ces humbles bonheurs d'autrefois reprennent peu à peu leur place dans notre vie.

Partout au Canada et aux Etats-Unis les arts populaires regagnent leurs lettres de noblesse. Des centaines de milliers de gens délaissent le petit écran pour consacrer quelques heures par jour à une activité créatrice dans la salle de couture ou l'atelier. Les uns fabriquent des pièces d'ameublement devenues hors de prix ou tout simplement introuvables. D'autres confectionnent des cadeaux pour leurs parents ou amis ; d'autres encore se livrent au plaisir de laisser libre cours à leur imagination.

Ce regain d'intérêt pour les travaux d'artisanat a fait apparaître toutes sortes de cours à l'intention du grand public dans les écoles et les centres communautaires. Partout, dans les grandes villes comme dans les petits villages, s'organisent des expositions et des foires où l'on peut faire admirer ses œuvres et parfois même les vendre.

Le mouvement connaît une telle ampleur que certains n'hésitent pas à parler d'une résurrection des arts populaires. La sculpture, la peinture décorative, le tissage, la couture, la menuiserie font de plus en plus d'adeptes soucieux d'apprendre et de se perfectionner. C'est à eux que ce livre se destine.

Quelque 30 techniques artisanales y sont exposées en détail. Chaque chapitre présente un bref historique d'un art populaire, une ou deux photographies d'œuvres de grande qualité, ainsi qu'une description détaillée et illustrée des outils, des matériaux et des techniques nécessaires. Enfin, dans la plupart des cas, le chapitre propose des projets à réaliser, avec plans et applications illustrées.

Ce livre s'adresse à un vaste public. Vous pouvez le feuilleter par plaisir ou par curiosité, pour vous renseigner, par exemple, sur le fonctionnement d'un métier à tisser ou la réalisation d'une queue d'aronde en menuiserie. Vous pouvez aussi l'utiliser comme un manuel et apprendre par vous-même à pratiquer des arts qui vous fascinent depuis longtemps. Etes-vous tenté par un travail d'artisanat sans savoir au juste lequel choisir ? Considérez alors ce livre comme une sorte d'encyclopédie. Lisez-le au complet ou parcourez les chapitres qui vous intéressent davantage, mais n'oubliez pas de tenir compte des outils et du matériel dont vous aurez besoin ainsi que du degré de difficulté des travaux que vous aurez à exécuter.

Le *Guide des travaux d'artisanat* renferme quelque 3 000 dessins et photos illustrant en détail à peu près tout ce qu'il faut savoir sur chacun des sujets traités. Les chapitres consacrés à des techniques artisanales plus complexes présentent une gamme de projets plus ou moins difficiles. Les personnes inexpérimentées peuvent ainsi commencer par les travaux les plus simples. Une mise en garde cependant : avant d'entreprendre un travail, lisez au complet le chapitre qui s'y rapporte. Dans la rubrique consacrée aux techniques d'exécution, vous trouverez des renseignements d'ordre général indispensables au succès de votre entreprise et qui ne sont pas nécessairement répétés dans les instructions accompagnant chaque projet en particulier.

Les personnes qui pratiquent un art populaire en guise de passe-temps ne souhaitent pas consacrer beaucoup d'argent à l'achat de l'équipement nécessaire. Aussi plusieurs chapitres offrent-ils un choix en cette matière. Par exemple, le potier amateur peut travailler avec un véritable tour et un four à céramique électrique. Mais il est possible de faire de la poterie sans posséder un équipement aussi coûteux. Le chapitre traitant de la poterie comporte donc des passages où l'on enseigne à fabriquer de la poterie avec ses mains et à la faire cuire dans un four à charbon de bois, que l'on peut d'ailleurs construire soi-même avec de la pierre ou de la brique.

Mais le *Guide des travaux d'artisanat* ne s'adresse pas uniquement aux débutants. Loin de là ! Les spécialistes qui nous ont aidés à rédiger ces pages se recrutent parmi les maîtres de leur art. De concert avec nos rédacteurs, ils se sont efforcés de faire de ce recueil une véritable encyclopédie des principaux arts populaires. L'artisan expérimenté y trouvera donc un ouvrage de référence extrêmement précieux, non seulement pour compléter ses propres connaissances, mais aussi pour se familiariser avec les travaux des autres.

Bref, le *Guide des travaux d'artisanat* est un ouvrage hautement documenté dont les auteurs — rédacteurs et spécialistes — sont fiers. Mais c'est aussi un livre susceptible de proposer aux jeunes des passe-temps agréables et gratifiants grâce aux projets très faciles à exécuter qu'il comporte. Citons, par exemple, les pages consacrées au découpage, à la fabrication des bougies, au papier mâché, au batik et à la teinture par liens, à l'origami, à la peinture, à l'impression sur étoffe, au travail au pochoir, ainsi qu'au collage. L'adulte aussi y trouvera de quoi meubler agréablement un après-midi pluvieux ou une soirée à la maison. Il en coûte trois fois rien de préparer un pain à partir d'une recette exotique ou traditionnelle (voir le chapitre sur les pains du monde entier) ou de confectionner de ravissants bouquets avec des fleurs que vous aurez fait sécher vous-même (voir le chapitre sur le séchage et la conservation des fleurs).

Et qui sait ! En vous faisant connaître ce qu'est le bonheur de créer, ce livre vous fera peut-être découvrir en vous-même des talents insoupçonnés.

LA RÉDACTION

Section 1

Artisanat chez soi

Pépéromie, caoutchouc japonais, plante araignée et lierre, en vue plongeante, associent leur feuillage pour décorer un appui de fenêtre.

Vivre avec des plantes

La culture des plantes d'intérieur est une expérience enrichissante, même pour le jardinier amateur. La beauté gracile d'une amaryllis rouge se détachant sur un fond de flocons de neige emportés par le vent, le parfum voluptueux du jasmin par une tiède nuit de printemps, l'écorce noueuse d'un genévrier miniature de 90 ans et de 10 po de haut, autant de joies fugaces mais inoubliables dans nos vies de plus en plus robotisées.

Si jardins et plantes en pots existent depuis des millénaires, la culture des plantes à l'intérieur est, elle, d'origine assez récente. Elle se développa en Europe à l'époque de Christophe Colomb, favorisée par les échantillons que navigateurs et explorateurs rapportaient des quatre coins du monde. Mais c'est au XVIIe siècle que l'importation de plantes tropicales et subtropicales prit un véritable essor et qu'on apprit à leur fournir le milieu dont elles avaient besoin.

Dans l'Angleterre victorienne, l'emploi du verre à vitre pour les serres, l'amélioration du chauffage et l'invention d'une sorte de terrarium, le châssis de Ward, par le chirurgien londonien Nathaniel B. Ward allaient donner le coup d'envoi à la culture des plantes d'intérieur.

La plupart de ces plantes dérivent aujourd'hui de spécimens rapportés au XIXe siècle : la bougainvillée, le fuchsia et le philodendron, d'Amérique centrale ou d'Amérique du Sud ; la plante araignée, la violette du Cap, la thunbergie et le glaïeul, d'Afrique ; l'hydrangée, le chrysanthème et (mais plus tardivement) le bonsaï, du Japon ; le gardénia, le lis, l'azalée et le bambou, de Chine.

L'essor extraordinaire qu'a connu la botanique au XIXe siècle tenait autant de la science que du commerce. Les dépisteurs étaient principalement anglais et français et comprenaient des botanistes, des jardiniers, des missionnaires, des commerçants, des diplomates et des navigateurs. Malgré les pirates, les naufrages et autres périls, les expéditions étaient presque toujours couronnées de succès et, dans certains cas, fort pittoresques. Un jardinier écossais, portant à l'occasion tunique à la chinoise et natte dans le dos, consacra 19 ans à chercher des arbres à thé, des pivoines bleues et des camélias jaunes en Chine, et des chrysanthèmes au Japon. Au début du XXe siècle, un collectionneur anglais parcourut l'Extrême-Orient en chaise à porteurs et en bateau-maison avec son chien, son lit et un énorme appareil photo à chambre noire.

L'un des exploits les plus extraordinaires de toute l'histoire de l'horticulture est probablement l'œuvre d'un missionnaire jésuite français du XVIIe siècle. Il fit cadeau de deux plants de mimosa originaires des Antilles à l'empereur de Chine. Celui-ci, intrigué de voir les feuilles de cette plante se replier au toucher, ouvrit toutes grandes les portes des jardins du palais impérial au prêtre botaniste.

Grâce aux techniques de sélection et d'hybridation, les botanistes et les pépiniéristes européens parvinrent à améliorer ces espèces exotiques et à créer de nouveaux spécimens. C'est pourquoi les plantes d'intérieur sont aujourd'hui beaucoup plus faciles à cultiver que ne l'étaient leurs ancêtres d'il y a un siècle.

Un environnement artificiel. Les plantes ne sont pas faites, au départ, pour vivre à l'intérieur ; il faut qu'elles s'habituent à cet environnement. Et c'est à vous de les y aider. Les plantes d'intérieur ont besoin d'un mélange terreux, d'eau et de substances nutritives (voir pp. 10-11), mais aussi de chaleur, d'humidité et surtout de lumière. Elles n'ont pas toutes besoin de ces divers éléments

Jardins d'intérieur

au même degré (voir pp. 22-25), mais leurs exigences sont fondamentalement semblables et, à l'intérieur d'un même genre, souvent identiques.

Les plantes tirent toute leur énergie du mécanisme de la photosynthèse, qui résulte de l'action de la lumière sur la chlorophylle. Or à l'intérieur d'une maison, et même d'une serre, il y a moins de lumière que dehors. En outre, l'intensité de la lumière connaît d'importantes fluctuations, notamment en fonction de l'orientation des fenêtres. La lumière qui vient du sud varie d'intensité, mais elle est généralement vive et parfois chaude. L'est donne un ensoleillement matinal, sans risque de brûlures; l'ouest, une lumière qui se prolonge tard dans la journée et des soirées plus tièdes; le nord, une lumière douce et égale.

Certaines plantes d'ombre tolèrent mal la lumière directe; d'autres ne peuvent s'en passer. Le guide des pages 22 à 25 donne le degré d'éclairement réclamé par un certain nombre de plantes communes et exotiques.

Si la durée de la période diurne affecte peu la plupart des plantes, c'est elle qui chez d'autres sujets déclenche la floraison. C'est ainsi que le fuchsia fleurit quand les jours sont longs et le chrysanthème quand ils sont courts. Aussi est-il possible de modifier les cycles de croissance et de floraison de certaines plantes en allongeant ou en réduisant la durée du jour au moyen de tentures ou d'éclairage artificiel.

Dans la lumière solaire, les rayons bleus favorisent la croissance des feuilles, les rouges celle des fleurs. Dans la maison, réservez les lampes à incandescence, qui offrent peu de bleu, pour l'éclairage d'appoint. Utilisez par contre un éclairage fluorescent qui, à lui seul, peut suffire aux plantes. Associez des tubes *lumière du jour* (riches en bleu) à des *blanc chaud* (riches en rouge) ou employez des *blanc froid* (à spectre équilibré) ou des lampes horticoles spéciales.

La température change d'une pièce à l'autre et, dans une pièce, varie en fonction de la proximité des fenêtres et des sources de chaleur. Aussi faut-il trouver aux plantes l'environnement climatique qui leur convient.

Avec le chauffage central, l'air de nos demeures, très sec, ne convient vraiment qu'aux cactus et aux plantes grasses. Pour remédier à la situation, vaporisez souvent les feuilles des plantes, utilisez un humidificateur ou posez les pots sur des cailloutis à demi couverts d'eau ou dans des cache-pot garnis de mousse de tourbe humide.

Lumière solaire

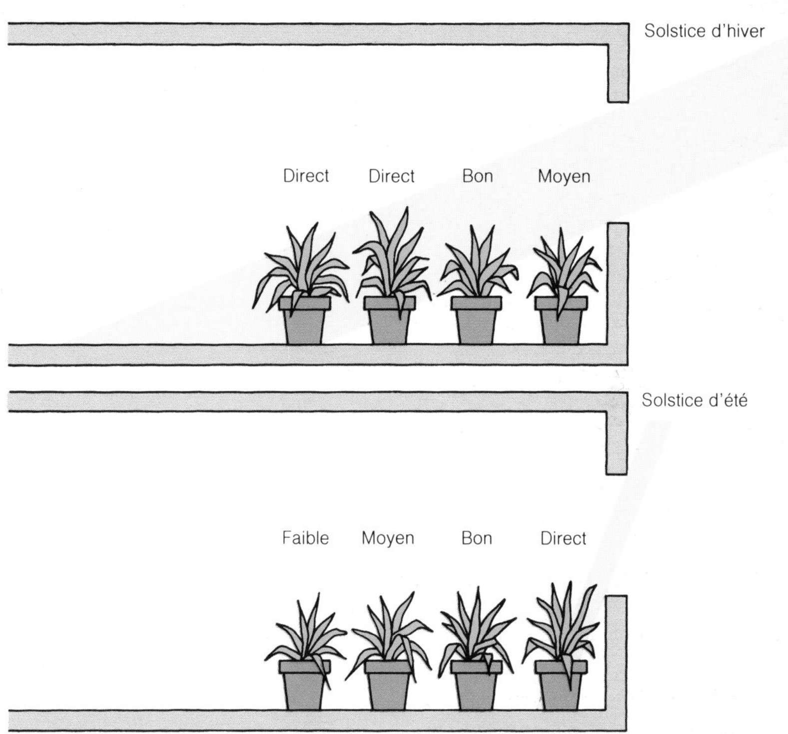

L'angle des rayons solaires varie en fonction de la latitude et de la saison. La lumière solaire pénètre davantage par les fenêtres orientées vers le sud durant le solstice d'hiver dans l'hémisphère Nord (en haut). Elle y entre beaucoup moins durant le solstice d'été (en bas). Aussi faut-il périodiquement déplacer ses plantes pour que leur éclairage demeure excellent. L'heure modifie également l'éclairage, ainsi que tout ce qui s'interpose entre le jour et la fenêtre. Les dessins ci-dessus donnent l'angle des rayons solaires par 40° de latitude nord.

Lumière artificielle

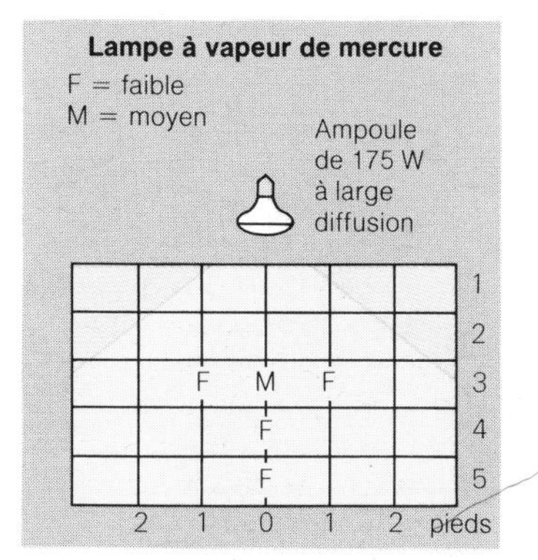

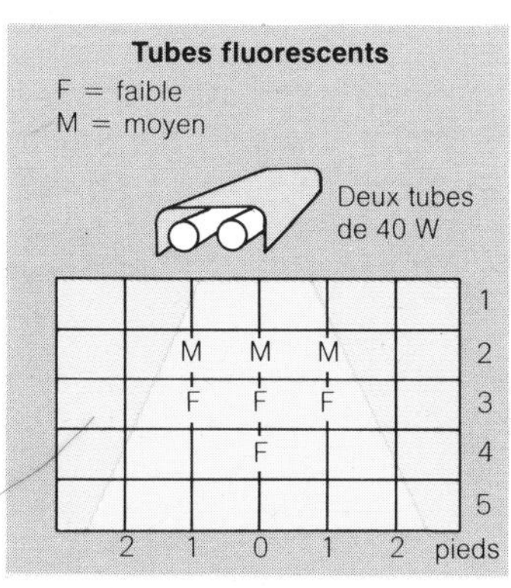

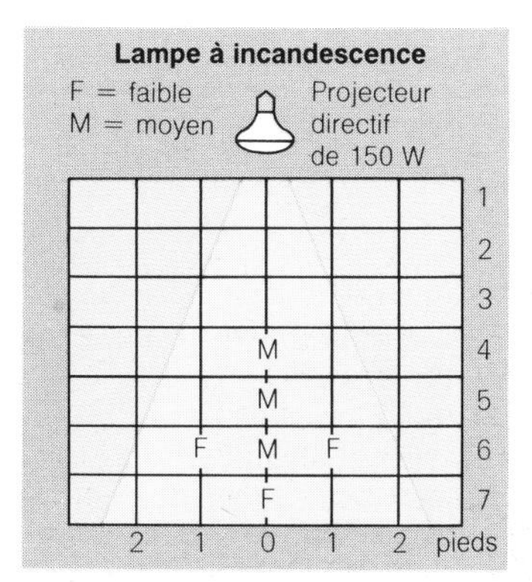

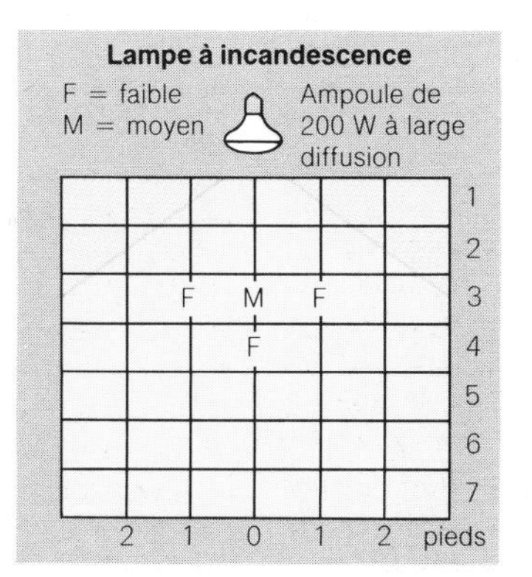

Ces quatre graphiques vous aideront à placer vos plantes en fonction de la source lumineuse. L'intensité de celle-ci diminue avec son éloignement et l'angle qu'elle fait avec la plante. La lampe à vapeur de mercure, tout comme le tube fluorescent, suffit à la plupart des plantes. Aussi décorative que la lampe à incandescence, elle coûte plus cher, mais elle est plus durable que le tube fluorescent et consomme moins d'énergie.

Jardins d'intérieur

Pots et arrosage

Il existe plusieurs sortes de contenants pour les plantes d'intérieur. Les plantes arbustives, par exemple, sont à leur avantage dans des bacs en bois ou des corbeilles en osier. Pour ne pas endommager contenants et parquets, on les garnit à l'intérieur de pots ou de doublures en plastique. Il est naturel de suspendre les plantes à longues tiges retombantes dans des corbeilles de fil métallique doublées de mousse de tourbe et de plastique ou dans des jardinières en macramé (voir *Macramé,* p. 164) munies d'une assiette pour recevoir l'eau.

Les pots en argile sont les plus courants. Non glacés, ils favorisent l'évaporation de l'eau et constituent une mesure de protection contre les arrosages trop abondants. Les pots en plastique sont plus légers, plus faciles à nettoyer et moins cassants que les pots en argile. Par contre, il faudra surveiller davantage les arrosages avec les pots en plastique puisqu'ils conservent longtemps l'humidité. Les pots en argile glacée, encore plus étanches et généralement dépourvus de trous d'évacuation, exigent des arrosages parcimonieux.

L'air étant plus chaud vers le plafond, et l'évaporation y étant plus rapide, il faut arroser plus souvent les plantes suspendues.

D'une manière générale, il faut arroser les plantes d'intérieur à fond mais peu souvent, plutôt que peu et souvent. On ne saurait établir de routine à cet égard, les arrosages dépendant de la plante, du contenant, du mélange terreux, de l'emplacement et de l'atmosphère de la pièce. Là où c'est possible, il vaut mieux arroser généreusement en laissant la plante s'égoutter dans un évier. Arrosez de nouveau quand le mélange est sec *en surface.* Sauf pour les cactus et les plantes grasses, le sol doit demeurer humide mais ne pas être mouillé en surface. Arrosez plus souvent en période de croissance, sauf si la plante est malade, et utilisez de l'eau tiède.

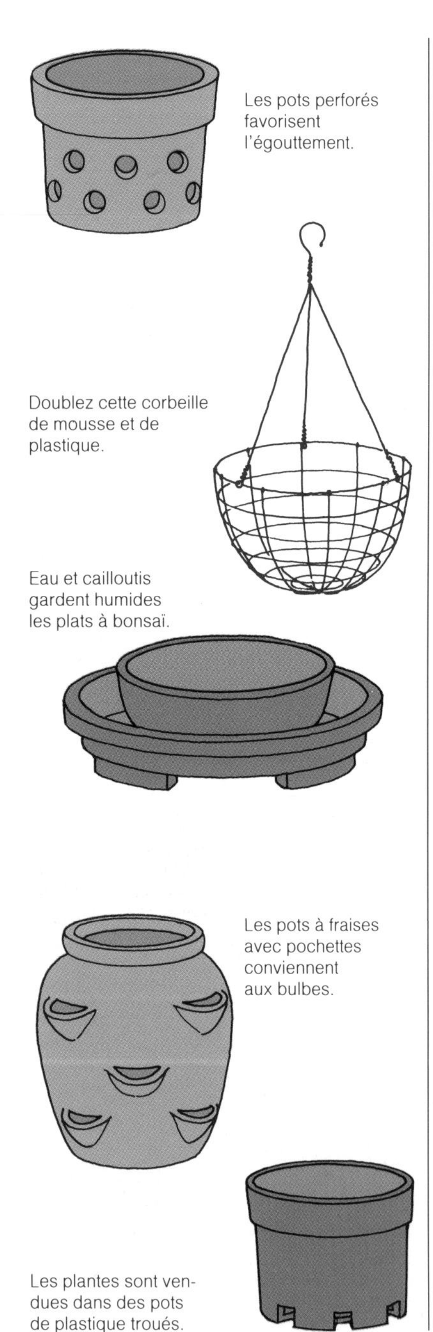

Les pots perforés favorisent l'égouttement.

Doublez cette corbeille de mousse et de plastique.

Eau et cailloutis gardent humides les plats à bonsaï.

Les pots à fraises avec pochettes conviennent aux bulbes.

Les plantes sont vendues dans des pots de plastique troués.

Durant les vacances

Des vacances d'une ou deux semaines en hiver ne mettent pas en danger la santé des plantes, qui sont à ce moment-là en période de repos et demandent moins d'eau. En été, enfermez les plantes dans des sacs de plastique transparents (voir ci-dessous) pour leur créer une sorte de microclimat tropical.

Vous pouvez utiliser des mèches qui pompent l'eau d'une réserve par capillarité (voir ci-dessous) ou placer les pots sur un feutre qu'arrose goutte à goutte un robinet. Autre variante: placez-les dans la baignoire, sur une couverture étendue sur des briques; les pots ne doivent pas tremper dans l'eau.

Couverture et briques

Pièce de feutre

Sac de plastique pour une grosse plante

Arrosage par mèches

Sac de plastique pour une petite plante

Plat en plastique à réserve d'eau

Empotage et rempotage

La plante en pot ne peut aller, comme dans la nature, chercher eau et nourriture avec ses racines. Vous devez les lui procurer.

Le mélange terreux doit être assez spongieux pour emmagasiner l'eau et les éléments nutritifs, mais assez poreux pour faciliter l'égouttage et permettre aux racines de respirer. On obtient un mélange tout usage en associant à volume égal de la terre stérile, de la mousse de tourbe et du gros sable lavé ou de la perlite. Stérilisez la terre humide de votre jardin en la mettant 25 minutes au four à une température de 70 à 80°C, dans un plat couvert. Laissez-la refroidir 12 heures avant de l'utiliser.

On trouve dans le commerce quatre mélanges terreux : le type tout usage pour la plupart des plantes vertes, le type à violettes du Cap pour toutes les plantes florifères, un mélange à cactus très poreux et un mélange à terrariums composé spécialement pour les environnements clos.

Transplantez toujours une plante dans le mélange auquel elle est habituée. Au printemps, vérifiez si ses racines occupent tout le pot (voir les illustrations ci-contre). Pour rempoter une plante dans le même pot, tout en ajoutant du mélange terreux frais, raccourcissez d'abord la motte de racines tel qu'illustré ci-dessous. Si vous voulez donner plus de place aux racines, prenez un pot légèrement plus grand et ajoutez du mélange terreux frais.

La plante en pot épuise son sol en six mois ou moins. Vous devez donc, en période de croissance, lui fournir des éléments nutritifs. Trois sels minéraux lui sont essentiels : l'azote pour les feuilles, le phosphore pour les racines et le potassium pour les fleurs et les fruits. Les engrais commerciaux associent ces trois éléments selon différentes formules et se vendent sous forme de comprimés, de poudre ou de liquide. L'engrais liquide agit plus vite ; mélangé à l'eau des arrosages, conformément aux instructions, il est le plus facile de tous à administrer et celui qui présente le moins de dangers pour les plantes. L'engrais tout usage convient aux plantes feuillues, l'engrais à violettes du Cap aux plantes à fleurs et à fruits. Ne fertilisez pas si le sol est sec, si la plante est malade ou en période de repos. Pour stimuler la croissance du feuillage, vaporisez-le d'engrais foliaire liquide.

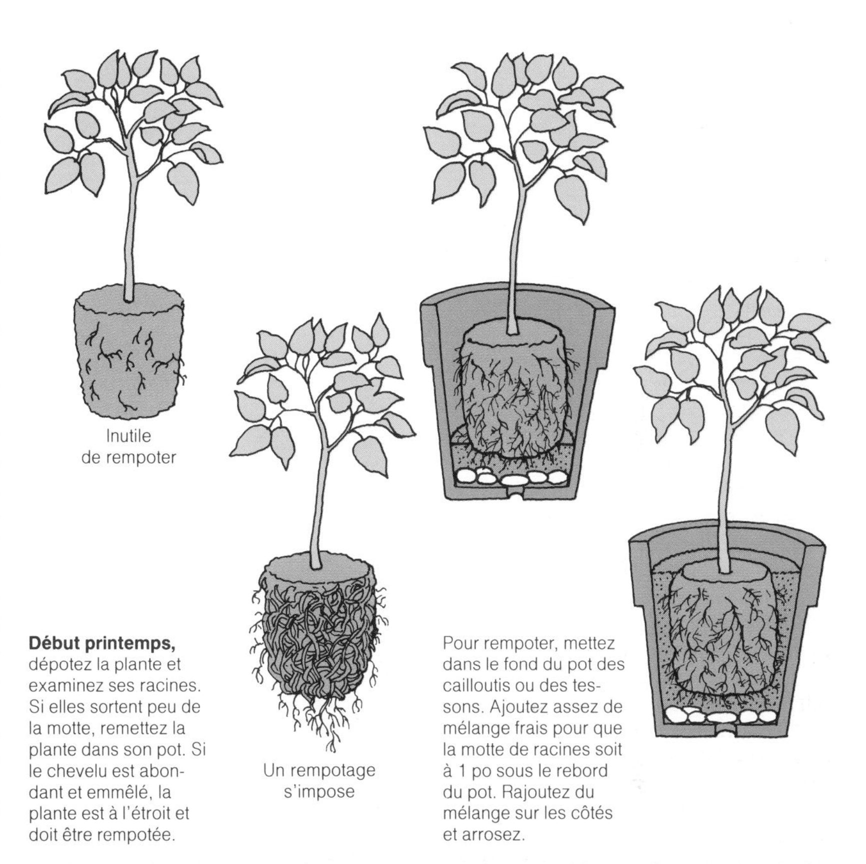

Début printemps, dépotez la plante et examinez ses racines. Si elles sortent peu de la motte, remettez la plante dans son pot. Si le chevelu est abondant et emmêlé, la plante est à l'étroit et doit être rempotée.

Pour rempoter, mettez dans le fond du pot des cailloutis ou des tessons. Ajoutez assez de mélange frais pour que la motte de racines soit à 1 po sous le rebord du pot. Rajoutez du mélange sur les côtés et arrosez.

Pour dépoter une plante, mettez la main sur le pot, renversez-le et frappez-le contre le bord d'une table pour dégager la motte. Soulevez délicatement les grosses plantes comme ci-dessus.

Avant d'ajouter du mélange et d'empoter la plante dans son ancien pot, il faut réduire le volume de la motte de racines. Enlevez un peu de l'ancien mélange et raccourcissez les racines.

Déposez la motte de racines sur une couche de mélange frais de même nature que l'ancien. Rajoutez du mélange sur les côtés et tassez bien, mais pas trop.

Après le rempotage, plongez les petits pots dans de l'eau pour bien imbiber le sol. Quand il ne se forme plus de bulles, mettez-les à égoutter une heure à l'ombre. Arrosez les gros pots à la main.

Jardins d'intérieur

Multiplication

La reproduction des plantes se fait évidemment par leur semence. Mais la multiplication peut aussi bien se faire par reproduction végétative, beaucoup plus facile à réussir dans la maison que la multiplication par les graines. Les jeunes plantes demandent beaucoup de soins. De plus, certaines espèces obtenues par hybridation, c'est-à-dire par croisements avec d'autres races ou espèces, chez des horticulteurs spécialisés, ont tendance à perdre au cours du processus de multiplication une partie de leurs caractéristiques acquises.

Dans la multiplication végétative, on coupe une partie de la plante et on installe cette bouture dans un mélange à enracinement humide (composé à volume égal de mousse de tourbe et de sable lavé, sans engrais); on la garde dans un endroit chaud, humide et éclairé, mais non ensoleillé, jusqu'à ce qu'il se forme des racines.

Les méthodes de multiplication varient selon les plantes. Pour les espèces à touffes, comme les violettes du Cap, on prélève à l'aide d'un couteau tranchant un segment comportant feuilles et racines et on le met en terre tel qu'indiqué ci-dessus.

Pour les plantes à cormus et à tubercules, on détache les caïeux et on les met en terre séparément. Les bégonias tubéreux et certaines fougères appartiennent à ce groupe.

Certaines plantes, comme les araignées, produisent des rejets, d'autres des racines aériennes; on les multiplie par marcottage. Fixez la plantule à la surface du mélange humide avec du fil métallique. Quand elle s'est enracinée, détachez-la de la plante mère.

La multiplication végétative vous permet de récupérer une plante devenue trop grosse ou d'obtenir plusieurs sujets d'une espèce qui vous plaît. Vous trouverez ci-contre et à la page suivante des explications détaillées sur trois méthodes de multiplication végétative.

Boutures de tiges

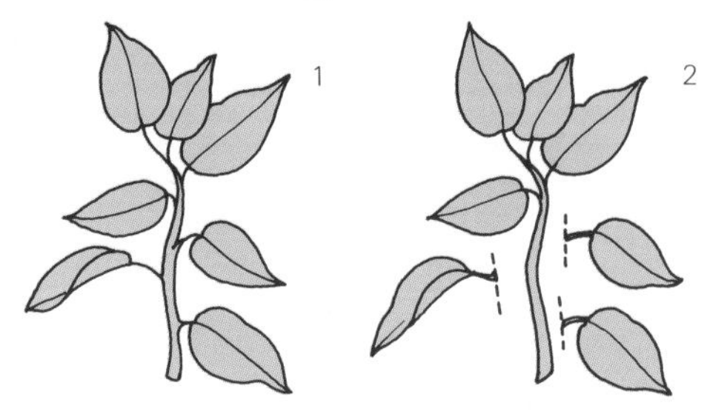

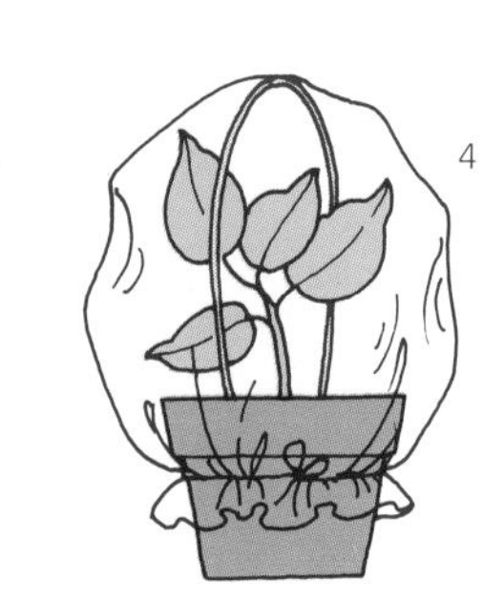

Le bouturage du bois dur se fait au printemps et en été. Prélevez une jeune tige (1). Otez les feuilles du bas (2). Plongez la coupe dans de la poudre d'hormones à enracinement et plantez-la dans un mélange à enracinement humide (3). Recouvrez de plastique transparent (4). Les boutures tendres donnent des racines en deux ou trois semaines dans l'eau, en toute saison. Les boutures ne doivent jamais se trouver en plein soleil.

Le bouturage de la tige permet de récupérer une plante dénudée du bas (ci-contre). Sectionnez la tige en segments de 4 po, puis enfoncez-les à demi, horizontalement, dans du mélange à enracinement (ci-dessus). Quand les bourgeons atteignent 2 po, repiquez-les séparément. Traitez le segment terminal comme une bouture de bois dur. Le pied de la plante peut donner des bourgeons, mais il n'en sort pas toujours un sujet élégant.

Boutures de feuilles

Certaines plantes, comme la violette du Cap et le bégonia rex, se multiplient par bouturage des feuilles. Prélevez-les avec leur pétiole.

Faites des trous dans un mélange à enracinement humide et insérez-y les pétioles. Tassez légèrement le mélange autour des feuilles.

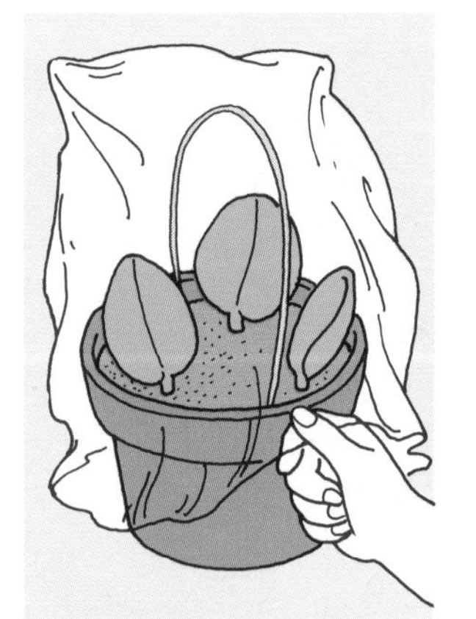

Arrosez. Piquez un arceau métallique dans le pot et recouvrez d'un sac de plastique transparent pour créer un milieu humide.

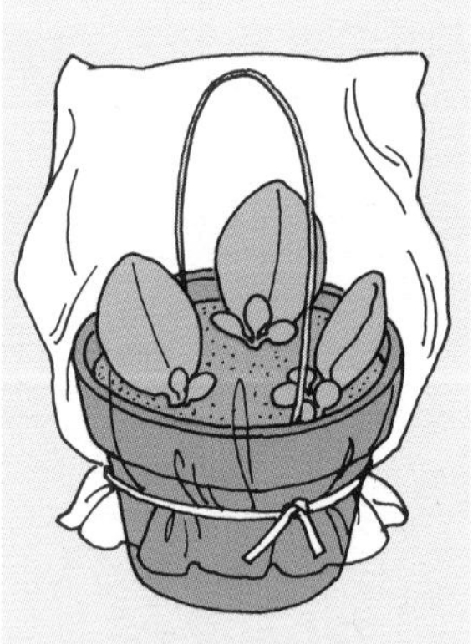

Des plantules apparaîtront après deux ou trois semaines. Quand elles ont pris taille et vigueur, repiquez-les dans des pots séparés.

Marcottage aérien

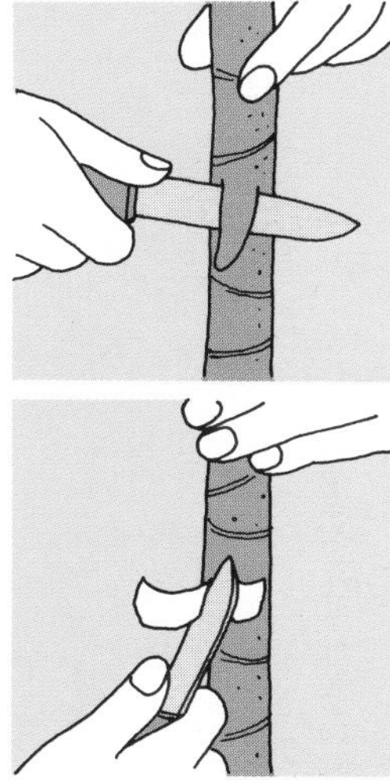

1. Rajeunissez par marcottage aérien les plantes ligneuses qui ont poussé en hauteur. Sous le feuillage, entaillez à demi la tige vers le haut ou enlevez un morceau circulaire d'écorce.

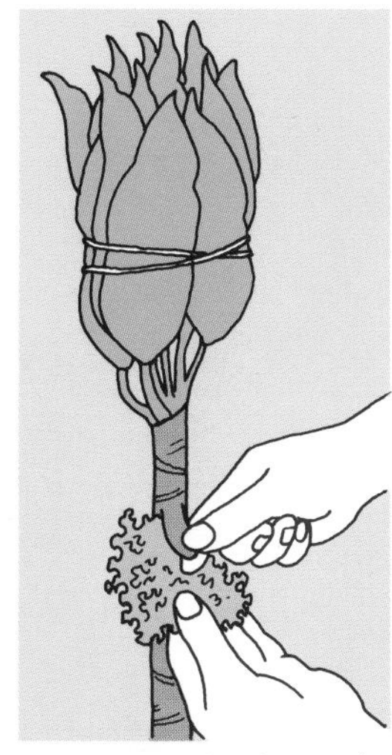

2. Appliquez de la poudre d'hormones à enracinement sur la blessure. Faites entrer délicatement de la sphaigne humide dans l'incision ou appliquez-en sur l'entaille circulaire.

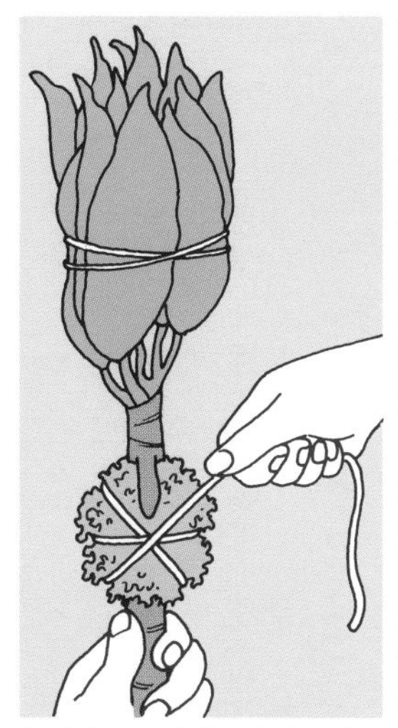

3. Rajoutez de la sphaigne humide autour de la blessure pour former une motte compacte de la taille d'une orange. Attachez-la avec de la ficelle pour qu'elle garde son humidité.

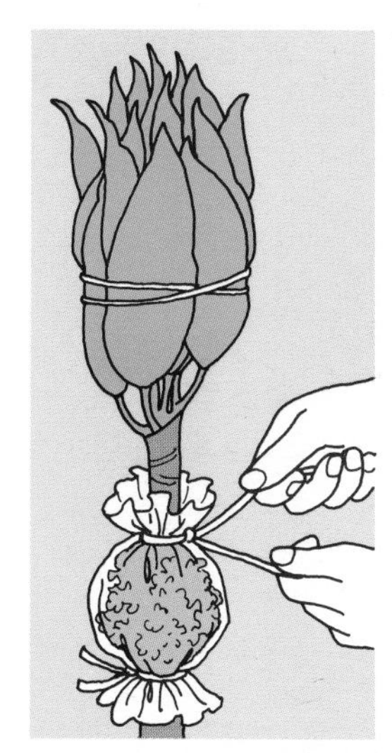

4. Entourez la motte d'une pellicule de plastique. Scellez les bords avec du ruban et attachez ce manchon à la base et au sommet avec du ruban adhésif ou de la ficelle.

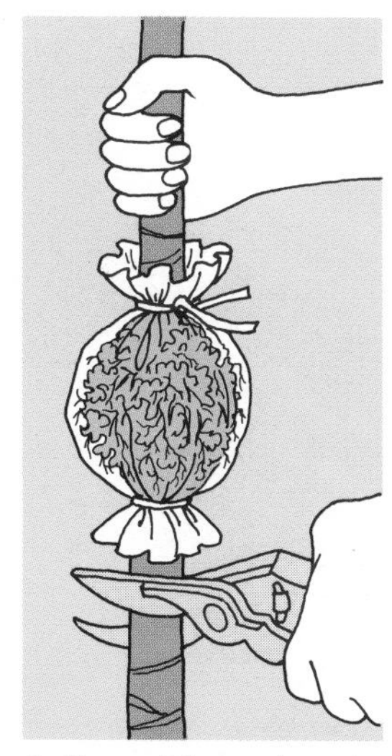

5. Six ou huit semaines plus tard, vous pourrez distinguer des racines dans la mousse à travers le plastique. Coupez la tige sous les racines; enlevez le plastique et la ficelle.

6. Mettez le plant dans un pot un peu plus grand que la motte et remplissez-le avec un mélange léger et spongieux. Arrosez. Le printemps suivant, mettez dans un pot plus grand.

Ravageurs

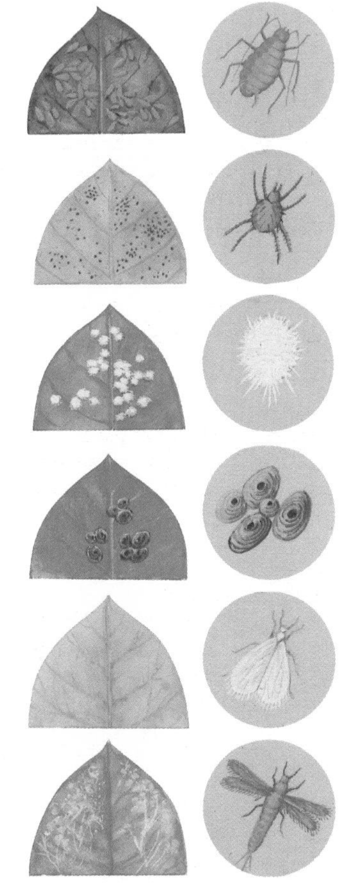

Le puceron est l'ennemi le plus courant des plantes d'intérieur. Généralement vert, mais parfois gris, brun ou noir, il suce la sève du plant: les feuilles jaunissent, les tiges et les fleurs se déforment. Il sécrète en outre un miellat que recouvre souvent une pourriture noire. Lavez la plante et vaporisez-la de malathion.

L'araignée blanche ou rouge à corps ovale est si petite qu'on ne la distingue qu'en groupe. Elle tisse sa toile sur l'envers des feuilles, qui se tachent de jaune ou de brun. Comme elle aime les milieux chauds et secs, on la combat par des vaporisations fréquentes d'eau ou, à l'occasion, de roténone liquide et de malathion.

La cochenille farineuse dont le corps et les œufs sont recouverts d'un enduit blanchâtre est difficile à repérer malgré sa taille. Cachée dans les recoins des tiges et sous les feuilles, elle suce la sève du plant et produit du miellat. Essuyez les feuilles avec un chiffon mouillé ou utilisez un coton-tige imbibé d'alcool dénaturé.

La cochenille adulte présente une carapace brun-vert, dure et brillante et se loge sur les tiges et au revers des feuilles. Elle suce la sève du plant et produit du miellat. Les colonies forment sur les feuilles des croûtes semblables aux spores des fougères. Vaporisez de malathion ou grattez avec l'ongle.

La mouche blanche est un petit insecte entièrement blanc qui s'envole comme un flocon quand on dérange la plante qui lui sert d'hôte. Ce sont surtout ses larves vertes, presque transparentes, qui sucent la sève au revers des feuilles et les font jaunir et tomber. Lavez la plante. Vaporisez de malathion ou de roténone.

Le thrip est un petit insecte sauteur aux ailes noires. Il ne fréquente pas les plantes d'intérieur, mais peut s'introduire dans la maison sur un nouveau plant. Il suce les feuilles et les fleurs qui se couvrent de taches blanches. Otez les fleurs abîmées et les feuilles très touchées. Vaporisez de roténone, de malathion ou de pyréthrine.

Maladies

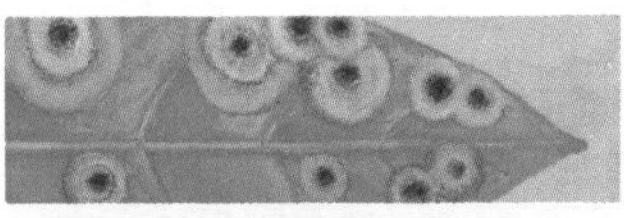

Le botrytis ou pourriture grise est un champignon qui marque les tiges, les feuilles et les fleurs d'une mousse grisâtre. Il se répand généralement dans les milieux froids, humides et peu ventilés. Il faut diminuer l'humidité et aérer davantage la pièce.

Les viroses sont des maladies très contagieuses qui déforment feuilles et fleurs et interrompent la croissance de la plante. Il n'y a pas de traitement. Sitôt la maladie diagnostiquée, il faut éliminer le sujet sans tarder en le brûlant.

L'oïdium prend plusieurs formes. Il couvre tiges, feuilles et bourgeons d'un feutrage blanchâtre. La maladie attaque surtout les plantes trop rapprochées et trop arrosées. A titre préventif, améliorez l'aération.

Jardins d'intérieur

Les serres

Pour les amateurs passionnés d'horticulture, la seule vraie solution est une serre. Il en existe de toutes les tailles, depuis la petite serre familiale jusqu'aux immenses installations des pépiniéristes et des jardins botaniques. Dans les maisons modernes, on a tendance à adosser la serre à un salon auquel on donne généralement le nom de pièce jardin.

La serre familiale peut comporter un cadre de bois ou de métal soutenant de grandes baies vitrées ou, plus modestement, des panneaux de pellicule de plastique supportés par de simples piquets. La quantité d'énergie requise pour le chauffage de ces deux modèles de serres est assez importante. La serre moderne se situe entre les deux. Elle est préfabriquée, se vend en kit et se prête à plusieurs usages. Il est possible de l'adosser à un mur ou de l'installer sur un toit-terrasse. Une entreprise, entre autres, fabrique une serre conçue pour conserver la chaleur et constituée de panneaux d'acrylique rigides doubles, montés dans un cadre d'aluminium.

Une serre comporte normalement des bancs et des boîtes. Elle devrait avoir un sol de gravier ou de sable pour conserver l'humidité et une allée en béton ou en brique qu'on peut laver au boyau. En hiver, il faut la chauffer ; en été, la protéger du soleil et l'aérer. Les serres les mieux équipées ont des tubes fluorescents et des tuyaux perforés qui permettent d'arroser toutes les plantes.

On peut raccorder les serres en appentis à la maison par des portes coulissantes en verre, les doter d'un matériel pratique et d'élégants meubles de jardin. Recouvrez le sol de carreaux de céramique ou de briques posés sur une couche de sable. Durant la froide saison, cet espace devient une sorte de solarium où vous êtes entouré de plantes luxuriantes et de fleurs parfumées. Certaines serres peuvent même comporter un jet d'eau ou un bassin avec des nénuphars.

L'outillage

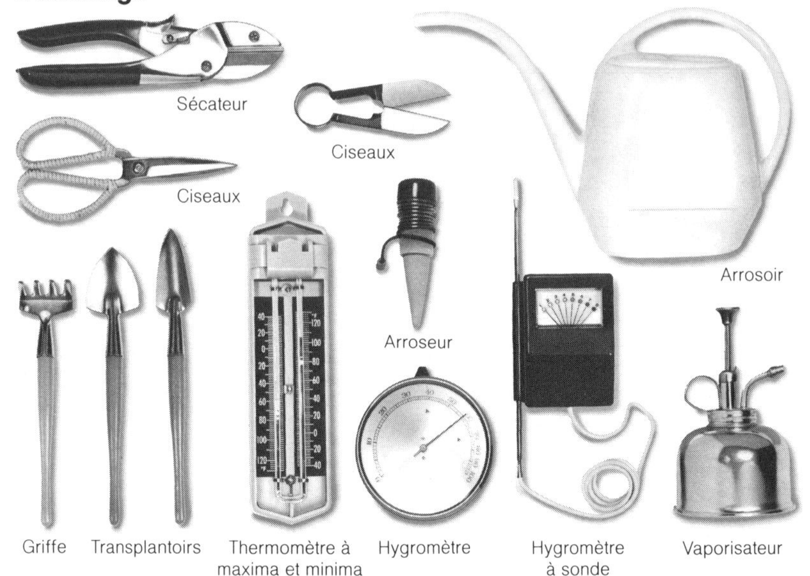

L'outillage de base. L'amateur qui doit prendre soin de nombreuses plantes voudra peut-être avoir le matériel spécialisé illustré ici : thermomètre à maxima et minima, réservoir en matière plastique pour auto-arrosage, hygromètre, hygromètre à sonde et vaporisateur.

Des pare-soleil à lames orientables permettent de régler le degré d'ensoleillement.

Ici, des panneaux coulissants au plafond et sur le toit laissent entrer la lumière.

Les terrariums

Tous les terrariums sont des jardins miniatures en vase clos où entre la lumière, mais d'où ne peuvent s'échapper facilement la chaleur et l'humidité. L'humidité issue du sol et des plantes se condense sur le couvercle du terrarium, ruisselle et retombe en fines gouttelettes. Le jour, les plantes absorbent du gaz carbonique et rejettent de l'oxygène; la nuit, elles font le contraire. Le terrarium constitue donc un microclimat autonome constamment régénéré par les plantes elles-mêmes. En principe, l'arrosage se fait une fois pour toutes, au tout début.

Le terrarium doit être en verre ou en plastique non teinté et être parfaitement étanche. On ne le placera jamais en plein soleil. Dans l'ambiance normale d'une pièce, l'atmosphère qui règne dans le terrarium rappelle celle des forêts amazoniennes. Les plantes tropicales, les fougères, les lichens et les mousses seront donc dans leur élément. Pour confectionner un terrarium, déposez au fond 1 po de gravier et autant de charbon de bois broyé. Recouvrez de 1 po de mélange terreux pauvre en fertilisant et décorez avec des cailloux. Dans un terrarium rectangulaire, donnez une légère pente au sol, vers l'arrière, où se trouveront les grandes plantes. Dans un terrarium rond, placez plutôt les petites plantes en bordure.

Dans les jardins en bouteille, l'introduction des éléments demande toujours une certaine dextérité. Pour vous faciliter la tâche, fabriquez une pince maison avec deux baguettes de bois longues, étroites et assez flexibles; fixez-les l'une à l'autre à l'aide d'un boulon et introduisez entre elles un petit coin en bois, comme ci-dessus.

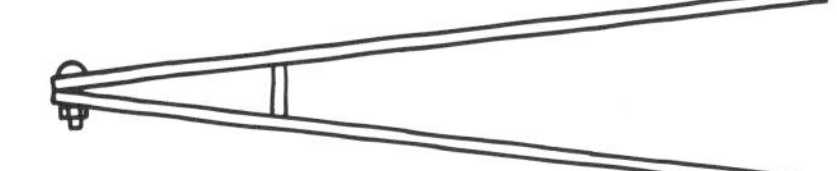

Pince maison à lames de bois.

Un terrarium sphérique peut être aménagé dans un bocal à poissons rouges ou un verre à dégustation. Le bocal ci-contre n'a pas de couvercle, ce n'est donc pas un véritable terrarium. (On ne pourra pas y créer un microclimat en vase clos, aussi faudra-t-il arroser et vaporiser souvent.) Placez le terrarium ou le jardin en bouteille dans un endroit bien éclairé mais non ensoleillé, une fenêtre côté nord par exemple.

Pour un terrarium rectangulaire, on peut tirer parti d'un aquarium avec couvercle en verre ou en acrylique. Aménagez-le en vous référant au texte ci-contre.

Le terrarium en bouteille

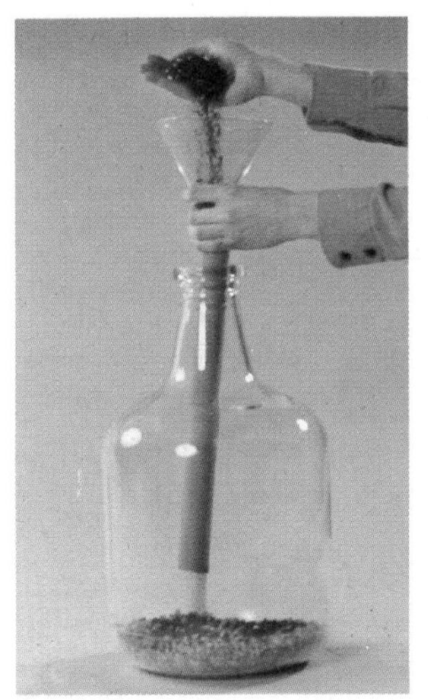

Le jardin en bouteille exige des techniques particulières. Utilisez un entonnoir et un tube en papier pour y verser le mélange terreux.

Dégagez la terre qui adhère aux racines des plantes. Prenez une pince pour introduire celles-ci et pour les planter.

Avec un long bâton, une règle par exemple, enfoncez délicatement les racines dans le mélange. Laissez un peu d'espace entre les plantes.

Arrosez avec un vaporisateur, mais sans excès. Une légère condensation doit se former sur la paroi. Arrosez de nouveau au besoin.

Jardins d'intérieur

L'art du bonsaï

Le terme bonsaï (qui signifie « plante en terrine » en japonais) désigne l'art oriental qui consiste à cultiver des plantes nanifiées dans des récipients plats. Cet art, que sous-tendent en Orient une philosophie et une esthétique, s'est récemment propagé en Occident où le bonsaï constitue un objet de décoration plutôt que de méditation. Bien que le bonsaï soit né en Chine il y a plus de 1 000 ans, ce sont surtout les Japonais qui l'ont perfectionné. Aujourd'hui, il envahit l'Occident. Clubs et publications pour néophytes et initiés se multiplient et les plantes pour bonsaï se vendent dans les pépinières, les centres de jardinage et même les grands magasins.

Le bonsaï n'est pas sans évoquer dans notre esprit ces arbres rabougris, ces arbustes nanifiés vivant sur des falaises ou des montagnes aux flancs escarpés et rocailleux, battus par les vents, en Chine ou au Japon. Avec leurs racines dénudées, agrippées comme des serres à un sol rare, avec leurs troncs noueux et difformes, ces plantes mènent une vie précaire dans des climats rudes. Certains sujets, vieux de plusieurs siècles, ne dépassent guère 2 pi de haut. D'autres sont si inclinés qu'ils poussent presque à l'horizontale ou semblent suspendus audessus de précipices vertigineux.

A l'origine, on prélevait ces plantes dans la nature et on les mettait en pot. Avec les siècles, cependant, cette méthode a cédé le pas à un ensemble de techniques élaborées pour nanifier les arbres, les vieillir prématurément et composer des paysages en trompe-l'œil.

Le bonsaï n'a pas pour objet d'imiter la nature, mais plutôt de l'évoquer. Quelques spécimens nains d'érables japonais dans un plat au sol couvert de mousse deviennent un paysage vivant, avec des arbres qui bourgeonnent au printemps, se parent de mille couleurs à l'automne et se dénudent en hiver.

Les plantes à bonsaï peuvent être des conifères ou des espèces caduques. Ce sont généralement des arbres et des arbustes rustiques habitués à vivre dehors et qu'on entre pour de brèves périodes seulement. On commence en Amérique du Nord à créer des bonsaïs avec des plantes tropicales d'intérieur (p. 21).

L'importance des proportions. L'art du bonsaï repose sur l'équilibre des dimensions. La hauteur d'un arbre doit être égale à environ six fois le diamètre du tronc à la base. Celui-ci doit être égal à la profondeur du récipient. La longueur d'un plat rectangulaire doit mesurer les deux tiers de la hauteur de l'arbre. Enfin, on donne la préférence aux arbres dont les feuilles, les fleurs et les fruits sont petits.

L'équilibre des formes joue aussi un grand rôle. Une grosse branche à droite en commande une semblable à gauche. Mais cet équilibre n'est pas synonyme de symétrie. Le bonsaï évite justement la symétrie et rejette les sujets aux troncs parfaitement cylindriques.

Dans un bonsaï, la silhouette d'un arbre feuillu (sauf dans les styles pleureurs) doit avoir la forme d'un triangle dont les trois côtés sont inégaux. Les sujets doivent être en nombre impair et de hauteurs différentes, l'un d'eux dominant les autres.

Il y a cinq styles de base : droit classique, droit non classique (tronc légèrement courbe), incliné (cime décalée du pied), semi-pleureur (le feuillage ne tombe pas en dessous du plat), pleureur (l'arbre retombe franchement). Ils sont illustrés à la page suivante avec cinq autres styles : plein vent (tronc presque horizontal), flottant (tronc horizontal lançant ses branches à la verticale), groupe (bosquet d'arbres), sur rocailles (racines agrippées à la pierre dans une crevasse ou l'enlaçant avant d'entrer dans le sol) et tronc double.

Le genévrier *Juniperus chinensis sargentii* (en haut) a plus de 250 ans, l'érable japonais (en bas) une trentaine d'années. On verra plus loin les méthodes qui mènent à ces résultats.

Dix styles de bonsaï

Jardins d'intérieur

Empotage d'un bonsaï

A l'état naturel, les arbres à bonsaï ont des racines longues et souvent profondes. Pour les installer dans un récipient peu profond, il faut les leur raccourcir : opération traumatisante pour la plante et délicate à réussir. De fait, le plus grand défi que présente un bonsaï est l'adaptation des plantes à un environnement nouveau et artificiel.

Le spécialiste des bonsaïs crible son mélange terreux et met au fond du plat les particules les plus grosses, les plus petites sur le dessus. Le débutant peut se contenter de préparer son mélange en associant à volume égal de l'argile, de la mousse de tourbe, du terreau de feuilles et du sable grossier lavé. Déposez ce mélange dans le récipient de la façon habituelle. Arrosez avec de l'eau distillée, de l'eau de pluie non polluée ou de l'eau du robinet, mais déchlorurée, c'est-à-dire exposée quelques jours à l'air.

La mise en forme d'un bonsaï dépend du récipient et du style de plantation. Pour des raisons d'esthétique, on place l'arbre dans un endroit correspondant au premier tiers de la longueur d'un plat ovale ou rectangulaire. Cette règle s'applique aussi pour le plus grand arbre dans le style « groupe ». Si le plat est rond, carré ou hexagonal, placez l'arbre au centre. Décentrez-le légèrement dans les styles « plein vent », « pleureur » et « semi-pleureur ». Dans les styles classiques comme « groupe » ou « paysage », un plat peu profond conviendra mieux ; choisissez-en un plus profond pour mettre en valeur le style « pleureur ».

Si vous voulez recouvrir le mélange d'une fine couche de mousse, détachez celle qui pousse sur un rocher ou semez de la mousse en poudre et vaporisez-la fréquemment. On pose souvent quelques pierres près de l'arbre pour simuler à l'échelle un vrai paysage. Si elles sont stratifiées, assurez-vous que les stries soient dans le même sens.

La taille des racines

Pour faire passer une plante de son pot à un plat à bonsaï, dépotez-la (p. 11), plongez les racines dans un seau d'eau en aspergeant les branches et le feuillage. Frappez la motte pour ameublir la terre ; enlevez-en le plus possible dans l'eau. Servez-vous d'un bâtonnet pour dégager la terre durcie prise entre les racines sans endommager le chevelu.

Retirez la plante du seau. Démêlez, lissez et peignez les racines avec un bâtonnet, une paire de baguettes chinoises ou les doigts. S'il reste de la terre, enlevez-la. Replongez les racines dans l'eau en les agitant de temps à autre. En étalant bien les racines, vous verrez mieux comment les tailler.

Avec des ciseaux bien tranchants, taillez la masse des racines du tiers sur les côtés, de moitié en dessous, sans épargner les grosses racines. Cette taille stimule la croissance des radicelles qui absorbent l'eau. (Si l'arbre comporte une grosse racine-pivot, raccourcissez-la un peu et plantez l'arbre dans un pot profond. Faites de même d'année en année jusqu'à ce qu'il soit à point.) La plante à bonsaï est prête.

L'ancrage du bonsaï

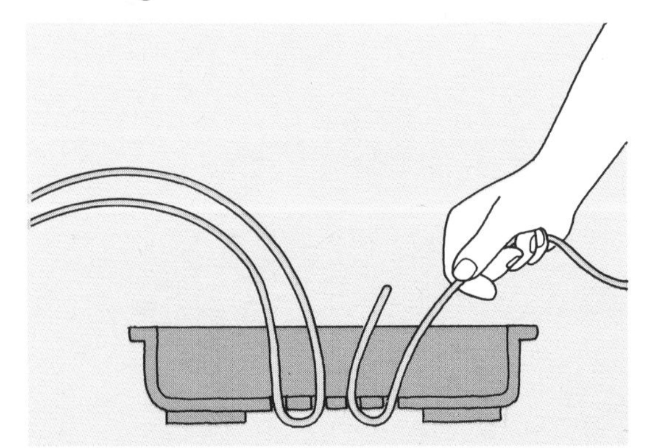

La plante ayant perdu beaucoup de ses racines, il faut au départ la faire tenir dans le plat. Insérez des fils de métal dans les trous, étendez du gravier, puis du mélange terreux.

Placez l'arbre en position ; étalez ses racines, ajoutez du mélange dans les interstices et nouez les fils. Rajoutez encore du mélange terreux en le tassant entre les racines avec un petit bâton.

Remplissez le plat de mélange en dissimulant les fils. Plongez-le 15 min dans l'eau jusqu'au bord. Ensuite, vaporisez le feuillage et le sol plusieurs fois par jour pendant 10 jours.

Conduite d'un bonsaï

La beauté d'un bonsaï tient autant aux caractéristiques naturelles des plantes qu'au mode de conduite qu'on adopte pour obtenir l'effet désiré. Certaines techniques, comme la taille, sont simples ; d'autres, comme l'arcure au fil de métal, plus complexes. Avec du soin et de la patience, cependant, le débutant peut obtenir les formes qu'il préfère. Il vaut mieux ne pas rechercher le bizarre. En simulant la nature dans ce qu'elle a de plus original, les bonsaïs n'outrepassent jamais les règles élémentaires de l'esthétique.

La taille d'un bonsaï est unique mais sévère ; aussi faut-il la pratiquer seulement sur une plante en bonne santé. Par la suite, on se contente d'en modifier la forme en pinçant les bourgeons de croissance. Exercé sur une branche, le pinçage favorise la croissance des branches voisines. Pour faire buissonner une plante, on pince tous ses bourgeons terminaux. C'est une mise en forme facile et qui ne laisse pas de cicatrices.

L'arcure permet de modeler l'arbre. On pose le fil de métal sur les espèces caduques quand le feuillage est épanoui, à l'automne ou en hiver sur les conifères. Pour les espèces à écorce tendre, comme l'érable ou le hêtre, on prend du fil enrobé de papier. Au début de la période de croissance, on retire le fil pour ne pas blesser la plante. Certains sujets doivent être menés de la sorte tous les ans pendant plusieurs années. On peut aussi modeler les plus grosses branches et le tronc d'un arbre en exerçant sur eux une faible tension avec des poids ou des tendeurs.

La conduite du feuillage donne à un arbre des feuilles mieux proportionnées à sa taille, mais elle peut faire du tort aux jeunes sujets. Pour simuler la vieillesse, on crée des plaques de bois mort sur une branche ou on rend le tronc difforme avec du fil de métal. Dangereuse, cette dernière technique n'est pas à la portée des débutants.

La taille initiale donne au bonsaï la forme que vous recherchez. Taillez au printemps ou en été avec un couteau tranchant ; les coupes évidées se cicatrisent mieux. Ne gardez qu'une seule branche à chaque niveau. Eliminez les grosses branches à l'avant du bonsaï. Equilibrez les branches latérales. Supprimez tout ce qui est superflu.

Avec du fil de métal, modelez à votre gré le tronc ou les branches. Fixez du fil d'aluminium ou du cuivre recuit dans le trou du plat ou aux racines de l'arbre. Il doit avoir une rigidité un peu supérieure à celle de l'organe qu'il conduit. Enroulez-le vers le haut en lui donnant un angle de 45 degrés par rapport au tronc ou à la branche. Ne croisez pas les fils.

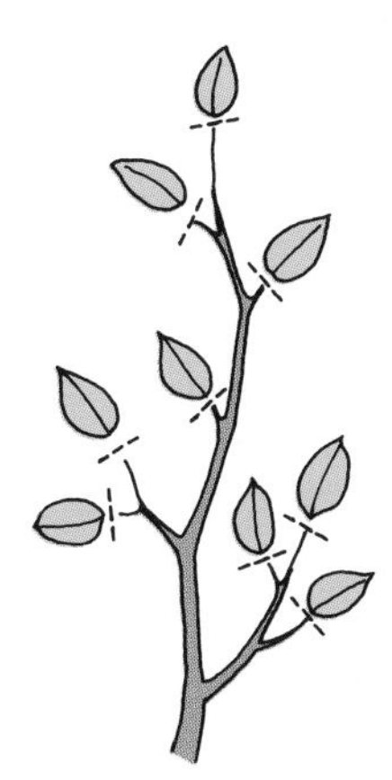

On peut réduire la taille des feuilles d'une espèce caduque ou d'un conifère par une coupe appropriée. Début été ou mi-été (ni plus tôt ni plus tard), coupez les feuilles mais non les pétioles. Un mois plus tard, les bourgeons dormants donneront des feuilles plus petites. Répétez l'opération chaque année, mais non sur les arbres à fleurs ou à fruits.

Pour abaisser une branche, suspendez-y une pierre ou un plomb à pêche avec de la ficelle. La pression étant constante, la branche finira par rester courbée. Attention : un poids trop lourd pourrait la casser.

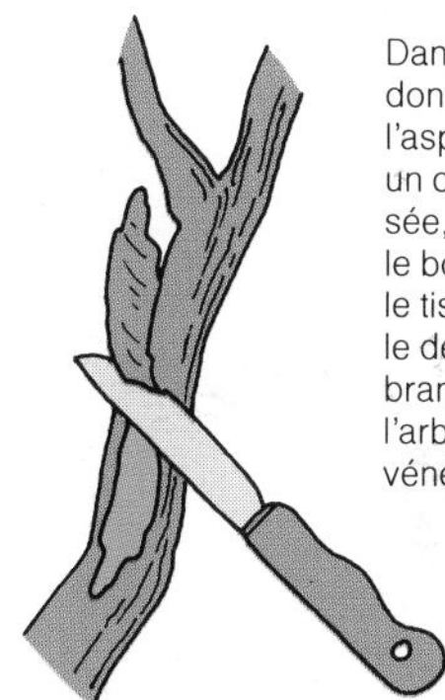

Dans un bonsaï, on peut donner à un jeune arbre l'aspect d'un vieux. Avec un couteau à lame émoussée, pour ne pas entamer le bois, enlevez l'écorce et le tissu vert sous-jacent sur le dessus d'une grosse branche. Le bois mourra et l'arbre prendra un aspect vénérable.

Si deux branches ou deux troncs sont trop rapprochés, écartez-les en insérant entre les deux un morceau de plastique ou de bois profilé. Après quelques mois, retirez-le. Si les troncs reviennent à leur position initiale, remettez-le.

Si des branches ou des troncs sont trop écartés, forcez-les à se rapprocher en les attachant ensemble avec de la ficelle ou un fil de métal coussiné. Détachez-les après quelques mois. S'ils cherchent à s'écarter à nouveau, rattachez-les ensemble.

Jardins d'intérieur

Des bonsaïs pour initiés

Après avoir appris comment planter et conduire des bonsaïs à un seul arbre (pp. 18-19), le jardinier ambitieux peut avoir le goût d'entreprendre des projets plus complexes. Nous allons en décrire trois : les plantations flottantes, en groupe ou sur rocailles (voir pp. 16-17). Les débutants devraient toutefois commencer par maîtriser les styles plus simples, surtout avant de créer des plantations sur rocailles.

Le style « flottant » est le plus simple des trois. Il consiste à obtenir un groupe d'arbres à partir d'un tronc unique. On choisit un arbre adulte dont plusieurs grosses branches poussent du même côté et on ne garde que celles-là. Toutes les autres sont supprimées : il n'en reste que des chicots. Après avoir éclairci les racines, on couche le tronc dans un récipient peu profond en le faisant pénétrer à demi dans le mélange, ce qui dissimule les chicots. On étale bien les racines et on les recouvre complètement. Le dessus du tronc demeure apparent. Dans cette position, les branches qui restent se dressent comme autant de troncs. Pour cette plantation, on choisit de préférence des érables japonais ou des pins blancs japonais.

Le style « flottant » n'est pas aussi spectaculaire et esthétique que la plantation en groupe puisque tous les « arbres » sont alignés. Pour la plantation en groupe, on emploie plusieurs sujets et un plat peu profond, rectangulaire ou ovale. La plantation simule une forêt miniature vue à distance. Les arbres, toujours en nombre impair, doivent être droits et élancés, dépourvus de toute caractéristique qui pourrait détruire l'effet d'ensemble que l'on veut obtenir.

Après avoir déterminé la position exacte de chaque arbre, on plante le plus grand en premier, soit en position légèrement décentrée, soit au tiers du plat dans le sens de la longueur. Les autres sont répartis asymétriquement autour du premier. Pour obtenir une perspective naturelle, on dispose les plus grands devant, les plus petits derrière, puisque dans la nature les arbres les plus près paraissent toujours plus grands. Un tapis de mousse et quelques pierres viennent compléter le décor.

La plantation sur rocailles est la plus difficile à réaliser. Elle demande jusqu'à 10 ans de conduite et peut être obtenue selon trois méthodes. La plus simple consiste à choisir une grosse pierre creuse parcourue d'une crevasse assez large. On remplit la crevasse de mélange et on y plante un petit arbre.

Dans la seconde méthode, on conduit les racines pour qu'elles s'accrochent à la pierre. Après avoir fixé des fils de métal à la pierre avec des attaches ou de la colle époxy, on l'enrobe d'une pâte humide moitié argile, moitié mousse de tourbe. On étale ensuite les racines sur la pierre, on les recouvre de la même pâte, puis on les assujettit solidement avec les fils de métal. Quand les racines seront bien établies, on pourra enlever les fils. Pour finir, afin d'empêcher l'érosion du sol lors des arrosages, on plante de la mousse qu'on fixe temporairement sur les racines avec des cavaliers de cuivre. Pour ces deux méthodes, on peut créer la plantation dans un plateau de sable humide ou sur une dalle de marbre, car les racines ne dépassent pas la pierre.

La troisième méthode est semblable à la précédente, mais les racines descendent au-delà de la pierre et pénètrent dans le mélange terreux. Dans ce cas-ci, on ne pose pas de mousse sur les racines, mais on enfonce la pierre du tiers ou du quart dans le mélange.

Pour ajouter au réalisme de l'ensemble, on choisit pour cette plantation des arbres vivant normalement en terrain rocheux. La pierre doit être criblée de fissures et d'interstices, mais assez dure pour ne pas s'effriter. Quand les racines sont bien établies, on enlève tous les fils de métal. Les bonsaïs de style « sur rocailles » doivent être protégés des intempéries pendant un mois environ et vaporisés d'eau tous les jours.

Ce pin à cinq feuilles mesure 25 po de hauteur. C'est un excellent sujet pour un bonsaï sur rocailles.

Deux types d'arbres composent cette belle plantation en groupe : le pin blanc du Japon, au centre, et le hêtre.

Les branches du tronc d'un houx forment ce beau bonsaï « flottant » de 23 po de hauteur.

Plantes pour bonsaïs

L'amateur audacieux éprouve souvent beaucoup de plaisir à acclimater dans un bonsaï des plantes que l'usage ne destine pas à cette fin. Il peut cueillir en pleine nature un arbre ou un arbuste jeune, l'acheter chez un pépiniériste ou l'obtenir par bouture ou semis. La plupart des arbres et des arbustes s'adaptent, mais à des degrés divers, aux récipients peu profonds des bonsaïs et aux styles de plantation qu'on leur impose. En sont totalement exclues, cependant, quelques espèces très vigoureuses, à grandes feuilles ou dont les fleurs et les fruits sont gros et impropres à la nanification.

Dans les bonsaïs classiques, deux conifères jouissent d'une grande popularité: le genévrier *(Juniperus chinensis sargentii)* et le pin blanc du Japon. Dans les bonsaïs fleuris traditionnels, le cerisier du Japon se conduit moins bien que l'abricot du Japon. En Amérique du Nord, on a acclimaté avec succès plusieurs espèces indigènes, comme le cyprès chauve de Louisiane, la pruche du Canada et l'érable de Virginie.

Les débutants auront de meilleures chances de succès s'ils choisissent des plantes qui se prêtent bien au bonsaï: buisson ardent, sapin nain, quelques variétés de cotonéasters et de genévriers.

Nous avons groupé sous plusieurs rubriques les plantes généralement recommandées pour les bonsaïs. Les listes ci-contre sont loin d'être exhaustives. La liste principale réunit les plantes les plus communément employées et celles que l'on peut se procurer le plus facilement en Amérique du Nord. Comme certaines espèces se prêtent mieux que d'autres à un style de plantation en particulier, nous avons établi trois autres listes en les coiffant du style qui s'y rapporte.

Enfin, la dernière liste vous propose des plantes d'intérieur cultivables en bonsaï, dans la maison. Il va de soi qu'un bonsaï d'intérieur ne peut avoir l'aspect noueux du bonsaï de plein air, ni vivre, comme lui, plusieurs fois centenaire.

Plantes populaires et traditionnelles (Liste indicative)

Abricot du Japon: *Prunus mume*
Arbre aux quarante écus: *Ginkgo biloba*
Aubépine commune: *Crataegus oxyacantha*
Azalée: genre *Rhododendron*
Buisson ardent: *Pyracantha coccinea*
Cèdre du Japon: *Cryptomeria japonica*
Cerisier du Japon: *Prunus subhirtella pendula*
Chêne: *Quercus dumosa*
Cognassier: *Chaenomeles lagenaria*
Cotonéasters: *Cotoneaster apiculata, Cotoneaster horizontalis, Cotoneaster microphylla* (cotonéaster à petites feuilles)
Cyprès: *Chamaecyparis thyoides* (faux cyprès), *Taxodium distichum* (cyprès chauve de Louisiane), *Taxodium mucronatum*
Epinettes: *Picea abies maxwellii* (épinette de Norvège naine), *Picea glauca conica* (épinette blanche naine), *Picea jezoensis*
Erables: *Acer buergerianum, Acer palmatum* (érable japonais), *Acer rubrum* (érable de Virginie)
Genévriers: *Juniperus californica carriere, Juniperus chinensis* (genévrier de Chine), *Juniperus chinensis blaaui* (genévrier de Chine 'Blaauw'), *Juniperus chinensis sargentii, Juniperus squamata prostrata*
Glycine de Chine: *Wisteria sinensis*
Lierre commun: *Hedera helix conglomerata*
Mélèze du Japon: *Larix leptolepis*
Métaséquoia: *Metasequoia glyptostroboides*
Micocoulier: *Celtis sinensis*
Nandina à feuillage persistant: *Nandina domestica*
Orme de Chine: *Ulmus parvifolia*
Pins: *Pinus mugo mughus* (pin mugo), *Pinus parviflora* (pin blanc du Japon), *Pinus thunbergii*
Pommiers d'ornement: *Malus micromalus, Malus sargentii*
Rhododendron: *Rhododendron racemosum*
Trachélospermum: *Trachelospermum jasminoides*
Zelkova du Japon: *Zelkova serrata*

Style groupe

Arbre aux quarante écus: *Ginkgo biloba*
Cèdre de l'Himalaya: *Cedrus deodara*
Cèdre du Japon: *Cryptomeria japonica*
Charme du Japon: *Carpinus japonica*
Chênes: *Quercus dentata, Q. serrata*
Epinette: *Picea jezoensis*
Erables: *Acer buergerianum, Acer palmatum* (érable japonais)
Liquidambar: genre *Liquidambar*
Orme de Chine: *Ulmus parvifolia*
Pruche: genre *Tsuga*
Sapin: genre *Abies*

Style cascade

Aubépine commune: *Crataegus oxyacantha*
Azalée: genre *Rhododendron*
Cèdre de l'Atlas: *Cedrus atlantica*
Chêne: *Quercus agrifolia*
Chèvrefeuille du Japon: *Lonicera japonica*
Chrysanthème: *Chrysanthemum morifolium*
Cotonéaster: *Cotoneaster horizontalis*
Figuier: *Ficus carica*
Genévriers: *Juniperus chinensis sargentii, Juniperus horizontalis* (genévrier horizontal ou savinier), *Juniperus squamata prostrata*
Glycine du Japon: *Wisteria floribunda*
If du Japon nain: *Taxus cuspidata nana*
Pin blanc du Japon: *Pinus parviflora*

Style sur rocailles

Chrysanthèmes: toutes les variétés ligneuses à petites fleurs
Cotonéaster: *Cotoneaster horizontalis*
Cyprès chauve: *Taxodium distichum*
Epinette: *Picea jezoensis*
Erable: *Acer buergerianum*
Genévrier: *Juniperus chinensis sargentii*
Orme de Chine: *Ulmus parvifolia*
Pins: *Pinus densiflora* (pin rouge du Japon), *Pinus mugo mughus* (pin mugo), *Pinus parviflora* (pin blanc du Japon), *Pinus pumila*

Bonsaïs d'intérieur

Bucida: *Bucida buceras*
Burséra: *Bursera simaruba*
Camphrier: *Cinnamomum camphora*
Coccolaba: *Coccolobis uvifera*
Cognassier du Japon: *Chaenomeles japonica*
Cyprès de l'Arizona: *Cupressus arizonica*
Fausse vigne ou vigne du Natal: *Cissus rhombifolia*
Figuiers: *Ficus aurea, F. benjamina* (figuier pleureur), *F. diversifolia*
Fortunella ou kumquat: *Fortunella hindsii*
Grenadier nain: *Punica granatum nana*
Jasmin: *Jasminum dichotomum*
Jujubier: *Zizyphus jujuba*
Lierre commun: *Hedera helix*
Lilas des Indes: *Lagerstroemia indica*
Malpighia: *Malpighia coccigera*
Olivier: *Olea europaea*
Podocarpus chinois: *P. macrophylla maki*
Sapin de Norfolk: *Araucaria heterophylla*
Troène du Japon: *Ligustrum japonicum*

Jardins d'intérieur

Petit répertoire de plantes de maison

Vous trouverez ci-dessous et sur les trois pages suivantes une liste de plantes d'intérieur que l'on trouve facilement chez les fleuristes et dans les pépinières commerciales. Elles sont divisées en sept catégories : plantes à feuilles, plantes à fleurs, cactus et plantes grasses, fougères, plantes à port grimpant et retombant, plantes comestibles et plantes insolites.

Chaque plante se présente sous son nom vulgaire, quand elle en a un, suivi de son nom botanique. Ce dernier est essentiel, car le nom vulgaire varie souvent d'une région à l'autre. Quelques renseignements suivent : description brève, soins particuliers (arrosage, lumière, température). Là où ils ne sont pas mentionnés, reportez-vous aux instructions données précédemment, sans oublier l'empotage et le rempotage (p. 11), les méthodes de multiplication (p. 12) et les ravageurs et maladies qui menacent vos plantes (p. 13).

Plantes à feuilles

Plante aluminium *(Pilea cadierei)*. Feuilles vertes, gaufrées, à reflets argentés. Aime une orientation nord, le soleil tamisé ou un éclairage fluorescent. Demande un sol constamment humide. Vaporisez souvent. Température : 18 à 30°C.

Bégonia rex *(Begonia rex)*. Nombreux hybrides à feuillage coloré de rose, rouge, lavande, argent ou gris. Aime l'orientation nord, le soleil d'hiver et l'humidité. Entre les arrosages, laissez la motte se dessécher modérément. Préfère 13 à 18°C, mais supporte 4 à 32°C.

Plante verte chinoise *(Aglaonema sinensis)*. Plante commune à grandes feuilles dans les tons de vert et de blanc, maculées de crème ou d'argent. Se plaît à 20 pi d'une fenêtre très éclairée ou dans un coin sombre. Evitez le plein soleil. Posez le pot sur des cailloutis ou de la mousse de tourbe humide, ou cultivez dans l'eau. Température minimale : 13°C.

Ricinelle *(Acalypha wilkesiana macafeana)*. Feuillage maculé de rouge, rose ou brun cuivré. Préfère le plein soleil en hiver, la lumière vive mais tamisée en été. Gardez le sol humide. Vaporisez souvent. Température : 13 à 24°C.

Pied-d'éléphant *(Beaucarnea recurvata)*. Souche gris-brun renflée à la base, qui lui donne son nom. Rosette de feuilles longues et rubanées. Atteint 7 pi. Aime le soleil ; tolère une orientation nord. Un sujet adulte peut vivre plusieurs mois sans eau grâce à celle retenue dans son pied bulbeux. Température : 10 à 24°C.

Faux aralia *(Dizygotheca elegantissima)*. Plante gracieuse des Nouvelles-Hébrides. Feuillage léger et denté devenant coriace. Pincez les bourgeons pour ralentir la croissance en hauteur. Début printemps, multipliez par boutures les sujets démesurés. Orientation nord ou soleil tamisé. Gardez le sol humide ; vaporisez souvent. Température : 18 à 30°C.

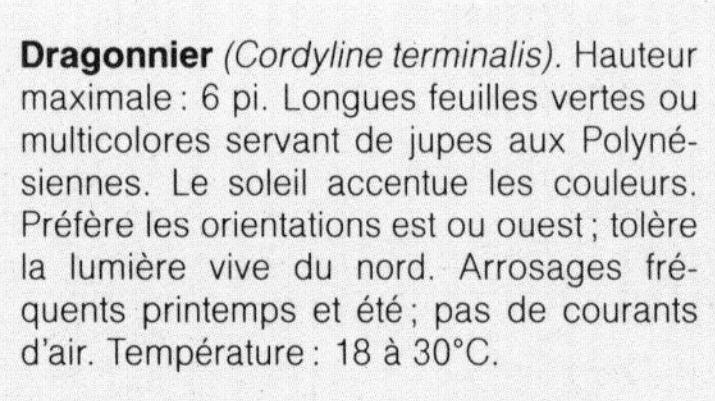

Dragonnier *(Cordyline terminalis)*. Hauteur maximale : 6 pi. Longues feuilles vertes ou multicolores servant de jupes aux Polynésiennes. Le soleil accentue les couleurs. Préfère les orientations est ou ouest ; tolère la lumière vive du nord. Arrosages fréquents printemps et été ; pas de courants d'air. Température : 18 à 30°C.

Nandina *(Nandina domestica)*. Conifère à croissance lente et dont le feuillage rougit à l'automne. Se multiplie par boutures de tiges en été. Préfère la mi-ombre. Arrosez beaucoup en été, peu en hiver. Bien que vivaces, les jeunes sujets viennent mieux dans une serre froide. Température pour les jeunes sujets : 7 à 13°C.

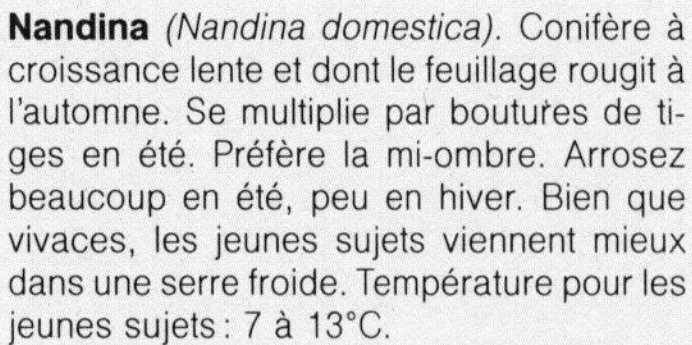

Caoutchouc *(Ficus elastica decora)*. Arbre à feuilles vert sombre luisantes. Fenêtres ensoleillées ; orientation est ou ouest ; lumière vive du nord. Printemps et été, arrosez beaucoup ; fertilisez toutes les deux semaines. Vaporisez souvent. Température minimale : 16°C.

Cyprès du Cachemire *(Cupressus cashmeriana)*. Gracieuse plante du Tibet au feuillage vert-bleu retombant comme des frondes. Atteint 6 pi et convient aux fenêtres panoramiques à lumière vive tamisée ou mi-ensoleillées. Printemps et été, arrosez beaucoup ; fertilisez chaque mois. Sol humide en hiver. Température : 7 à 13°C.

Pin ou sapin de Norfolk *(Araucaria heterophylla* ou *A. excelsa)*. Branches étagées ; aiguilles persistantes. Superbe entre 4 et 6 pi. Tolère la lumière du nord ; préfère le soleil en hiver. Gardez le sol humide en été. Température : 4 à 21°C.

Palmier *(Howea forsteriana)*. Plante inséparable des décors surannés d'hôtel dans les films « rétro ». Vit longtemps et croît peu. Longues palmes gracieuses. Aime le soleil tamisé, mais s'adapte à la lumière vive du nord. Préfère des arrosages fréquents mais un bon égouttement. Vaporisez souvent. Température : 16 à 27°C.

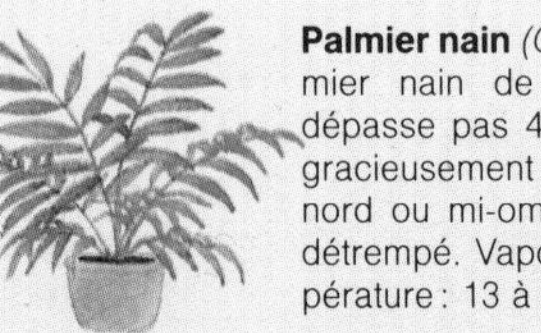

Palmier nain *(Chamaedorea elegans)*. Palmier nain de la sierra mexicaine ; ne dépasse pas 4 pi. Tiges cintrées, palmes gracieusement arquées. Lumière vive du nord ou mi-ombre. Sol humide mais non détrempé. Vaporisez souvent en été. Température : 13 à 27°C.

Plante paon *(Calathea makoyana)*. L'une des plus belles plantes feuillues. Feuilles ovales, très minces, vert argenté, maculées de vert sombre dessus, de rouge et de pourpre dessous. Lumière vive du nord ou soleil tamisé. Beaucoup d'humidité et beaucoup d'eau en été. Température minimale en hiver : 13°C.

Tolmiéa *(Tolmiea menziesii)*. Produit de jeunes sujets à la base des feuilles adultes. Feuillage duveteux, vert vif, à tiges élancées. Exubérante mais peu durable, elle préfère la lumière vive du nord mais tolère l'ombre. Gardez le sol humide. Température : 10 à 21°C.

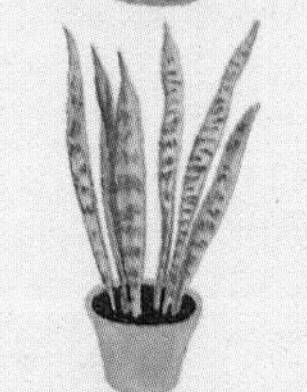

Langue-de-belle-mère ou sansevière *(Sansevieria trifasciata laurentii)*. Plante très robuste, tolérant bien l'air sec et le manque de lumière. Feuilles épaisses en forme d'épée, bordées de jaune et mouchetées de bandes transversales. Plein soleil ou mi-ombre. Tolère une vaste gamme de températures au-dessus de 10°C.

Ceriman ou monstère *(Monstera deliciosa* ou *Philodendron pertusum)*. Plante persistante originaire du Mexique ; peut vivre sur un support d'écorce grâce à ses racines aériennes. Lumière vive du nord ; soleil tamisé. Au printemps et en été, arrosez beaucoup. Température : 18 à 30°C.

Plante ombrelle *(Cyperus alternifolius)*. Tiges graciles couronnées de bractées vertes disposées comme les baleines d'un parapluie. Se multiplie par division des racines. Préfère la lumière vive du nord ou le soleil tamisé. Plante friande d'eau. Posez le pot dans un plat rempli d'eau ; gardez le sol humide. Température : 10 à 21°C.

Plantes à fleurs

Violette du Cap *(Saintpaulia)*. Donne tout au long de l'année des fleurs blanches, rouges, bleues ou violettes. En hiver, soleil de l'est ou de l'ouest; orientation nord ou ouest en été. Gardez le sol humide; arrosez par le fond en laissant le pot dans l'eau une heure. N'arrosez pas autrement; ne vaporisez pas, car l'eau tache les feuilles. Température: 16 à 27°C.

Amaryllis *(Hippeastrum)*. Grandes fleurs en trompette, blanches, roses ou rouge sombre. Début novembre, gardez le bulbe empoté au chaud (16 à 24°C), et le mélange constamment humide. A l'apparition des feuilles, arrosez plus; fenêtre ensoleillée. Pas de plein soleil durant la floraison. Après, arrosez jusqu'à fin août et fertilisez tous les mois. Comptez 8 semaines de repos dans le noir et au frais.

Billbergia *(Billbergia nutans)*. Une des broméliacées les plus faciles à cultiver. Feuilles étroites vert-gris, grandes bractées roses, fleurs vert-bleu. Fenêtre ensoleillée; soleil tamisé à la mi-été. Sol humide. Gardez la rosette pleine d'eau. Supporte bien les écarts de température et de lumière. Température idéale: 16 à 21°C.

Camélia commun *(Camellia japonica)*. Feuillage persistant, sombre et luisant. Grandes fleurs blanches, roses, rouges ou panachées. Lumière vive du nord ou soleil tamisé. Sol constamment humide. Engrais acide. Vaporisez souvent. Température idéale en hiver: 4 à 16°C. Aime l'air frais.

Ricinelle queue-de-chat *(Acalypha hispida)*. Fleurs sans pétales, en forme de longs chatons rouge amarante en automne et en hiver. Pincez les tiges du dessus; rempotez en février. Soleil tamisé ou lumière vive du nord. Sol humide. Beaucoup d'humidité. Température: 16 à 24°C.

Rose de Chine *(Hibiscus rosa-sinensis)*. Belles grandes fleurs délicates blanches, jaunes, roses ou rouges. Plante buissonnante et durable qu'on garde petite par la taille. Fenêtre ensoleillée, est ou ouest. Printemps et été, arrosez généreusement. Air frais et humide. Température: 16 à 21°C.

Flamant rose ou langue-de-feu *(Anthurium scherzerianum)*. Spathe écarlate en forme de cœur; spadice jaune. Fenêtre ensoleillée en hiver; lumière tamisée en été. Gardez le pot sur des cailloutis mouillés ou de la mousse de tourbe humide. Température minimale: 16°C.

Gardénia *(Gardenia jasminoides)*. Plante difficile qui récompense le jardinier attentif avec de belles grandes fleurs parfumées, blanches et vernissées, hiver et printemps. Fenêtre ensoleillée, orientation sud. Sol humide bien égoutté, autrement les bourgeons tombent. Température idéale: 21°C le jour, 16 à 18°C la nuit.

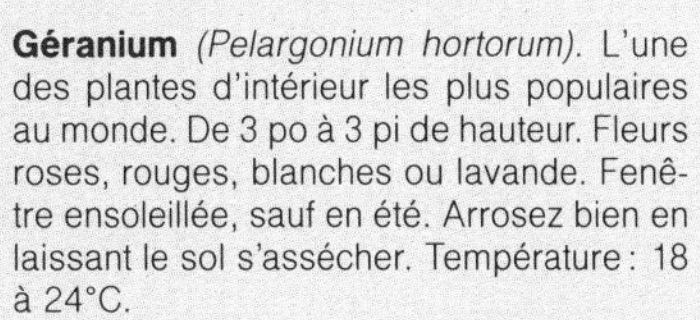

Géranium *(Pelargonium hortorum)*. L'une des plantes d'intérieur les plus populaires au monde. De 3 po à 3 pi de hauteur. Fleurs roses, rouges, blanches ou lavande. Fenêtre ensoleillée, sauf en été. Arrosez bien en laissant le sol s'assécher. Température: 18 à 24°C.

Guzmania *(Guzmania monostachya)*. Broméliacée renommée à feuilles acérées vert-jaune. Grand épi floral à bractées vermillon et fleurons blancs. Préfère un mélange terreux léger. Soleil tamisé ou lumière vive. Gardez la rosette pleine d'eau. Température minimale de 16°C la nuit, de plus de 21°C le jour.

Jasmin *(Jasminum polyanthum)*. Plante originaire de Chine, comme le gardénia. Petites fleurs rosées à parfum pénétrant au printemps. Port dressé ou tiges palissées sur un cerceau. Soins particuliers: les mêmes que pour un gardénia (ci-dessus) qui lui aussi fleurit en hiver.

Sabot-de-Vénus *(Paphiopedilum)*. Genre à espèces et hybrides nombreux. La meilleure orchidée pour l'intérieur, car elle tolère bien le chauffage en hiver. Fenêtre ensoleillée; orientation est ou ouest, mais non sud, ou éclairage fluorescent. Sol humide mais non détrempé; milieu humide et air renouvelé.

Laelia *(Laelia pumila)*. Orchidée d'Amérique du Sud, parfaite pour un débutant. Fleurs de 4 po d'un rose violacé avec labelles pourpres et macules jaunes. Utilisez un mélange composé de 2 volumes de fibre d'osmonde et de 1 volume de sphaigne. Fenêtre ensoleillée sauf en plein été. Arrosages généreux printemps et été. Jamais moins de 13°C en hiver. Air chaud, humide.

Chrysanthème *(Chrysanthemum)*. L'espèce la plus commune à l'intérieur est la variété dite « jours courts » (soumise à de brèves périodes d'éclairage pour en forcer la floraison). On la jette après la floraison. (D'autres variétés se multiplient par bouturage.) Soleil d'est ou d'ouest. Beaucoup d'eau. Température: 7 à 18°C.

Narcisse *(Narcissus)*. Plantez les bulbes au début de l'automne dans du sable ou des cailloutis couverts d'eau et gardez-les au frais (10°C) dans le noir. Quand les pousses atteignent 4 po, placez-les au frais mais à la lumière. Au bourgeonnement, augmentez la température (jusqu'à 18°C). Soleil tamisé ou lumière vive indirecte.

Cerisier d'amour *(Capsicum annuum conoides)*. Plante vivace cultivée comme annuelle pour ses fruits blancs, jaunes, verts, rouges ou pourpres, été et automne. Orientation sud, sauf en été. Sol humide. Pas d'engrais. Température: 16 à 24°C.

Poinsettia *(Euphorbia pulcherrima)*. Petites fleurs jaunes et grandes bractées rouges. Fenêtre ensoleillée le jour, mais 14 heures *ininterrompues* d'obscurité par jour (placard ou boîte) pendant 7 semaines, à partir de la fin septembre pour floraison à Noël. Laissez le sol se dessécher partiellement entre les arrosages.

Bélopérone *(Beloperone guttata)*. Epis retombants de bractées rouge-brun et petites fleurs blanches. Fenêtre ensoleillée; moins de soleil en été. Sol humide d'avril à décembre. Arrosages moins généreux le reste de l'année. Température en hiver: 13 à 21°C.

Smithiantha *(Smithiantha zebrina)*. Plante mexicaine à feuilles cordiformes et fleurs campanulées roses, jaunes, orange ou écarlates. Fleurit en été et en automne. Soleil tamisé. Sol humide. Engrais durant le cycle de croissance. Un mois après la floraison, humidifiez très peu. Température: 18 à 27°C; 10 à 13°C en période de repos.

Bégonia *(Begonia semperflorens)*. Avec ses hybrides, c'est l'espèce la plus recherchée. Petites fleurs roses, rouges ou blanches; feuilles vernissées vertes ou bronze. Se multiplie par boutures de tiges. Fenêtre ensoleillée est ou ouest en hiver. Arrosages généreux, sol constamment humide. Température: 16 à 21°C.

Brunfelsia *(Brunfelsia calycina)*. Fleurs parfumées virant rapidement du pourpre sombre au lavande, puis au bleu pâle. En fleur de mars à septembre. Fenêtre ensoleillée en hiver; lumière vive indirecte le reste de l'année. Sol humide; engrais toutes les 2 semaines en été. Le jour, la température idéale pour cette plante se situe autour de 21°C; la nuit, elle ne devrait pas être inférieure à 10°C.

Jardins d'intérieur

Cactus et plantes grasses

Euphorbe *(Euphorbia obesa)*. Belle plante grasse de forme sphérique ; petites fleurs parfumées en été. Fenêtre ensoleillée : orientation sud. Sol humide printemps et été ; plutôt sec, fin automne et hiver, et à une température de 7°C.

Raquette ou oreille-de-lapin *(Opuntia microdasys)*. Variété naine d'un figuier de Barbarie. Segments plats garnis de poils raides qui entrent dans la peau. Portez des gants épais pour manipuler ces plantes ; peu recommandées lorsqu'il y a de jeunes enfants. Fenêtre ensoleillée, au sud. Arrosez abondamment quand le sol est sec. Température : au-dessus de 4°C.

Cactus de Noël *(Schlumbergera bridgesii)*. Articles plats et sans aiguillons ; fleurs rouge foncé vers Noël. Au printemps, sol humide, lumière vive indirecte. Juillet et août : sol sec. Par la suite, arrosez un peu ; mettez la plante au soleil dans un endroit frais. La floraison exige 12 heures d'obscurité chaque jour pendant 40 jours.

Ipéca de Saint-Domingue *(Pedilanthus tithymaloides variegatus)*. Plante grasse à tiges vertes coudées ; feuilles ovales maculées de rose et de blanc ; fleurs écarlates. Fenêtre ensoleillée. Température idéale : entre 10 et 30°C.

Orpin de Morgan *(Sedum morganianum)*. Petites feuilles cylindriques sur tige retombante pouvant atteindre 6 pi de longueur. Plante grasse répandue au Mexique. Fenêtre ensoleillée, lumière vive mais tamisée. Laissez le sol se dessécher entre des arrosages abondants. Température : 13 à 24°C.

Cactus oursin ou coussin-de-belle-mère *(Echinocactus grusonii)*. Cactus globuleux à aiguillons dorés et chair comestible. Peut atteindre 3 pi de diamètre ; sert de réserve d'eau dans le désert. Rempotez-le tous les 2 ou 3 ans ; attention aux racines, elles sont cassantes. Fenêtre ensoleillée ; au début, dosez l'exposition. Gardez le sol humide en été, sec en hiver. Préfère des températures fraîches la nuit, mais jamais inférieures à 4°C.

Chaîne-des-cœurs *(Ceropegia woodii)*. Longues tiges filiformes, feuilles charnues et cordiformes, minuscules bulbilles. Fleurs pourpres en forme de lanterne. Pousse bien en suspension ou en pot, dans un sol sablonneux. Préfère une fenêtre ensoleillée, mais tolère une orientation nord. Température : 13 à 24°C.

Caoutchouc japonais *(Crassula argentea)*. Petit arbre à feuilles succulentes vivant indéfiniment dans la maison. Fenêtre ensoleillée, lumière tamisée ou orientation nord lui conviennent. L'été, le sol doit se dessécher entre les arrosages. Arrosez moins souvent en hiver. Température idéale : 10 à 21°C, mais il tolère 4 à 38°C.

Barbe-de-vieillard *(Cephalocereus senilis)*. Cactus à courts aiguillons et longs poils blancs. Mettez du sable autour de la souche pour éviter le pourrissement. Lavez sa toison au savon (et non au détergent). Préfère les endroits frais, secs, ensoleillés.

Cactus-orchidée *(Epiphyllum)*. Tiges plates, échancrées et segmentées ; fleurs superbes. Fenêtre ensoleillée, côté est ou ouest, ou soleil tamisé. L'été, laissez le sol se dessécher entre des arrosages abondants et gardez la plante dehors, dans un endroit abrité. L'hiver, emplacement frais et sec ; vaporisez au besoin. Température : 10°C la nuit, 21°C le jour.

Herbe à panda *(Kalanchoe tomentosa)*. Feuilles charnues, vert pâle, couvertes d'un fin duvet argenté. Les jeunes sujets se cultivent en jardins miniatures. Les sujets âgés sont superbes. Fenêtre sud ensoleillée. Laissez le sol sécher entre des arrosages abondants. Température : 13 à 21°C.

Plante-coussin *(Mammillaria bocasana)*. Masse de tiges globuleuses à aiguillons soyeux et blancs. Peut donner des fleurettes jaunes et des baies pourpres en plein soleil. Arrosez beaucoup et fertilisez chaque mois en été. En hiver, mélange sec, température minimale de 4°C. Au soleil, tournez la plante de temps à autre pour qu'elle pousse uniformément.

Queue-de-rat *(Aporocactus flagelliformis)*. Tiges retombantes de ½ po de diamètre et jusqu'à 4 pi de longueur ; aiguillons courts, fleurs roses au printemps. Se cultive en suspension ou greffé au sommet d'un cactus colonnaire. Mélange terreux grossier et lourd ; bon égouttement. Emplacement éclairé et sec, minimum de 4°C en hiver.

Faucaria *(Faucaria tigrina)*. Plante grasse d'Afrique du Sud. Feuilles vert-gris piquées de blanc et garnies de dents acérées. Grandes fleurs jaunes en automne malgré sa petite taille. Se multiplie par boutures en été. Fenêtre ensoleillée ; orientation sud. Sol humide fin été et automne. Sol sec en hiver ; température : 4 à 7°C.

Fougères

Asperge *(Asparagus plumosus* et *A. setaceus)*. Feuillage plumeux à frondes vertes. On en stimule la croissance en taillant les vieilles tiges. Fenêtre ensoleillée, est ou ouest, ou lumière vive au nord. Sol humide, bien égoutté. Evitez l'air chaud et sec. Température : 16 à 21°C.

Fougère de Boston *(Nephrolepis exaltata bostoniensis)*. Retrouve sa popularité du début du siècle. Longues frondes ensiformes à folioles rigides, très rapprochées. Soleil tamisé ou lumière vive du nord. Sol constamment humide. Vaporisez souvent. Température : 13 à 24°C.

Cheveu-de-Vénus *(Adiantum tenerum)*. Plante gracieuse et délicate, ennemie de l'air sec et chaud. Frondes arquées ; pinnules en éventail. Lumière vive du nord ou mi-ombre. Sol constamment humide. Vaporisez chaque jour, faute de quoi le feuillage brunit. Aime les nuits fraîches (10 à 13°C) et les jours tempérés (15 à 21°C).

Doradille *(Asplenium bulbiferum)*. Frondes plumeuses et arquées, vert pâle, produisant des bulbilles utiles pour la multiplication. Lumière du nord. Sol humide, mais presque sec en hiver. Posez le pot dans l'eau sur des cailloutis ou dans une vitrine fermée à une température de 13 à 24°C.

Corne-d'élan *(Platycerium bifurcatum)*. Curieuse fougère épiphyte (vivant sur un autre végétal) d'Australie, à frondes vertes, lentes à pousser, semblables à des bois de cerf. Cultivez-la dans un mélange de mousse de tourbe et de sphaigne ou sur un morceau d'écorce accroché au mur comme un trophée en y fixant les racines sur de la sphaigne. Fenêtre ensoleillée, est ou ouest. Trempez le substrat organique de culture dans de l'eau tiède une fois par semaine. Vaporisez tous les jours.

Fougère arborescente *(Cyathea aborea)*. Arbre géant de 60 pi dans les Antilles, de seulement 2 à 3 pi à l'intérieur. Tronc droit, brun, couronné de frondes vertes en éventail. Soleil tamisé ; lumière vive du nord. Gardez le sol humide mais non détrempé. Température : 10 à 21°C.

Fougère houx *(Polystichum tsussimense)*. Fougère miniature, idéale pour les terrariums et les plantations sous éclairage fluorescent. Ne dépasse pas 5 po. Lumière du nord sans ombre. Aime l'air humide. Peu sensible aux courants d'air frais. Température : 13 à 21°C.

Port grimpant et retombant

Manettia *(Manettia inflata)*. On la palisse sur un petit treillage inséré dans le pot. Feuilles charnues ; jolies fleurs tubulaires rouges à bouts jaunes du printemps à l'automne. Lumière vive du nord ou mi-ombre. Arrosez généreusement ; fertilisez deux fois par semaine, sauf en hiver. Température : 13 à 21°C. Après la floraison, repos à 10°C.

Philodendron *(Philodendron oxycardium* et *P. cordatum)*. Plante très populaire qui tolère la chaleur, le manque de lumière et de soins. Tiges grêles pouvant atteindre 6 pi sur tuteurs ou écorce, ou retombant d'une corbeille. Lumière vive du nord, fenêtre ensoleillée, côté est. Si l'éclairage est déficient, prévoyez des périodes de bonne exposition. Sol humide. Vaporisez souvent. Température : 18 à 30°C.

Aeschynanthus *(Aeschynanthus lobbianus* et *A. parvifolius)*. Fin printemps, ses tiges retombantes se parent de fleurs rouges entre les feuilles vert sombre. Multiplication par bouturage de tiges, printemps et été. Fenêtre ensoleillée, est ou ouest. Soleil tamisé en été. Sol humide, mais qu'on laisse se dessécher en mai pour favoriser la floraison. Température : 18 à 24°C.

Gynura *(Gynura sarmentosa)*. Plante exubérante et peu exigeante à feuilles rouge vin recouvertes d'un épais duvet pourpre, portées à s'emmêler. Le soleil avive ses coloris, mais une lumière vive du nord lui convient. Sol humide en tout temps ; fertilisation tous les mois. Température : 18 à 30°C.

Plante araignée *(Chlorophytum vittatum)*. Longues tiges arquées à feuilles rubanées, rayées vert et blanc ; rejets abondants tout autour. Orientation nord ; soleil en hiver. Sol humide ; tolère mal les sols acides. Température : 10 à 24° C.

Gibasis *(Gibasis geniculata)*. Tiges grêles et retombantes à petites feuilles vertes lavées de pourpre en dessous. Nombreuses fleurs minuscules blanches. Soleil tamisé ou lumière vive du nord. Sol humide en tout temps. Vaporisez en hiver. Température minimale : 13°C.

Ephémère ou misère *(Tradescantia fluminensis* et *Zebrina pendula)*. Noms donnés à plusieurs plantes retombantes à feuilles panachées. Soleil tamisé ; tolère une lumière vive du nord. Sol constamment humide. Vaporisez souvent. Aime l'humidité. Température : 18 à 30°C.

Plantes comestibles

Haricot mungo *(Phaseolus aureus)*. Pousse facilement dans la cave ou un placard ; se mange cru ou cuit. Achetez des haricots secs dans une pépinière ou une épicerie chinoise ; faites-les tremper une nuit dans l'eau froide, puis étalez-les sur de la mousseline dans un plat peu profond. Gardez-les dans le noir à 21°C en les aspergeant d'eau plusieurs fois par jour. Une semaine plus tard, les germes sont prêts.

Aubergine *(Solanum melongena ovigerum)*. Se cultive dans la maison à partir de jeunes sujets ou de graines. Pollinisez les fleurs avec un pinceau. Exige 6 heures de plein soleil chaque jour. Arrosez généreusement. Température : au-dessus de 16°C.

Oignon *(Allium cepa)*. Pousse dans un pot sur le bord d'une fenêtre ensoleillée comme tout bulbe. Jolies fleurs mauves à odeur caractéristique. On peut les cultiver dans la cuisine où leur parfum se mêlera à celui des plats qui cuisent.

Persil *(Petroselinum crispum)*. Plante florifère fort utilisée en cuisine. Cueillez fréquemment le feuillage frisé adulte pour stimuler sa croissance. Semez dans un mélange à semis, du milieu à la fin du printemps. Repiquez les plantules en pots. Cultivez devant une fenêtre ombragée. Maintenez une humidité constante.

Piment *(Capsicum annuum acuminatum)*. Plante à fruits doux, verts, rouges ou jaunes, appréciés en cuisine. Pollinisez les fleurs avec un pinceau. Demande beaucoup de soleil ; tamisez-le les jours de grande chaleur. Fertilisez chaque semaine à la floraison. Température : 21°C.

Basilic *(Ocimum basilicum)*. Herbe fine à saveur poivrée. Feuilles vert clair ; petites fleurs blanches lavées de lavande. Semez dans un mélange à semis à 13°C au printemps. Repiquez en pots ; gardez le mélange humide. Les feuilles sont comestibles en été et au début de l'automne. Fenêtre ensoleillée côté sud. Trop d'engrais nuit à la saveur des feuilles.

Tomate *(Lycopersicon esculentum)*. Souvent cultivée à l'intérieur à partir de plants ou de semis. Tuteurez-la. Arrosez tous les jours s'il fait chaud. Supprimez les tiges latérales et les feuilles jaunes. Fenêtre ensoleillée côté sud ; au moins 6 heures de soleil par jour pour fleurir. Engrais liquide à tomates chaque semaine à l'apparition des fruits. Température : au-dessus de 16°C.

Plantes insolites

Piléa à petites feuilles *(Pilea microphylla* ou *P. muscosa)*. Tiges charnues ; feuilles en forme de fronde, fleurs sans intérêt, sauf qu'à maturité elles expulsent leur pollen dès qu'on y touche. Fenêtre ensoleillée, est ou ouest. Sol constamment humide. Vaporisez souvent. Température minimale : 16°C.

Oiseau-de-paradis *(Strelitzia reginae)*. Cette plante exotique aux bractées flamme arbore une fleur très colorée, en forme d'oiseau. Atteint 3 pi. Fleurit quand elle a environ 7 ans. Fenêtre ensoleillée. Gardez le sol constamment humide. Vaporisez souvent. Température : 16 à 21°C.

Plante caillou *(Lithops)*. Plante grasse des déserts d'Afrique du Sud. Ressemble à une pierre jusqu'à l'apparition de fleurs blanches ou jaunes, été ou automne. Fenêtre ensoleillée ou éclairage fluorescent. Laissez le sol se dessécher entre les arrosages. Température : 13 à 21°C.

Plante qui prie *(Maranta leuconeura kerchoveana)*. Grandes feuilles ovales panachées de vert sombre. Le soir, les feuilles se replient à la verticale. Lumière vive du nord. Sol constamment humide. Vaporisez souvent. Aime la chaleur (16°C et plus).

Mousse rampante ou sélaginelle *(Selaginella lepidophylla)*. Mousse venue du Texas ou du Mexique et vendue à l'état sec ; ressemble alors à du fil de chanvre. Trempez-la dans l'eau et elle ressuscite en masse de frondes vertes. Cultivez-la en suspension sur une base moussue, dans un endroit chaud, humide et sans soleil : de nouvelles frondes ne tarderont pas à apparaître.

Sensitive *(Mimosa pudica)*. Feuillage délicat et plumeux qui se replie au toucher ou au moindre souffle. Vivace cultivée en annuelle. Fenêtre ensoleillée, est ou ouest ; ou lumière vive du nord. Sol constamment humide. Aime la chaleur et l'humidité.

Dionée ou attrape-mouche *(Dionaea muscipula)*. Qualifiée de « plus belle plante au monde » par Darwin. Pousse à l'état sauvage dans les marais des Carolines. Ses feuilles à dents acérées se referment comme des mâchoires quand un insecte touche des poils sensibles et la plante sécrète un suc digestif. Vit dans un mélange de mousse de tourbe, de sphaigne et de vermiculite. Fenêtre ensoleillée. Sol humide. Alimentation : insectes, viande hachée, fromage, blanc d'œuf. Pas d'engrais. Température : 10°C et plus.

Séchage et conservation des fleurs

Cueillette et séchage

Les soucis et les delphiniums, le blé, l'avoine et l'orge, les becs-d'oiseau et les renoncules peuvent égayer votre maison toute l'année. En fait, presque toutes les plantes peuvent être traitées de façon à conserver leurs couleurs et leurs lignes naturelles.

Vous avez le choix entre trois méthodes : séchage à l'air, séchage en presse ou séchage par produits chimiques.

Cueillette. Laissez sécher au jardin, sur pied, la monnaie-du-pape, les boulettes azurées et le yucca. Cueillez les capsules et les herbacées à la mi-été, pendant que la plante est en sève et avant que ses couleurs ne fanent. Les feuilles à mettre en presse se ramassent à l'automne; par contre, vous prendrez au printemps les feuilles vertes que vous voulez glycériner.

Coupez les roses, les narcisses, les marguerites et les autres fleurs simples juste avant leur complet épanouissement; coupez les longs épis floraux, comme le delphinium, avant que le fleuron du haut s'ouvre. La boulette azurée, le scirpe, l'herbe des pampas se cueillent à mi-croissance, car les capsules, à maturité, tombent facilement.

Choix de la méthode. Le séchage à l'air est la méthode qui convient le mieux aux capsules et aux fruits de la cardère, de la digitale pourpre, des fleurs de pavot, de l'iris, de l'orge, de l'avoine, de la marjolaine et de l'origan sauvage; pour les faire sécher, on les suspend la tête en bas. Par contre, on fait sécher debout la verge d'or, la lavande, l'ail et les œillets: leurs coloris se gardent mieux ainsi.

Delphinium, bec-d'oiseau, clochette d'Irlande et hydrangée sont mis à sécher à l'obscurité dans ½ po d'eau jusqu'à évaporation de celle-ci.

Les petites fleurs sauvages fragiles et les herbacées se sèchent à plat dans un plateau, un couvercle de boîte, une boîte peu profonde ou sur des couches de papier brun, lorsqu'on craint que, suspendues à l'envers, les tiges ne se cassent sous le poids de l'inflorescence.

Le séchage en presse convient à la renoncule, au thym sauvage, au trèfle, à l'épine-vinette, au cornouiller, à la rose (pressez chaque pétale individuellement), aux herbacées et au chèvrefeuille. Ne traitez pas ainsi des plantes humides : elles moisiraient.

De la glycérine (vendue en pharmacie) ou de l'antigel dilués dans de l'eau donnent de l'éclat aux feuilles et aux baies. Glycérinez les jeunes feuilles de hêtre, d'érable et de chêne, le lierre et certaines capsules de graines comme celles de la clématite et de l'oseille. Supprimez les parties meurtries des feuilles. Raclez l'écorce et fendez les tiges en deux sur 2 po. Mettez-les à tremper dans un tiers de glycérine pour deux tiers d'eau chaude ou dans moitié antigel, moitié eau chaude, jusqu'à ce que les feuilles soient souples. Le lierre garde sa couleur, mais celle des autres plantes vire au roux, au noir, au bleu foncé, au brun-rouge ou à l'orange.

Les siccatifs, borax, cristaux de gel de silice et sable traité (vendus dans les centres d'artisanat ou chez les fleuristes) donnent de bons résultats pour les roses, les marguerites, les narcisses, les soucis et les œillets. Séchées de cette manière, les fleurs gardent leur forme, et leurs teintes sont plus vives.

Les bouquets. Les fleurs séchées peuvent être combinées, en tout ou en partie, avec d'autres végétaux : cônes, petites capsules, noix et baies, pour créer une inflorescence originale.

Ce superbe bouquet est un détail de *Nature morte : Fleurs,* de Severin Roesen, peintre américain du XIXe siècle. Cette œuvre se trouve au Metropolitan Museum of Art, à New York.

Séchage à l'air

Suspendez les plantes ainsi pour les faire sécher.

Avant de suspendre des fleurs par la tige pour les faire sécher, ôtez les feuilles du bas. (Vous pouvez les faire sécher en presse et les reposer par la suite avec du ruban.) Liez les fleurs en petits bouquets avec du ruban ou de la ficelle. Faites un nœud coulant que vous resserrerez à mesure que les tiges se rétréciront. Suspendez les bouquets dans un endroit chaud, sec, sombre et bien aéré. Ils sont secs lorsqu'ils bruissent quand on les touche.

Pour ce qui est des inflorescences, déposez-les dans un bocal ouvert, un seau ou un panier et faites-les sécher deux ou trois semaines dans un placard ouvert ou sur une étagère, là où l'air circule bien.

Quand les bouquets sont secs, détachez-les et séparez doucement les tiges. Si vous ne les utilisez pas tout de suite, conservez-les debout. Sinon, couchez-les dans une boîte avec du papier-tissu froissé ou sur une étagère. Gardez-les au sec, à l'abri des rayons du soleil.

Séchage en presse

Le succès de cette méthode repose sur le choix de plantes bien fraîches. Placez-les entre deux feuilles de papier buvard ou de papier ciré (des journaux les tacheraient d'encre) ; posez dessus des briques ou de gros livres, et laissez-les ainsi de quatre à six semaines, au chaud et au sec. Prenez du papier buvard pour les fleurs très charnues, comme les marguerites ; du papier ciré pour les fleurs fragiles, comme la gypsophile. Plus la mise en presse dure longtemps, plus la fleur conserve ses couleurs lorsqu'elle est de nouveau à la lumière du jour.

Les fougères rustiques et les feuilles vertes épaisses peuvent être glissées entre deux feuilles de papier à lettres ou des serviettes de papier et placées tout un été sous un tapis, dans un endroit très passant.

Pressez les fleurs délicates entre les pages d'un dictionnaire ou d'un gros livre, après avoir doublé les pages de papier buvard ou de papier ciré. Mettez peu de plantes à la fois entre deux pages et disposez-les pour qu'elles ne se touchent pas. Donnez une légère courbe aux tiges des fleurs sauvages, des trèfles ou des renoncules ; les angles aigus sont disgracieux dans les tableaux de fleurs séchées.

Examinez les fleurs charnues une ou deux fois durant le séchage ; changez le papier s'il est imprégné. Déposez chaque fleur ou chaque feuille dans une enveloppe transparente (on en trouve dans les boutiques de photographie) et gardez-les au sec pour qu'elles ne moisissent pas. Vous pouvez créer une gamme infinie de tableaux ou de panneaux avec des plantes séchées en suivant les instructions ci-dessous.

Pliez du papier ciré (ou du papier buvard) ; placez le pli au centre du livre. Mettez des plantes semblables sur la même page.

Retirez les plantes avec une pince. Disposez-les sur du papier robuste. Mettez un peu de colle au latex sous le cœur des fleurs et sous les tiges.

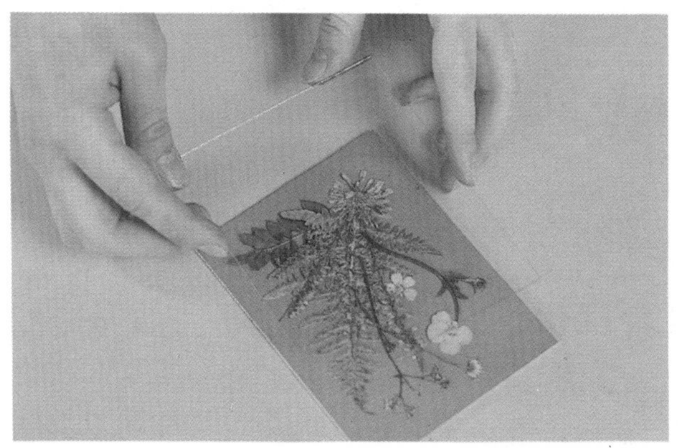

Appuyez doucement sur les fleurs avec les doigts. Quand la colle est sèche, posez le tableau sur un support rigide et couvrez-le d'une plaque de verre.

Fixez le fond, le support et la plaque de verre avec du ruban adhésif : ruban d'électricien ou ruban résistant de couleur.

Séchage et conservation des fleurs

Séchage au moyen de siccatifs

On appelle siccatif tout produit qui a la propriété d'enlever à un corps l'humidité qu'il renferme. Pour cette méthode de séchage, on enfouit les fleurs dans un siccatif granulaire pendant quatre jours au plus ; traitées ainsi, elles restent fraîches et naturelles. Cependant, la dessiccation accentue les tons de rouge, de bleu et de jaune, et fait faner les autres coloris.

Il existe plusieurs siccatifs courants et la méthode illustrée à droite convient bien à tous.

Le borax se trouve dans les pharmacies et les quincailleries ; ses cristaux très fins n'abîment pas les sujets délicats. Cependant, sa légèreté même l'empêche de pénétrer dans tous les interstices. Utilisez un petit pinceau pour le faire entrer dans les cœurs et les replis des fleurs, ou ajoutez de la farine de maïs pour l'alourdir.

Le sable est un siccatif facile à trouver, mais il a un inconvénient majeur : il faut d'abord bien le laver, puis le faire sécher, ce qui peut demander jusqu'à une demi-journée. Videz le sable dans un seau, remplissez d'eau et agitez. Enlevez le surplus d'eau, remettez-en et ajoutez plusieurs poignées de détergent. Agitez de nouveau, puis enlevez le surplus d'eau. Rincez autant de fois qu'il le faut pour que l'eau soit parfaitement claire. Versez le sable dans un récipient peu profond et faites-le sécher au soleil ou au four, à 120°C. Le sable étant plus lourd que le borax, supportez la fleur de la main et versez le sable lentement.

Les cristaux broyés de gel de silice sont efficaces et souvent préférables, car ils sont faciles à manipuler et réutilisables indéfiniment. De bleus, les cristaux deviennent roses quand ils sont saturés d'humidité. Etalez-les alors dans un plat peu profond et faites-les sécher au four, à 120°C, jusqu'à ce qu'ils soient redevenus bleus (environ une trentaine de minutes).

1. Coupez la tige à ½ po sous le bouton. Prenez 10 po de fil métallique et formez un crochet à l'une de ces extrémités. Insérez l'autre bout dans le bouton et tirez.

2. Quand le crochet est dans le bouton, enroulez le fil métallique autour. Versez une couche de 1 po de gel de silice dans un contenant hermétique. Posez-y la fleur, le fil en premier.

4. Installez les autres fleurs de la même façon ; veillez à ce qu'elles ne se touchent pas. Avec un petit gobelet en papier ou une pelle à café, répandez du gel sur les pétales.

5. Recouvrez complètement les plantes de cristaux de gel de silice. Vous pouvez, si vous le désirez, ajouter les feuilles enlevées des tiges ; recouvrez-les aussi de cristaux.

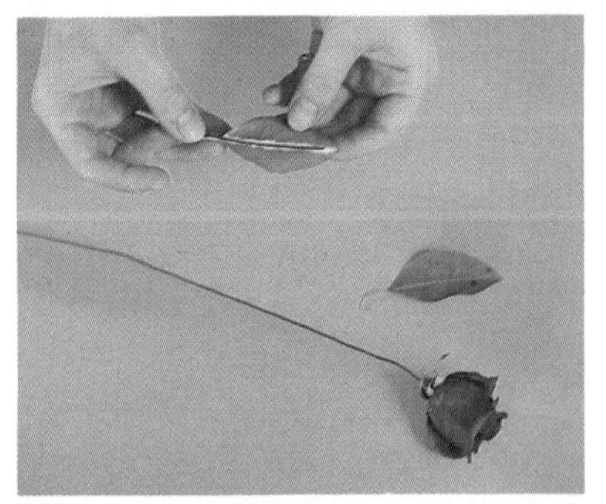

7. Tenez la fleur par la base et déroulez le fil. Soufflez pour enlever le gel. Collez un bout de fil sous la nervure des feuilles. Faites-le dépasser de ½ po à la base.

8. Enroulez du ruban de fleuriste autour de la base de la fleur et du fil métallique, en le disposant en spirale. Tenez le ruban bien tendu avec les doigts durant cette opération.

3. Avec les doigts, tassez délicatement le gel de silice sous la fleur pour que celle-ci soit bien supportée. Installez chaque pétale dans la position que vous voulez lui voir prendre.

6. Mettez le couvercle et posez tout autour du ruban adhésif. Gardez le contenant au sec. Après deux jours, ou lorsque les plantes bruissent comme du papier au toucher, retirez-les.

9. Enroulez ensuite du ruban de fleuriste autour du fil métallique, à la base des feuilles. Fixez celles-ci avec le même ruban sur les tiges des fleurs. Donnez-leur l'angle voulu.

Façonnage des fleurs

Les fleurs façonnées avec des végétaux, des articles d'usage courant et ceux qui sont vendus chez les fleuristes durent en général plus longtemps que les fleurs séchées. Elles se prêtent aussi bien aux tableaux et aux panneaux muraux décoratifs qu'aux plus simples boutonnières.

Monnaie-du-pape, lanternes japonaises, iris, yucca, lis, fleurs de pavot, mauves, capsules de concombre sauvage se façonnent facilement. Il en va de même des tulipes, du magnolia, des fruits du mélèze, de l'acajou, du cocotier et du bois de santal, qui sont durables et décoratifs. Durant vos randonnées pédestres, ramassez les cônes et les baies que vous trouverez pour en faire des cœurs de fleurs.

Il vous faudra aussi des ciseaux, un couteau tranchant, du fil métallique, un coupe-fil, du ruban brun de fleuriste, de la colle blanche et du ruban-cache.

Dans la mesure du possible, placez les pétales comme ils se trouvent dans la nature. Ainsi, ceux de la monnaie-du-pape sont diamétralement opposés.

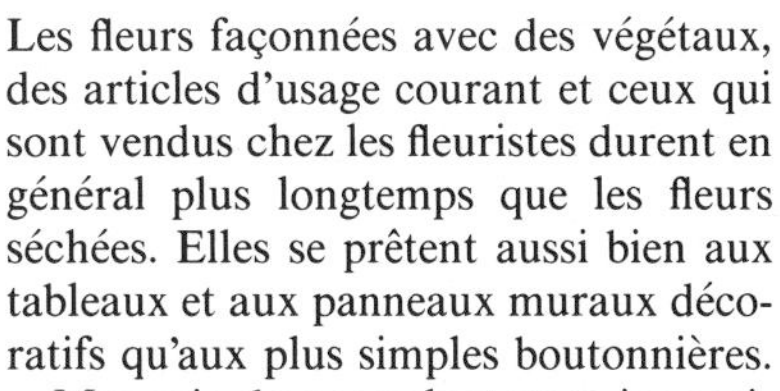

Imitez Dame Nature en opposant les pétales.

Vous aurez parfois besoin d'utiliser du papier afin de rendre plus naturels certains organes d'une fleur. Par exemple, vous doterez votre fleur d'un calice taillé dans un demi-cercle de papier fort. Vous trouverez ci-dessous des instructions détaillées sur le façonnage d'une fleur imaginaire.

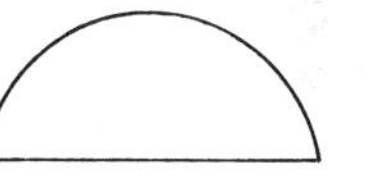

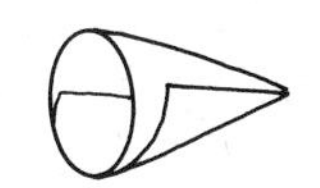

Un cône en papier réunit la fleur à sa tige.

1. Piquez un fil métallique d'environ 12 po dans une petite pomme de pin et enroulez-le plusieurs fois autour de la pomme pour qu'il tienne bien. (Plus le cône est petit et rond, plus il est facile à façonner.)

2. Fabriquez un cône en papier comme on l'indique ci-dessus dans le texte. Collez l'extrémité d'un long ruban brun de fleuriste sur le cône. Enroulez ensuite le ruban autour du cône.

3. Introduisez le fil dans le cône en papier de façon que la pomme de pin repose dans l'embouchure du cône. Enroulez fermement le ruban de biais jusqu'à ce qu'il recouvre toute la tige.

4. Dégagez délicatement les pétales de la monnaie-du-pape. Attention : ils sont très fragiles. Mettez un peu de colle sur un pétale et sur la pomme de pin, là où vous voulez coller le pétale. Commencez au bas de la pomme de pin, car les pétales seront diamétralement opposés.

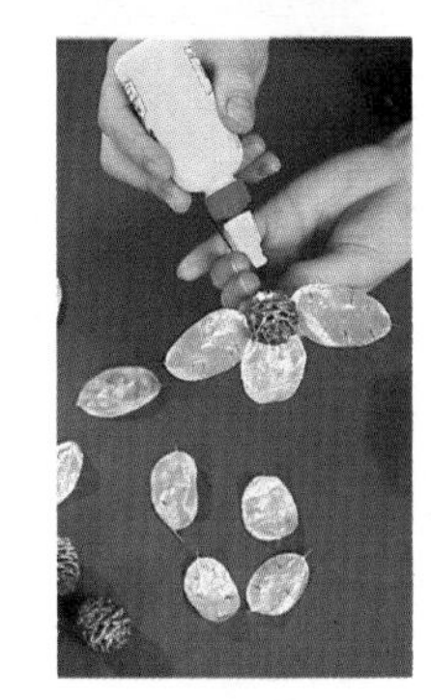

5. Posez en premier les quatre pétales de la base. Continuez ainsi avec les autres pétales, en suivant les instructions de l'illustration précédente.

6. Placez les derniers pétales tout près du cœur de la fleur. Il faut environ 10 pétales pour une fleur entière. Superposez-les légèrement pour que la fleur ne ressemble pas à une hélice.

Partout dans le monde et depuis des temps immémoriaux, il se fait du pain ; de toutes les formes, de toutes les tailles, de toutes les saveurs et de toutes les couleurs.

Notre pain quotidien

La consommation du pain remonte à la fin de la dernière glaciation. Les pains étaient à l'origine de simples galettes sans levain qu'on faisait cuire sur des pierres plates chauffées fortement ou sur un lit de charbons ardents. Il est probable que ce soit au Proche-Orient qu'apparut le pain levé ; il y poussait en abondance des céréales assez riches en gluten pour que le pain puisse lever de lui-même. Le premier pain levé fut probablement le fruit du hasard. Quelqu'un utilisa un reste de pâte qui avait commencé à fermenter et cette fermentation fit lever le pain.

L'ancienne Egypte connaissait parfaitement le pain. Sur un papyrus parvenu jusqu'à nous, on ne mentionne pas moins de 30 sortes de pains. C'est avec du pain que les Egyptiens payaient les ouvriers ; ils en offraient également en sacrifice à leurs dieux. D'autres civilisations ont elles aussi utilisé le pain pour les cérémonies religieuses. Des cultes importants se sont organisés autour de Déméter et de Cérès, déesses grecque et romaine de l'agriculture. Les Israélites faisaient usage de pain azyme et en sacrifiaient pour la Pâque ; les chrétiens donnèrent à ce pain une signification nouvelle dans le sacrement de l'Eucharistie.

Dès le début de l'ère chrétienne, l'usage du pain était répandu dans tout le monde connu, jusqu'en Chine. En général, les nobles mangeaient du pain fin, et les pauvres du pain bis. Dans le Nouveau Monde, les Indiens se nourrissaient de pain de maïs non levé, semblable à la tortilla mexicaine, car le maïs y était la céréale la plus abondante. En 1493, Christophe Colomb y introduisit le blé et depuis lors on mange du pain de blé en Amérique.

Aujourd'hui, le pain joue un rôle éminent en alimentation presque partout dans le monde. En Occident, le pain est non seulement un aliment de base, mais le symbole même de l'alimentation.

La panification

Dans la fabrication du pain, il entre de la farine humide, du sel et de la levure. Organisme vivant, la levure décompose les sucres fermentescibles présents dans l'amidon de la farine pour produire du gaz carbonique qui se répand dans la farine humidifiée. Or, celle-ci renferme une substance protéinique, le gluten, qui agit en quelque sorte comme un filet ; en emprisonnant dans son réseau le gaz carbonique, il fait lever la pâte. Le sel rend le gluten plus ferme tout en ralentissant l'action de la levure, ce qui empêche la pâte de lever trop rapidement.

La pâte. Pour fabriquer du pain, délayez la levure dans de l'eau tiède et mélangez-la bien aux autres ingrédients. Pétrissez ensuite la pâte pour qu'elle devienne élastique. Mettez-la dans un bol, couvrez-la et laissez-la lever au chaud, à l'abri des courants d'air, jusqu'à ce qu'elle ait doublé (parfois plus que doublé) de volume. Cette opération demande plusieurs heures. Dégonflez alors la pâte et façonnez-la en miches. Laissez les pains lever de nouveau, puis faites-les cuire. Certaines pâtes exigent une deuxième fermentation avant la mise en forme, suivie d'une troisième fermentation et de la cuisson. Après la cuisson, laissez refroidir le pain complètement et enveloppez-le hermétiquement. Vous pouvez aussi le congeler.

La fermentation des pains se fait généralement à 27°C, parfois à 21°C. Dans ce cas, elle est plus lente et le pain acquiert sa texture sans surir. On peut ralentir à volonté la fermentation du pain en le mettant au frais, même au réfrigérateur ; on peut aussi le garder jusqu'à 10 jours au congélateur et le faire lever après décongélation.

Même si la fabrication du pain prend plusieurs heures, elle n'exige en fait qu'environ une demi-heure de travail. Durant les longues périodes de fermentation, vous pouvez vaquer à d'autres occupations ou vous détendre.

Pains du monde entier

Matériel et fournitures

Point n'est besoin d'équipement spécialisé pour faire du pain. Il suffit simplement d'un four muni d'un thermostat, de quelques ustensiles de cuisine, d'un bol, de moules et des ingrédients voulus.

Matériel. Après le four, le bol est l'ustensile le plus important. Ce bol doit avoir une contenance égale au triple de la quantité de farine requise par la recette et présenter des parois assez verticales pour que la pâte se dilate en hauteur plutôt qu'en largeur.

Un coupe-pâte peut vous être utile. C'est une pièce rectangulaire d'acier inoxydable dont un des côtés est muni d'une poignée. Le coupe-pâte sert à soulever la pâte lorsque celle-ci est très collante, au début du pétrissage. Une spatule large peut servir au même usage.

Selon la recette de pain choisie, vous aurez besoin d'une grande plaque à biscuits ou de moules à pain. Vous pouvez utiliser de vrais moules à pain ou des moules à pâtés en verre, en métal ou en papier d'aluminium. La pâte doit remplir le moule aux deux tiers. Si ce dernier est un peu trop grand, le pain sera plat; s'il est trop petit, la pâte peut déborder. Les pains de fantaisie exigent des moules spéciaux.

Vous aurez aussi besoin d'un certain nombre d'articles dans la plupart des cas: une planche à pâtisserie ou une grande planche à découper comme surface de travail, une raclette en caoutchouc ou une cuiller en bois et enfin des tasses et des cuillers à mesurer.

Pour faire du pain français, il vous faudra en outre un vaporisateur ou un pulvérisateur rempli d'eau, un moule spécial et une lame quelconque — couteau ou instrument dont la pointe de la lame est très coupante — pour pratiquer des entailles dans les pâtons avant de les mettre à cuire. Il existe des moules spéciaux à pains français dans lesquels, après la mise en forme, on fait lever la pâte une troisième fois avant de la faire cuire. Il s'agit de deux demi-cylindres, ou plus, dans le creux desquels on dépose les pâtons. A défaut, déposez les pâtons sur une toile à pâtisserie farinée pour la fermentation et sur une grande plaque pour la cuisson.

Si vous faites souvent du pain, vous trouverez utile d'avoir un mélangeur électrique puissant muni d'un crochet à pâte. Au lieu de pétrir vous-même la pâte, vous la mettez dans le bol et laissez travailler le crochet. Il existe également des pétrins mécaniques composés d'une cuve et d'un bras à crochet que vous actionnez à la main.

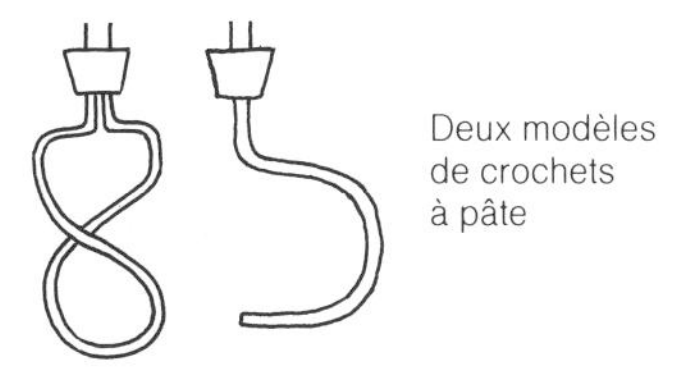

Deux modèles de crochets à pâte

Ingrédients. Les ingrédients de base sont la farine, l'eau ou le lait, la levure, le sel et parfois le sucre. A cela peuvent s'ajouter des œufs, des graines aromatiques, des fruits et des noix.

La farine blanche de blé est la plus utilisée en boulangerie. Elle provient de la partie centrale du grain de blé et contient beaucoup de fécule. Le son (l'enveloppe extérieure du grain) et le germe, riche en huile (qui rancit rapidement), donnent des pâtes grossières: ils sont donc éliminés.

Il y a trois sortes de farines blanches: la farine de boulanger, la farine à pâtisserie et la farine tout usage. La farine de boulanger contient beaucoup de gluten; cette substance forme un véritable réseau qui emprisonne le gaz dégagé par la fermentation du levain et fait lever le pain. La farine à pâtisserie renferme peu de gluten; on la réserve à la confection des biscuits, des bretzels et de la pâtisserie. La farine tout usage est un mélange des deux. On trouve également des farines blanches qui lèvent seules ou qui se dissolvent instantanément; elles contiennent des additifs et s'emploient dans certains cas, pour des régimes alimentaires par exemple. La farine de boulanger est la meilleure; mais comme il est difficile d'en trouver, nous avons conçu nos recettes pour de la farine tout usage, de préférence non blanchie, bien que la farine blanchie convienne aussi.

Certaines recettes nécessitent de la farine de blé entier ou de la farine de seigle. La première contient le grain de blé entier (son et germe). La seconde est faite avec du seigle. On fabrique aussi du pain avec de la farine de maïs.

La levure se vend soit comprimée en cubes, soit en poudre. Toutes deux sont efficaces. Un cube de levure fraîche de ⅔ oz (20 g) équivaut à un sachet ou à 1 cuillerée à soupe (15 ml) de levure sèche active. La levure en cube se gâte vite: il faut la conserver bien enveloppée, au réfrigérateur ou au congélateur. Dans le réfrigérateur, elle se garde une semaine environ; dans le congélateur, plusieurs semaines. La levure fraîche est uniformément grise, sans traces de décoloration. La plupart des levures sèches (ou en poudre) portent sur leur sachet une date de péremption. Utilisez-les avant cette date. En cas de doute, délayez la levure dans la quantité d'eau tiède spécifiée dans la recette, ajoutez 1 cuillerée à soupe (15 ml) de farine et une pincée de sucre. Si la levure est bonne, elle deviendra mousseuse et augmentera de volume au bout de 8 minutes environ. Ne délayez pas la farine dans de l'eau à plus de 38°C: la levure est un organisme vivant que la chaleur détruit. Pour vérifier la température de l'eau, versez-en quelques gouttes sur votre poignet. Si vous la sentez tiède, elle est à la bonne température.

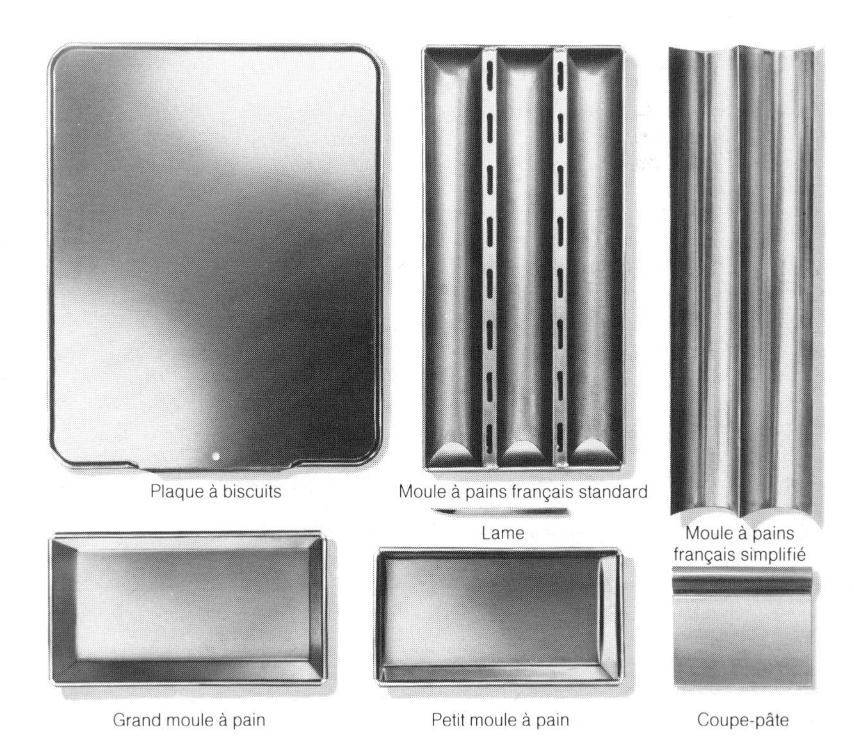

Plaque à biscuits — Moule à pains français standard — Lame — Moule à pains français simplifié — Grand moule à pain — Petit moule à pain — Coupe-pâte

Pains du monde entier

Le pain français

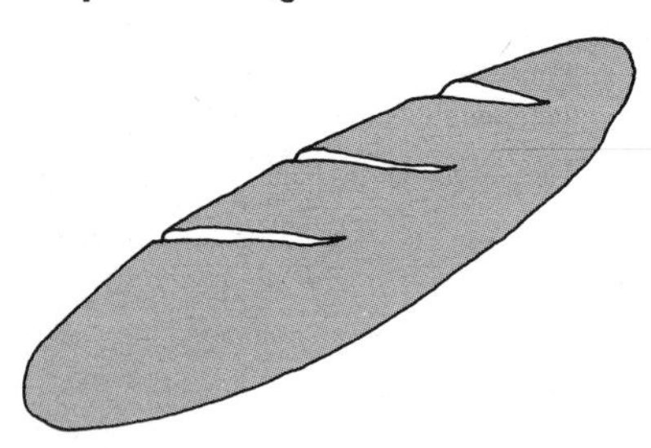

Le pain français est fait uniquement avec de la farine, de l'eau, du sel et de la levure : ainsi le veut la loi. Les ingrédients pétris donnent une pâte légère et collante mise trois fois à lever au chaud (environ 21°C), à l'abri des courants d'air. La troisième fermentation a lieu après la mise en forme ; elle doit se faire en milieu sec pour que la miche ne colle pas. Avant la cuisson, la surface du pain est striée de traits obliques et parallèles afin que la pâte puisse gonfler à la cuisson en créant un motif décoratif.

Nous avons illustré à droite une recette de pain français. Pour obtenir trois pains de 15 po de long chacun, il vous faut : 1 cube de levure fraîche ou 1 sachet de levure en poudre, ⅓ tasse (75 ml) d'eau tiède (38°C environ), 3½ tasses (875 ml) de farine tout usage, 2 cuillerées à thé (10 ml) de sel et 1¼ tasse (300 ml) d'eau tiède. Il vous faudra aussi de la farine de maïs pour empêcher les pains d'attacher et un peu plus de farine.

En France, on cuit le pain dans des fours en brique dans lesquels est injectée de la vapeur d'eau durant la première moitié de la cuisson ; ceci assure la formation d'une fine croûte croustillante et dorée. A la maison, on doit se contenter de placer dans le four un récipient rempli d'eau bouillante durant la première moitié de la cuisson (voir étapes 19 et 20, page ci-contre). Bien que cette méthode puisse ne pas donner une croûte aussi dorée et croustillante que celle des boulangers, le pain n'en aura pas moins une saveur très fine.

1. Faites fondre la levure dans ⅓ t. (75 ml) d'eau tiède. Mettez la farine et le sel dans un bol ; ajoutez peu à peu la levure dissoute. Mélangez parfaitement les ingrédients en les triturant avec une spatule en caoutchouc.

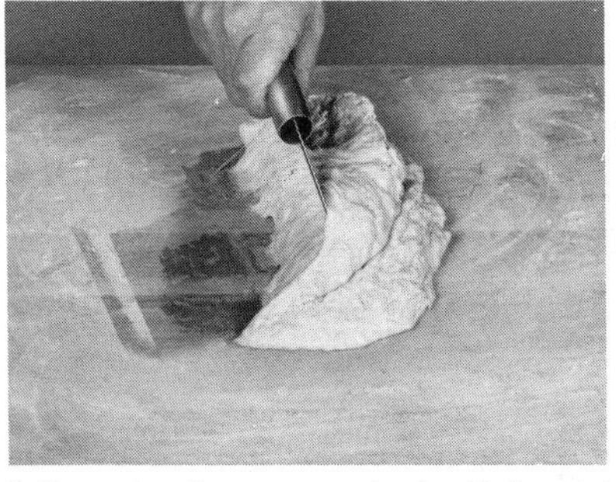

2. Posez la pâte sur une planche légèrement farinée et laissez reposer 3 min. Soulevez la pâte à l'aide du coupe-pâte et repliez-la en deux. Tournez la masse à l'envers, soulevez un autre côté et repliez la pâte en deux.

3. Pétrissez ainsi pendant 10 min en travaillant rapidement et vigoureusement. Si la pâte colle, saupoudrez-la d'un peu de farine. Après quelques minutes, complétez l'opération en massant la pâte avec la paume de la main.

8. Pliez chaque tiers en deux ; recouvrez-les de plastique et laissez reposer 5 min. Entre-temps, saupoudrez de la farine de maïs dans des moules à pain français ou sur une toile à pâtisserie étendue sur un plateau.

9. Farinez légèrement la planche et étendez doucement la farine sur la surface ; farinez-vous aussi les mains. Découvrez l'un des trois pâtons (laissez les deux autres couverts) et, sur la planche, donnez-lui une forme légèrement ovale.

10. Si vous voyez des bulles dans la pâte, dégonflez-les en les pinçant. Repliez le pâton en deux sur la longueur en ramenant avec les mains la moitié la plus éloignée sur celle qui est près de vous. Travaillez rapidement.

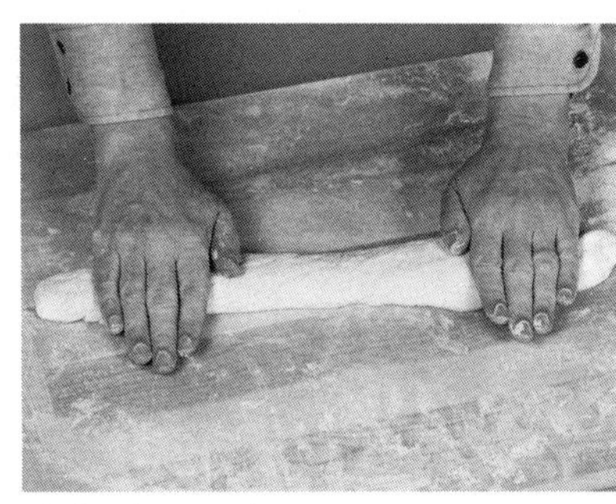

15. Ce faisant, écartez progressivement les mains. Continuez rapidement de la sorte jusqu'à ce que le pâton ait 15 po de long. Efforcez-vous d'obtenir un pâton au diamètre uniforme et pincez les bulles au besoin.

16. Déposez le pâton (couture dessus si on la voit) dans le moule ou sur la toile préparés à l'étape 8. Si vous utilisez une toile, tendez-la des deux côtés pour que le pâton repose dans une sorte d'auge et maintenez-la avec des poids.

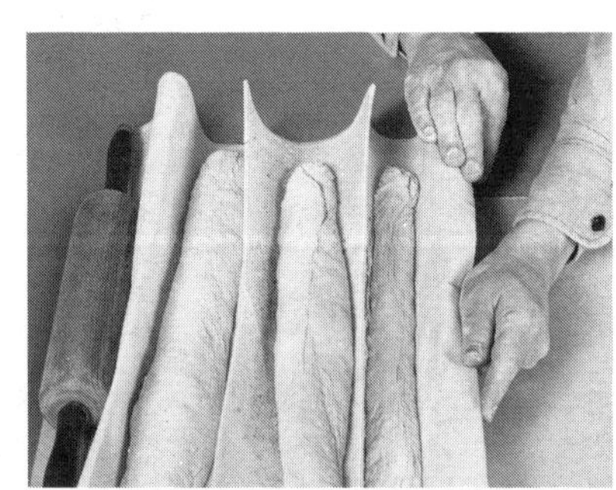

17. Recouvrez le pâton d'une feuille de plastique. Façonnez les deux autres pâtons de la même façon, un à la fois, en respectant scrupuleusement toutes les étapes. Quand ils sont façonnés, recouvrez-les de plastique et d'une serviette.

4. Déposez la pâte dans un bol ; couvrez de plastique et entourez d'une serviette. Laissez lever 4 h à 21°C ; la pâte doit presque tripler de volume. Faites une marque à 10 t. (2,5 L) dans le bol ; la pâte doit atteindre ce repère.

5. Dégonflez la pâte en enfonçant vivement le poing en plein milieu. Ramenez les côtés de la masse vers le centre et tournez-la à l'envers. Couvrez-la de nouveau et laissez-la gonfler 1 h 30 à 2 h, jusqu'au triple de son volume.

6. Quand la pâte a atteint le repère des 10 t. (2,5 L), dégagez-la avec la spatule en caoutchouc et renversez-la sur la planche légèrement farinée. Grattez bien avec la spatule toute la pâte qui pourrait adhérer à la paroi du bol.

7. Si la pâte est collante, saupoudrez-la d'un peu de farine. Façonnez-la en forme de rectangle avec les mains et divisez-la en trois avec un grand couteau à lame coupante. Tenez le couteau des deux mains, comme ci-dessus.

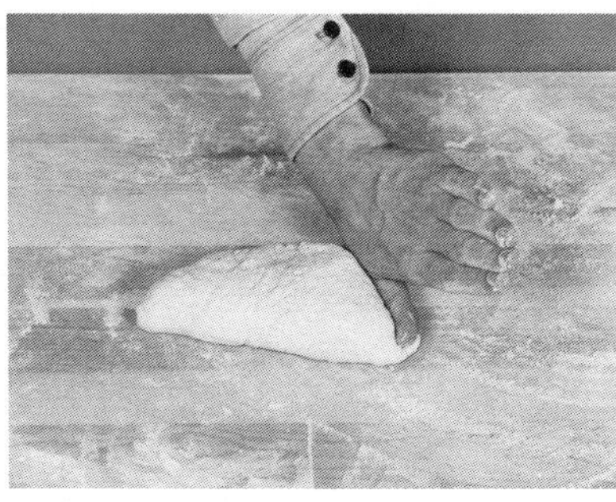

11. Avec le côté des pouces, appuyez fermement sur les bords du pâton pour le sceller. Durant toute cette mise en forme, assurez-vous que la planche est toujours farinée ; sinon, le pâton risque d'y adhérer et de se déchirer.

12. Faites rouler le pâton de manière que la couture soit sur le dessus. Redonnez-lui une forme ovale puis, du tranchant de la main, appuyez fermement en traçant un sillon en plein milieu et sur toute la longueur.

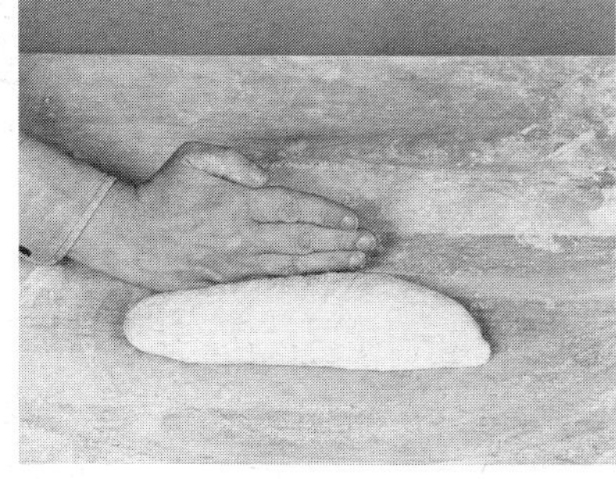

13. Pliez le pâton en deux sur la longueur, le long de ce sillon. Appuyez fermement du tranchant de la main sur les bords pour sceller le pâton d'un bout à l'autre. Faites-le rouler vers vous pour que la couture soit en dessous.

14. Assurez-vous que la planche et vos mains sont toujours légèrement farinées. Posez la paume des mains sur le pâton en les superposant un peu et, d'un mouvement de va-et-vient, donnez-lui la forme d'un saucisson.

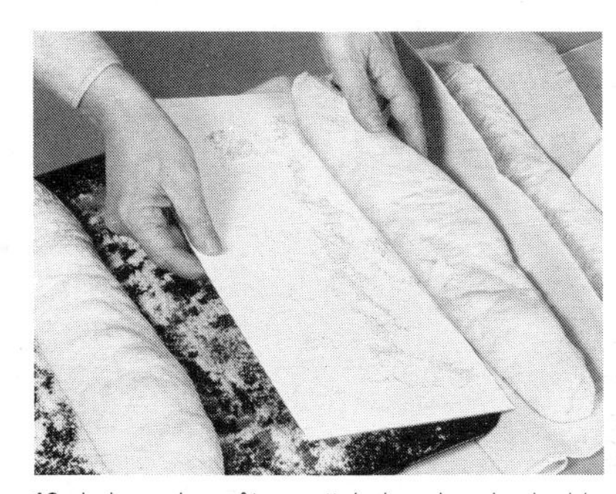

18. Laissez les pâtons atteindre plus du double de leur volume (1 h 30 à 2 h 30). Si vous utilisez une toile, farinez une plaque et un carton avec de la farine de maïs. Faites rouler chaque pâton sur le carton et déposez-le sur la plaque.

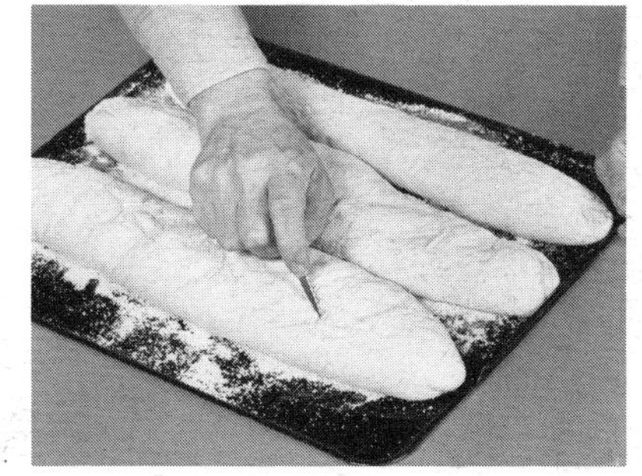

19. Portez le four à 220°C, 20 min avant la cuisson ; après 15 min, déposez dans le bas un plat avec 1½ t. (380 ml) d'eau bouillante. Avec une lame, faites trois entailles de ½ po de profondeur sur chaque pâton.

20. Vaporisez les pâtons d'eau et déposez-les dans leur moule ou sur la plaque, dans le tiers supérieur du four. Durant les 15 premières minutes de cuisson, vaporisez les pâtons toutes les 3 min. Retirez le plat d'eau après 15 min.

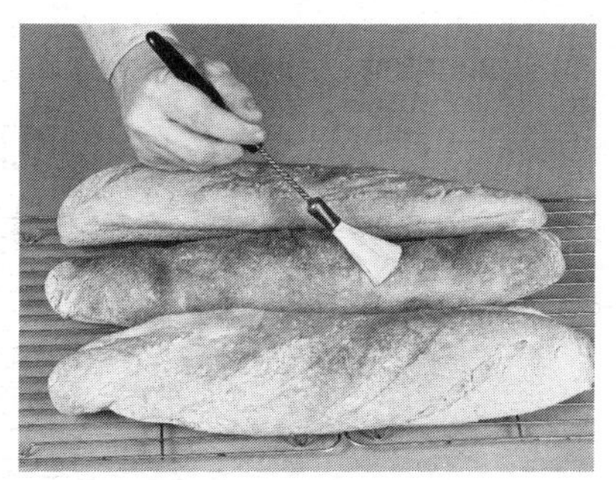

21. Sortez les pains 10 à 15 min plus tard, lorsqu'ils sont croustillants et rendent un son creux quand on les frappe. Pour faire luire la croûte, badigeonnez-la d'eau froide. Laissez refroidir les pains de 2 à 3 h, debout ou sur une claie.

Pains du monde entier

Autres formes de pain français

Qui dit pain français pense généralement à un pain long et mince. Cependant, on en trouve aussi sous la forme de miches rondes, appelées « boules », et de petits pains. Le pain long s'appelle baguette s'il mesure 24 po de long et 2 po d'épaisseur, bâtard s'il a 16 po de long et 3 po d'épaisseur, et enfin ficelle si sa longueur est de 12 po et son épaisseur de 3 po.

Quelle que soit sa forme, le pain français se fabrique toujours selon la recette donnée aux pages 32-33. (La baguette n'entrera peut-être pas cependant dans votre four.) Tous les pains longs sont façonnés de la même façon, seule leur longueur diffère.

Les boules sont mises en forme différemment. Vous pourriez tout simplement façonner les trois pâtons en boules, mais vous obtiendrez des pains plus gonflés et plus légers si vous suivez la méthode illustrée ci-dessous. En outre, vous donnerez plus de cohésion au réseau formé par le gluten. La tension à la surface de la boule sera plus grande et le pain gardera sa forme en levant.

Façonnez les petits pains comme vous le feriez pour les boules ; divisez cependant la pâte en 10 ou 12 morceaux plutôt qu'en 3 et mettez les petits pains en forme avec les doigts plutôt qu'avec les mains. Ne faites qu'une entaille sur chaque petit pain.

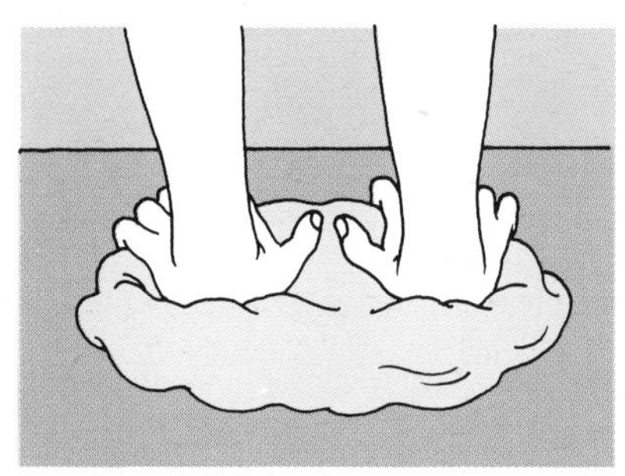

Le pain rond. 1. Suivez la recette des pages 32-33 jusqu'à l'étape 8. Laissez reposer 5 min, puis abaissez la pâte en formant un grand cercle. Repliez le côté gauche des deux tiers sur le côté droit et ramenez la pâte des deux tiers vers vous.

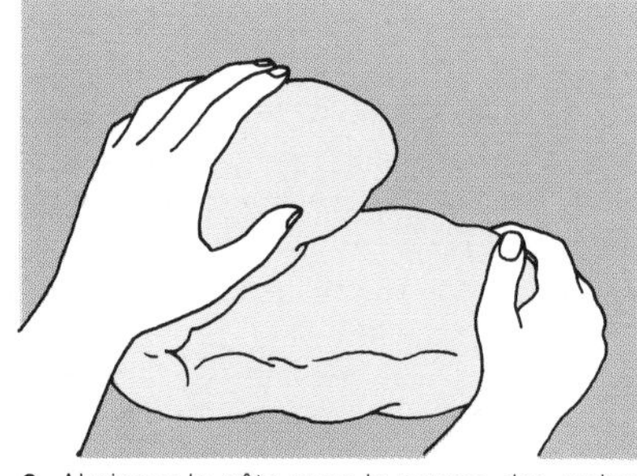

2. Abaissez la pâte avec la paume des mains. Repliez de nouveau le côté gauche des deux tiers sur le côté droit. Abaissez la pâte et repliez le côté droit des deux tiers sur le côté gauche. Tournez alors la pâte à l'envers.

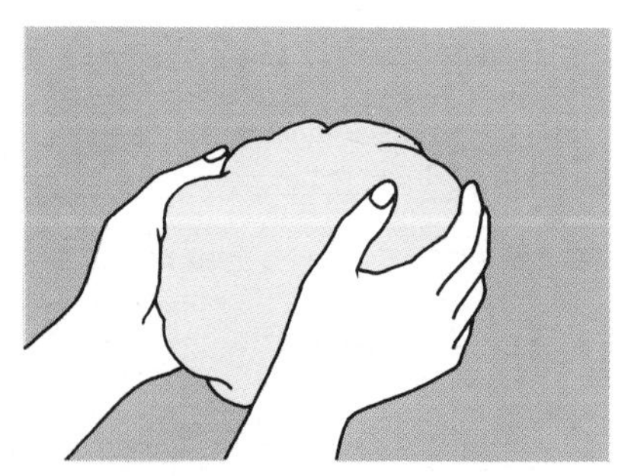

3. Prenez la pâte et faites-la tourner une dizaine de fois entre vos mains en la repliant un peu par en dessous. Posez la boule à l'envers sur une toile farinée et pincez les parties repliées. Couvrez et laissez lever.

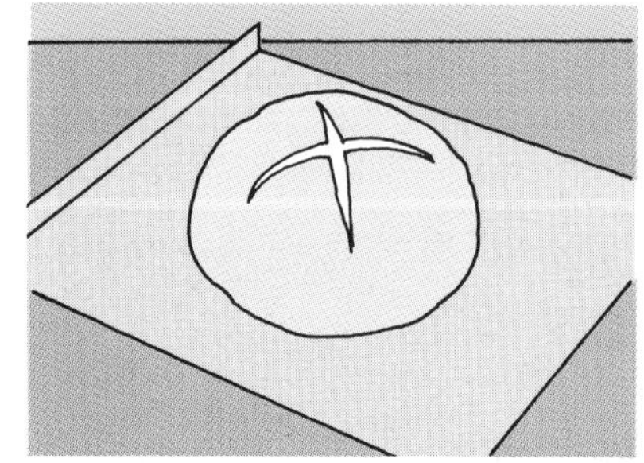

4. Quand la pâte a plus que doublé de volume, faites-la rouler, côté pincé dessous, sur une plaque recouverte de farine de maïs. Faites deux entailles en croix sur le dessus. La cuisson du pain en boule est identique à celle du pain long.

Cuisson dans un moule

On peut faire cuire le pain dans un moule plutôt que sur une plaque. Dans les deux cas, la méthode de travail est la même, sauf pour la mise en forme. Le pain aux raisins, dont raffolent les enfants en Amérique du Nord, se cuit normalement dans un moule. La recette suivante donne deux pains. Vous trouverez ci-dessous comment façonner le pain à cuire dans un moule.

Pain aux raisins à l'américaine

1 t. (250 ml) de lait
½ t. (125 ml) de beurre
2 cubes ou 2 sachets de levure
¼ t. (60 ml) d'eau tiède (38°C environ)
5¼ t. (1 300 ml) de farine tout usage tamisée
1½ c. à thé (7 ml) de sel
½ t. (125 ml) de sucre
1 c. à soupe (15 ml) de cannelle
1½ t. (380 ml) de raisins secs
2 œufs battus

Faites chauffer le lait juste au-dessous du point d'ébullition. Retirez la casserole du feu. Coupez le beurre en petits cubes ; jetez-les dans le lait pour qu'ils fondent. Laissez le lait et le beurre tiédir.

Délayez la levure dans l'eau tiède. Lorsque le lait est tiède, mettez dans un grand bol la farine tamisée (mesurée après le tamisage) ; ajoutez peu à peu le lait tiède contenant le beurre fondu, puis la levure, le sel, le sucre, la cannelle, les raisins secs et les œufs. Travaillez la pâte jusqu'à ce qu'elle soit bien homogène et se détache des parois du bol. (Utilisez d'abord une cuiller ; terminez avec les mains.)

Posez la pâte sur une planche légèrement farinée et pétrissez-la pendant environ 10 min, ou jusqu'à ce qu'elle soit lisse et spongieuse. Façonnez la pâte en boule et placez-la dans un grand bol. Couvrez le bol avec une pellicule de plastique et une serviette et laissez lever la pâte dans un endroit chaud (environ 27°C) jusqu'à ce qu'elle ait doublé de volume (environ 1 h 30 à 2 h). Dégonflez-la, remettez-la sur une planche légèrement farinée, puis laissez-la au repos environ 15 min.

Divisez la pâte en deux pâtons égaux ; façonnez les pâtons et déposez-les dans des moules (voir à droite). Couvrez les moules d'une pellicule de plastique et d'une serviette et laissez-les au chaud jusqu'à ce que les pains aient doublé de volume. Pratiquez sur chaque pain trois entailles en diagonale. Faites-les cuire au four à 190°C pendant 45 min, ou jusqu'à ce qu'ils soient dorés et sonnent creux quand on les frappe du doigt. Démoulez-les et laissez-les refroidir sur des grilles.

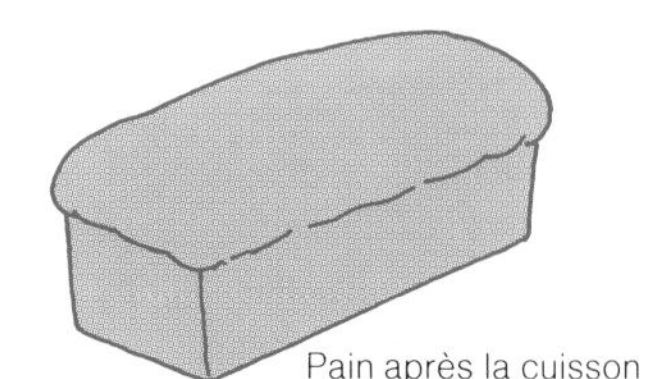

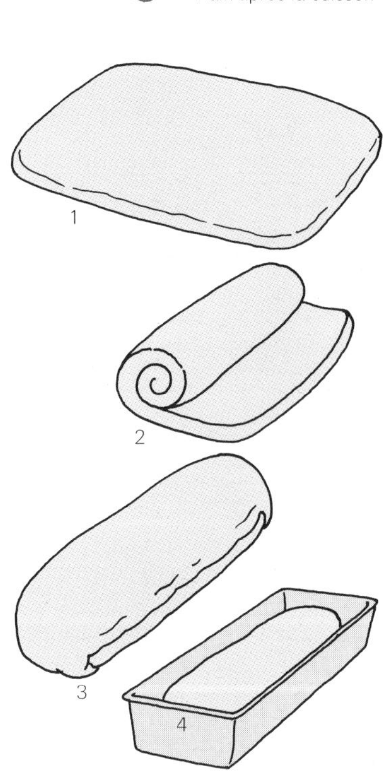

Comment façonner le pain. 1. Façonnez la pâte en un rectangle un peu plus long que le moule. **2.** Enroulez-la sur la longueur comme pour un rouleau à la gelée. **3.** Pincez le bord et les extrémités. Repliez celles-ci dessous. **4.** Déposez le pain, couture dessous, dans le moule. Appuyez sur la pâte dans les coins pour que le pain soit bien à plat au fond du moule.

Pains tressés

La plupart des pâtes à pain peuvent se tresser pour donner des pains d'aspect très décoratif. Le hallah, pain blanc traditionnel des juifs, se présente souvent ainsi. Dans les temps bibliques, les croyants devaient partager leur pain avec les prêtres. Aujourd'hui, en souvenir de cet usage, quand on mange de ce pain on en brûle un peu. La recette de pain hallah qui suit donnera deux pains.

Pain hallah tressé à la juive

3 cubes ou 3 sachets de levure
⅓ t. (75 ml) d'eau tiède (38°C environ)
5 t. (1 250 ml) de farine tout usage
2 c. à soupe (30 ml) de sucre
2 c. à thé (10 ml) de sel
3 c. à soupe (45 ml) de beurre fondu
3 œufs battus
1 t. (250 ml) d'eau tiède
1 jaune d'œuf battu dans 1 c. à soupe (15 ml) d'eau froide
Graines de pavot (facultatif)

Délayez la levure dans l'eau tiède (38°C environ). Versez la farine dans un grand bol ; ajoutez peu à peu tous les autres ingrédients, sauf le jaune d'œuf battu et les graines de pavot. Travaillez la pâte vigoureusement, d'abord avec une cuiller, puis avec les mains. La pâte doit être très ferme. Si elle ne l'est pas assez, ajoutez de la farine peu à peu.

Posez la pâte sur une planche légèrement farinée et pétrissez-la vivement 10 min ou jusqu'à ce qu'elle soit lisse et spongieuse. Déposez-la dans un grand bol, couvrez-la d'une pellicule de plastique et d'une serviette et laissez-la lever au chaud (27°C environ) jusqu'à ce que la pâte ait doublé de volume (environ 1 h 30 à 2 h).

Dégonflez la pâte, remettez-la sur une planche légèrement farinée, façonnez-la en rectangle et divisez-la en six morceaux égaux. Abaissez chaque morceau pour former une bande de 1 po d'épaisseur. Les six bandes doivent avoir la même longueur et la même épaisseur. Posez-en trois côte à côte et tressez-les (voir à droite). Faites de même avec les trois autres bandes. La tresse doit être souple ; n'étirez pas les bandes.

Posez les tresses à 6 po l'une de l'autre sur une plaque beurrée, ou joignez leurs extrémités en les pinçant pour former une seule couronne. Couvrez-les et laissez-les doubler de volume (45 min à 1 h).

Badigeonnez les tresses de jaune d'œuf battu et, si vous voulez, garnissez-les de graines de pavot. Cuisez-les 40 min au four à 205°C, ou jusqu'à ce qu'elles rendent un son creux au toucher. Laissez-les refroidir sur une grille.

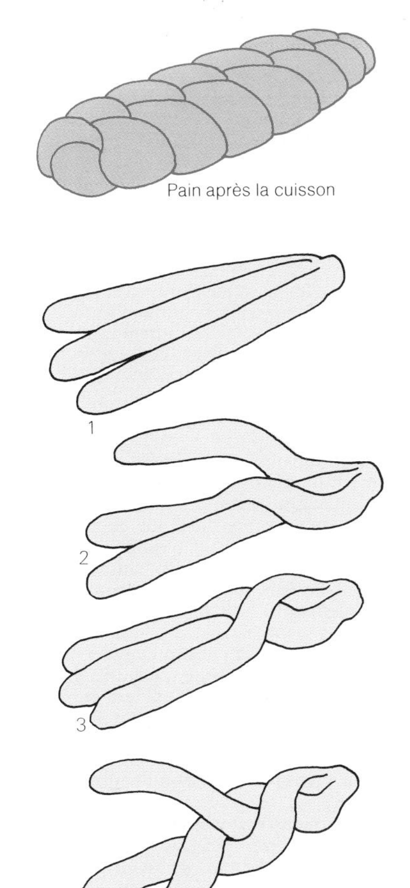

Mise en forme du pain tressé. 1. Mettez trois bandes de pâte côte à côte ; pincez-les ensemble dans le haut. **2.** Rabattez la bande de droite vers la gauche. **3.** Rabattez la bande de gauche vers la droite ; elles doivent se croiser sur la bande centrale. **4.** Soulevez celle-ci et croisez les deux autres bandes au-dessous. Répétez les étapes 2 à 4. Pour finir, pincez les extrémités ensemble.

Quelques conseils

Toute personne qui s'y connaît un peu en cuisine et qui suit à la lettre les recettes données dans cette section devrait la plupart du temps réussir ses pains. Cependant, réussir son pain à chaque fois est aussi affaire d'expérience, car seule l'expérience vous permet de vous familiariser avec les éléments suivants : combien de temps pétrir la pâte, la laisser lever et la cuire.

Il faut apprendre à bien connaître, au toucher, la consistance de la pâte. Bien que chaque recette précise la quantité de farine à employer, on doit parfois en retrancher ou en ajouter un peu selon la qualité de la farine ou le temps qu'il fait. Ainsi, par temps humide, il faut un peu plus de farine ; un peu moins par temps sec. C'est au toucher que vous le jugez, pendant que vous pétrissez la pâte. Si elle est trop collante, ajoutez de la farine, peu à la fois, jusqu'à ce qu'elle vous paraisse à point. Si elle est trop sèche, ajoutez un peu d'eau. Vous paraît-elle trop collante après la première fermentation ou pendant que vous la façonnez ? Saupoudrez un peu de farine en surface. Malheureusement, la texture de la pâte varie selon les recettes. Le pain français a une pâte légère et collante qui adhère aux doigts, mais seulement quand on appuie dessus. La pâte du pain noir est plus lourde et plus sèche. Seule l'expérience peut vous permettre de connaître la consistance des différentes pâtes.

La température du lieu où la pâte lève, la durée du pétrissage et de la fermentation, la température du four, le temps de cuisson : autant de facteurs qui peuvent modifier la qualité du pain. Si pour gagner du temps vous mettez la pâte à lever dans un endroit trop chaud, si vous ne la pétrissez pas suffisamment, si vous la faites cuire trop longtemps ou pas assez dans un four qui n'est pas à la bonne température, vous n'aurez pas les résultats que vous espérez. Voici une liste des problèmes que pose la panification, avec leurs causes probables.

Pâte qui ne lève pas. La levure était trop vieille ou elle a été délayée dans une eau trop chaude qui l'a détruite. Les autres ingrédients étaient peut-être trop froids : ils doivent être à la température ambiante pour que la levure gonfle.

Croûte trop foncée. Trop de sel, de sucre ou de glaçure. Le four était peut-être trop chaud. Si le pain brunit trop vite, couvrez-le de papier d'aluminium.

Croûte trop pâle. Manque de sel. Le pain était trop bas dans le four ou celui-ci n'était pas assez chaud.

Croûte épaisse ou dure. La pâte a levé dans un endroit trop humide ou le four n'était pas assez chaud.

Croûte craquelée, fendue. Pâte mal mélangée, qui a levé trop longtemps ou dans un endroit trop chaud.

Pain lourd, dense ou dur. Trop de farine ou de sel, ou pas assez de levure. La pâte a été trop pétrie, elle a levé trop rapidement ou insuffisamment ; le four était trop chaud.

Mie pâteuse. Trop de liquide ou pas assez de farine. Le pain a été enveloppé avant d'être bien froid.

Trop de trous dans la mie. Trop de levure ou pas assez de sel. La pâte a été mal mélangée ; elle a levé trop longtemps ou dans un endroit trop chaud.

Mie trop élastique. La pâte a levé trop rapidement ; le four n'était pas assez chaud ou la cuisson a été trop courte.

Mie trop friable. Trop de liquide. La pâte n'a pas été assez pétrie ; elle a trop levé ou elle a été cuite dans un four qui n'était pas assez chaud.

Mie grumeleuse. La pâte n'a pas été bien mélangée, elle a levé trop longtemps ou dans un endroit trop chaud.

Saveur aigre, goût de levure. La pâte a levé dans un endroit trop chaud. La température, pour la fermentation de la pâte, ne doit pas dépasser 30°C.

Pain qui rassit vite. Farine trop légère. Manque de liquide ou de sel. La pâte n'a pas suffisamment levé ou le four n'était pas assez chaud.

Pains du monde entier

Autres recettes

Koulitch — gâteau de Pâques russe

½ t. (125 ml) de lait
1 cube ou 1 sachet de levure
¼ t. (60 ml) d'eau tiède (38°C environ)
4 t. (1 000 ml) de farine tout usage
1 c. à thé (5 ml) de sel
¼ c. à thé (1 ml) de safran
1 c. à soupe (15 ml) de brandy
3 jaunes d'œufs
¾ t. (180 ml) de sucre
¾ t. (180 ml) de beurre, fondu et refroidi
½ t. (125 ml) de fruits confits
2 c. à thé (10 ml) de zeste de citron râpé
½ t. (125 ml) d'amandes hachées
½ t. (125 ml) de raisins secs
½ c. à thé (2 ml) de vanille
½ c. à thé (2 ml) de cardamome moulue
2 blancs d'œufs en neige ferme
½ t. (125 ml) de sucre glace tamisé
2 c. à thé (10 ml) de crème
Zeste de citron confit

Amenez le lait juste au-dessous du point d'ébullition et laissez-le refroidir. Délayez la levure dans l'eau tiède. Mélangez dans un bol 1 tasse (250 ml) de farine, le sel, le lait et la levure délayée. Couvrez et laissez fermenter à la chaleur (27°C) 1 h environ. La pâte doit être légère et mousseuse. Desséchez le safran 10 min au four, à 120°C. Réduisez-le en poudre avec une cuiller, puis mélangez-le au brandy. Réservez.

Fouettez les jaunes d'œufs avec le sucre ; incorporez-les à la pâte fermentée. Ajoutez le beurre et, peu à peu, le reste de la farine. Dans un autre bol, mélangez fruits confits, zeste de citron, amandes, raisins secs, vanille, cardamome, safran et brandy.

Pétrissez la pâte 15 min sur une planche farinée. Façonnez-la en galette et étalez le mélange de fruits par-dessus. Pliez la pâte sur les fruits et continuez de pétrir encore 30 min. Incorporez les blancs d'œufs en neige ferme. La pâte devient alors très collante. Continuez à la pétrir en vous servant d'un coupe-pâte jusqu'à ce que les blancs soient bien liés à la pâte. Saupoudrez-la d'un peu de farine.

Graissez une boîte vide de jus de tomate de 1 L ; mettez un rond de papier ciré dans le fond. Posez-y la pâte : elle remplira la moitié de la boîte. Couvrez et laissez lever la pâte au chaud (1 h 30 environ) ; elle doit remplir la boîte. Faites cuire la pâte au four, à 175°C, 1 h ou jusqu'à ce qu'un couteau introduit dans la pâte en ressorte sec. Laissez refroidir 10 min, puis démoulez le pain sur une grille.

Mélangez le sucre glace et la crème ; badigeonnez-en le dessus du pain quand il est bien froid. Celui-ci doit ressembler au dôme bulbeux et enneigé d'une église russe. Déposez, en forme de croix, du zeste de citron confit sur le dôme. Pour servir le koulitch tout en lui conservant son apparence, ôtez le dessus avec un couteau, découpez des pointes dans la partie du bas et remettez le dôme en place pour le service.

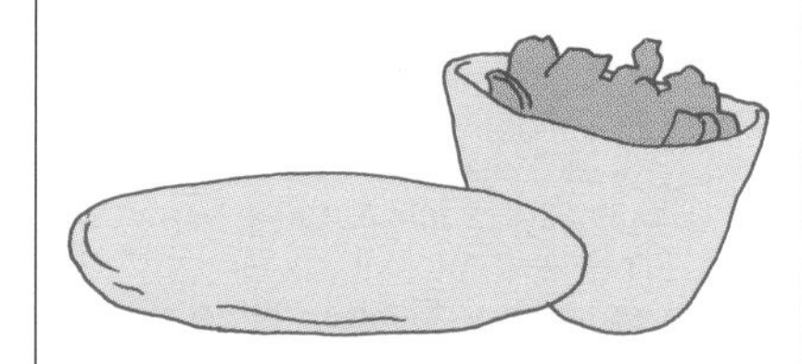

Pain pita — de tradition grecque

1 cube ou 1 sachet de levure
1 t. (250 ml) d'eau tiède (38°C environ)
3 t. (750 ml) de farine tout usage
1 c. à thé (5 ml) de sel
¼ t. (60 ml) d'huile d'olive

Délayez la levure dans l'eau tiède et mélangez-la bien aux autres ingrédients. Pétrissez la pâte 10 min ou jusqu'à ce qu'elle soit lisse et spongieuse. Laissez-la doubler de volume dans un bol couvert, à 27°C (environ 1 h 30). Dégonflez la pâte et laissez-la reposer 10 min. Divisez-la alors en quatre portions égales et façonnez chaque portion en boule, puis en galette. Abaissez-les en cercles minces de 8 po de diamètre. Posez-les sur une plaque graissée, couvrez-les et laissez-les lever 30 min à une température de 27°C. Cuisez-les 8 min au four à 260°C. Quand les pitas sont dorées et gonflées, mettez-les à refroidir sur des grilles. Coupez-les en deux, ouvrez-les et remplissez chaque moitié d'une garniture à sandwich.

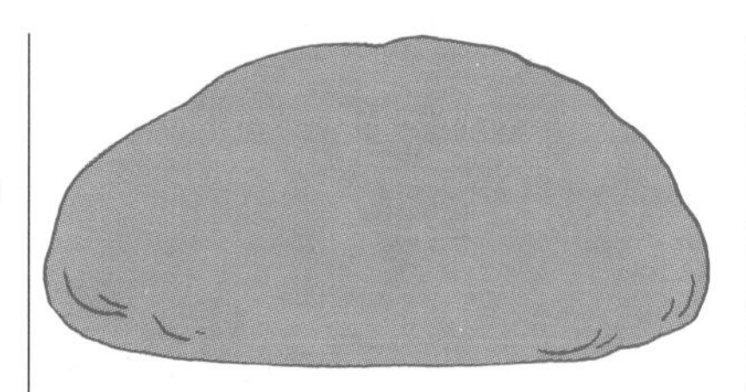

Pain complet à l'italienne

1 cube ou 1 sachet de levure
1 t. (250 ml) d'eau tiède (38°C environ)
1 t. (250 ml) de farine de blé entier
1½ t. (380 ml) de farine tout usage
2 c. à thé (10 ml) de sel
1 c. à soupe (15 ml) d'huile d'olive

Délayez la levure dans l'eau tiède et mélangez-la aux autres ingrédients. Pétrissez la pâte 10 min. Quand elle est lisse et spongieuse, laissez-la doubler de volume dans un bol couvert à 24-27°C (environ 3 h).

Dégonflez la pâte et laissez-la de nouveau doubler de volume (environ 3 h). Pétrissez-la brièvement, façonnez-la en une seule miche ronde et déposez-la sur une plaque graissée ou saupoudrée de farine de maïs. Après quelques minutes, quand le dessus est un peu croûté, pratiquez deux entailles en croix, badigeonnez légèrement d'eau et enfournez la miche à 230°C. Après 12 min, baissez le four à 190°C et prolongez la cuisson de 45 min, ou jusqu'à ce que le pain soit doré et rende un son creux quand on le frappe du doigt. Faites-le refroidir sur une grille avant de le servir.

Pain hongrois à l'anis et au fenouil

1 cube ou 1 sachet de levure
1 t. (250 ml) d'eau tiède (38°C environ)
3 t. (750 ml) de farine tout usage
1 c. à thé (5 ml) de sel
4 c. à thé (20 ml) de sucre
⅛ c. à thé (0,5 ml) de graines d'anis broyées
¼ c. à thé (1 ml) de graines de fenouil broyées
1 c. à soupe (15 ml) d'huile
1 jaune d'œuf battu avec 2 c. à thé (10 ml) de lait
Graines d'anis entières

Délayez la levure dans l'eau tiède. Mélangez-la avec la farine, le sel, le sucre, les graines broyées et l'huile. Quand la pâte est bien homogène, posez-la sur une planche farinée et pétrissez-la 10 min environ. Lorsqu'elle est lisse et spongieuse, laissez-la doubler de volume dans un bol couvert à 27°C (environ 1 h). Dégonflez la pâte, couvrez-la de nouveau et laissez-la lever 15 min. (Cette fois-ci, elle n'a pas besoin de doubler de volume.)

Posez-la sur une planche légèrement farinée et pétrissez-la 1 min. Façonnez-la en une seule miche ronde que vous déposerez sur une plaque graissée. Couvrez et laissez doubler de volume à 27°C (environ 45 min). Faites quatre entailles en croix sur le dessus du pain, badigeonnez-le avec le jaune d'œuf battu et éparpillez dessus les graines d'anis. Cuisez-le 35 min au four à 205°C, ou jusqu'à ce qu'il soit doré et qu'il rende un son creux au toucher. Faites-le refroidir sur une grille.

Pain éthiopien au miel

1 t. (250 ml) de lait
6 c. à soupe (90 ml) de beurre
½ t. (125 ml) de miel
1 cube ou 1 sachet de levure
¼ t. (60 ml) d'eau tiède (38°C environ)
4 t. (1 000 ml) de farine tout usage
1½ c. à thé (7 ml) de sel
1 c. à soupe (15 ml) de coriandre moulue
½ c. à thé (2 ml) de cannelle moulue
¼ c. à thé (1 ml) de clous de girofle moulus
1 œuf battu

Amenez le lait juste au-dessous du point d'ébullition, ajoutez le beurre et le miel, puis laissez tiédir. Délayez la levure dans l'eau tiède. Dans un bol, mélangez farine, sel, épices, œuf, levure et lait tiédi. Quand la pâte est homogène, posez-la sur une planche légèrement farinée et pétrissez-la de 5 à 10 min pour qu'elle devienne lisse et spongieuse.

Laissez la pâte doubler de volume dans un bol couvert, à 27°C (environ 1 h 30). Dégonflez-la, pétrissez-la environ 2 min, façonnez-la en galette et déposez-la dans un plat à soufflé de 3 pte (3 L) ou un moule rond d'au moins 3 po de profondeur. Couvrez le plat, mettez-le au chaud et laissez la pâte de nouveau doubler de volume (1 h 30 environ).

Cuisez le pain environ 50 min au four préchauffé à 150°C. Quand il est doré et croustillant, démoulez-le et faites-le refroidir sur une grille. Servez-le accompagné de beurre et de miel.

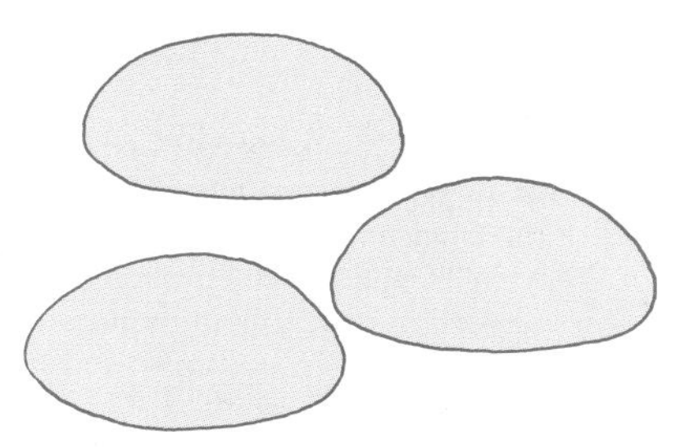

Pain chinois à la vapeur

1 cube ou 1 sachet de levure
1½ t. (380 ml) d'eau tiède (38°C environ)
4 t. (1 000 ml) de farine tout usage
2 c. à soupe (30 ml) d'huile
¼ t. (60 ml) de sucre

Délayez la levure dans l'eau tiède, puis mélangez-la avec la farine, l'huile et le sucre. Pétrissez la pâte 10 min. Quand elle est lisse et spongieuse, laissez-la doubler de volume dans un plat couvert à 27°C (environ 2 h). Façonnez la pâte en trois pains ovales. Laissez-les lever 15 min pour qu'ils soient dodus.

Déposez les pains sur une assiette huilée et placez celle-ci sur plusieurs petits plats à l'épreuve de la chaleur disposés dans un grand plat. (L'assiette ne doit pas toucher à ce plat.) Remplissez-le d'eau chaude jusqu'à ce qu'elle touche l'assiette, couvrez et laissez bouillir l'eau doucement 30 min. Le pain cuira à la vapeur.

Tranchez le pain et servez-le chaud avec des mets chinois. Vous pouvez aussi le laisser refroidir, le découper en tranches minces que vous faites dorer en grande friture. Servez-les avec des mets chinois ou offrez-les à l'heure du goûter, saupoudrées de sucre.

Broa — pain brésilien au maïs

1 cube ou 1 sachet de levure
¼ t. (60 ml) d'eau tiède (38°C environ)
1½ t. (380 ml) de farine de maïs jaune
1½ c. à thé (7 ml) de sel
1 t. (250 ml) d'eau bouillante
1 c. à soupe (15 ml) d'huile d'olive
1¾ t. (430 ml) de farine tout usage

Délayez la levure dans l'eau tiède. Pulvérisez la farine de maïs par petites quantités à la fois au mixer. Versez 1 tasse (250 ml) de cette poudre dans un bol; ajoutez sel et eau bouillante, puis mélangez. Incorporez l'huile d'olive et laissez refroidir. Ajoutez la levure quand le mélange est tiède, puis petit à petit le reste de la farine de maïs pulvérisée et 1 tasse (250 ml) de farine. Travaillez la pâte en ajoutant de la farine tout usage si elle colle. Couvrez; laissez-la doubler de volume (à 27°C) pendant 1 h environ.

Déposez la pâte sur une planche légèrement farinée, incorporez-y le reste de la farine et pétrissez de 5 à 10 min. Quand la pâte est lisse et spongieuse, façonnez-la en une miche ronde et posez-la sur une plaque graissée. Couvrez; laissez doubler de volume à 27°C environ (à peu près 1 h). Cuisez le broa 40 min au four à 175°C, ou jusqu'à ce qu'il rende un son creux quand on le frappe du doigt. Servez-le chaud ou froid. Il accompagne très bien la soupe.

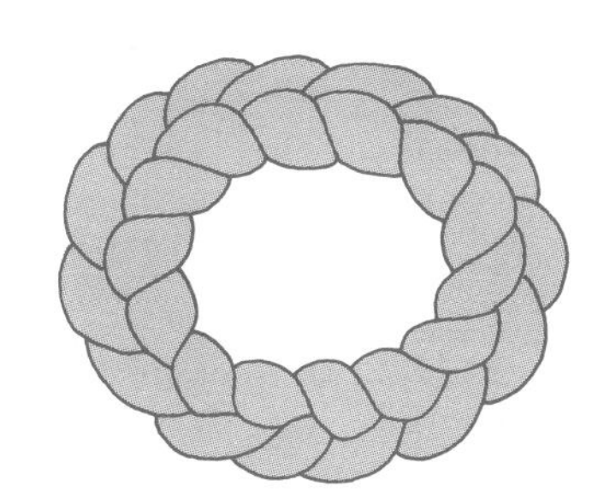

Couronnes tressées finlandaises

½ t. (125 ml) de lait
½ t. (125 ml) de beurre
1 cube ou 1 sachet de levure
¼ t. (60 ml) d'eau tiède (38°C environ)
4 t. (1 000 ml) de farine tout usage tamisée
2 œufs battus
2 c. à soupe (30 ml) de sucre
1 c. à thé (5 ml) de sel
1½ c. à thé (7 ml) de cardamome moulue
1 jaune d'œuf battu dans 1 c. à soupe (15 ml) de lait

Amenez le lait juste au-dessous du point d'ébullition; ajoutez ensuite le beurre et laissez refroidir. Délayez la levure dans l'eau tiède. Dans un bol, mélangez farine, œufs, sucre, sel et cardamome. Ajoutez la levure délayée et le lait tiédi. Quand la pâte est homogène, posez-la sur une planche légèrement farinée et pétrissez-la 10 min environ, ou jusqu'à ce qu'elle soit lisse. Laissez la pâte doubler de volume dans un bol couvert, au chaud (27°C), pendant 2 h environ.

Dégonflez la pâte et posez-la sur une planche légèrement farinée. Divisez-la en six portions égales et abaissez chaque portion en une longue bande de 18 à 20 po. Tressez trois bandes ensemble (voir p. 35), ramenez les deux extrémités en couronne et pincez-les pour qu'elles tiennent. Faites la même chose avec les trois autres bandes. Posez les couronnes sans qu'elles se touchent sur une plaque graissée, couvrez-les d'une pellicule de plastique et d'une serviette; laissez-les doubler de volume au chaud (2 h environ).

Badigeonnez les pains de jaune d'œuf. Cuisez-les 45 min au four à 175°C, ou jusqu'à ce qu'ils soient dorés et rendent un son creux au toucher. Servez-les chauds ou froids. Pour les conserver, faites-les refroidir sur une grille avant de les envelopper.

Muffins à l'anglaise

1 cube ou 1 sachet de levure
2 c. à soupe (30 ml) d'eau tiède (38°C environ)
½ t. (125 ml) de lait
3 c. à soupe (45 ml) de beurre
4 t. (1 000 ml) de farine tout usage tamisée
2 c. à thé (10 ml) de sucre
1 c. à thé (5 ml) de sel
1 t. (250 ml) d'eau

Délayez la levure dans les 2 cuillerées à soupe (30 ml) d'eau tiède. Amenez le lait juste au-dessous du point d'ébullition; ajoutez le beurre et laissez tiédir. Dans un bol, mélangez la farine tout usage tamisée, le sucre et le sel; ajoutez peu à peu l'eau et la levure. Quand la pâte est bien homogène, couvrez le bol et laissez-la doubler de volume au chaud (27°C) pendant 2 h environ.

Posez la pâte sur une planche légèrement farinée, pétrissez-la un peu, puis divisez-la et façonnez-la en une douzaine de ronds de ½ po d'épaisseur. Déposez les ronds de pâte sur une planche ou une plaque légèrement farinée et laissez-les doubler de volume au chaud (environ 1 h). Soulevez-les avec une spatule à crêpes et déposez-les sur une plaque chauffante bien beurrée et très chaude. Quand les muffins sont dorés, tournez-les et faites-les cuire de l'autre côté. Mettez-les à refroidir sur une grille. Avant de les servir, divisez-les en deux sur l'épaisseur et faites-les griller. Pour les conserver — car ils deviennent vite rassis —, enveloppez-les dans du plastique et mettez-les dans le congélateur.

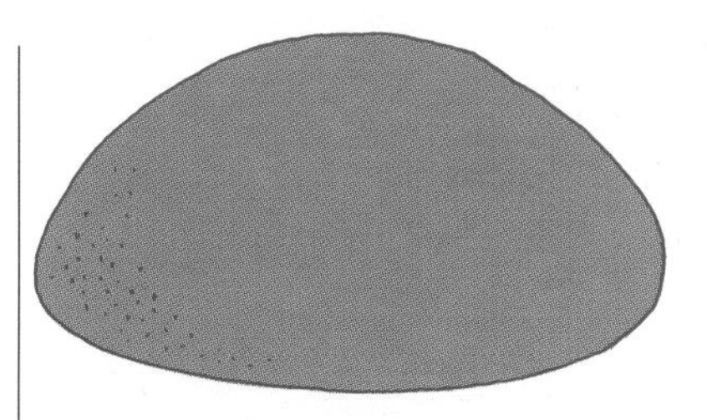

Pain noir de la Forêt-Noire

2 t. (500 ml) de chapelure fine (faite avec du pain noir de préférence)
3 cubes ou 3 sachets de levure
½ t. (125 ml) d'eau tiède (38°C environ)
1 c. à soupe (15 ml) de Postum
2 t. (500 ml) d'eau chaude
4 c. à soupe (60 ml) de mélasse verte
3 t. (750 ml) de farine de seigle
2 c. à thé (10 ml) de sel
1 c. à thé (5 ml) de sucre
¼ c. à thé (1 ml) de gingembre moulu
¼ t. (60 ml) de beurre fondu
2 t. (500 ml) de farine tout usage
1 c. à soupe (15 ml) de Postum dissous dans 2 c. à soupe (30 ml) d'eau

Faites griller la chapelure jusqu'à ce qu'elle soit très brune. (On peut utiliser de la chapelure de pain blanc, mais plus la chapelure est foncée, plus le pain sera noir.) Délayez la levure dans l'eau tiède. Faites fondre le Postum dans l'eau chaude; ajoutez la mélasse et la chapelure et laissez tiédir.

Dans un bol, mélangez le Postum fondu, la farine de seigle, le sel, le sucre, le gingembre, le beurre et la levure délayée. Saupoudrez la farine tout usage sur le dessus de la pâte et laissez en attente 15 min. Mettez la pâte sur une planche farinée et pétrissez-la 10 min ou jusqu'à ce que la farine tout usage soit bien incorporée et que la pâte soit lisse (elle sera un peu sèche). Déposez-la dans un bol, couvrez-la et laissez-la lever au chaud (27°C) au double de son volume (1 h 30 environ).

Remettez la pâte sur une planche légèrement farinée et façonnez-la en une seule miche ronde. Déposez-la sur une plaque légèrement graissée, couvrez-la et laissez-la lever au chaud, à environ 27°C, jusqu'à ce qu'elle ait doublé de volume (environ 45 min).

Badigeonnez la miche de Postum dissous et cuisez-la 40 min au four, à 205°C, ou jusqu'à ce qu'elle soit complètement sèche. Pour la faire refroidir, posez-la sur une grille.

Fabrication du vin

Le vin à travers les âges

La fabrication du vin à la maison a toujours figuré parmi les passe-temps les plus fascinants, ne serait-ce qu'à cause du nombre de méthodes que l'on peut utiliser. Plus le fabricant de vin amateur a d'expérience, plus il veut améliorer la qualité de son vin par rapport à celle des années précédentes. Chaque année, il essaie sur la nouvelle récolte les techniques qui ont déjà fait leurs preuves. Mais comme la qualité du raisin varie d'une année à l'autre, chaque vendange propose à l'amateur des défis qu'il ne peut relever qu'en mettant à profit toute son expérience.

La culture du raisin est presque aussi ancienne que l'agriculture elle-même. On prétend que les premiers vins auraient été issus de la fermentation accidentelle de raisins entreposés, grâce à la moisissure naturelle qui se produit sur le fruit avant sa cueillette. Pourtant, les savants nous apprennent qu'au Proche-Orient, on fabriquait couramment du vin dès la plus haute Antiquité.

Le vin et les dieux. Le vin a longtemps été considéré comme un cadeau des dieux: d'Osiris chez les Egyptiens, de Dionysos chez les Grecs. Dans plusieurs civilisations fort différentes, la consommation du vin était une partie intégrante des cérémonies religieuses: ainsi, les Grecs et les Romains offraient des libations de vin à leurs dieux. Il est par ailleurs souvent fait mention du vin dans l'Ancien Testament et le Talmud de Babylone; les chrétiens même ont intégré le vin au mystère de la communion.

Il semble bien que le vin, menacé de disparition après la chute de Rome, ait été sauvé grâce aux monastères chrétiens. Les moines ne cultivant la vigne que pour produire le vin de messe, ils consacrèrent temps et recherches à améliorer les vignobles et la viticulture. L'essor fut remarquable, d'autant plus qu'en dehors des monastères, l'œnologie, art de fabriquer du vin, faisait très peu de progrès.

Vins et lois. L'importance accordée au vin dans plusieurs sociétés engendra des mouvements répressifs comme la prohibition et une réglementation sous forme de lois. Le Code d'Hammourabi, du roi Hammourabi, de l'empire de Babylone au XVIIIe siècle av. J.-C., fait mention de la vente du vin et punit sévèrement les vendeurs qui ne donnent pas la juste mesure à leurs clients. En l'an 92, Domitien, empereur de Rome, instaura une prohibition limitée; estimant qu'on consacrait trop de terres et d'efforts à la culture de la vigne, il ordonna d'arracher la moitié des ceps de l'empire. On obtempéra mollement à cet ordre. La loi fut abrogée par l'empereur Probus en l'an 280. En 1936, la France édictait des lois régissant les appellations contrôlées pour maintenir la qualité de ses vins d'origine et prévenir les fraudes. En réglementant l'emploi des appellations identifiant des vins bien connus, ces lois visaient à protéger les consommateurs et les négociants.

Les goûts changent. Bien des vins, fameux dans l'Antiquité, seraient souvent considérés comme imbuvables de nos jours. Si les pharaons buvaient du vin de la vigne, leurs sujets, quant à eux, devaient se contenter d'un jus fermenté de palme ou de dattes. Les Grecs conservaient le vin dans des amphores scellées par une sorte de goudron et l'aromatisaient avec de l'eau de mer ou des parfums; parfois même, ils le fumaient.

Quoi qu'il en soit, le vin dans toutes ses variantes a toujours été si universellement apprécié qu'il suffisait d'en introduire dans une société pour que la vigne accapare bientôt une part importante de son agriculture. Aujourd'hui, il suffit de fabriquer chez soi une seule bouteille exceptionnelle pour se prendre de passion pour l'œnologie.

Le commerce du vin dans l'ancienne Egypte est attesté par cette peinture datant du XIIe siècle av. J.-C. et découverte dans le tombeau de Kha-emwése, à Thèbes. Collection du British Museum, à Londres.

Equipement et fournitures

Il est généralement permis à quiconque de fabriquer du vin au Canada, à condition que ce ne soit pas pour la vente. Les seules restrictions touchent l'âge du fabricant et la teneur en alcool du vin. Ces restrictions n'étant pas nécessairement les mêmes d'une province à l'autre, il est préférable de consulter un représentant autorisé de la Société des alcools avant de commencer.

Avant de vous lancer dans la fabrication du vin, assurez-vous de posséder tout l'équipement nécessaire. Un délai imprévu à un moment inopportun peut gâter votre cuvée, sans parler des frustrations que cela vous occasionnerait.

Le vin étant un produit acide qui réagit au contact du métal, il faut absolument que tout votre équipement soit en bois, en plastique, en verre ou en acier inoxydable.

Vous vous procurerez quelques instruments spéciaux chez un fournisseur approprié : des bondes à globes, qui servent de soupapes pour fermer hermétiquement les cruches de fermentation ; un glucomètre (ou un hydromètre) pour mesurer la teneur en sucre du raisin foulé et connaître d'avance sa teneur probable en alcool ; un pressoir à raisins (l'appareil sans doute le plus coûteux de tout l'équipement), non essentiel si vous faites une petite quantité de vin, fort utile si vous devez pressurer beaucoup de raisin ; enfin, une boucheuse, des bouchons et des bouteilles. En vous y prenant d'avance, vous pourrez conserver les bouteilles de vin vides ; les bouchons, cependant, ne peuvent servir qu'une fois, vous devrez donc vous en procurer des neufs.

Vous trouverez à la quincaillerie ou au rayon des ustensiles de cuisine des grands magasins les autres articles qui vous seront nécessaires. Par exemple, une cuve pour le foulage du raisin (une corbeille à papier ou une poubelle en plastique fera très bien l'affaire). Ce contenant servira aussi pour la première fermentation. Il vous faudra des feuilles de plastique pour couvrir la cuve et isoler le moût de l'air, et de la ficelle pour attacher ces feuilles.

Vous aurez en outre besoin de quelques cruches en verre pour la deuxième fermentation, ou maturation, celle qui fait suite à la fermentation en cuve. Les cruches des fournisseurs d'eau embouteillée sont parfaites à cet égard. Vous vous assurerez cependant que le goulot est de la même grandeur que le bouchon de liège dans lequel vous introduirez la bonde.

Il vous faudra un grand bâton en bois d'environ 3 pi de long pour remuer le moût et enfoncer le chapeau, une grande quantité d'étamine propre (plusieurs verges), quelque 6 pi de tuyau de plastique, que l'on utilise comme siphon, et un entonnoir.

Certains ingrédients essentiels à la fabrication du vin ne se trouvent que dans des magasins spécialisés. C'est le cas du métabisulfite de potassium vendu en comprimés, agent indispensable de nettoyage et de stérilisation. L'anhydride sulfureux qu'il dégage élimine les ferments nuisibles et les bactéries qui pourraient altérer le vin et réduit le brunissement du raisin.

La fermentation du vin se produit sous l'action des levures naturelles du raisin. Comme il pourrait y avoir dans la pruine du fruit d'autres types de levures dont les réactions seraient imprévisibles, on préfère les éliminer avec du métabisulfite de potassium et utiliser de la levure spécialement cultivée. La levure dont on se sert en boulangerie est différente de celle-ci et ne peut en aucun cas la remplacer. On emploie également de la nourriture de levure, source d'azote indispensable à la fermentation.

Avec de l'acide tartrique, un nécessaire à plaquettes pour mesurer le pH et une boîte de sucre glace, vous aurez en main tout ce qu'il faut pour transformer du raisin en vin de bonne qualité.

Equipement de base. La bonde à globes laisse le gaz s'échapper durant la fermentation et empêche l'air et les bactéries d'entrer. Le pressoir n'est pas essentiel ; on peut écraser le raisin et le pressurer dans de l'étamine. Une corbeille à papier en plastique peut recevoir le moût. Le siphon et l'entonnoir servent à soutirer le vin. Le glucomètre mesure la teneur en sucre.

Fabrication du vin

Raisins, concentrés, fruits et fleurs

Pour fabriquer du bon vin, une condition est essentielle : choisir des fleurs ou des fruits sains. Bien qu'on puisse en cours de vinification corriger le goût du vin (voir p. 48), on n'arrive jamais à faire du bon vin avec des fleurs ou des fruits de piètre qualité.

Vin de raisin. La vigne la plus couramment utilisée en Europe comme en Californie est *Vitis vinifera.* Cette espèce est cultivée en vue d'obtenir des raisins de cuve ou des raisins de table. Elle possède toutes les qualités requises pour produire un vin de qualité. Sa teneur naturelle en sucre facilite la fermentation et permet d'obtenir des taux d'alcool de 10 p. 100 ou même davantage. Or, ce facteur est important puisqu'un vin peu alcoolisé est beaucoup plus vulnérable à l'action des bactéries.

Le degré d'acidité de *V. vinifera* est aussi excellent puisqu'il renferme moins de 1 p. 100 d'acide tartrique. Enfin, *V. vinifera* comporte une belle gamme de variétés de raisins susceptibles de donner des vins de couleurs et de saveurs très différentes.

Un raisin originaire de l'est de l'Amérique du Nord, *Vitis labrusca* a longtemps été utilisé par les viticulteurs de cette région. Il supporte bien les hivers rigoureux, mais sa courte période de croissance en fait un raisin pauvre en sucre et très acide. Il faut donc lui ajouter beaucoup de sucre pour arriver au degré optimal d'alcool. Ce raisin produit en général un vin foxé, acide et à saveur aigre.

Des croisements effectués récemment entre *V. vinifera* et la vigne américaine ont permis de créer une race hybride de raisin qui donne d'élégants vins secs à partir de ceps qui résistent aussi très bien aux hivers rigoureux. Plusieurs viticulteurs se consacrent maintenant dans le nord-est de l'Amérique du Nord à la culture de cette vigne.

En général, le choix du raisin est déterminé par les arrivages sur le marché au moment où vous vous disposez à faire du vin. Comme les vendanges se font à l'automne, c'est à ce moment-là que vous pourrez vous procurer le meilleur raisin.

Propriétés du raisin. Le bon raisin à vin est assez ferme au toucher. Il laisse échapper un jus un peu collant quand on presse un grain entre ses doigts. Si ce jus est très collant, cela signifie que le raisin n'a pas été récolté assez tôt ; il est trop mûr. Les raisins dont la peau est ridée ont déjà commencé à se dessécher ; ils sont à rejeter. Il ne faut pas utiliser les grappes à nombreux grains fendus ou meurtris : on risque en effet que la pourriture, la moisissure ou des bactéries nocives s'y soient déjà installées.

Rendement à la livre. On peut escompter produire environ 1 gal (4,5 L) de vin avec 22 lb (10 kg) de raisin. Il n'est pas déconseillé de mélanger les variétés de raisins ; on peut même tenter des expériences dans ce domaine et obtenir des résultats remarquables.

Les concentrés. Si vous ne pouvez pas vous procurer du raisin frais, vous pouvez vous servir des concentrés qu'on trouve dans le commerce. Le concentré dont il est question ici n'a rien à voir avec le jus de raisin concentré des magasins d'alimentation. Il s'agit d'un jus obtenu par concentration après foulage et pressurage du raisin ; ce jus a perdu une partie de l'eau qu'il contient et que vous rajoutez vous-même selon les instructions du fabricant. Ainsi reconstitué, ce concentré se traite comme du vrai jus de raisin fraîchement pressuré.

Les vignerons fabriquent généralement leurs concentrés avec les raisins qu'ils jugent impropres à la fabrication de leurs vins. Ces produits donnent cependant des résultats acceptables, mais vous ne devriez pas d'emblée opter pour cette solution si vous cherchez à fabriquer le meilleur vin possible. Par contre, comme les méthodes de fabrication sont les mêmes dans un cas comme dans l'autre, vous pouvez vous faire la main avec des concentrés s'il n'y a pas de raisin frais sur le marché.

Fleurs et fruits. Il existe d'excellents vins faits à partir de fleurs ou de fruits autres que le raisin. Pommes, pêches, prunes, cerises, fraises, baies de sureau, abricots, mûres, pour ne nommer que ceux-là, donnent des vins aussi bons à plusieurs titres que le vin de raisin. Bien que la saveur du fruit n'y soit que légèrement perceptible, ces vins ont un goût qui leur est particulier. On peut même employer des fruits secs dans la mesure où ils ne renferment aucun agent de conservation ; pour cette raison, il vaut mieux les acheter dans des magasins d'alimentation naturelle.

Les fleurs donnent également des vins très distincts des vins de fruits ; on les fabrique au printemps ou en été, en pleine période d'approvisionnement. Les fruits de l'églantier ou rosier sauvage, nommés cynorhodons (la partie de la fleur qui apparaît lorsque les pétales sont tombés), ou les pétales des fleurs de pissenlit mélangés à des raisins secs donnent de bons vins. On trouvera aux pages 46 et 47 plusieurs recettes de vins faits à partir de fleurs ou de fruits.

Préparation du moût et fermentation initiale

Avant de presser le raisin pour en obtenir le moût (le jus fermentable), lavez-le avec soin pour enlever toute trace de pesticide. En premier lieu, versez de l'eau bouillante sur les grappes. Faites ensuite tremper le raisin dans une solution de ½ cuillerée à thé (2 ml) de métabisulfite de potassium pour 5 gal (22 L) d'eau pendant une journée. Cette solution servira aussi à nettoyer les ustensiles et les bouteilles.

Egrappez le raisin avant de le fouler. Le tanin présent dans les tiges (ou rafles) donnerait un goût désagréable au vin. Supprimez par la même occasion les grains meurtris. On peut fouler le raisin avec les mains, les pieds ou selon toute méthode pratique. N'employez rien de métallique et nettoyez tous vos instruments avec la solution de métabisulfite de potassium.

Marquage de la cuve. Pour mesurer le moût, graduez la cuve en demi-gallons (2,5 L). Pour ce faire, versez dans celle-ci 2 pte (2,5 L) d'eau, faites une marque, et ainsi de suite. Pour 22 lb (10 kg) de raisin, vous obtiendrez environ 1 gal (4,5 L) de vin. Comme la cuve de foulage sert à la première fermentation, ne la remplissez pas plus qu'aux deux tiers; autrement, le moût risquerait de déborder durant la fermentation.

Vin rouge et vin blanc. On obtient du vin rouge en faisant fermenter le moût avec les pellicules des raisins noirs. Le vin blanc se fabrique avec du raisin noir ou du raisin blanc. Quand on le fait avec du raisin noir, il faut absolument le pressurer à travers plusieurs épaisseurs d'étamine pour éliminer du jus les pellicules de raisin qui le coloreraient.

Emploi du glucomètre. Après foulage du raisin, on utilise un glucomètre (ou un hydromètre) pour déterminer la teneur en sucre du moût (voir les illustrations ci-dessous). Les glucomètres ou autres densimètres peuvent être diversement gradués, mais ces graduations se rapportent toutes à la gravité spécifique du liquide. Ces graduations sont la gravité spécifique (dans un hydromètre), le potentiel d'alcool ou les degrés Brix (ou Balling). Dans des conditions idéales, le moût doit avoir une gravité spécifique de 1 100, un potentiel d'alcool de 14 p. 100 ou atteindre 25° Brix.

Fermentation initiale. Après avoir rectifié la teneur du moût en sucre par addition de sucre ou d'eau selon les résultats du test, ajoutez de la nourriture de levure à raison de ½ cuillerée à thé (2 ml) par gallon (4,5 L) de moût. Mettez également un tiers de comprimé de métabisulfite de potassium par gallon (4,5 L) de moût. En fondant, le métabisulfite de potassium libère de l'anhydride sulfureux qui favorise la fermentation et détruit les ferments indésirables. Couvrez la cuve d'une feuille de plastique que vous attacherez.

Le levain. Il permet de déclencher la prolifération de la levure avant que l'on ajoute celle-ci au moût. Faites bouillir ½ tasse (125 ml) d'eau. Quand elle est tiède, faites-y dissoudre ½ cuillerée à thé (2 ml) de sucre glace, puis ajoutez la levure de vin en quantité voulue. (Les instructions se trouvent sur le sachet.) Ajoutez une pincée de nourriture de levure et laissez le mélange reposer pendant une heure, ou jusqu'à ce qu'il mousse en dégageant une odeur caractéristique de levure. Versez le levain dans l'échantillon de moût mesuré à l'hydromètre et rectifié en sucre. Videz la solution dans une bouteille, fermez-la avec un tampon de coton stérilisé et laissez-la en attente au chaud (21°C) pendant 24 heures.

Le lendemain, ajoutez le levain au moût. (Pour le vin blanc, il faut débarrasser le moût des pellicules du raisin avant d'ajouter le levain.) Couvrez hermétiquement la cuve avec la feuille de plastique aussitôt après avoir ajouté le levain.

Perforation du chapeau. La fermentation doit se produire dans un endroit où la température se maintient entre 18 et 24°C. Pellicules et pulpe remontent à la surface et forment une sorte de croûte, le chapeau, qu'il faut crever périodiquement. Autrement, il emprisonnerait dans le moût la chaleur et le gaz carbonique, et la fermentation s'arrêterait.

Deux semaines de fermentation. Tous les jours ou tous les deux jours, enlevez la feuille de plastique, crevez le chapeau et mélangez-le au moût avec un bâton propre en bois; recouvrez la cuve. Au bout de deux semaines, analysez tous les jours le moût au glucomètre. Quand vous obtenez 1 050 de gravité spécifique ou 12,5° Brix, la fermentation initiale est terminée.

Suppression des pellicules. Pour la fermentation secondaire des vins rouges, il faut séparer le jus fermenté du marc. Comme la couleur du vin et plusieurs éléments de son goût proviennent des pellicules du raisin, seule l'expérience vous apprendra vraiment combien de temps doit durer la fermentation initiale. Elle est cependant nettement plus longue pour le vin rouge que pour le vin rosé. Pour ce dernier, la fermentation du moût avec les pellicules doit durer un ou deux jours.

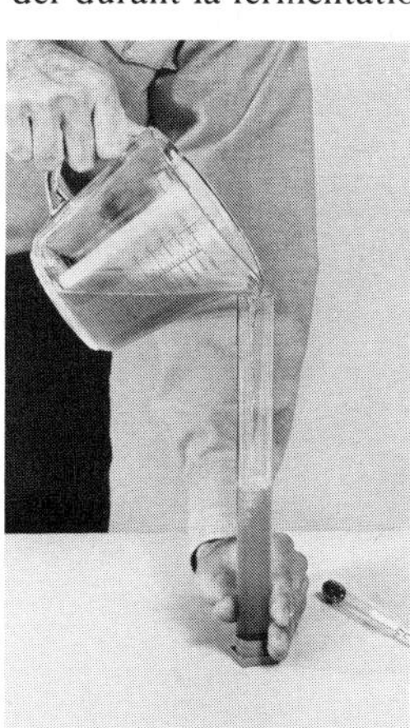

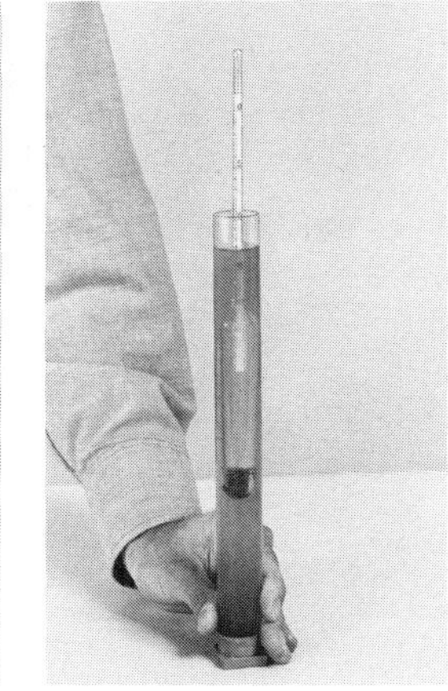

Test du sucre. Employez un glucomètre ou un hydromètre qui mesure la teneur en sucre d'après la gravité spécifique. Prenez 10 oz (300 ml) de jus clair; versez-en dans le tube jusqu'à ce que le glucomètre se stabilise.

Le potentiel d'alcool dépend de la teneur en sucre du jus. Plus il y a de sucre, plus le glucomètre est haut. Le résultat idéal est de 25° Brix ou 1 100 de gravité spécifique. Ici, le moût manque de sucre.

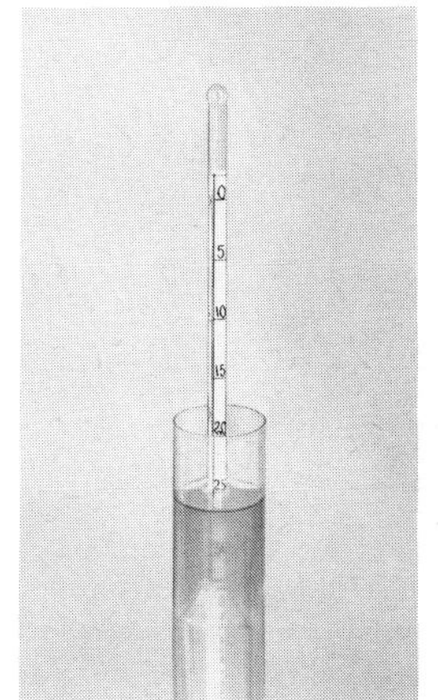

On ajoute du sucre glace pour arriver à 25° Brix. Videz le jus du tube dans la tasse, ajoutez 1 c. à thé (5 ml) de sucre à la fois et refaites le test. Quand le moût contient trop de sucre, on ajoute ½ oz (15 ml) d'eau à la fois.

Quand le résultat est correct, on ajoute au moût le nombre de cuillerées à thé de sucre dans les mêmes proportions que pour l'échantillon en appliquant la formule suivante: 128 multiplié par le nombre de gallons de moût, multiplié par le nombre de cuillerées à thé dans l'échantillon et divisé par 10.

Fabrication du vin

Préparation du moût et fermentation initiale *(suite)*

Avec de l'expérience, vous arriverez à donner à vos vins les caractéristiques qui vous plaisent le plus dans les grands crus.

Les levures, dont l'influence sur la qualité du vin est déterminante, portent en général le nom des régions où elles ont été isolées à l'origine. La levure de vin de Bourgogne ne vous donnera pas un vrai bourgogne, mais votre vin s'y apparentera. La levure de Montrachet est une bonne levure tout usage. Les vins secs, ceux qui renferment peu ou pas de sucre après la fermentation, ont un goût plus fin si on utilise de la levure de Bordeaux ou de Zeltinger. Pour un demi-sec, on donnera la préférence à la levure de vins du Rhin ou de Liebfraumilch, tandis que pour un vin doux et capiteux, on prendra une levure de Porto, de Xérès, de vin de Tokay ou de Sauternes. Toutes ces levures commandent des méthodes spéciales de fermentation dont les principes sont exposés ici et qu'il faut respecter si l'on veut obtenir de bonnes teneurs en alcool par rapport au sucre non fermenté.

La teneur en sucre d'un vin après fermentation modifie son goût. On aurait tort, cependant, de sucrer le moût avec excès pour essayer d'obtenir un vin plus doux. Dès que la teneur en alcool atteint environ 17 p. 100, la fermentation s'arrête. Le sucre non transformé en alcool prend alors un goût curieux et donne au vin une texture sirupeuse. Il est préférable d'ajouter du sucre glace au vin une fois la fermentation terminée. Dans ce cas, on attend une semaine ou deux avant d'embouteiller le vin, pour s'assurer que le sucre n'a pas provoqué une reprise de la fermentation.

On peut mélanger des vins différents pour obtenir un produit de qualité supérieure. Essayez d'abord différents coupages sur de petits échantillons en vous rappelant qu'un mélange insignifiant au début peut se bonifier avec l'âge.

1. Egrappez le raisin. Jetez la rafle et les grains endommagés ou moisis. Mettez le raisin dans un contenant en plastique, une corbeille à papier par exemple. (On utilise ici un plat en verre pour faciliter la démonstration.)

2. Foulez le raisin avec les mains, les pieds ou un instrument non métallique. Tous les grains doivent être écrasés de la sorte avant d'être mis dans le pressoir (étape 3) ou pressurés à travers plusieurs épaisseurs d'étamine.

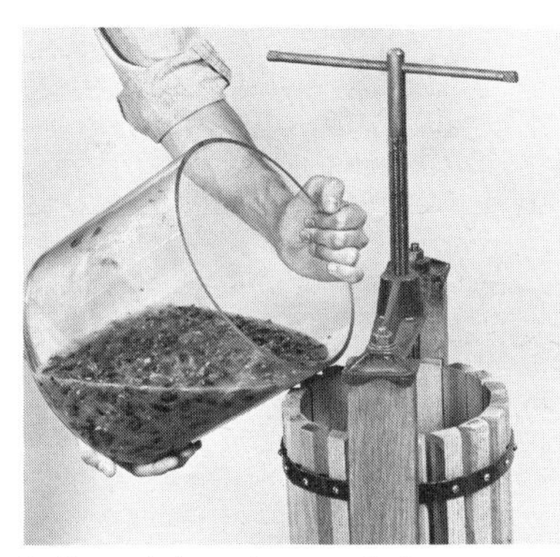

3. Placez la base du pressoir dans un sac de plastique (voir l'illustration suivante) pour qu'il reçoive le trop-plein. Remontez la vis le plus haut possible, retirez le plateau de pressurage et versez les raisins foulés dans la maie.

4. Pressez le raisin en tournant la vis de quelques tours. Laissez le jus s'écouler avant de pressurer davantage. Ne desséchez pas complètement la pulpe. En broyant les pépins, vous obtiendriez des éléments indésirables.

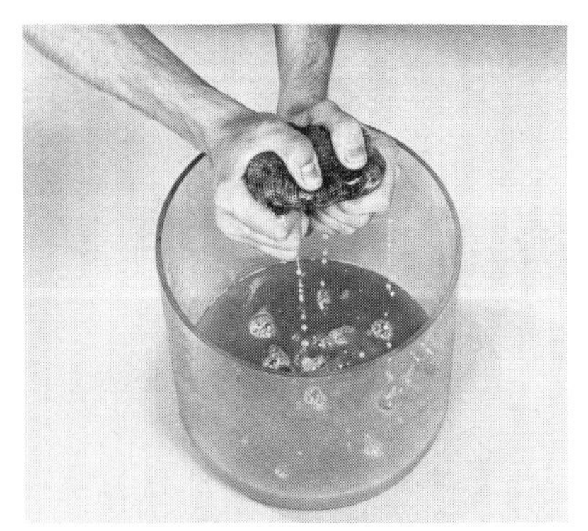

5. A défaut d'un pressoir, pressurez le raisin à travers plusieurs épaisseurs d'étamine. Prenez une poignée de raisins à la fois. Conservez les pellicules si vous faites du vin rouge ou du vin rosé avec du raisin noir.

6. Mesurez la teneur en sucre d'un échantillon de jus (voir p. 41). Rectifiez-la au besoin en ajoutant soit du sucre soit de l'eau, toujours peu à la fois (voir p. 41). Vérifiez après chaque addition. Ici, on ajoute du sucre.

7. Rectifiez maintenant la teneur en sucre du moût (voir p. 41). Ajoutez ensuite du métabisulfite de potassium. Préparez le levain en mettant de la levure dans un échantillon prélevé à même le moût, comme on peut le voir ici.

8. Après 24 h d'attente, ajoutez le levain au moût après avoir rectifié sa teneur en sucre et l'avoir traité au métabisulfite de potassium. Pour le vin rouge, la fermentation se fait avec les pellicules. Les étapes suivantes se trouvent à la page 44.

Maturation et embouteillage

Au sortir de la cuve de fermentation initiale et après avoir traversé les premières étapes de la vinification, le moût passe dans de grandes cruches qui sont fermées au moyen de bondes. Le moût subira dans ces cruches une nouvelle fermentation. Le prélèvement du vin dans la cuve s'appelle soutirage. On peut voir comment s'effectue cette opération en consultant les pages 44 et 45.

Cessez de crever le chapeau au moins un jour avant de soutirer le moût pour qu'il n'y ait pas de particules en suspension dans celui-ci. Comme le soutirage s'effectue au moyen d'un siphon, il faudra surélever la cuve de fermentation par rapport aux cruches.

Pressurage du chapeau. Retirez peu à peu le chapeau, en vous servant d'instruments en bois ou en plastique seulement. Pressurez ensuite le chapeau à travers plusieurs épaisseurs d'étamine, au-dessus d'un entonnoir doublé lui-même d'étamine et placé dans le goulot d'une cruche. Le filtrage doit en effet être aussi parfait que possible.

Si vous vous servez d'un pressoir et non d'étamine pour pressurer la pulpe et la masse de peau du chapeau, vissez très lentement pour abaisser le plateau. Laissez suffisamment de temps au jus pour qu'il s'écoule avant d'exercer plus de pression. Il faut éviter de broyer les pépins par un pressurage excessif car le tanin qu'ils renferment altérerait le goût du vin.

Soutirage du moût. Le soutirage du vin clair, ou vin de goutte, qui se trouve sous le chapeau se fait au moyen d'un siphon ; il ne faut pas verser le moût. Il est en effet indispensable de ne pas remuer les cellules de levure mortes et les autres résidus qui reposent dans le fond de la cuve. C'est donc avec la plus grande prudence qu'on maniera le siphon pour n'aspirer aucune particule de la lie.

Même si le vin de goutte paraît limpide, il faut laisser une épaisseur d'étamine dans l'entonnoir afin de filtrer les particules presque invisibles qu'il pourrait renfermer. C'est aussi une mesure de prudence au cas où il vous arriverait par inadvertance d'aspirer un peu de lie.

Mise en place des bondes. Lorsque le vin de goutte a été complètement soutiré et qu'il est allé rejoindre le vin de presse dans les cruches, il faut boucher celles-ci avec des bondes spéciales qui seront remplies d'eau. Ce sont des dispositifs qui empêchent tout agent de contamination de venir gâter votre cuvée, mais laissent s'échapper le gaz carbonique dégagé par la transformation du sucre en alcool. Si vous ne trouvez pas de bondes, remplacez-les par de la pellicule de plastique pour aliments tenue en place par des élastiques.

Fermentation complémentaire. Au cours de cette étape, le vin continue à fermenter comme en témoignent les bulles qui se forment dans l'eau des bondes. Lorsqu'il ne s'en produit plus, la fermentation peut quand même être présente. En fait, seule une analyse au glucomètre permet de suivre les progrès de la maturation.

Faite deux semaines après le début de la seconde fermentation ou quand les bulles ont cessé, cette analyse devrait révéler une gravité spécifique de 1 000 ou un potentiel d'alcool de près de 0° Brix. Il ne faut pourtant pas en déduire que la fermentation est terminée ; en effet, les résultats ne sont pas tout à fait probants à cause de la présence de sucre et d'alcool dans le moût. C'est cependant le moment de refaire un soutirage pour permettre à la fermentation de se poursuivre. Par contre, si le moût n'est pas rendu au degré voulu, répétez les analyses tous les deux jours.

Deuxième soutirage. Il se fait à peu près comme le premier et a les mêmes objectifs : décanter le vin et relancer la fermentation. Le vin est soutiré dans de nouvelles cruches très propres. Cette fois-ci, cependant, on le projette contre la paroi interne des cruches pour l'oxygéner et par là même réactiver la fermentation. On remet en place bondes ou pellicules de plastique.

La fermentation est maintenant plus lente et peu perceptible. Après un mois de maturation, on fait des tests au glucomètre tous les trois ou quatre jours jusqu'à ce que l'on obtienne une gravité spécifique de 990 ou 995, ou encore 0° Brix. Le moment est alors venu de clarifier le vin avant de l'embouteiller.

Clarification du vin. C'est une opération qui débarrasse le vin des dernières impuretés qu'il contient. On peut acheter chez un fournisseur spécialisé de la bentonite ou de l'ichtyocolle ou utiliser de la gélatine non aromatisée qu'on fait fondre dans de l'eau chaude avant de l'ajouter au vin. Les impuretés se collent à la gélatine et tombent dans le fond de la cruche d'où on les élimine lors d'un dernier soutirage. La clarification ou collage du vin est une opération très importante, non seulement parce qu'elle en assure la limpidité, mais aussi parce que certaines de ces impuretés pourraient altérer le goût du vin et même le gâter.

Correction de l'acidité. Après avoir clarifié le vin, vous voudrez peut-être vous procurer un nécessaire pour en mesurer l'acidité. Le taux d'acidité d'un vin agit directement sur son goût et sur l'impression qu'il produit dès qu'il touche le palais. Un excès d'acide rend le vin astringent ; une insuffisance d'acide le fait paraître terne et plat.

On mesure l'acidité du vin en y plongeant une plaquette à pH. Quand celle-ci est sèche, on la compare aux couleurs d'un tableau inclus dans le nécessaire. Inférieur à 3,5, le taux d'acidité est trop élevé. Vous l'abaisserez en gardant le vin au réfrigérateur (et non au congélateur) pendant une semaine ; sous l'effet du froid, l'acide tartrique en excès subit une précipitation qui le transforme en cristaux blancs ; ceux-ci se déposent dans le fond de la bouteille. Si vous ne pouvez utiliser un réfrigérateur, jetez assez de craie broyée dans la cruche pour en recouvrir le fond. Au bout de quelques jours, la craie aura absorbé l'acide tartrique. Vérifiez de temps à autre le pH pour déterminer à quel moment il a atteint un niveau normal. Si le pH se situe à 4,5 ou au-dessus, le vin n'est pas assez acide. Vous lui ajouterez alors de l'acide tartrique, acide commun à tous les raisins, par petites quantités à la fois, en vérifiant constamment le pH. Celui-ci est à un niveau normal quand il se situe entre 3,5 et 4,5.

On peut ajouter de la vitamine C (acide ascorbique) au vin pour l'empêcher de s'oxyder pendant le vieillissement en bouteille. Achetez des comprimés de 50 mg et utilisez 1 comprimé par gallon (4,5 L) de vin après l'avoir écrasé et réduit en poudre.

Soutirage final. Le vin peut maintenant être embouteillé. Nettoyez les bouteilles avec une solution de métabisulfite de potassium et bouchez-les avec du coton propre si vous n'avez pas l'intention de les remplir tout de suite. Vous pouvez soutirer directement le vin dans les bouteilles. Laissez un peu d'espace entre le vin et le bouchon (voir photographie, étape 16, p. 45). Après avoir fait bouillir les bouchons de liège dans l'eau pendant environ 15 minutes, enfoncez-les dans le goulot des bouteilles en vous servant d'une boucheuse. Conservez les bouteilles couchées pour que les bouchons demeurent constamment humides. Autrement, ils rétrécissent en séchant et permettent à l'air chargé de bactéries d'entrer en contact avec le vin et de le gâter.

Vieillissement en bouteille. Avec le temps, le vin s'affine, devient moins acide et plus harmonieux. Le vin fait à la maison doit normalement être vieilli de six mois à cinq ans, mais en matière de vieillissement, toutes les expériences sont permises.

Fabrication du vin

Maturation et embouteillage

1. Crevez le chapeau tous les deux jours avec un bâton propre. Les gaz et la chaleur susceptibles de nuire à la fermentation peuvent ainsi se dégager. Remettez aussitôt la feuille de plastique sur la cuve pour empêcher la contamination par l'air.

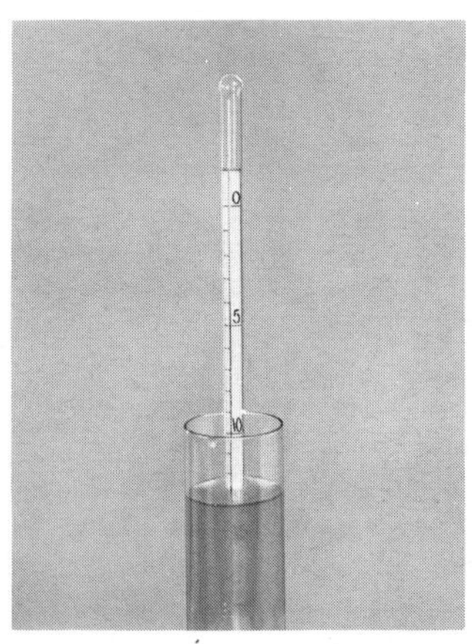

2. Deux semaines après le début de la fermentation, vérifiez la teneur en sucre tous les deux jours. Quand elle est inférieure de 50 p. 100 à ce qu'elle était au début, soutirez le vin clair et pressurez le chapeau. Le glucomètre indique ici 12,5° Brix (voir p. 41). Laissez le chapeau intact au moins 24 h avant de soutirer le vin.

3. Prenez une tasse ou une louche pour mettre le chapeau dans le pressoir. Prélevez-le avec soin, pour ne pas brouiller le vin de goutte. Il doit être aussi limpide que possible quand vous le mettrez en cruches au moyen d'un siphon. Ne remuez pas non plus les dépôts de levure dans le fond de la cuve.

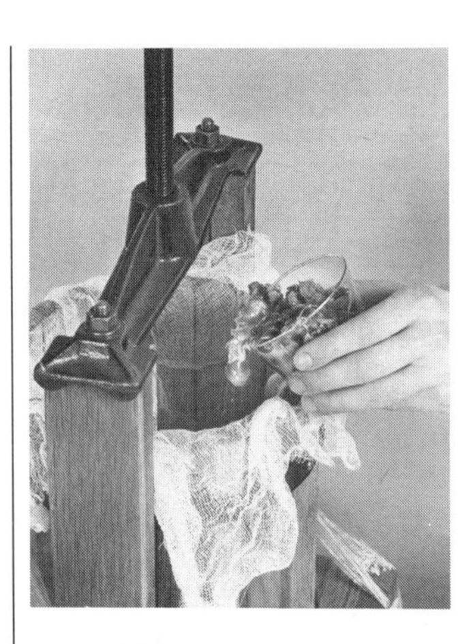

4. Doublez le pressoir d'étamine et pressurez pulpe et pellicules en prenant soin de ne pas en faire tomber dans les cruches de fermentation secondaire. A défaut d'un pressoir, pressurez le marc à travers des épaisseurs d'étamine.

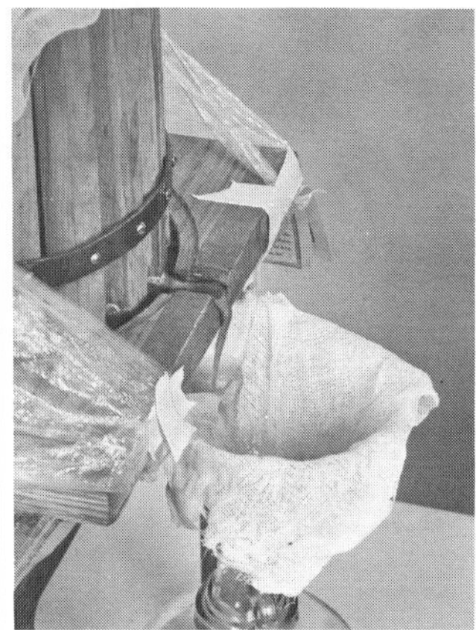

5. Doublez également l'entonnoir d'étamine, surtout si vous faites du vin blanc, et pressurez le raisin directement dans les cruches. Si vous avez beaucoup de raisin à pressurer, changez l'étamine de temps à autre pour que le jus s'écoule bien. Voir page 42 le fonctionnement d'un pressoir.

6. Bouchez la cruche avec une bonde ; elle permet au gaz de s'échapper sans laisser entrer l'air, la poussière et les bactéries. On emploie une solution de métabisulfite de potassium pour remplir les deux boules de verre à demi, comme ici. Rajoutez-en si elle s'évapore.

7. On soutire de nouveau le vin quand la fermentation ralentit et que s'accumulent dans le fond des dépôts de levure (voir le texte, p. 43). Attention : en soutirant le vin, ne siphonnez pas la lie. Prenez un goujon en bois et faites une entaille là où commence la lie.

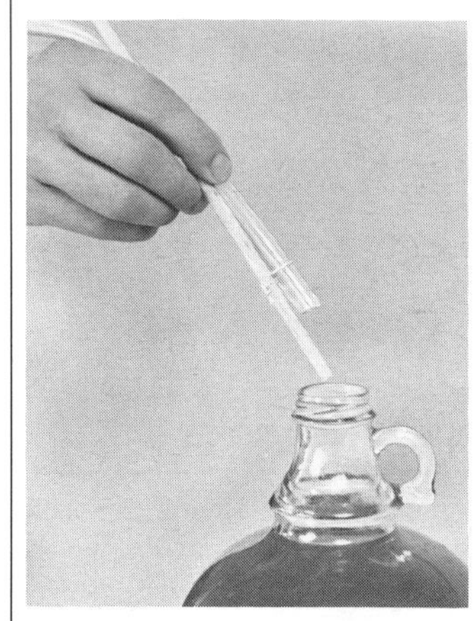

8. Attachez le tuyau du siphon au goujon de façon que le bout du tuyau soit à la hauteur de l'entaille. Vous ne risquerez pas ainsi d'aspirer la lie. N'agitez pas le goujon après l'avoir introduit dans la cruche pour ne pas brouiller le vin.

9. Comme la cruche pleine doit être surélevée par rapport à la cruche vide pour que le siphon fonctionne, installez-la en conséquence dès le début de la deuxième fermentation. Vous pourrez ainsi soutirer le vin sans déplacer la cruche ni agiter la lie. Démarrez le siphonnage par succion, comme ici.

10. Le soutirage du vin dans une cruche propre est essentiel à la fermentation et toutes les étapes de la fabrication doivent être exécutées avec soin. Cruches, tuyau et goujon auront été stérilisés d'avance car le vin est très vulnérable. Servez-vous d'une solution de métabisulfite de potassium (voir texte, p. 41) pour les nettoyer.

11. Avec le tuyau du siphon, dirigez le jet de vin contre la paroi de la cruche pour l'oxygéner. Cet apport d'oxygène dans le vin a pour effet d'activer la fermentation.

12. Un troisième soutirage s'impose quand la fermentation ralentit et que le sucre est presque entièrement transformé en alcool (voir p. 43). Pour ce soutirage, faites pénétrer profondément le tuyau dans la cruche pour que son débit soit régulier. Une nouvelle oxygénation pourrait oxyder le vin.

13. Le glucomètre indique environ 0° Brix ; la fermentation est à peu près terminée. La présence d'un peu de sucre dans le vin rendant la mesure moins précise à ce stade, on laisse le glucomètre descendre légèrement sous 0° Brix.

14. Faites tremper les bouteilles dans une solution de métabisulfite de potassium pendant 24 h avant de les brosser avec un écouvillon (comme ici) et de les laver. Vous délogerez ainsi tout ancien dépôt de vin. N'employez ni savon ni détergent : ils laissent une pellicule qui peut gâter le vin.

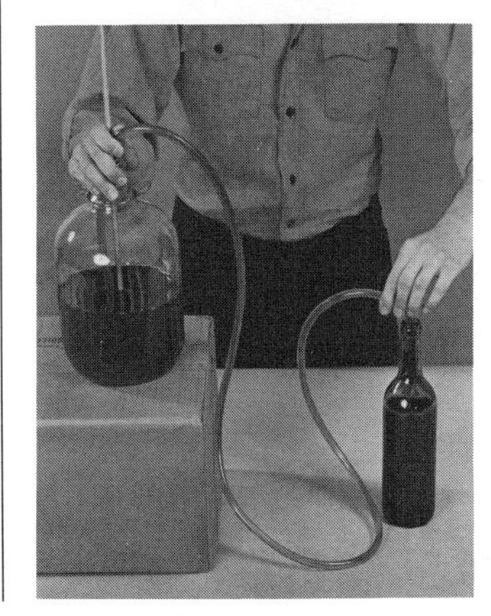

15. Ajoutez un comprimé broyé de vitamine C (50 mg par gallon [4,5 L]) au vin dans la cruche avant de l'embouteiller et de la boucher. Attachez de nouveau le tuyau du siphon à un goujon pour ne pas soutirer la lie. Evitez également d'oxygéner le vin en l'embouteillant.

16. Laissez environ 1 po entre le vin et le bouchon. Appuyez un bouchon contre le goulot de la bouteille pour mesurer l'espace à laisser. Faites bouillir les bouchons 15 min dans l'eau juste avant de les utiliser.

17. Insérez le bouchon dans la boucheuse et enfoncez-le avec le pouce. De la main gauche, tenez à la fois la bouteille et la boucheuse pour qu'elles ne glissent pas. Quelques coups de maillet sur le plongeur feront entrer le bouchon bien droit. Tapez d'un coup sec plutôt que par petits coups.

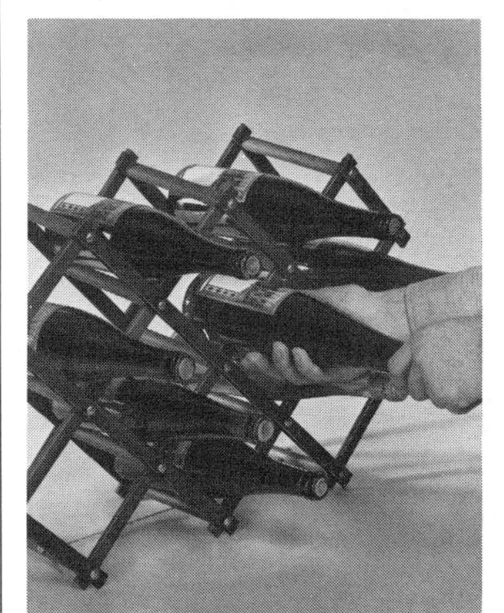

18. Conservez les bouteilles en position couchée pour que le vin soit constamment en contact avec le bouchon et imbibe ainsi le liège. En séchant, le bouchon rétrécit, se désagrège et laisse entrer l'air dans la bouteille, ce qui gâte le vin. Examinez périodiquement les bouteilles pour repérer tout bouchon qui fuit.

Fabrication du vin

Vins de fruits et de fleurs

Les vins de fruits et de fleurs ont autant de goût que le vin de raisin frais. Vous trouverez dans cette section plusieurs recettes traditionnelles ainsi que certaines recettes un peu plus insolites. Dans bien des cas, il est possible de remplacer un fruit ou une fleur par un autre fruit ou une autre fleur qui s'apparente à ceux donnés dans la recette, en changeant tout simplement de type de levure. Par exemple, on peut remplacer les baies de sureau par des mûres de ronces, des mûres de Logan ou des mûres de mûriers; les pêches par des prunes; et les fleurs de pissenlit par du trèfle, de la menthe, des pensées, des primevères ou des soucis. L'expérience vous révélera d'ailleurs bien d'autres combinaisons fort agréables au palais.

Le vin de fleurs ou de fruits se fait à peu près de la même façon que le vin de raisin (voir les pages précédentes). C'est dans la préparation du moût que se manifestent les principales différences. Les fermentations et le soutirage sont assez semblables. Nous donnons les exceptions quand il y en a.

Les fleurs sont en général assez pauvres en éléments fermentescibles; aussi leur ajoute-t-on du raisin sec. Par ailleurs, certaines fleurs et certains fruits ne présentent pas le degré d'acidité souhaitable. On supplée à cette carence en ajoutant des écorces d'orange ou de citron. Il ne faut utiliser que le zeste de ces fruits et non la pellicule blanche qui se trouve juste en dessous et qui donnerait de l'amertume au vin. Certains fruits, comme les pommes, les fraises, les prunes et les pêches, en raison de la pectine qu'ils renferment, produisent un vin brouillé. On y remédie en ajoutant des enzymes pectiques qui donnent au vin la limpidité souhaitable.

Chacune des recettes qui suivent permet de préparer 1 gal (4,5 L) de vin. Si vous voulez obtenir de plus grandes quantités de vin, augmentez proportionnellement les ingrédients.

Vin de fraises

2 lb (1 kg) de fraises
8 oz (225 g) de raisins secs
Sucre glace au besoin
½ c. à thé (2 ml) de tanin de raisin
1 c. à thé (5 ml) d'enzymes pectiques
Levure de Sauternes (suivez les instructions sur le sachet)

Lavez et équeutez les fraises, coupez-les en quatre et déposez-les dans une cuve avec les raisins secs. Foulez les fruits avec un pilon pour obtenir une fine purée. (Hachez les raisins secs d'avance si vous utilisez un instrument qui ne les écrase pas facilement.) Versez 1 gal (4,5 L) d'eau bouillante dans la cuve et fermez avec une feuille de plastique. Laissez le moût reposer 24 h, agitez-le et couvrez de nouveau la cuve.

Le troisième jour, versez les enzymes pectiques et le tanin de raisin dans le moût, remuez et vérifiez la teneur en sucre avec un glucomètre (voir p. 41). Mettez la levure de Sauternes dans le levain (pp. 41-42) et ajoutez celui-ci au moût. La fermentation va s'amorcer dans la cuve couverte d'une feuille de plastique.

La pulpe et la semence des fraises ne se déposant pas comme le marc de raisin, il ne sera pas possible de soutirer le vin avec un siphon selon la méthode habituelle. Mettez une certaine quantité de pulpe dans une double épaisseur d'étamine en vous servant d'une tasse de plastique en guise de louche. Evitez de remuer la lie dans le fond de la cuve. Pressurez la pulpe pour que le jus coule dans un entonnoir doublé d'étamine et posé dans le goulot d'une cruche. S'il tombe de la pulpe dans cette cruche, tamisez de nouveau le jus à travers une double épaisseur d'étamine en posant un entonnoir garni d'étamine dans le goulot d'une autre cruche (voir illustrations, pp. 42, 44 et 45).

Effectuez les opérations de soutirage et de fermentation comme pour le vin de raisin (voir pages précédentes). Le vin est prêt à boire dans moins d'un an.

Vin de roses

3½ lb (1,75 kg) d'akènes frais ou 2½ lb (1,25 kg) d'akènes secs de rosier
8 oz (225 g) de raisins secs
Sucre glace au besoin
2 citrons
Levure de Tokay ou de Riesling (suivez les instructions sur le sachet)

Achetez des akènes secs de rosier chez un fournisseur approprié; utilisez-les seuls ou avec des akènes frais. Ne les prenez pas chez un fleuriste: ils pourraient contenir des produits chimiques.

Hachez les akènes et mettez-les avec le raisin sec et l'écorce des citrons dans une cuve; ajoutez 1 gal (4,5 L) d'eau bouillante. Quand elle est froide, versez le jus des citrons, rectifiez le sucre et ajoutez le levain contenant la levure (pp. 41-42).

Deux semaines plus tard environ, pressurez et filtrez le moût dans des cruches à bondes (p. 44).

Vin de pêches

3 lb (1,5 kg) de pêches mûres entières
Sucre glace au besoin
2 citrons
2 oranges
½ c. à thé (2 ml) de tanin de raisin
2 c. à thé (10 ml) d'enzymes pectiques
Levure de Montrachet (suivez les instructions sur le sachet)

Coupez les pêches en quartiers; pressez-les en purée dans une cuve avec un pilon en bois. Couvrez d'eau bouillante. Laissez reposer 24 h.

Rectifiez la teneur en sucre (voir p. 41), ajoutez les écorces de citron et d'orange et pressurez leur jus dans le moût. Ajoutez les enzymes et le levain contenant la levure. Soutirage et fermentation se font comme pour le vin de raisin. On peut utiliser des pêches de conserve sans agent de conservation ou des prunes fraîches. Ce vin sec est prêt en six mois.

Vin de bananes

4 lb (2 kg) de bananes très mûres
8 oz (225 g) de pelures de bananes
4 oz (110 g) de raisins secs
Sucre glace au besoin
1 citron
1 orange
Levure de Montrachet (suivez les instructions sur le sachet)

Coupez les bananes en petits tronçons. Mettez-les dans une casserole avec ½ gal (2,25 L) d'eau et les pelures de banane détaillées en longues lanières étroites. Ajoutez le zeste du citron et de l'orange et laissez mijoter 30 min. Pressurez ce moût à travers deux épaisseurs d'étamine et mettez-le dans une cuve à fermentation.

Quand il est froid, ajoutez le jus du citron et de l'orange, rectifiez la teneur en sucre (voir p. 41) et ajoutez le levain contenant la levure (pp. 41-42). Remuez le moût chaque jour pendant sept jours. Couvrez toujours la cuve de plastique.

Après les sept jours, versez le jus dans une cruche à l'aide d'un entonnoir. Posez une bonde (pp. 44-45) sur la cruche. Si elle n'est pas pleine, rajoutez un peu d'eau. Pour un vin de bananes, le soutirage à ce stade ne s'impose pas.

Gardez le vin dans un endroit frais pendant six semaines; il se formera un épais dépôt. (Le vin aura un aspect inquiétant, car il renferme beaucoup plus de dépôts qu'un vin ordinaire. Ne vous faites cependant pas de soucis: c'est tout à fait normal.)

Quand les six semaines sont écoulées, soutirez le vin et faites-le de nouveau fermenter dans une autre cruche. Hachez les raisins secs très fin, ajoutez-les au vin et fermez la cruche avec une bonde. Deux mois plus tard, soutirez de nouveau le vin. A partir de ce moment, traitez-le comme un vin ordinaire. Sa qualité, cependant, s'améliorera beaucoup plus avec l'âge que celle de la plupart des autres vins de fruits. Goûtez-y à des intervalles de quelques semaines.

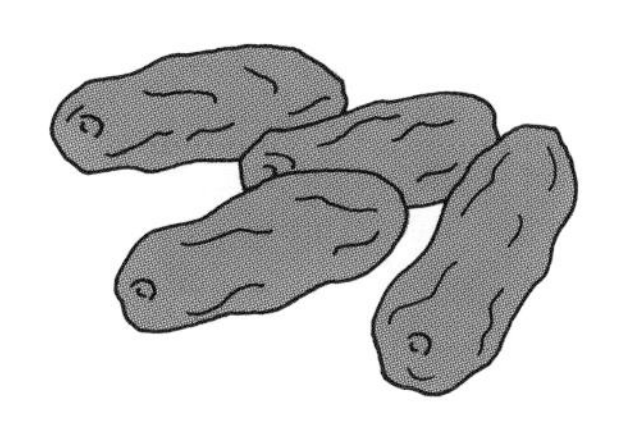

Vin de dattes

2 lb (1 kg) de dattes
Sucre glace au besoin
1 citron
1 orange
1 pamplemousse
8 oz (225 g) de flocons d'orge
¾ c. à thé (3 ml) d'enzymes pectiques
Levure de Montrachet (suivez les instructions sur le sachet)

Choisissez des dattes non sulfurées ; on en trouve dans les magasins d'aliments naturels. Coupez-les en petits morceaux et placez-les dans une casserole avec le zeste (sans peau blanche) et le jus du citron, de l'orange et du pamplemousse. Faites ensuite bouillir les flocons d'orge dans ½ gal (2,25 L) d'eau pendant 15 min ; passez et ajoutez ce liquide aux fruits.

Faites bouillir pendant 10 min. Quand le moût est froid, transvidez-le dans la cuve de fermentation (pp. 41-42). Le tanin que renferment les noyaux de dattes aromatisant le vin, broyez une poignée de noyaux et ajoutez-les au moût. Si les dattes étaient dénoyautées, remplacez les noyaux par ½ cuillerée à thé (2 ml) de tanin de raisin. Ajoutez aussi les enzymes pectiques.

Bien que les dattes renferment beaucoup de sucre, il vaut mieux en mesurer la teneur à l'aide du glucomètre (voir p. 41) et la rectifier au besoin. Ajoutez le levain contenant la levure et couvrez la cuve de plastique (p. 42). Remuez le moût chaque jour pendant une semaine (p. 44) ; faites aussi une analyse au glucomètre chaque jour pour déterminer les progrès de la fermentation.

Etant donné la nature du moût, il peut être difficile de soutirer le vin. Dans ce cas, pressurez-le à travers une double épaisseur d'étamine, au-dessus d'un entonnoir doublé d'étamine et placé dans le goulot d'une cruche. Le vin de dattes demeure parfois brouillé, malgré les enzymes pectiques. On peut toutefois le clarifier à l'ichtyocolle ou à la bentonite (voir le texte, p. 43).

Vin de café

8 oz (225 g) de café moulu
Sucre glace au besoin
2 citrons
8 oz (225 g) de raisins secs Sultana
Levure de Montrachet (suivez les instructions sur le sachet)

Infusez le café et le zeste des citrons dans ½ gal (2,25 L) d'eau pendant 30 min. Hachez les raisins très fin ; mettez-les dans une cuve et versez dessus le liquide précédent, filtré à travers deux épaisseurs d'étamine. Quand le moût est froid, ajoutez le jus des citrons et rectifiez la teneur en sucre (p. 41). Ajoutez le levain contenant la levure (pp. 41-42) et couvrez la cuve avec une feuille de plastique. Remuez le moût chaque jour pendant une semaine. Versez le vin dans une cruche en le filtrant à l'étamine et bouchez avec une bonde (p. 44). Soutirage et fermentation se font normalement (pp. 43-45).

Cidre

5 boîtes de 6 oz (170 ml) de jus de pomme concentré et congelé ou 1 gal (4,5 L) de jus de pomme
Sucre glace au besoin
¼ c. à thé (1 ml) de tanin de raisin
½ c. à thé (2 ml) d'enzymes pectiques
Levure de Montrachet

Le cidre se fait normalement avec des pommes fraîches. Mais comme elles sont difficiles à pressurer sans pressoir, on recommande ici l'emploi de jus.

Coupez le concentré d'eau comme il est indiqué sur la boîte. Assurez-vous en lisant l'étiquette qu'il ne renferme aucun agent de conservation ; ceux-ci empêcheraient la fermentation. Rectifiez la teneur en sucre (voir p. 41), ajoutez le tanin, les enzymes pectiques et le levain contenant la levure. Décuvez et faites fermenter le cidre comme s'il s'agissait d'un vin de raisin. Vous aurez un beau cidre doré à bouquet de pommes fraîches.

Vin de sureau

4 lb (2 kg) de baies de sureau
8 oz (225 g) de raisins secs
Sucre glace au besoin
2 citrons
6 clous de girofle
Levure de Bordeaux (suivez les instructions sur le sachet)

Les baies de sureau sont si populaires en Angleterre qu'on les appelle le raisin des Anglais. L'emploi de levure de Bordeaux accentue la vinosité de ce vin rouge sec. Egrappez les baies et lavez-les parfaitement. Déposez-les ensuite dans la cuve de fermentation. Hachez les raisins secs et ajoutez-les aux baies. (Si vous éprouvez des difficultés à hacher les raisins secs pour faire de grandes quantités de vin, poudrez l'instrument dont vous vous servez de sucre glace afin que le raisin n'y colle pas.)

Avec une cuiller de bois ou un pilon stérilisés, foulez baies de sureau et raisins secs pour obtenir une purée bien mélangée. Couvrez le moût d'eau bouillante. Fermez la cuve avec une feuille de plastique et laissez le moût en attente une journée. Mesurez alors la teneur en sucre à l'aide du glucomètre, comme pour un vin de raisin, et rectifiez-la si c'est nécessaire (voir p. 41).

Prélevez le zeste des citrons en le dégageant complètement de la pellicule interne qui est blanche ; ajoutez-le au moût ainsi que le jus des deux citrons et les clous de girofle.

La fabrication du levain et l'addition de la levure sont des opérations identiques à celles pratiquées pour le vin de raisin. Couvrez la cuve de fermentation d'une feuille de plastique, puis soutirez le vin dans une cruche fermée par une bonde. Comme les baies de sureau ont une très forte teneur en tanin, si on les compare à d'autres baies ou à des fleurs, il faudra laisser vieillir le vin plus longtemps pour qu'il s'affine. On peut compter jusqu'à deux ans de vieillissement, comme pour un vin rouge.

Vin de pissenlit

3 pte (3 L) de fleurs de pissenlit
Sucre glace au besoin
2 citrons
2 oranges
½ c. à thé (2 ml) de tanin de raisin
Levure de Montrachet (suivez les instructions sur le sachet)

Tout comme le vin de sureau en Angleterre, le vin de pissenlit est très populaire dans les campagnes américaines. On recueille les fleurs quand elles sont fraîches et bien ouvertes. Supprimez les tiges et les feuilles ; ne gardez que les inflorescences. Ne cueillez pas le pissenlit là où il pourrait avoir été aspergé d'herbicide, par exemple dans des pelouses ou près des grandes routes.

Rincez les fleurs à l'eau froide et placez-les dans la cuve à fermentation (voir pp. 41-42). Versez dessus 1 gal (4,5 L) d'eau bouillante. On ne peut accélérer la macération : les fleurs doivent infuser pendant cinq jours. Remuez le mélange tous les jours et n'oubliez pas de couvrir la cuve avec sa feuille de plastique chaque fois que vous avez remué le mélange.

Après cinq jours de macération, pressurez les fleurs à travers deux épaisseurs d'étamine jusqu'à ce qu'elles soient complètement sèches. Remettez ce liquide dans la cuve de fermentation en y ajoutant le zeste (sans pellicule blanche) des citrons et des oranges, ainsi que leur jus. Détaillez les citrons et les oranges en quartiers, retirez les pépins et ajoutez-les au moût. (Vous pouvez jeter à ce moment les fleurs de pissenlit.) Mesurez la teneur en sucre à l'aide du glucomètre et rectifiez-la si c'est nécessaire (voir p. 41). Ajoutez la levure de vin incorporée au levain (pp. 41-42). Soutirage et fermentation se font de la façon habituelle (voir pp. 43-45). On peut ajouter ¼ oz (7 g) de racine de gingembre par gallon (4,5 L) de vin, remplacer les citrons et les oranges par 1 lb (500 g) de raisins secs, ou n'employer qu'un seul des agrumes.

Fabrication du vin

Problèmes courants et leurs solutions

L'œnologue débutant s'imagine parfois qu'en utilisant des tasses à mesurer et des ustensiles gradués, il obtiendra inévitablement de bons résultats, comme s'il s'agissait d'une expérience de chimie effectuée en laboratoire. Il découvrira rapidement que la réalité est tout autre. Tant de facteurs entrent en jeu dans la fabrication d'un bon vin qu'il est facile d'en oublier un. Or le plus petit facteur est essentiel au succès de l'opération. Un jour vient où chaque aspirant viniculteur s'approche, plein d'espérance, de sa cuve de fermentation pour découvrir avec stupeur que toute activité y a cessé ou, pire encore, que le vin a tourné au vinaigre. Le mal est sans remède; la cuvée est perdue. Par contre, presque tous les autres problèmes peuvent se corriger.

Le levain. Le premier problème à survenir est généralement dû au manque de fermentation dans un délai raisonnable, après avoir ajouté au moût le levain contenant la levure. Si au bout d'une semaine le moût ne s'est pas encore mis à fermenter, c'est peut-être que vous avez manifesté trop d'impatience. Après avoir versé la levure dans le levain, il faut lui laisser le temps (24 heures) de se mettre à fermenter avant de l'ajouter au moût. Autrement, elle prendra plus de temps à entrer en action. Accordez-lui une autre semaine de sursis. Si la fermentation ne se produit toujours pas, le problème est ailleurs.

Température. Si la température n'a pas été réglée avec suffisamment de soin, il se peut que le moût soit trop chaud ou trop froid. Prenez la température du moût avec un thermomètre spécial (vendu chez les fournisseurs spécialisés) et voyez si elle convient à la fermentation de la levure. Si le moût est trop froid, transportez la cuve dans une pièce plus chaude pour qu'il se réchauffe un peu. S'il est trop chaud, vous devrez mettre la cuve dans une pièce plus fraîche. Quand le thermomètre révèle que la température se situe entre 18 et 24°C, fourchette idéale pour la fermentation, assurez-vous qu'elle ne descend pas en dessous de 18°C la nuit. Dans un tel cas, la température du moût ne serait pas suffisamment constante.

Métabisulfite de potassium. Une addition trop généreuse de métabisulfite de potassium dans le moût peut donner un « choc » aux micro-organismes de la levure et inhiber leur croissance normale. Tout excès d'anhydride sulfureux dérivé du métabisulfite de potassium abîme le moût; aussi ne faut-il utiliser cet additif qu'avec prudence. C'est un agent stérilisant dont les effets secondaires doivent disparaître en 24 heures. N'employez que la quantité de métabisulfite de potassium nécessaire pour stériliser le moût (voir le texte, p. 41) et laissez s'écouler une journée entière avant d'ajouter le levain.

Perforation du chapeau. Il arrive que la fermentation, après avoir démarré, s'arrête. Il se produit une sorte d'asphyxie. Quand la prolifération cesse durant la période initiale de fermentation, il ne se forme plus de bulles sur le chapeau. Des fluctuations de température peuvent en être la cause. Il se peut aussi que le chapeau n'ait pas été crevé assez souvent (voir p. 44). La chaleur et les gaz dégagés par la fermentation ont été emprisonnés dans le moût. Le gaz carbonique a asphyxié la levure. Agitez le chapeau vigoureusement et assurez-vous qu'il soit crevé par la suite au moins une fois par jour.

Sucre, levure, nourriture de levure. Aux étapes ultérieures, il est plus difficile de diagnostiquer un arrêt de la fermentation. Au cours de la période finale, par exemple, on peut croire que la fermentation s'arrête parce qu'elle est terminée, alors qu'il n'en est rien. Lorsqu'il se produit moins de bulles dans la bonde, vérifiez la teneur en sucre du vin avec le glucomètre. Si la teneur en sucre diminue de moins de 1° Brix en une semaine (pp. 41-45), la fermentation est arrêtée. Vous pourrez alors vous poser plusieurs questions.

La quantité de nourriture de levure était-elle suffisante par rapport à la quantité de levure utilisée? Un arrêt prématuré de la fermentation rappellera à l'œnologue amateur à quel point il est utile de tenir un compte précis de toutes les quantités utilisées et de noter les points sur lesquels il s'est écarté d'une recette qui, jusque-là, lui avait donné satisfaction.

La quantité de levure était-elle suffisante? S'il paraît en manquer, il faut alors préparer une petite quantité de levain avec un peu plus de levure et l'ajouter au moût.

L'amateur de vin souhaite souvent obtenir un vin plus alcoolisé que ne le veut la tradition, il augmente donc la quantité de sucre. Or, un excès de sucre peut nuire à la fermentation. De toute façon, le potentiel d'alcool d'un vin ne peut jamais dépasser 17 p. 100, quelle que soit sa teneur en sucre; une teneur supérieure en alcool empêche la prolifération de la levure. Si vous avez mis trop de sucre dans votre vin, ajoutez un peu d'eau ou de jus de fruit (à la condition qu'il soit peu sucré) pour essayer de corriger la situation.

Stérilisation de l'équipement. Si la fermentation s'arrête au moment de la mise en cruche, il est possible que des bactéries se soient introduites dans le moût durant le soutirage ou que cruches et instruments de siphonnage aient été mal stérilisés ou aient été nettoyés avec un produit autre que la solution de métabisulfite de potassium.

Quelle qu'en soit la raison, essayez de stimuler la levure. Commencez par fermer la cruche avec un tampon de coton et laissez-la en attente une semaine. Ajoutez alors un peu de levain additionné de levure. Attendez deux semaines avant de conclure que la fermentation ne reprend pas.

Goûts indésirables, vieillissement. Si le vin, une fois terminé, présente une forte saveur de levure, c'est que vous avez utilisé trop de levure pour la quantité de moût ou que le vin n'a pas été soutiré assez souvent. En multipliant les soutirages, vous ferez disparaître l'excès de levure. Cependant, vous devrez attendre assez longtemps avant de pouvoir embouteiller votre vin. Il doit, en effet, demeurer en attente pendant plusieurs semaines avant que vous puissiez le soutirer à nouveau.

Un vin très tanique — c'est-à-dire ayant un goût astringent qui rend la bouche épaisse — n'est pas nécessairement indésirable. Le tanin s'affine avec le temps et donne de la saveur au vin. Embouteillez le vin et laissez-le vieillir. Les vins rouges chargés en tanin ont besoin de vieillir au moins un an et même davantage.

Couleur. Quand un vin rouge semble prendre une teinte brune, c'est qu'il a été trop exposé à la lumière ou trop oxygéné. Il faut prendre bien soin de ne pas aérer le vin durant les derniers soutirages et lors de l'embouteillage. En outre, il est préférable d'utiliser des bouteilles en verre vert ou brun qui tamisent bien la lumière plutôt que des bouteilles en verre transparent.

Bouteilles qui explosent. Quand des bouteilles cachetées et mises en cave se mettent à exploser, c'est à coup sûr le signe qu'elles ont été embouteillées prématurément, avant la fin de la fermentation. Si une bouteille explose, il faut alors déboucher toutes les bouteilles de la même cuvée, vider le vin dans une cruche, la fermer avec une bonde et laisser la fermentation arriver à son terme en la surveillant au glucomètre (pp. 44-45). On remet ensuite le vin en bouteilles.

Bouchons secs. Cela se produit quand les bouteilles restent debout. Gardez-les couchées; le vin conservera aux bouchons leur humidité.

Conserves de fruits

Conserves maison pour l'hiver

C'est par nécessité que nos ancêtres paysans ont cherché à conserver les fruits. Plutôt que de les laisser pourrir sur la branche en automne, ils en agrémentaient leur table en plein hiver. Quand on compare la fine et authentique saveur des conserves maison à la fadeur de la plupart des produits du commerce, on n'hésite plus à pratiquer un art populaire dont la tradition est née dans les cuisines de la campagne. A plus forte raison si l'on a cultivé soi-même les fruits qu'on veut protéger des rigueurs de l'hiver.

Des conserves variées. Les procédés de conservation des fruits qui font l'objet de cette section sont nombreux et variés. On peut les grouper en sept catégories principales : les *gelées,* limpides et fermes, obtenues par la coagulation du seul jus des fruits, sans pulpe ; les *confitures,* obtenues en faisant cuire avec du sucre des fruits entiers ou en morceaux, seuls ou mélangés à d'autres fruits frais ou secs ou à des noix ; les *marmelades* (qu'il ne faut pas confondre avec le terme anglais « marmalade » désignant une confiture claire d'agrumes : oranges, citrons, pamplemousses), obtenues en faisant cuire la pulpe des fruits avec du sucre et en la passant au tamis ; les *pâtes de fruits,* sortes de marmelades très épaisses et moulées ; les *fruits au sirop,* fruits entiers ou coupés en gros morceaux et cuits dans un sirop de sucre épais ; les *chutneys,* condiments anglais aigre-doux d'origine indienne ; et les *marinades,* fruits entiers conservés dans du vinaigre sucré et aromatisé.

L'origine des conserves. Elle se perd dans la nuit des temps. Dans l'Antiquité, on conservait les fruits en les faisant sécher, mariner, fermenter (dans le vin notamment), ou cuire dans des sirops de fruits à base de miel. Il y a un millénaire environ, les Arabes apprirent à raffiner le sucre et à s'en servir pour conserver les fruits. Cette façon de faire se répandit probablement dans l'ouest de l'Europe à la faveur des croisades ; dès la fin du Moyen Age, elle y était fort courante.

En Amérique du Nord, les premiers colons se servaient des fruits sauvages qui étaient nombreux et variés pour confectionner des confitures et des gelées avec du sucre, du miel, de la mélasse et du sucre d'érable.

En 1810, un confiseur français du nom de Nicolas Appert publiait un livre sur son nouveau procédé de conservation des aliments par la stérilisation et la mise en contenants hermétiques. Cette méthode permettait de conserver confitures et gelées beaucoup plus longtemps. Le procédé Appert était purement empirique. C'est Louis Pasteur qui, en 1857, découvrit que la dégradation des aliments était due à l'action de micro-organismes. La cuisson les détruisait ; la mise en bocaux hermétiques empêchait les autres d'entrer.

La dernière découverte importante dans le domaine de la conservation des fruits allait se produire en 1858 quand un ferblantier américain, John Landis Mason, mit au point un bocal d'un genre nouveau. Le bocal Mason était en effet doté d'un goulot à pas de vis, d'un anneau d'étanchéité en caoutchouc et d'un couvercle métallique à pas de vis. Avant l'invention des bocaux Mason, les fruits étaient conservés dans des bouteilles de verre ou des cruchons de grès fermés par des bouchons de liège cachetés à la cire. Les fruits étaient, dans certains cas, recouverts de papier huilé et gardés dans des contenants fermés avec du papier-tissu imbibé de blanc d'œuf. L'invention de Mason simplifia de beaucoup la fabrication de conserves maison. Les bocaux en usage aujourd'hui pour la conservation des fruits dérivent tous, d'une façon ou d'une autre, du bocal Mason et en portent le nom.

Filles de la nécessité autrefois et de la gourmandise aujourd'hui, les confitures, marinades, gelées et conserves de toutes sortes font partie des plus belles traditions.

Conserves de fruits

Matériel et fournitures

Toute cuisine bien équipée possède en général le matériel nécessaire à la conservation des fruits. Ce qui peut manquer, cependant, c'est une réserve suffisante de bocaux pour conserves. Quelques accessoires spéciaux sont recommandés, mais il est possible de leur substituer des articles d'usage courant.

Matériel. Une grande marmite est indispensable, qu'elle soit en aluminium lourd, en acier inoxydable ou en métal émaillé sans écaillures. Cette marmite doit pouvoir contenir trois fois la quantité de fruits que vous allez y mettre, pour éviter que l'aliment ne déborde à la cuisson. Il vous faut de plus une autre grande marmite pour stériliser les bocaux et une petite casserole pour stériliser les couvercles.

Pour la plupart des fruits, les bocaux doivent être stérilisés à l'eau bouillante afin que les fruits ne se gâtent pas. Il existe des stérilisateurs spéciaux, sorte de grosse marmite à couvercle étanche et panier à poignées qui empêche les bocaux de se toucher et de reposer dans le fond (voir page ci-contre). N'importe quelle marmite pourvue d'une claie et d'un couvercle peut convenir, à condition de trouver un moyen de séparer les bocaux et de les empêcher de se heurter ou de se renverser. Il doit y avoir un jeu d'au moins 3 po entre le couvercle de la marmite et les bocaux. Une pince spéciale permet de retirer ceux-ci sans se brûler.

Pour faire de la gelée, il vous faut des sacs à gelée et un support pour les sacs. Le sac à gelée est un sac en tissu léger qui sert à filtrer le jus des fruits; le support maintient le sac ouvert au-dessus d'une terrine. A défaut d'un sac proprement dit, on peut déposer de l'étamine ou une fine mousseline dans une passoire. Un thermomètre à gelée, à bonbons ou à grande friture rend la cuisson plus précise, mais il n'est pas indispensable. Pour les confitures ou purées de fruits, une moulinette s'impose. Il s'agit d'un moulin dont les grilles permettent de réduire le fruit en purée. On peut aussi utiliser un tamis ordinaire ou une passoire et écraser le fruit avec un pilon ou une cuiller en bois. Vous aurez aussi besoin de plusieurs petits articles comme un couteau à parer, des tasses et des cuillers à mesurer, une cuiller à fentes, une louche et une pince pour manipuler les couvercles de bocaux brûlants. A l'occasion, une balance de ménage vous rendra de grands services.

Les bocaux Mason s'emploient pour toutes les conserves de fruits. Le modèle le plus courant comporte un couvercle hermétique à deux éléments: une capsule métallique à joint en matière semblable à du caoutchouc, et un couvercle vissant en métal qui s'ajuste sur la capsule et la maintient en place. La capsule se change après chaque usage, car il faut la percer pour atteindre le produit conservé. Il existe aussi des bocaux Mason avec couvercle en verre maintenu par deux attaches métalliques. La gelée, couverte d'une mince couche de paraffine, peut être conservée dans des verres à gelée.

Fournitures. Ce sont principalement des fruits et du sucre. Choisissez des fruits fermes, non meurtris. Les résultats seront meilleurs si le quart d'entre eux sont un peu verts. Dans certaines recettes, on emploie épices, noix ou vinaigre.

La pectine est une substance mucilagineuse présente à des degrés divers dans les fruits. Si vous faites de la gelée avec un fruit qui en contient peu, vous devrez lui adjoindre un fruit qui en contient beaucoup (les pommes, par exemple) ou ajouter de la pectine, liquide ou en poudre, que l'on trouve dans le commerce.

La cuisson des fruits

Pour mettre un fruit en conserve, on le fait cuire avec du sucre ou du vinaigre sucré et on le garde dans un bocal stérilisé, hermétiquement fermé. La plupart des tartinades renferment une part de gelée de fruits. Celle-ci se forme à partir d'une réaction du sucre avec la pectine et les éléments acides du fruit. Aux fruits peu acides, on doit ajouter du jus de citron; à ceux qui contiennent peu de pectine (bleuets, fraises, pêches, abricots et cerises), on ajoute de la pectine commerciale pour en faire des gelées ou des confitures.

Exécutez la recette illustrée page 52, puis versez la gelée dans des bocaux chauds fermant hermétiquement (voir page ci-contre). Soyez très méticuleux si vous employez de la pectine. Mélangez la pectine en poudre aux fruits cuits, portez à ébullition, puis ajoutez le sucre. Il faut ajouter la pectine liquide lorsque le sucre et le jus ont atteint le point d'ébullition.

Pour réussir la gelée sans y ajouter de pectine, faites bouillir rapidement le sucre et le jus de fruits (4°C au-dessus du point d'ébullition de l'eau). En principe, l'eau bout à 100°C, mais comme ce point varie avec l'altitude et les conditions atmosphériques, vous feriez bien de le vérifier auparavant. Si vous utilisez un thermomètre, assurez-vous que la sonde est bien immergée, mais qu'elle n'entre pas en contact direct avec le récipient. A défaut d'un thermomètre, prenez un peu de jus dans une cuiller et, quand il a tiédi, laissez-le retomber dans la marmite. Si le jus forme deux gouttes qui coulent ensemble et tombent en nappant la cuiller, comme ci-dessous, la gelée est alors à point.

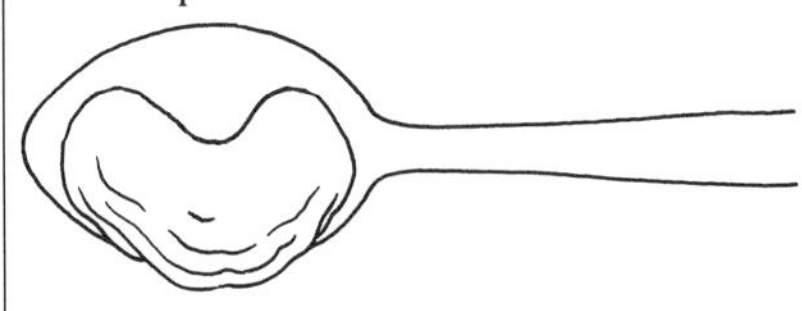
La gelée est prête quand elle nappe la cuiller.

Remplissage des bocaux

Certaines précautions s'imposent lorsque l'on fait des conserves. Dès que les fruits sont cuits, il faut les verser dans des bocaux que l'on doit fermer hermétiquement. Sinon, il pourrait s'y introduire des bactéries. Vous éviterez ainsi le simple gâchis, mais surtout vous écarterez tout risque d'intoxication.

En outre, les contenants doivent être stérilisés avant que vous y versiez les fruits. Stérilisez les bocaux d'avance pour qu'ils soient prêts dès la cuisson des fruits. Avant d'entreprendre cette cuisson, vérifiez vos bocaux et éliminez ceux qui sont fêlés ou ébréchés. Déposez les autres dans une grande marmite, faites-les bouillir 10 minutes et laissez-les dans l'eau bouillante. Quand les fruits sont prêts, retirez les bocaux avec une pince, secouez-les un peu et laissez-les s'égoutter sur une serviette.

Vous devez aussi stériliser les couvercles des bocaux. Mettez-les dans une casserole avec de l'eau et amenez celle-ci presque au point d'ébullition. Eteignez le feu et laissez-les dans l'eau en attendant d'en avoir besoin.

Le bocal le plus courant et le plus commode à utiliser comporte un couvercle hermétique à deux éléments. Il y a aussi le modèle traditionnel avec couvercle en verre et attaches métalliques. Les étapes illustrées ici indiquent comment remplir et fermer hermétiquement ces deux types de bocaux. On peut verser la gelée dans des verres à gelée et recouvrir celle-ci d'une fine pellicule de paraffine. Voir page 52, aux étapes 8 et 9, l'emploi des verres à gelée. Pour tout autre type de contenant, suivez les instructions du fabricant.

Lorsque les bocaux sont fermés, il faut les immerger dans un bain d'eau bouillante (ci-contre, étape 5), sauf s'ils contiennent de la gelée. Si vous habitez en altitude, vous devez ajouter une minute par 1 000 pi aux temps de stérilisation recommandés, puisque l'eau en altitude bout à moins de 100°C.

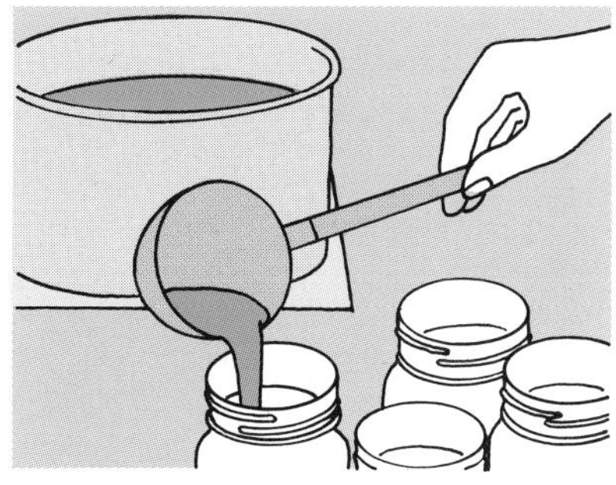

Bocaux avec couvercles hermétiques. 1. Versez les fruits bouillants dans des bocaux stérilisés. Pour gelées et marinades, laissez ⅛ po au-dessus du produit, ¼ po dans tous les autres cas.

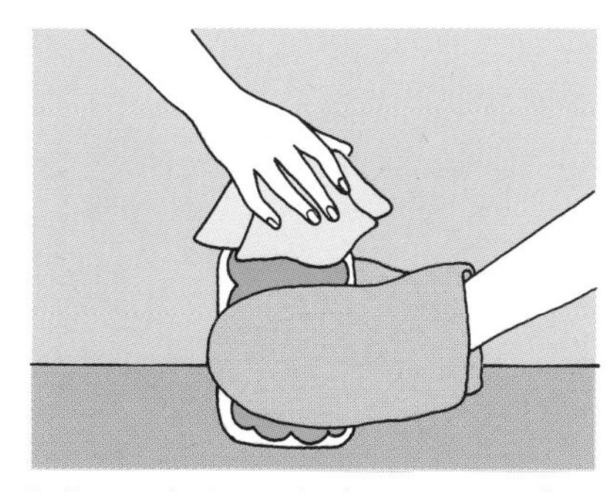

2. Essuyez le dessus des bocaux avec un linge ou une éponge propre et humide pour qu'il n'y ait pas d'aliment dans le pas de vis. Afin de ne pas vous brûler, portez un gant de cuisine pour tenir les bocaux que vous nettoyez.

3. Posez la capsule métallique de façon que le joint repose bien contre le rebord de l'orifice du bocal. Vissez ensuite le couvercle par-dessus la capsule. Serrez fermement avec la main ; n'utilisez ni pince ni clé.

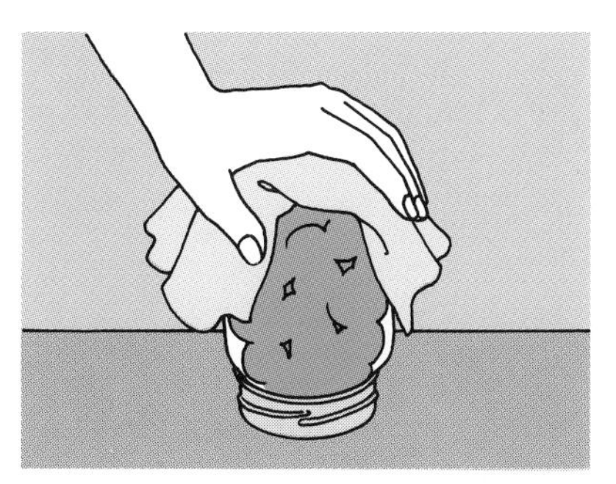

4. Tournez les bocaux sens dessus dessous et laissez-les ainsi quelques secondes pour que les fruits brûlants détruisent la moisissure ou les ferments qui pourraient adhérer à la capsule. Remettez les bocaux à l'endroit.

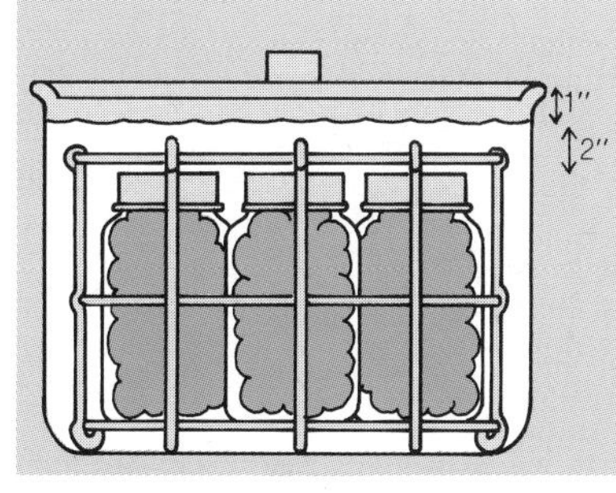

5. Posez les bocaux dans un stérilisateur ou une marmite (p. 50). Recouvrez-les de 2 po d'eau, tout en laissant un espace de 1 po sous le couvercle de la marmite. Couvrez et laissez bouillir le temps indiqué dans la recette.

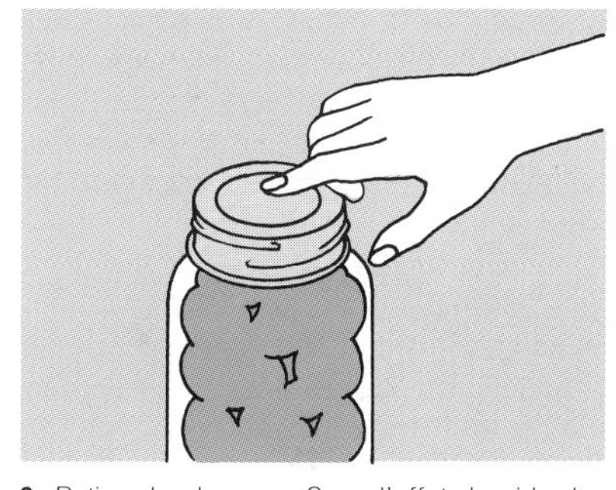

6. Retirez les bocaux. Sous l'effet du vide, les capsules se creusent. Appuyez sur celles-ci ; si elles s'enfoncent et se redressent, changez le joint et recommencez à l'étape 3. Gardez les bocaux dans un endroit frais, sombre et sec.

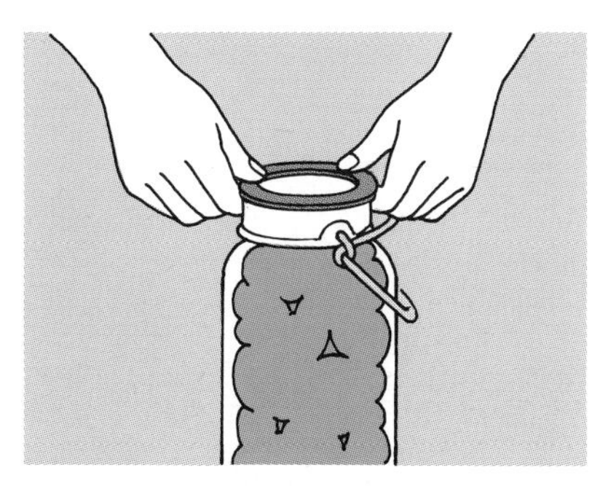

Bocaux avec attaches métalliques. 1. Remplissez-les et nettoyez-les comme les bocaux avec couvercles hermétiques. Placez les joints humides sur les bocaux en les étirant pour qu'ils s'ajustent bien sur l'orifice.

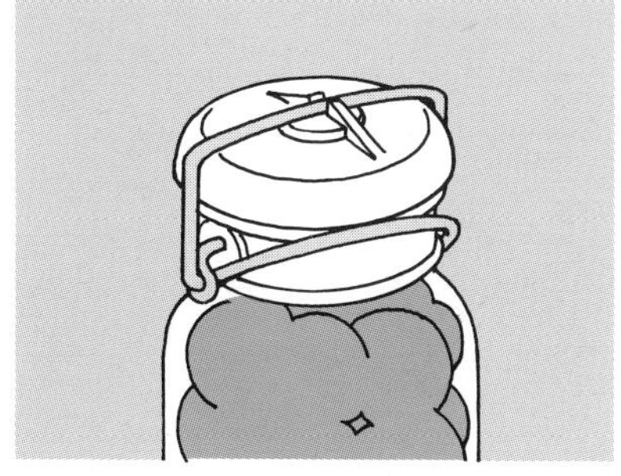

2. Posez les couvercles bien d'aplomb sur les joints. Remontez les longues attaches jusqu'à ce qu'elles entrent dans les rainures des couvercles. N'abaissez pas les petites attaches. Faites bouillir les pots comme à l'étape 5 ci-dessus.

3. Retirez les bocaux du stérilisateur et abaissez les petites attaches. Quand les pots sont froids, renversez-les pour en vérifier l'étanchéité. S'il y a des fuites, répétez l'opération. Gardez les bocaux dans un endroit frais, sombre et sec.

Conserves de fruits

La gelée de pomme

La première opération pour la conservation des fruits consiste à les trier. Rejetez les fruits qui sont meurtris ou trop mûrs. Enlevez les tiges et les chapeaux et lavez les fruits. Normalement, on garde la peau et les pépins des fruits qu'on passe par la suite au tamis ou à la moulinette. La peau est en effet souvent riche en pectine; quant aux pépins, ils recèlent des substances aromatiques qui donnent un goût de noix à la conserve.

Il est préférable de réchauffer le sucre au four avant de l'employer et de ne faire cuire que de petites quantités de fruits à la fois. La recette ci-contre donne entre 1 et 2 pte (1 et 2 L) de gelée, en fonction du climat, de l'altitude, de la fermeté des fruits et de leur degré de maturité. Ces mêmes facteurs influencent la durée de la cuisson qui peut varier de 10 minutes à 1 heure, sauf pour les gelées additionnées de pectine.

Ajoutez toujours le sucre aux fruits ou au jus à feu doux; quand il est fondu, faites bouillir rapidement la préparation pour qu'elle atteigne la consistance désirée ou le degré voulu au thermomètre. Remuez la préparation souvent: elle attache facilement. Comme elle épaissit en refroidissant, arrêtez la cuisson avant qu'elle ait la consistance voulue.

Erreurs possibles. Les confitures sont trop épaisses: il y a excès de pectine ou de cuisson. Elles sont brouillées: la mise en pot a été trop lente ou trop tardive. Elles se cristallisent: la cuisson a été trop courte, trop lente ou trop longue. Elles moisissent: les bocaux ont été mal fermés. Elles sont plus foncées sur le dessus: les bocaux sont gardés trop au chaud ou sont mal fermés. Les fruits flottent: ils étaient trop verts ou n'ont pas été assez cuits.

La gelée de pomme. Vous trouverez à droite la recette illustrée de cette gelée. Pour la réaliser, il vous faut 6 lb (3 kg) de pommes (dont le quart ne sont pas mûres), 6 clous de girofle et 6 tasses (1 500 ml) de sucre granulé.

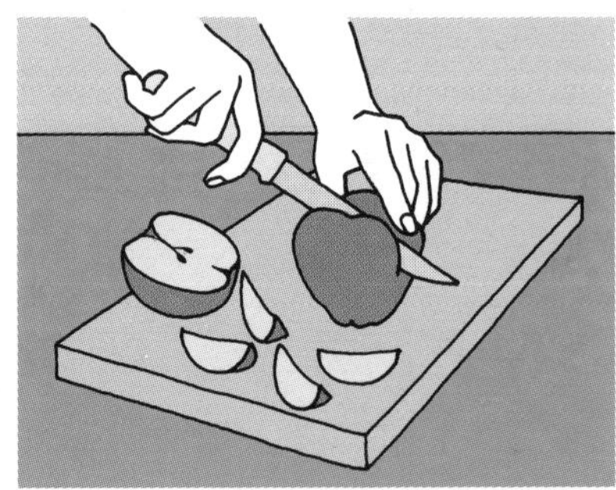

1. Lavez 6 lb (3 kg) de pommes acides (dont le quart ne sont pas mûres). Retirez les tiges et une tranche côté fleur. N'enlevez ni la peau ni le cœur. Coupez les pommes en petits morceaux et placez-les dans une grande marmite.

2. Ajoutez 6 clous de girofle et 6 t. (1 500 ml) d'eau. Couvrez. A feu très vif, amenez l'eau à ébullition; baissez le feu et laissez mijoter jusqu'à ce que les pommes soient tendres. Il faut compter entre 20 et 25 min.

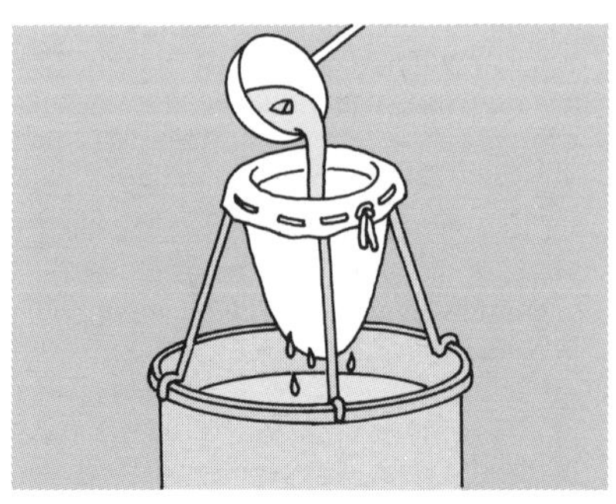

3. Avec une tasse ou une louche, mettez pommes et jus dans un sac à gelée humide installé au-dessus d'un grand récipient. Laissez le jus s'égoutter de lui-même. N'exercez aucune pression sur le sac pour ne pas brouiller la gelée.

4. Prélevez 8 t. (2 000 ml) de jus. Versez-le dans une marmite propre avec 6 t. (1 500 ml) de sucre et remuez jusqu'à dissolution. A feu vif, amenez le jus de pomme additionné de sucre jusqu'au point d'ébullition.

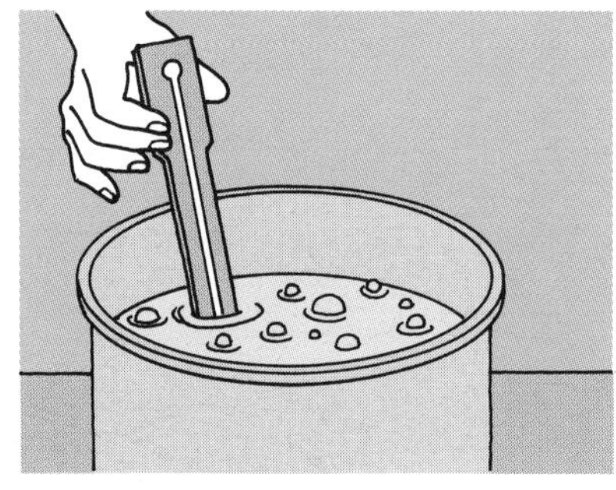

5. Lorsque le jus a bouilli 10 min, vérifiez le degré de cuisson (voir p. 50). Quand la température de la gelée marque 4°C au-dessus du point d'ébullition de l'eau ou quand la gelée nappe la cuiller, retirez la marmite du feu.

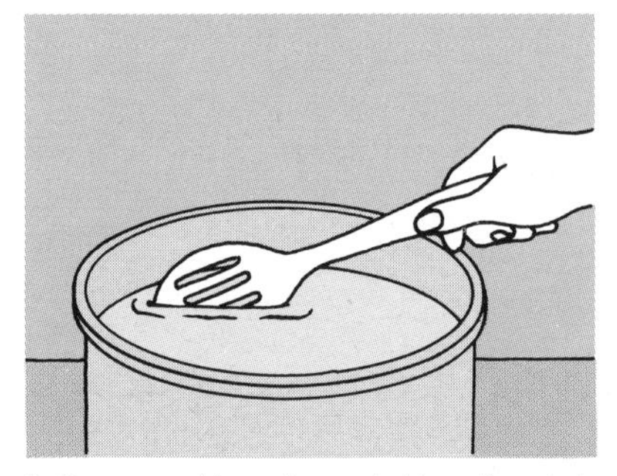

6. Ecumez rapidement en raclant la surface de la préparation avec une cuiller à fentes. Dépêchez-vous, car la gelée risque de prendre avant que vous ayez eu le temps de la verser dans des bocaux ou des verres.

7. Avec une louche, remplissez de gelée des bocaux ou des verres à gelée réchauffés. Tenez la louche près du goulot pour éviter la formation de bulles. Si vous utilisez des bocaux Mason, suivez les instructions données à la page 51.

8. Si vous vous servez de verres à gelée, remplissez-les jusqu'à ½ po du bord. Versez sur la gelée une couche de ⅛ po de paraffine, préalablement fondue au bain-marie et chaude, mais non fumante.

9. La paraffine doit adhérer à la paroi du verre pour qu'il n'y ait pas de fuites. Piquez les bulles avec une épingle s'il y a lieu. Mettez un couvercle ou du papier ciré maintenu par un élastique sur les verres et étiquetez-les.

Section 2

Artisanat léger et arts décoratifs

Vannerie

La plus ancienne technique artisanale

La vannerie que l'on connaît aujourd'hui s'inspire encore des formes créées autrefois et utilise des techniques et des matériaux semblables. Toutefois, comme elle connaît un renouveau d'intérêt chez les artisans, elle a aussi donné lieu à de nouvelles formes d'expression. Tout comme les tisserands font des tableaux en tapisserie, les vanniers d'aujourd'hui créent des sculptures.

Les archéologues nous apprennent, grâce à la datation au radiocarbone, que les paniers exhumés à Fayoum, en Haute-Egypte, auraient été fabriqués il y a 10 000 ou 12 000 ans. D'autres fouilles au Moyen-Orient, notamment en Mésopotamie et en Palestine, ont permis de découvrir des paniers datant de 7 000 ans. Une caverne dans l'Utah en renfermait datant de 9 000 ans. On pense donc que la vannerie serait plus ancienne que la poterie.

La vannerie est le tissage de fibres végétales non filées, généralement en forme de contenant, bien que les techniques de vannerie aient été et sont encore utilisées pour faire des vêtements, des chapeaux, des chaussures, des bateaux, des meubles, des pièges pour le poisson et le gibier, des ustensiles de cuisine et des maisons.

Variétés. Il y a cinq types de vannerie (voir page ci-contre), mais celle qui prédomine dans une région donnée dépend largement des matériaux qu'on y trouve. La vannerie *spiralée* utilise des herbes et des joncs. Le *natté* abonde là où les matériaux sont larges et en forme de ruban : palmiers, yucca... Le *tressé* se pratique là où les racines et l'écorce des arbres sont les principaux matériaux. Les *cordés* et les *clayonnés* sont fabriqués là où poussent le roseau, la canne, le saule, le chêne et le frêne.

Les vanniers d'expérience cueillent et préparent leurs propres matériaux. Tant que vous ne vous sentirez pas sûr de vous, vous préférerez probablement acheter les vôtres, mais un jour viendra où vous déciderez de les cueillir vous-même. Le tableau et les illustrations de la page 56 décrivent les matériaux les plus répandus et comment les préparer.

En vannerie, vos doigts sont vos principaux outils. Ceux qu'il vous faudra en plus sont déjà pour la plupart dans votre panier à ouvrage ou votre trousse à outils : un poinçon de 6 po, un couteau utilité, un canif, une pince-cisaille de 5 po, une pince à long bec de 5 po, un ruban à mesurer, une aiguille à tricoter de calibre 4 ou 5 (impérial) en métal, des ciseaux robustes, un crochet, une aiguille courte à grand chas (type tapisserie) et des pinces à linge à ressort. Tous ces instruments ne sont pas toujours nécessaires : on vous indiquera ceux qu'il vous faudra pour chaque projet. Vous aurez aussi besoin d'un grand seau pour faire tremper les matériaux, à moins que vous n'utilisiez à cette fin l'évier de la cuisine ou la baignoire.

Un vannier ne sait pas toujours comment son ouvrage va tourner : la forme définitive et les dimensions de celui-ci dépendent de la flexibilité des matériaux. La base est son « banc d'essai » et il la travaille jusqu'à ce qu'il se sente à l'aise avec son matériau. Au moment où la paroi s'élève — point auquel les problèmes se présentent —, l'artisan devrait avoir ses matériaux bien en main.

Que vous fabriquiez ou collectionniez des paniers, pensez à les humecter une fois par année afin de raviver les fibres. Faites-les sécher rapidement à l'ombre. Si un panier est sale, lavez-le délicatement avec une brosse douce et un savon mousseux. Le fini des vieux paniers peut être restauré avec une couche composée d'une partie d'huile de lin bouillie et de trois parties de térébenthine. Employez la même solution si vous voulez foncer légèrement des paniers neufs.

Ces paniers spiralés, aux dessins séculaires, ont été fabriqués avec les fibres de plantes indigènes par les Amérindiens du Sud-Ouest et par ceux de la côte du Pacifique.

Matériaux et structure

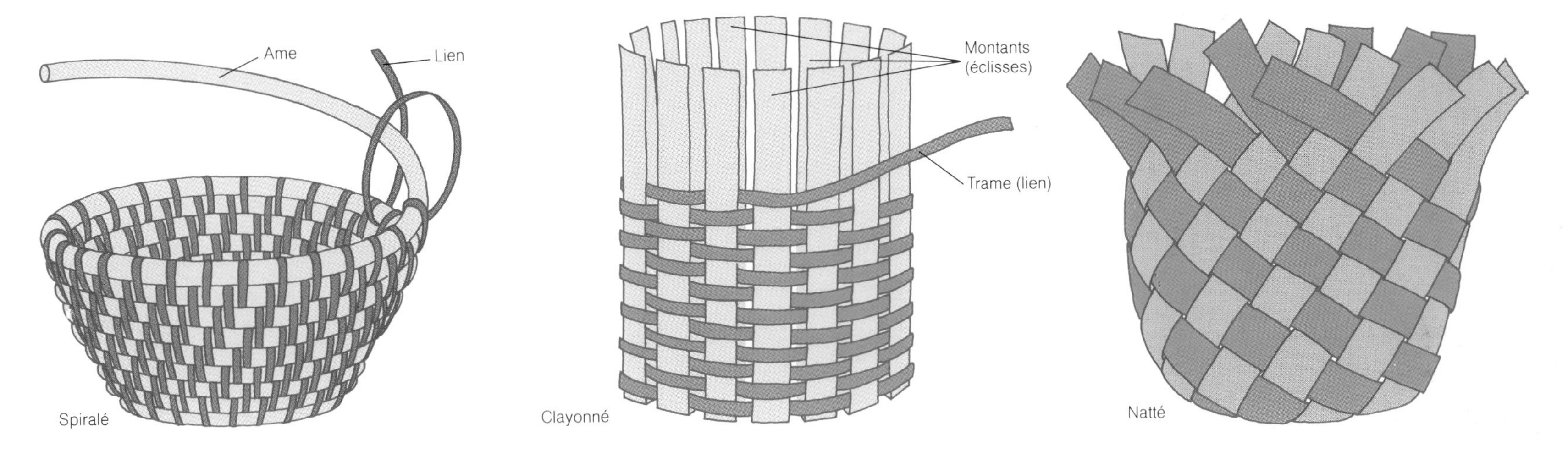

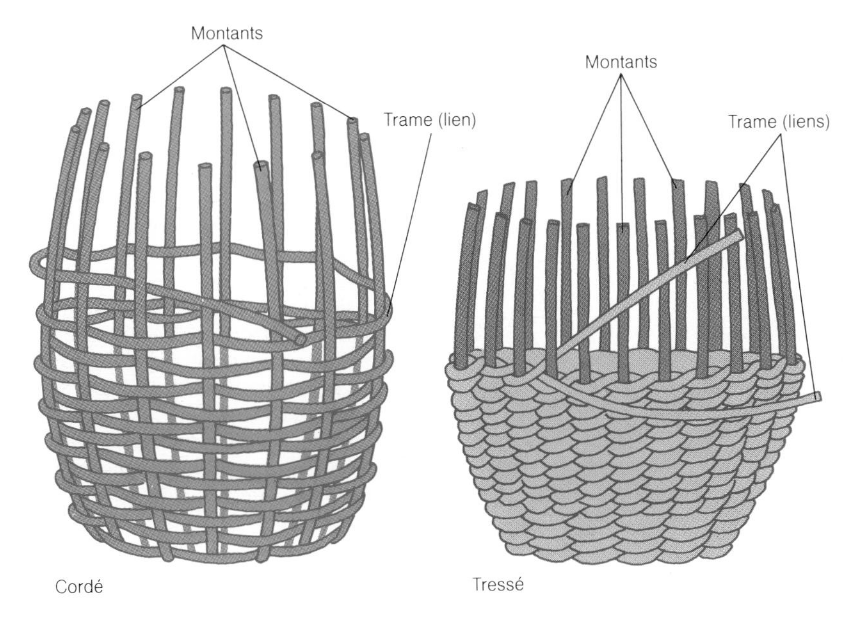

Anatomie d'un panier. Les paniers de type cordé, tressé ou clayonné ont en commun les montants, qui forment l'armature, et la trame, qui tient l'ouvrage ensemble. Dans les nattés, les éléments sont généralement de dimension et de force égales ; on peut les comparer aux fils de chaîne et de trame d'un tissage. Les spiralés sont faits d'une âme (brin unique ou faisceau de différents matériaux) et d'un lien qui s'enroule autour de l'âme et tient les rangs ensemble.

Matériaux disponibles sur le marché

MATÉRIAU	PANIER — ÉLÉMENTS	DIMENSIONS
Roseau rond	Spiralé — âme Cordé — montants, liens Tressé — montants, liens	Calibres 0 à 10, ⅜ po, ½ po, ⅝ po, ¾ po ; au poids. Les calibres 2 et 4 sont les meilleurs
Roseau plat	Clayonné — montants, liens Cordé — trame (liens) Natté — chaîne, trame	¼ po, ⅜ po, ½ po, ⅝ po ; au poids
Roseau ovale	Clayonné — trame (liens)	¼ po, ⅜ po ; au poids
Canne	Clayonné — trame (liens) Cordé — trame (liens)	Superfine, très fine, fine, étroite moyenne, moyenne, ordinaire ; au paquet — 1 000 pi
Frêne blanc	Clayonné — montants, liens	⅝ po ; 15 tiges par paquet, 6 pi ou 8 pi
Chêne blanc	Clayonné — montants, liens	⅝ po ; 15 tiges par paquet, 6 pi
Fibre de jonc	Spiralé — âme Tressé — trame (liens)	3/32 po, 4/32 po, 5/32 po, 6/32 po ; au poids — environ 250 pi
Herbe marine ou herbe de Hong-Kong	Spiralé — âme Tressé — montants, trame (liens)	3/16 po ; rouleau de 3 lb — 600 pi
Raphia, naturel ou teint	Spiralé — âme (faisceau), liens Tressé — trame (liens)	Variable ; au poids : 1 lb ou ½ lb
Cosses de maïs	Spiralé — âme (faisceau) Tressé — montants	Variable
Corde, ficelle, fils, jute, sisal, lin	Spiralé — âme, liens Cordé — trame (liens) Tressé — montants, liens	Variable

Vannerie

Matériaux que l'on peut trouver dans la nature

MATÉRIAU	PANIER — ÉLÉMENTS	CUEILLETTE	PRÉPARATION
Pousses de saule *(Salix)* (sauf le saule discolore)	Spiralé — âme, liens Cordé — montants, liens Tressé — montants, liens	Printemps	Employez entières ou sans l'écorce ; comme lien, fendez et enlevez la moelle
Branches de saule pleureur *(Salix babylonica)*	Spiralé — âme (faisceau) Cordé — montants, liens Tressé — montants, liens	Automne	Faites bouillir 6 h, pelez. Enveloppez 24 h dans du papier journal humide. Utilisez entières
Tiges de chèvrefeuille *(Lonicera japonica)*	Cordé — montants (épais) Tressé — liens (minces)	De préférence entre septembre et avril	Employez fraîches, ou enroulez pour faire sécher. Utilisez entières
Glycine	Cordé — montants, liens Tressé — montants, liens	Automne ou tôt au printemps	Enlevez les feuilles, enroulez et faites sécher 1 semaine
Tiges de quenouilles *(Typha latifolia)*	Spiralé — âme	Automne, avant la montée en graines	Fendez les tiges en deux, faites sécher. Humectez dans une serviette mouillée
Feuilles de quenouilles *(Typha latifolia)*	Spiralé — liens Cordé — décoration Tressé — liens Natté — chaîne et trame	Hiver, quand elles sont brunes et sèches	Faites sécher et conservez en paquets. Si elles sont minces, tordez-les deux par deux
Jonc, scirpe *(Juncus, Scirpus)*	Tressé — liens	Quand ils sont verts	Faites sécher et conservez en paquets. Utilisez entiers
Vigne vierge *(Parthenocissus quinquefolia)*	Cordé — liens Tressé — liens	En tout temps	Enlevez les feuilles, enroulez et faites sécher 1 semaine
Feuilles d'iris	Spiralé — âme (faisceau), liens	Automne, après la première gelée	Faites sécher sur du papier journal ; conservez au frais
Feuilles d'hémérocalle *(Hemerocallis)*	Spiralé — âme (faisceau), liens	Automne, après la première gelée	Faites sécher sur du papier journal ; conservez au frais
Feuilles de yucca	Spiralé — âme (faisceau), liens Natté — chaîne et trame	Printemps, été, automne En tout temps	Fendez en longueur, faites sécher
Genêt à balais *(Andropogon virginicus)*	Spiralé — âme (faisceau) Cordé — liens, décoration seulement	En tout temps	Cueillez les tiges brunes ; conservez en paquets. Humectez dans une serviette
Cosses de maïs	Spiralé — âme (faisceau) Tressé — montants	Quand le maïs est mûr	Faites sécher étendues. Conservez en sacs dans un endroit sec

Le saule, les quenouilles, les roseaux et les joncs poussent là où il y a de l'eau. Le chèvrefeuille, les herbes et certaines plantes rampantes vivent dans les champs ; quant aux plantes grimpantes, on les trouve souvent le long de murs de pierre. La glycine, l'iris et l'hémérocalle sont plutôt des plantes de jardin, bien que cette dernière pousse parfois à profusion le long des routes. Le yucca aime les climats secs et chauds. En général, avant de les travailler, on fait tremper ses matériaux jusqu'à ce qu'ils soient souples. S'il y a des vanniers dans votre région, demandez-leur quels matériaux indigènes ils emploient. Il y a peut-être des matériaux de toutes sortes à portée de la main.

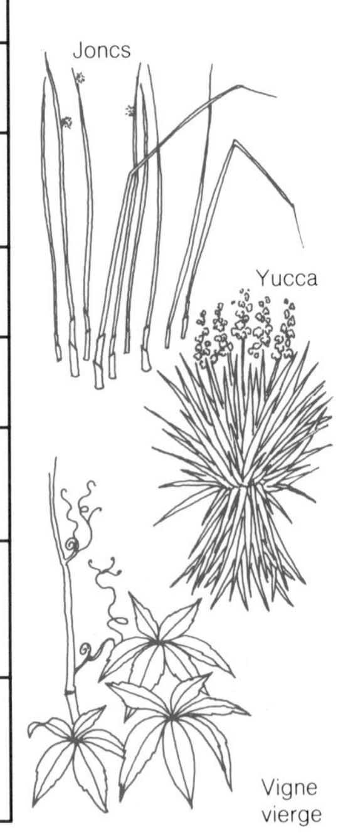

Paniers à colombins

Un panier à colombins, exécuté selon la technique du spiralé, est un tour de force. A partir de matériaux aussi fragiles que des cosses de maïs, des herbes, des aiguilles de pin, du raphia ou du fil surgit un panier remarquablement solide. Par ailleurs, des matériaux aussi fermes que des roseaux, des plantes grimpantes, des racines ou de la canne peuvent être pliés et cousus en une spirale serrée.

La technique du spiralé consiste essentiellement à entourer une âme d'une ligature (lien) et de coudre les rangs ainsi formés entre eux. L'âme peut être composée d'un brin unique, de deux ou trois brins ou encore d'un faisceau d'herbes, d'aiguilles de pin ou de cosses de maïs. La ligature peut être en raphia, en canne ou autres matériaux souples. L'âme peut être visible ou cachée, selon que le lien la recouvre ou non.

Au départ, un lien souple comme du fil ou du raphia est enroulé, puis cousu à l'aide d'une aiguille à grand chas. Quand le matériau est moins souple, on fait un trou dans l'âme avec un poinçon et l'on pousse la ligature à travers.

La partie la plus difficile de la technique du spiralé est le point d'amorce (voir page ci-contre). Le point d'amorce enroulé est utilisé quand on peut former avec l'âme un cercle serré. Le point d'amorce sur nœud est employé avec une âme très souple ou, à l'opposé, quand l'âme est trop raide pour former un cercle. Dans ce dernier cas, on exécute le point d'amorce avec le matériau à ligature.

Marquez le point de départ du premier rang cousu avec un brin de fil ou de raphia coloré. Faites tout changement de point ou de patron à la hauteur de ce point. Le rang que l'on tresse s'appelle rang courant ; on appelle rang précédent celui dans lequel on coud. On commence à élever la paroi du panier en plaçant le rang courant au-dessus du rang précédent.

Points d'amorce pour spiralés

Point d'amorce sur nœud. Pliez un brin de raphia en deux et tordez-le en laissant une boucle. Faites un nœud à 8 po de celle-ci.

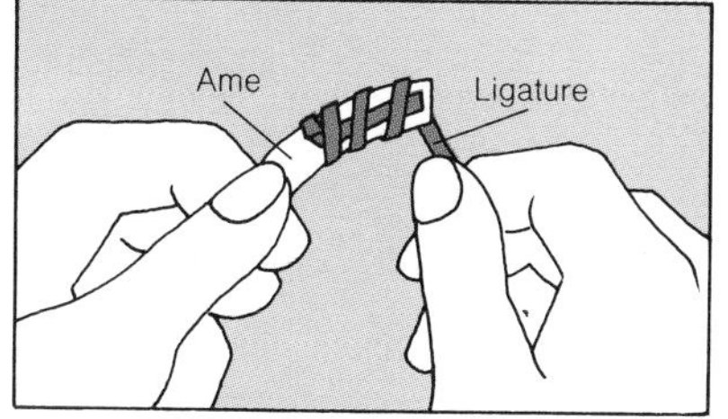

Point d'amorce enroulé. Couchez un bout de ligature le long de l'âme, puis enroulez-la autour, en allant le plus près possible de son extrémité.

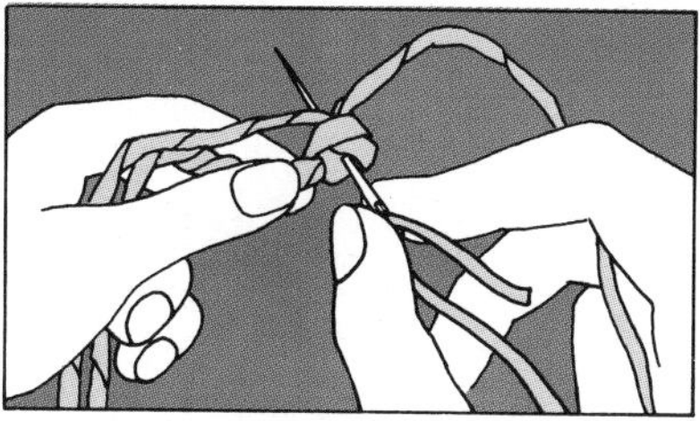

Enfilez une extrémité libre du raphia dans une aiguille et passez cette dernière dans le nœud, d'avant en arrière.

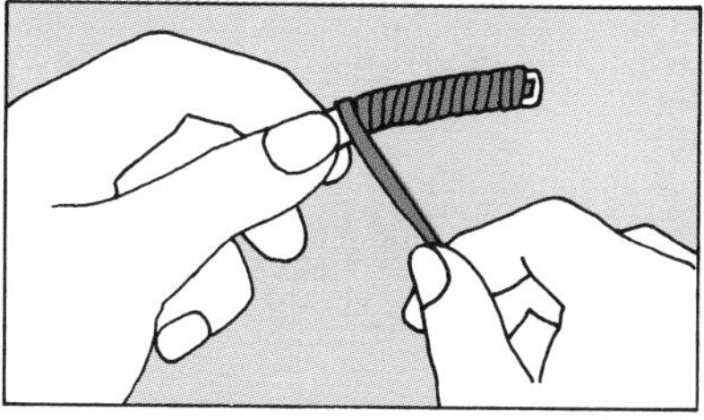

Enroulez la ligature dans le sens opposé ; couvrez l'âme sur une longueur suffisante pour pouvoir la replier en un cercle serré.

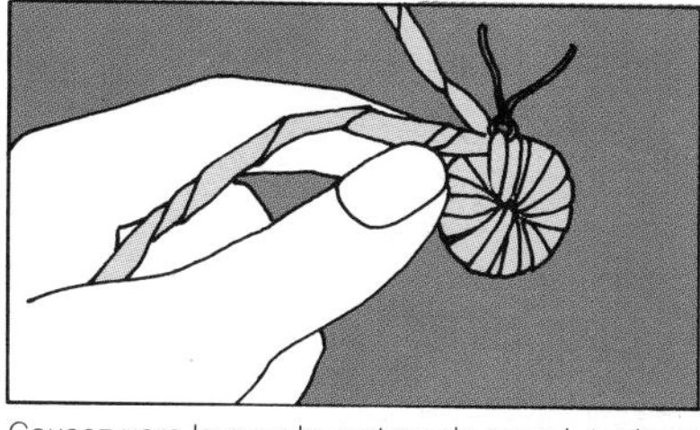

Cousez vers la gauche autour du nœud, toujours d'avant en arrière. Gardez le nœud plat. Marquez l'amorce avec du fil coloré.

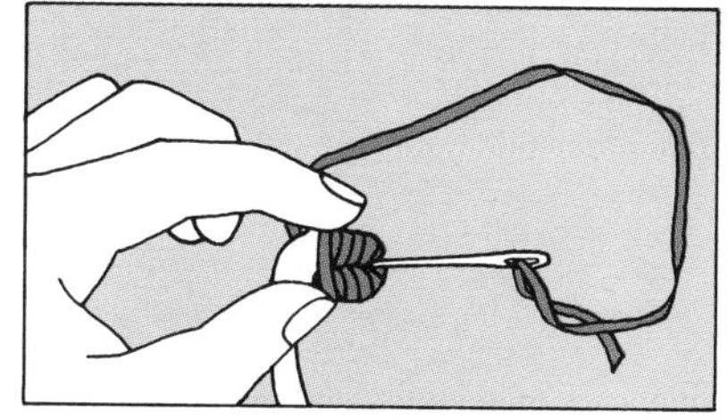

Enfilez la ligature dans une aiguille. Tenez le cercle serré. Faites les premiers points autour de l'âme repliée, puis à travers le centre.

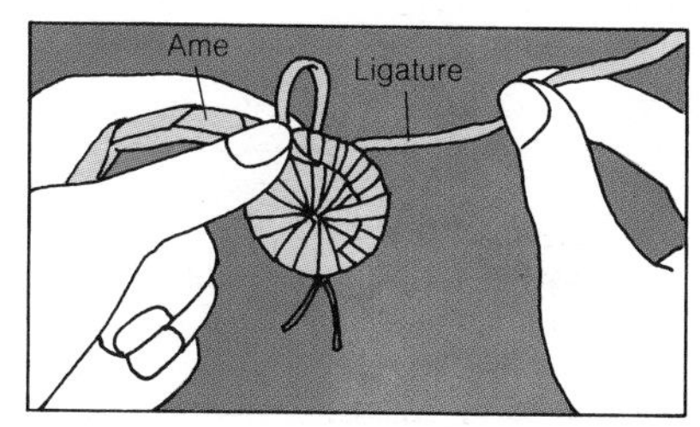

Au second tour, le raphia libre, incluant la boucle, devient l'âme. Fixez-la avec le dessus du rang précédent en la tordant avant chaque point.

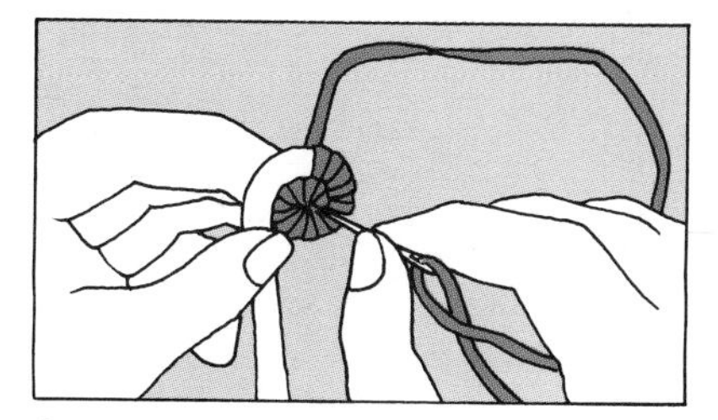

Cousez le rang de travail au cercle, en passant l'aiguille à travers le centre, sur un rang complet. Marquez l'amorce avec un fil.

Points pour spiralés

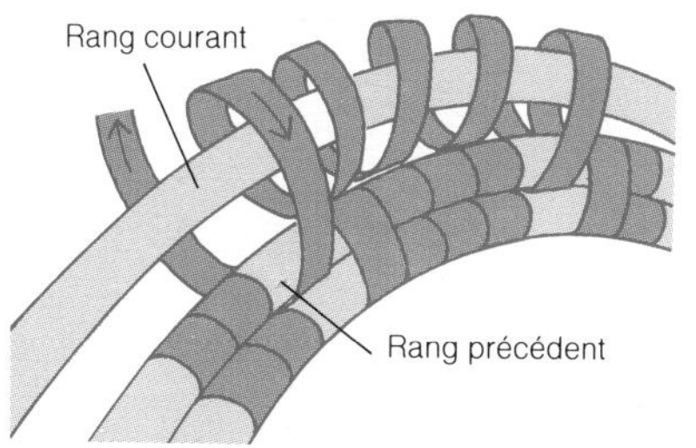

Point de la squaw paresseuse, variante 1

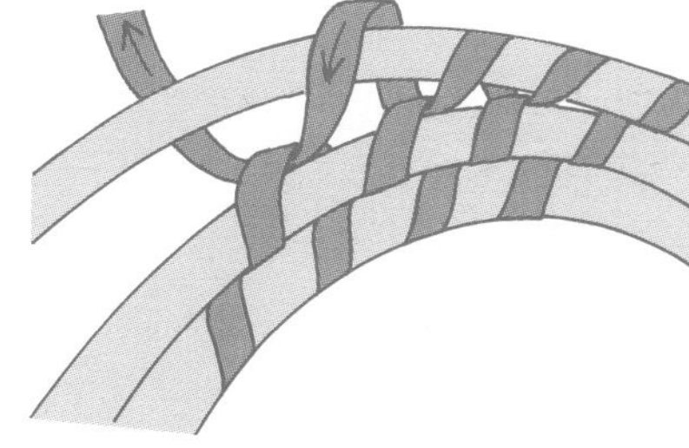

Point ouvert

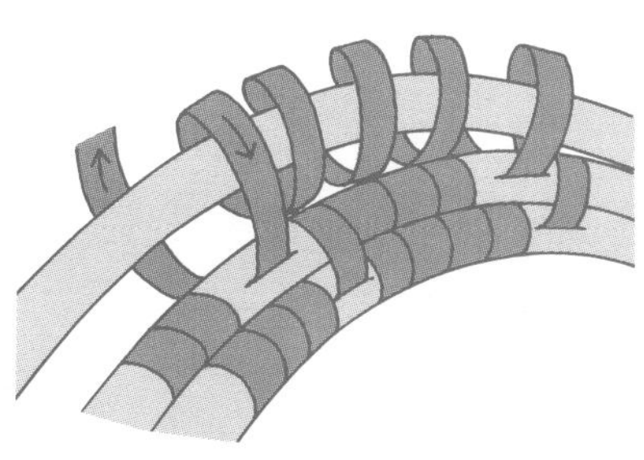

Point de la squaw paresseuse, variante 2

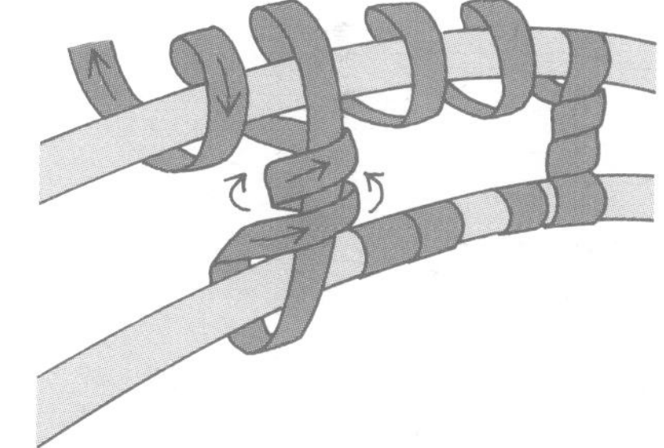

Point de dentelle

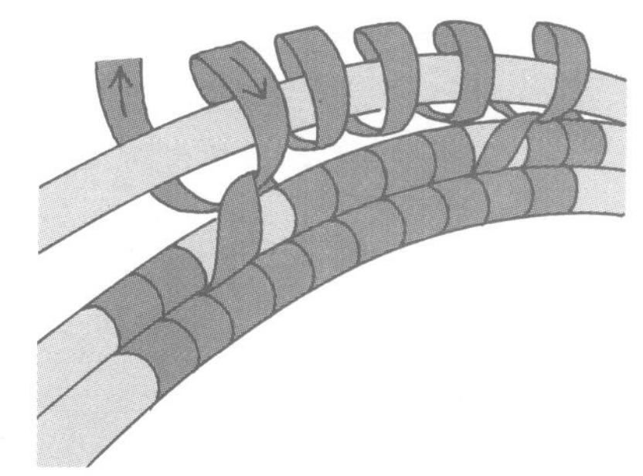

Point de la squaw paresseuse, variante 3

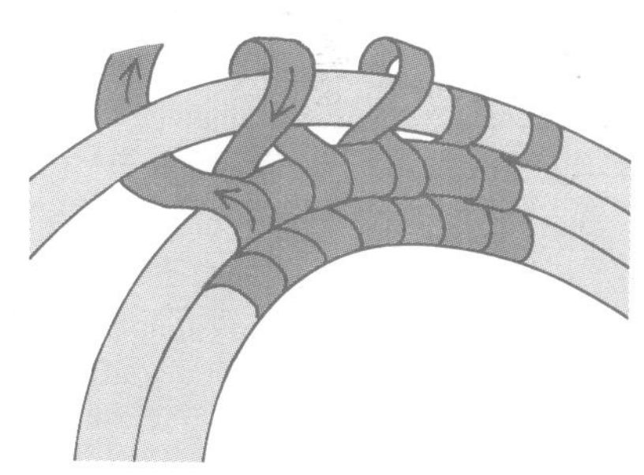

Point en huit

Les points pour spiralés impliquent généralement deux mouvements : le premier est l'enroulement, alors que la ligature est tenue dans la main et enroulée autour du rang de travail, et le second est le point lui-même ; si la ligature est souple, on le fait avec une grosse aiguille courte. Dans le cas contraire, on emploie un poinçon pour perforer l'âme et l'on pousse à travers celle-ci la ligature taillée en pointe. Dans le point de la squaw paresseuse, la ligature peut passer autour du rang précédent (variante 1), à travers celui-ci (variante 2), ou sous sa ligature (variante 3). Le rang de travail peut être gainé une, deux ou trois fois, selon les matériaux et le goût du vannier. Le point ouvert, qui laisse voir l'âme, est le plus simple des points pour spiralés. Dans ce cas, la ligature peut passer à travers l'âme du rang précédent, ou sous la ligature de celui-ci, tel qu'illustré. Dans le point de dentelle, la ligature peut être drapée une ou deux fois sur elle-même. Le point en huit permet de faire un tour supplémentaire de ligature autour du rang de travail.

Vannerie / projet

Panier à fruits

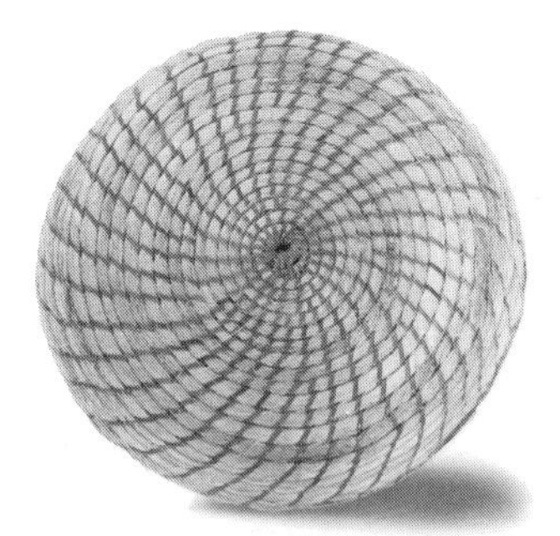

Fait de sisal brut et de jonc, ce panier de couleur pâle enjolivera une table estivale. Son diamètre est de 9 po, sa profondeur de 2½ po. Vous pouvez obtenir un dessous-de-plat en interrompant la spirale (voir l'étape 9). Finissez-le comme à l'étape 12.

Matériaux et équipement. Procurez-vous un rouleau de jonc plat (moyennement étroit) pour lier, un paquet de sisal pâle pour l'âme et un plus foncé pour le bord. Il vous faudra aussi un petit poinçon, des ciseaux et un ruban à mesurer. Faites tremper le jonc dans un bol d'eau une dizaine de minutes, puis gardez-le enveloppé dans une serviette humide. Travaillez avec des longueurs de 3 pi de jonc, sauf pour la première qui devrait mesurer 4 pi.

Avec un point ouvert (voir p. 57), enroulez la trame autour de l'âme. Dans les tout premiers rangs, prenez garde de ne pas percer la trame avec le poinçon. A mesure que le diamètre de la spirale augmente, les points s'espacent et il devient nécessaire d'ajouter des points à chaque rang jusqu'à ce que la paroi s'élève. Répartissez ces ajouts également (voir l'étape 6).

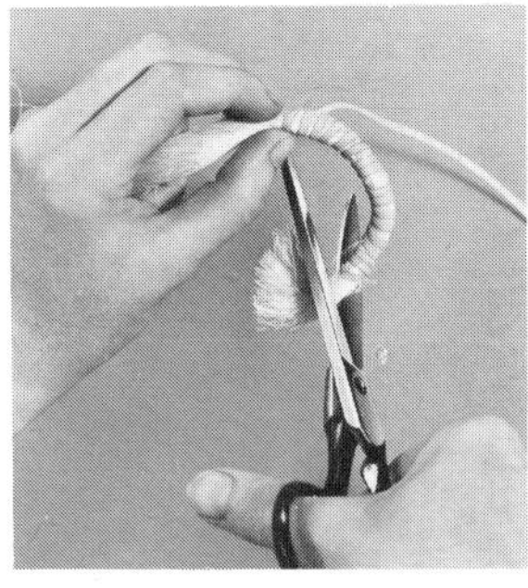

1. Faites un point d'amorce enroulé (p. 57). Quand l'armature est assez longue pour le premier cercle, coupez et taillez l'âme en pointe.

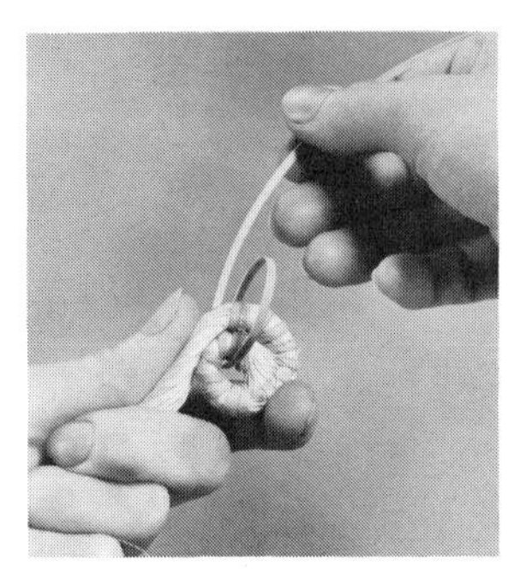

2. Tout en faisant le premier rang, tenez le cercle serré et liez en passant à travers le centre. Notez la torsion de l'âme.

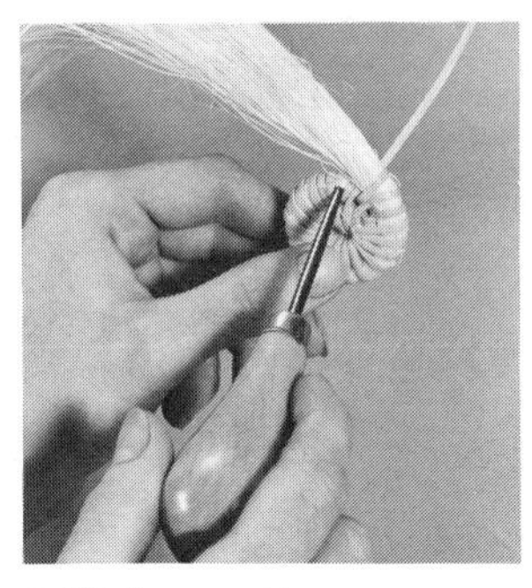

3. Dès le second tour, commencez le point ouvert en cousant à travers l'âme. Servez-vous du poinçon pour la perforer bien droit.

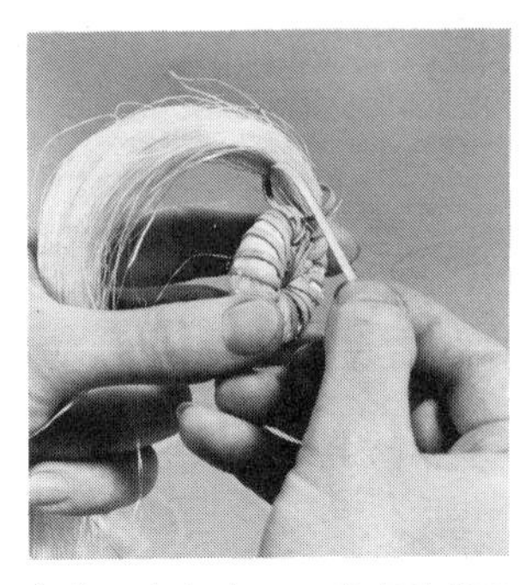

4. Quand la trame devient trop courte, ramenez-la entre les rangs. Coupez-la pour qu'elle soit enveloppée dans le point suivant.

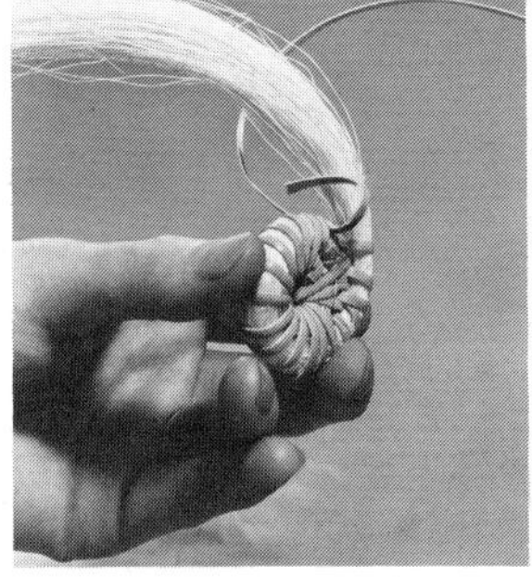

5. Insérez la nouvelle trame dans l'armature en laissant l'extrémité entre les rangs. Faites un second point au même endroit.

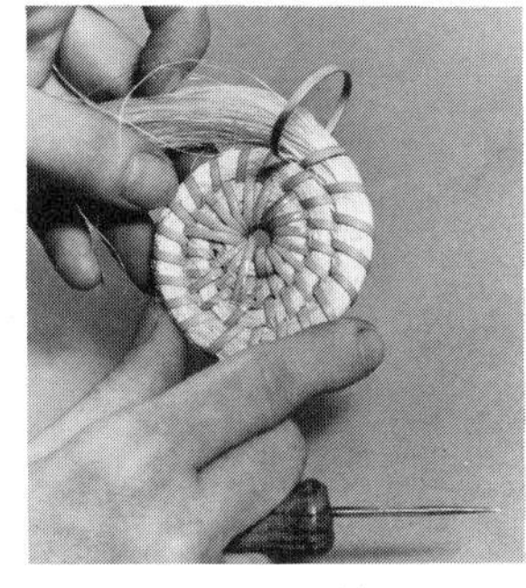

6. Lorsque l'espace découvert entre les points est trop important, faites deux points dans le rang courant là où il n'y en avait qu'un.

7. Quand le matériau formant l'âme s'amincit trop, coupez-le en biais. Faites la même chose avec le nouveau matériau.

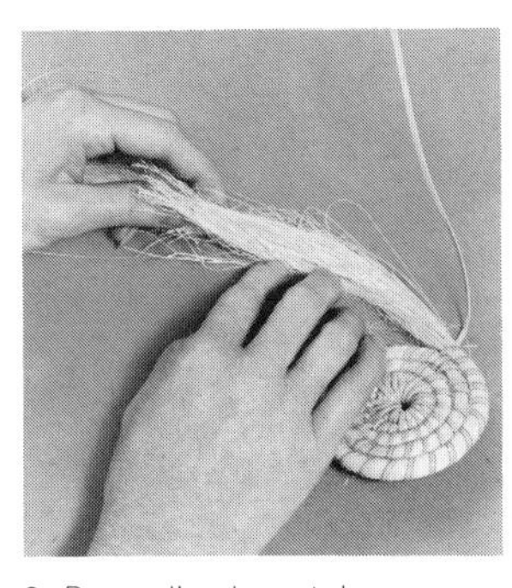

8. Posez· l'ancien et le nouveau matériau côte à côte et combinez-les en les faisant rouler doucement sous les doigts.

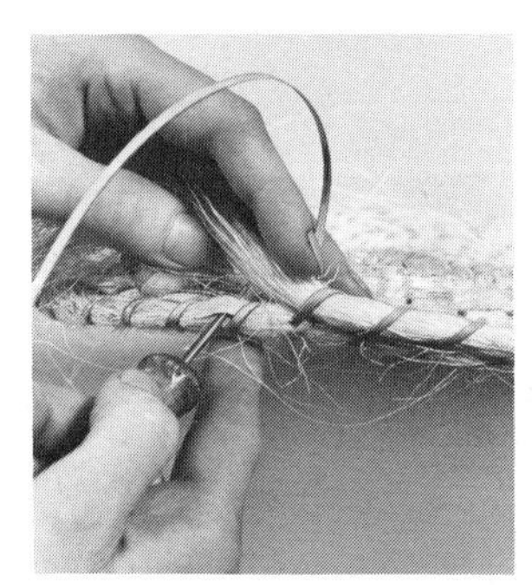

9. Quand le fond du panier a 9 po de diamètre, superposez les spirales pour monter la paroi. Insérez le poinçon à 45 degrés.

10. Liez et cousez cinq autres rangs. Placez bien chaque rang directement au-dessus de celui qui précède.

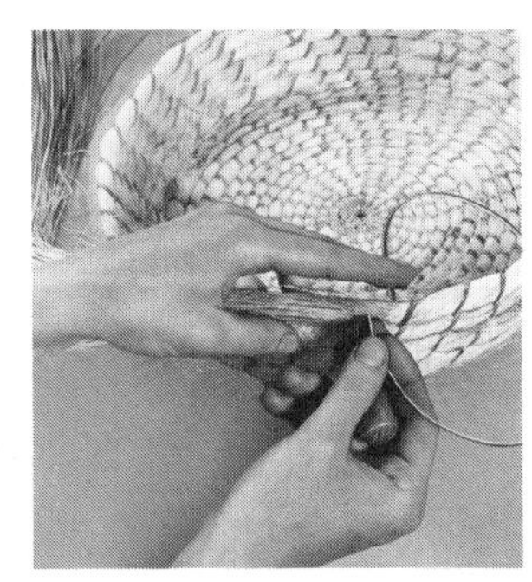

11. Faites le dernier rang en utilisant un sisal plus foncé. Joignez-le au sisal pâle comme indiqué aux étapes 7 et 8.

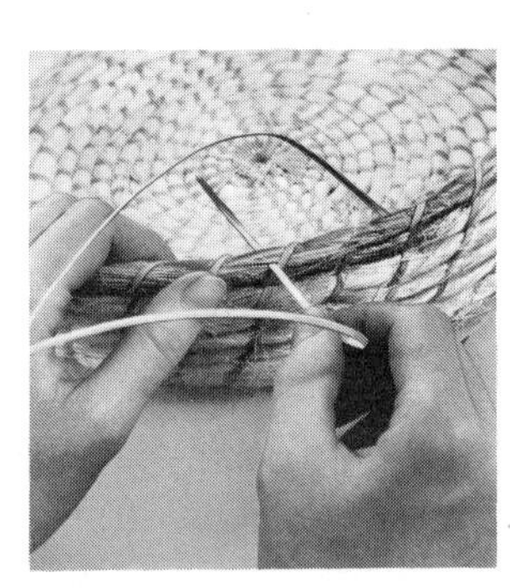

12. Effilez l'âme et fixez-la en entrecroisant la trame. Rentrez le bout de la trame dans l'armature. Coupez les brins qui dépassent.

Vannerie/projet

Panier « Maison de la trombe »

Les Indiens pimas appellent ce modèle « Maison de la trombe ». Ce dessin universel fait bien ressortir la technique du spiralé d'un panier à colombins.

Matériaux. L'âme est faite de cosses de maïs séchées; faites-en sécher ou achetez-en 8 oz dans une boutique d'artisanat. Le lien, ou la trame, est en raphia de deux couleurs — pâle et foncé. Achetez 1 lb de raphia pâle, ½ lb de foncé.

Equipement. Il vous faut une aiguille à grand chas, des ciseaux, un ruban à mesurer, une épingle et un bol. Faites tremper les cosses de maïs de 5 à 10 minutes, égouttez-les sur une serviette éponge et divisez-les en languettes de ½ po. Le raphia doit être sec.

Ce panier mesure 9½ po de diamètre et 5 po de haut. Les paniers seront sans doute légèrement différents car leurs dimensions dépendent de la tension des points et de la position des spires. Le panier est fait au point en huit et le motif s'obtient en avançant le raphia foncé un peu plus à chaque rang (voir l'étape 9).

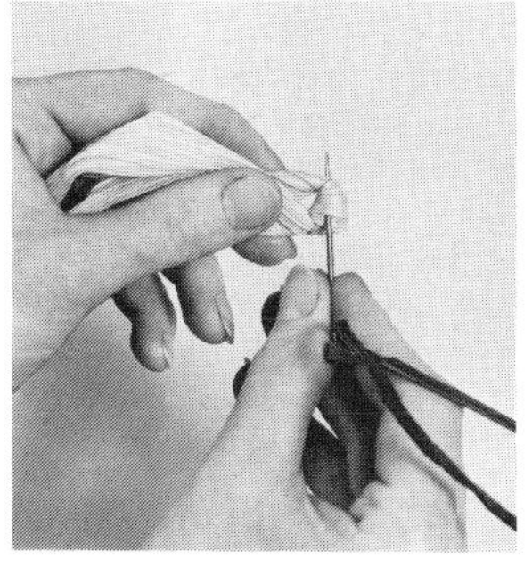

1. Faites un point d'amorce sur nœud (p. 57) avec six languettes; nouez au tiers. Tenez les bouts et entourez le nœud de raphia foncé.

2. Faites le second rang au point de la squaw paresseuse (p. 57). Enveloppez deux fois le rang courant et fixez-le au sommet du précédent.

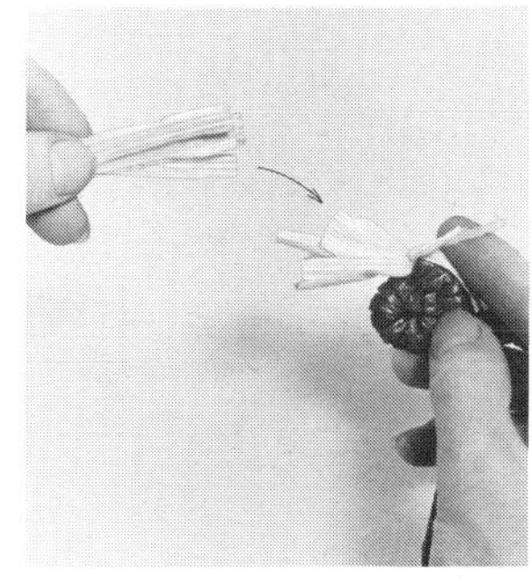

3. Quand il ne reste plus que 1 po, écartez les languettes, introduisez-en trois, faites quelques points, ajoutez-en trois autres.

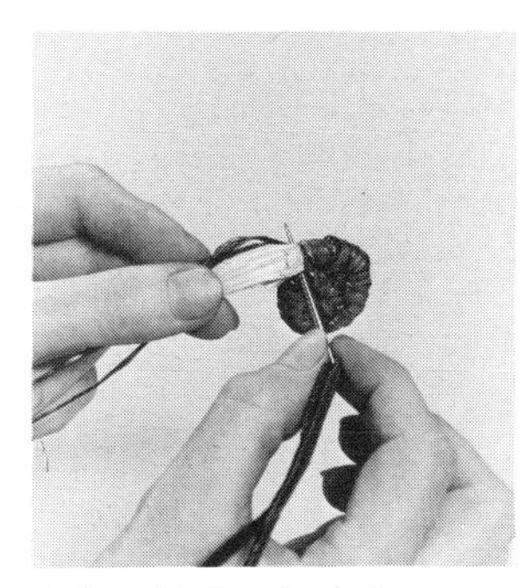

4. Quand le lien s'amincit, rentrez-le dans l'âme. Cousez un autre lien au sommet du rang précédent en gardant le bout contre l'âme.

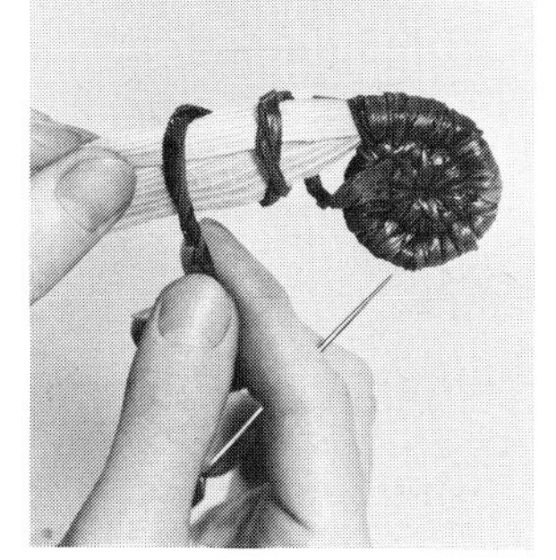

5. Au troisième rang, amenez le lien devant, sous le second rang. Commencez le point en huit (p. 57) et enroulez le lien comme illustré.

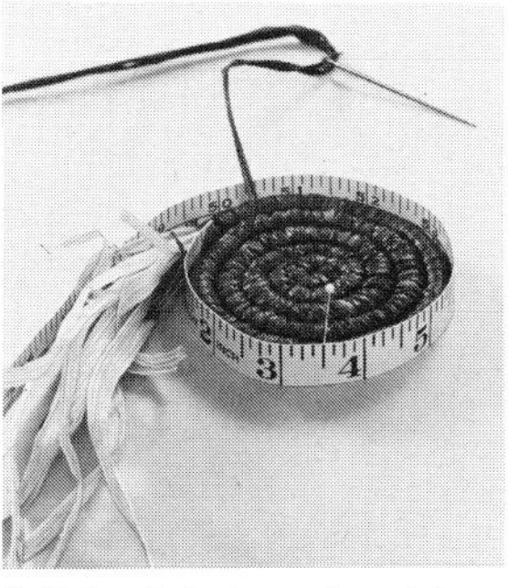

6. Faites trois tours de points en huit. Mesurez; placez l'épingle à un tiers de tour du dernier point. Continuez en foncé jusqu'à l'épingle.

7. Enfilez un brin pâle et fixez-le comme à l'étape 4. Terminez les deux derniers tiers du rang. Ce lien recouvrira aussi le rang précédent.

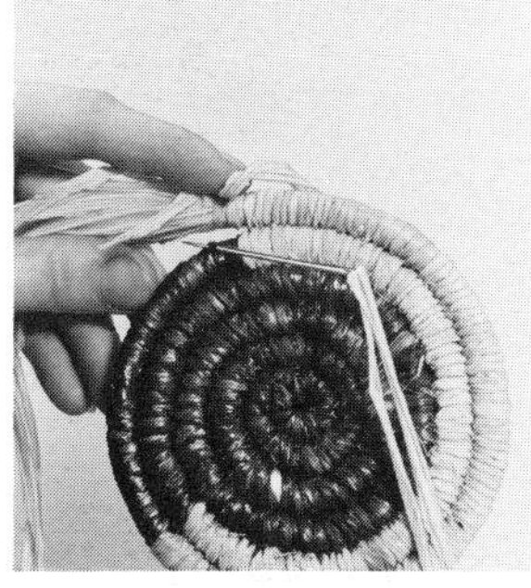

8. Commencez ce rang par le point de la squaw paresseuse pour avancer la couleur pâle. Ne piquez qu'au sommet du rang précédent.

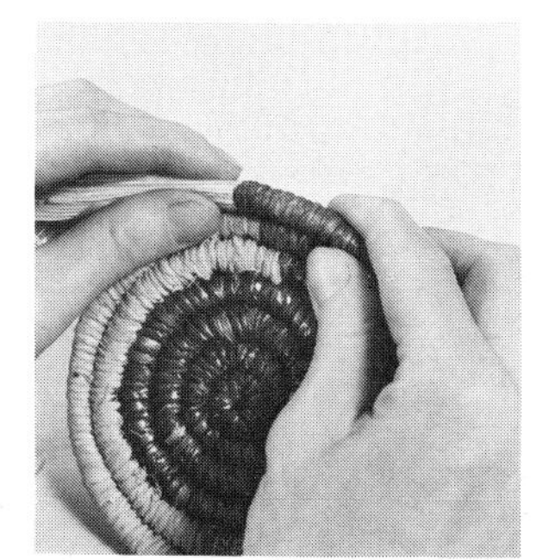

9. Au tour suivant, placez chaque rang un peu plus haut que le précédent. Avancez la couleur foncée au-delà de la pâle comme à l'étape 8.

10. Continuez l'inclinaison en gardant un tiers foncé à chaque rang. Avancez chaque couleur au-delà de l'autre comme à l'étape 8.

11. Quand le dernier passage foncé est en face du motif foncé à la base, amincissez l'âme en coupant un brin tous les quelques points.

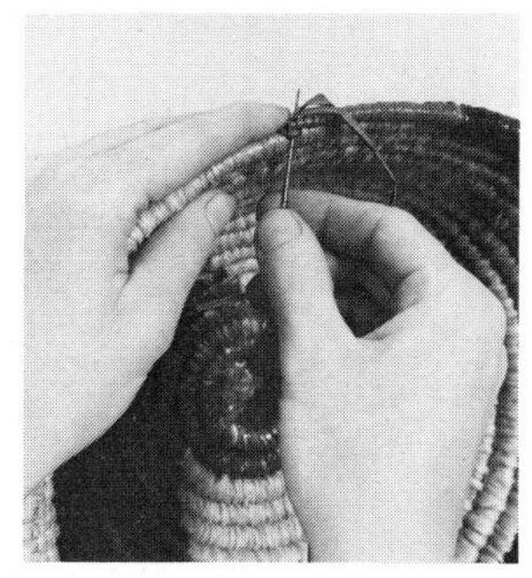

12. Quand l'âme est épuisée, entrecroisez le lien sur son extrémité. Rentrez le lien sous les quelques derniers points et coupez.

Vannerie/projet

Le natté : pour un panier vite fait

Le nattage se pratique à travers le monde pour faire à peu près tout : des sandales aux maisons, sans oublier les paniers. Comme les matériaux employés sont généralement larges, le nattage est une façon rapide de confectionner un panier ; cependant, la préparation est souvent longue et ardue.

Au Mexique, nombreux sont ceux qui naissent, dorment et meurent sur une *petate,* sorte de natte faite en feuilles de yucca ou de palmier. Dans les climats chauds, la matière première est facile à trouver : fibres de coco, de pandanus, bambou et canne.

Mais bien des matériaux à nattes ne se trouvent pas sous nos climats ni sur le marché. Par conséquent, plusieurs vanniers se tournent vers les produits manufacturés et « découvrent » des matériaux tels que le tissu, le plastique, le cuir, le papier peint et même le ruban magnétique. Le panier ci-dessous est fait de ruban de tissu, facile à trouver dans le commerce.

La technique de base du nattage l'apparente beaucoup au tissage ordinaire, puisque les deux bandes nattées se comparent aux fils de chaîne et de trame des textiles. Elles sont habituellement de dimension et de force égales. Les matériaux naturels typiques sont plats et minces, ce qui donne au panier légèreté et flexibilité.

Le nattage à deux bandes est tantôt parallèle, comme le fond du panier illustré ci-dessous, ou diagonal, comme dans sa paroi. Dans les deux cas, les bandes se croisent à angle droit, mais on les travaille de façon différente. Dans le nattage parallèle, on introduit et on tisse une bande à la fois. Dans le nattage diagonal, toutes les bandes sont en mouvement simultanément et pourraient être tissées ensemble si le vannier avait suffisamment de mains. Quant au nattage hexagonal (ci-contre), il est plus difficile, mais permet une plus grande variété de motifs.

Avant de commencer le nattage des matériaux, il est bon de s'exercer sur des bandes de papier. A l'aide de celles-ci, fabriquez un modèle qui vous permettra de mesurer la longueur et le nombre des éléments qu'il vous faudra. Pour la couleur, marquez vos bandes de papier, ce qui vous indiquera le nombre d'éléments nécessaires dans chaque couleur. Vous pourrez ainsi préparer votre matériau sans gaspillage.

Panier de ruban

Un panier de 5 po de profondeur sur 5 po de base peut contenir des accessoires pour cheveux ou des bijoux. On le fabrique avec deux sortes de ruban : un gros-grain uni et un taffetas rayé, de même tonalité que le gros-grain.

Matériaux et équipement. Achetez 36 pi de chaque sorte de ruban ; ceux-ci doivent avoir 1 po de largeur. Coupez le ruban en longueurs de 3 pi et munissez-vous d'une aiguille, de fil, de ciseaux, d'un ruban à mesurer et d'épingles à tête ronde.

Comme dans toute natte, les bandes doivent être serrées les unes contre les autres pour ne pas laisser de trous à l'endroit où elles se croisent.

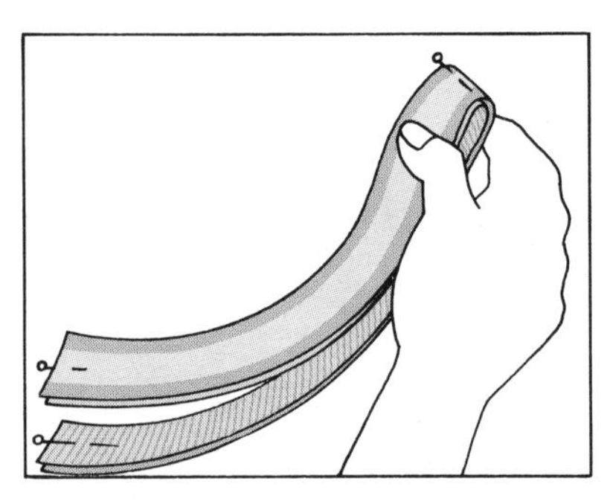

1. Formez des paires de ruban, gros-grain et taffetas. Epinglez-les dos à dos pour avoir 12 bandes. Pliez en deux la première paire ; marquez-en le centre avec une épingle.

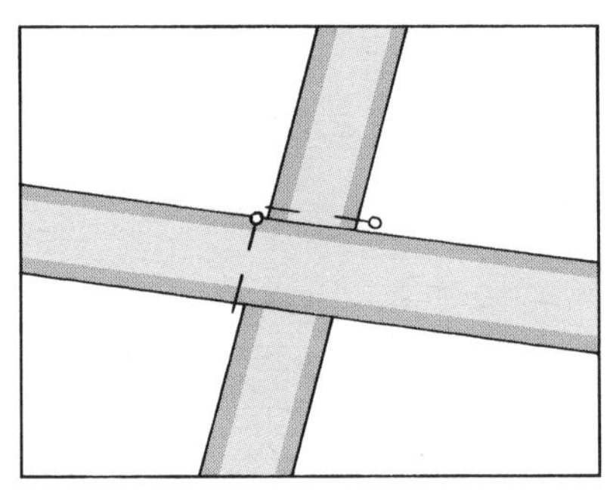

2. Posez une bande à plat verticalement. Placez une deuxième bande à l'horizontale en travers de la première. Alignez les épingles centrales contre les bordures.

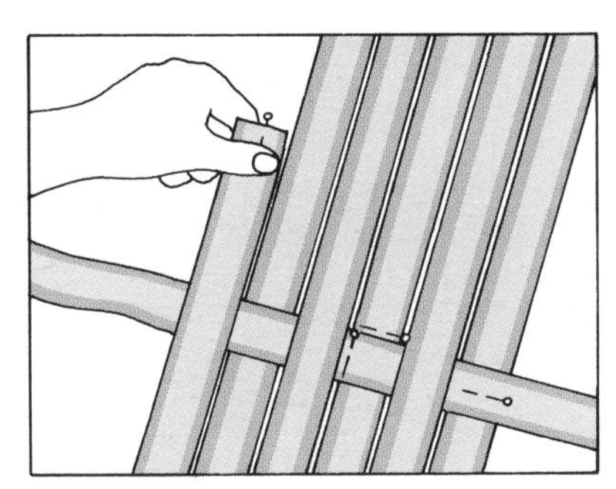

3. Posez cinq autres bandes verticalement en y entrelaçant l'élément horizontal. Assurez-vous que l'épingle fichée dans celui-ci est bien centrée. Epinglez les verticales, tel qu'indiqué.

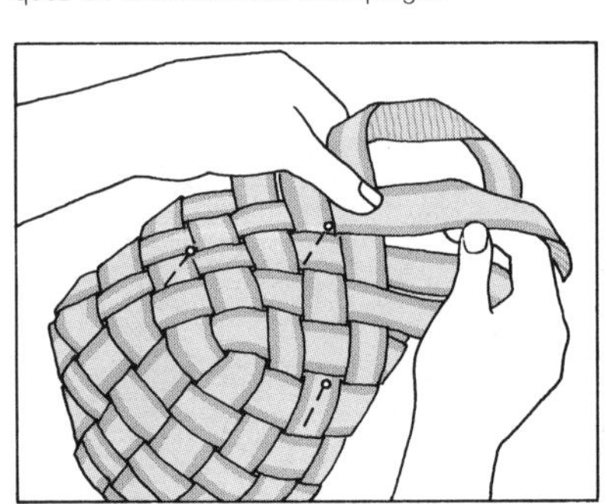

8. Continuez à tisser par entrelacs vers le haut du panier. Exécutez un rang à la fois jusqu'à ce que l'ouvrage mesure 5 po de haut. Epinglez les éléments pour les maintenir en place.

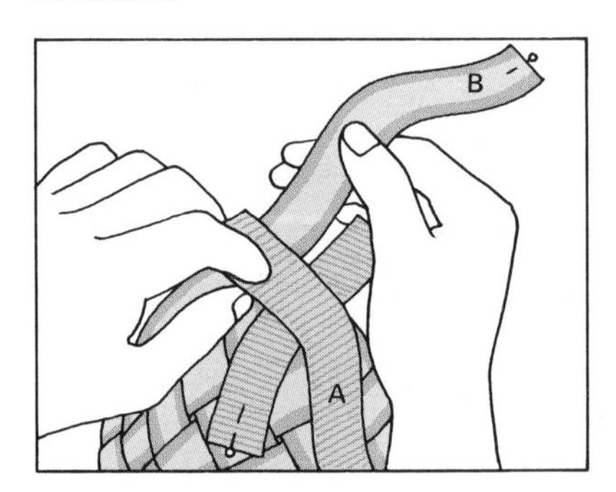

9. Pour faire une bordure en dents de scie, rabattez les bandes vers l'extérieur. Les bouts pendront librement jusqu'à ce qu'on les égalise à l'étape 13.

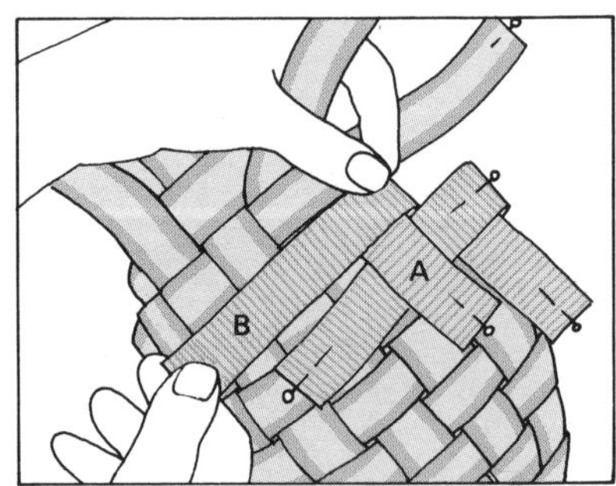

10. Pour compléter chaque dent de scie du panier, faites des plis en vous inspirant de l'illustration ci-dessus. Répétez l'opération avec chaque bande (dernier rang).

Variété de nattés

Armure toilée. Un simple tissé entrelacé (un point devant, un point derrière) peut être agrémenté par le jeu de bandes de couleur.

Armure croisée. Dans cette armure, deux ou trois bandes sont sautées à chaque point. Toutefois, plus le « pontage » est long, plus la structure du panier est faible.

Armure hexagonale. Ce natté est parfois surnommé « tissage fou » parce que son exécution est particulièrement difficile. Il est composé de trois éléments formant une étoile à six pointes.

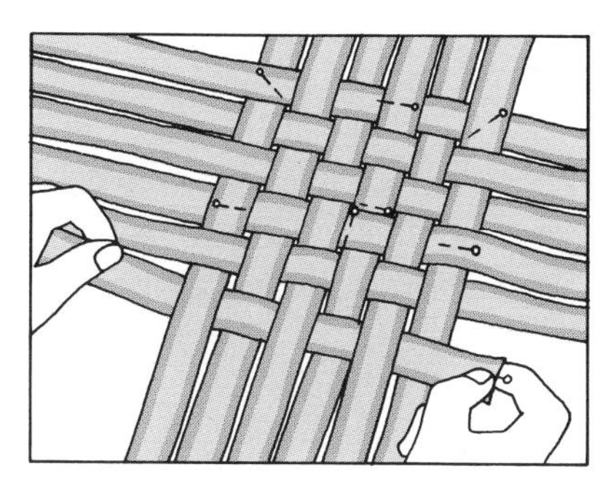

4. Insérez cinq autres bandes horizontales en passant devant et derrière les verticales. Les épingles du premier élément vertical doivent rester centrées. Epinglez les autres bandes.

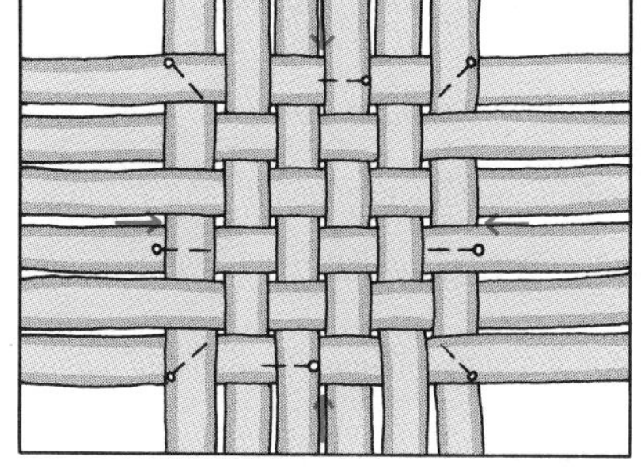

5. Epinglez les éléments aux angles formés par l'ajout des dernières bandes. Les coins du panier se formeront au centre de chaque côté, là où pointent les flèches.

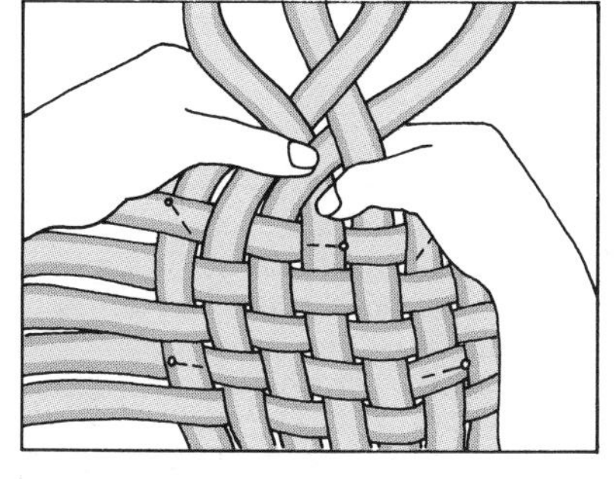

6. Prenez le côté le plus éloigné de vous et, avec trois bandes dans chaque main, formez un coin en ramenant celles-ci les unes sur les autres, à angle droit.

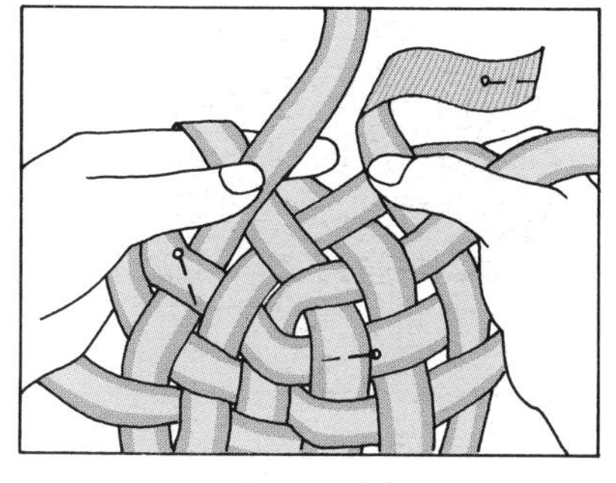

7. Tressez toutes les bandes de ce côté une fois, un point devant, un point derrière. Fixez-les avec des épingles. Tournez le panier et façonnez les autres coins. Assujettissez avec des épingles.

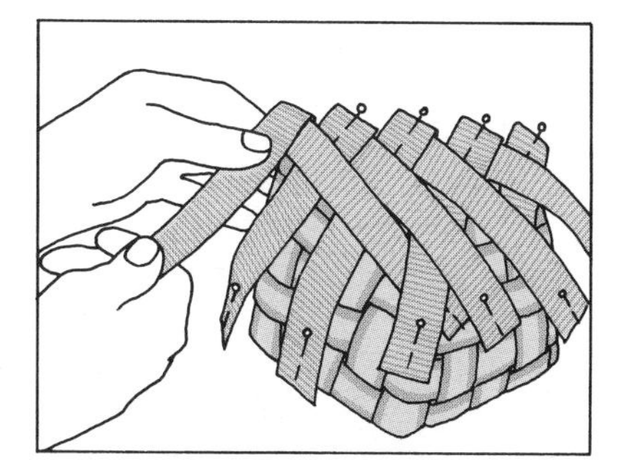

11. En travaillant dans le sens des aiguilles d'une montre, faites le tour du panier en répétant les étapes 9 et 10 jusqu'à ce que tous les éléments aient été pliés et épinglés.

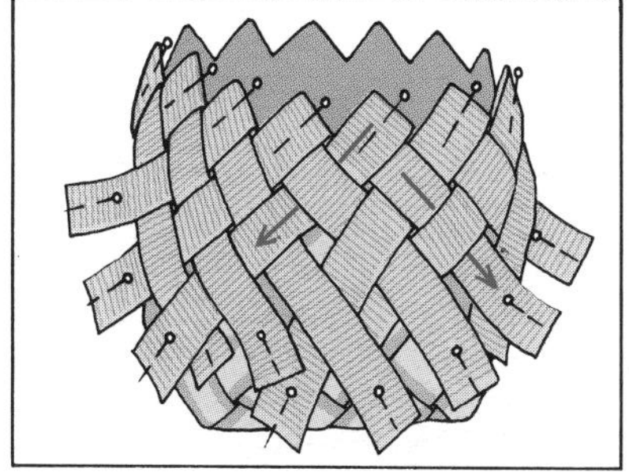

12. En tournant toujours dans le même sens, prenez chaque bout libre formé aux étapes 9 et 10 et glissez-le sous la bande du rang précédent. Tirez jusqu'au bout.

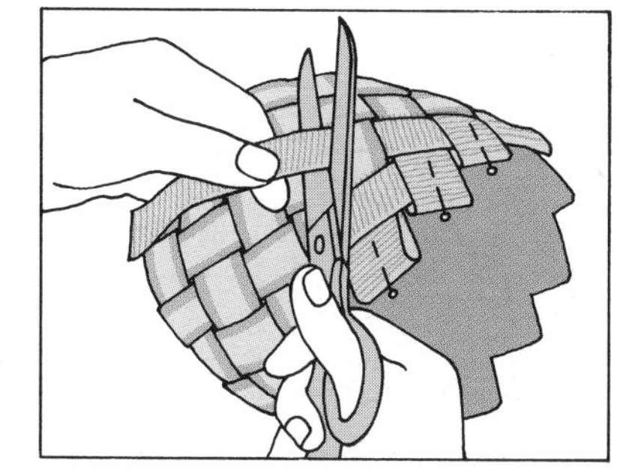

13. Coupez toutes les extrémités libres, dans un sens, puis dans l'autre. Tirez légèrement sur les bandes avant de les couper, afin que les bouts rentrent et soient complètement cachés.

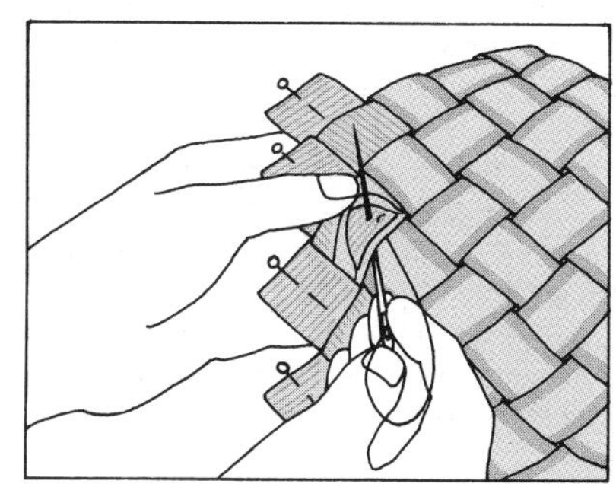

14. Soulevez les bandes qui recouvrent les extrémités et, avec du fil et une aiguille, arrêtez-les à l'aide d'un point. Enlevez toutes les épingles qui pourraient rester dans le panier.

Vannerie/projet

Clayonnés

Les paniers à éclisses, généralement très solides, servaient aux fermiers à transporter leurs produits au marché. Sur les sentiers de randonnée, ces paniers sont les favoris des guides.

Les Indiens passamaquoddy de l'Etat du Maine, les Mohawks de l'Etat de New York et les Cherokees des Ozarks sont réputés pour leurs paniers clayonnés. Ceux des Shakers sont plus délicats et plus raffinés.

Les matériaux de la vannerie à éclisses sont de minces lames de bois, généralement du frêne ou du chêne. Montants (chaîne) et liens (trame) peuvent être du même matériau ; la trame peut aussi être faite de brins d'un autre matériau. Le tissage du clayonné n'est pas compliqué : armure toilée — un point dessus, un point dessous — ou armure croisée — deux points dessus, deux points dessous (voir pp. 64-65). Si les montants sont en nombre pair, on ajoute un nouveau lien à chaque rang. S'ils sont en nombre impair, on emploie un seul lien pour toute la trame.

Traditionnellement, on obtenait des éclisses de frêne en martelant des billots qu'on avait laissés tremper tout l'hiver pour en amollir les anneaux. De nos jours, les éclisses de frêne et de chêne sont obtenues par des procédés mécaniques. On doit laisser tremper les éclisses au moins 20 minutes avant de les travailler. Les éclisses taillées à la machine ont un envers et un endroit. Pour reconnaître celui-ci, pliez l'éclisse mouillée : de petits éclats apparaîtront à l'envers. Le côté lisse doit être à l'extérieur du panier. Pour travailler le fond du panier, tenez le côté rugueux vers vous.

Dans tout clayonné, on doit prévoir un jeu d'environ ¼ po entre les montants à cause des liens qui y passent. Pour déterminer la longueur des montants, calculez la dimension de la base et ajoutez deux fois la hauteur des côtés, plus 8 po pour chaque montant à replier vers le bas.

Panier clayonné (éclisses et canne)

Ce panier, qui constitue le fourre-tout idéal, mesure 7 po de large, 8½ po de long et 5 po de profondeur.

Matériaux. Procurez-vous un paquet d'éclisses de chêne de ⅝ po (ou du frêne) et une botte de cannes de calibre moyen. Pour les montants, coupez sept éclisses de 26 po et neuf de 24 po. Fendez d'autres éclisses en deux dans le sens de la longueur avec des ciseaux ; il vous en faudra huit morceaux de 36 po de long, comme liens, et quelques autres, tel qu'indiqué dans les instructions.

Equipement. Munissez-vous d'un couteau utilité, d'un canif, de fichoirs à ressort, de ciseaux, d'un ruban à mesurer, d'un poinçon, d'une pince-cisaille et d'un bac pour le trempage.

Faites tremper les éclisses dans de l'eau tiède environ 20 minutes. Avant de faire tremper la canne, façonnez de 12 à 15 rouleaux avec des brins et attachez-les par le milieu afin qu'ils ne s'enchevêtrent pas. Immergez-les dans de l'eau de 5 à 10 minutes. Enveloppez-les dans une serviette jusqu'au moment de vous en servir, mais sans les laisser humides toute la nuit.

Faites une armure toilée. Comme les montants sont en nombre pair, introduisez un nouveau lien à chaque rang. Avant de commencer la bordure, laissez sécher toute une nuit. L'armure se relâchera. En commençant par le bas, pressez bien chaque rang sur le précédent.

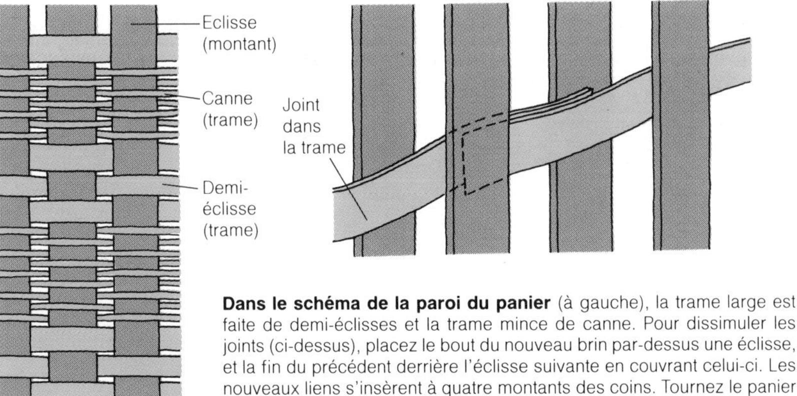

Dans le schéma de la paroi du panier (à gauche), la trame large est faite de demi-éclisses et la trame mince de canne. Pour dissimuler les joints (ci-dessus), placez le bout du nouveau brin par-dessus une éclisse, et la fin du précédent derrière l'éclisse suivante en couvrant celui-ci. Les nouveaux liens s'insèrent à quatre montants des coins. Tournez le panier d'un quart de tour depuis le début du dernier lien, à chaque rang.

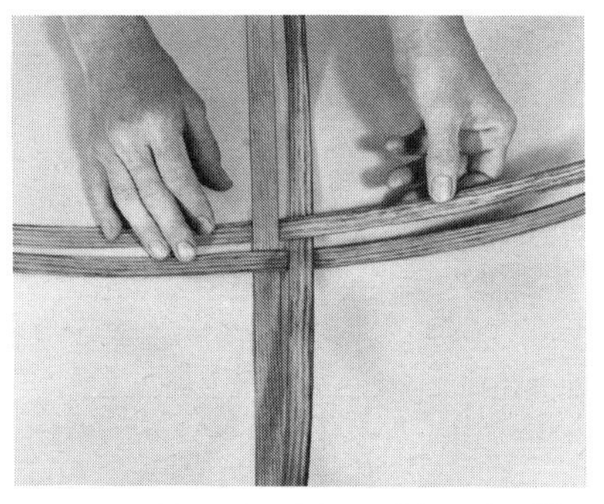

1. La base. Toutes les éclisses doivent être bien humides. Placez-en deux de 24 po côte à côte, puis croisez-en deux autres de 26 po à angle droit. Laissez ¼ po entre elles.

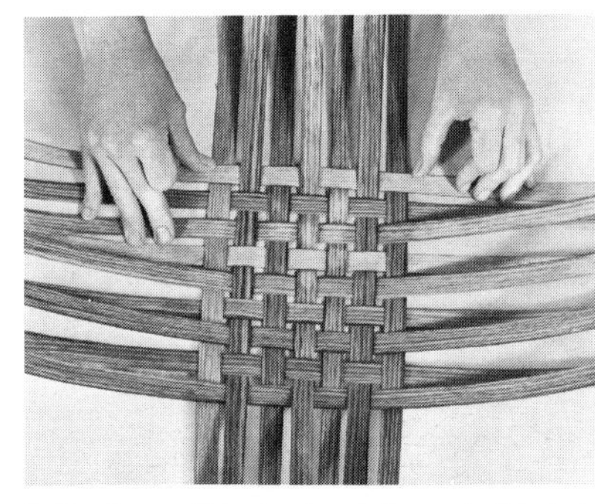

2. Continuez d'ajouter des éclisses de 24 et de 26 po alternativement jusqu'à ce qu'il y en ait neuf dans un sens et sept dans l'autre. Les quatre premières éclisses forment le centre.

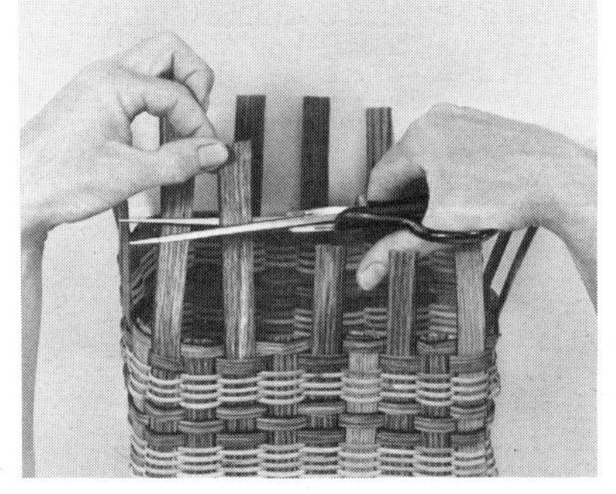

7. La bordure. Pressez la trame vers le bas. Faites tremper le panier tête en bas, jusqu'à ce que les éclisses soient pliables. Arasez celles qui sont à l'intérieur et laissez 3 po aux autres.

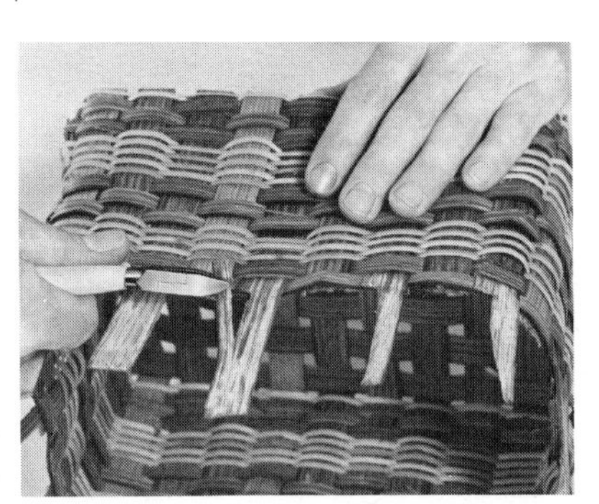

8. Avec la pince-cisaille, coupez, à leur base, la moitié de chaque montant qui reste ; tirez vers le haut de manière à fendre les éclisses en deux. Effilez les extrémités.

Les anses

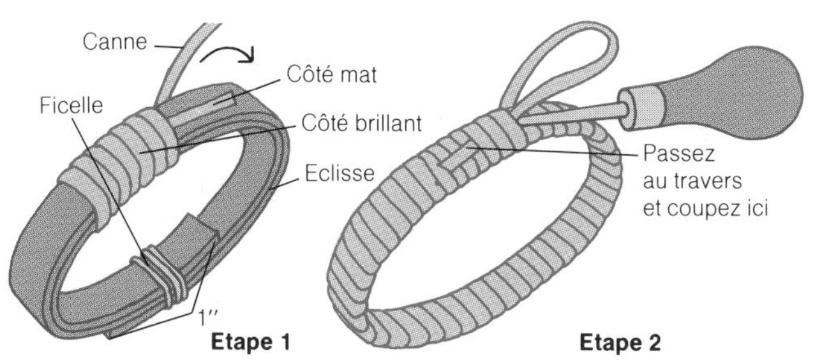

Chacune des anses est faite d'une demi-éclisse de 19 po enroulée de canne. Faites tremper les éclisses toute la nuit. **Etape 1.** Enroulez chaque pièce en un double cercle, en laissant 1 po de chevauchement. Attachez avec une ficelle. Posez un brin de canne, côté mat vers vous, le long de l'anneau. Pliez-le sur lui-même à angle droit, côté brillant vers vous, et commencez à l'enrouler autour de l'anneau. Coupez la ficelle au passage. **Etape 2.** Quand l'enroulement est terminé, soulevez les premiers tours, glissez le brin dessous, tirez et arasez.

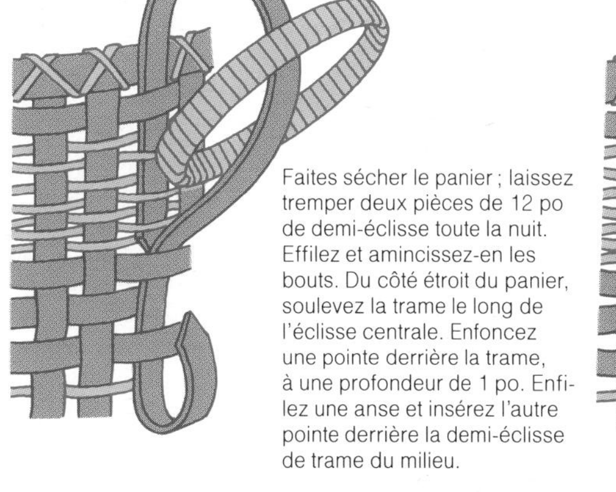

Faites sécher le panier ; laissez tremper deux pièces de 12 po de demi-éclisse toute la nuit. Effilez et amincissez-en les bouts. Du côté étroit du panier, soulevez la trame le long de l'éclisse centrale. Enfoncez une pointe derrière la trame, à une profondeur de 1 po. Enfilez une anse et insérez l'autre pointe derrière la demi-éclisse de trame du milieu.

Tirez l'éclisse jusqu'à ce que la boucle soit juste en dessous de la bordure. Tournez le bout inférieur et passez-le sous une éclisse de trame à l'aide du poinçon. Repassez-le dans l'anneau, puis derrière le premier bout. Insérez-le comme le premier, en poussant très fort. Ces anses sont purement décoratives. Elles ne supporteraient pas grand poids.

3. Avec un bon couteau, faites une légère incision dans chaque montant, le long de l'éclisse, comme ci-dessus. Retournez la base, de manière à placer l'intérieur du panier vers vous.

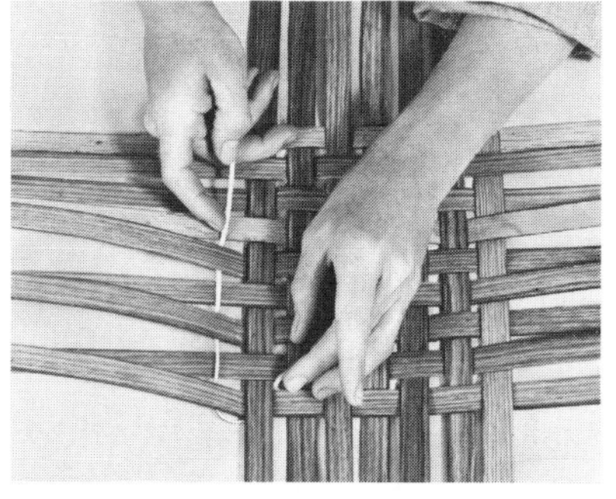

4. Les montants. Insérez un brin de canne dans un trou, près d'un coin ; arrêtez son extrémité entre les éclisses. Entrelacez-le entre les montants et tirez en ramenant ceux-ci à la verticale.

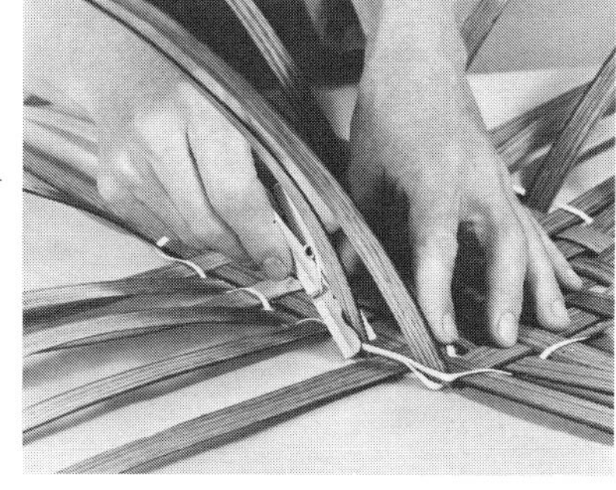

5. Faites un tour complet et arrêtez-vous à la troisième éclisse après le premier coin. Coupez le brin et fixez-le avec un fichoir. Commencez le second rang de trame un quart de tour plus loin.

6. Introduisez une demi-éclisse de trame au troisième coin. Redressez les montants avec le bras et la main. Fixez les deux bouts de ce lien avec un fichoir jusqu'à ce que le rang suivant soit fait.

9. Avec un poinçon, soulevez la trame à l'intérieur du panier pour recevoir chacune des éclisses effilées. Arasez tout éclat qui pourrait se produire lors du pliage.

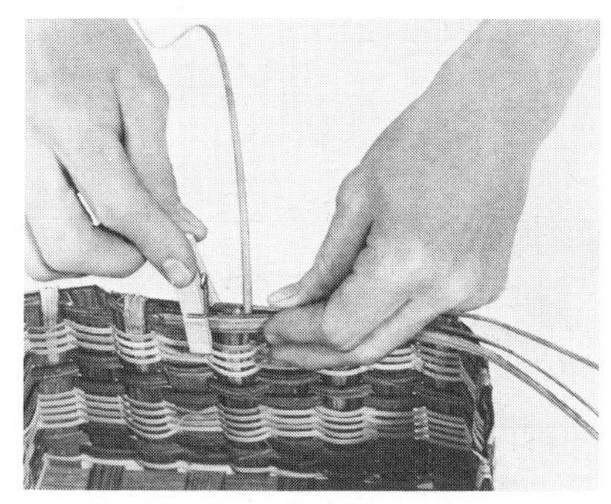

10. Coupez trois demi-éclisses 4 po plus longues que le périmètre du panier. Au milieu d'un côté long, épinglez-les, deux à l'intérieur, une à l'extérieur. Insérez un brin de canne derrière l'éclisse.

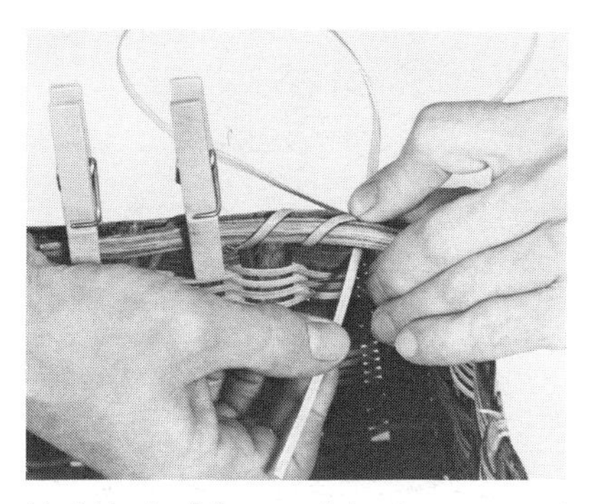

11. Bridez les éclisses sur la bordure en passant le lien de canne par-dessus celle-ci, puis dans les trous entre les montants, de l'extérieur vers l'intérieur du panier.

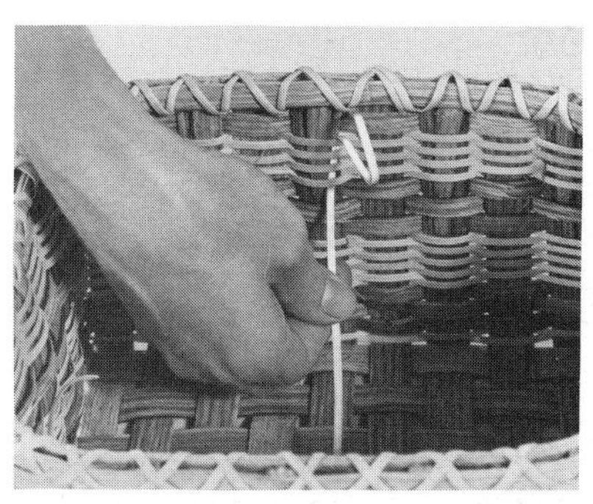

12. Faites un tour complet, puis recommencez dans le sens contraire pour obtenir une bride croisée. Rentrez le bout de la canne derrière la trame intérieure et arasez.

Vannerie/projet

Panier pour la cueillette des baies

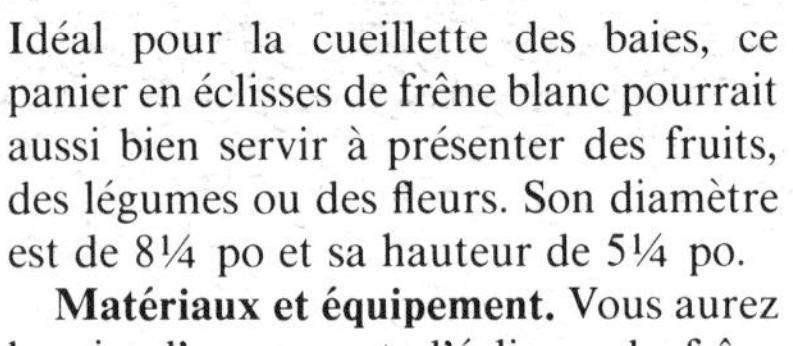

Idéal pour la cueillette des baies, ce panier en éclisses de frêne blanc pourrait aussi bien servir à présenter des fruits, des légumes ou des fleurs. Son diamètre est de 8¼ po et sa hauteur de 5¼ po.

Matériaux et équipement. Vous aurez besoin d'un paquet d'éclisses de frêne de ⅝ po et de deux bottes de canne (l'une de grosseur ordinaire, l'autre fine). L'anse est constituée d'un rameau de jeune noyer, mais on peut employer un roseau rond de calibre 12. Munissez-vous d'un poinçon, de ciseaux, d'une pince-cisaille, d'un couteau droit, d'un canif, de fichoirs, d'un ruban à mesurer et d'un grand bac pour le trempage.

On commence par confectionner deux bases séparées qui sont ensuite superposées et tissées ensemble. Pour ce faire, coupez 16 éclisses de 36 po et faites-les tremper au moins 20 minutes. Quant à la canne, laissez-la dans l'eau 10 minutes. L'armure croisée de la paroi exige un nombre impair de montants : l'un d'eux sera donc fendu par le milieu. On enroule la canne autour du panier jusqu'à la fin du brin. On arrête alors le brin qui achève devant un montant à l'extérieur et on en insère un nouveau derrière le troisième montant précédent, en le passant par-dessus le premier brin. Les deux bouts seront ainsi cachés.

1. La base. Couchez huit éclisses en cercle, en les disposant deux par deux, à angle droit. Distancez les éclisses régulièrement en les tenant au centre avec le doigt.

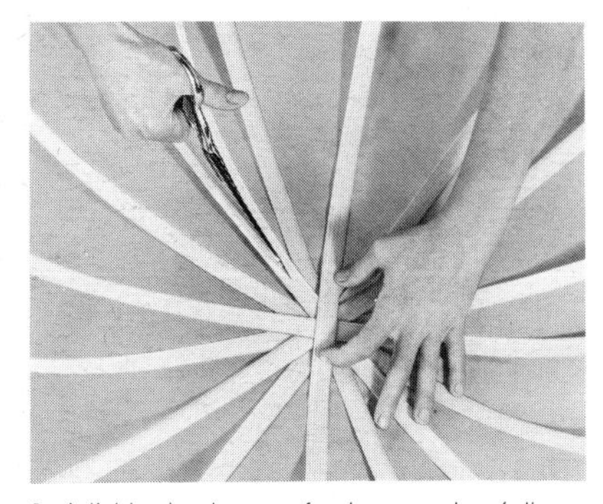

2. A l'aide de ciseaux, fendez une des éclisses en deux jusqu'à 1½ po du centre. Ceci vous donne le nombre impair d'éclisses nécessaire pour l'armure croisée.

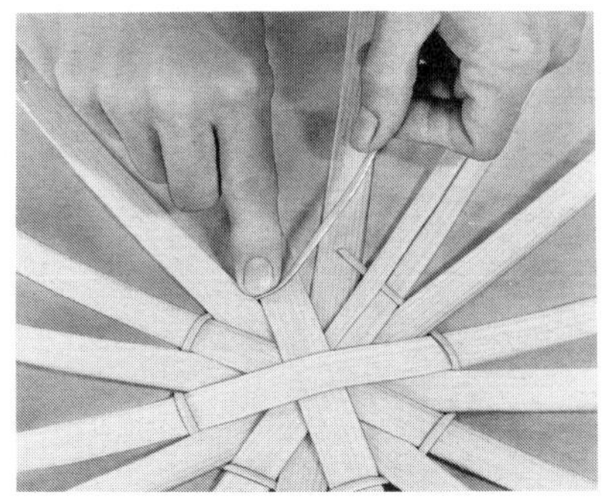

3. Insérez une canne fine, côté lustré vers vous, dans l'éclisse fendue. Faites un point dessus, un point dessous, durant deux tours complets ; coupez ce brin sous la troisième éclisse.

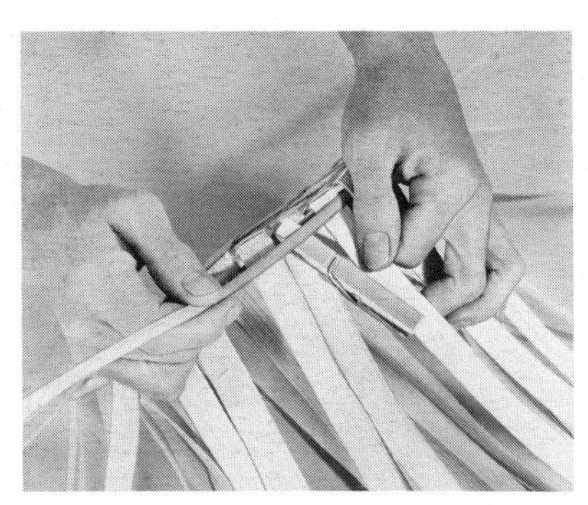

8. Faites un second rang comme à l'étape 7 ; ces rangs serviront à tenir les éclisses verticales. Enlevez le fichoir au passage. Foulez la trame vers le bas avec les doigts.

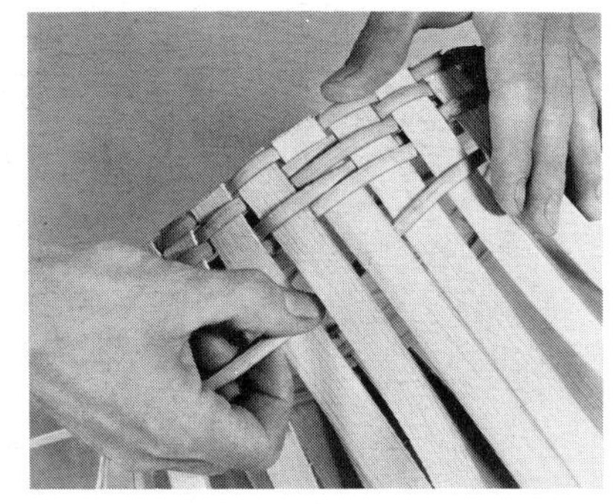

9. La paroi. Au troisième tour, avec le même brin, commencez à tresser en sautant deux éclisses à la fois. Vous aurez besoin de 22 rangs d'armure croisée (p. 61) pour terminer le panier.

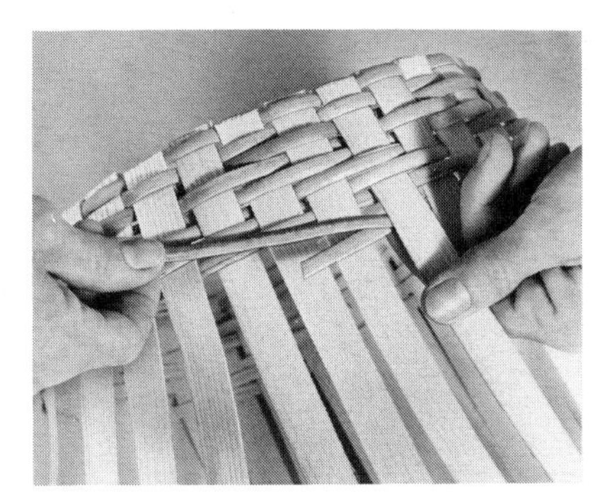

10. Pour ajouter un brin de trame, glissez-le derrière une éclisse en couvrant le précédent. Coupez celui-ci de sorte que son extrémité repose sur une éclisse et soit cachée.

15. La bordure. Faites tremper le panier tête en bas, jusqu'à ce que les éclisses soient pliables. Arasez celles qui sont à l'intérieur et laissez 2½ po aux autres.

16. Taillez les éclisses avec une pince-cisaille comme à l'étape 8, page 62. Pliez-les de façon à couvrir le dernier rang de trame et insérez-les derrière celui-ci.

17. Insérez l'anse entre une éclisse et la trame, à l'intérieur du panier. Alignez l'encoche et le bord du panier. Fixez l'autre extrémité de l'anse sur le côté opposé.

4. Couchez huit éclisses pour la seconde base comme à l'étape 1. Tenez-les bien et posez la première base par-dessus. Assurez-vous que toutes les éclisses sont équidistantes.

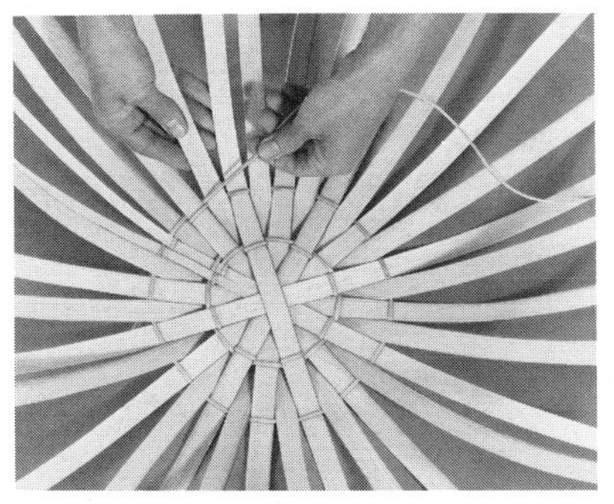

5. Avec le brin fin, exécutez trois tours, en sautant une éclisse à la fois, pour fixer les deux bases ensemble. Serrez la trame en la poussant le plus près possible du centre.

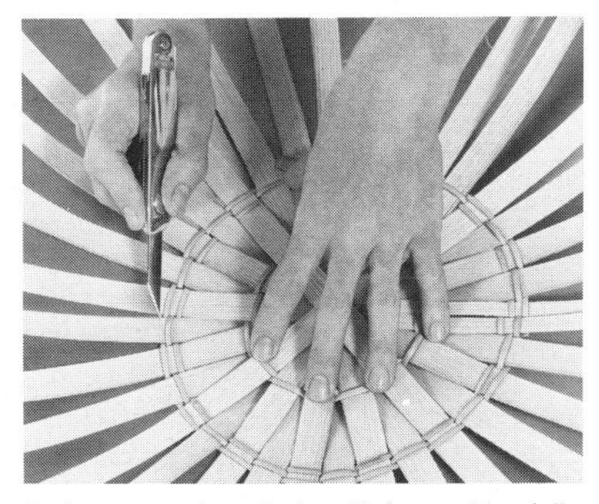

6. Avec un couteau, incisez légèrement les éclisses près du dernier rang de canne pour faciliter le pliage. Renversez le fond afin de placer l'intérieur du panier vers vous.

7. Pour couder, fixez à l'aide d'un fichoir un brin de canne ordinaire (côté lustré vers vous) sur une éclisse. Relevez les montants en exécutant au point simple un rang de trame bien serré.

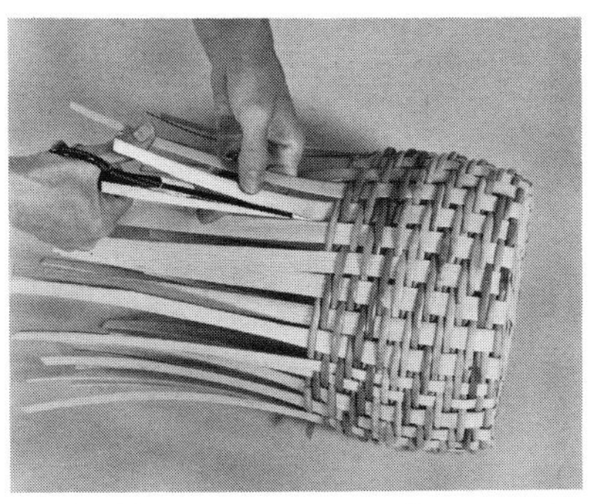

11. A mi-hauteur, commencez à ramener les éclisses vers le centre. Si l'ouvrage devient trop serré, amincissez-les légèrement, mais pas avant que le panier n'ait 6 po de hauteur.

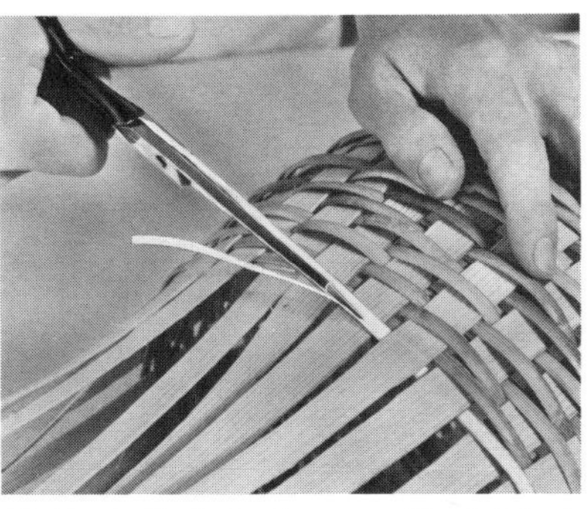

12. Vers la fin du dernier rang, effilez le brin de trame de manière que le haut du panier soit de niveau. Après avoir fait sécher le panier toute une nuit, foulez bien la trame vers le bas.

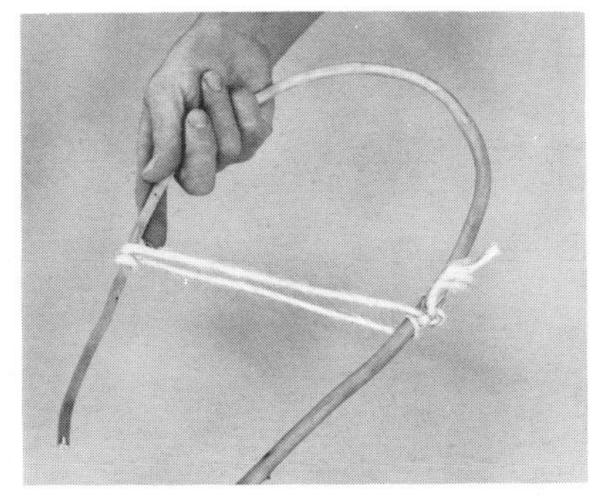

13. L'anse. Prenez un rameau de jeune noyer de ⅜ po d'épaisseur et de 24 po de long. Faites-le tremper quatre jours ; pelez-le avec un couteau et attachez-le en forme de U.

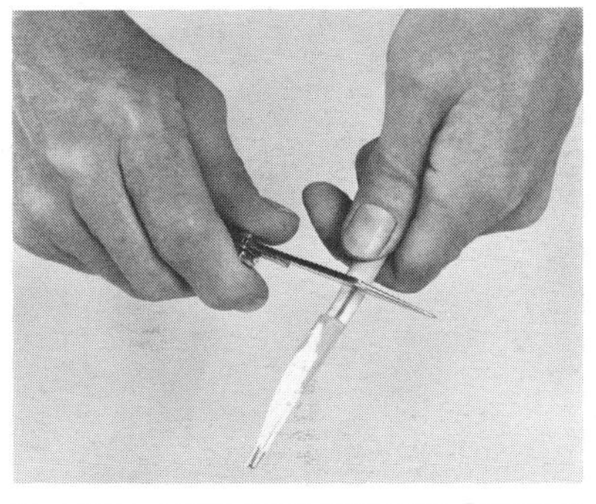

14. Laissez sécher l'anse deux jours. Coupez la ficelle et, avec un canif, amenuisez les bouts en pointe plate. A 2 po des extrémités, faites une encoche de ½ po à l'intérieur du U.

18. Prenez deux éclisses de frêne ayant 3 po de plus que le périmètre du panier ; fendez-les en deux sur la longueur. Fixez-en une à l'extérieur du panier et gardez 2 po de chevauchement.

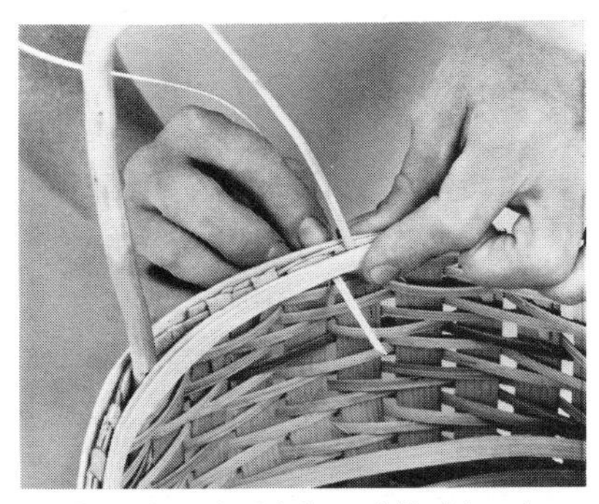

19. Fixez deux demi-éclisses à l'intérieur du panier et insérez un brin de canne fin entre elles en en disposant le côté lustré vers vous. La quatrième demi-éclisse ne servira pas.

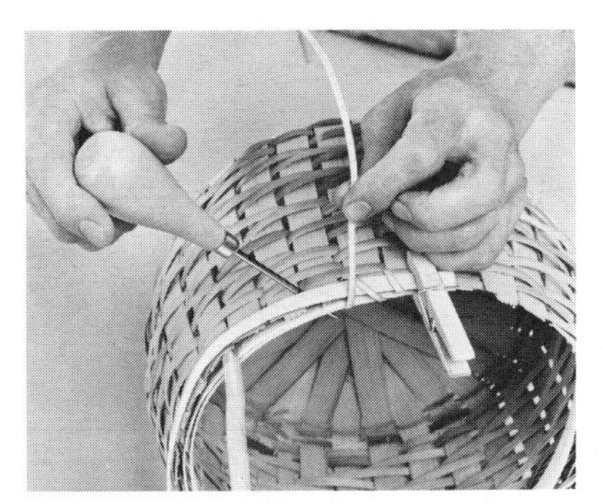

20. Ménagez un orifice entre deux éclisses de l'avant-dernier rang. Passez le brin autour de la bordure, puis entre les montants. Chevauchez trois points, puis arrêtez (étape 12, p. 63).

21. Consolidez le lien à l'anse avec un brin de canne supplémentaire. Croisez celui-ci, à l'intérieur comme à l'extérieur de la bordure. Insérez son extrémité entre un montant et la trame.

Vannerie

Cordés et tressés

Les experts classent habituellement les cordés et les tressés en deux types distincts de vannerie. Mais, dans la pratique, il y a beaucoup de similitude entre les deux techniques et il est impossible d'apprendre l'une sans connaître l'autre.

Montants et liens. Les cordés et les tressés sont composés de montants d'armature et de liens qui leur impriment une forme. Essentiellement, un panier cordé est tissé avec un seul brin actif, tandis qu'un tressé demande toujours au moins deux brins de trame qu'on puisse torsader entre les montants. Toutefois, les tresses ou torsades sont aussi employées dans les cordés, surtout pour renforcer les points de support.

Les montants et la trame du panier cordé sont généralement des baguettes rigides de saule, de roseau ou de canne, et les formes qu'on lui donne traditionnellement sont connues aussi bien en Europe qu'en Amérique : panier à provision ou à pique-nique, panier de pêche, etc. Toutefois, on trouve aussi du cordé depuis l'Orient jusqu'en Amérique du Sud. Quant aux tressés, ils présentent parfois des montants de roseau ou de saule, mais, le plus souvent, ils sont faits de matériaux plus souples, avec des brins de trame toujours plus flexibles que ceux du cordé. C'est la torsion de la trame entre les montants qui donne au tressé sa rigidité.

Trempage des matériaux. Pour pouvoir imprimer des formes arrondies à des matériaux rigides, il faut les faire tremper jusqu'à ce qu'ils deviennent pliables. Plus ils sont épais, plus le trempage est long. Si les matériaux s'assèchent pendant le travail, faites-les tremper à nouveau, mais ne laissez jamais un panier enveloppé dans une serviette humide ou dans du plastique toute une nuit : il pourrait moisir.

Avant de délier une botte de roseaux, faites-la tremper (autrement les brins s'enchevêtreraient et pourraient se casser). Une fois que les brins sont souples, faites-en des rouleaux, attachez-les par le milieu et remettez-les dans le bac jusqu'à ce que vous en ayez besoin.

Chaque vannier tisse différemment ; certains travaillent serré, d'autres, plutôt lâche. Par conséquent, les instructions pour le panier cordé et pour la

Tissages cordés et tressés

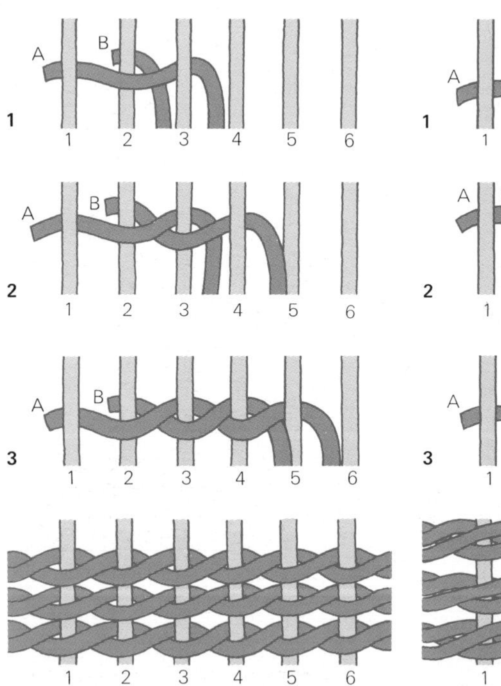

Tressé à deux brins. Etape 1. Insérez deux brins de trame, l'un derrière le premier montant, l'autre derrière le montant suivant, à sa droite. Amenez le brin A devant celui-ci, par-dessus le brin B, puis derrière le troisième montant. Etape 2. Faites de même avec le brin B. Etape 3. Continuez l'ouvrage vers la droite en alternant les brins.

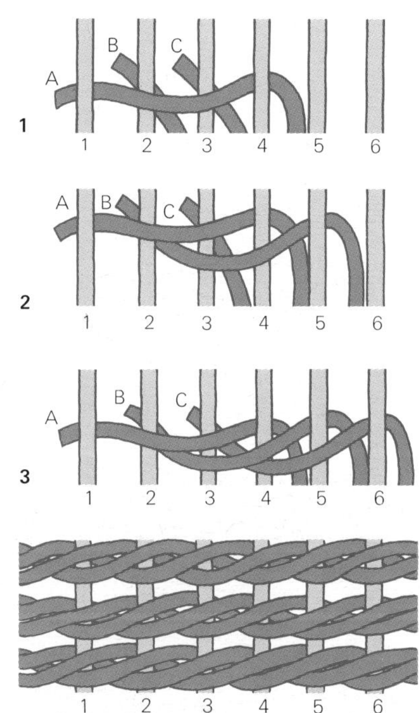

Tressé à trois brins. Etape 1. Commencez au premier montant. Placez trois brins de trame derrière les trois premiers montants. Passez le brin A devant deux montants, par-dessus les deux autres brins de trame, puis derrière le montant suivant. Etape 2. Faites de même avec le brin B. Etape 3. Faites de même avec le brin C.

Tissages cordés

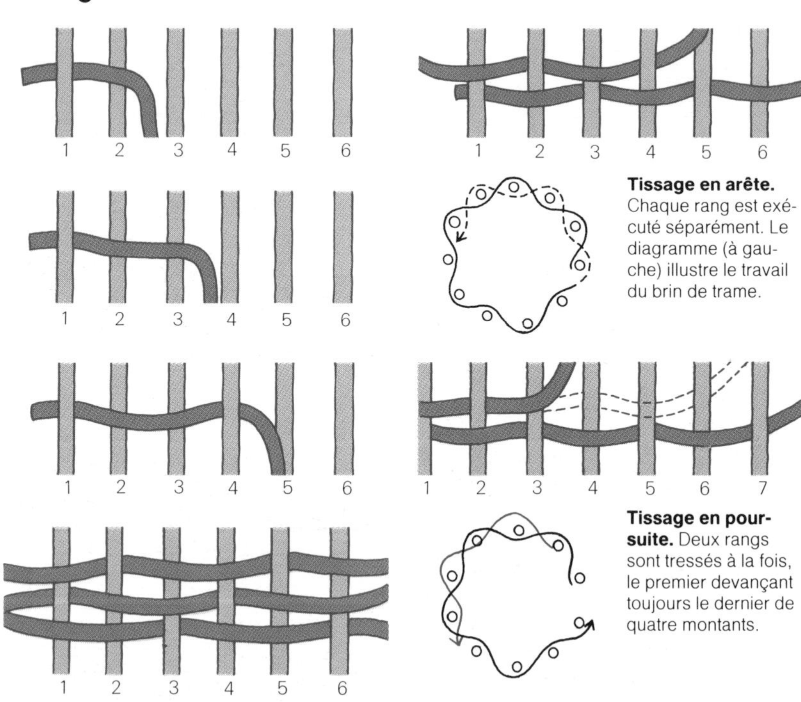

Tissage en arête. Chaque rang est exécuté séparément. Le diagramme (à gauche) illustre le travail du brin de trame.

Tissage en poursuite. Deux rangs sont tressés à la fois, le premier devançant toujours le dernier de quatre montants.

Tissé japonais. Cette technique consiste à faire passer un brin alternativement, derrière un montant puis devant deux autres, en rangs continus. Les montants doivent toujours être en nombre pair, puisque, dans le cas contraire, les brins passeraient de l'arrière à l'avant des mêmes montants, à chaque rang.

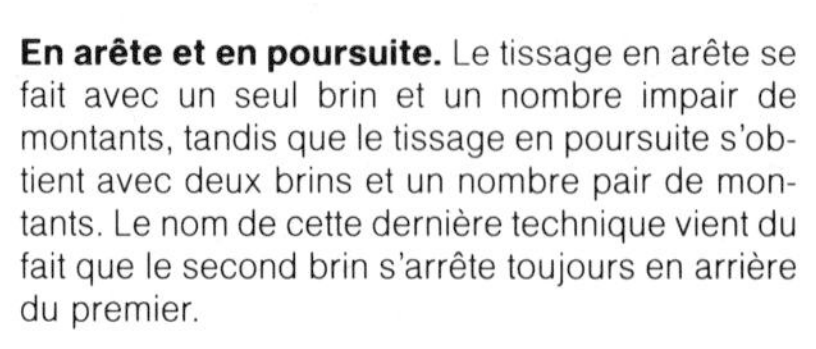

En arête et en poursuite. Le tissage en arête se fait avec un seul brin et un nombre impair de montants, tandis que le tissage en poursuite s'obtient avec deux brins et un nombre pair de montants. Le nom de cette dernière technique vient du fait que le second brin s'arrête toujours en arrière du premier.

Vannerie / projet

Panier tressé en cosses de maïs et raphia

majeure partie du panier tressé sont données en pouces plutôt qu'en nombre de rangs.

Le premier montant. Marquez toujours le premier montant — celui où vous commencez l'ouvrage — avec un bout de fil ou de raphia. Tout changement nécessaire devra être apporté à cet endroit.

Les points utilisés en cordé et en tressé et ceux qui sont exclusifs au cordé sont illustrés à la page 66. Le tissage croisé (ci-dessous) est employé dans le panier tressé.

Tissage tressé

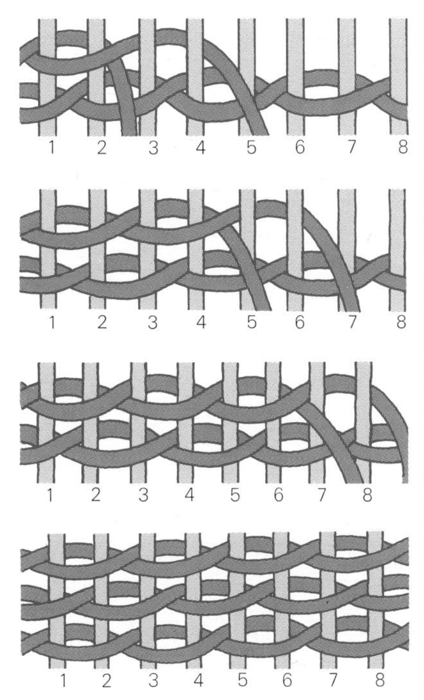

Tissage croisé. Ce tissage est semblable au tressé à deux brins (voir diagrammes, p. 66), sauf que les brins passent devant et derrière deux montants à la fois. Le tissage croisé doit être réalisé sur un nombre impair de montants afin que les montants alternés soient en paires à chaque tour, comme l'illustre ce schéma.

Ce petit panier — 4½ po de haut et 5½ po de diamètre — ressemble aux ouvrages des Indiens yuroks du nord de la Californie. La technique de base est illustrée ci-dessous, tandis que sa fabrication est décrite à la page 68.

Matériaux et équipement. Pour les montants, ramassez des cosses de maïs, ou achetez-en 8 oz dans une boutique d'artisanat. Pour la trame, procurez-vous un paquet de raphia de couleur naturelle et un autre de couleur noire. Si le raphia est mince, assemblez les brins deux par deux. Munissez-vous de ciseaux et d'un bol pour le trempage.

Faites tremper les cosses de maïs 10 minutes et le raphia 1 minute. Epongez-les avec une serviette. Fendez les cosses en bandes de ¾ po. Si elles sèchent pendant que vous travaillez ou durant la nuit, humectez-les à nouveau. Ne laissez jamais vos matériaux tremper toute une nuit.

Pour ajouter des montants, suivez les deux étapes illustrées en bas, à gauche. Si une cosse de maïs n'a plus que 1 po à courir ou que vous la sentiez trop mince, regarnissez-la comme à l'étape 1. A six rangs du bord du panier, assurez-vous que les cosses aient au moins 3 po afin d'en avoir assez pour la finition. Sinon, ajoutez-en.

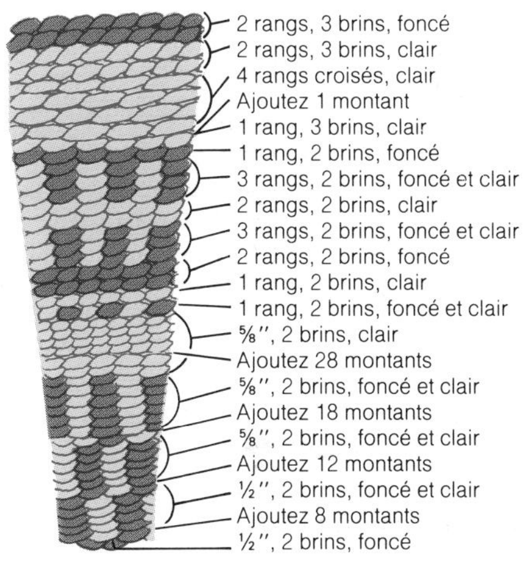

Lisez le patron de bas en haut. Il indique le nombre de rangs ou de pouces de chaque tissage, quelle couleur de trame employer et où ajouter des montants. Après le quatrième ajout (voir ci-dessous), il devrait y en avoir 82.

Pour ajouter des montants

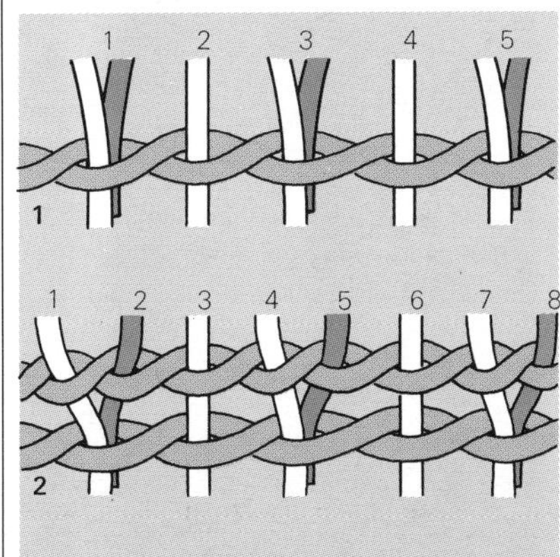

C'est en ajoutant des montants que l'on peut donner au panier sa forme arrondie. Les montants originaux sont en blanc ci-dessus. Etape 1. Insérez un nouveau montant tous les deux montants originaux. Etape 2. Au rang suivant, espacez les montants tout en tressant. Quand un montant devient trop court, allongez-le comme à l'étape 1.

Pour renouveler les brins de trame

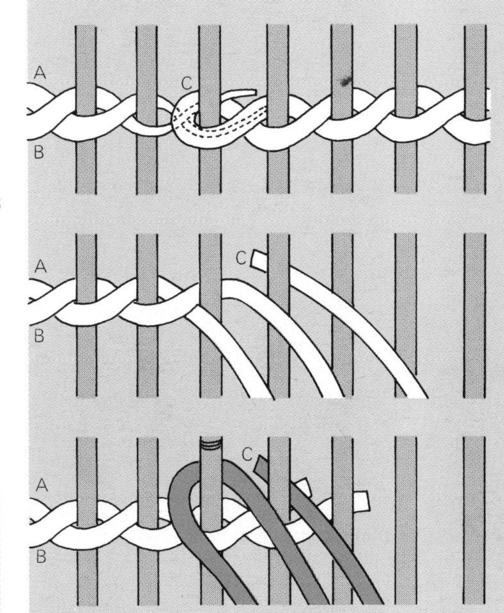

Quand un brin commence à amincir, coupez 2 po aux deux bouts. Enroulez un nouveau brin autour d'un montant et tressez-le sur un point avec les extrémités précédentes. Changez les couleurs de la même façon, mais seulement au premier montant.

Pour passer de deux à trois brins de trame, ajoutez le brin C à droite des brins A et B au premier montant. Pour passer de trois à deux brins, laissez-en un à l'intérieur du panier, coupez-le et tressez par-dessus.

Pour changer de couleur en même temps que de tissage, bouclez la nouvelle couleur derrière le premier montant, tressez les deux couleurs ensemble sur un point, puis laissez l'ancienne à l'intérieur du panier.

Vannerie/projet

Panier tressé en cosses de maïs et raphia *(suite)*

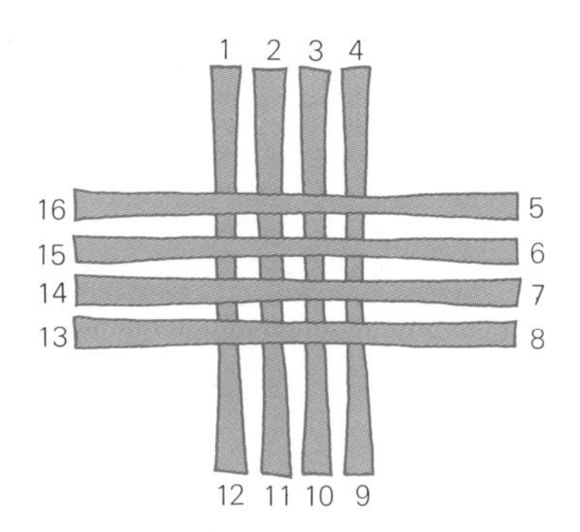

Point d'amorce. 1. Prenez des cosses épaisses. Couchez-en quatre côte à côte, puis quatre autres par-dessus, à angle droit. Les extrémités deviennent des montants, numérotés vers la droite.

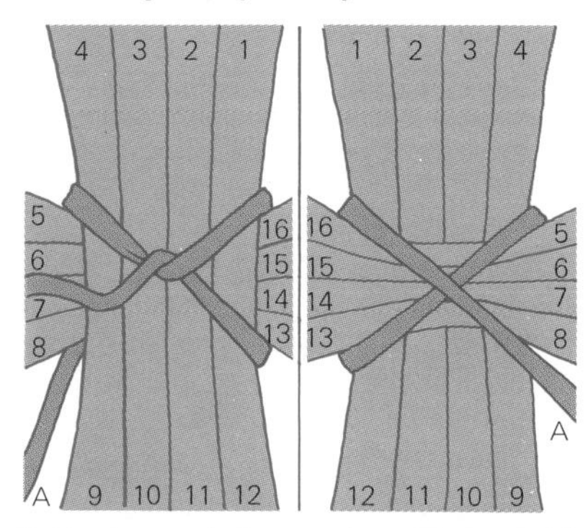

2. Liez les montants avec du raphia foncé, tel qu'illustré. Au dos (à gauche), croisez le lien et ramenez l'extrémité A au recto pour compléter le X de face (à droite).

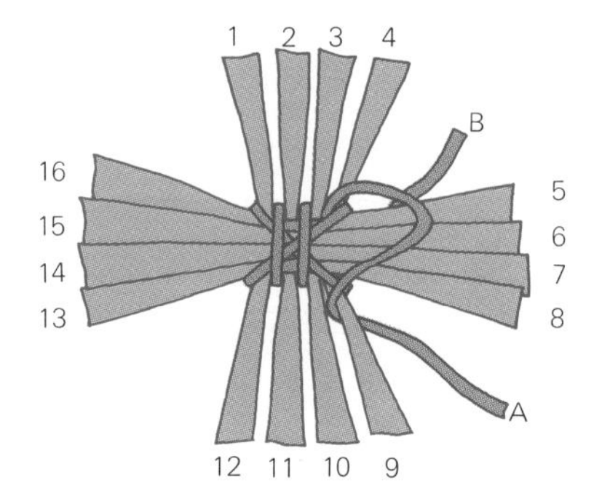

3. Espacez les montants 1-4 et 9-12 également. Passez A (teinté) d'arrière en avant entre 1-2 et d'avant en arrière entre 11-12. Passez-le ensuite entre 2-3 et 10-11, puis entre 3-4 et 9-10.

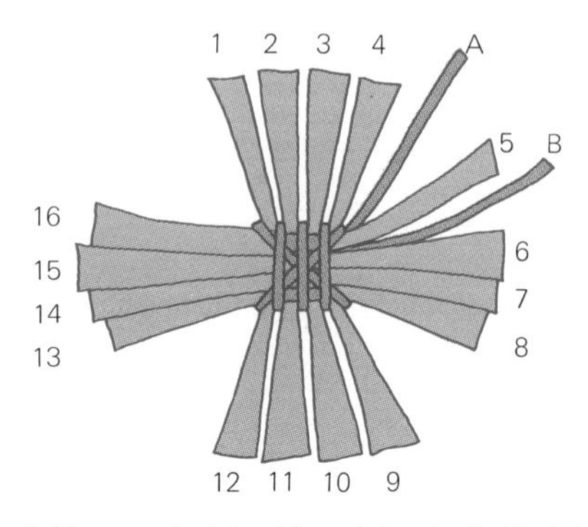

4. Ramenez les brins à l'avant, A entre 4 et 5 et B entre 5 et 6. Marquez 5 comme premier montant et amorcez un tressé à deux brins en écartant les montants. Suivez le patron de la page 67.

Progression du panier. A mesure qu'on ajoute des montants, le panier s'arrondit et on change de motif. Après le troisième ajout, illustré ici, le panier compte 54 montants.

Après le quatrième ajout, il devrait y avoir 82 montants. Quand la bande de raphia clair que l'on travaille ici est terminée, on tourne le panier à l'envers et on coupe les bouts pendants.

Un rang de tressé à trois brins au-dessus du motif central ramène les montants vers l'intérieur. A la fin de ce rang, ramenez l'un des trois brins à l'intérieur et coupez-le.

Avant de passer au tissage croisé (voir p. 67), ajoutez un montant pour en avoir un nombre impair (83 montants). Les quatre rangs de tissage croisé, ici en cours, servent à resserrer le panier.

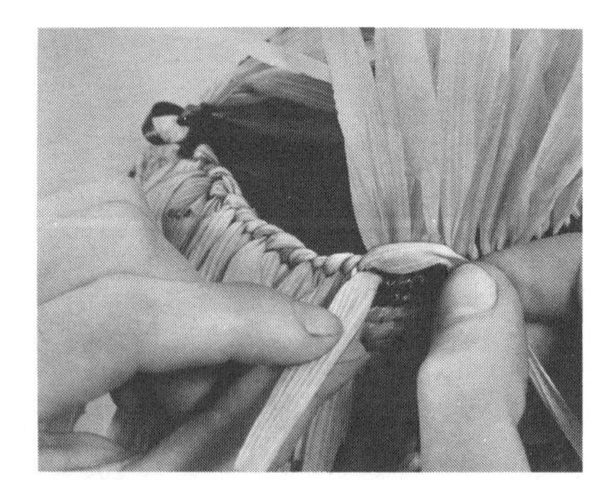

Finition. 1. Après le dernier rang de tressé à trois brins, ramenez ceux-ci à l'intérieur. Arrêtez chaque montant en le passant derrière celui de droite et en le tirant vers l'extérieur.

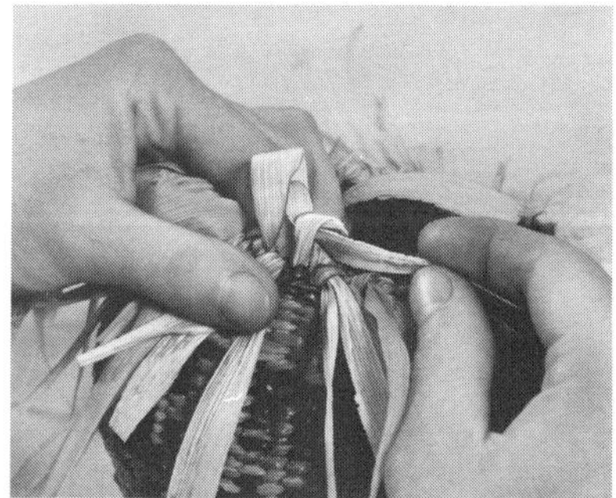

2. Pour le dernier point de ce rang, insérez le premier montant dans la trame, puis passez le dernier montant dans la boucle ainsi formée. Serrez fort pour fixer la bordure en place.

3. Coupez le bout des cosses de maïs à ¾ po du bord pour faire une frange décorative tout autour. Arasez tout bout de raphia ou de maïs pendant à l'intérieur du panier.

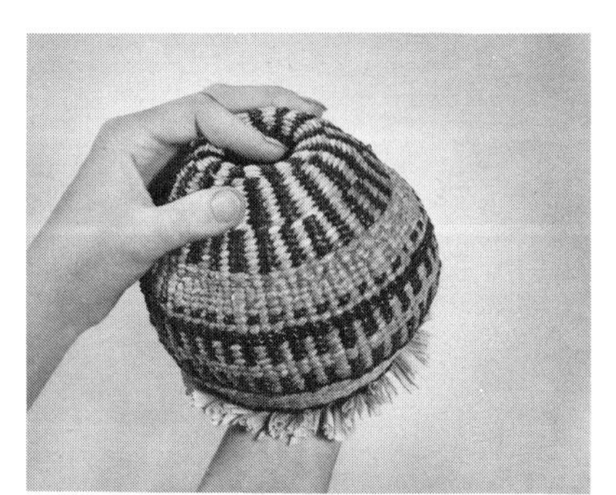

4. Mouillez le panier et creusez légèrement le fond pour bien l'asseoir. Si sa forme était trop irrégulière, bourrez-le de papier en le façonnant, puis laissez-le sécher.

Vannerie / projet

Panier cordé avec couvercle

Ce panier a assez d'allure pour rehausser la décoration d'un âtre. Il mesure 12 po de diamètre et 9 po de haut, sans couvercle. On peut s'en servir comme corbeille à papier ou pour ranger des revues, des journaux, des bobines de fil ou des pelotes de laine.

Matériaux. Achetez un paquet de roseaux de calibre 4 pour les montants, un de calibre 2 et un de calibre 1 pour la trame. Les bandes foncées sont faites avec de la vigne vierge (voir tableau, p. 56). Si vous n'en trouvez pas, vous pouvez employer toute autre plante locale de votre goût. La poignée est faite d'un morceau de cactus cholla lié avec une corde de jute.

Equipement. Munissez-vous d'une aiguille à tricoter en métal de calibre 4, d'une pince-cisaille de 5 po, d'une pince à long bec, de ciseaux, d'un ruban à mesurer, d'un poinçon et d'un grand bac pour le trempage. Laissez tremper les roseaux 20 minutes.

Renversé et sans poignée, le couvercle pourrait servir de plateau. En fait, dans ce projet, panier et couvercle servent à illustrer la fabrication de deux types de bases. Dans le couvercle, les mêmes montants sont employés pour le fond et la paroi. Dans le panier, les montants du fond sont arasés une fois celui-ci terminé et de nouveaux montants sont insérés pour former la paroi.

On imprime sa forme au panier en exerçant une pression sur les montants. Celle-ci doit parfois être considérable, surtout vers le sommet. Si les roseaux s'assèchent, humidifiez-les de nouveau.

Une fois que vous aurez fabriqué un panier cordé, vous voudrez peut-être créer un modèle à votre goût. Faites un dessin à l'échelle sur du papier quadrillé et calculez la longueur des montants en ajoutant 2 po à la hauteur désirée pour le raccord avec la base (si vous faites une base séparée), plus 9 po pour la bordure et 1 po pour la courbe. Les montants doivent être plus gros que les brins de trame; les calibres 2 et 4 sont les plus fréquemment employés.

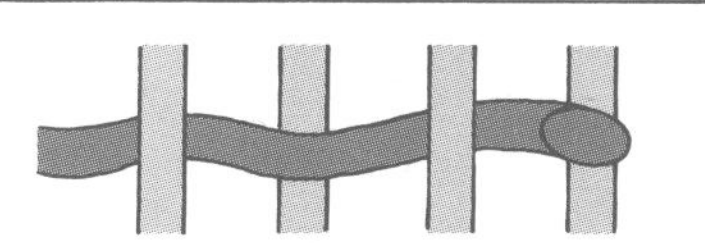

La préparation des roseaux. Biseautez les bouts de roseaux de trame de façon que ceux-ci aboutent sur le premier montant. Servez-vous de la pince-cisaille.

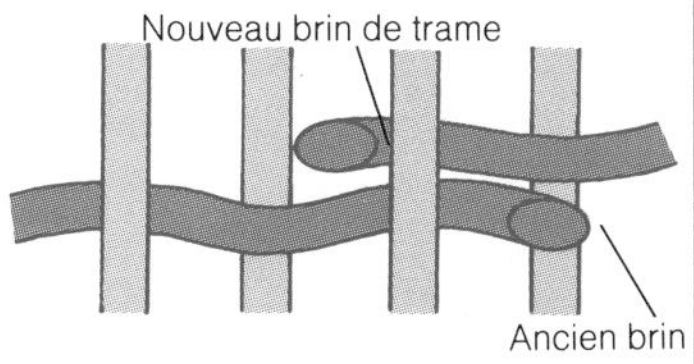

Pour ajouter un brin de trame. Coupez le dernier brin de sorte qu'il s'appuie sur un montant. Commencez le nouveau brin derrière le montant précédent.

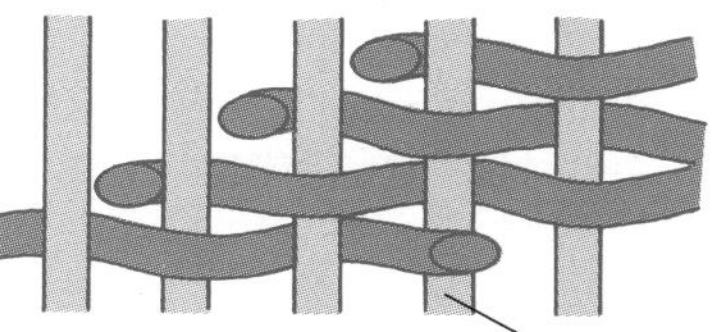

Pour changer de tissage. Coupez l'ancien brin de trame au premier montant. Commencez le nouveau brin derrière ce même montant et les autres (s'il y a lieu) derrière le ou les précédents.

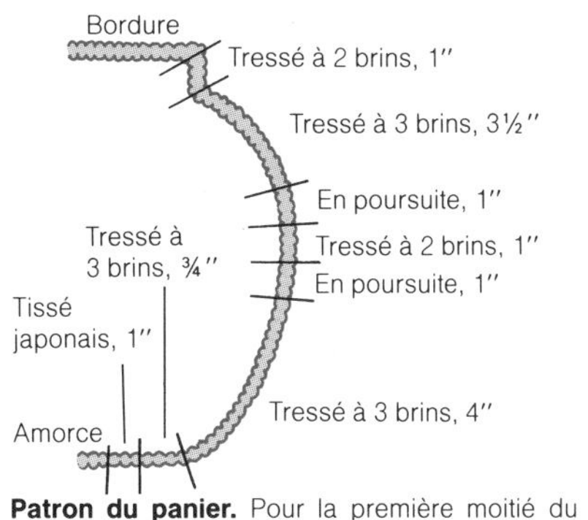

Patron du panier. Pour la première moitié du tissé japonais, utilisez du roseau de calibre 1. Employez du calibre 2 pour le reste, à l'exception de la bande foncée de tressé à deux brins.

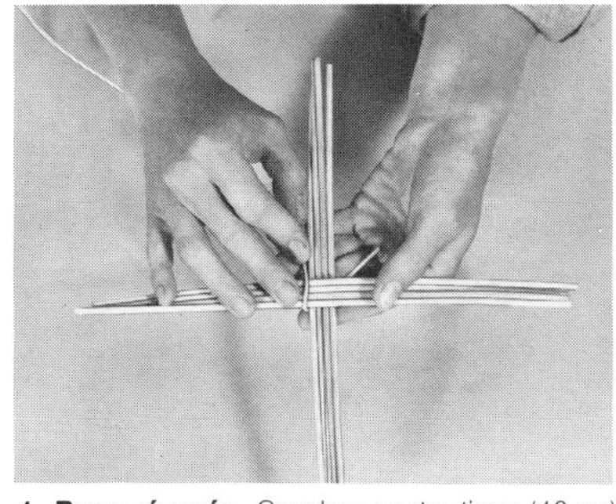

1. Base séparée. Couchez quatre tiges (10 po) de roseau de calibre 4, puis quatre autres par-dessus, à angle droit. Passez un brin de calibre 1 en dessous, en diagonale, puis vers vous.

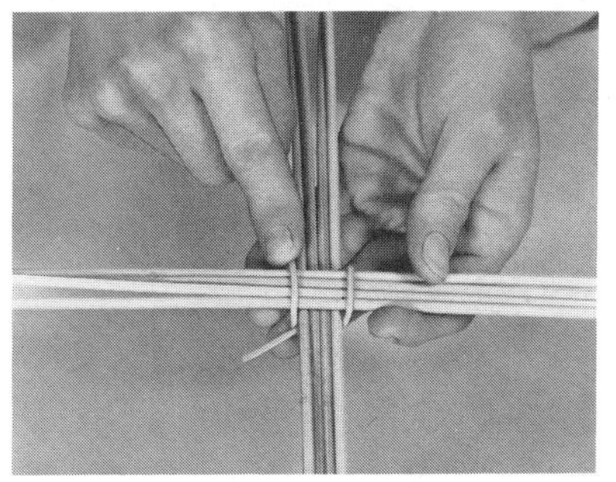

2. Passez par-dessus les quatre montants supérieurs, puis sous les quatre inférieurs. Tirez fermement sur le roseau tout en travaillant. Faites trois tours de cette manière.

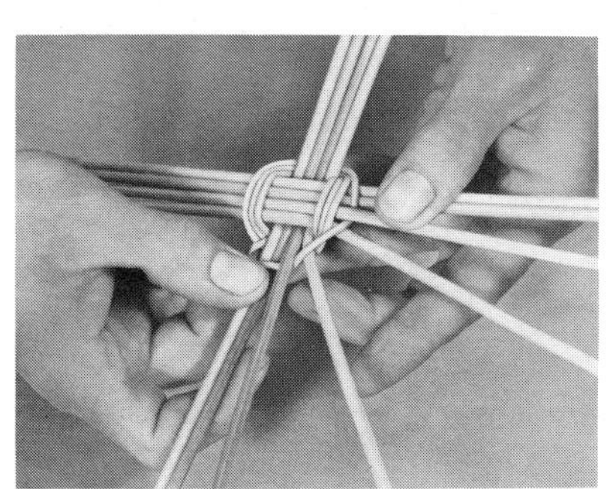

3. Espacez les montants également et commencez le tissé japonais (p. 66). Marquez le premier montant avec un fil. Tressez ½ po avec le même brin, puis ½ po avec un brin de calibre 2.

4. Lors du premier tour de tressé à trois brins, tenez les bouts des roseaux, près du premier montant. Après deux tours, retournez la base et coupez-les pour qu'ils s'appuient sur un montant.

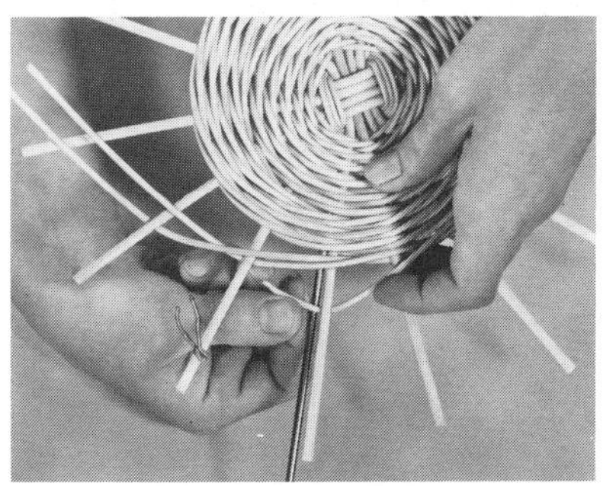

5. Quand la base atteint 5 po de diamètre, coupez les trois brins en pointe, en laissant 1 po de jeu. Avec l'aiguille à tricoter, écartez la trame et rentrez les bouts à l'intérieur.

(suite)

Vannerie / projet

Panier cordé avec couvercle *(suite)*

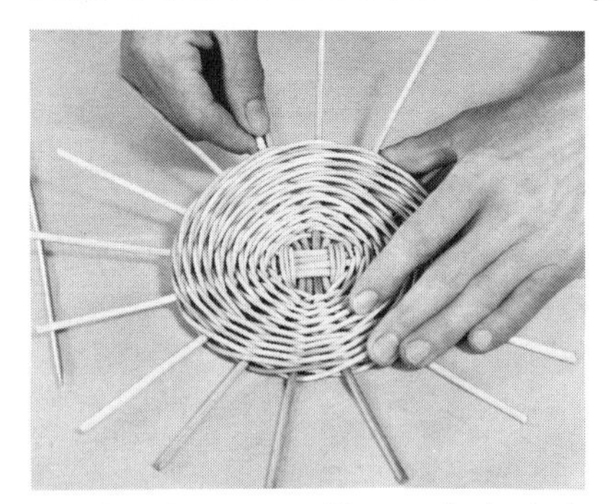

6. L'ajout de montants. Biseautez les bouts de 32 montants de 24 po. Avec une aiguille à tricoter, ouvrez la trame à la droite des 16 premiers montants et insérez-en 16 nouveaux.

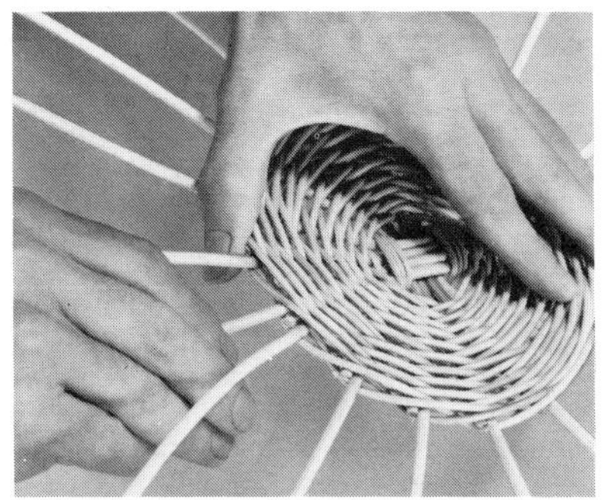

7. Arasez les anciens montants au bord de la base. A l'aide de l'aiguille à tricoter, ouvrez la trame et insérez les 16 autres montants à gauche des 16 arasés.

8. La paroi. Assouplissez la base dans de l'eau, puis pressez-la contre vous en pliant les montants vers le bas. Commencez le tressé à trois brins avec un roseau de calibre 2.

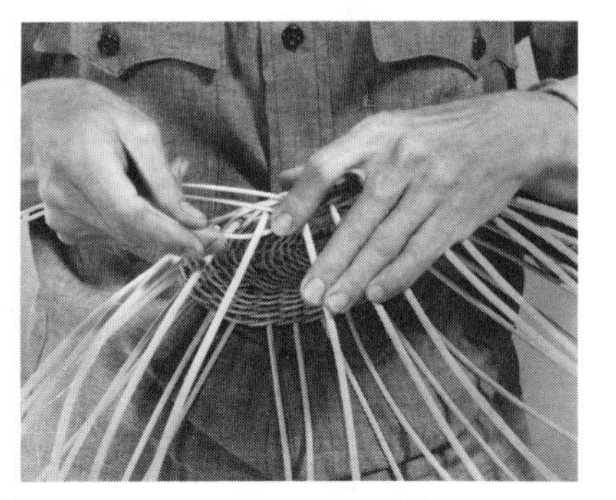

9. Tandis que la trame commence à imprimer une courbe aux montants, continuez à presser la base contre vous en abaissant le côté opposé avec la main gauche.

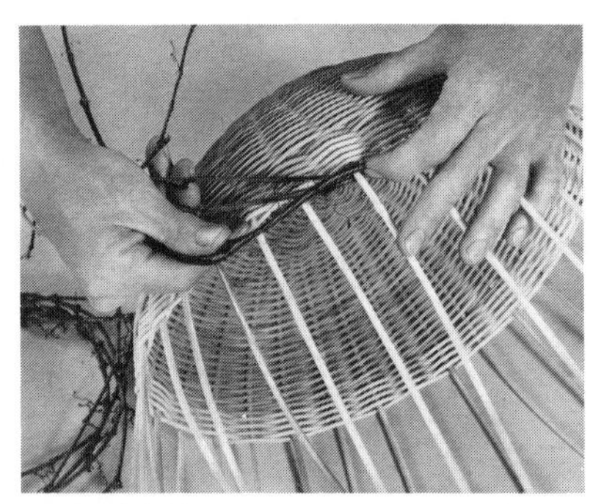

10. Le motif. Après avoir tissé une bande en poursuite (p. 66), commencez le motif de couleur en tressé à deux brins. Faites une boucle autour du premier montant pour obtenir deux brins.

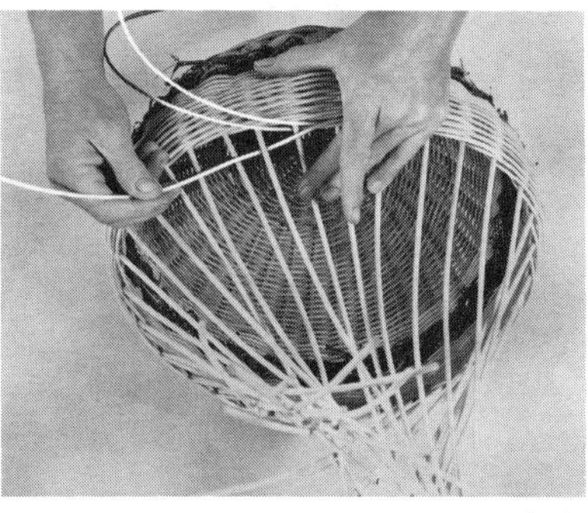

11. Tissez en poursuite avec du roseau après le motif de couleur. Au début du tressé à trois brins du haut, pressez les montants pour arrondir le panier. Démêlez les bouts tout en tissant.

12. Le collet. A l'aide de la pince à long bec, ramenez les montants à la verticale. Si votre panier n'a pas de couvercle, commencez ici la finition (étapes 14 à 17).

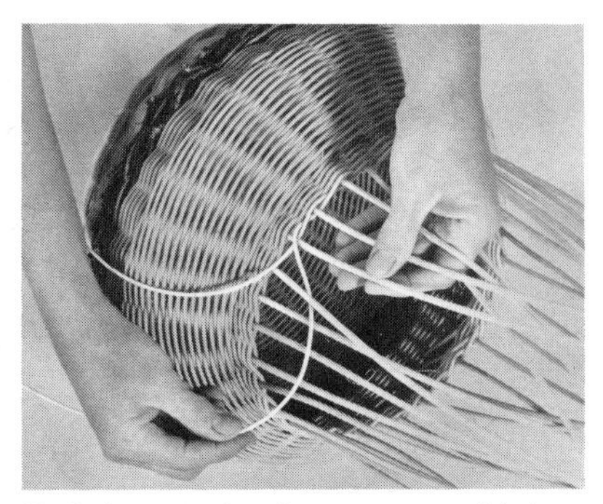

13. En façonnant le collet avec un tressé à deux brins, veillez à maintenir les montants droits. Tressez jusqu'à ce que le collet mesure 1 po de haut ; taillez le bout des montants en pointe.

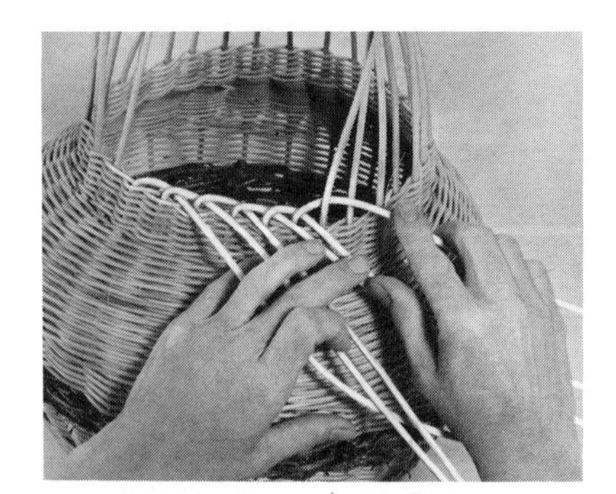

14. La bordure. Faites tremper le panier tête en bas pour assouplir les montants, puis repliez chacun de ceux-ci derrière celui de droite. Travaillez de gauche à droite.

15. Quand vous avez fait le tour du panier et atteint le dernier montant, soulevez légèrement la boucle faite par le premier montant et passez le dernier dans celle-ci.

16. Faites un second tour en passant chaque montant sous le deuxième à sa droite, vers l'intérieur. Ouvrez la trame à l'aide d'une aiguille à tricoter. Serrez bien chaque montant.

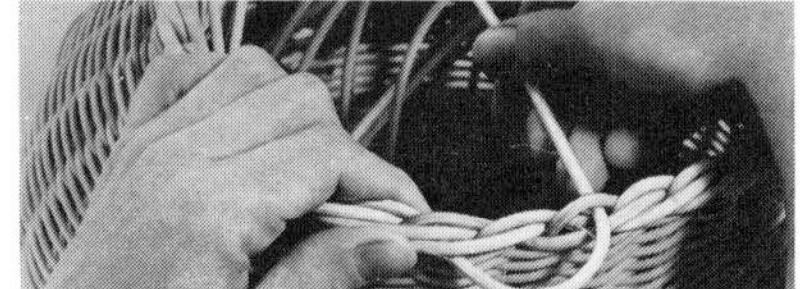

17. Les deux derniers montants doivent être insérés comme les autres, sous le deuxième montant situé à leur droite et vers l'intérieur. Coupez les bouts à ras de la paroi.

Le couvercle : une autre forme de panier

On commence le couvercle de la même manière que le panier cordé, mais comme le tissage continu en arête exige un nombre impair de montants, il faut en ajouter un après avoir fait le point d'amorce. De plus, comme les montants de la base sont aussi utilisés pour former la paroi et la bordure, on doit prévoir des tiges de roseau d'au moins 24 po.

Quand les montants deviennent trop espacés pour permettre un tissage suffisamment serré, il faut insérer d'autres tiges dans la trame.

La poignée de ce modèle est un morceau de cactus cholla, mais vous pouvez utiliser un bouton ou des perles décoratives ou fabriquer une boucle de jute tressé qui servira de poignée.

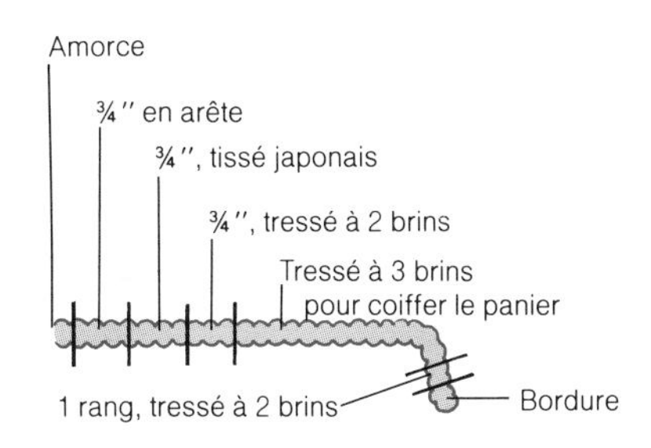

Patron pour le couvercle. Employez du roseau de calibre 1 pour l'amorce et faites ¾ po de points d'arête. Utilisez du roseau de calibre 2 pour le reste, sauf pour la bande décorative.

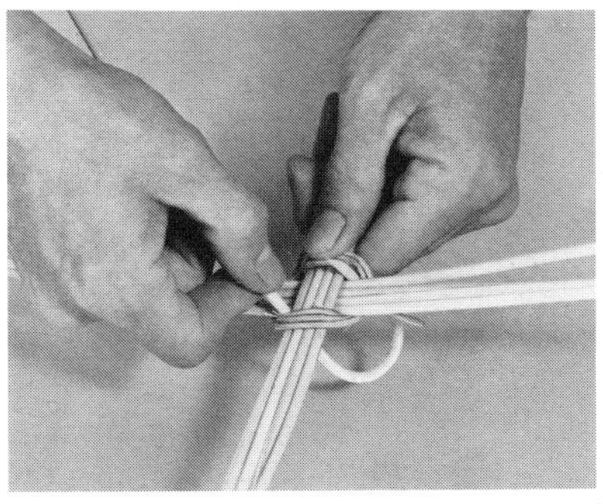

1. La base. Avec du roseau (24 po, calibre 4), faites comme aux étapes 1 et 2, page 69. Ouvrez le coin avec une aiguille à tricoter et insérez le montant 17 (12 po, calibre 4) en diagonale.

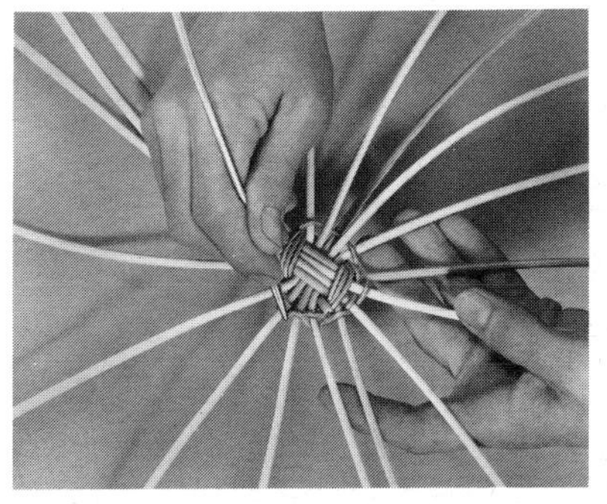

2. Faites tremper le tout jusqu'à ce que les montants soient très souples. Tissez ¾ po de points d'arête en espaçant les montants également. Foulez la trame vers le centre après chaque rang.

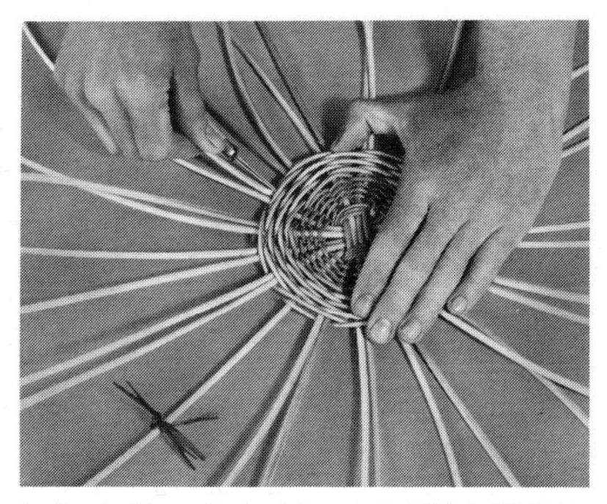

3. Après ¾ po de tissé japonais, effilez 16 montants de calibre 4 de 12 po. A l'aide d'un poinçon, insérez-en un à droite de chacun déjà en place, à l'exception du premier.

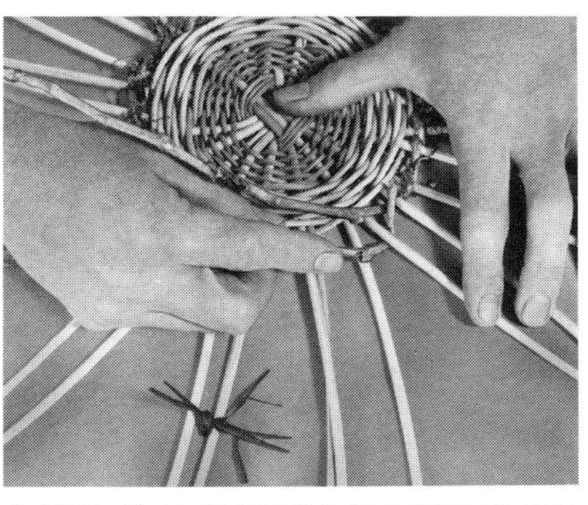

4. Faites ¾ po de tressé à deux brins en vigne vierge, en commençant comme à l'étape 10, page 70. Espacez les montants également. Continuez l'ouvrage en tressé à trois brins.

5. La paroi. Vérifiez le diamètre du couvercle. Dès qu'il dépasse de deux tours le bord du panier, forcez les montants vers le haut avec une pince à long bec.

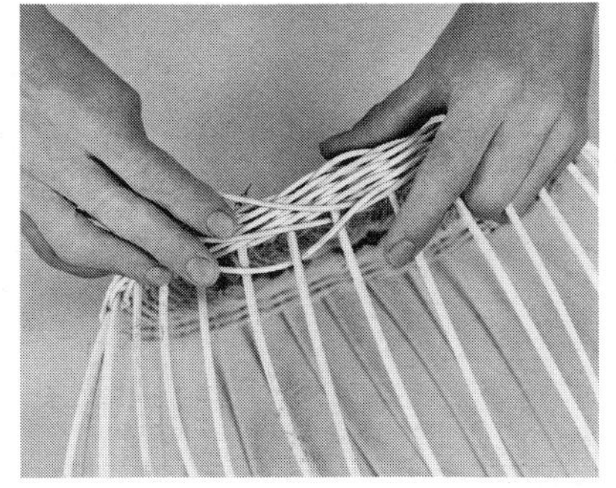

6. Pliez les montants à la verticale. Pressez le couvercle sur vous ou sur une table tout en continuant le tressé à trois brins. Exercez la pression avec la main gauche.

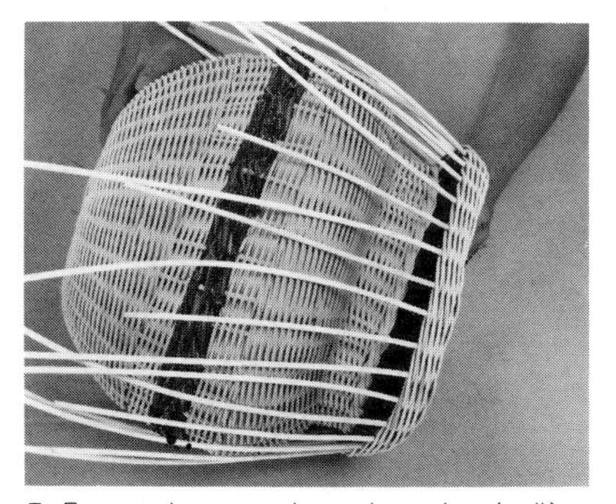

7. Essayez le couvercle sur le panier régulièrement. Quand il ne reste que ½ po de jeu entre ceux-ci, arrêtez-vous. La bordure ramenant les montants à l'intérieur, l'ajustement sera parfait.

8. La bordure. Coupez trois brins de trame et commencez-en deux nouveaux. Faites un rang de tressé à deux brins ; faites tremper. Bordez (étapes 14 à 17, p. 70) ; gardez les montants.

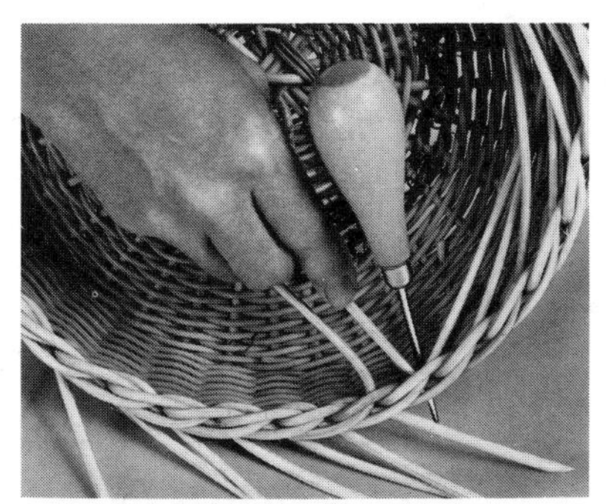

9. Passez chaque montant derrière celui qui est situé à sa gauche. Ouvrez la trame avec un poinçon et poussez le montant vers l'extérieur. Biseautez les bouts (p. 69).

10. La poignée. Nouez deux bouts de corde de jute. Passez-les à travers le centre du cactus. Ouvrez la trame avec un poinçon, tirez le jute avec un crochet et attachez-le à l'intérieur.

Ce dragon ailé est un origami complexe dérivé de la base d'oiseau.

Origami

L'art des pliages

L'origami est cet ancien art japonais qui consiste à plier du papier pour en faire des personnages, des animaux et des plantes de formes abstraites. La plupart des pliages traditionnels se font sans découpage ni collage.

On ne sait quand ni comment l'origami est né, mais c'est au Japon un art traditionnel depuis de nombreux siècles. Il a été introduit en Europe au Moyen Age. Certains dessins de Léonard de Vinci semblent représenter des pliages. On a eu recours de nos jours à l'origami pour enseigner l'agencement des surfaces planes aux architectes et la géométrie dans l'espace à des élèves. C'est un art pratiqué dans le monde entier et qui fait toujours le bonheur des enfants.

Outils et matériel. Bien qu'il faille une goutte de colle et parfois une paire de ciseaux ou une lame de rasoir pour certains modèles, il vous suffira le plus souvent d'une feuille de papier et de vos mains pour faire un pliage. Tous les papiers pliables, quel que soit leur format, peuvent servir, mais il vaut mieux utiliser du papier spécial, coloré d'un côté et blanc de l'autre. On en vend dans les boutiques japonaises et dans les magasins de fournitures pour artistes. Le format le plus pratique est un carré d'environ 6 po de côté.

Comment progresser. Quand vous aurez assimilé les modèles présentés sur ces pages, vous pourrez en trouver d'autres dans divers opuscules et livres. Mieux encore, avec un peu d'imagination, vous ne tarderez pas à créer vos propres modèles. Qui sait ? Si votre imagination est assez fertile, vous serez peut-être révéré jusqu'en Orient pour votre art.

Eléments fondamentaux du pliage

Pour réaliser un modèle de ce livre, regardez les dessins et lisez les légendes. Les lignes discontinues représentent des pliures ; le pli achevé est représenté sur le dessin suivant. Une ligne de tirets signifie qu'il faut plier vers le haut ; elle correspond à un « pli en creux ». Une ligne faite d'une succession de points et de traits signifie que vous devez plier vers le bas ; elle correspond à un « pli en relief ».

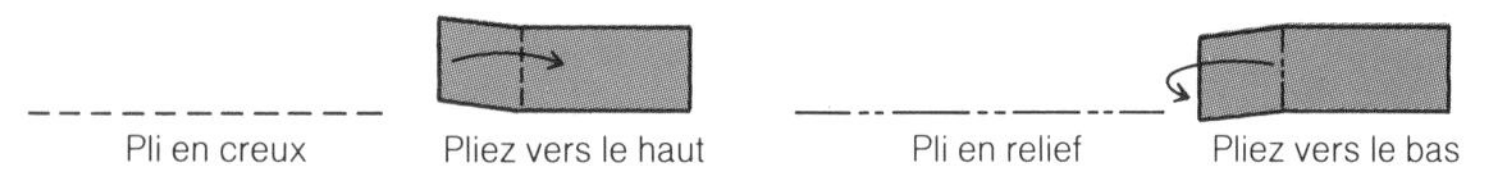

Le pli rentré sert souvent à faire les pattes, le cou et la queue des animaux. Prenez du papier plié en deux. **1.** Faites un pli en creux à l'endroit indiqué. **2.** Défaites le pli. **3.** Ouvrez légèrement le papier et rentrez le coin à l'intérieur. **4.** Marquez les plis.

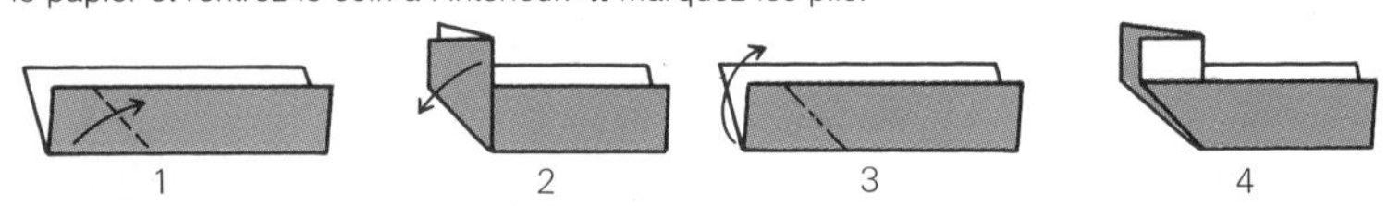

Le pliage préliminaire est le point de départ de nombreux origamis. Formez un triangle en pliant en diagonale une feuille de papier carré. Pliez-le en deux, puis suivez les dessins ci-dessous. **1.** Soulevez le triangle du dessus jusqu'à ce qu'il soit perpendiculaire à celui du dessous. **2.** Rabattez la pointe supérieure et aplatissez-la. **3.** Retournez le modèle et recommencez les étapes 1 et 2 de ce côté. **4.** Marquez les plis.

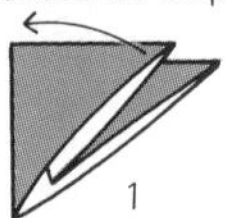

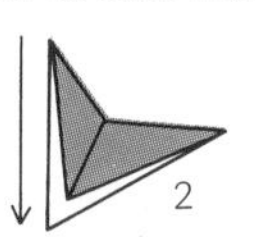

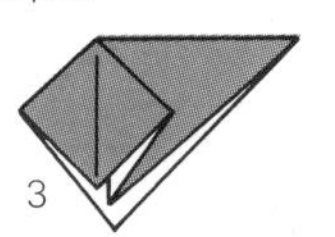

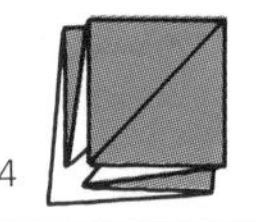

La petite grenouille, pliage pour débutant

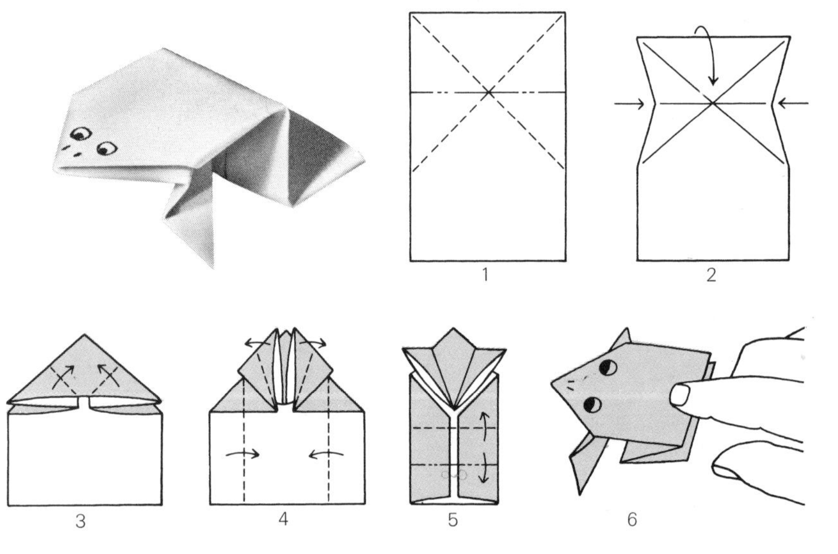

Si vous n'avez jamais fait de pliage, commencez par cette petite grenouille. Prenez une fiche de 3 po sur 5. **1.** En veillant à bien différencier les plis en relief et les plis en creux (voir *Eléments fondamentaux du pliage*, à gauche), faites les plis indiqués et dépliez-les aussitôt. **2.** Rentrez les côtés de la fiche à la hauteur du pli horizontal et rabattez la forme triangulaire. **3-5.** Faites tous les plis indiqués, retournez le pliage et dessinez les yeux et les narines. **6.** Pour faire sauter la grenouille, appuyez-lui sur le dos.

Origami/projets

Base de grenouille et dérivés

De nombreux modèles d'origami se font à partir d'un certain nombre de plis initiaux. Les modèles incomplets qui découlent de ces plis s'appellent des bases. Il existe ainsi une demi-douzaine de bases environ, parmi lesquelles la base d'oiseau (voir pp. 74-75) et la base de grenouille (ci-dessous) sont les plus utilisées. Vous pouvez, à partir de la base de grenouille, faire toute une gamme de merveilleux modèles.

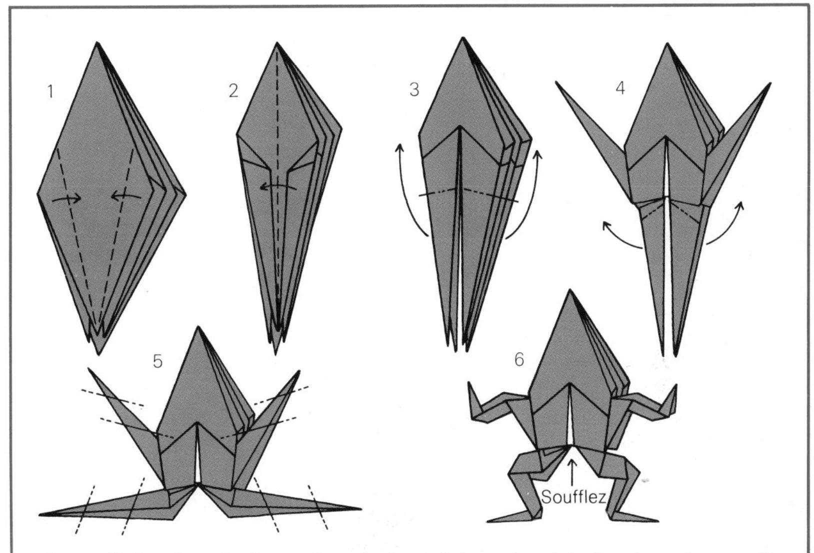

Grenouille bondissante. Prenez du papier fort. **1.** Rabattez les côtés d'une base de grenouille sur le pli du milieu. Recommencez au dos et sur les côtés. **2.** Pliez le rabat droit vers la gauche ; recommencez au dos. **3.** Remontez deux pointes en faisant des plis rentrés. **4.** Placez les autres pointes à l'horizontale avec des plis rentrés. **5.** Pliez les pattes. **6.** Gonflez la grenouille.

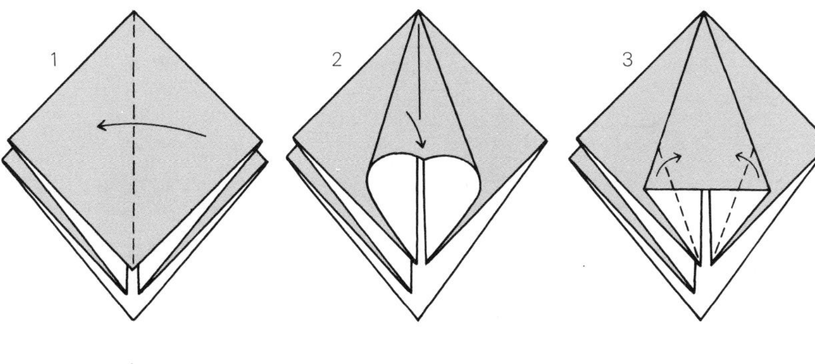

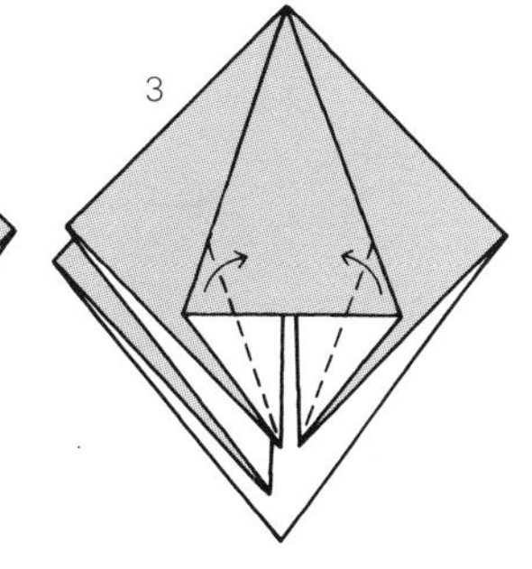

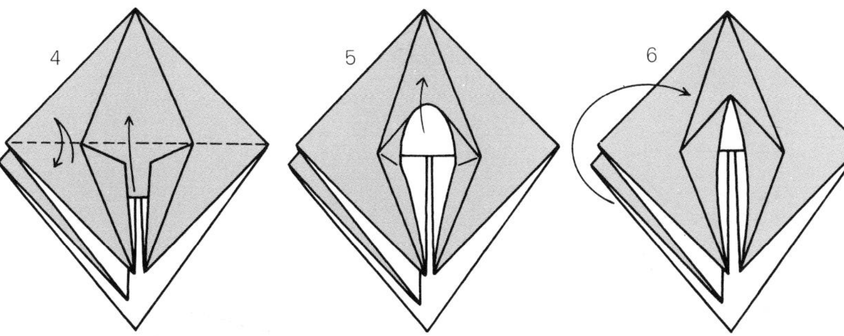

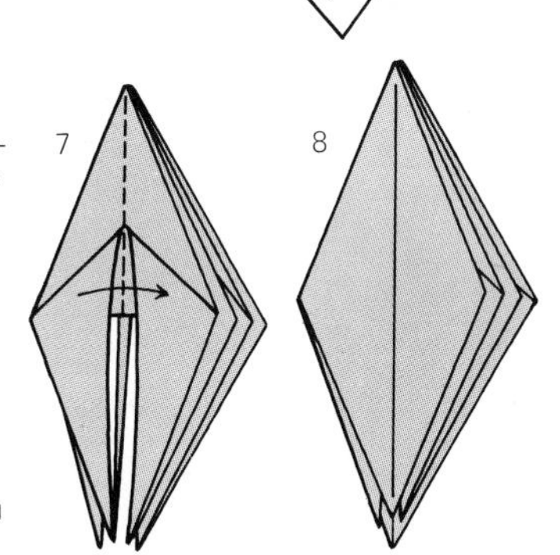

Base de grenouille. 1. Faites un pliage préliminaire, puis levez un rabat jusqu'à ce qu'il soit perpendiculaire. **2.** Aplatissez-le sur la médiane et marquez bien le pli. **3.** Faites les plis de sorte que les bords des rabats se rejoignent au milieu. **4.** Faites le pli en creux et dépliez. Prenez le bord caché et tirez-le vers le haut. **5.** Tirez jusqu'à ce que les autres bords se joignent au milieu. **6.** Marquez les plis. Recommencez les étapes 1 à 6 au dos du pliage et pour ses deux côtés. **7.** Tournez le rabat gauche pour obtenir une surface unie sur le dessus. Faites de même au dos. **8.** La base de grenouille terminée doit avoir quatre rabats de chaque côté. Suivez les instructions données à droite pour faire une grenouille (symbole d'amour et de fertilité au Japon) ou un lis.

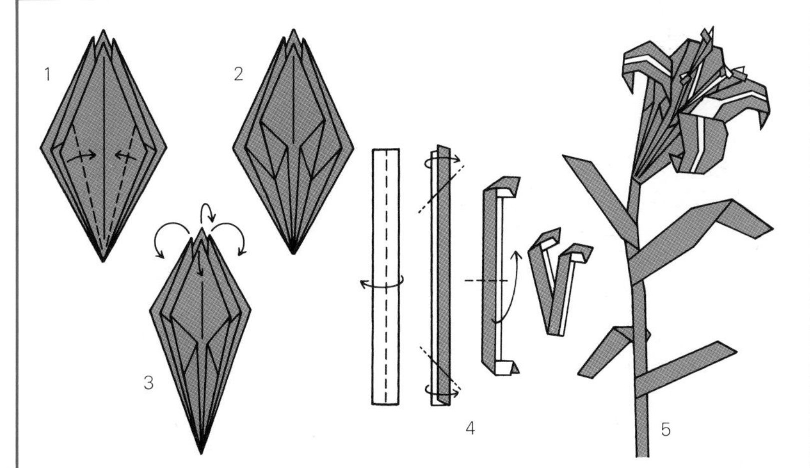

Lis. 1. Rabattez les côtés d'une base de grenouille pour qu'ils se joignent au milieu. **2.** Recommencez au dos et sur les côtés. **3.** Roulez les pointes vers le bas pour les pétales. **4.** Faites des étamines avec de minces bandes de papier et placez-les dans la fleur. **5.** Roulez une bande de papier vert pour la tige ; collez-la à la corolle. Formez les feuilles avec des bandes de papier vert.

Origami / projets

Base d'oiseau et dérivés

La grue, l'oiseau qui bat des ailes et le chien sont trois exemples de modèles dérivés d'une base d'oiseau. La grue est un oiseau porte-bonheur pour les Japonais. Selon une de leurs légendes, un magicien en aurait un jour fait une si réaliste qu'elle s'anima et s'envola.

Réalisation d'un mobile. Vous pouvez présenter vos pliages en les intégrant dans un mobile. Faites le mobile des grues, représenté à droite, avec des cintres métalliques, du fil et le nombre de grues que vous voudrez.

Coupez le crochet des cintres avec une cisaille. Redressez le fil de fer et débitez-le en différentes longueurs. Enfilez une aiguille et piquez-la dans le dos d'une grue. Faites un nœud à l'extrémité du fil pour qu'il ne s'échappe pas du papier. Coupez l'autre extrémité du fil et attachez-le à l'un des bouts d'une tige métallique. Attachez une deuxième grue à l'autre bout de la tige. Vous pouvez en suspendre d'autres dans l'intervalle qui les sépare.

Procédez de la même façon pour faire la deuxième partie du mobile. Attachez un fil au milieu de chaque partie supplémentaire et attachez l'autre bout du fil à une tige plus longue suspendue au-dessus. Déplacez les fils sur les tiges pour équilibrer le mobile. Faites autant de subdivisions que vous le souhaitez.

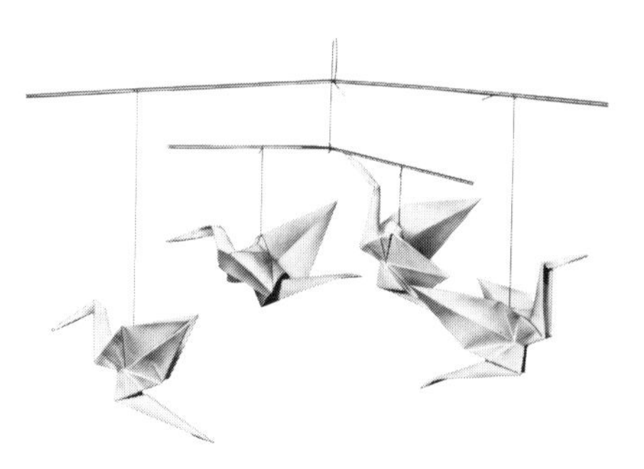

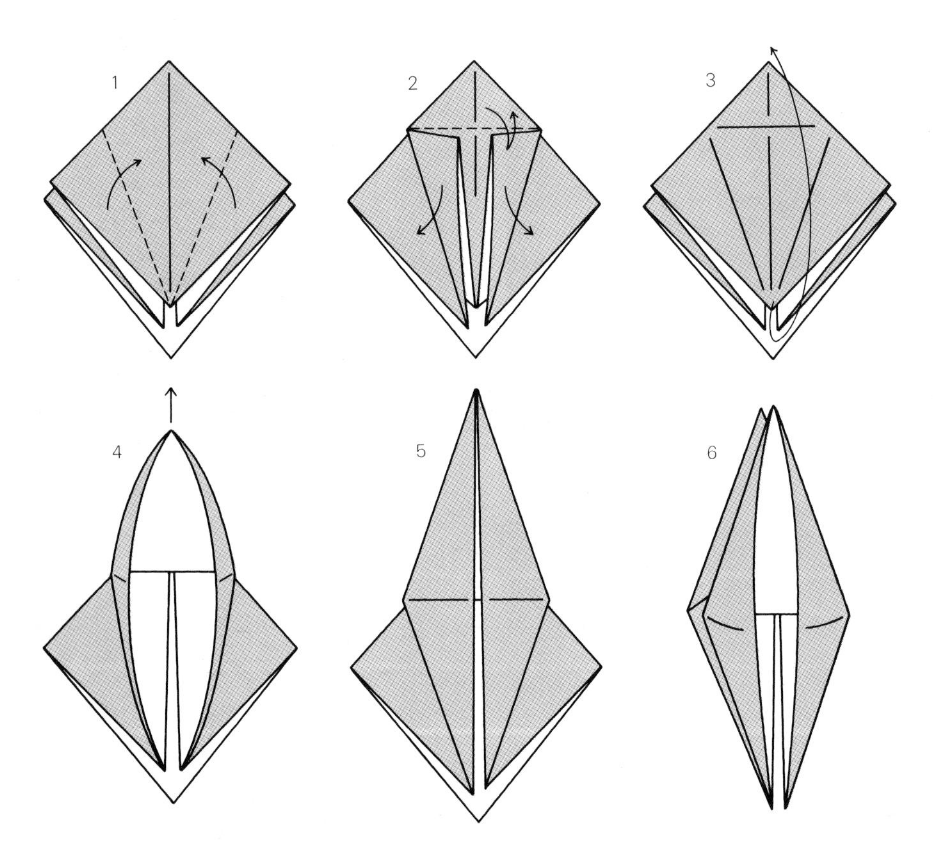

Base d'oiseau. 1. Faites un pliage préliminaire (p. 72) et rabattez les bords pour qu'ils se joignent au milieu. **2.** Dépliez-les ; rabattez le sommet de la figure, puis relevez-le. **3.** D'une main, prenez le coin du bas de la première épaisseur de papier et levez-le doucement vers le sommet du modèle, en retenant les couches inférieures de l'autre main. **4.** Continuez à tirer sur le coin jusqu'à ce que les bords du losange se joignent au milieu (tirez sur les côtés si le pliage oppose une résistance). Marquez le pli. **5.** Retournez le modèle et recommencez les étapes 1 à 4 de ce côté. **6.** La base d'oiseau est terminée.

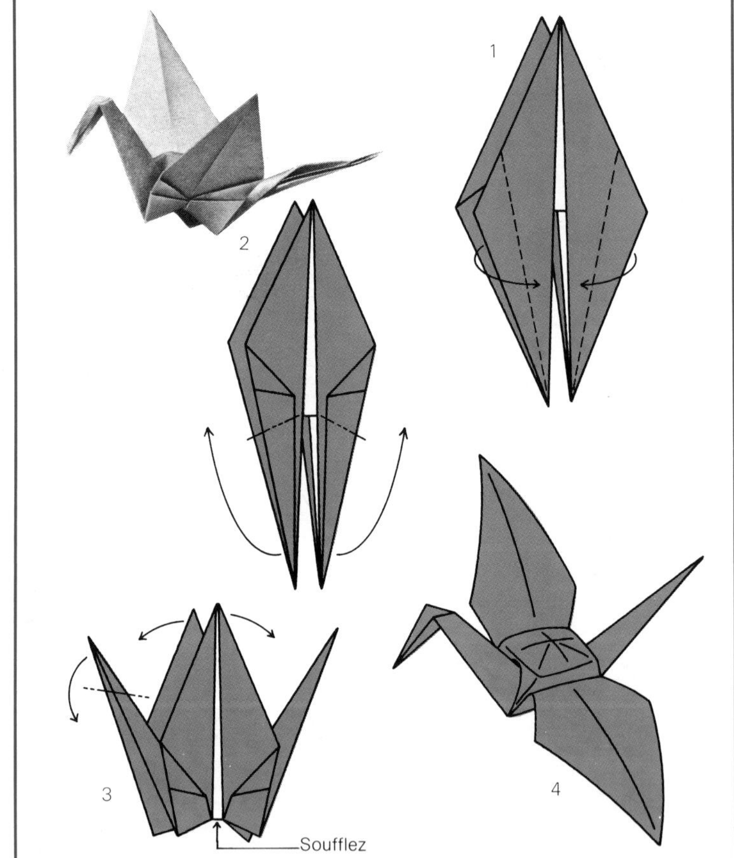

Grue porte-bonheur. 1. Rabattez les côtés d'une base d'oiseau sur ses deux faces. **2.** Remontez les pointes du bas en faisant des plis rentrés (p. 72). **3.** Faites un pli rentré pour la tête, puis tirez sur les ailes ; soufflez. **4.** La grue est terminée.

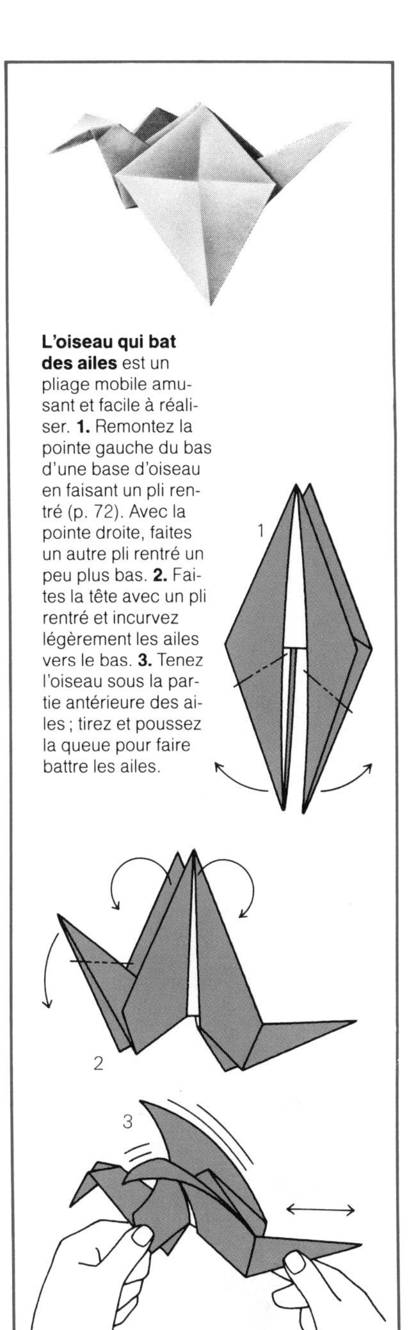

L'oiseau qui bat des ailes est un pliage mobile amusant et facile à réaliser. **1.** Remontez la pointe gauche du bas d'une base d'oiseau en faisant un pli rentré (p. 72). Avec la pointe droite, faites un autre pli rentré un peu plus bas. **2.** Faites la tête avec un pli rentré et incurvez légèrement les ailes vers le bas. **3.** Tenez l'oiseau sous la partie antérieure des ailes ; tirez et poussez la queue pour faire battre les ailes.

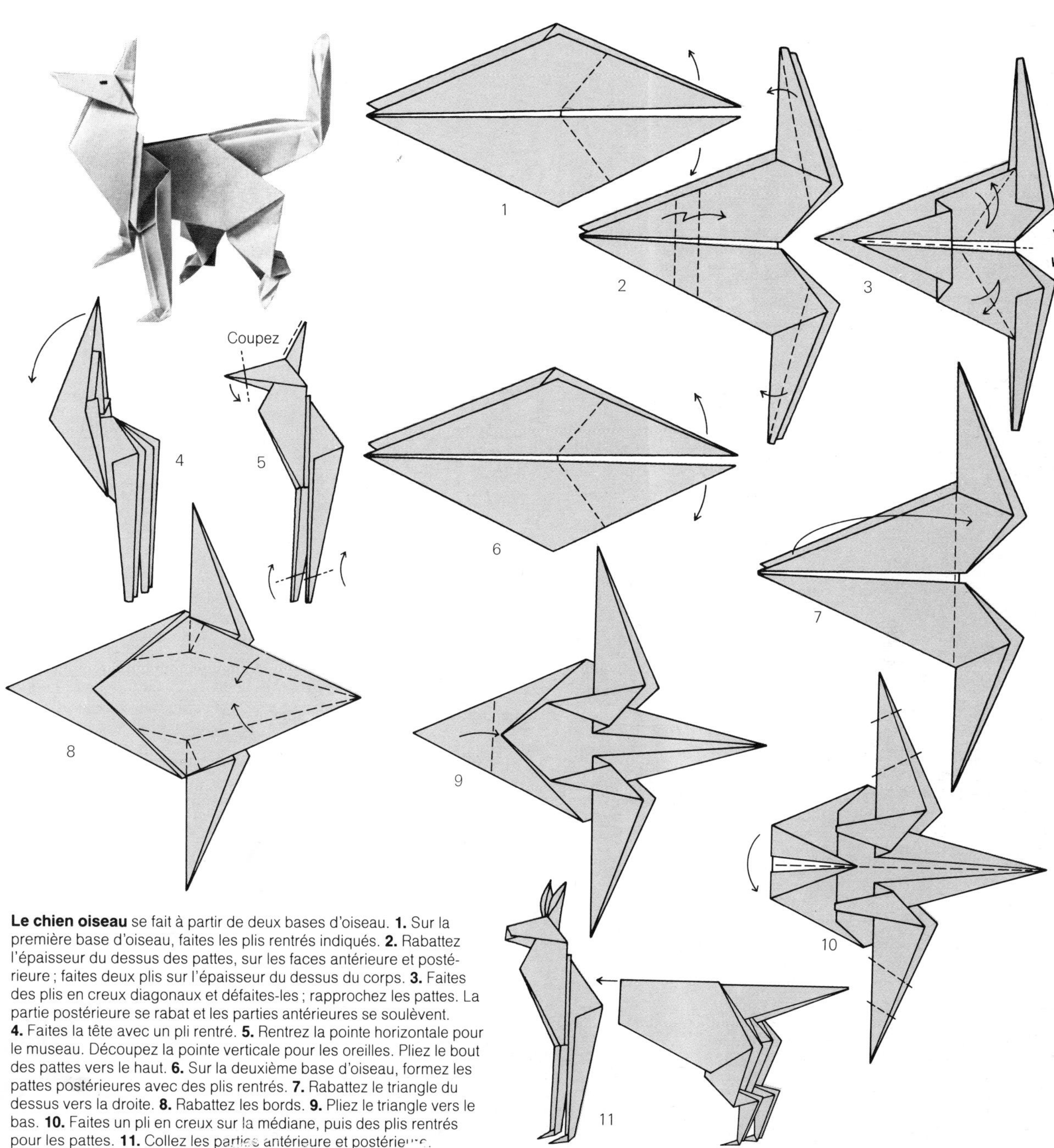

Le chien oiseau se fait à partir de deux bases d'oiseau. **1.** Sur la première base d'oiseau, faites les plis rentrés indiqués. **2.** Rabattez l'épaisseur du dessus des pattes, sur les faces antérieure et postérieure ; faites deux plis sur l'épaisseur du dessus du corps. **3.** Faites des plis en creux diagonaux et défaites-les ; rapprochez les pattes. La partie postérieure se rabat et les parties antérieures se soulèvent. **4.** Faites la tête avec un pli rentré. **5.** Rentrez la pointe horizontale pour le museau. Découpez la pointe verticale pour les oreilles. Pliez le bout des pattes vers le haut. **6.** Sur la deuxième base d'oiseau, formez les pattes postérieures avec des plis rentrés. **7.** Rabattez le triangle du dessus vers la droite. **8.** Rabattez les bords. **9.** Pliez le triangle vers le bas. **10.** Faites un pli en creux sur la médiane, puis des plis rentrés pour les pattes. **11.** Collez les parties antérieure et postérieure.

Dessin

Le dessin, art en soi

Dans l'Egypte antique, les artisans faisaient leurs esquisses sur des tessons de poterie. Le dessin d'art, fait à l'encre et au pinceau sur de la soie ou du papier, apparaît en Chine au IVe siècle. En Occident toutefois, on considère qu'il n'a guère de valeur intrinsèque et on le trace sur des tablettes de cire ou sur d'autres supports qui s'effacent.

Le dessin prend de l'importance au XVe siècle, époque à laquelle le papier devient denrée courante. La plume d'oie, instrument idéal pour faire des esquisses, est alors très répandue, et maints dessins d'anciens maîtres prouvent les nombreuses possibilités qu'elle offre quand on l'associe au papier.

Au XVIe siècle, la découverte du graphite en Angleterre fournit aux artistes une nouvelle matière pour dessiner. Deux siècles plus tard, l'invention du crayon « à mine de plomb » (qui est en fait un mélange de graphite et d'argile placé dans une gaine de bois) est une amélioration considérable.

Pendant longtemps les artistes appliqués considèrent le dessin comme une étape préparatoire à la réalisation d'œuvres de peinture et d'architecture. Les artistes de la Renaissance font des esquisses à la plume, à la pierre noire ou à la sanguine pour agencer leurs compositions et travailler les détails de leurs grandes réalisations picturales. Pendant cette période, on adjoint souvent des dessins aux traités scientifiques. Les plus belles de ces œuvres sont les études d'architecture, d'anatomie et de mécanique de Léonard de Vinci.

Aujourd'hui, on apprécie les dessins pour eux-mêmes : ils font souvent partie intégrante de l'œuvre des artistes du XXe siècle. C'est le cas des dessins évocateurs, simples, de Paul Klee, d'Henri Matisse et de Pablo Picasso.

Techniques de base. Pour représenter en deux dimensions les objets qui en ont trois, il faut en simuler la forme, la distance et la profondeur. Les techniques de base dont dispose l'artiste sont le contour et les proportions, la perspective, et les ombres et les lumières.

Le *contour* est la représentation du bord extérieur du sujet et des points de rencontre de surfaces contiguës, de zones de couleur, et de surfaces d'ombre et de lumière. Les *proportions* qui définissent les tailles respectives des éléments du dessin en découlent.

La *perspective* est la technique utilisée pour que des surfaces planes nous donnent l'impression de distance et de profondeur naturellement perçue par l'œil. Les grands principes de la perspective ont été mis au point au XVe siècle à Florence. Ils étaient pour la plupart ignorés des civilisations non occidentales, qui recouraient souvent à des conventions complexes pour résoudre le problème. Sur les tombeaux égyptiens de l'Antiquité, la tête, les jambes et les pieds de l'être humain sont représentés de profil ; les yeux, les épaules et la poitrine, de face ; et le bassin, de trois quarts. Sur les anciens dessins persans, la distance est suggérée par des objets placés à différents niveaux, et les tapis y sont représentés par de simples rectangles. Il n'y a presque aucune perspective dans les paysages chinois traditionnels.

La photographie a beaucoup contribué à nous faire comprendre les lois de la perspective en rendant objectivement, par des moyens mécaniques, l'espace tridimensionnel sur une surface plane. Par la suite, les cubistes et les peintres abstraits ont abandonné la perspective pour exprimer ce que l'on a qualifié de réalité intérieure, non visuelle.

On peut tirer parti des *ombres et des lumières* pour évoquer les contours, les couleurs et les masses, de même que pour illustrer de réelles zones d'ombre et de lumière autour des objets représentés.

Ce dessin à la plume, à l'encre brune et au lavis sur graphite, de Canaletto (1697-1768), a été exécuté selon la perspective centrale. Il se caractérise par de forts contrastes d'ombre et de lumière.

Instruments et matériel

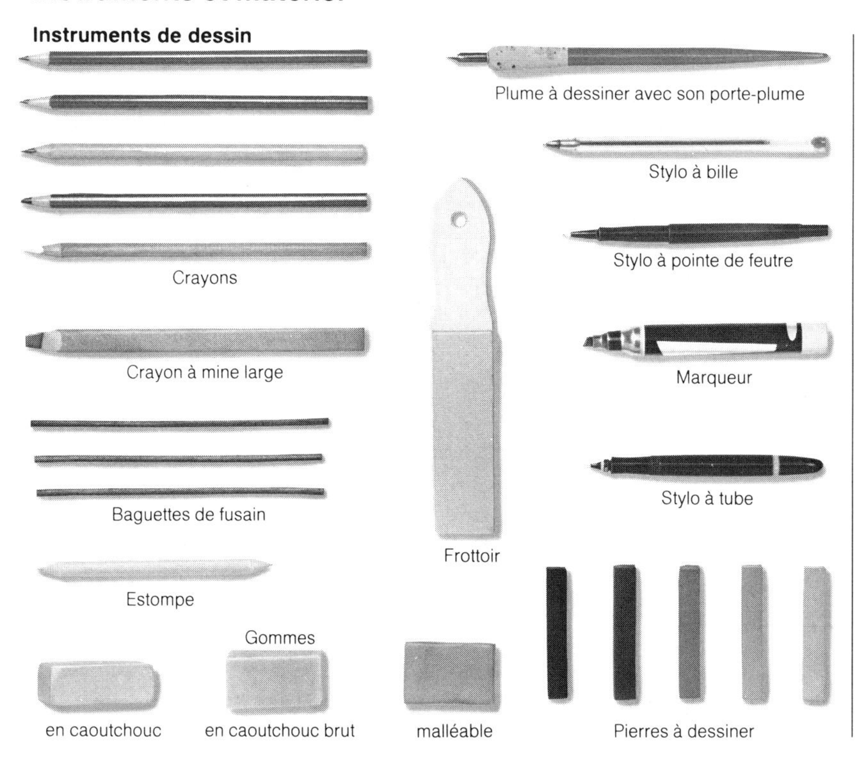

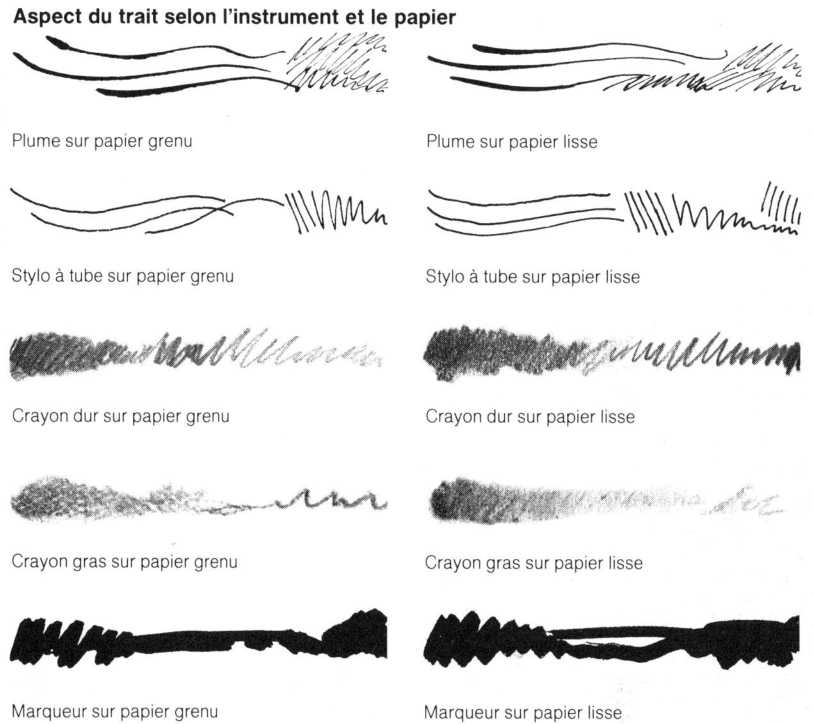

Les crayons sont les instruments de dessin les plus appréciés pour leurs usages multiples. Il existe 17 duretés différentes, du degré 9H au degré 6B, les lettres HB et F représentant le milieu de la gamme. Ces désignations ne sont toutefois pas précises, car les duretés correspondantes varient selon les fabricants de crayons. Les crayons gras (2B à 6B) sont ceux qui se prêtent le mieux aux croquis à main levée. Pour faire de très gros traits, utilisez un crayon à mine large pour croquis ou un crayon de charpentier : ils ont tous deux une mine plate.

Graphite. Les bâtonnets de graphite sont de grosses mines de crayon non revêtues. Elles peuvent avoir une section carrée, rectangulaire ou ronde, se placent dans des porte-mines et couvrent facilement de vastes surfaces. Affûtez-les fréquemment. Coupez-les à 90 degrés avec une lame de rasoir ou passez-les sur un frottoir.

Fusain. Il est friable et salissant. Les crayons fusains et les pierres noires sont plus pratiques. Cassées en trois, les pierres noires sont faciles à manier.

Plumes et stylos. Les stylos pour le dessin sont dotés de plumes interchangeables. Les stylos à bille pour le dessin contiennent des encres spéciales. Sur les stylos à tube, très employés par les dessinateurs publicitaires, la plume est remplacée par un petit tube à l'intérieur duquel se trouve un fil métallique qui facilite l'écoulement de l'encre. Les stylos font des traits d'une largeur uniforme. Les stylos à pointe de feutre sont rechargeables et dotés de pointes que l'on peut changer.

Papiers à dessin. Le support du dessin a une aussi grande incidence sur le résultat obtenu que l'instrument qui sert à dessiner. La caractéristique la plus importante du papier à dessin est la rugosité de ses fibres que l'on appelle le grain. Le grain détermine la quantité de graphite, de fusain ou de pierre retenue par le papier.

Vous pouvez vous exercer avec du papier à bon marché, comme le papier journal. Cependant, employez soit du papier à dessin, soit du bristol pour le dessin définitif. Ces deux types de papier se vendent en feuilles ou en blocs de différents formats. On trouve du bristol à deux faces : la surface couchée (lisse) et la surface en chevreau ou en vélin (mate). Tous deux conviennent pour les dessins faits avec des mines grasses.

Gommes. On se servira d'une gomme à encre, d'une gomme en caoutchouc ou d'une gomme malléable pour corriger ses erreurs, selon le type de dessin. La gomme malléable, qu'il faut étirer et pétrir souvent, convient bien pour éclaircir les ombres faites au crayon ou pour accentuer les lumières. Une brosse souple propre servira à enlever les miettes de gomme.

Instruments. La planche à dessin permet de placer le papier sous différents angles pour faciliter le croquis. Pistolet, équerre et compas peuvent être utiles pour les travaux de précision. Pour empêcher qu'un dessin ne s'estompe ou ne se salisse, il faut vaporiser un fixatif sur sa surface. Les fixatifs pour pastels et peintures acryliques conviennent pour les dessins au crayon et au fusain.

Dessin

La mise au carreau

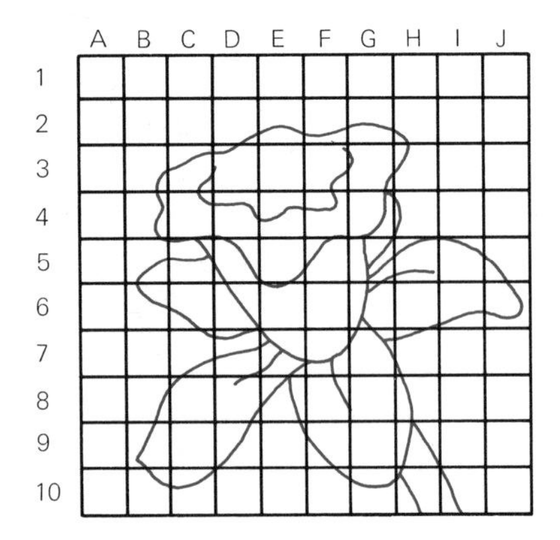

Vous pouvez facilement reproduire une image en grandeur nature en la décalquant. Toutefois, si vous avez besoin de reproduire cette image à une échelle précise (supérieure ou inférieure à celle de l'original), la mise au carreau est le moyen le plus sûr de faire un dessin exact qui ait les proportions voulues.

Commencez par quadriller légèrement au crayon l'original, ou tracez une grille sur du papier-calque et posez-le sur l'image. La reproduction peut avoir la même taille que l'original, être agrandie ou réduite, selon les dimensions des carreaux de sa grille.

Tracez au crayon, sans appuyer, la grille de votre reproduction de façon à pouvoir l'effacer plus tard. Il est essentiel que la grille de l'image originale et celle de sa reproduction soient proportionnelles (le rapport de leur longueur et de leur largeur doit être le même). Les deux grilles doivent comporter le même nombre de traits verticaux et de traits horizontaux et donc avoir le même nombre de carreaux.

Dans l'exemple ci-dessus, nous avons dessiné une grille sur le dessin original, puis nous avons réalisé une grille plus grande (à droite) qui a les mêmes proportions et le même nombre de traits que la précédente, mais des carreaux plus gros, pour agrandir l'image.

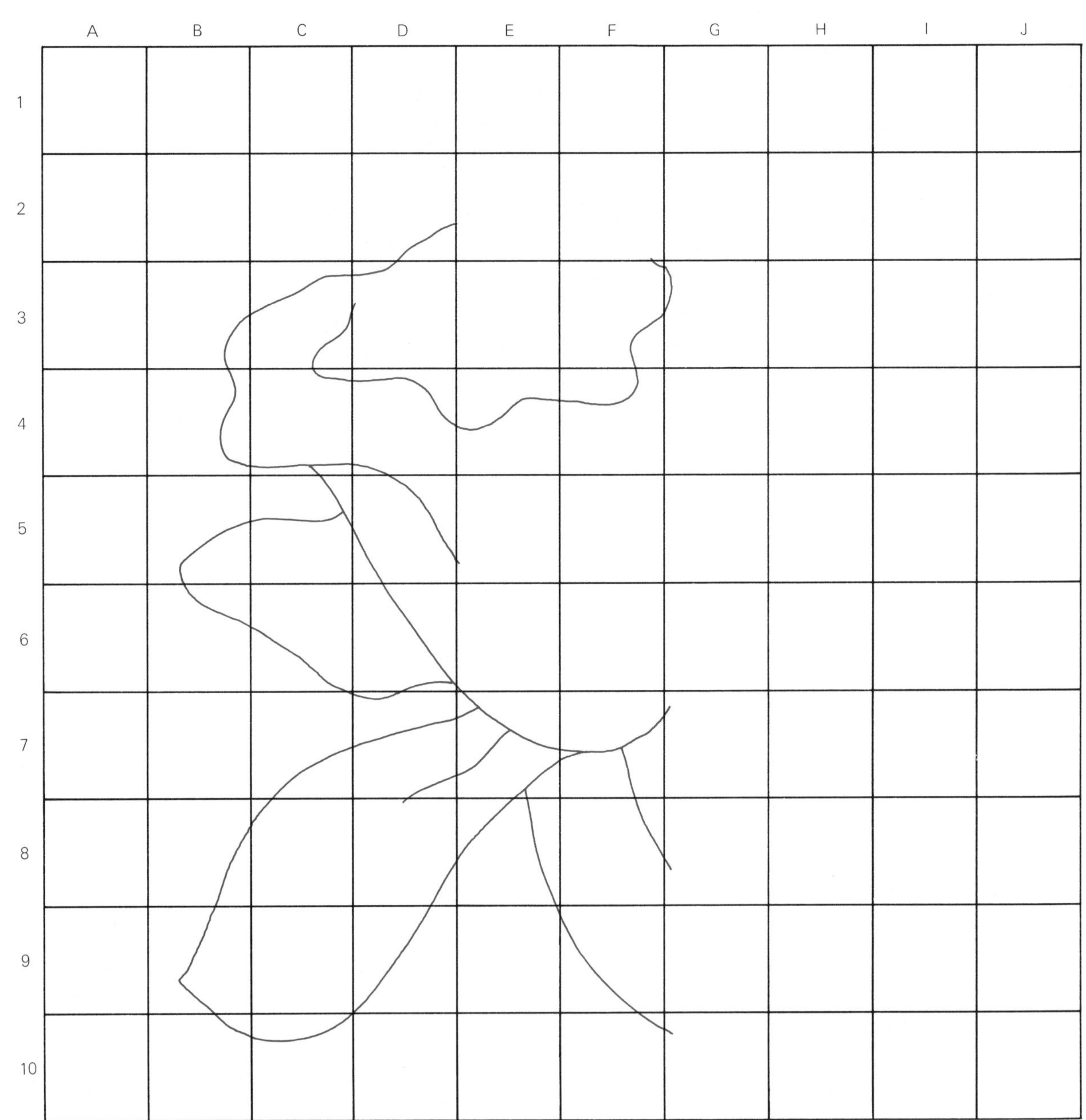

Reportez le dessin, carreau après carreau. Commencez, par exemple, par le carreau D-2. Faites des repères chaque fois qu'une ligne de l'original coupe le carreau correspondant, puis tracez les lignes à l'intérieur de chaque carreau. Vous pouvez ainsi reproduire une image avec précision.

Le contour et les proportions

Pour dessiner d'après nature avec précision, il faut d'abord faire un tracé à main levée pour déterminer les proportions générales de l'objet ou des figures de la scène que vous observez.

Ce peut être une pierre d'achoppement pour un débutant. Normalement, quand nous regardons un objet, nos yeux perçoivent tous ses détails comme faisant partie d'un tout. Pour faire le croquis d'un objet simple, d'un pichet par exemple, le débutant trace souvent son contour en détail, d'un bout à l'autre, sans s'arrêter. Ce procédé fausse toujours les proportions: la forme est mal rendue.

Pour réussir un contour, apprenez à voir de façon analytique. Regardez d'abord la forme générale, en ne tenant compte, dans notre exemple, ni du bec ni de l'anse du pichet. Demandez-vous si l'objet à dessiner peut s'inscrire dans un carré, un cercle, un triangle ou un rectangle. Déterminez le rapport entre sa hauteur et sa largeur.

Pour transposer vos perceptions sur le papier, tracez d'abord de légers repères en haut, en bas et des deux côtés pour définir les limites du contour de l'objet à dessiner. Puis, en faisant de nombreuses droites distinctes qui se coupent, ébauchez la forme d'ensemble sans perdre de vue ses grandes proportions. D'un trait vif, tracez ces lignes sans appuyer et d'un geste dégagé.

Si la forme dessinée tient dans un grand rectangle, divisez mentalement ce dernier en rectangles plus petits. Ces éléments plus petits vous aideront à déterminer les proportions des parties de l'objet à l'intérieur de son contour d'ensemble. Selon les formes à représenter, vous pouvez aussi vous servir de carrés, de cercles ou d'ovales pour esquisser ces parties plus détaillées. Ainsi, en allant progressivement de la forme la plus grande aux détails les plus petits, vous pouvez réaliser à main levée une esquisse assez exacte.

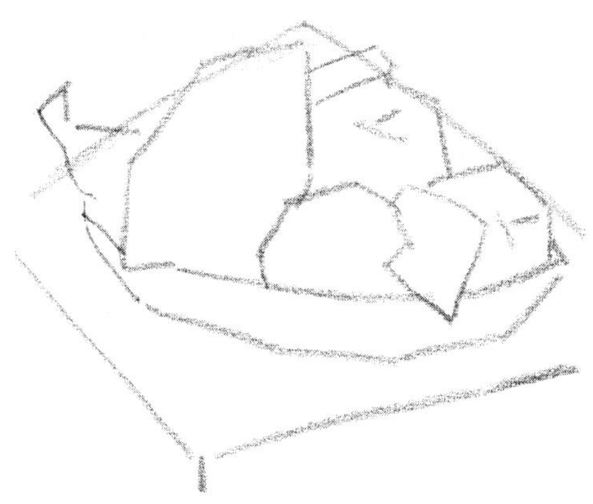

Pour dessiner d'après nature cette nature morte (représentée sur l'illustration de gauche), commencez par faire des repères pour délimiter la forme générale en traçant quatre petits traits. Faites une série de droites qui se coupent (et non une ligne continue) pour ébaucher les proportions des formes plus petites qui se trouvent à l'intérieur du contour.

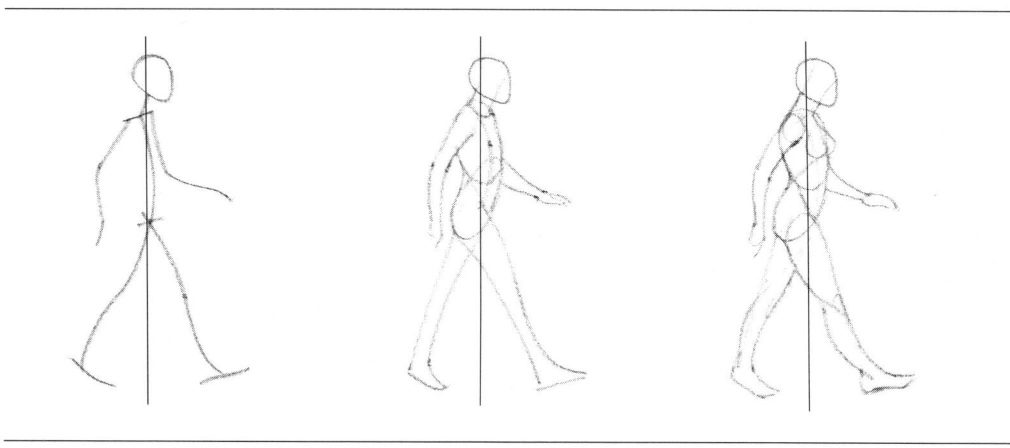

Le dessin d'une silhouette humaine devient beaucoup plus facile quand on commence par esquisser un personnage filiforme. Ce personnage permet de trouver les proportions justes du torse et des membres, et de bien placer les articulations. Remarquez que l'axe du personnage de gauche (la verticale qui passe par son centre de gravité) tombe à égale distance de ses deux pieds.

Pour dessiner un visage, tracez un ovale. Déterminez ensuite les proportions de ce visage. Faites une ligne horizontale au milieu pour indiquer la position des yeux et du haut des oreilles. Tracez une verticale au milieu. A mi-chemin entre les yeux et le menton, tracez une ligne pour marquer la base du nez. Entre le tiers et la moitié de la distance qui sépare le nez du menton, tracez la ligne de la bouche.

Dessin

La perspective

Un dessin se fait sur une feuille de papier, support en deux dimensions. Pour évoquer la réalité, qui est en trois dimensions, l'artiste recourt à la perspective.

La perspective simule la façon dont les choses apparaissent à diverses distances et sous différents angles. Ainsi, des bâtiments de même hauteur situés assez loin n'apparaissent pas aussi grands que ceux qui sont proches. Par ailleurs, la base d'un cylindre incliné semble être ovale et non circulaire.

La théorie de la perspective est fondée sur des principes mathématiques complexes. Nous ne traitons ici que des aspects les plus élémentaires du sujet.

Perspective à un point de fuite. La perspective se voit le plus dans les images qui contiennent des formes où il y a des droites : maisons, routes droites ou voies de chemin de fer, par exemple. Quand un côté d'une maison est perpendiculaire au rayon visuel principal, les autres côtés visibles (ceux qui sont parallèles à ce rayon visuel) semblent s'éloigner vers un point de fuite situé à l'horizon. C'est en ce point que toutes les lignes de ces côtés ou leur prolongement se rejoignent.

Perspective à deux points de fuite. Quand les plans verticaux d'un objet, comme les murs d'une maison, par exemple, sont vus obliquement par l'observateur, les lignes qui délimitent ces plans ou leur prolongement se rencontrent en deux points différents à l'horizon. Les dessins de cette page illustrent les techniques employées pour faire des tracés selon une perspective à un ou à deux points de fuite.

Perspective à trois points de fuite. Un troisième point de fuite entre en jeu quand les murs d'une maison sont vus obliquement par l'observateur et quand ils apparaissent inclinés vers lui, ou dans l'autre sens. C'est le cas quand nous regardons un grand bâtiment dans la rue, ou du haut d'un avion.

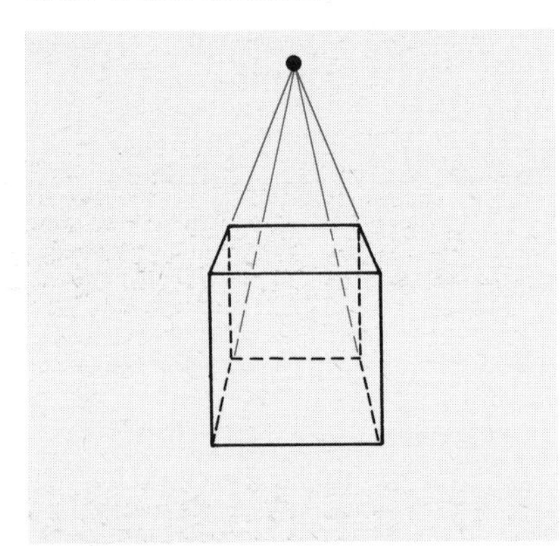

Perspective à un point de fuite. On peut dessiner les côtés de ce cube en faisant une perspective à un point de fuite. Il n'y en a en effet qu'un seul, car nous voyons le cube de face.

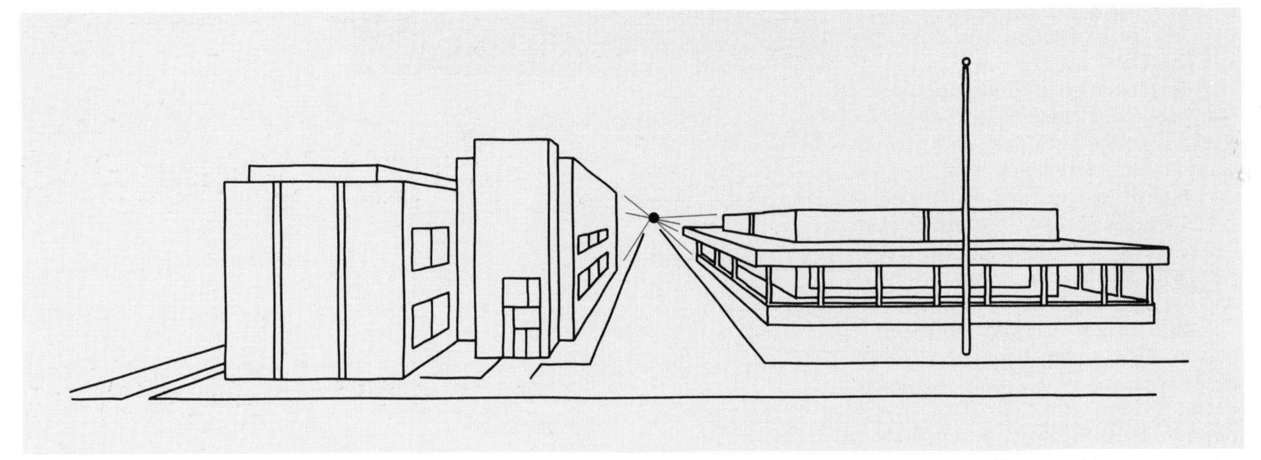

Dans ce dessin fait selon une perspective à un point de fuite, le rayon visuel principal est parallèle à la rue ; toutes les « parallèles » se joignent en un point.

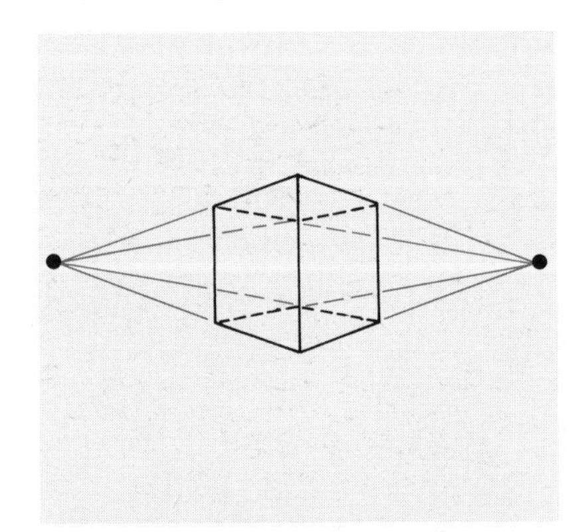

Perspective à deux points de fuite. Comme nous voyons ce cube obliquement, les lignes situées dans le prolongement de ses arêtes se joignent en deux points de fuite situés à l'horizon.

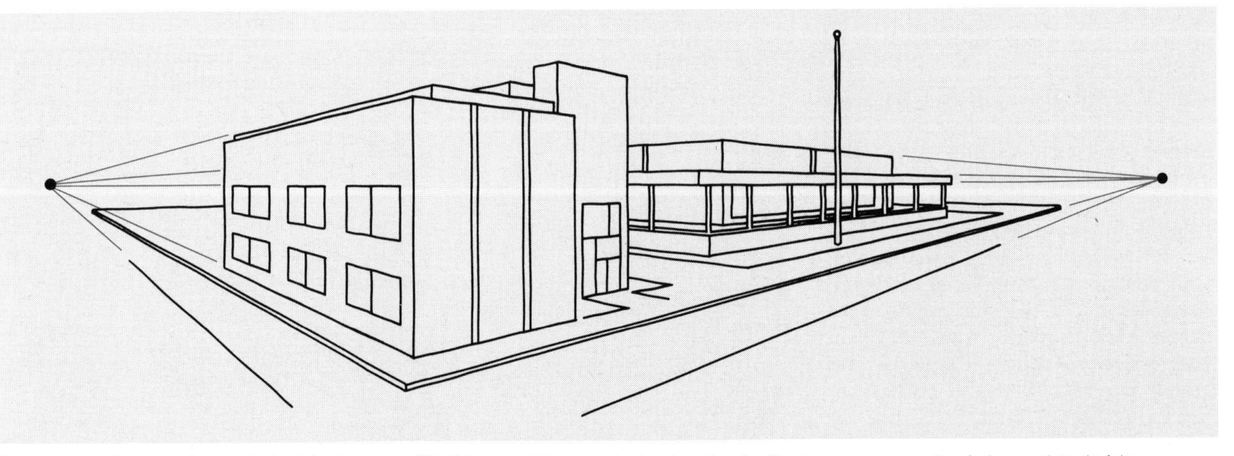

Sur cette vue, le rayon visuel principal n'est pas parallèle à la rue, si bien que le dessin est exécuté selon une perspective à deux points de fuite.

Les ombres et les lumières

Un dessin au trait peut ne pas créer d'illusion convaincante de profondeur, même si les proportions et la perspective sont bonnes. D'ailleurs, la perspective ne permet pas de donner de relief aux formes arrondies ou sphériques rendues en deux dimensions. On peut cependant très bien créer une illusion de profondeur et un modelé au moyen d'ombres et de lumières.

Les hachures croisées, le pointillage et les autres techniques utilisées pour évoquer les ombres et les lumières sont illustrés à la page suivante. Les illustrations de cette page indiquent où se trouvent les parties sombres et claires de diverses formes et surfaces selon l'orientation de la source lumineuse.

La technique du clair-obscur, qui consiste à créer des contrastes accusés d'ombre et de lumière, a été très employée dans les dessins et les tableaux des artistes de la Renaissance. Rembrandt est le grand maître du clair-obscur.

Eclairage vertical tombant sur un cube et sur une sphère et créant des ombres et des lumières.

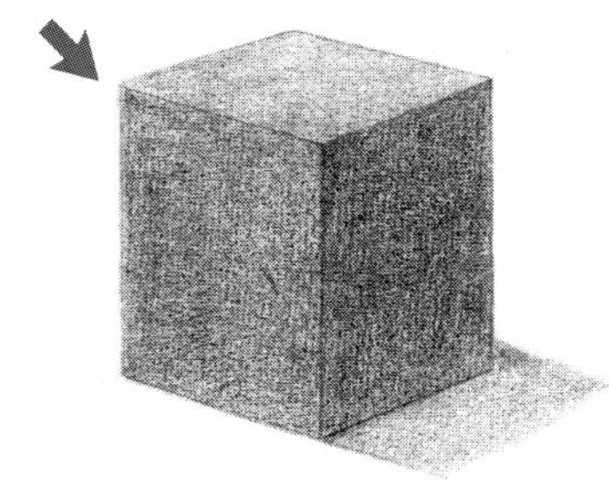

Eclairage oblique à 45 degrés.

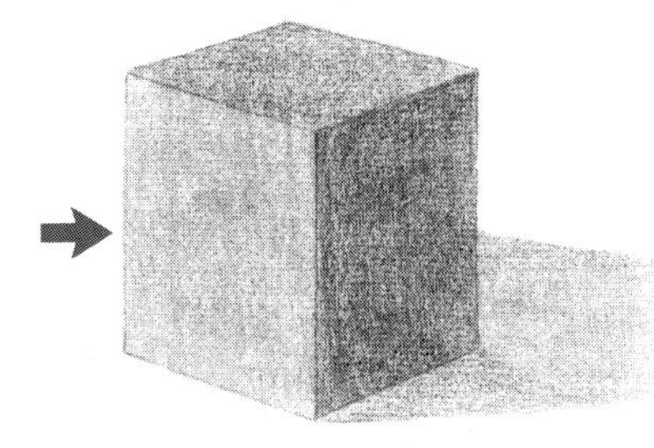

Eclairage latéral.

Eclairage vertical : surtout des quarts de teinte.

Eclairage latéral : les ombres se modifient.

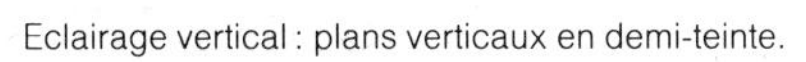

Eclairage vertical : plans verticaux en demi-teinte.

Eclairage latéral : ombres plus intenses.

Dessin

Les techniques du dessin

Le vocabulaire du dessin foisonne de qualificatifs pour désigner les lignes et les traits. Les lignes sont droites ou sinueuses, les traits sont épais ou fins, hardis ou délicats. Ils diffèrent selon qu'ils évoquent le caractère massif des dalles de granit, la finesse d'une porcelaine Ming ou le feuillage chatoyant d'un érable au soleil.

Pour représenter la luminosité changeante qui résulte du jeu des couleurs et de l'éclairage, l'artiste recourt à la technique des *nuances.* On réalise le « vrai » ton en ombrant par des traits de crayon fondus, ou étalés s'il s'agit de fusain. On obtient les tons illusoires au moyen de traits ou de points rapprochés. La méthode fondée sur l'usage de points s'appelle le *pointillage.*

Les tons peuvent être soit unis, soit dégradés, pour rendre des effets divers. Les nuances peuvent, par exemple, évoquer les ombres sur une sphère.

Un dessin peut être très travaillé comme un tableau et rendre en détail les textures, les coloris, les ombres et les lumières. Il peut aussi être simplement composé de traits spontanés qui font ressortir l'essentiel des objets représentés. Même une œuvre simple résulte souvent d'une combinaison de plusieurs techniques employées pour évoquer la lumière, les ombres et la forme. La pomme dessinée ci-contre au crayon de graphite sur papier bond est faite, par exemple, de traits simples et de hachures croisées.

Les papiers. Les magasins de fournitures pour artistes et les papeteries vendent des papiers à dessin divers. Ils offrent notamment des papiers bond à forte teneur de chiffon qui, comme le vélin, ont une surface lisse, non poreuse, parfaite pour les dessins à la plume. Le vélin présente en outre l'avantage d'être transparent, si bien qu'on peut l'utiliser pour décalquer. Le papier bond convient aussi très bien pour les dessins au crayon, mais on peut obtenir des effets intéressants en travaillant au crayon sur des papiers plus grenus, comme ceux qu'on emploie généralement avec le fusain. Les pommes ci-dessous illustrent les différents effets obtenus selon que l'on dessine au crayon, à la plume ou au fusain sur des papiers lisses ou grenus.

Le dessin au crayon. Pour vos premières réalisations, n'employez que des crayons HB, 2B et 3B. Essayez des mines rondes et plates. Taillez-les en pointe et en biseau.

Le dessin au fusain. Le fusain a une texture friable et une noirceur que l'on n'obtient pas facilement en utilisant d'autres matières. On se sert des crayons au fusain comme des crayons à mine de graphite, mais il faut employer une technique très différente avec des baguettes de fusain. On les utilise à plat, coupées en morceaux de 1 po pour donner une tonalité ou fondre des tons. Ne tracez pas de lignes entre deux tons. Ne recourez aux lignes que lorsque c'est absolument nécessaire. Pour fondre ou atténuer des tons, étalez-les avec le doigt. Pour faire un clair dans une zone obscure, utilisez une gomme malléable. Pour empêcher qu'un dessin au fusain ne s'estompe, il faut le vaporiser de fixatif lorsqu'il est achevé.

Le dessin à la plume. Les traits à l'encre sont nets et précis. Les techniques du dessin à la plume sont semblables à celles du dessin au crayon, mais l'encre ne permet pas de différencier les tons selon la pression exercée ni selon la dureté des mines. On peut toutefois faire varier l'épaisseur des traits de plume et leur espacement. Tracez un contour léger avec un crayon HB avant de prendre la plume.

Crayon de graphite sur papier bond.

Fusain étalé sur papier bond.

Encre de Chine et hachures sur papier bond.

Crayon de graphite sur papier grenu.

Fusain étalé sur papier grenu.

Encre de Chine et pointillage sur papier bond.

Les étapes d'un dessin

Cette page illustre trois étapes de l'exécution d'une nature morte, d'abord au fusain, puis aux crayons de couleur.

La première esquisse au fusain est une représentation au trait, sans relief, d'une coupe remplie de poires, de pommes et de bananes. Les contours de la coupe et des fruits sont faits de nombreux traits courts, rectilignes. Le nuançage initial se fait à la deuxième étape : on remplit de traits rapprochés toutes les surfaces non éclairées. Durant ce processus, une partie du contour disparaît.

Lors de la dernière étape, on équilibre les valeurs en étalant le fusain avec un doigt pour l'uniformiser et faire des gradations dans les ombres. On ajoute des clairs avec une gomme malléable. On accentue ensuite le dégradé en ajoutant du fusain pour assombrir les zones les plus foncées. Ces étapes permettent de suggérer le relief et les contours de la nature morte.

La première ébauche du dessin en couleurs se fait comme celle du fusain, mais on utilise des crayons de couleur pour tracer le contour. Lors du nuançage initial, l'artiste emploie le « vrai » ton (voir p. 82) pour colorer les bananes et la coupe, des coups de crayon parallèles pour les pommes, et un mélange de hachures croisées et de traits de crayon verts et jaunes pour les poires. Pendant la dernière étape, on indique le mûrissement des bananes en ajoutant des taches brunes à la surface. On donne ensuite un relief réaliste aux poires et aux pommes en accentuant leur tonalité au moyen de coups de crayon et de hachures croisées.

Lorsqu'on dessine avec des crayons de couleur, on n'a pas besoin d'employer la nuance exacte d'une teinte donnée, car il est plus important de rendre le caractère du sujet que d'atteindre à une précision photographique. Comme il est difficile de colorier de grandes surfaces de façon uniforme, on recourt généralement à des traits parallèles rapprochés que l'on fait sans trop appuyer.

Au fusain

Aux crayons de couleur

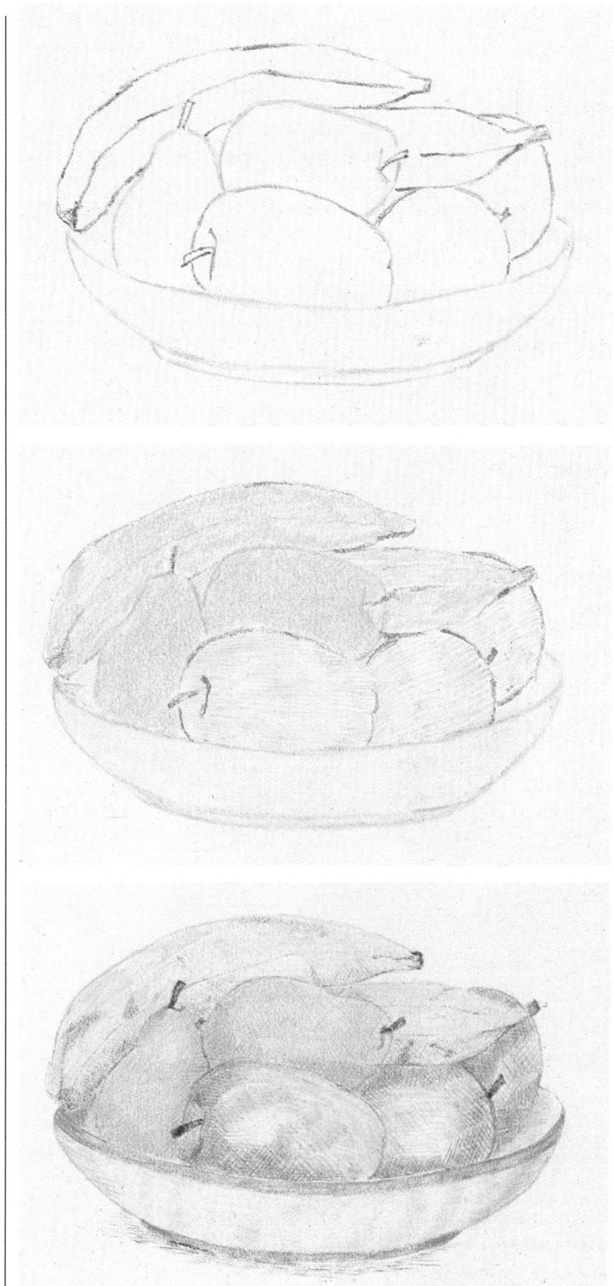

Dessin

Le pastel

Les pastels se distinguent des crayons de couleur (voir p. 83) par leur doux éclat. Les pastels peuvent être classés comme des tableaux quand le mélange et l'estompage de leurs coloris produisent un effet de peinture, ou comme des dessins quand les traits prédominent.

Le pastel dont l'origine remonte à l'Italie du XVIe siècle devient très prisé des portraitistes français du XVIIIe siècle. A la fin du XIXe siècle, Degas met au point avec d'autres impressionnistes une nouvelle manière d'envisager le pastel, qui met l'accent sur les touches individuelles et sur la juxtaposition de couleurs non mélangées.

Les pastels sont des poudres de pigments durs amalgamées par un léger liant et façonnées en bâtonnets friables. On les applique sur des papiers à fusain et à pastel qui ont un grain marqué (voir p. 77) ou sur des papiers pelucheux.

On ne corrige pas les petites erreurs d'un tracé au pastel en repassant pardessus, car le ton obtenu ne serait pas uniforme. On répand plutôt de la poudre de pastel au-dessus de l'endroit à retoucher en grattant les bâtonnets voulus sur un frottoir, puis on étale cette poudre avec le doigt, ce qui produit une teinte unie. On corrige les erreurs plus graves en enlevant les particules de pastel avec un morceau de gomme malléable. On étale ensuite de la poudre de pastel à l'endroit voulu. Les pastels ont l'inconvénient de ne pas bien adhérer au papier et de changer de couleur quand on les vaporise avec un fixatif. La meilleure façon de les préserver est de les placer dans des sous-verre hermétiques.

L'artiste esquisse les contours des légumes avec un crayon Conté de couleur sépia, sur du papier gris-fer.

Il délimite au pastel les bords des légumes, couvre les parties les plus sombres et fait quelques demi-teintes.

Il ajoute de la couleur sur les tomates et les carottes et passe les demi-teintes sur les légumes verts.

L'artiste prend un pastel blanc pour faire des rehauts sur les légumes là où il y a des reflets.

Il étale doucement la couleur avec une estompe (un tortillon pointu de papier) ou avec le doigt, pour les grandes surfaces.

Il passe ensuite du bleu sur le fond et sur certaines parties des légumes. Il ajoute des rehauts et retouche tous les contours.

Le marqueur

Le marqueur est un petit cylindre rempli d'encre et doté d'une pointe en feutre ou en nylon. C'est un instrument de dessin assez récent et très employé par les affichistes et les dessinateurs publicitaires.

Le marqueur laisse des tracés qui dépendent de la taille et de la forme de sa pointe. On ne peut faire varier l'intensité de la couleur d'un marqueur, mais on trouve un choix de plus en plus étendu de coloris. Les marqueurs peuvent contenir soit une encre soluble dans l'eau, soit une encre grasse. Il ne faut pas utiliser les deux pour exécuter une même œuvre, car ces encres ont des caractéristiques très différentes et ne se mélangent pas.

Les encres traversent le papier et ont tendance à se mélanger quand elles sont en contact. On peut employer un papier spécial assez imperméable pour remédier à ces inconvénients, mais sur ce papier les dessins sont parfois marbrés et sans consistance.

Par ailleurs, les encres des marqueurs ont l'inconvénient d'être très volatiles et de s'évaporer rapidement. Il faut donc n'enlever le capuchon d'un marqueur qu'au moment de s'en servir et le remettre aussitôt après. On peut, en cas d'urgence, raviver brièvement un marqueur qui devient sec : il suffit pour cela d'humecter sa pointe avec quelques gouttes de solvant.

Les encres les plus colorées ne peuvent s'effacer qu'avec un décolorant. Il faut cependant éviter d'y recourir, car les décolorants doivent être appliqués avec beaucoup de soin pour produire des résultats satisfaisants.

L'artiste commence par esquisser au crayon gras l'ours et les étoiles dans un style amusant, qui conviendrait pour une illustration de livre d'enfant.

Il colore d'abord le corps de l'ours en brun clair, puis en brun plus foncé. Il applique du magenta sur la jupe, du noir sur le museau, puis autour et au centre de l'œil, et du jaune sur les étoiles.

Il borde ensuite la jupe de violet. Enfin, avec un marqueur noir à pointe fine, il dessine les plis de la jupe, les pattes et fait des hachures pour les ombres.

Couleur et motif

Qu'est-ce que la couleur ?

La lumière blanche est composée de lumières de différentes couleurs. Qui a vu un arc-en-ciel a vu la décomposition de la lumière blanche en toutes les couleurs dont elle est formée : les couleurs du spectre. Les pétales d'une rose rouge nous apparaissent rouges parce qu'ils absorbent toutes les longueurs d'ondes lumineuses non situées dans la partie rouge du spectre : ils ne réfléchissent que les longueurs d'ondes rouges. Le noir est théoriquement une absence totale de lumière. Ainsi, une encre parfaitement noire absorberait toute la lumière sans rien refléter.

Pour apprécier la couleur et s'en servir, il n'est cependant pas nécessaire de comprendre les principes optiques de la lumière et de la couleur. Il faut seulement connaître les rapports entre les couleurs pour en tirer parti quand on les mélange, quand on les superpose ou quand on imagine le motif d'un tissu ou d'un collage.

Ton, luminosité et saturation. Quand nous parlons d'une couleur, nous parlons en réalité de trois éléments différents qui se combinent pour produire l'effet visuel que nous percevons comme étant une couleur.

Le premier de ces éléments est le ton. Le rouge est un ton, de même que le vert et le violet. En fait, toutes les couleurs du spectre sont, à proprement parler, des tons et non des couleurs. Dans la composition d'une couleur, le ton n'est que le point de départ.

Outre le ton, il faut tenir compte de la luminosité ou valeur des couleurs. Selon la luminosité, par exemple, le rouge aura des nuances plus sombres ou plus vives. Lorsqu'une pomme est représentée dans une revue, la valeur ou la luminosité de son rouge est souvent atténuée par des points gris imprimés sur ce ton. Plus il y a de points gris à sa surface, plus le rouge de la pomme nous paraît sombre. Cependant, quand on mélange des peintures, on n'ajoute pas nécessairement du gris au rouge pour l'assombrir ; on peut employer plutôt des pigments bruns ou verts.

Les gammes de luminosité ou de valeurs sont établies selon une progression qui va du noir au blanc. Le noir a la valeur la plus faible : 0. Les gris sont au milieu de la gamme ; quant au blanc, on lui attribue généralement une valeur de 10. Si l'artiste essaie d'atténuer l'intensité d'une couleur en y ajoutant un gris neutre, il doit veiller à ce que ce gris ait la même luminosité que cette couleur, sinon il en changera la valeur, ce qui produira un effet tout à fait différent de celui qu'il recherchait.

L'effet visuel d'une couleur dépend non seulement de son ton et de sa luminosité, mais encore de sa saturation (son intensité). La saturation indique la quantité d'un ton qui est présente dans une couleur. Quand nous parlons d'une couleur pâle ou d'une couleur foncée, nous reconnaissons l'effet de la saturation. Le rose est généralement un rouge peu saturé (bien qu'il puisse être plus ou moins lumineux, comme nous l'avons signalé précédemment). Le cramoisi et l'écarlate sont des rouges très saturés.

Le cercle chromatique et le tableau des valeurs (page ci-contre) vous aideront à comprendre l'importance des tons, de la luminosité et de la saturation sur la formation des couleurs.

L'harmonie des couleurs. Pour réaliser des motifs, il vous faudra des couleurs qui se marient bien. Vous n'avez pas besoin de procéder par tâtonnements pour choisir des couleurs en harmonie. Le cercle chromatique peut vous aider à faire ce choix, de même que le tableau des valeurs.

Le cercle chromatique ci-contre comporte 12 tons. Les tons de base sont les trois tons primaires : le rouge, le jaune et le bleu. En outre, ce cercle comporte trois tons dérivés des couleurs primaires : le violet (composé de rouge et de bleu en parties égales), l'orange (composé de rouge et de jaune en parties égales) et le vert (composé de bleu et de jaune en parties égales). Le violet, l'orange et le vert s'appellent des tons secondaires.

Les six derniers tons du cercle sont les tons tertiaires. On les obtient en mélangeant chacune des couleurs primaires avec les deux couleurs secondaires qui en sont tirées. On peut naturellement faire un cercle formé de plus de 12 tons en continuant à recombiner les tons primaires, secondaires et tertiaires.

Les tons complémentaires. Il existe plusieurs méthodes pour déterminer les tons en harmonie du cercle chromatique. Le plus simple est de choisir des tons qui se côtoient comme le violet, le rouge violacé et le bleu violacé. Une autre méthode simple consiste à choisir des tons ou des couleurs complémentaires. Les tons complémentaires sont ceux qui sont diamétralement opposés sur le cercle chromatique. Ainsi, le rouge et le vert sont complémentaires, comme l'orange et le bleu. Si l'on mélange deux couleurs complémentaires, on obtient un gris neutre.

Des méthodes un peu plus compliquées permettent de déterminer les tons du cercle qui sont en harmonie en faisant tourner à l'intérieur de ce cercle des triangles et des rectangles. Elles permettent d'aboutir à des harmonies appelées triades et tétrades ; elles sont expliquées dans les légendes des illustrations, page ci-contre. Il peut aussi y avoir une harmonie entre des variantes d'un même ton qui ont une valeur (luminosité) ou une saturation (intensité) différente.

Le « contraste » désigne la façon dont les couleurs s'influencent l'une l'autre quand on les regarde à la fois. Pour la couleur, le contraste le plus fort existe entre les tons primaires et, pour la luminosité, entre le noir et le blanc. Les illustrations de cette double page montrent d'autres façons dont les couleurs s'influencent les unes les autres.

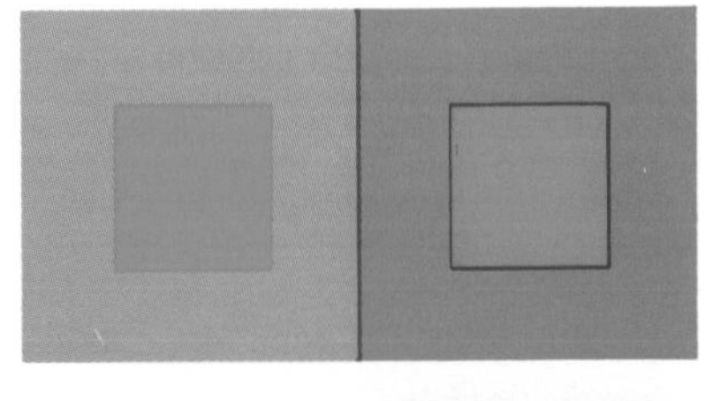
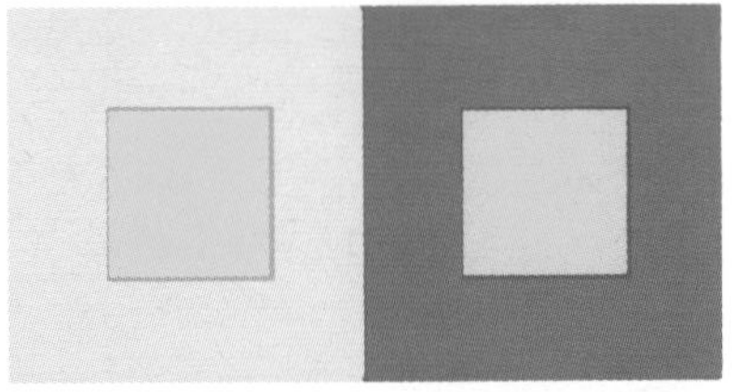
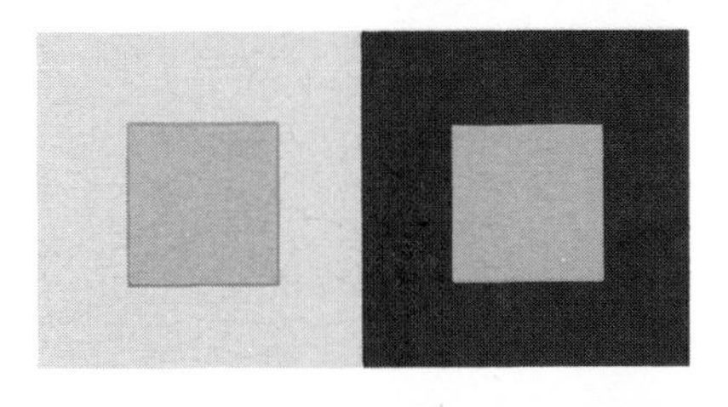
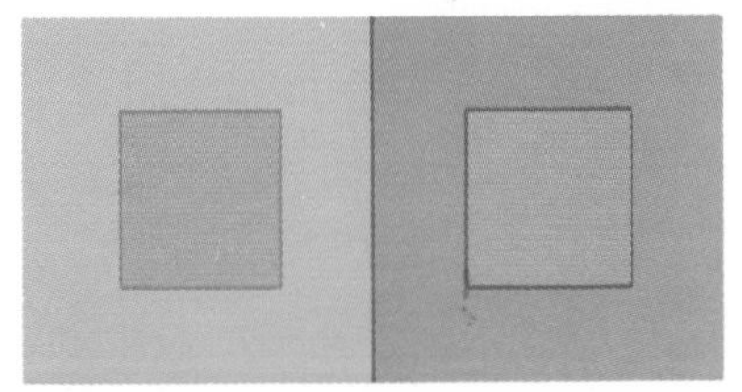

Pour concevoir un motif, souvenez-vous qu'une couleur est influencée par celles qui la côtoient et par la couleur du support. Ci-dessus, les carrés situés au milieu des paires de carrés ont bien la même couleur, mais on ne le dirait pas, car ils se détachent sur un fond différent. Vous pouvez découvrir bien d'autres effets avec des carrés de papiers de couleur.

Le cercle chromatique

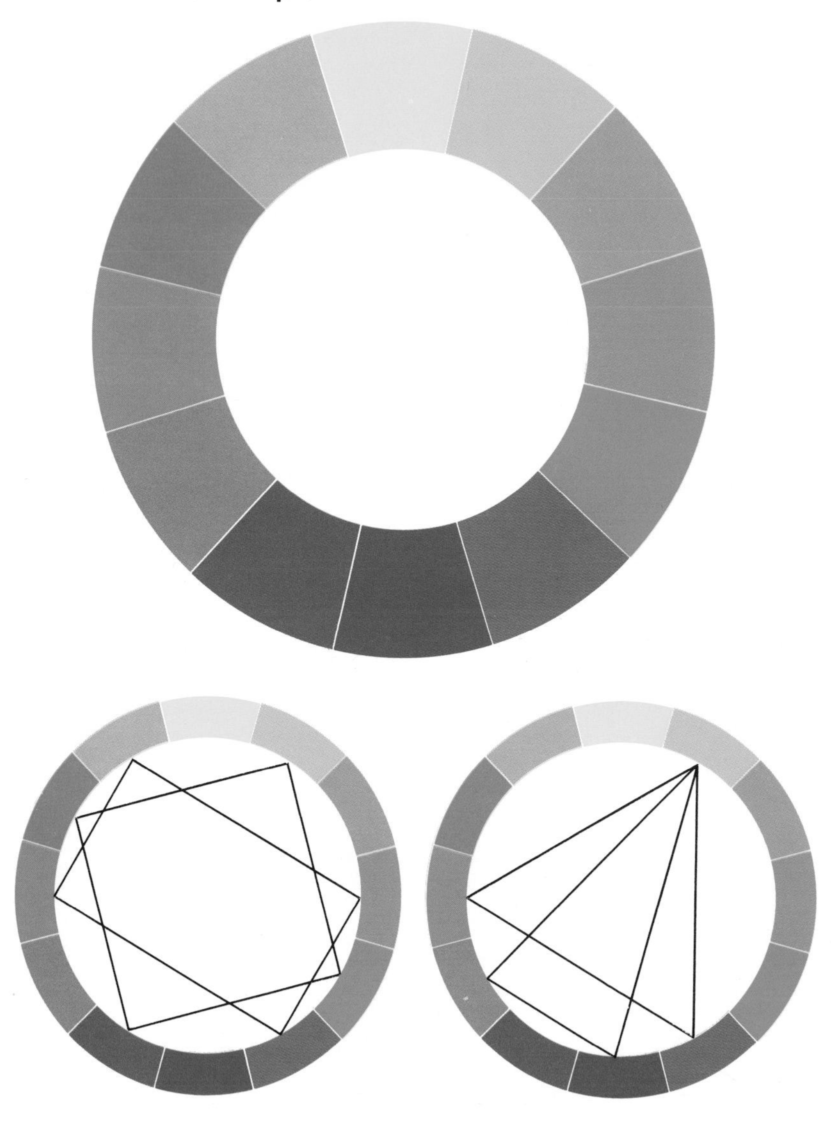

Utilisation du cercle chromatique. Le grand cercle chromatique ci-dessus comprend 12 tons tirés des couleurs primaires (rouge, jaune et bleu) comme l'indique le texte de la page 86. On peut faire des cercles chromatiques composés d'un nombre théoriquement illimité de tons, de plus en plus proches. Les deux petits cercles du bas illustrent comment se servir de triangles et de rectangles pour déterminer quels sont les tons en harmonie les uns avec les autres. Les triades sont des groupes de trois tons en harmonie. On peut les identifier en faisant tourner un triangle équilatéral ou isocèle à l'intérieur du cercle. Les tétrades sont des groupes de quatre tons en harmonie ; on peut les trouver en faisant tourner un carré ou un rectangle à l'intérieur du cercle.

Tableau des valeurs

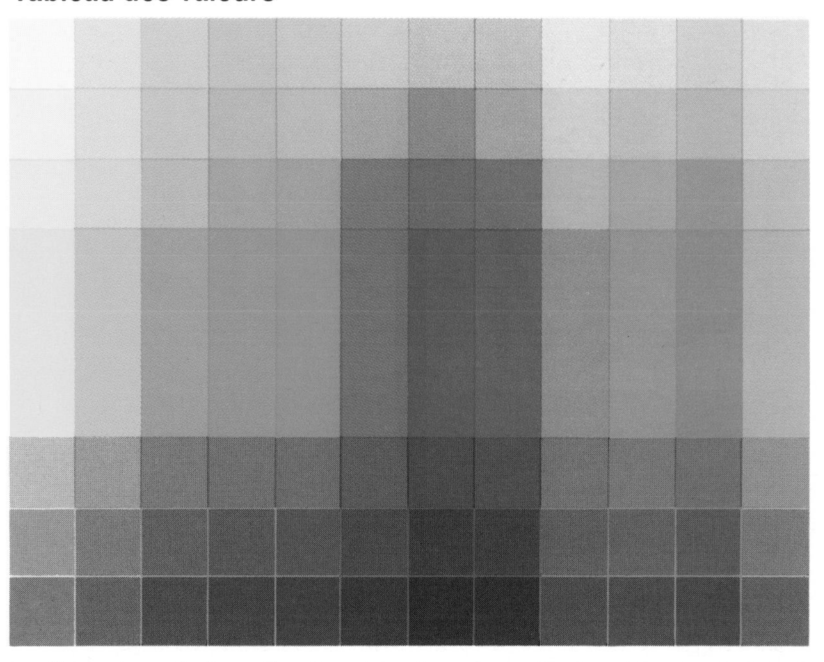

Les 12 tons du cercle chromatique figurent dans la rangée du milieu (la quatrième à partir du haut). Dans les trois rangées du haut, les tons purs sont uniformément teintés avec un pourcentage croissant de blanc. Dans les trois rangées du bas, des pourcentages uniformes de noir ont été ajoutés pour faire des nuances de valeurs plus foncées. Toutes les couleurs d'une même rangée ont la même valeur.

Harmonie et contraste

L'harmonie et le contraste peuvent être dégagés d'un même ton comme le montrent les deux configurations de gauche. En haut, les faibles variations de la valeur d'un bleu pur créent une sensation d'harmonie. Dans la configuration du bas, les variations beaucoup plus fortes de la valeur créent une sensation de contraste, mais l'harmonie des couleurs demeure. Dans la troisième configuration (ci-dessus), on a employé des tons contigus sur le cercle chromatique pour réaliser une harmonie d'un autre genre.

Peinture

Evolution des styles dans la peinture moderne

On peut voir dans les musées du monde toute une gamme de peintures qui va des œuvres conventionnelles de l'Egypte ancienne à celles, formalistes mais réalistes, de la Renaissance pour aboutir aux créations issues de la prolifération des modes artistiques et des fantaisies de notre époque.

La peinture occidentale moderne tire son origine de l'Antiquité, mais c'est au Moyen Age que sa forme actuelle commence à se manifester, sous l'influence de l'Eglise chrétienne et avec son appui. La plupart des œuvres anciennes inspirées par l'Eglise sont très stylisées et mettent plus l'accent sur le symbolisme religieux que sur le réalisme. On attribue généralement à Giotto, maître italien du début du XIVe siècle, les premières tentatives effectuées pour atteindre au réalisme. En effet, bien que ce peintre traite des thèmes religieux, il rend l'anatomie de ses sujets avec précision et personnalise leurs émotions. Ses innovations influencent ce qu'on appelle le style gothique international, qui atteint son zénith avec les maîtres flamands du XVe siècle. Jan van Eyck, l'un des fondateurs de l'école flamande, est un des pionniers de la technique de la peinture à l'huile. Parallèlement, des maîtres florentins introduisent dans leur art la perspective mathématique, une vision plus précise de l'anatomie et le clair-obscur — les effets d'ombre et de lumière.

Pendant la Renaissance, l'art occidental atteint une splendeur sans précédent. La peinture acquiert un ascendant et une grandeur nouvelle grâce à des maîtres prestigieux comme Léonard de Vinci, Michel-Ange, Raphaël et Titien. Les siècles suivants sont témoins de la montée de divers nouveaux styles dont chacun est une réaction contre celui qui le précède. Les couleurs sanglantes et les formes angoissées du maniérisme, qui a suivi la Renaissance, sont remplacées par la richesse exubérante du style baroque qui, peu à peu, cédera lui-même le pas à la volupté séductrice du rococo. Après cette période, les artistes font un retour à la nature et adoptent les idéaux traditionnels du style néo-classique. Parmi les grands noms de ces siècles figurent ceux de Petrus Paulus Rubens, le génie flamand ; de Rembrandt van Rijn, le célèbre maître hollandais, et de Francisco de Goya, qui est peut-être le plus grand des peintres espagnols.

Au milieu du XIXe siècle, l'impressionnisme, dont Pierre Auguste Renoir, Claude Monet et Edouard Manet sont les promoteurs, est le mouvement artistique le plus novateur. Georges Seurat, un néo-impressionniste, invente le pointillisme : il recourt à de minuscules points de pigments purs qui se fondent dans des couleurs unies quand on les voit de loin.

Le rythme du changement s'accélère au XXe siècle. Deux des premiers mouvements de cette époque exercent une influence durable sur la manière moderne d'appréhender la forme et la couleur. C'est le fauvisme d'Henri Matisse, qui fait un usage arbitraire des couleurs, et le cubisme lancé par Pablo Picasso, Georges Braque et Marcel Duchamp, qui brise la masse pour la remplacer par des formes en deux dimensions vues sous des angles différents. L'expressionnisme abstrait, important mouvement artistique originaire des Etats-Unis, voit le jour à la fin des années 40.

Doté d'un héritage aussi varié, l'artiste est aujourd'hui tout à fait libre de peindre le sujet de son choix dans le style naturaliste ou primitif, réaliste ou abstrait, figuratif ou non figuratif qui lui convient.

Quatre styles : en haut, à gauche, paysage romantique de Thomas Cole (1801-1848) ; en haut, à droite, scène d'eau de Pierre Bonnard (1867-1947), qui travaillait beaucoup la texture ; en bas, à gauche, paysage impressionniste de Claude Monet (1840-1926) ; enfin, *Les Chaumes*, de Vincent Van Gogh (1853-1890), qui illustre ce que l'on peut tirer des coups de pinceau.

Les matières picturales

Les effets stylistiques d'une peinture découlent non seulement du but de l'artiste et de sa vision des choses, mais aussi de sa matière picturale. Les coups de pinceau des peintures à l'huile, les atmosphères éthérées des lavis à l'aquarelle et les lumières blondes des détrempes sont des caractéristiques de ces matières qu'il serait difficile de reproduire par d'autres moyens.

La peinture à l'huile. Elle demeure la plus souple des matières et celle qui offre le plus de possibilités. La peinture à l'huile est composée d'un pigment, d'un liant, d'une huile et d'un siccatif. On peut broyer et mélanger ces ingrédients soi-même, mais la plupart des artistes achètent leurs couleurs en tubes. On peut appliquer la pâte telle qu'elle sort du tube ou la diluer avec de l'huile de lin, de la térébenthine ou du vernis.

A la suite d'une réaction chimique, l'huile exposée à l'air se transforme en pellicule solide, transparente et malléable qui protège les pigments liés. La peinture à l'huile permet à l'artiste d'obtenir des textures diverses en faisant tantôt de délicats dégradés, tantôt des monticules d'empâtement. Il peut appliquer ses couleurs avec des pinceaux, des brosses, des couteaux à palette, des lattes de bois, ou encore verser puis faire couler la peinture sur la toile.

L'aquarelle. Pour obtenir la transparence de l'aquarelle, on délaie des pigments dans de l'eau additionnée de gomme arabique ou d'autres agents solubles, que l'on étale ensuite sur des papiers spéciaux, selon des techniques particulières à cette matière. Les pigments pour aquarelle se vendent en pastilles ou en tubes.

La détrempe. Cette matière à base de couleurs opaques, solubles dans l'eau, ne se redissout pas après séchage, à la différence de l'aquarelle. Ces couleurs, qui étaient à l'origine « détrempées » dans du blanc ou du jaune d'œuf (pour protéger la peinture obtenue de la chaleur et de l'humidité), se présentent souvent aujourd'hui sous forme d'émulsions grasses. Les peintures à la détrempe se vendent en tubes. Elles sèchent rapidement et, comme elles durcissent en séchant, on les applique généralement sur un carton rigide enduit de « gesso » (une substance à base de plâtre de Paris).

La gouache. Cette matière est faite de pigments solubles dans l'eau mélangés avec du blanc de Chine ou de zinc opaque. La gouache a un peu de la transparence de l'aquarelle et un peu de l'opacité de la détrempe. Après son séchage, qui est rapide, elle devient mate. Elle convient parfaitement pour les affiches publicitaires.

Les couleurs à la caséine. Elles sont détrempées avec une substance tirée du fromage ou du lait caillé. On les applique en minces lavis sur des surfaces rigides ; elles sèchent ensuite rapidement en s'éclaircissant. On peut les poser à la brosse, ou faire des empâtements.

La peinture acrylique. On fabrique cette nouvelle peinture synthétique en incorporant des pigments à une émulsion de résine acrylique polymère. Elle présente beaucoup des caractéristiques de la peinture à l'huile, quoiqu'elle sèche beaucoup plus rapidement. Elle donne une surface mate, sans marques de pinceau ; on peut toutefois remédier à son manque de texture en faisant des empâtements ou en la diluant pour obtenir des glacis transparents. La gamme des couleurs acryliques est étendue ; une fois sèches, celles-ci forment toutes une pellicule souple, étanche et stable qui se nettoie facilement.

La teinture d'aniline. Surtout employée par les dessinateurs publicitaires et les illustrateurs, elle permet d'obtenir des couleurs très vives, mais sans opacité. Elle pénètre dans les fibres du papier et l'on ne peut l'enlever qu'avec un décolorant. Il ne faut pas essayer de fondre ni de superposer les teintures d'aniline, car elles ont une propension à baver.

Peinture

Préparation de la toile

Les qualités des toiles à peindre varient : viennent d'abord les toiles de lin à texture marquée, les coutils de coton, moins onéreux, puis les toiles de coton, bon marché mais peu satisfaisantes.

Pour que la peinture puisse y adhérer correctement, toutes les toiles doivent être encollées, puis enduites. La colle de peau de lapin, qui sert traditionnellement à l'encollage, se vend sous une forme concentrée ; on doit donc la diluer dans de l'eau et la faire chauffer au bain-marie avant de l'appliquer. Les enduits les plus courants sont le « gesso » et la céruse mélangée à de l'huile de lin. On trouve des enduits tout prêts dans les magasins spécialisés. Le nouvel enduit mis au point pour les peintures acryliques convient aussi pour les huiles.

Vous pouvez, en outre, acheter des toiles déjà enduites d'un apprêt gras (en une ou deux couches) ou d'un apprêt pour peinture acrylique (qui est, en fait, universel).

Beaucoup d'artistes préfèrent toutefois tendre, encoller et enduire eux-mêmes leurs toiles selon la méthode illustrée ci-après. Il n'est pas nécessaire d'encoller la toile avant de l'enduire d'apprêt pour peinture acrylique.

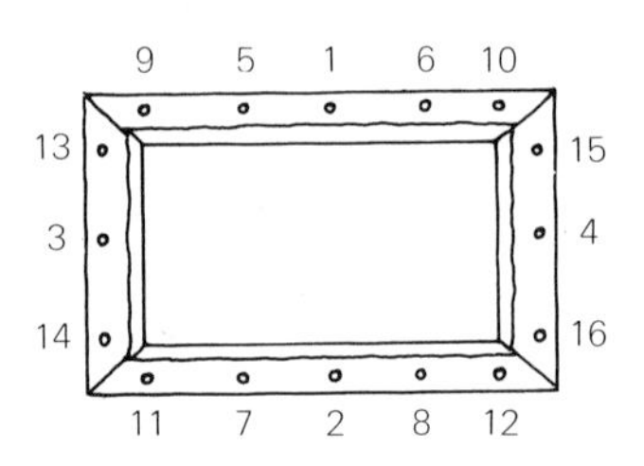

Pour tendre la toile, agrafez-la au milieu de chaque côté, puis procédez dans l'ordre des chiffres.

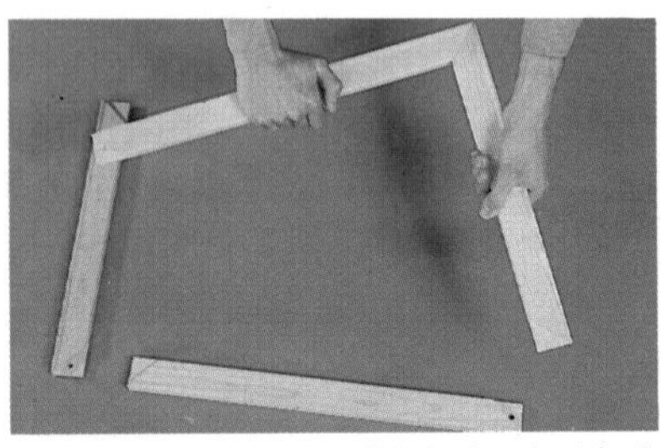

1. Assemblez les lattes préfabriquées du châssis en ajustant soigneusement les languettes dans les rainures.

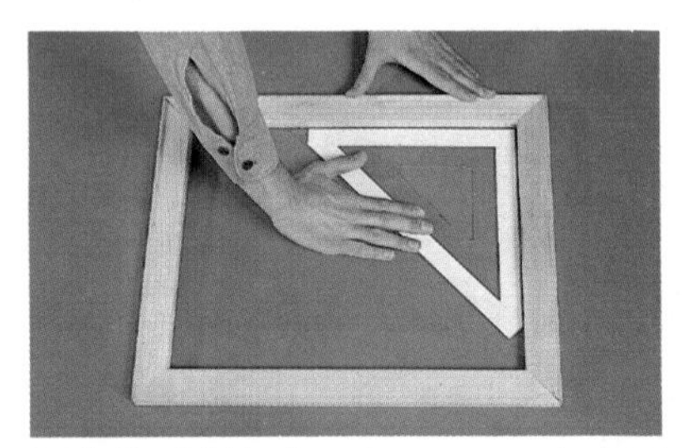

2. Vérifiez à l'aide d'une équerre, ou en insérant le châssis dans un encadrement de porte, si tous les coins sont bien à angle droit.

3. Posez la toile à l'envers et à plat. Placez le châssis par-dessus, la partie biseautée contre la toile, et coupez celle-ci à 1½ po des bords.

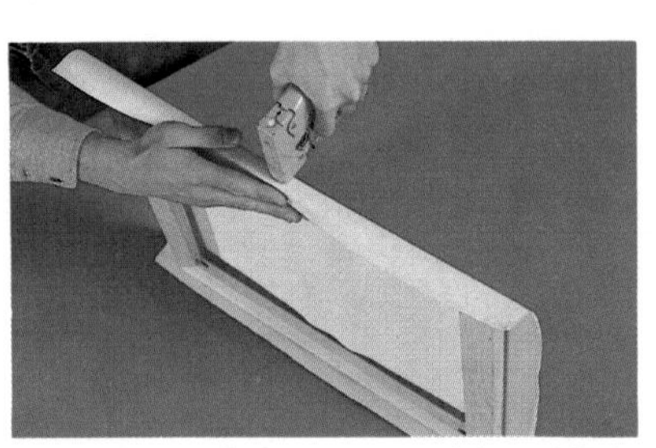

4. Rabattez la toile sur un grand côté du châssis et enfoncez une agrafe ou, si vous préférez, une semence au milieu de ce côté.

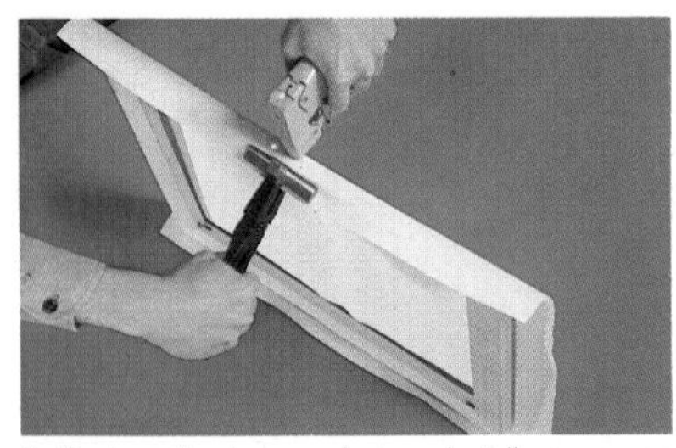

5. Tout en tirant assez fort sur la toile avec une pince à tendre, agrafez-la au milieu de l'autre grand côté.

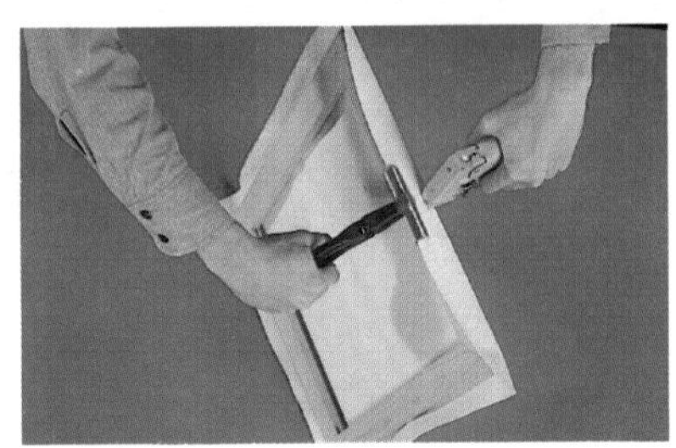

6. Agrafez maintenant la toile au milieu du troisième et du quatrième côté en la tendant suffisamment avec la pince.

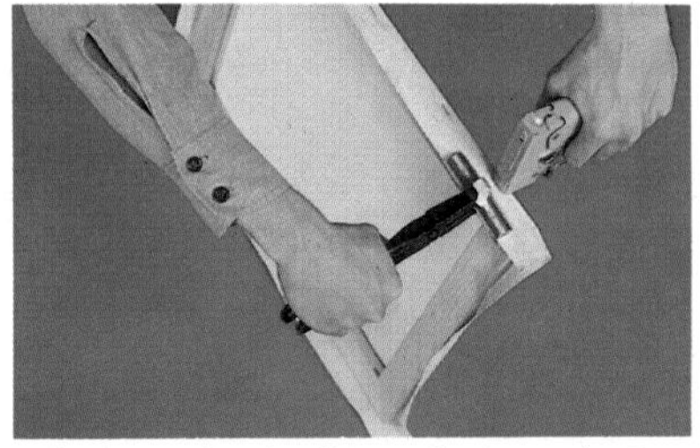

7. Tout en tendant la toile, agrafez-la tous les 3 po à droite, puis à gauche du milieu de chaque côté, jusqu'à 3 po des coins.

8. Pour achever le premier coin, pliez soigneusement le bord supérieur de la toile vers le bas, et rabattez le bord vertical par-dessus.

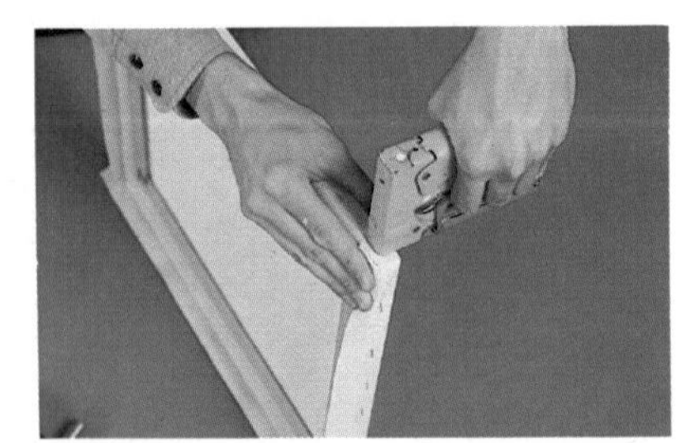

9. Agrafez la toile ainsi pliée sur le coin. Enfoncez l'agrafe dans le sens de la longueur du châssis. Recommencez pour les autres coins.

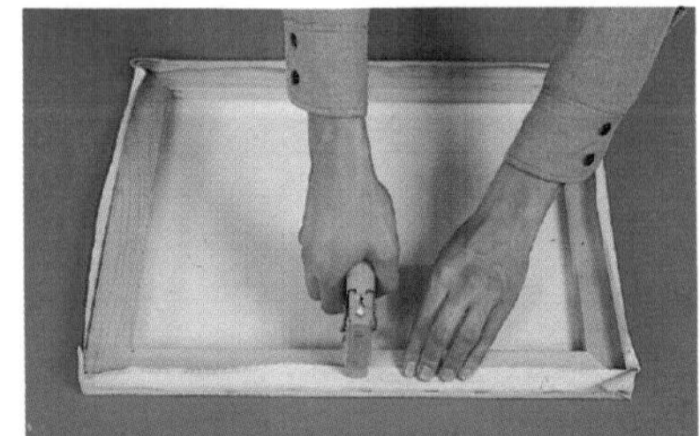

10. Rabattez la bande de toile qui reste sur le bord du cadre et agrafez-la tous les 3 po. Agrafez tous les côtés de la même façon.

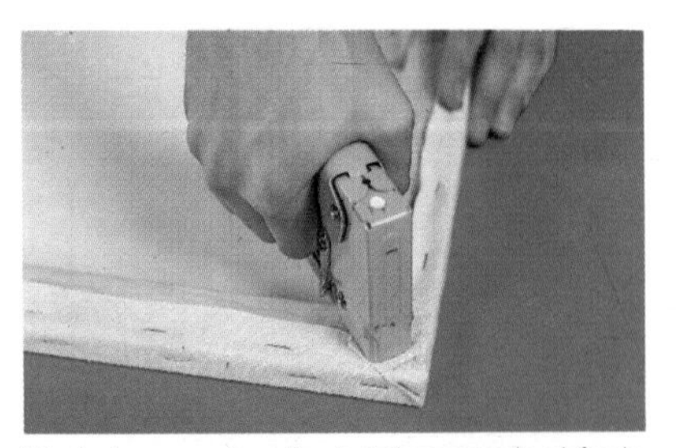

11. A chaque coin, pliez la toile contre le châssis en rabattant les pliures sur les côtés. Agrafez tous les coins.

12. Appliquez une ou deux couches d'enduit pour peinture acrylique à l'aide d'une brosse plate à vernis. Il ne vous reste plus qu'à peindre.

Préparation des panneaux

Les panneaux enduits de « gesso » pour couleurs acryliques conviennent pour toutes les peintures. Prenez un panneau de fibre sec (Masonite ou autre marque) et, s'il mesure plus de 24 po de côté, fixez-le sur un châssis. Poncez sa surface lisse avec du papier de verre extra-fin. Frottez-le avec de l'alcool dénaturé mélangé avec un peu d'ammoniaque et étendez l'apprêt.

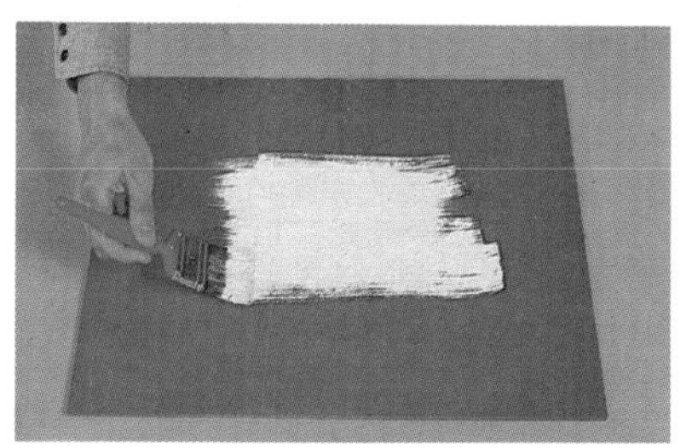

Diluez légèrement l'apprêt avec de l'eau, puis étalez-le avec un pinceau large sur la surface poncée. Enlevez les bulles avec les doigts.

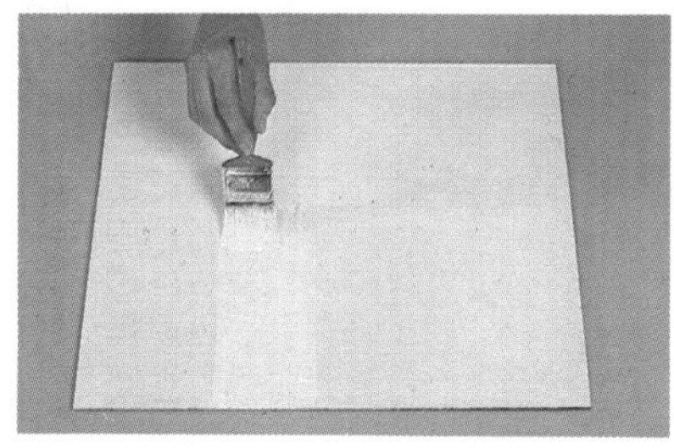

Appliquez-en une ou deux autres couches. Passez chacune d'elles perpendiculairement à la précédente. Laissez sécher après chaque couche.

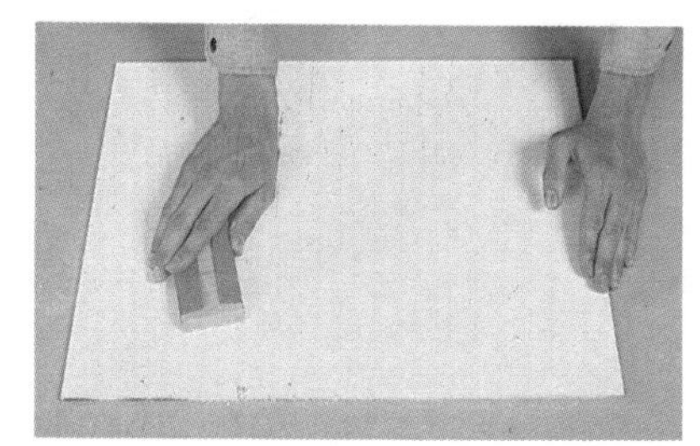

Quand la dernière couche est sèche, enlevez les traces de pinceau et les autres irrégularités en les ponçant avec du papier grenat fin (4/0).

Matériel et fournitures

Le peintre qui fait des huiles doit avoir un chevalet stable et réglable pour soutenir sa toile. Il lui faut, en outre, une palette pour étendre les couleurs et les mélanger. La palette ovale classique, percée d'un trou pour le pouce, est pratique, mais beaucoup de peintres travaillent sur une plaque de verre, de marbre ou une autre surface convenable posée à plat sur une table.

Les brosses et les pinceaux sont soit plats à bout carré, courts et plats, longs et plats, ou ronds et pointus. On se sert des pinceaux plats pour couvrir les grandes surfaces, et de ceux qui sont ronds et pointus pour les travaux en finesse. On fait des brosses rigides en soies de porc, des pinceaux doux en poils de « chameau » ou d'écureuil, et d'autres, très souples, en poils de martre. Les soies donnent de la texture aux touches, mais la martre fait de très beaux fondus.

Les couteaux à peindre en forme de truelle permettent d'étendre la peinture en couches épaisses et les couteaux à palette, plus rigides, sont destinés à mélanger les couleurs.

Les couleurs à l'huile sont vendues en tubes à des prix qui varient selon leur emploi et leur qualité.

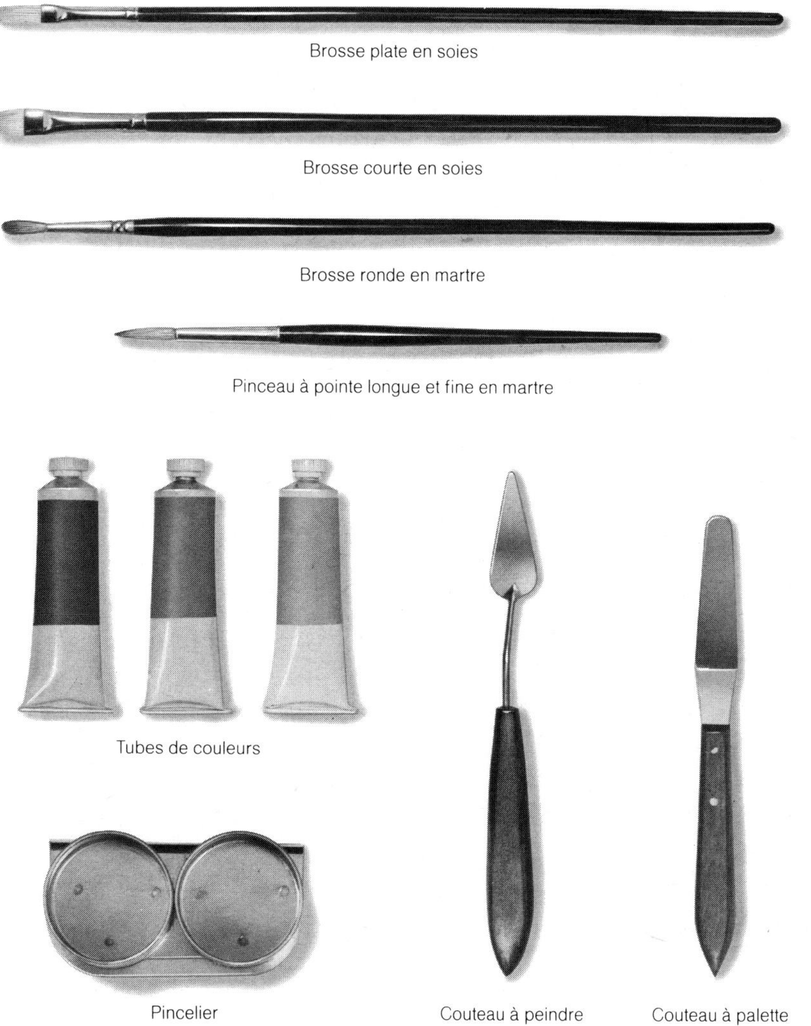

Brosse plate en soies

Brosse courte en soies

Brosse ronde en martre

Pinceau à pointe longue et fine en martre

Tubes de couleurs

Pincelier

Couteau à peindre

Couteau à palette

Nettoyage des pinceaux

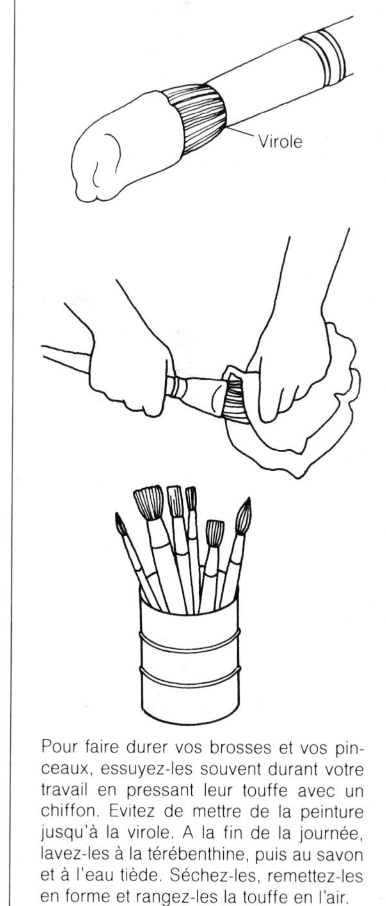

Pour faire durer vos brosses et vos pinceaux, essuyez-les souvent durant votre travail en pressant leur touffe avec un chiffon. Evitez de mettre de la peinture jusqu'à la virole. A la fin de la journée, lavez-les à la térébenthine, puis au savon et à l'eau tiède. Séchez-les, remettez-les en forme et rangez-les la touffe en l'air.

Peinture

Techniques de la peinture à l'huile

Les huiles sont plus résistantes que la plupart des autres peintures. Un tableau protégé par une couche de vernis dure longtemps sans que ses couleurs perdent de leur vivacité. On n'a pas besoin de le mettre sous verre, à la différence d'une aquarelle. On peut faire disparaître la crasse ou la poussière qui s'y déposent au fil des ans d'un coup de chiffon ou à l'aide d'eau légèrement savonneuse.

Aucun autre procédé ne permet de réaliser des effets aussi nombreux ni des nuances aussi expressives que la peinture à l'huile. En fait, les propriétés physiques de celle-ci n'imposent presque aucune restriction à l'artiste. On peut appliquer les couleurs sur la toile de maintes façons pour obtenir des effets très divers, comme le montrent les œuvres reproduites sur cette page, et les illustrations des pages 94 et 95.

De plus, la peinture à l'huile est une matière facile à travailler pour les débutants, mais qui pose des défis aux artistes confirmés. Le peintre sérieux, qu'il soit novice ou chevronné, peut en outre choisir entre les multiples techniques qui ont été mises au point au cours des siècles par ses prédécesseurs. Aucun artiste ne peut ni ne doit les employer toutes. Seules celles qui conviennent le mieux à sa personnalité lui sont utiles.

La méthode directe. L'exécution d'une huile peut se faire directement *(alla prima)* ou indirectement, c'est-à-dire par couches successives. Selon la première méthode, l'artiste cherche à obtenir un effet définitif en résolvant simultanément les problèmes posés par les couleurs, les valeurs, le modelé et la texture, à mesure qu'il progresse dans son travail. Ainsi, il peut aller des tons foncés aux tons clairs, ou vice versa, et des tons les moins intenses aux tons les plus vifs, ou encore des couleurs lumineuses aux nuances atténuées.

La méthode indirecte. L'exécution directe est un procédé très en vogue depuis le siècle dernier. Auparavant, on recourait surtout à la méthode indirecte, méthode selon laquelle l'artiste, après avoir fait une esquisse, exécute une première couche monochrome. Celle-ci permet d'établir les gradations fondamentales des ombres et des lumières et de résoudre les problèmes de composition et de valeurs. Quand il peint la (ou les) couches suivantes, l'artiste se concentre sur la couleur, le modelé et la texture de son œuvre. Il peut ensuite lui donner du corps au moyen d'empâtements, de glacis et de frottis (voir pp. 94-95).

Selon la méthode indirecte, on doit attendre que la première couche soit assez sèche avant de passer la suivante, sinon la peinture risque de se craqueler. C'est pourquoi beaucoup de peintres se

L'effet de ce tableau a été obtenu en utilisant une gamme restreinte de couleurs. Cet exemple est un détail d'un autoportrait de Rembrandt van Rijn, le maître du clair-obscur.

On fait un frottis en laissant une traînée de peinture sur une toile à moitié sèche pour créer une texture grenue. Cet exemple célèbre est un détail de la façade ouest de la cathédrale de Rouen en plein soleil, par Claude Monet.

L'empâtement, qui confère à la toile une texture rugueuse, est employé avec bonheur dans ce détail des *Huîtres* d'Edouard Manet, un des pionniers de l'école moderniste française.

Jan van Eyck a passé plusieurs couches de couleurs mélangées avec des vernis et des huiles spéciales pour réaliser le magnifique glacis que l'on voit sur ce détail de son *Annonciation.*

servent de couleurs qui sèchent vite comme celles de la détrempe ou des peintures acryliques pour faire la couche sous-jacente. Il faut plusieurs semaines de séchage avant de pouvoir peindre sur une première couche à l'huile.

La méthode de l'essuyage permet souvent de donner un aspect unique au tableau. Selon celle-ci, l'artiste commence par couvrir uniformément la toile d'une couleur neutre. Il esquisse ensuite légèrement son sujet en grattant la peinture avec un manche de pinceau. Il pose enfin des accents sombres et dégage des zones claires en essuyant la peinture avec un chiffon imbibé de térébenthine.

Les rehauts. Outre les grandes méthodes d'exécution des peintures à l'huile, on emploie de nombreuses techniques pour accentuer les effets recherchés. La technique du mélange des couleurs est plus compliquée qu'il ne semble. Il existe pour une couleur, le rouge par exemple, pas moins de 70 gradations différentes qu'un artiste formé peut distinguer. Si l'on nuance ces gradations par des valeurs claires et foncées, on obtient 700 variantes du rouge. Et si l'on mélange un rouge avec du bleu (dont il existe aussi 700 variantes), on aboutit à un nombre astronomique de combinaisons. Le tableau de droite montre ce que vous pouvez faire pour modifier la valeur d'une des couleurs de votre palette (voir aussi *Couleur et motif,* pp. 86-87).

Les autres techniques. Les impressionnistes français (et les pointillistes) ont conçu une curieuse façon de mélanger les couleurs en juxtaposant de petites touches ou des mouchetures de couleur pure, lumineuse, sur la toile. On obtient ainsi un « mélange optique », car les couleurs, distinctes sur le support, se fondent dans l'œil du spectateur.

A l'époque où l'on peignait surtout par couches successives, on aimait faire des glacis et des frottis (voir p. 95) pour obtenir des effets variés de couleurs. Un glacis s'exécute en appliquant des couches lisses et transparentes de peinture mélangée à un vernis volatil à base de résine : on obtient alors une surface luisante, polie, comme sur les toiles de Rembrandt, de Vermeer et des autres maîtres hollandais. Les frottis se font en passant légèrement un pinceau imprégné d'une couleur claire et opaque sur des zones plus foncées, ce qui crée des traînées interrompues de peinture, comme sur les tableaux de Claude Monet consacrés à la cathédrale de Rouen. Ces deux techniques produisent des effets frappants de couleur et de lumière.

On peut obtenir des textures intéressantes en maniant le pinceau de diverses façons, en utilisant des couteaux à palette et à peindre, des rouleaux, des chiffons, les doigts, en faisant des coulées et selon maints autres procédés originaux. L'empâtement (p. 95), qui consiste à appliquer à la brosse ou au couteau à palette des couches épaisses de pâte sur la toile, est un procédé désormais vénérable, que Rembrandt et Rubens ont utilisé avec brio, notamment pour obtenir des clairs et des rehauts.

On peut faire du ton sur ton pour créer un tableau dont les valeurs sont multiples, mais les effets de couleur peu nombreux. Une toile peut présenter une seule couleur dominante. Rembrandt est renommé pour ses atmosphères brunes que font vibrer ses clairs-obscurs contrastés (voir p. 81).

Le vernissage. Il arrive que la toile absorbe plus certaines couleurs, ce qui les rend ternes, sans vie. On peut remédier à ce problème d'embu en passant du vernis à retoucher (une solution très étendue de résine qui ne jaunit pas) sur ces parties. Pour protéger un tableau et préserver ses coloris, on applique une couche égale de vernis final quand la peinture est sèche, c'est-à-dire au bout de six semaines environ ou, mieux encore, de plusieurs mois. Si on vernit avant que le liant n'ait fini de se contracter, la peinture se craquelle.

Changement de valeur d'une couleur

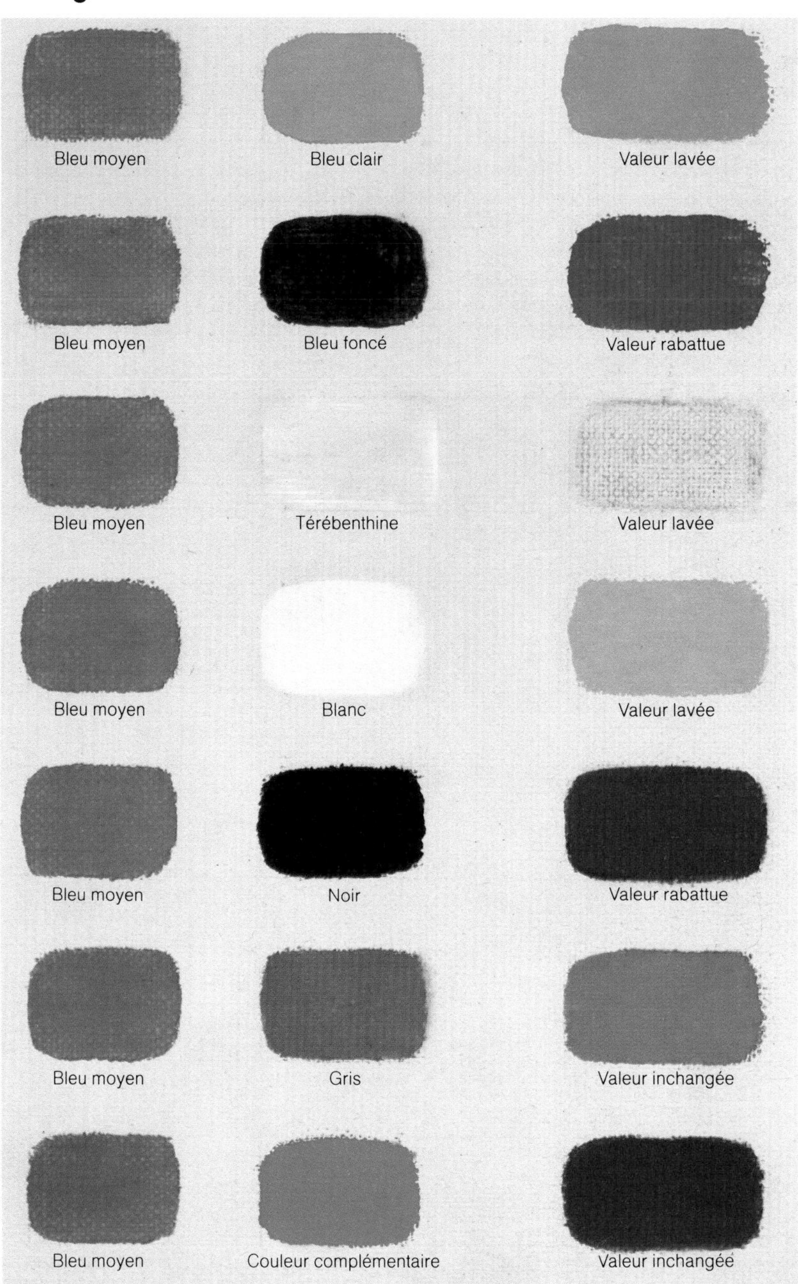

Ce tableau montre comment on peut changer la valeur d'une couleur sans en modifier la tonalité.

Peinture

La texture et le modelé

La surface d'une peinture à l'huile peut être soit lisse, soit rugueuse, selon la façon dont on applique la couleur. On peut utiliser les brosses de maintes façons : bien les imprégner ou travailler à sec, recourir aux hachures croisées, à la touche pointilliste, aux glacis, aux frottis ou aux empâtements, comme l'illustrent les exemples de cette double page.

Il est aussi possible d'appliquer la peinture sans brosse ni pinceau. On peut faire des arêtes d'empâtement en bas-relief avec les doigts, à l'aide de couteaux à palette, de truelles, de spatules, ou en pressant directement des tubes sur la toile. Quand on travaille au couteau, on commence par presser de grandes quantités de peinture sur la palette, puis on se sert du couteau pour y prélever de la peinture et pour la poser sur la toile. Les lavis de peinture diluée peuvent s'appliquer avec des chiffons.

Modeler consiste à échelonner les valeurs des tons d'une peinture pour représenter une forme et des plans en retrait, afin de donner l'illusion du relief. La technique employée vise à fondre des parties adjacentes de valeurs différentes en créant des zones de transition, comme le montrent les étapes à suivre illustrées ci-dessous.

Sans modelé, les plans de la surface des objets auraient l'air de morceaux de carton. Par ailleurs, un modelé défectueux bouleverse l'équilibre des tonalités d'une peinture, ce qui lui donne un aspect peu naturel. C'est dans les œuvres des maîtres vénitiens qui ont travaillé sous la conduite de Titien que l'on trouve les modelés les plus frappants. Elles se caractérisent par le contraste qui existe entre leurs formes claires soigneusement modelées et leurs grandes zones sombres, sans relief. Certains peintres toutefois, dont Paul Cézanne et Vincent Van Gogh (voir illustration, p. 88), ont délibérément méconnu l'art du modelé lorsqu'ils ont élaboré leur style pictural.

Exemples de touches

A la brosse sèche

Touches pointillistes

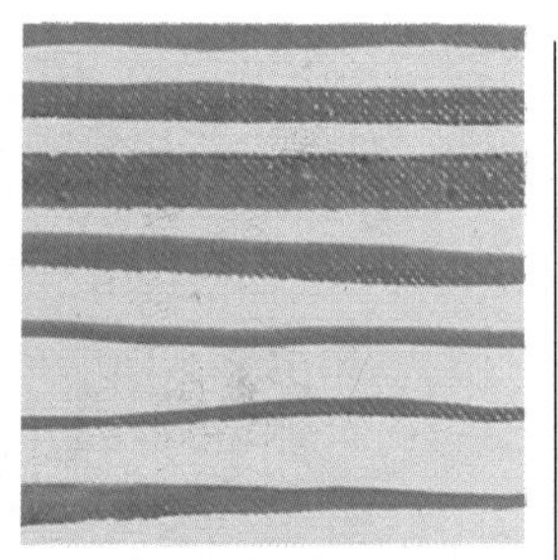

Touches linéaires

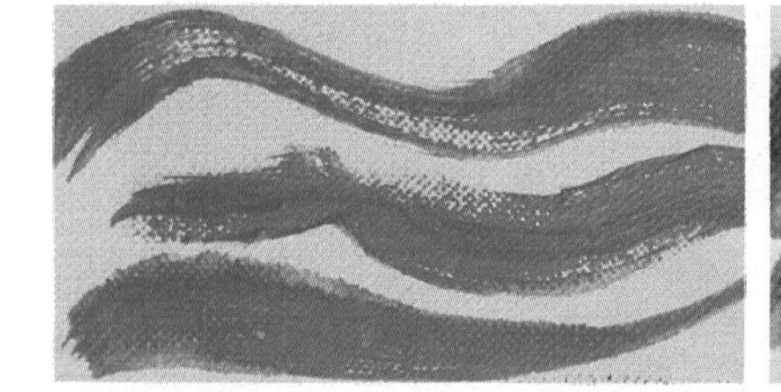

Touches ondoyantes

Hachures croisées

Lavis dégradé

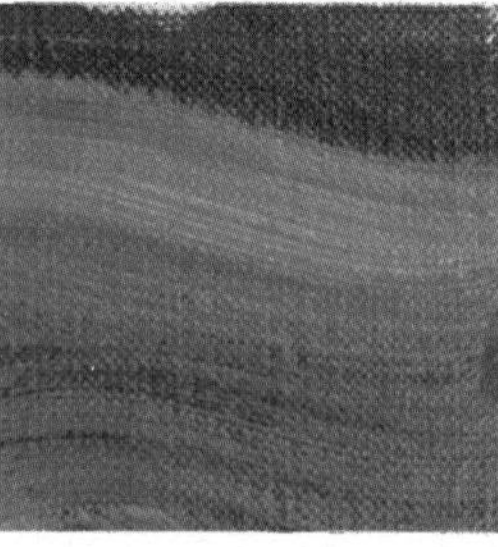

Touches suivant des contours

A la brosse humectée, puis sèche

Comment faire un modelé

Peignez une sphère et son ombre portée sur la table (1). Peignez au bas de la sphère une bande ombrée, et un cercle de lumière en haut (2). Modeler consiste à fondre la couleur et le ton de l'ombre (3) et de la lumière (4). Finalement, le disque initial prend l'aspect d'une sphère.

L'empâtement, le glacis et le frottis

Les techniques les plus connues de la peinture à l'huile traditionnelle sont l'empâtement, le glacis et le frottis. On les a beaucoup utilisées au cours des siècles passés quand on travaillait surtout de façon indirecte, sur des fonds (voir texte, p. 92). Les peintres y recourent encore aujourd'hui pour obtenir des effets spéciaux.

L'empâtement. Le mot empâtement peut désigner une technique, mais il signifie surtout son résultat : les masses de peinture laissées sur la toile. Pour réaliser l'empâtement, on applique fermement d'épaisses couches de peinture sur la toile, que l'on laisse sécher en préservant la riche texture conférée par les marques de couteau à palette ou par les coups de brosse. Le séchage peut prendre des semaines, voire des mois.

Le glacis. Pour faire un glacis, on dilue une couleur transparente comme de la terre de Sienne brûlée avec un médium à glacis que l'on peut soit acheter tout fait, soit préparer à l'atelier. Le glacis s'applique en couche mince à l'endroit voulu du tableau. La lumière pénètre ce revêtement transparent, puis elle est réfléchie par sa surface inférieure, ce qui confère éclat et luminosité à la couleur du dessous. De nombreux artistes utilisent encore la technique préférée de Rubens, qui consiste à superposer plusieurs glacis.

Le frottis. Pour faire un frottis, on passe une couleur claire et opaque sur une couche d'un ton plus sombre. On peut appliquer le dessus irrégulièrement en passant rapidement et sans appuyer une queue-de-morue bien imprégnée. Les innombrables traînées interrompues de pigment se combinent avec le fond plus sombre, ajoutant un peu de vie à un ton mat qui autrement serait morne. Le frottis peut se faire aussi avec une couche assez mince pour permettre à la lumière d'atteindre le dessous. C'est ainsi que l'on obtient les gris optiques.

Empâtement

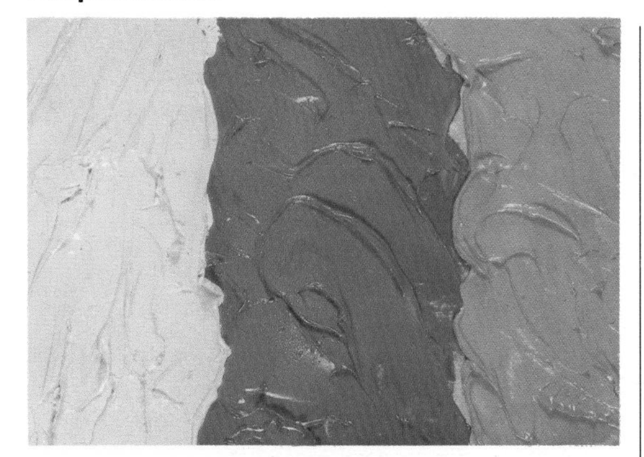

Cet empâtement est fait de masses de peinture plaquées sur la toile avec un couteau à palette, ce qui forme des arêtes saillantes.

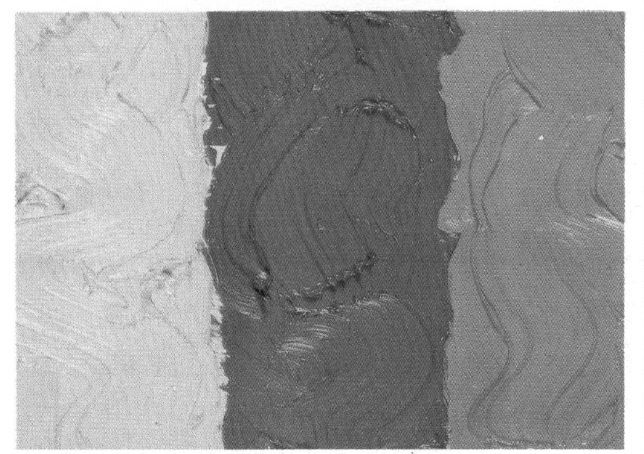

L'artiste a préféré la brosse au couteau à palette pour créer cet effet d'empâtement, plus souple que le premier exemple.

Glacis

Un glacis de terre de Sienne brûlée transparent recouvre une couche formée de bandes blanche, jaune, rouge et bleue.

Ici, c'est du vert émeraude, autre couleur transparente, qui sert à glacer les mêmes bandes de couleur.

Frottis

Ces frottis ont été obtenus en passant un pinceau très imprégné de brun puis de jaune sur un fond de bandes de couleur.

Cinq couleurs ont été frottées sur un fond de Sienne brûlée. Une brosse humectée permet d'introduire graduellement les pigments.

Peinture

Les étapes de l'exécution d'un tableau

La meilleure façon d'apprendre à faire des portraits à l'huile est de suivre des cours donnés par un portraitiste. On peut toutefois apprendre beaucoup en regardant travailler l'artiste : c'est ce que nous vous proposons ici.

L'artiste a utilisé une toile en coutil de coton tendue sur un châssis de 18 po sur 24 et enduite de deux couches d'apprêt acrylique. Elle disposait d'un chevalet, d'une palette, d'un godet rempli de térébenthine mélangée à de l'huile de lin pour diluer la peinture et d'un godet de térébenthine pure pour nettoyer ses brosses. Elle s'est servie de brosses en amande n°s 1, 3, 4, 5 et 7, ainsi que d'une grande brosse plate en martre. Sa palette de base était composée de noir d'ivoire, de blanc de titane, de jaune de Naples, d'ocre jaune, de rouge de cadmium (clair), de rouge de Venise, de cramoisi d'alizarine, de terre d'ombre naturelle, de bleu outremer, de vert émeraude et de jaune orangé de cadmium.

Durant l'exécution, elle a mélangé plusieurs couleurs de base sur sa palette, dont elle s'est servie avec des touches de quelques autres couleurs. Parmi les couleurs de base figuraient trois tons chair différents : un ton clair (jaune de Naples et rouge de cadmium clair), un ton moyen (ocre jaune et rouge de cadmium clair) et un ton sombre (rouge de Venise et outremer). La teinte du fond est un mélange d'outremer, de vert émeraude, de cramoisi d'alizarine et de blanc ; celle des cheveux, de la terre d'ombre naturelle. Enfin, le chemisier est fait de blanc cassé par des soupçons d'émeraude, de jaune de Naples, d'outremer et de terre d'ombre naturelle.

Quand l'intensité d'un mélange lui paraissait trop forte, l'artiste l'atténuait avec un peu de couleur complémentaire (voir pp. 86-87). Pendant toute l'exécution, elle est allée du grand au petit, du simple au complexe, du foncé au clair. Elle a dégagé l'image d'arrière en avant, n'utilisant d'abord que des couleurs et des valeurs moyennes. Elle a toujours employé la plus grosse brosse possible pour remplir une zone donnée, afin d'éviter les coups de pinceau marqués.

Première séance. Comme la première photographie nous l'indique, l'artiste étudie son modèle, qui a pris place dans un fauteuil. Elle dessine la tête en la décalant légèrement par rapport au milieu de la toile, puis elle trace la ligne de force de la pose (la médiane du torse qui va de la fosse du cou à la fourche). Elle fait alors une esquisse rapide à la brosse, déterminant les proportions des formes les plus importantes, compte tenu de la ligne de pose. Pendant son travail, elle prend souvent du recul par rapport à sa toile pour saisir l'ensemble.

L'artiste ébauche ensuite la masse des cheveux, puis elle peint le fond. Elle essaie ses mélanges de couleurs en faisant des petits aplats de peinture à des endroits stratégiques. Au cours de l'étape suivante, elle pose des couleurs et des valeurs moyennes, sans se préoccuper des nuances ni des détails. Partant des zones d'ombre pour aller aux zones de lumière, elle peint autant de formes, de couleurs et de valeurs qu'elle peut.

Après avoir passé les tons moyens, l'artiste accuse les accents (les ombres les plus sombres et les lumières les plus claires). Ces accents jouent le rôle de constantes dans la gamme des valeurs du tableau, auxquelles il faut se reporter pour faire ses dégradés. Enfin, elle adoucit les lignes à la brosse de façon à ne laisser aucun contour distinct.

Seconde séance. L'artiste commence par affiner les formes et les couleurs qui n'ont été qu'ébauchées précédemment, puis elle passe aux détails qu'elle n'avait pas encore peints. Au cours des dernières étapes de son travail, elle se sert de sa brosse de martre pour balayer légèrement les contours, les estomper et les adoucir afin de donner l'illusion que les formes sont rondes, en relief par rapport au fond.

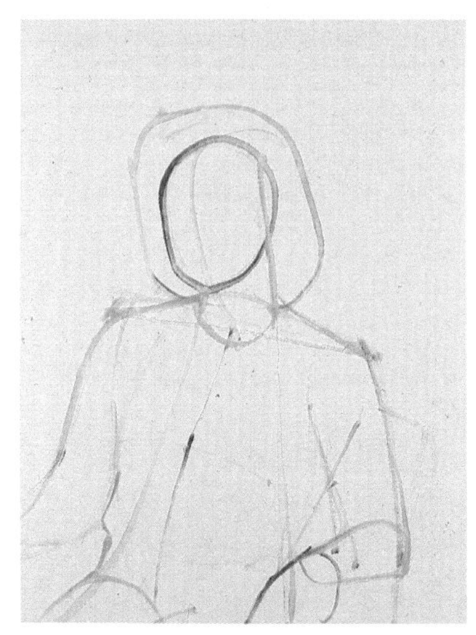

1. L'artiste esquisse la tête avec une brosse n° 4 trempée dans de la terre d'ombre diluée. Elle détermine la « posture » en traçant une ligne au milieu du visage, une autre à la hauteur des épaules et une troisième au milieu du torse.

2. Elle ébauche les cheveux avec un jus de terre d'ombre, puis remplit et souligne les parties ombrées des cheveux près du cou, les ombres sous les bras, sur la partie gauche du cou et sur les genoux, et un grand pli du chemisier.

7. Elle précise la bouche et des plis du chemisier, passe du blanc éclatant sur les parties les plus claires de ce dernier (orientées vers la lumière). Elle ajoute du rouge sur le nez et les joues, puis adoucit les cheveux et les narines.

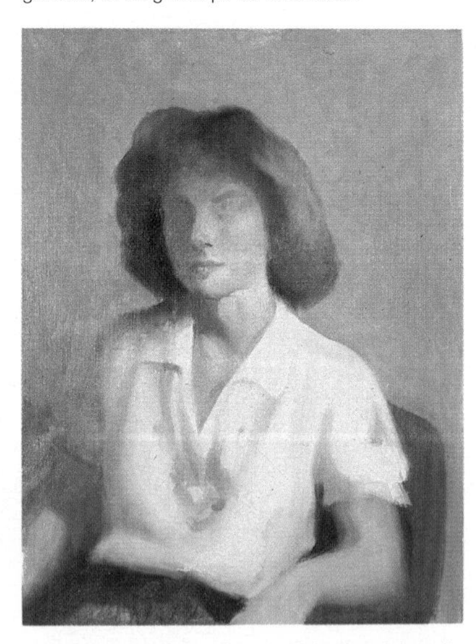

8. Après avoir ébauché le motif du chemisier, elle affine la bouche, le bout du nez et une narine. Elle fonce les accents sombres des cheveux, puis ajoute du rouge sur le front, les joues, le nez et dans les cheveux. Les sourcils apparaissent.

3. Le fond reçoit une mince couche d'une couleur légèrement plus sombre que celle que l'artiste perçoit, si bien qu'il semble s'éloigner de l'observateur. Il est ensuite noyé dans le contour des cheveux pour éviter un effet de découpe.

4. L'artiste peint le côté ombré du visage et du cou, les surfaces situées sous les bras, le fauteuil, le pantalon du modèle et l'ombre au-dessus de son épaule droite. Elle commence ensuite les essais de couleurs sur le côté éclairé.

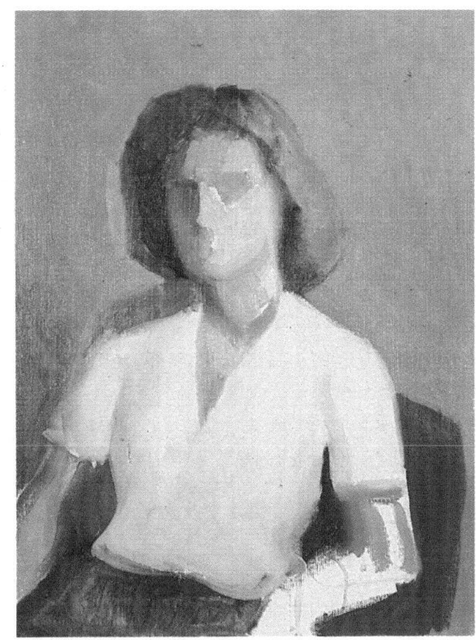

5. Elle passe des tons moyens et fait des variantes de valeurs sur les zones de la peau et du chemisier qui reçoivent un éclairage direct. Elle peint les ombres des zones claires sur l'orbite gauche, puis du côté gauche du front et du cou.

6. Elle modèle ensuite l'ensemble en faisant des dégradés et des fondus entre les principales zones d'ombre et de lumière. Elle pose des couleurs foncées dans les parties éclairées des lèvres et des narines, puis fait les ombres du chemisier.

9. Les formes plus petites sont esquissées. Les plis du menton et de la bouche se dessinent. L'aile du nez se fond dans le visage. La couleur de la bouche s'accentue. Les contours s'adoucissent ; les ombres et les lumières s'affinent.

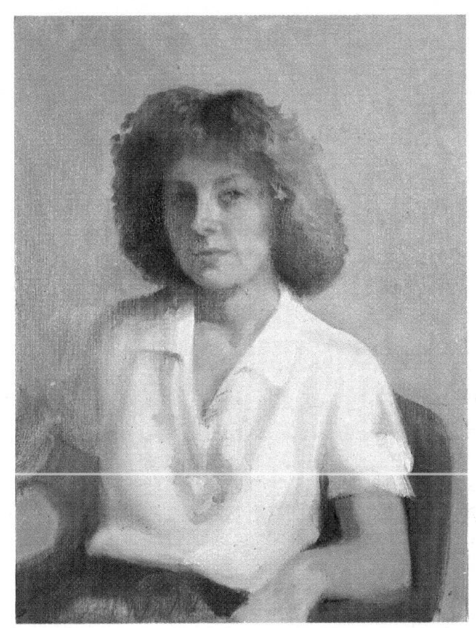

10. Les iris sont détaillés et foncés, ce qui fait ressortir le blanc des yeux. Le bras gauche prend une teinte plus sombre, en accord avec la tonalité du reste du tableau. Des rehauts éclairent les cheveux et le nez.

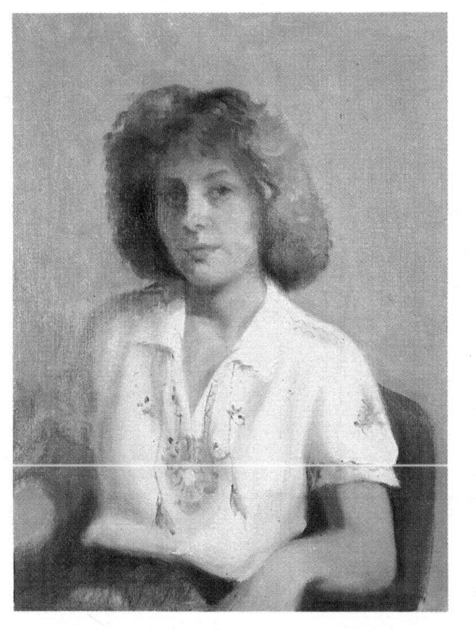

11. Le poignet gauche reçoit une lumière centrale, qui fait avancer la main vers le spectateur. Le motif du chemisier se précise. Les rehauts sont affinés, puis adoucis par un balayage à sec avec la brosse de martre.

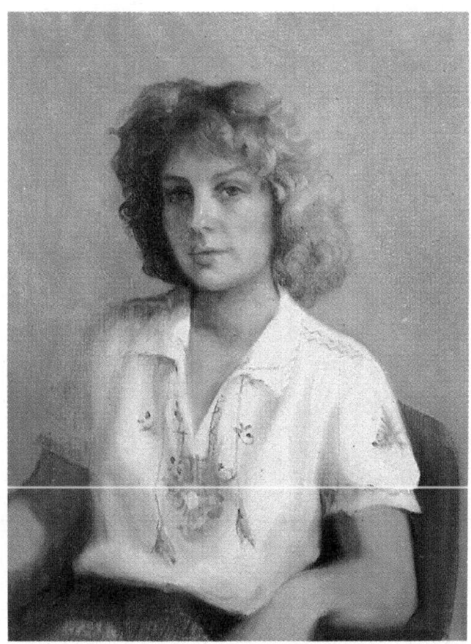

12. Ici, l'artiste reprécise les contours du menton, des joues et des cheveux, ce qui amincit le visage et accentue la ressemblance entre le portrait et le modèle. Enfin, elle adoucit encore les traits du visage avec une brosse de martre.

Peinture

L'aquarelle

On a peint avec des couleurs solubles dans l'eau depuis l'Antiquité : sur du papyrus dans l'Egypte ancienne ; sur du papier de soie et de riz en Chine ; enfin, sur des manuscrits dans l'Europe médiévale. L'aquarelle, sous sa forme actuelle, est issue de l'œuvre de Rembrandt et d'autres maîtres hollandais du XVIIe siècle qui dessinaient à l'encre sur des lavis monochromes. Mais c'est au XVIIIe siècle que les artistes anglais en ont fait un art en soi.

Grâce à ses pigments liés par de la gomme arabique et dilués dans de l'eau, l'aquarelle offre une luminosité et une légèreté inégalées. Ses effets découlent de la transparence presque parfaite de ses couleurs, du blanc éblouissant du papier pur chiffon qui accentue les rehauts et, enfin, des fondus et des interpénétrations de couleurs obtenus avec des pinceaux saturés. Notons, enfin, qu'il est presque impossible de modifier par superposition les effets ainsi réalisés.

L'aquarelle se vend en pastilles, en godets ou en tubes. Les couleurs en tubes sont plus faciles à utiliser et généralement de meilleure qualité que les autres. Les pastilles se vendent souvent dans des boîtes métalliques dont les couvercles servent de palette. Une douzaine de couleurs de base suffisent habituellement. Il existe de l'aquarelle « pour artistes » et des couleurs « scolaires », ce qui correspond à deux gammes de qualité et de prix.

La plupart des pinceaux pour aquarelle sont ronds et pointus. On utilise aussi des pinceaux « mouilleurs » ovales pour les lavis, mais certains artistes leur préfèrent les pinceaux plats. Les meilleurs pinceaux sont en poils de martre rousse : ils conviennent aussi bien pour le travail en finesse que pour les lavis. Les pinceaux les moins coûteux sont en poils d'oreille de bœuf, mais il en existe une qualité intermédiaire, constituée de poils de bœuf et de martre.

Instruments et matériel

Pinceau plat large

Pinceau plat étroit

Pinceau mouilleur

Petit pinceau rond

Gros pinceau rond

Couleurs en tubes

Boîte d'aquarelle en pastilles

Effets et touches

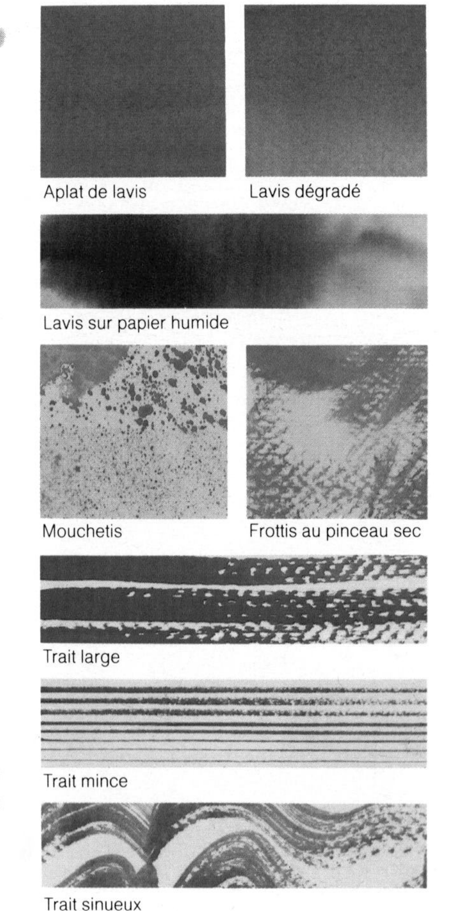

Aplat de lavis

Lavis dégradé

Lavis sur papier humide

Mouchetis

Frottis au pinceau sec

Trait large

Trait mince

Trait sinueux

Soins des pinceaux

Il est essentiel d'avoir un pot d'eau propre pour peindre à l'aquarelle. Après avoir appliqué une couleur, il faut absolument rincer son pinceau avant de l'imprégner d'une autre. Rincez souvent le vôtre, même quand vous l'utilisez longtemps avec la même couleur. Mélangez les couleurs dans les cases de la boîte ou sur une palette, mais jamais en passant le pinceau sur plusieurs pastilles sans le rincer. Après une journée de travail, il faut laver les pinceaux et la palette (ou le couvercle de la boîte) à l'eau tiède et au savon doux. On peut réparer un pinceau qui perd ses poils en martelant la virole.

Le papier pour aquarelle

Les papiers pour aquarelle sont composés uniquement de chiffons, car le papier à base de pâte de bois se détériore avec le temps. Les papiers les plus chers sont faits à la main par des fabricants européens qui ont de longues traditions de qualité. La plupart des artistes considèrent cependant que les meilleurs papiers américains fabriqués à la machine conviennent très bien pour leurs œuvres.

Les papiers pour aquarelle se font en trois grains : *torchon* (R) pour les effets hardis et le travail au pinceau sec ; *fin* ou *satiné à froid* (C.P.), pour tous usages ; et *lisse* ou *satiné à chaud* (H.P.), pour le travail en finesse. Le papier lisse risque, plus que les autres, de révéler les marques laissées par une gomme ou les éraflures accidentelles. On vend des papiers pour aquarelle de diverses couleurs, mais c'est avec le papier blanc que les zones laissées en réserve produisent les lumières les plus éclatantes.

Ces papiers se vendent en rouleaux, en blocs et en feuilles de plusieurs formats. Il existe désormais cinq formats internationaux qui vont de l'impressionnant A0 (841 mm sur 1 189) au A4 (210 mm sur 297), de la taille du papier à lettres. Le format A1 (594 mm sur 841) a des dimensions légèrement supérieures au 22 po sur 30, naguère le plus courant. Le A2 (420 mm sur 594) ainsi que le A3 (297 mm sur 420) sont des formats intermédiaires (16½ po sur 23½ et 11½ po sur 16½ respectivement).

Poids des papiers. Le poids du papier pour aquarelle se mesure en grammes par mètre carré (g/m²). Les papiers minces pèsent de 125 à 160 g/m², les papiers moyens 300 g/m², et les plus forts de 640 à 850 g/m². Le poids détermine s'il faut ou non tendre le papier avant usage. La plupart des papiers pour aquarelle étant minces, il faut les fixer sur un support avant de peindre, sinon ils se plisseraient sous la touche, ce qui entraînerait des coulées et des taches imprévues. En revanche, les papiers de 640 g/m² ou plus, qui sont aussi forts que du carton mince, n'ont pas besoin d'être tendus. Certains papiers plus légers n'exigent aucune tension, car ils sont présentés en blocs de feuilles collées sur les quatre côtés : ils ne se gondolent donc pas lorsqu'on les mouille. Quand l'aquarelle est terminée, on détache facilement la première feuille du bloc avec une lame de couteau.

Tension de la feuille. On fixe le papier mouillé sur une planche à dessin en bois avec du ruban adhésif pour qu'il se tende en séchant. On peint ce papier lorsqu'il est sec, mais encore bien tendu sur la planche. Quand l'aquarelle est elle-même sèche, on la découpe en deçà du ruban adhésif avec une lame de rasoir. Voici une méthode simple pour tendre un papier pour aquarelle.

1. Faites tremper le papier dans un lavabo rempli d'eau jusqu'à ce qu'il soit saturé (15 min environ). Sortez-le en le prenant par deux coins, puis égouttez-le un instant au-dessus du lavabo.

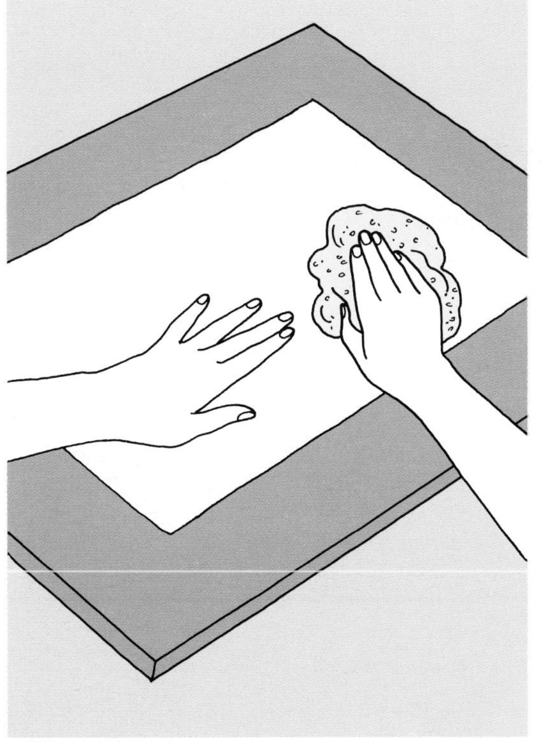

2. Posez le papier mouillé sur une planche à dessin. Epongez-le en le lissant. Séchez par tamponnement une marge d'environ 1 po tout autour de la feuille.

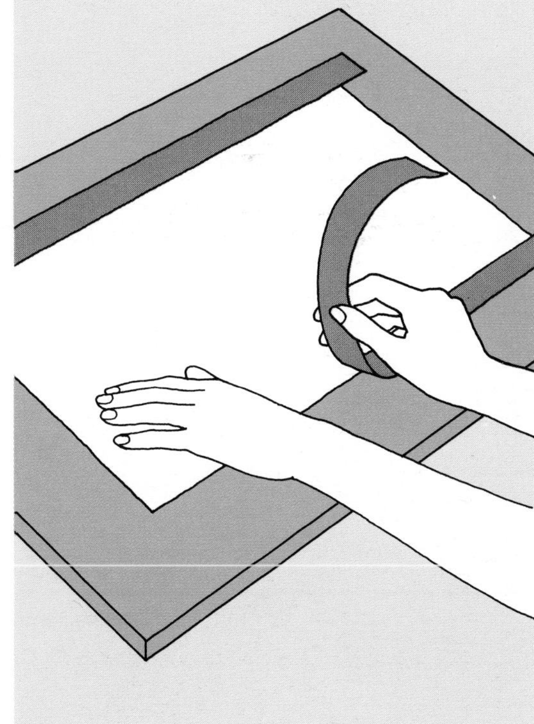

3. Humectez un large ruban de papier gommé, puis collez-le à cheval sur la planche et les côtés du papier. Pressez fermement le ruban en le lissant vers l'extérieur.

Peinture

Les étapes d'une aquarelle

Les photographies de ces pages illustrent les principales étapes de la réalisation d'un paysage à l'aquarelle. En l'occurrence, l'artiste a employé une feuille de 43 cm sur 56 de papier pour aquarelle français, satiné à froid, de 640 g/m², qui n'avait pas besoin d'être tendu en raison de son épaisseur. Pour ses touches, il s'est servi de trois pinceaux ronds en poils de martre : un petit (nº 3), un moyen (nº 5) et un gros (nº 12), ainsi que de trois pinceaux plats à bout carré en poils de bœuf de 1 po, de ¾ po et de ¼ po de large.

L'artiste a employé 10 tubes d'aquarelle, respectivement vert de Hooker (clair), bleu de Windsor, bleu outremer, gris de Payne, terre de Sienne brûlée, terre d'ombre brûlée, jaune de cadmium, ocre jaune, vermillon et cramoisi d'alizarine. Il les a achetés dans une boîte émaillée dotée d'un couvercle dont les cases lui ont servi de palette pour mélanger ses couleurs et préparer ses lavis. Il a également utilisé un plateau-palette blanc émaillé.

On peut faire une aquarelle soit d'après nature, soit d'après une photo ou un tableau. Quand il traite un sujet figuratif, l'artiste commence par faire une esquisse légère au crayon ou au fusain, sur laquelle il peint ensuite. Dans notre exemple, il a d'abord tracé une esquisse très légère au crayon, puis il a fixé le papier sur une planche à dessin avec du ruban-cache.

Il a commencé par étaler des lavis pour représenter le ciel et les collines. La cime de l'arbre du premier plan a été ultérieurement superposée sur le ciel, mais l'aquarelliste a laissé des blancs en réserve dans le lavis foncé des collines pour pouvoir peindre le tronc de l'arbre et la maison. Pour prévenir les mélanges indésirables, il faut laisser sécher la couleur d'une zone avant d'en poser une autre. L'artiste a utilisé ici un séchoir à cheveux pour accélérer le processus.

Il a fait un frottis avec un pinceau semi-humide et a peint par touches effilochées, interrompues, pour rendre la rugosité de l'arbre qui se trouve au premier plan. Il a réalisé le feuillage d'automne en posant son pinceau sur le papier tout en faisant varier la pression qu'il exerçait sur le manche. Pour faire les petites branches du premier plan et la galerie de la maison, il a peint des traits précis avec la pointe d'un pinceau de martre rousse. Pour essayer ses mélanges de couleurs, il a fait de petites touches sur la marge du papier (destinée à être ultérieurement recouverte par le passe-partout).

1. L'aquarelliste mouille le papier pour que la couleur se répande librement. Il fait ensuite le ciel avec un lavis uni.

2. Il enlève du bleu avec un chiffon pour figurer les nuages pendant que le lavis est encore humide.

3. Il peint d'abord les collines avec un lavis uni sur papier sec, puis superpose les zones plus sombres avec un pinceau bien humecté.

4. Il recourt à un lavis pour faire les prés de l'arrière-plan et du premier plan, puis exécute les grandes herbes au pinceau moyen.

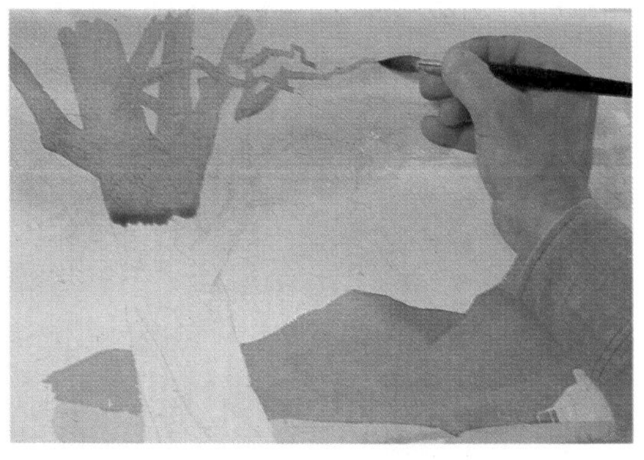

5. Le peintre fait les grandes ramifications du gros arbre au lavis et prend un petit pinceau pour exécuter les branches minces.

6. Pour souligner la rugosité de l'écorce au bas du tronc, il fait un frottis au « pinceau sec », ce qui lui donne une texture grenue.

7. Il assombrit certaines parties de l'arbre pour achever l'écorce. Les coups de pinceau inclinés rendent la torsion du tronc.

8. Les taches effectuées avec un pinceau pas trop nourri évoquent le feuillage.

9. L'artiste peint les arbres du fond avec un petit pinceau, puis estompe les détails au doigt pour donner une illusion de distance.

10. Il peint la maison (en se servant d'un pinceau pointu pour les détails) dans la zone en réserve du lavis des collines.

11. Il mouille la route et la lave avec ses couleurs. Des lignes sombres et des taches indiquent les ornières et les bosses.

12. Il peint l'ombre de l'arbre, en respectant les déformations causées par les inégalités de la route.

13. Il ajoute des rehauts sur certaines branches en grattant légèrement la peinture avec une lame de rasoir.

14. Il achève les herbes du premier plan en faisant quelques retouches sur des endroits secs, puis apporte ses touches finales.

15. Le paysage encadré révèle une scène champêtre bien composée, aux belles couleurs automnales.

Peinture

Couleurs à la teinture d'aniline

Les teintures d'aniline ont plus d'éclat et de lustre que les autres couleurs solubles dans l'eau et commandent une technique différente de celle qu'on utilise avec ces dernières. Ainsi, nous avons demandé à une artiste de traiter deux fois le même sujet — un pot de richardies d'Afrique —, avec de la teinture d'aniline (ci-dessous), puis avec de la gouache semi-opaque (ci-contre). Nous montrons six étapes de l'exécution de chacune de ces œuvres.

L'artiste s'est servie de pinceaux à longs poils pour passer la peinture sur le papier. Pour éviter les éclaboussures, elle n'a fait glisser son pinceau que dans un sens pour chaque zone. Pour prévenir les bavures, elle a toujours travaillé en allant des bords vers le centre. Pour foncer une grande surface, elle a passé plusieurs couches de teinture diluée.

Enfin, elle s'est servie d'une palette pour aquarelle en porcelaine, car c'est la seule matière que l'aniline ne tache pas.

1. L'artiste peint le ciel avec du bleu céruléen, les briques avec de la terre cuite et les joints avec du gris clair.

2. Elle mélange de l'ocre jaune et du vert de Nil pour faire la pelouse, puis y ajoute une touche de bleu pour les feuilles.

3. Elle fait les pistils avec du jaune de cadmium, puis y ajoute de l'orange de cadmium pour les pétales. Elle repasse les briques.

4. Après avoir peint les fleurs, elle nuance les feuilles et rend leurs nervures avec un mélange de vert de Nil et de sépia.

5. Elle nuance les pétales en y ajoutant de légères touches d'orange de cadmium à l'aide d'un petit pinceau pointu.

6. Enfin, avec de la teinture brune et le même petit pinceau, elle ombre les pistils des fleurs et termine son œuvre.

La gouache

On qualifie de « gouache » le procédé qui consiste à peindre soit avec de l'aquarelle transparente mélangée à du blanc opaque, soit avec une peinture appelée « gouache professionnelle » ou « couleurs pour affiches ». L'opacité de la gouache varie selon sa dilution. L'œuvre illustrée ci-dessous a été faite avec un assortiment de couleurs professionnelles diluées dans de l'eau. Les couleurs ont été appliquées avec des pinceaux ronds en martre rousse.

La gouache permet de faire des lavis clairs, comme l'aquarelle et la teinture d'aniline : c'est ainsi qu'a été rendu le ciel dans notre exemple. Mais elle peut, en outre, s'appliquer en une couche épaisse qui sèche vite et laisse une surface mate, comme dans le cas des briques représentées ci-dessous. La gouache se prête aussi aux corrections, aux modifications et aux ajouts par superposition ; c'est ainsi qu'ont été réalisés les joints des briques.

1. Le ciel est bleu outremer, la pelouse jaune citron, ocre et vert émeraude, et les briques vermillon et sienne brûlée.

2. L'artiste mélange du vert, du bleu de cobalt et du jaune citron pour les feuilles, puis y ajoute du vert pour rendre les nervures.

3. Elle peint les pétales des fleurs en vermillon, puis en repasse une couche pour obtenir une couleur plus soutenue.

4. Elle mélange de l'ocre et de la sienne brûlée pour les pistils, puis de l'ocre, du jaune et du vermillon pour les traits des fleurs.

5. Pour foncer la teinte des briques et ombrer le pot de fleurs, l'artiste superpose de la sienne brûlée et des touches de noir.

6. Elle termine son tableau en peignant les joints avec du blanc mêlé de sienne brûlée, sur le fond de couleur brique.

Peinture

La détrempe

La peinture à la détrempe a été en vogue en Europe jusqu'à l'apparition de la peinture à l'huile pendant la Renaissance. Elle connaît un regain de faveur depuis le XXe siècle.

On entendait traditionnellement par détrempe une émulsion grasse de couleurs solubles dans l'eau liées par un jaune d'œuf. Toutefois, le terme s'applique actuellement à des couleurs diverses émulsionnées avec une substance naturelle ou synthétique. Les détrempes formant en séchant une pellicule rigide et mate, on les peint généralement sur un panneau rigide.

Cette double page illustre plusieurs étapes de l'exécution de deux peintures à la détrempe, selon des techniques différentes. La première (ci-dessous) est faite sur une plaque de Masonite enduite de « gesso » suivant la méthode courante (voir p. 91). L'artiste a commencé par esquisser son sujet — un vase de fleurs posé sur une table, se détachant sur un fond de papier peint — en en délimitant méticuleusement le contour avec une mine tendre. Elle a ensuite rempli son esquisse en y ajoutant les détails du motif. Enfin, elle a exécuté sa peinture selon une méthode systématique qui répond aux caractéristiques des peintures à la détrempe. A part la couche du fond, qui était diluée, toutes les couleurs appliquées étaient opaques.

Détrempe mouillée. Le deuxième tableau (ci-contre), qui représente un arbre dans un pré, a été exécuté de façon très différente. L'artiste a commencé par bien humidifier une feuille de papier avec un grand pinceau de martre gorgé d'eau. Elle a ensuite dilué ses couleurs et a fait un lavis rapide sur le papier mouillé. Cette application de couleurs mouillées sur un fond humide s'est traduite par une œuvre douce, qui évoque un paysage au lavis d'aquarelle. Quelques détails ont été ajoutés au pinceau, notamment sur le tronc de l'arbre.

1. L'artiste esquisse son sujet avec une mine tendre, puis en couvre le fond avec du jaune de chrome pâle dilué.

2. Elle peint le vase en bleu-vert clair ; la table avec un mélange de bordeaux, d'ombre et de blanc ; puis les feuilles en vert brillant.

3. Elle colore les pétales des fleurs en bleu clair et leur cœur en ocre jaune.

4. Après avoir achevé le motif du papier peint en ocre jaune, elle nuance le vase et la table avec des touches plus foncées.

5. Avec un petit pinceau pointu, elle nuance les fleurs avec du bleu de Chypre et fait les nervures des feuilles en vert olive.

6. Enfin, elle exécute de minuscules points en jaune de chrome pâle avivé par un peu d'orange de cadmium, au centre des fleurs.

Détrempe mouillée

1. L'artiste étend un lavis bleu avec un gros pinceau de martre sur du papier pour aquarelle humidifié, puis un lavis vert au premier plan.

2. Elle fait un lavis vert pour le feuillage, puis prend du gris dilué pour faire les contours du tronc qu'elle remplit ensuite de lavis gris.

3. Elle nuance le feuillage avec un lavis plus foncé, exécute les petites branches avec un pinceau pointu, puis affine la texture du tronc.

4. Elle peint l'herbe de l'arrière-plan en vert foncé, puis des pommes rouges sur les lavis verts de l'arbre et de l'herbe.

Peintures acryliques

Les peintures acryliques offrent les mêmes possibilités d'expression que les peintures à l'huile, mais elles sèchent très vite, généralement en une demi-heure. Les couleurs acryliques sont des mélanges de pigments et de résines polymères. Après séchage, elles forment une pellicule luisante, élastique, imperméable, très résistante et facile à nettoyer. Il en existe une gamme étendue et aucune ne passe ni ne jaunit avec le temps. Comme elles sont opaques, on ne peut les fondre par superposition, sauf si l'on a commencé par les diluer pour faire un lavis ou un glacis.

Les peintures acryliques se vendent en tubes, en flacons ou en pots. Quand on se sert de couleurs épaisses, le mieux est de prendre une plaque de verre comme palette. Pressez vos couleurs sur le verre et rebouchez immédiatement vos tubes. Prélevez vos couleurs sur la plaque. Vous pourrez ensuite la débarrasser de sa peinture en la grattant avec une lame de rasoir. Placez toujours vos brosses dans un pot d'eau. En effet, les brosses qui sèchent imprégnées de peinture risquent d'être abîmées à jamais. Si vous utilisez des couleurs acryliques fluides, vous pouvez tremper directement vos pinceaux dans les pots.

Précautions à prendre. Comme les peintures acryliques attaquent les poils naturels, nombreux sont les artistes qui n'emploient que des brosses en nylon pour les appliquer. Du fait de leur séchage rapide, elles se conservent difficilement une fois le tube ou le pot ouvert. Ne pressez sur votre palette que la quantité dont vous avez besoin.

On peut appliquer les peintures acryliques avec des chiffons, des éponges, des fourchettes et même des peignes. Le papier, la toile, les panneaux de fibre (le Masonite), le bois, le métal et la toile d'emballage peuvent tous leur servir de support. Il suffit d'une couche d'enduit spécial pour faire adhérer ces peintures sur les surfaces très poreuses.

Techniques de peinture. Les couleurs acryliques permettent de faire des lavis. On peut d'ailleurs enlever de la couleur avec un chiffon doux ou un coton pour faire les zones claires quand le lavis est encore frais. La peinture acrylique permet aussi de faire des frottis et des glacis. On réalise les glacis en mélangeant les couleurs avec un *médium pour couleurs acryliques.* Certains médiums donnent de la matité et d'autres du brillant. Il est possible d'appliquer le glacis 1 heure après avoir fini le fond. On peut superposer plusieurs couches de glacis au cours d'une même journée.

On peut donner une texture aux peintures acryliques en modelant la surface peinte avec des peignes, du carton découpé en dents de scie, du papier froissé, ou en la pointillant avec un manche effilé. On donnera aussi plus d'épaisseur aux empâtements en y ajoutant des *adjuvants* comme de la poudre de marbre, de la sciure fine, du kaolin (de l'argile), du blanc d'Espagne ou du sable propre.

On peut faire des empâtements en peignant par-dessus une pâte « à modeler » appliquée sur la toile. On peut acheter cette pâte ou la faire en mélangeant un adjuvant avec un médium mat ou brillant. Les adjuvants ne doivent jamais constituer plus du quart de la peinture ou de la pâte.

Les peintures acryliques conviennent particulièrement bien pour faire des formes et des contours nets. On peut isoler une zone en enduisant son pourtour de colle au caoutchouc avant de la peindre. Cette colle s'enlève avec une bonne gomme. Pour réaliser une œuvre géométrique, on utilise du ruban-cache. On peut fondre les tons et adoucir les contours en pressant un morceau de cellophane, que l'on enlève aussitôt, dans la peinture encore fraîche. On apporte des corrections en frottant légèrement la peinture avec une brosse douce imprégnée d'alcool dénaturé et en ôtant ensuite la peinture indésirable.

Peinture

Exécution de formes stylisées à la peinture acrylique

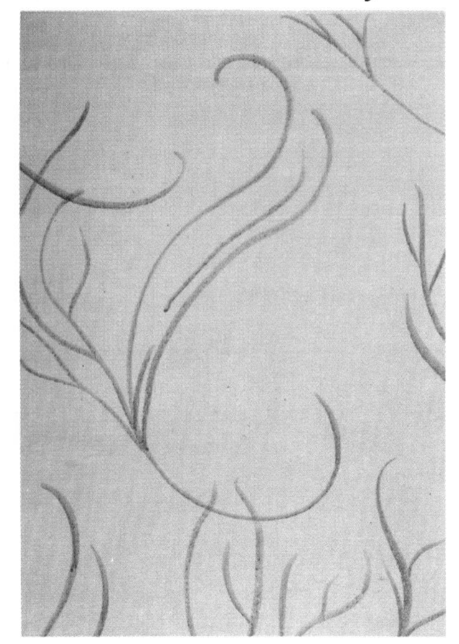

1. Pour réaliser ce motif Art Nouveau, très stylisé, l'artiste applique un lavis vert pâle sur le panneau entoilé avant d'y peindre les nervures.

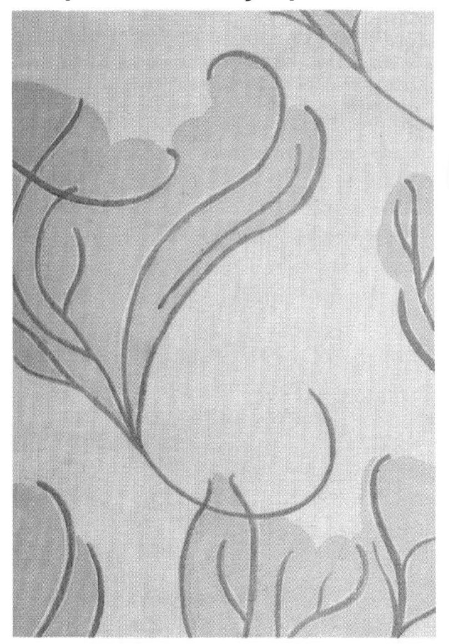

2. Il souligne les nervures avec du vert plus foncé, puis peint entre elles des belles-de-jour avec un mélange opaque de bleu et de blanc.

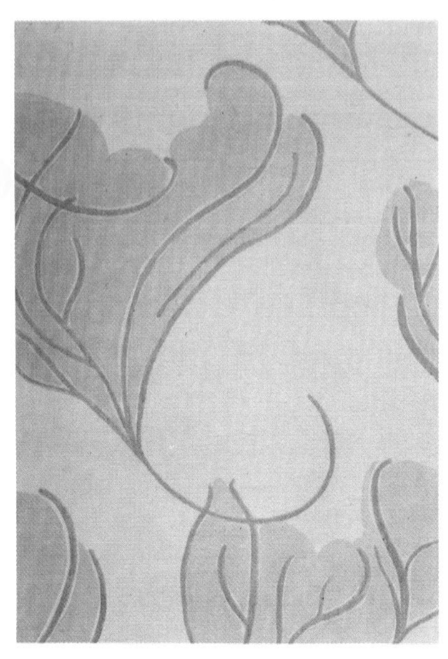

3. Deux couches d'un glacis fait de blanc, de vert et d'un médium brillant assourdissent les couleurs et cachent les petites imperfections.

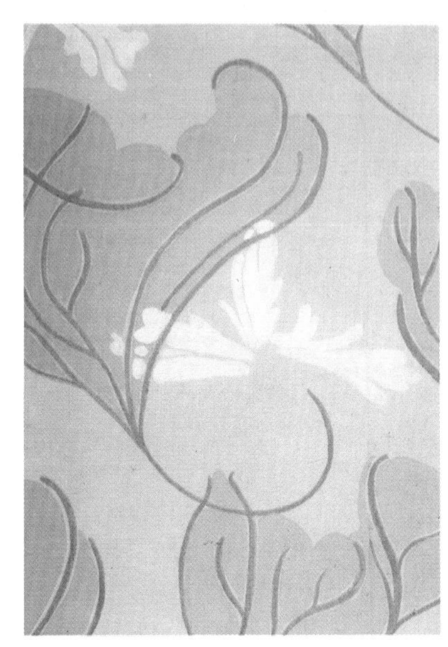

4. L'artiste peint ensuite des pétales stylisés d'un blanc opaque avec une brosse dure qu'il tord et tourne pour évoquer leur texture.

5. Il ajoute de nouveaux pétales, puis trace de minces raies bleues avec un pinceau pointu pour figurer le treillage sur lequel grimpe la plante.

6. Il achève son treillage et peint en rouge foncé les étamines des feuilles blanches avec un pinceau de martre doux et pointu.

7. Un mélange de rouge et d'orange lui permet de réaliser les pistils des fleurs, et un vert soutenu les vrilles et la base des fleurs.

8. Avec un médium brillant, il glace son tableau. Il laisse sécher complètement chaque couche de glacis avant d'en appliquer une autre.

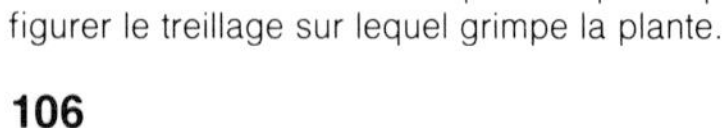

Exécution d'une abstraction géométrique à la peinture acrylique

1. L'artiste suit une esquisse pour reporter le tracé d'une abstraction géométrique sur un panneau enduit de « gesso ».

2. Il colle soigneusement du ruban-cache sur le pourtour de la forme centrale. Il la peint de la périphérie vers l'intérieur.

3. Une fois cette forme peinte, il arrache doucement le ruban en tirant vers l'extérieur. Le cache permet d'obtenir des côtés très nets.

4. Il exécute ainsi toutes les formes rectilignes. L'acrylique séchant vite, on peut coller du ruban par-dessus 30 min après avoir peint.

5. Après avoir recouvert entièrement de ruban une zone de courbes, il trace au compas des arcs sur le cache et le découpe avec un outil tranchant.

6. Dans la zone découpée, il applique du bleu foncé. Les peintures acryliques étant opaques, le brun sous-jacent ne transparaîtra pas.

7. L'artiste colle encore du ruban, dessine un deuxième arc qu'il découpe à la limite du premier. Il applique du bleu clair, la couleur suivante.

8. L'abstraction géométrique à la peinture acrylique est terminée. On notera que l'artiste a laissé certaines formes en blanc.

Gravure et imprimés

L'art des estampes

Les procédés décrits dans le présent chapitre conviennent pour exécuter des tirages d'art. Le plus souvent, les gravures sont en effet imprimées par l'artiste à la main ou sur des presses simples. Généralement signées et produites en tirages limités, elles sont considérées par les collectionneurs et les musées comme des originaux multiples, mais non comme des copies. Les procédés d'impression les plus employés par les artistes sont la gravure sur bois (de bout ou de fil), l'eau-forte, la pointe sèche, l'aquatinte, la linogravure, la lithographie et la sérigraphie. On trouvera des précisions sur ces procédés dans les pages qui suivent. Quant à l'impression sur étoffe, elle fera l'objet d'un chapitre à part.

Il n'a pas toujours été facile de distinguer entre les tirages d'art et les tirages commerciaux, puisque la plupart des procédés d'impression ont été utilisés dans le passé à des fins commerciales. Toutefois, après l'invention des moyens photomécaniques de reproduction, à la fin du XIXe siècle, les procédés d'impression traditionnels ont joui d'une faveur nouvelle : ils sont désormais uniquement considérés comme des arts de création.

Xylographie et sérigraphie. Les premiers imprimés connus, faits en Chine au IIe siècle, ont été obtenus en plaçant du papier humide en contact avec des sculptures sur pierre et des sceaux, que l'on frottait ensuite avec de l'encre pour reproduire leurs reliefs.

Au VIe siècle, les Chinois commencent à faire des gravures sur bois de fil. Pour ce faire, ils collent sur des blocs de bois lisse des illustrations dessinées sur du papier de riz, dont ils se servent comme guides pour tailler leurs motifs dans le bois. Après encrage, les blocs sont pressés contre du papier pour faire des estampes en relief. La gravure sur bois la plus ancienne est un texte bouddhiste imprimé en Chine en 868, dans le plus ancien livre que l'on connaisse. La xylographie se répand ensuite en Corée, puis au Japon. Admirées dans le monde entier, les estampes japonaises sont gravées sur des planches de cerisier.

L'impression au pochoir (voir p. 124), qui précède celle à la trame de soie, apparaît en Chine au VIIIe siècle. Sur certaines œuvres chinoises, aucune trace de liens entre les éléments du motif n'est perceptible : on pense donc que les pochoirs étaient reliés par des cheveux ou des brins de soie. L'invention de la trame de soie, que l'Anglais Samuel Simon, de Manchester, fait breveter en 1907, représente toutefois un grand progrès sur cette technique chinoise. La trame de soie servait initialement à imprimer les tissus. Devenue un moyen d'expression artistique, on la qualifie de sérigraphie.

En Europe, les premières gravures sur bois apparaissent au début du XVe siècle sur des cartes à jouer. Au cours du XVIe siècle, la xylographie devient une forme d'art pratiquée par les grands maîtres, comme Albrecht Dürer et Hans Holbein.

La gravure sur bois de fil perd rapidement du terrain au cours des deux siècles suivants, mais à la fin du XVIIIe siècle la gravure sur bois de bout commence à la remplacer. Au XIXe siècle, les grands éditeurs, aux Etats-Unis en particulier, font beaucoup appel à ce dernier procédé pour illustrer livres et périodiques. Puis, les imprimeurs commerciaux l'abandonnent au tournant du siècle lorsque la photogravure en demi-teinte apparaît. On assiste toutefois à un renouveau de la gravure sur bois avec Paul Gauguin et Edvard Munch.

Eau-forte et gravure sur métaux. Dürer, qui a popularisé la xylographie, excellait aussi dans l'art de la gravure à l'eau-forte. On commence en effet à faire des gravures sur métaux et des eaux-fortes en Europe quelques décennies après l'avènement de la xylographie. Ces nouveaux modes de gravure sont découverts presque par accident. Les orfèvres gravent leurs œuvres depuis des siècles, mais les armuriers se trouvent dépourvus quand les chevaliers leur demandent des armures gravées. Il n'est pas facile de graver le fer et l'acier avec les outils sommaires de l'époque. On s'aperçoit toutefois que l'acide peut mordre même les métaux durs. Grâce à un cache résistant à l'acide, placé sur le métal, on découvre qu'il est possible de laisser l'eau-forte creuser des motifs complexes dans celui-ci.

Pour mettre ces motifs en valeur, les armuriers en garnissent les creux d'encre noire. Aussi, le pas consistant à reproduire des motifs en pressant du papier sur une gravure au burin ou à l'eau-forte encrée est-il vite franchi.

La plus ancienne eau-forte préservée a été faite en Suisse en 1513. La technique qui permet de la réaliser est vite adoptée par le reste de l'Europe.

Lithographie. En 1798, un Bavarois, Aloys Senefelder, invente la lithographie. Il traite sa pierre avec des produits chimiques pour qu'elle absorbe l'encre, puis presse du papier sur celle-ci après l'avoir encrée. La lithographie se répand dans toute l'Europe au XIXe siècle et gagne une faveur particulière auprès des graveurs français.

On distingue trois procédés d'impression : celui en relief, suivant lequel la zone encrée fait saillie par rapport au fond ; celui en creux, suivant lequel l'encre prend place dans des entailles ; et celui à plat, suivant lequel la surface imprimante est isolée par des moyens chimiques ou mécaniques. Le procédé en relief comprend la gravure sur bois de fil, la gravure sur bois de bout et la linogravure. Le procédé en creux englobe la gravure en taille-douce, à l'eau-forte, à la pointe sèche (on gratte une plaque de métal avec une pointe d'acier qui laisse une barbe) et l'aquatinte (on grène la planche en y appliquant de la poudre de colophane avant le bain d'eau-forte). Quant au procédé à plat, il recouvre l'impression au pochoir, la sérigraphie et la lithographie.

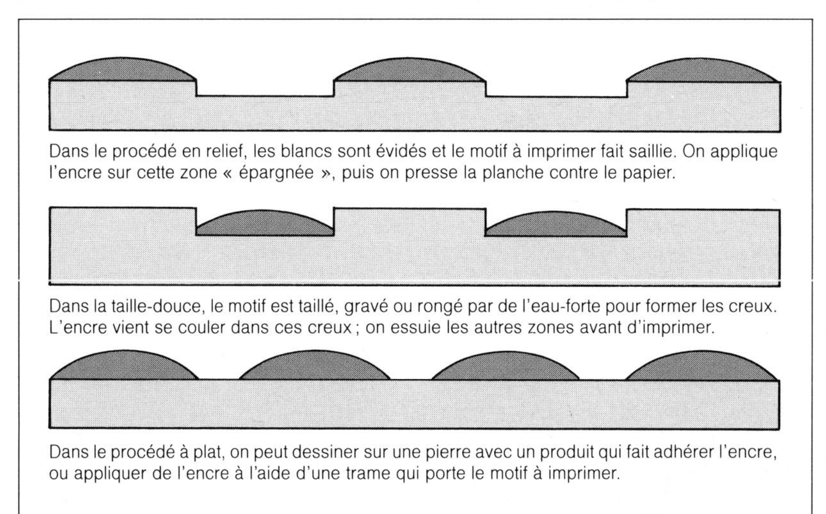

Dans le procédé en relief, les blancs sont évidés et le motif à imprimer fait saillie. On applique l'encre sur cette zone « épargnée », puis on presse la planche contre le papier.

Dans la taille-douce, le motif est taillé, gravé ou rongé par de l'eau-forte pour former les creux. L'encre vient se couler dans ces creux ; on essuie les autres zones avant d'imprimer.

Dans le procédé à plat, on peut dessiner sur une pierre avec un produit qui fait adhérer l'encre, ou appliquer de l'encre à l'aide d'une trame qui porte le motif à imprimer.

On voit à la page ci-contre trois estampes exécutées par des artistes d'époques très différentes. On remarque en haut et à gauche le *Paysage à la chaumière et au grand arbre* (1641), une eau-forte de Rembrandt ; en bas et à gauche, *Fantaisie printanière* (1978), une sérigraphie de Kensuke Wakeshima ; et *Pivoines* (vers 1830), une gravure sur bois de fil d'Utagawa Hiroshige.

Gravure et imprimés

La sérigraphie

On peut faire des sérigraphies sur du tissu, du papier, du carton, du bois, du verre ou du métal. Ce procédé consiste essentiellement à faire passer de l'encre à travers un écran poreux dont on a bouché les surfaces non imprimantes avec un pochoir ou une couche de colle. Il est facile d'imprimer en plusieurs couleurs quand on fait un bon repérage sur les épreuves (voir p. 112). Chaque couleur est imprimée séparément.

Les débutants préféreront peut-être acheter un nécessaire à sérigraphie dans un magasin spécialisé, mais on peut également fabriquer à peu de frais le matériel voulu en suivant les indications et les illustrations de la page ci-contre. On veillera toutefois à poncer et à laquer le châssis avant de s'en servir.

Dimensions de l'écran. Le format des sérigraphies dépend de la taille de l'écran. Pour faire des épreuves de 6 po sur 9, il faut avoir un châssis dont la fenêtre mesure 10 po sur 17. Ces dimensions comprennent des marges de 2 po de chaque côté et de 4 po aux deux extrémités. Les marges les plus larges peuvent servir d'encrier entre les coups de raclette (voir étape 6, p. 112). La raclette est une lame épaisse de caoutchouc rigide enserrée dans un manche de bois. Elle doit être un peu plus courte que la largeur de l'écran, de façon qu'elle puisse balayer celui-ci sur toute sa longueur, sans frotter sur les côtés.

Trame de l'écran. L'écran est normalement en étamine de soie ; celle-ci se fait en largeurs de 40, 45, 50 ou 54 po et la longueur minimale est de ½ vg. La qualité XX et la maille 12 conviennent pour la plupart des usages. L'organdi et le taffetas sont moins chers que la soie, mais ne durent pas. Le dacron, le nylon et les trames en alliage métallique ont une excellente résistance à la tension, mais coûtent plus cher.

Réserves. Pour laisser une zone en réserve, on peut placer un pochoir sous l'écran, où il adhérera à la trame encrée. Une autre méthode simple consiste à boucher les parties voulues en y étalant de la colle, de la gomme-laque ou de la laque. L'encre ne traverse alors que les parties non recouvertes. La technique du *tusche* et de la colle, qui est une méthode traditionnelle pour ménager une réserve, convient pour effectuer des motifs détaillés. Le *tusche* est un liquide gras non soluble dans l'eau. On peint les motifs à imprimer directement sur la soie avec un pinceau imbibé de *tusche,* puis on recouvre l'écran d'une couche de colle soluble dans l'eau. On passe alors du kérosène ou de la térébenthine sur le motif, si bien que les mailles de la zone couverte de *tusche* deviennent libres, alors que les autres restent bouchées par la colle (voir p. 113).

Encres. Il existe diverses encres solubles dans l'eau ainsi que des couleurs spéciales à l'huile. On peut fixer les premières à la chaleur pour les rendre grand teint si on les imprime sur une étoffe. Il faut utiliser les encres solubles dans l'eau avec des liquides obstruants non solubles dans l'eau, et employer avec les couleurs à l'huile des liquides obstruants solubles dans l'eau. Le cache risque sinon de se dissoudre dans l'eau et l'écran peut devenir inutilisable.

Films de découpe. Pour obtenir des détails précis et des traits nets, on peut faire usage de films de découpe. On commence par découper le motif sur un film pourvu d'un support en papier cristal. On colle ensuite ce film sur l'écran avec du diluant à base d'acétate et l'on détache le support de papier cristal avant l'impression.

Fac-similés photographiques. On peut reproduire des fac-similés de dessins très raffinés selon le procédé photographique. On fait une diapositive du motif, puis on en tire un négatif sur une pellicule revêtue d'une émulsion sensible qui se dissout partiellement quand on la lave à l'eau chaude : il en résulte un pochoir utilisable sur l'écran.

Châssis pour imprimer en sérigraphie

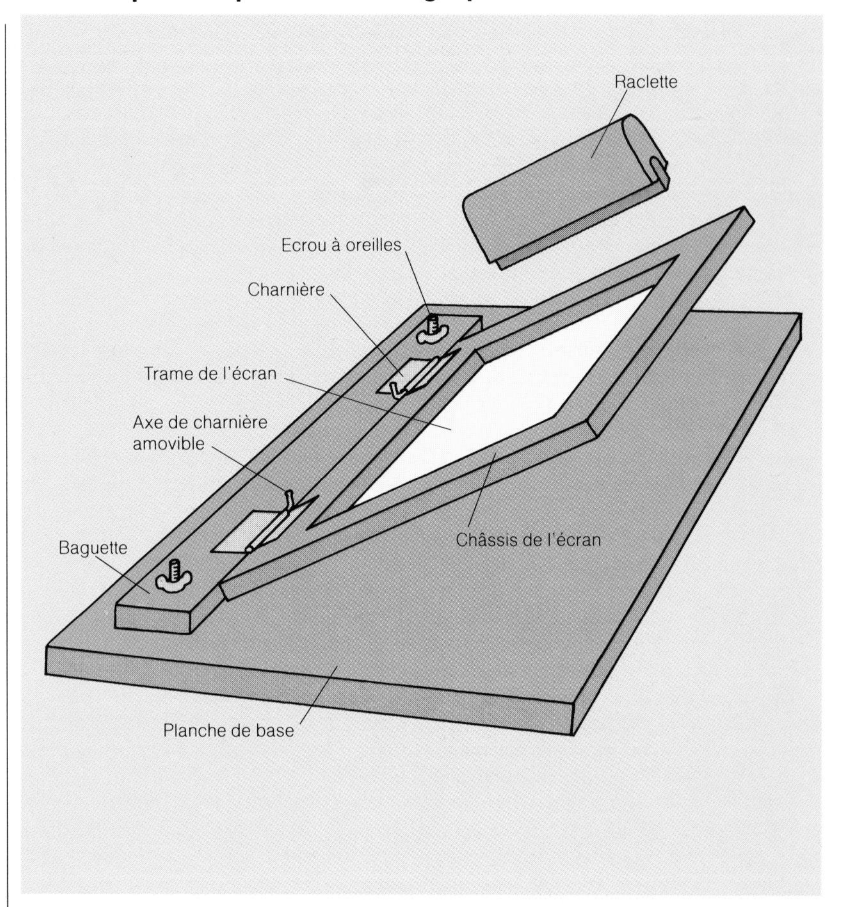

L'illustration ci-dessus représente le matériel de base nécessaire pour imprimer en sérigraphie. Les indications à suivre pour le fabriquer figurent à la page ci-contre. Ce matériel consiste en un châssis rectangulaire sur lequel on tend une fine trame de soie ou d'une autre matière. Le châssis est fixé par des charnières sur une planche de base.

L'encre passe à travers l'écran sous la pression exercée par la raclette. Elle ne traverse toutefois que les parties de l'écran qui ne sont pas obstruées (voir texte de gauche). Pour imprimer, on commence par verser de l'encre à la cuiller sur l'une des marges situées aux extrémités de l'écran. On étale ensuite cette encre uniformément sur tout l'écran avec la raclette. Suivant la quantité d'encre utilisée et la pression exercée, il faut de un à trois coups de raclette par impression. La raclette peut être maniée à deux mains si elle n'a pas de manche, ou être manœuvrée d'une seule main si elle en a un.

Un écran bien fait permet de réaliser des centaines et même des milliers de sérigraphies. Après chaque séance d'impression, il faut le nettoyer à fond en le lavant avec de l'eau ou des solvants.

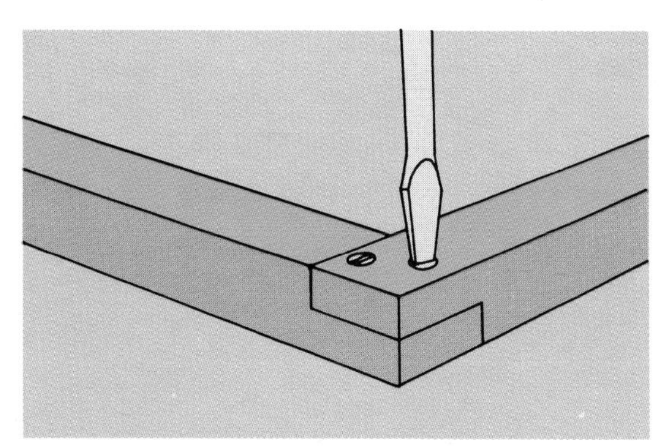

1. Découpez des baguettes de pin blanc de 1 po sur 2 aux longueurs voulues pour faire le châssis de votre écran. On voit ci-dessus un exemple d'assemblage à mi-bois vissé.

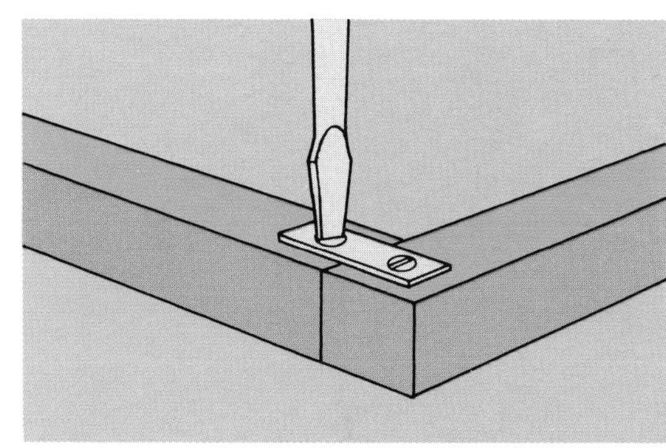

2. On peut faire un châssis avec des assemblages encore plus simples. On voit ici un exemple de joint renforcé par une attache métallique. Poncez et laquez le châssis.

3. Coupez la soie de façon qu'elle dépasse de 2 po de chaque côté du châssis. Doublez un bord, puis agrafez-le sur l'un des côtés du châssis, depuis le milieu jusqu'aux extrémités.

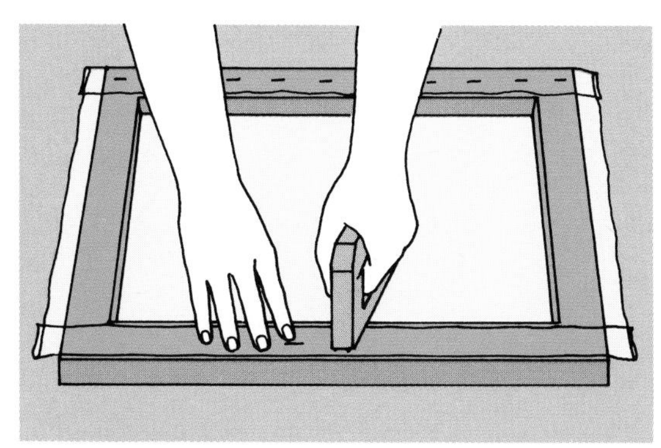

4. Pliez le bord opposé de la trame, tendez la soie et agrafez-la sur le châssis en allant progressivement du milieu aux extrémités. Agrafez les deux autres bords de la même façon.

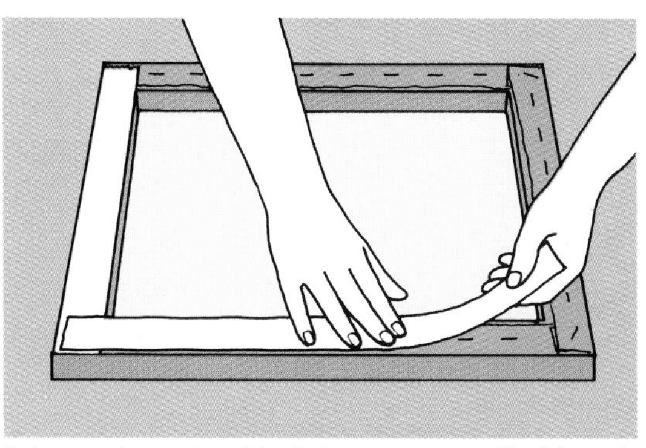

5. Lorsque les quatre côtés de la trame sont agrafés, l'écran de soie devrait être tendu comme une peau de tambour. Renforcez les bords de l'écran en les couvrant de ruban-cache.

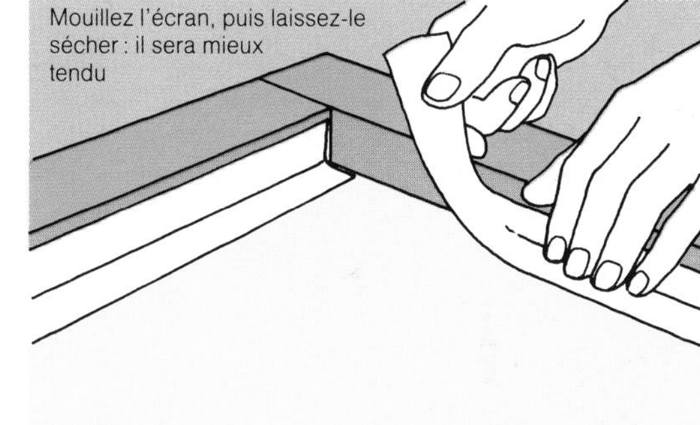

6. Retournez l'écran. Appliquez des bandes de ruban-cache à l'intérieur du châssis de façon que la moitié de leur largeur soit sur le bois, et l'autre sur la soie.

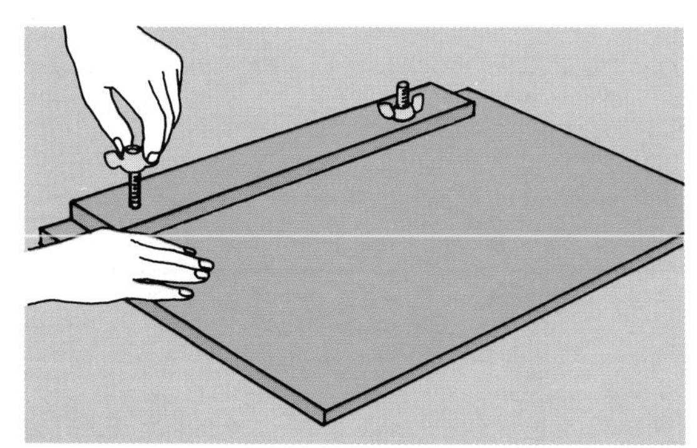

7. Fixez une baguette de pin blanc de 1 po sur 2, légèrement plus grande que le châssis, sur une base en bois, avec des écrous à oreilles. Placez ces derniers aux extrémités de la baguette.

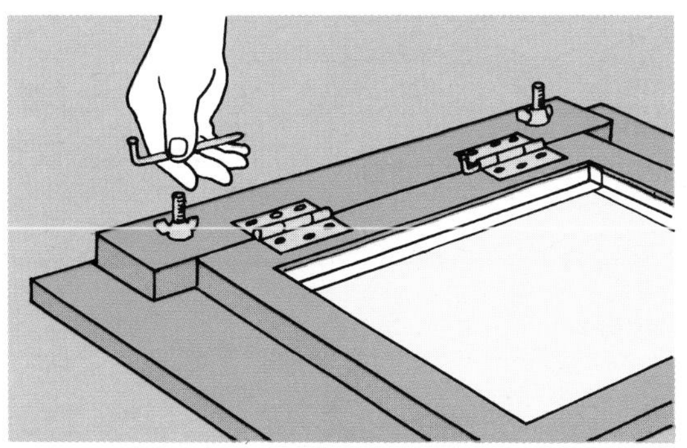

8. Fixez le châssis sur la baguette avec deux charnières. Les charnières doivent comporter des axes amovibles (deux clous recourbés), pour qu'on puisse enlever facilement le châssis.

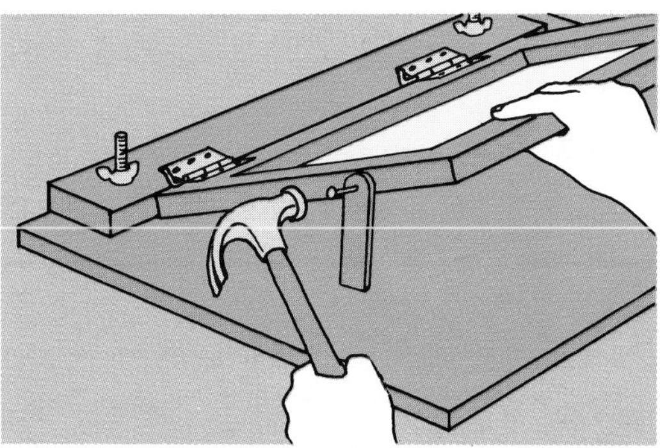

9. Sans enfoncer complètement le clou, fixez une baguette d'appui sur un des côtés du châssis de façon qu'elle puisse pivoter et soutenir le châssis quand on le soulève.

Gravure et imprimés

Sérigraphie en deux couleurs

1. L'artiste trace le motif sur un papier et délimite les zones où il y aura une deuxième couleur.

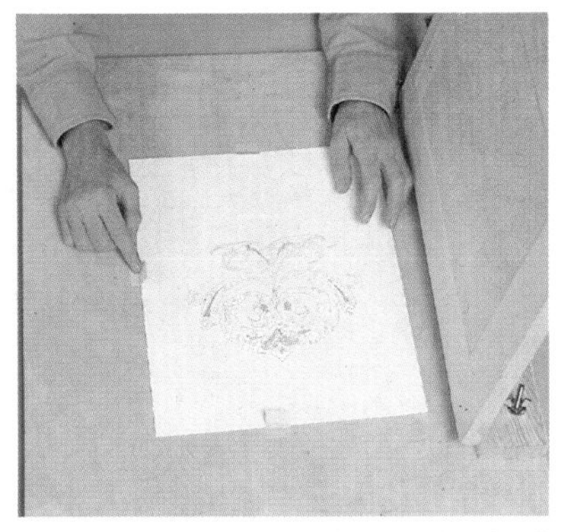

2. Après avoir placé le motif sur la planche, il marque sa position avec du ruban adhésif.

3. Il rabat l'écran sur le motif. Avec une mine tendre, il trace le contour du motif.

4. Il peint le fond qui entoure le motif avec une laque brune pour obturer les mailles.

5. Lorsque la laque est sèche, il place la feuille à imprimer entre les repères en ruban.

6. Une fois l'écran rabattu, il verse de l'encre rouge à l'eau dans la marge supérieure.

7. Il tire la raclette à lui, puis la repousse en exerçant une pression ferme.

8. Il ôte l'estampe pour la faire sécher, puis imprime d'autres feuilles avec la même couleur.

9. Après avoir enlevé, lavé et fait sécher l'écran, il trace le contour de la deuxième couleur.

10. Il obture avec de la laque la zone qui ne doit pas être imprimée avec la deuxième couleur.

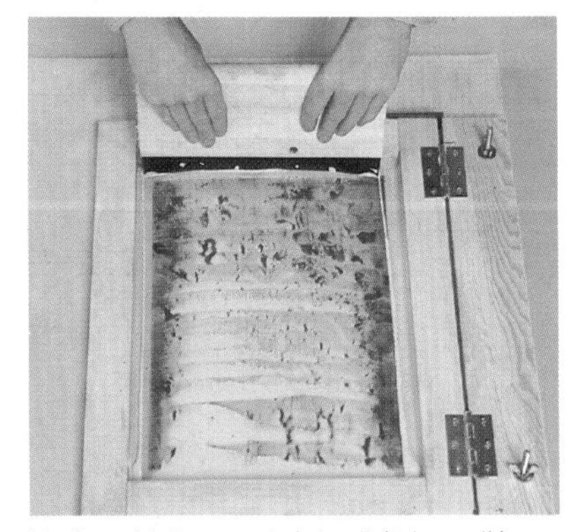

11. Quand la laque est sèche, il étale sur l'écran de l'encre jaune qui s'imprime sur le rouge.

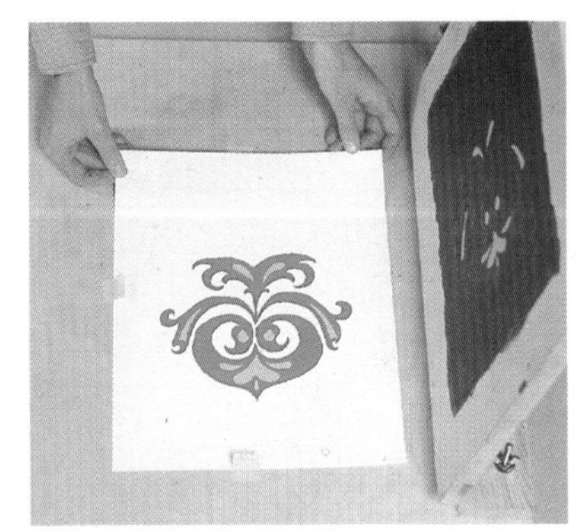

12. La sérigraphie en deux couleurs terminée, l'écran est lavé à l'eau, puis au kérosène.

Sérigraphie au *tusche* et à la colle

1. L'artiste commence par peindre le motif sur l'écran avec du *tusche* (liquide gras).

2. Le *tusche* doit être bien mélangé et appliqué en couche épaisse sur la trame.

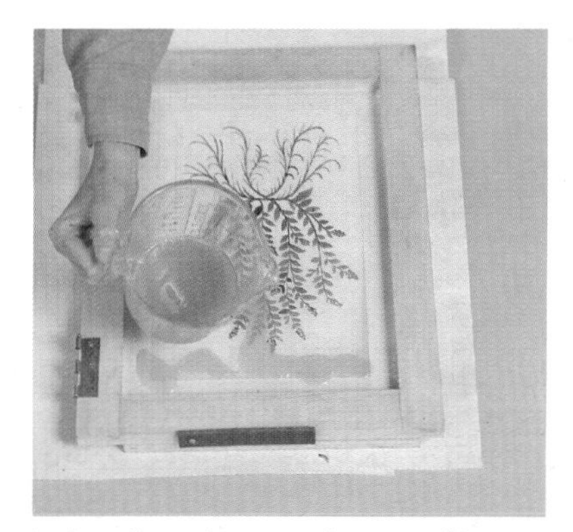

3. Quand le *tusche* est sec, il verse sur l'écran un mélange à parts égales de colle blanche et d'eau.

4. Il étale ce mélange avec un carton, le laisse sécher, puis en applique une deuxième couche.

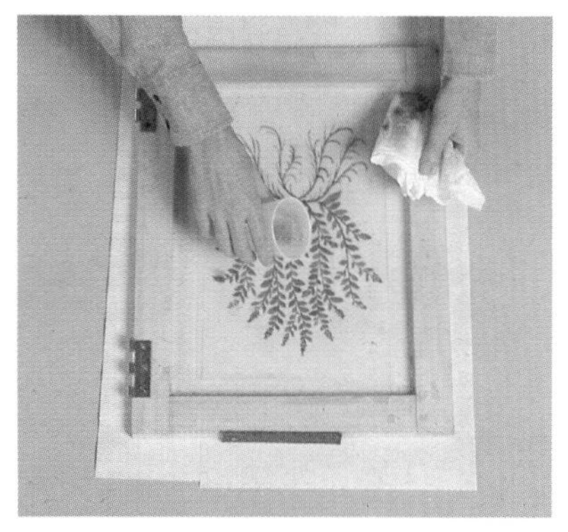

5. Une fois la colle sèche, il verse un mélange à parts égales, kérosène et benzine, sur le *tusche*.

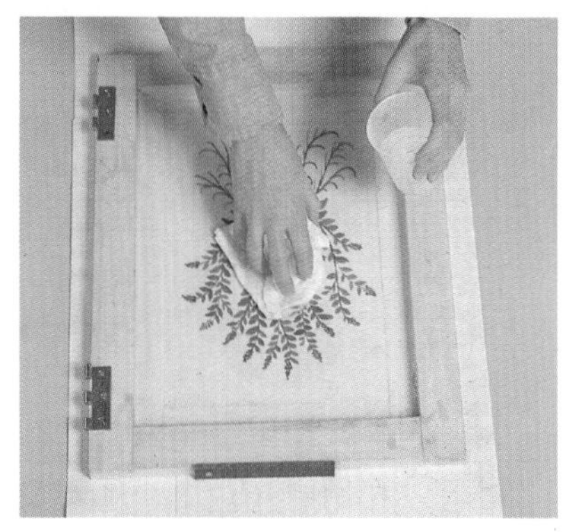

6. Il ôte le *tusche* en frottant le motif avec du papier, faisant ainsi un pochoir sur l'écran.

7. Il enlève les taches rebelles avec une brosse. La colle reste aux endroits sans *tusche*.

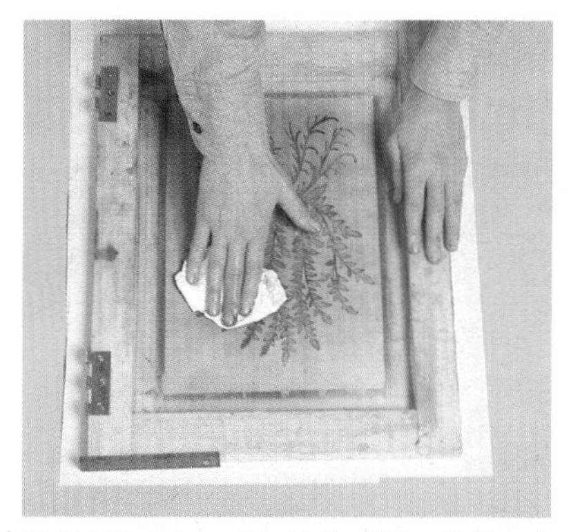

8. Il nettoie l'écran à la térébenthine, ôte le solvant avec du papier, puis laisse sécher.

9. Avec une cuiller, il verse de l'encre à l'huile sur l'écran, le long d'un petit côté du châssis.

10. Il étale l'encre sur l'écran avec la raclette. L'encre traverse la zone où était le *tusche*.

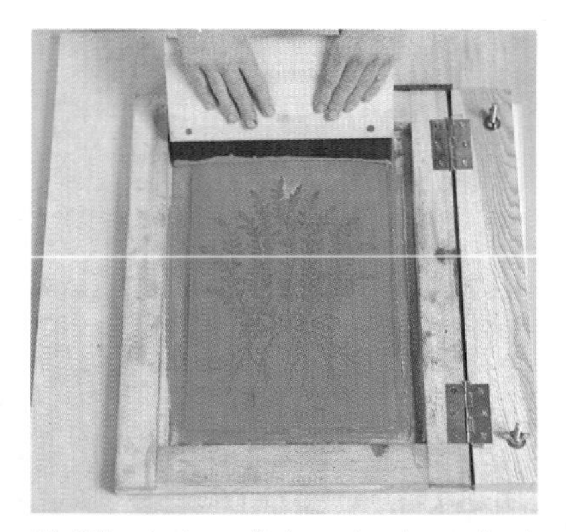

11. S'il reste des petits trous dans la couche de colle, l'encre fera de la bruine en s'y infiltrant.

12. La sérigraphie est terminée. (Toute bruine devrait disparaître après les premières épreuves.)

Gravure et imprimés

Gravure sur bois de fil et sur bois de bout

La gravure sur bois est le mode d'impression en relief le plus classique. On peut tracer ou coller le motif sur la planche pour guider la taille, ou l'improviser en gravant.

Presque tous les bois peuvent servir à faire des planches, quoiqu'il vaille mieux utiliser des bois durs pour les motifs délicats. On emploie généralement des planches claires, sans nœuds, bien qu'un bois aux fibres marquées puisse conférer une texture intéressante aux estampes.

On emploie pour graver le bois des couteaux à contours (pour les traits), des gouges en V (pour les rainures), des gouges en U (pour champlever de grandes surfaces) et des ciseaux à bout droit (pour réparer la planche). Une butée est utile pour maintenir la planche pendant la taille. On peut aussi se servir d'un maillet pour faire avancer les gouges et les ciseaux. On prépare la planche en la ponçant avec du papier de verre fin. Une couche de peinture blanche appliquée sur les bois sombres permet de mieux voir le motif qu'on y trace.

Taille. Quand vous taillez, poussez toujours votre outil en l'éloignant de vous, sauf si c'est un canif. On manœuvre les petits outils, tels que les burins, en poussant sur le manche avec la paume. On tient les couteaux comme

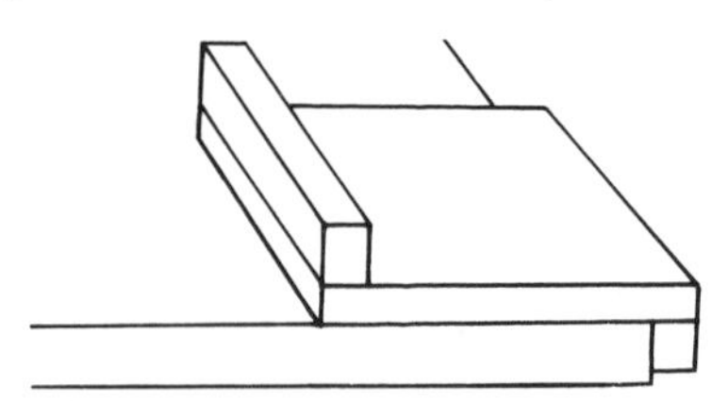
Butée appuyée sur le bord d'une table.

des crayons. On saisit les gouges en V ou en U avec la paume et les doigts, le pouce reposant sur le dessus du manche. Il faut faire particulièrement attention quand on taille par le travers du fil, car l'outil risque de déraper en traversant les épaisseurs de fibres.

Correction des erreurs. On peut recoller les éclats ou les remplacer par de la pâte plastique que l'on arase ensuite au ciseau quand elle est sèche. Il est aussi possible de découper les zones erronées. Pour cela, on creuse à l'aide d'un foret emporte-pièce un trou de ½ po de profondeur à l'endroit de l'erreur, puis on enlève le morceau. On découpe alors dans la même sorte de bois un morceau de même diamètre, puis on le colle dans la cavité en respectant le sens du fil. Lorsque la colle est sèche, on arase le morceau au ciseau, puis on le ponce. S'il y a une marque de coup dans la planche, mais que la fibre du bois n'est pas cassée, on peut aplanir cette marque en la repassant au fer chaud avec un linge humide.

Avant d'imprimer, frottez la planche avec de l'huile de lin bouillie et laissez-la sécher pendant une nuit.

Matériel. L'encre destinée aux gravures sur bois s'achète en tubes ou en boîtes de 1 lb (450 g). Achetez de l'encre d'imprimerie, mais pas de type offset.

Beaucoup de graveurs préfèrent le papier de riz, qui enlève à l'encre un peu de son brillant. Les meilleurs papiers sont des papiers à la cuve importés ou pur chiffon. Toutefois, le papier d'impression fabriqué en Amérique convient pour les emplois les plus courants.

On peut faire des estampes en frottant une feuille placée sur une planche encrée avec une cuiller en bois, un baren ou le pouce (voir p. 116), ou encore en se servant de la presse à eau-forte (p. 119). Quand on utilise une presse à platine, il faut que la planche fasse exactement 0,918 po d'épaisseur.

La gravure sur bois de bout diffère de celle sur bois de fil car, dans son cas, les fibres ligneuses sont perpendiculaires à la surface de la planche. Le motif est alors incisé et non dégagé. L'estampe qui en résulte se caractérise généralement par ses traits blancs, à la différence des gravures sur bois de fil dont les traits sont plus foncés.

Comment tailler correctement le bois

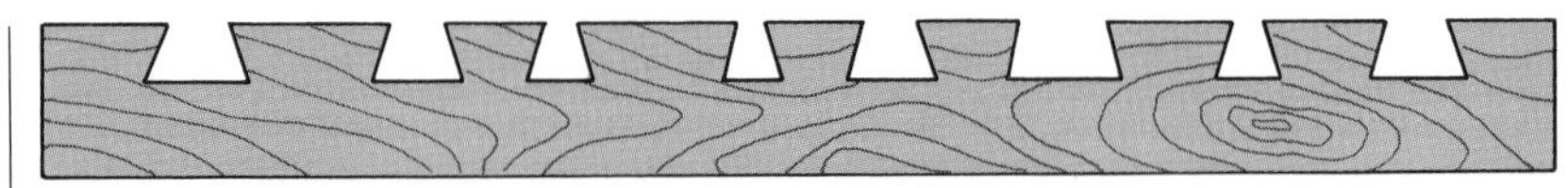
Les bords en surplomb représentés sur cette coupe risquent de se casser après plusieurs impressions.

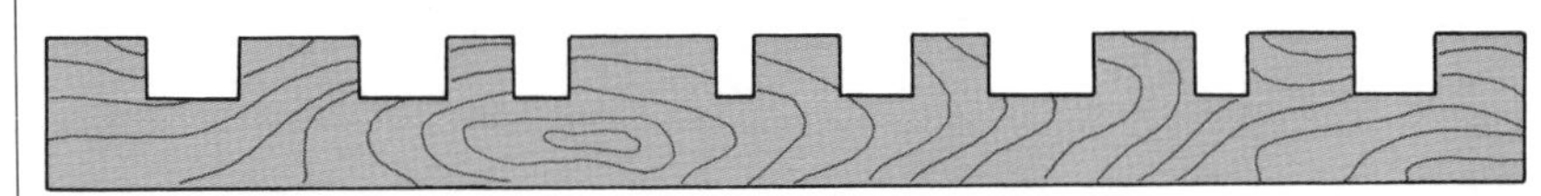
Quand les incisions sont verticales, les parois demeurent faibles et peuvent se casser.

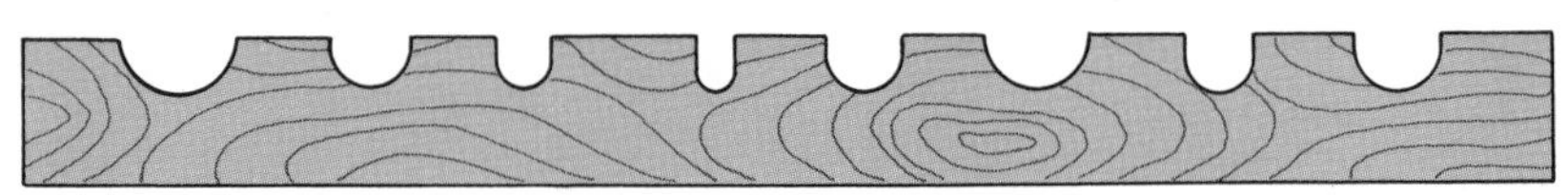
En revanche, des parois arrondies assurent la solidité des bords.

Outils du graveur sur bois

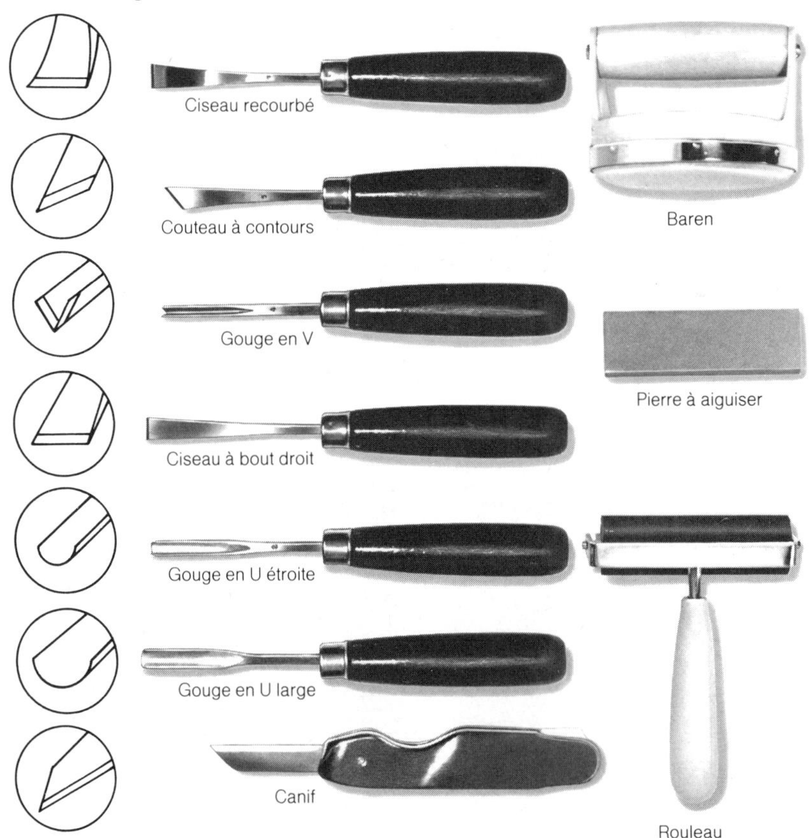

Gravure sur bois de fil en deux couleurs

Les photographies qui figurent sur cette page et la suivante indiquent les différentes étapes de la taille et de l'impression d'une gravure sur bois de fil en deux couleurs. Après avoir taillé la planche destinée à l'impression de la première couleur, le graveur la décalque ou en fait une épreuve, ce qui le guide pour graver la planche de la seconde et lui assure que le repérage des deux couleurs sera précis lors du tirage définitif.

Les photographies ci-dessous représentent des épreuves imprimées avec la première planche, puis avec la seconde, et enfin avec les deux combinées.

Epreuve du bois clé portant le motif principal.

Epreuve du bois portant les zones en couleur.

Epreuve des deux bois combinés.

Bois clé : 1. Le graveur lisse une planche en pin ponderosa de 6 po sur 9 avec du papier de verre 6/0 enroulé sur un morceau de bois.

2. Il pose une feuille de carbone sur la planche, puis un dessin à la plume du motif sur le carbone, et trace au crayon les contours du dessin.

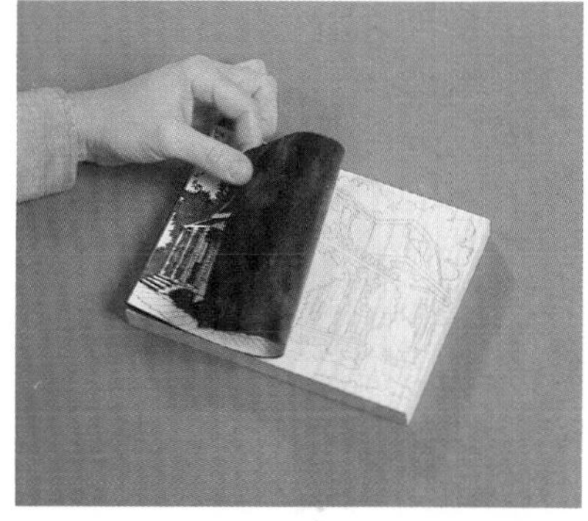

3. Les contours du dessin sont reproduits sur la planche. L'estampe définitive sera inversée par rapport à ce dessin.

4. Le graveur couvre toutes les zones imprimantes au crayon feutre ou à l'encre de Chine pour éviter les erreurs de coupe. Il creusera les blancs.

5. Il incise son dessin avec un couteau à contours bien affûté. Une lame émoussée causerait des éclats sur des bois tendres.

6. Le graveur dégage de larges zones avec une gouge. Il place la planche sur une butée de manière à bien l'assujettir.

Bois de la couleur. 7. Il place le papier-calque sur le bois clé terminé, puis trace les zones à imprimer dans la deuxième couleur.

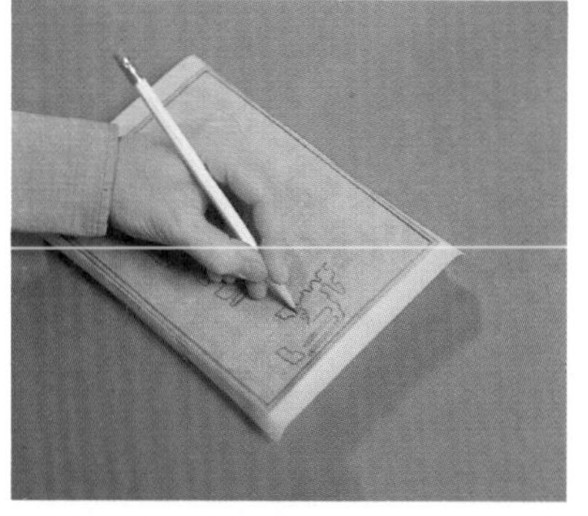

8. Il place du papier carbone sur une planche de même taille que le bois clé de base, puis reporte sur le bois le motif de la couleur.

9. Après avoir encré les zones qui ne seront pas creusées (voir l'étape 4), il taille le bois avec des couteaux et des gouges (étapes 5 et 6).

Gravure et imprimés

Gravure sur bois de fil en deux couleurs *(suite)*

10. Le graveur imprime d'abord la couleur la plus claire. Avec un rouleau en caoutchouc, il étale l'encre sur du verre jusqu'à ce qu'elle épaississe.

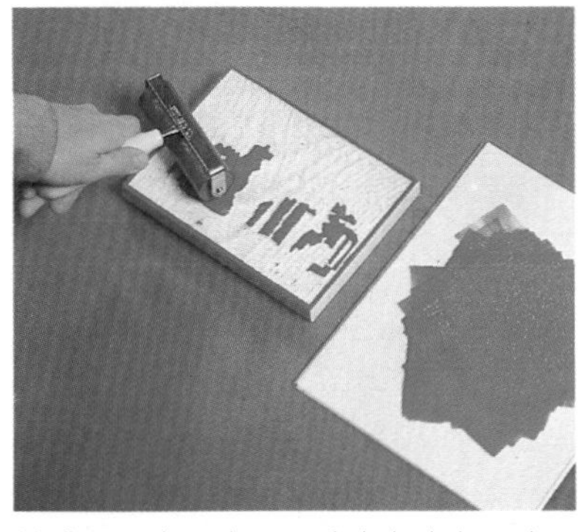

11. Il passe le rouleau sur le bois de la couleur, encrant tous les reliefs en rouge. Il faut deux ou trois encrages pour la première estampe.

12. Si le rouleau encre des zones évidées, c'est qu'elles sont encore trop hautes et risquent de tacher l'estampe. Il faut les creuser à la gouge.

13. Le graveur pose du papier de riz sur la planche, côté lisse dessous, et le fixe sur le cadre. Il frotte la feuille avec un baren.

14. Après avoir imprimé la couleur, il tourne l'épreuve fixée sur le cadre, et la maintient ainsi avec un poids ou une pince.

15. Il couvre le bois clé d'encre brun foncé avec un rouleau propre. L'encre du bois clé couvrira tout chevauchement du premier bois.

16. Il place le bois clé dans le cadre au même endroit que le bois de la couleur, puis déroule soigneusement l'épreuve.

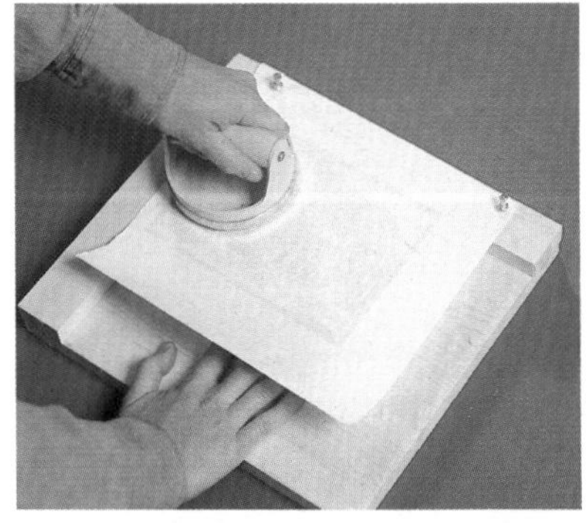

17. Il frotte le baren sur l'épreuve. Comme le papier a été fixé pour la première impression, le repérage de la seconde est bon.

18. Il soulève doucement l'estampe et la fait sécher. L'encre d'imprimerie sèche en quelques heures, mais il vaut mieux compter une nuit.

La linogravure

On emploie en linogravure les mêmes techniques de base que pour la gravure sur bois. Le linoléum étant moins dur que le bois et n'ayant pas de fil, il est plus facile à tailler.

On vend dans les magasins de fournitures pour artistes des plaques de linoléum prêtes à être gravées et montées sur des panneaux dont les dimensions varient de 3 po sur 4 à 9 po sur 12.

On reporte le motif de la linogravure sur la plaque comme dans la gravure sur bois (voir p. 115). Ce motif ne doit toutefois pas être trop compliqué, car on ne peut inciser de traits fins dans le linoléum. Les outils du linograveur ressemblent à ceux du graveur sur bois et on les trouve dans les magasins spécialisés.

Le linoléum durcit quand il est soumis à de basses températures, ce qui peut rendre sa taille difficile. Par conséquent, s'il fait froid, on posera la plaque sur un radiateur ou dans un four tiède pendant quelques minutes toutes les demi-heures pour l'empêcher de devenir cassante. La plupart des motifs de linogravure étant composés de formes simples, il suffit souvent de les graver avec des gouges en V ou en U. Commencez par creuser des sillons peu profonds autour des zones à dégager, puis dirigez vos coups de gouge des sillons vers le centre de ces zones. Cette technique vous permettra de réduire les risques de tailles accidentelles dans les reliefs du motif, puisque, à la différence des planches de bois, on ne peut réparer les plaques de linoléum. Lavez les plaques à l'eau tiède et au savon quand la taille est terminée.

On peut imprimer les linogravures avec de l'encre pour xylographie ou de l'encre à l'eau. Cette dernière, plus facile à nettoyer, est préférable pour les travaux d'enfants. Toutes les techniques d'impression de la gravure sur bois valent pour la linogravure. En outre, on peut se servir d'un rouleau à pâtisserie pour appliquer le papier sur le lino encré, plus résistant que le bois gravé.

Gravure d'une plaque de linoléum

1. On esquisse le motif sur un calque ou sur du papier à dessin.

2. On reporte le motif exécuté lors de la première étape sur la plaque de linoléum.

3. On couvre d'encre de Chine les zones du motif à laisser en relief.

4. La première taille à la gouge en V suit le contour de la tige et des nervures.

5. On prend une gouge en V plus grosse pour tailler le contour de la feuille.

6. On enlève l'intérieur de la feuille en épargnant les nervures. On hachure le fond.

7. On encre le lino avec un rouleau. Seuls les reliefs retiennent l'encre.

8. On imprime la linogravure selon les indications du texte, page ci-contre.

Gravure et imprimés

La taille-douce

L'eau-forte et la chalcographie sont les principales formes de la taille-douce. On taille un motif dans une plaque de métal, on fait couler de l'encre dans les traits en creux, puis on presse du papier contre la planche. Dans le cas de l'eau-forte, on se sert d'acide pour graver la planche et dans celui de la chalcographie, on utilise des outils tranchants.

Les illustrations de la page ci-contre expliquent le procédé de base de l'eau-forte. Nous décrivons ci-dessous d'autres techniques de gravure. On peut utiliser ces techniques seules ou combinées pour faire une estampe.

L'eau-forte. Le principe de l'eau-forte consiste à revêtir la surface imprimante de la plaque d'un vernis réfractaire à l'acide, sur lequel on dessine le motif avec une pointe d'acier. Cette pointe incise le vernis, mettant ainsi à nu le métal sous-jacent. La plaque est ensuite plongée dans un bain d'acide dilué. L'acide mord le métal dénudé et creuse le motif dans la plaque. Après la morsure, on enlève le vernis avec de la térébenthine, puis la plaque est encrée et on imprime.

Les subtilités que ce procédé permet d'obtenir dépendent du métal, du vernis, de l'acide et de sa concentration, de la durée de la morsure, de la température et d'autres facteurs atmosphériques, ainsi que du style et de l'expérience de l'aquafortiste. On peut toutefois effacer les petites erreurs de gravure à l'eau-forte avec un ébarboir, puis les lisser avec un brunissoir.

Les plaques. On utilise pour faire des eaux-fortes des plaques de cuivre, de laiton, de zinc, de fer, d'acier doux, d'aluminium, de magnésium ainsi que de plexiglas. Les plaques en cuivre rendent parfaitement les traits fins et les textures délicates. Le zinc coûte moins cher que le cuivre, mais donne parfois des lignes rudes. Le fer et l'acier doux permettent de grands tirages, quoiqu'ils soient difficiles à mordre et à corriger.

On peut acheter des plaques polies dans les magasins spécialisés. Les plaques pour eaux-fortes les plus demandées en Amérique du Nord sont composées d'un alliage résistant et elles ont les bords et le dos protégés par une couche de vernis qui résiste à l'acide.

Le vernis. Le vernis dur est composé d'asphalte, de colophane et de cire d'abeille. Il se vend sous forme liquide ou solide ; dans ce dernier cas, on doit le faire fondre sur une plaque chauffante.

Certains aquafortistes préfèrent le vernis mou : un mélange de vernis, de graisse, de suif ou de gelée de pétrole. Ils dessinent au crayon sur une feuille de papier posée sur ce vernis ; celui-ci adhère au papier là où passe le crayon et, quand on enlève le papier, le métal se dénude à ces endroits.

Les bains d'acide. On plonge la plaque, à l'endroit, dans un bain d'acide préparé dans une cuvette en verre, en émail ou en plastique. On dilue toujours les acides en les versant dans de l'eau, mais on ne doit jamais verser de l'eau dans de l'acide. Quand la solution est forte (1 volume d'acide pour 3 à 5 volumes d'eau), elle mord avec rapidité et rudesse ; quand elle est faible (1 volume d'acide pour 12 volumes d'eau), sa morsure est lente et fine.

Les solutions les plus courantes sont le mordant hollandais, l'acide nitrique dilué et le chlorure ferrique étendu. Ce dernier ne produit aucune vapeur nocive et son action est très facile à contrôler. Toutefois, il laisse un dépôt d'oxyde de fer qui peut ralentir ou arrêter la morsure. On peut résoudre ce problème en mettant la plaque à l'envers dans le bain et en la rinçant souvent à l'eau.

Autres vernis, autres effets. On peut aussi dessiner son motif en appliquant un vernis au sucre (mélange de sirop, de savon, d'encre de Chine et de gomme arabique) sur la plaque nue, recouvrir ensuite toute la plaque de vernis dur, puis la plonger dans de l'eau chaude. L'eau soulève le sucre et le vernis qui le recouvre, mais laisse le vernis intact là où il n'y a pas de sucre. L'eau-forte qui en résulte ressemble à un dessin au pinceau.

Le vernis blanc est composé de pigment blanc, de savon en copeaux et d'huile de lin. Après l'avoir étendu en couche mince et régulière sur toute la plaque, on peint le motif au pinceau. On gratte ensuite certaines zones pour les rendre plus minces. La résistance du vernis blanc à l'acide étant proportionnelle à son épaisseur, l'eau-forte terminée comporte des tonalités diverses qui ressemblent à celles d'une peinture.

L'aquatinte. On recourt habituellement à l'aquatinte pour ombrer et nuancer une eau-forte au trait. Après avoir répandu de la colophane pulvérisée sur les zones à ombrer, on fait chauffer la plaque, puis on la laisse refroidir. Une fois mordues par l'acide puis imprimées, les zones protégées par les grains de colophane prennent des nuances qui vont du gris clair au noir sombre. On peut utiliser une bruine de peinture au lieu de la colophane.

Le burin et la pointe sèche. Dans la gravure au trait, on grave le motif sur la plaque de métal avec un burin. La profondeur et la largeur des sillons dépendent de la force appliquée sur l'outil. On peut aussi faire de la gravure au trait avec une pointe sèche, en soulevant des barbes en bordure des traits. Comme ce sont ces barbes qui prennent l'encre et non les traits, les gravures à la pointe sèche se caractérisent par leurs lignes délicates. Toutefois, comme ces barbes s'usent rapidement, ce procédé ne peut servir pour les grands tirages.

L'impression. La plupart des aquafortistes n'impriment pas leurs planches dans leur atelier ; ils utilisent les presses de certaines écoles et d'ateliers communautaires, ou ils confient leurs planches à des imprimeurs.

Détail d'une plaque incisée à l'eau-forte.

Détail d'une plaque encrée avec une poupée.

Détail d'une eau-forte imprimée.

Outils de l'aquafortiste

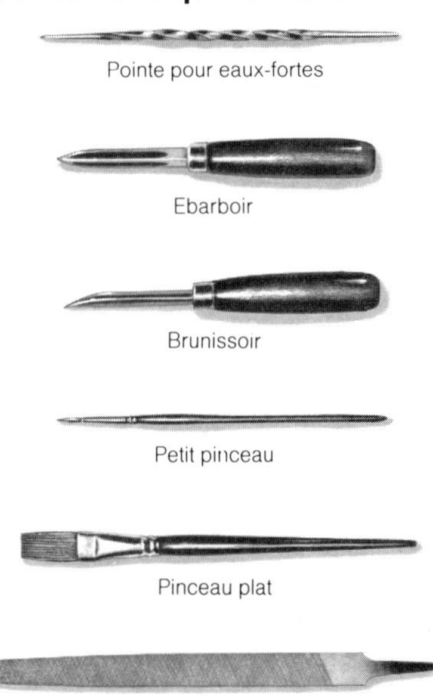

Pointe pour eaux-fortes

Ebarboir

Brunissoir

Petit pinceau

Pinceau plat

Lime plate

Réalisation d'une eau-forte

1. L'aquafortiste biseaute sa plaque avec une lime plate, puis il la recouvre de vernis dur liquide ; il l'incline pour que le vernis coule bien.

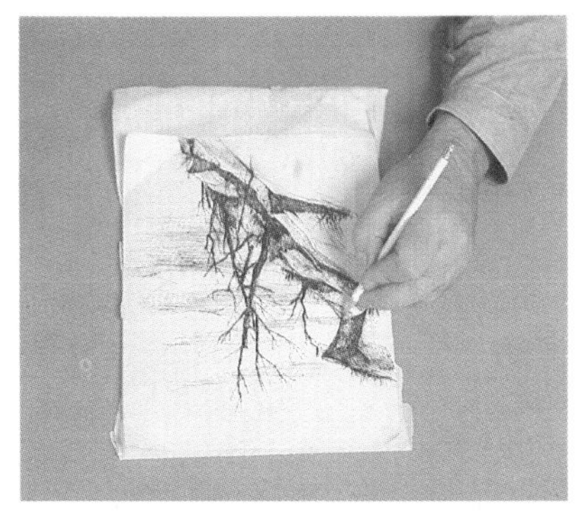

2. Il pose l'esquisse sur une feuille de papier carbone jaune placée sur le vernis sec et reporte ainsi le dessin en suivant ses contours au crayon.

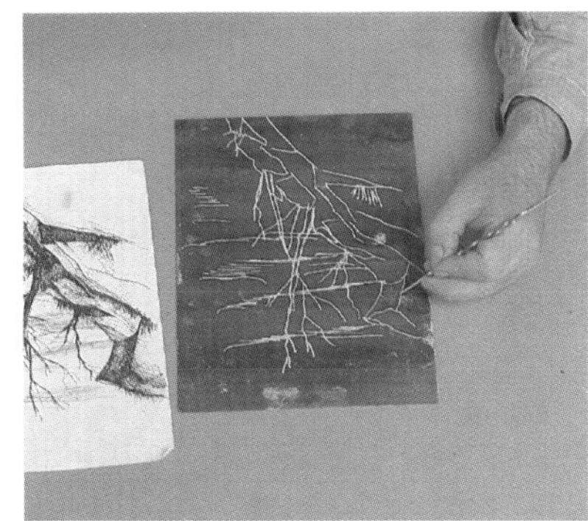

3. A l'aide d'une pointe d'acier, il trace le contour du dessin sur le vernis en grattant bien pour dénuder le métal.

4. Il trace les traits fins à main levée avec la pointe. Quand le motif est simple, sans lignes délicates, il suffit d'en suivre le contour.

5. La plaque baigne dans une solution comprenant 12 volumes d'eau pour 1 volume d'acide nitrique. Ici, on chasse les bulles au pinceau.

6. De temps à autre, l'aquafortiste recouvre de vernis certains traits pour faire cesser la morsure ; puis il replonge la plaque dans le bain d'acide.

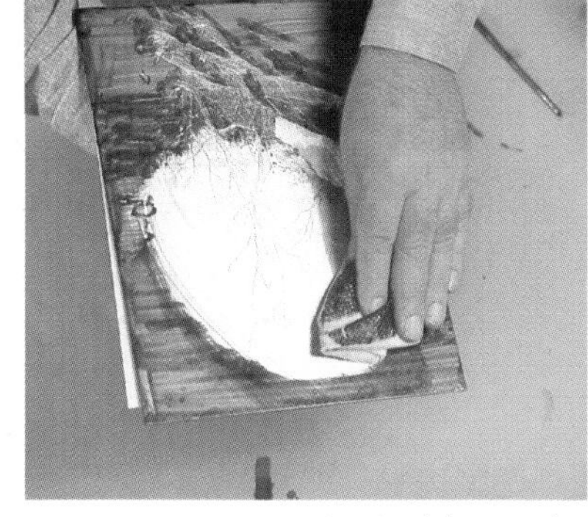

7. Il rince la plaque creusée et la sèche avec des serviettes en papier ; puis il ôte le vernis avec d'autres serviettes imbibées de térébenthine.

8. Avec une poupée faite d'un rouleau de feutre, il étend uniformément sur la plaque de l'encre pour eau-forte, en un mouvement circulaire.

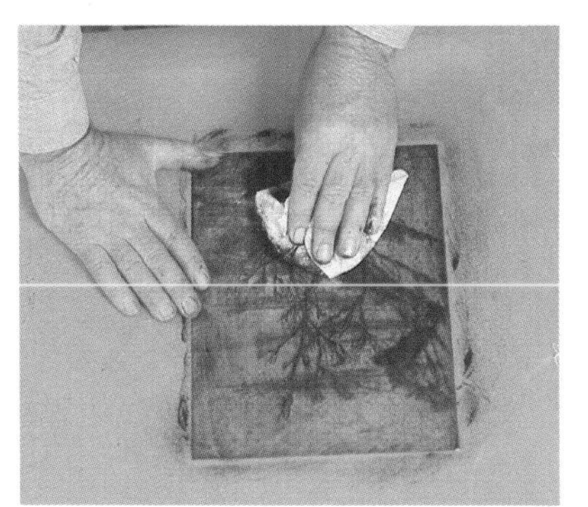

9. Il nettoie ensuite la plaque avec un tampon de tarlatane, selon un mouvement rotatif. L'encre ne doit rester que dans les traits rongés par l'acide.

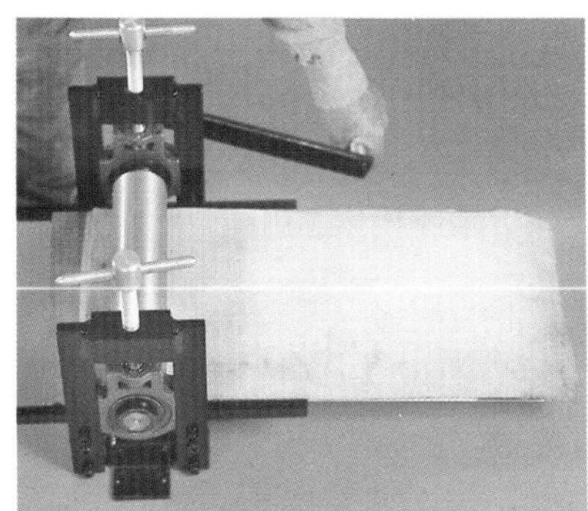

10. Il imprime la plaque sur du papier pur chiffon (débarrassé de son apprêt par 10 min de trempage, puis séché au tampon).

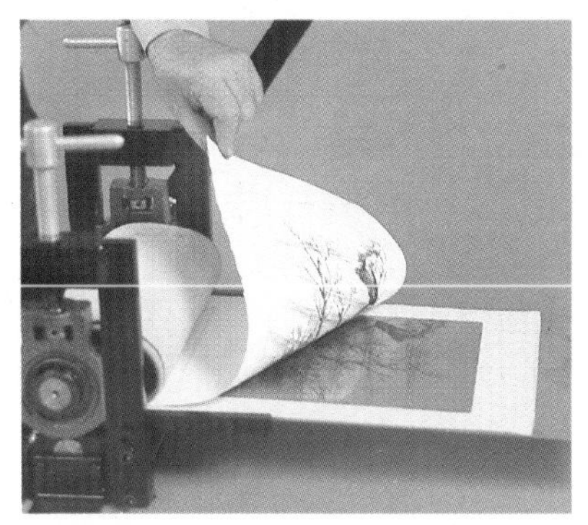

11. Après avoir tiré une ou deux épreuves, il apporte les corrections nécessaires en refaisant mordre certaines parties de la plaque.

12. Il fait un encrage pour chaque estampe. Si l'estampe se gondole, il l'imbibe d'eau et la fait sécher entre des buvards sous une planche.

Impression sur étoffe

Timbres, planches et pochoirs

L'impression sur étoffe existe depuis l'Antiquité. Toutefois, la technique des blocs de bois encrés qu'on pressait sur l'étoffe a fait place aujourd'hui à des procédés photomécaniques qui exigent les compétences combinées de designers, d'artistes, de chimistes et de mécaniciens. Pour imprimer de grandes quantités de tissu, on utilise de nos jours soit des rouleaux gravés, soit des écrans mécaniques à plat ou rotatifs, ou, encore, un procédé selon lequel les motifs sont d'abord imprimés sur papier, puis reportés sur des textiles en polyester ou en fibres synthétiques analogues.

A une échelle beaucoup plus réduite, l'artisan emploie diverses méthodes d'impression n'exigeant qu'un minimum de matériel, mais permettant néanmoins d'obtenir de très beaux résultats.

Etoffes. On peut théoriquement imprimer un motif décoratif sur toutes les étoffes, quel que soit leur tissage. Les résultats obtenus ne sont toutefois pas uniformes, car la résistance des pigments et des teintures varie selon la composition des fibres. Certains textiles synthétiques se teignent difficilement et les tissus revêtus d'un apprêt destiné à les rendre infroissables ou imperméables repoussent la plupart des pigments et des teintures. Le tissage grossier ne donne pas non plus de bons résultats.

Le coton est la matière qui convient le mieux aux débutants. Les tissus de coton comprennent la mousseline, la batiste, le croisé et la toile.

Avant l'impression, il faut toujours laver le tissu pour le débarrasser de son apprêt, puis bien le repasser. On le couche ensuite sur une base souple — caoutchouc mousse, feutre, couverture ou épaisseurs de vieux journaux —, puis on le fixe en place avec des épingles ou du ruban adhésif.

Les encres. Les couleurs acryliques (p. 105) sont faciles à utiliser, mais elles deviennent rigides en séchant et peuvent ne pas résister à un nettoyage à sec. Les encres d'imprimerie et les encres destinées aux impressions manuelles s'appliquent facilement et résistent longtemps. Les encres à l'eau pour sérigraphies et les peintures pour textiles se font dans des couleurs brillantes et sont faciles à nettoyer. Toutefois, il faut se méfier en étalant certaines d'entre elles sur la planche à imprimer parce qu'elles sont molles et gélatineuses.

Fixage à chaud. Les encres à l'eau doivent être fixées 24 heures après avoir été imprimées. Le fixage des petits motifs peut se faire au fer chaud (120°C). Couvrez les deux côtés du motif avec du papier de soie et repassez normalement. Chaque endroit doit recevoir la chaleur du fer pendant au moins 3 minutes.

Vous pouvez fixer les grands motifs dans le four de votre cuisinière. Couvrez le tissu avec du papier de soie ou une étoffe, et enroulez-le sans serrer. Mettez-le pendant 10 minutes dans un four électrique à 120°C. Si vous avez un four à gaz, préchauffez-le jusqu'à ce que sa température atteigne 150°C, puis éteignez le gaz et enfournez le rouleau de tissu et de papier.

Procédés d'impression. On peut imprimer sur étoffe avec des timbres, des plaques de linoléum ou des blocs de bois, au pochoir ou en sérigraphie (voir *Gravure et imprimés,* pp. 108-119, et *Travail au pochoir,* pp. 124-129).

On encre un timbre ou un bloc en l'appuyant sur un tampon encreur, et une planche en l'enduisant avec un rouleau. On les presse ensuite contre le tissu. Les timbres les plus gros peuvent exiger un maillet. Il arrive aussi que l'imprimeur presse sa planche en montant dessus sans chaussures. L'impression au pochoir se fait avec un rouleau ou une brosse, et celle des sérigraphies avec une raclette.

Les pages qui suivent illustrent quelques méthodes d'impression sur étoffe.

Coton imprimé français de la fin du XVIIIe siècle, orné de motifs floraux qui se chevauchent.

Impression avec des objets divers

On peut imprimer des motifs originaux sur étoffe avec les objets les plus divers. Ainsi, tout ce qui a une forme et une surface permettant l'impression peut servir à décorer votre tissu : les napperons, les moules à gâteaux, les clés, les pédales de machines à coudre, les roues dentées, les capsules de bouteilles ou les feuilles d'arbre.

Il est aussi possible de créer des motifs complexes. Un même objet manipulé par différentes personnes donnera des créations uniques par leur composition et leurs couleurs. Il convient de déterminer soigneusement les possibilités d'impression des divers objets. Certains ont plus d'une surface qui peut servir à imprimer. Il faudra nettoyer l'objet choisi avant de l'utiliser. Pour encrer une surface, il est plus simple d'employer un rouleau, que l'on imprègne selon les indications données à droite. Les illustrations ci-dessous montrent plusieurs méthodes d'impression avec divers objets.

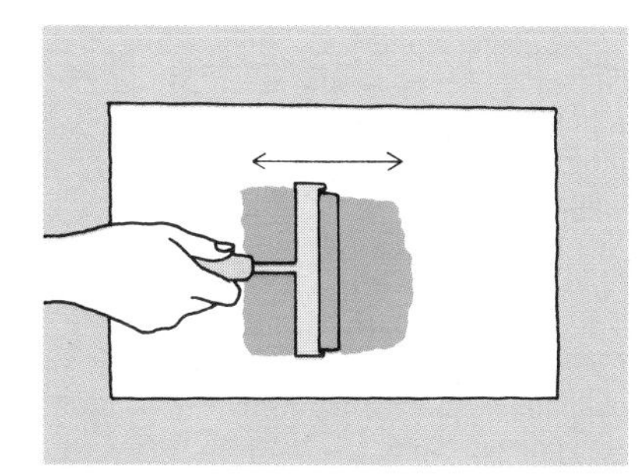

Encrage du rouleau. Répandez de l'encre sur du verre, puis étalez-la avec le rouleau.

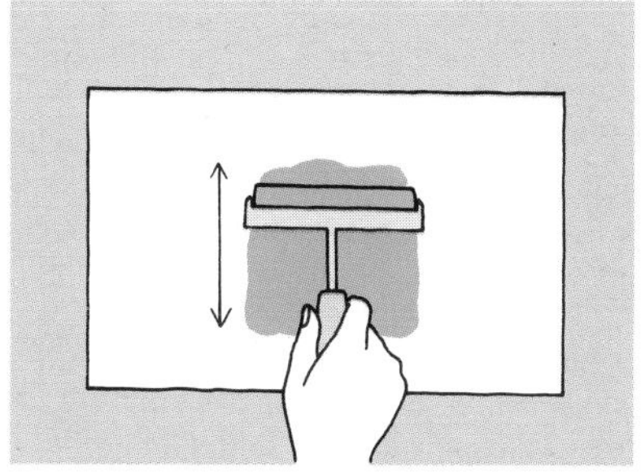

Déplacez ensuite le rouleau d'avant en arrière, perpendiculairement à sa direction précédente.

Impressions simples. Pressez l'ouverture d'un verre sur un tampon de feutre ou de caoutchouc mousse saturé d'encre. Créez un motif à base de cercles à l'aide d'un verre. Des couvercles de bocaux et de flacons permettent d'imprimer des disques de couleur.

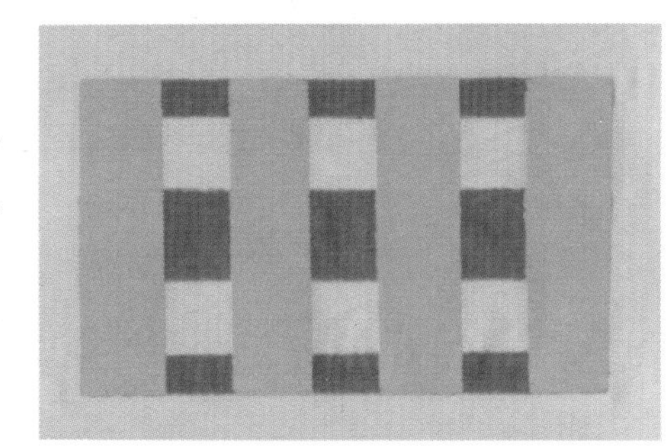

Ruban-cache. Le ruban sert à faire un motif sur le tissu. Après encrage, on passe fermement le rouleau sur le tissu. On arrache ensuite ce ruban pour révéler les zones qui ont été ainsi protégées de l'encre du rouleau. On réalise de la sorte des grilles et des carrés.

Objets divers. On encre au rouleau un napperon de plastique que l'on place ensuite sur une surface plane, du côté non encré. On pose le tissu à imprimer dessus, puis on se sert d'un rouleau à pâtisserie pour en relever l'empreinte. Le second motif est à base de pistolets.

Impression sur étoffe

Timbres

Une autre méthode d'impression simple consiste à graver des timbres, à les encrer, puis à les imprimer sur le tissu. On peut réaliser des motifs sophistiqués avec un seul timbre. Plusieurs matières peuvent servir à faire des timbres : caoutchouc, polystyrène, bois, linoléum et plâtre de Paris. Nous avons employé ici un timbre en gomme pour artistes et trois autres en pomme de terre.

Pour faire un timbre en pomme de terre, coupez une grosse pomme de terre en deux. Gravez un motif simple en relief sur l'une des faces. Séchez cette face avec une serviette en papier, puis encrez-la avec de l'encre à base d'eau. Les timbres en pomme de terre se conservent pendant plusieurs jours enveloppés dans du plastique, au réfrigérateur. Ceux taillés dans des gommes durent beaucoup plus longtemps et ils sont compatibles avec les encres à base d'eau et d'huile. Taillez-les avec une lame de rasoir ou avec un couteau à tapis.

Timbre en gomme

Timbres en pomme de terre

Les timbres en gomme permettent de réaliser des agencements géométriques. Deux diagonales parallèles ont été creusées dans la gomme. A gauche, pour chacune des réalisations, on l'a fait pivoter quatre fois. Ci-dessous, le même motif a été combiné différemment.

Les timbres en pomme de terre sont parfaits pour réaliser des motifs sur des vêtements d'enfants, des rideaux de cuisine, etc. Un timbre ou deux suffisent pour créer une gamme d'agencements originaux.

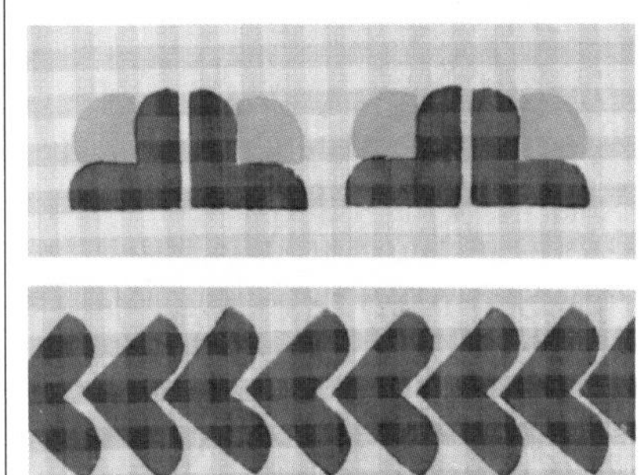

Impression à la planche linogravée

On peut recourir à une planche linogravée pour imprimer des motifs élaborés. Le dessin de droite représente la planche de linoléum qui a servi à imprimer les échantillons de tissus reproduits ci-dessous. Pour préparer la planche puis l'imprimer, suivez les instructions données aux pages 116 et 117. Souvenez-vous que les étoffes n'étant pas aussi lisses que le papier, le linoléum doit être gravé plus profondément pour les impressions sur tissus.

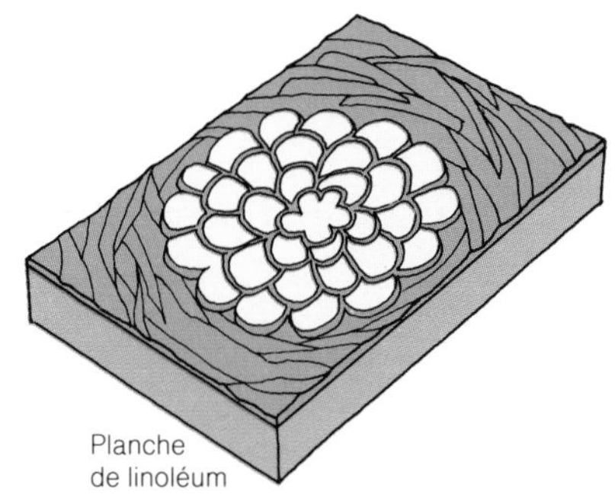

Le motif floral de la planche de linoléum a été imprimé plusieurs fois, en droite ligne.

Ici, les mêmes fleurs ont été agencées de façon irrégulière.

Des feuilles imprimées avec un timbre en gomme ont été ajoutées aux fleurs de cette nappe à carreaux.

Impression au pochoir

Comme nous l'avons vu à la page 110, on peut imprimer une étoffe en combinant un pochoir et une trame de soie. Toutefois, on peut aussi employer le pochoir seul et reproduire directement son motif sur l'étoffe avec une brosse ou un rouleau.

Prenez de l'acétate, du carton ou du papier à pochoir. Découpez le pochoir selon la méthode indiquée dans *Travail au pochoir*, pp. 124-129. Avant d'imprimer le motif au rouleau, veillez à ce que ce dernier soit bien encré uniformément. Passez le rouleau sur toute la longueur du pochoir dans un sens, puis dans l'autre, sans le lever. Le rouleau permet de créer des effets de couleurs intéressants, comme dans le cas du motif à raies représenté ci-dessous.

Le motif de l'éléphant a été imprimé avec un seul pochoir. L'impression a été réalisée en tamponnant le motif à l'aide d'une grosse brosse à pochoir ronde, saturée d'encre.

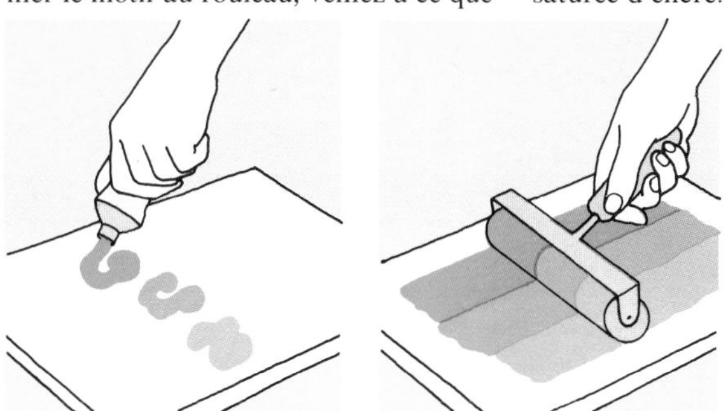

Raies. Pour imprimer le motif à raies ci-dessous, pressez des encres de trois différentes couleurs côte à côte sur une plaque de verre, puis passez le rouleau. Vous obtiendrez ainsi trois bandes de couleur que vous n'aurez plus qu'à reporter sur le pochoir.

Un arc-en-ciel d'encres a été imprimé au rouleau dans la découpe d'un pochoir.

La réutilisation d'un même pochoir a permis de créer ce défilé de pachydermes.

Détail d'un motif japonais du XVIIIe siècle ; dorure sur soie.

Les pochoirs dans le monde

L'art du pochoir est pratiqué depuis des temps reculés. Il consiste en des applications de couleur sur des supports divers — étoffe, papier, murs, mobilier —, grâce à un motif découpé avec précision.

En Chine, des moines se servent de pochoirs pour faire certaines images des grottes des Mille Bouddhas. Dès l'aube de leur histoire, les Japonais décorent leurs vêtements au moyen de pochoirs. Tout comme les Chinois, ils créent des motifs complexes et raffinés. Les anciens pochoirs orientaux sont découpés dans des fibres de mûrier finement pressées, imperméabilisées par du jus de kaki, et reliés les uns aux autres par des fils de soie ou des cheveux.

Les pochoirs servent dans l'Europe du Moyen Age à décorer les murs des églises et les écrans de bois, et à colorer des estampes peu coûteuses de la Vierge Marie et des saints. A la fin du XVIIe siècle, les Français mettent au point des pochoirs pour teinter les premiers papiers peints, qui imitent les luxueuses tapisseries de l'époque.

En Amérique du Nord, rares sont les premiers colons qui ont les moyens d'acheter du papier peint et des meubles importés, ce qui explique pourquoi les murs et le mobilier de leur maison sont ornés de pochoirs. Les artisans qui les font voyagent beaucoup ; ils emportent avec eux leurs motifs et les pigments secs pour faire de la peinture. En contrepartie de leur travail de décoration, on leur donne le gîte et le couvert, plus une petite somme. Quand le papier peint, désormais fabriqué en Amérique, devient très abordable, il recouvre souvent ces motifs.

A la fin du XIXe siècle, les architectes ont de nouveau recours au pochoir pour décorer les édifices publics d'Europe et d'Amérique du Nord. Aujourd'hui, le pochoir connaît un regain de faveur avec l'intérêt qui se manifeste pour les arts populaires.

Outils et matériel

Pour créer un décor au pochoir, il suffit d'avoir du papier fort, du plastique ou du carton à découper, un couteau affûté et du colorant. On peut aussi faire des pochoirs dans des sacs d'épicerie ; pour la couleur, on peut utiliser des stylos à pointe de feutre ou des craies de cire. Ces matières sont très pratiques pour faire des essais avec certains motifs. Pour obtenir de meilleurs résultats, choisissez dans la liste ci-après les outils et le matériel dont vous avez besoin.

Le papier à pochoir. Ce papier paraffiné, semi-transparent, permet de découper directement un pochoir d'après un motif. Il convient pour faire des pochoirs sur du mobilier et pour d'autres réalisations qui n'exigent pas de multiples reproductions du motif.

Le carton à pochoir. Ce carton souple, huilé, plus solide que le papier à pochoir, est recommandé pour faire des applications sur les murs et les planchers. Comme il n'est pas transparent, il faut reporter le motif sur ce carton avant de le découper.

L'acétate. Ce plastique transparent et rigide dure longtemps. Lorsque l'on découpe de l'acétate pour la première fois, il est préférable de faire des motifs simples avec des côtés droits. Achetez des feuilles de calibre .005.

Le film à frisquette. C'est une pellicule qui adhère par simple pression sur l'objet que l'on orne. Il est très utile quand on travaille à l'aérographe.

Le lin pour architectes. On y taille des motifs raffinés avec des ciseaux pour manucure ; il dure longtemps.

Le couteau de précision. Ce couteau à lame remplaçable est recommandé pour découper tous les pochoirs. Sa lame doit être toujours très tranchante : il faut donc la remplacer souvent, ou l'aiguiser fréquemment sur une pierre spéciale.

La lame de rasoir à un seul tranchant et le couteau utilitaire servent à découper de grands motifs simples.

Travail au pochoir

Outils et matériel *(suite)*

Le papier-calque et le papier carbone permettent de reporter des motifs sur un carton à pochoir.

Le ruban-cache est le meilleur ruban qui existe pour fixer les pochoirs.

L'adhésif temporaire en aérosol empêche le suintement des peintures.

La règle à arête métallique vous guide quand vous coupez des droites.

Les poinçons à papier sont utiles pour faire de petits points ronds.

Les peintures acryliques sont de bonnes peintures polyvalentes pour réaliser des pochoirs. Elles sèchent rapidement; on peut les employer telles quelles pour obtenir un motif net, ou les mélanger avec de l'eau ou d'autres couleurs. Elles adhèrent à toute surface qui n'est pas lisse.

Les peintures au latex sèchent vite, mais comme elles ont tendance à couler, il faut les appliquer avec une brosse presque sèche (voir p. 129). Les pochoirs faits à la peinture au latex sur les sols et les murs se marient bien avec la couche de fond.

Les vernis du Japon sèchent rapidement et adhèrent sur les surfaces lisses: verre, métal poli, émail, meubles vernis et céramique glacée. Ils sont très fluides: appliquez deux ou trois couches avec un pinceau presque sec.

Les peintures à l'huile sèchent lentement, mais on peut les passer sur les surfaces lisses ou rugueuses.

Les peintures pour l'extérieur sont souvent utilisées pour les pochoirs faits sur le sol. Elles sèchent très lentement, aussi faut-il appliquer le motif avec soin. Elles sont assez liquides.

Les peintures vaporisées exigent des pochoirs dotés d'une large bordure. Si ces pochoirs sont minces, il faut les coller avec du ruban-cache ou avec un adhésif temporaire en aérosol.

Les aquarelles, les encres de couleur, les stylos feutres et les couleurs en bâtonnets peuvent servir à faire des pochoirs sur papier ou à essayer un motif. Appliquez les aquarelles et les encres avec des éponges ou de petits pinceaux.

Les couleurs pour affiches donnent d'intéressants effets sur le papier et sur le carton.

Les brosses à pochoir ont des extrémités à fleur ramifiée. Choisissez des brosses à soies douces et n'employez qu'une brosse par couleur.

Les éponges, imbibées d'aquarelles ou de couleurs acryliques diluées, permettent de créer des effets doux, marbrés. Coupez une éponge plate en lanières de 1 po de large dont vous tremperez une extrémité dans la couleur.

Les petits pinceaux servent à faire les détails et les retouches.

Les rouleaux à peindre et les pinceaux à colle s'emploient avec les grands pochoirs. Veillez à bien enlever l'excédent de peinture d'un rouleau saturé avant de vous en servir. Roulez-le pour ce faire sur du papier journal.

Les aérographes permettent d'obtenir des effets de bruine.

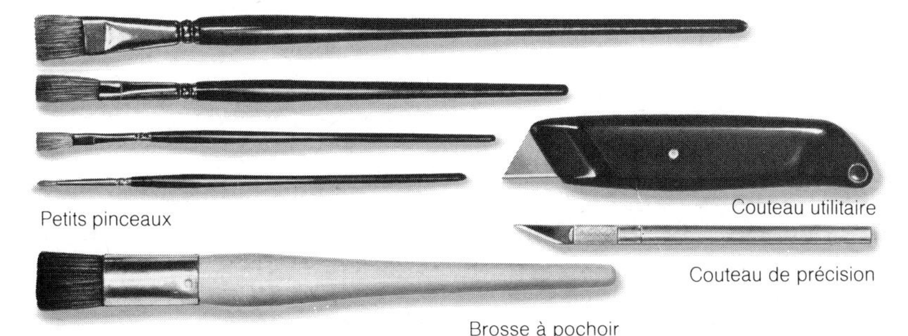

Découpage du papier, de l'acétate et du carton à pochoir

Il est très important d'avoir un couteau tranchant pour découper un pochoir. La lame doit être bien affûtée pour chaque séance de découpage; remplacez la lame au besoin.

Commencez par couper un morceau de matière à pochoir plus grand d'au moins 1 po tout autour du motif. Puis, avec un couteau de précision, découpez-le nettement en tenant fermement le pochoir de l'autre main. Coupez toujours en allant vers votre coude droit (si vous êtes droitier). Faites tourner le pochoir afin de toujours tailler dans ce sens. Repassez sur les bords déchiquetés ou les coins mal découpés pour qu'ils deviennent nets.

Les zones découpées affaiblissant le pochoir, coupez d'abord les petites formes, puis les grandes.

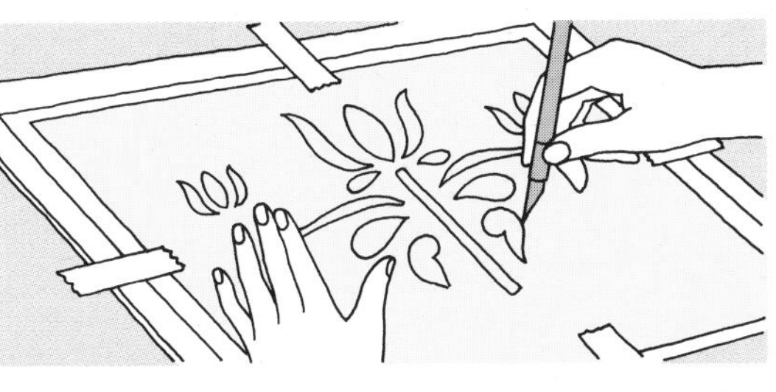

On peut découper les matières transparentes, notamment le papier à pochoir, sur le motif. Collez la matière à pochoir sur le motif après avoir posé ce dernier sur du carton ferme. Tenez le couteau perpendiculairement au pochoir. Appuyez fermement pour faire une découpe nette en suivant le contour sous-jacent.

Quand on coupe du carton à pochoir, il faut reporter le motif sur le carton avant de le découper. Tracez le contour du motif sur du papier-calque, puis placez le dessin obtenu sur du papier carbone posé sur le carton et retracez le motif.

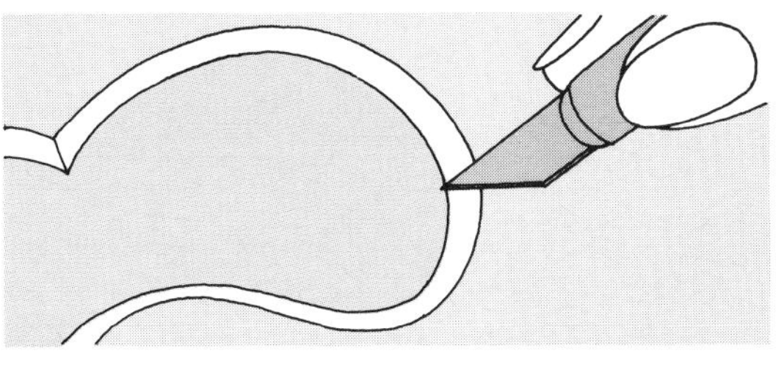

Les bords d'un motif découpé dans du carton à pochoir doivent être en biseau si l'on veut obtenir un contour net en le peignant. Tenez votre couteau légèrement incliné par rapport au motif.

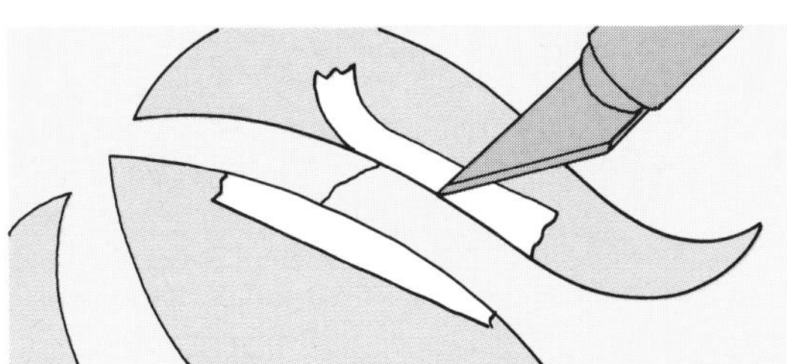

Si vous déchirez ou coupez le contour, vous pouvez le réparer avec du ruban-cache. Ne repliez pas le ruban qui déborde; retournez le pochoir et découpez le ruban proprement selon la ligne du motif.

Travail au pochoir

Conception et découpage d'un pochoir simple symétrique

Découper une forme symétrique dans une feuille pliée en deux est une façon simple, efficace de réaliser un pochoir. Trouvez une silhouette attrayante dont les deux moitiés soient en miroir. Découpez la moitié du contour sur le côté plié de la feuille de papier. Quand vous dépliez la feuille, vous obtenez le motif de votre pochoir, mais il vous reste à le reporter de la façon illustrée à droite.

On peut s'inspirer de fleurs, d'arbres ou de la silhouette humaine. Pour faire des bordures sur des murs ou sur un plancher, découpez des motifs dans un grand pochoir.

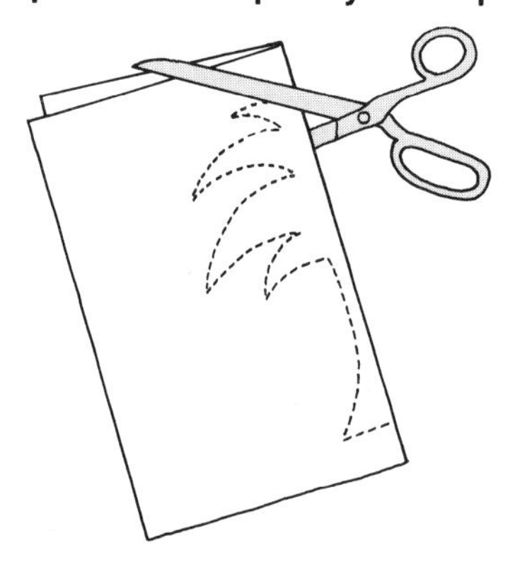

Pour faire un pochoir simple symétrique, dessinez la moitié du motif près de la pliure d'une feuille de papier. Découpez-la avec des ciseaux ou un couteau de précision. Dépliez le motif et placez-le sur du papier d'une couleur très différente. Recouvrez-le d'un papier à pochoir ou à décalquer. Découpez le motif avec un couteau de précision ou tracez le contour sur une matière à pochoir avant le découpage.

Pochoirs symétriques plus compliqués

Si l'on plie trois fois un morceau de papier carré, on peut obtenir des pochoirs compliqués et délicats dont les quatre côtés sont symétriques. Après avoir découpé les motifs dans le papier plié, il faut les reporter sur une feuille plate et de matière imperméable spéciale, pour faire les pochoirs définitifs.

Les motifs peuvent aller d'une simple fleur à quatre pétales (exécutée en une seule découpe à proximité du bord plié le plus long et sans couper de coin) aux dessins délicats faits avec des formes découpées dans les deux bords pliés.

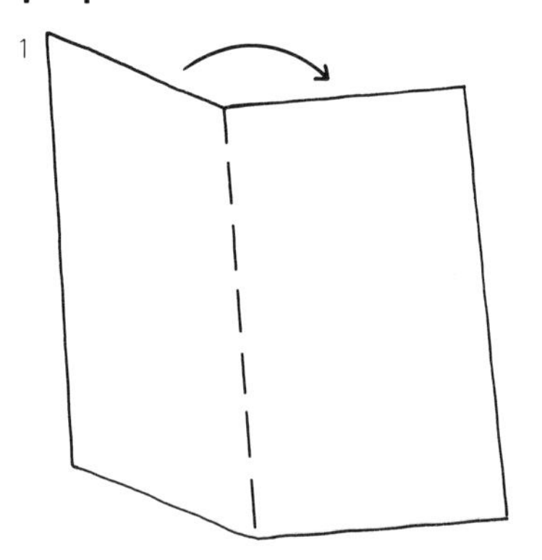

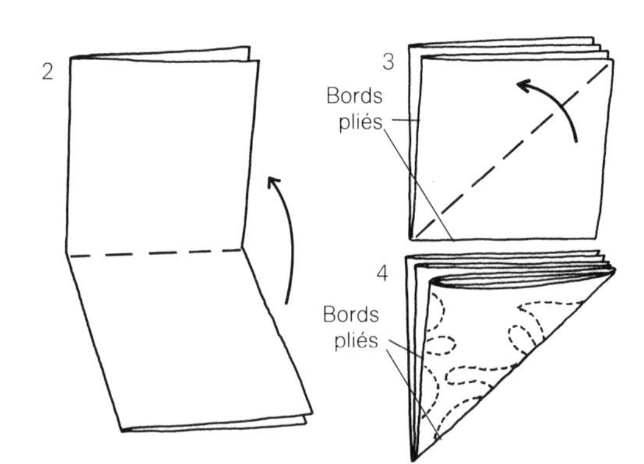

Pour faire un pochoir complexe dont les quatre côtés sont symétriques, prenez un grand morceau de papier carré et pliez-le d'abord en deux (1), puis en quatre (2). Pliez-le alors en diagonale (3) pour former un triangle (4). On ne fait de découpes que sur les bords pliés, comme l'indiquent les traits en pointillé. Les illustrations ci-dessous expliquent comment faire le pochoir.

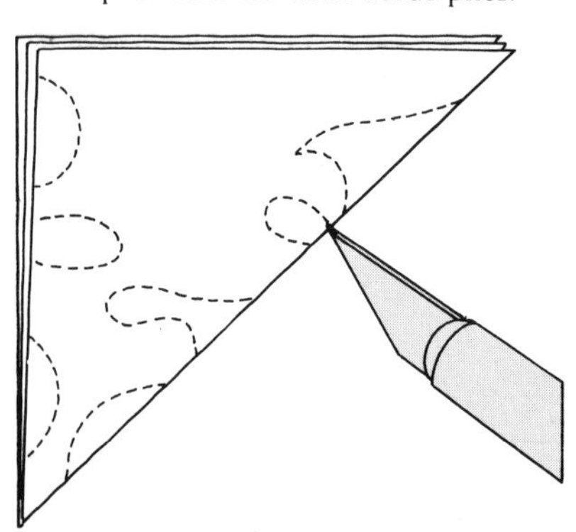

Pour créer un pochoir à motif rayonnant, faites des dentelures sinueuses sur les deux bords pliés. Ne découpez pas les bords non pliés.

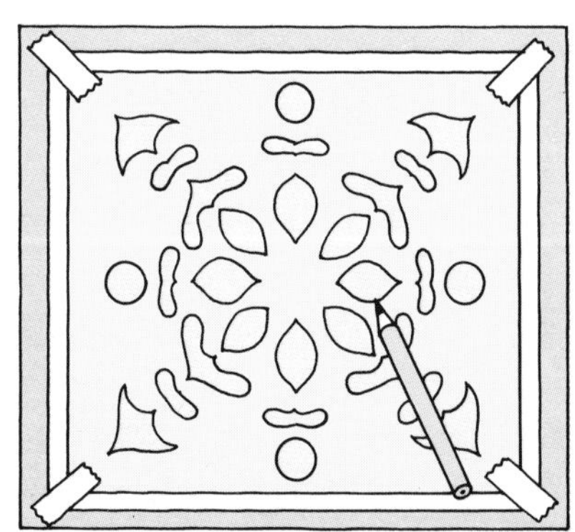

Dépliez le motif et mettez-le sur du papier de couleur. Fixez du papier à pochoir par-dessus, puis décalquez le motif.

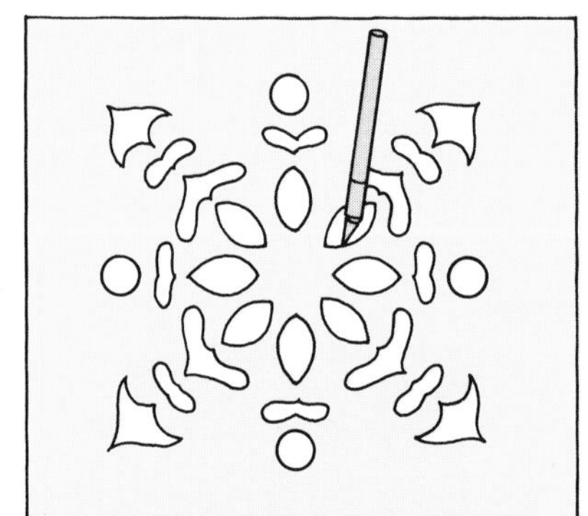

Enlevez le papier à pochoir. Découpez avec un couteau de précision les contours tracés. Faites tourner le pochoir en le découpant.

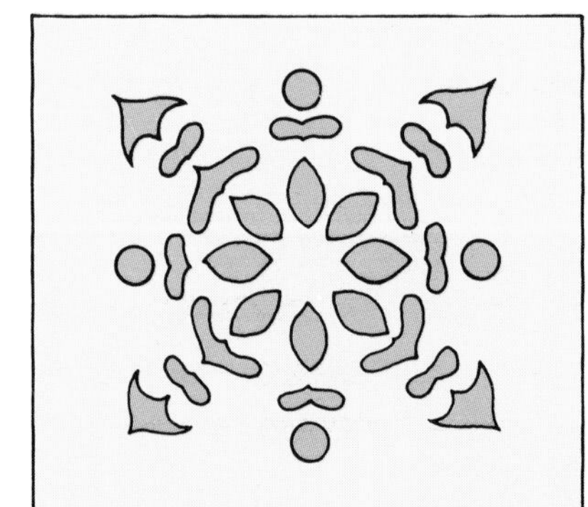

On détermine le résultat éventuel en posant le pochoir sur des papiers de couleur. On peut protéger la peinture avec de la gomme laque.

Conception et découpage d'un pochoir doté de liaisons

Quand on conçoit un pochoir asymétrique, il faut trouver un contour net et attrayant. S'il représente un objet, ce contour doit être facile à reconnaître. Les pochoirs anciens, les estampes, les illustrations, les revues ou vos dessins vous donneront des idées de motifs.

Pour figurer les détails qui se trouvent à l'intérieur du contour, il faut recourir à des liaisons, ces petites bandes situées entre les découpes du motif et attenantes aux bords du pochoir. Pour un dessin au trait, suivez les contours ou les ombres de l'objet représenté, puis élargissez les lignes de l'intérieur du motif pour en faire des bandes d'environ 1/8 po de large. Les liaisons servent aussi à renforcer le pochoir. Sans elles, les longs contours sinueux ou les motifs complexes auraient tendance à se déformer.

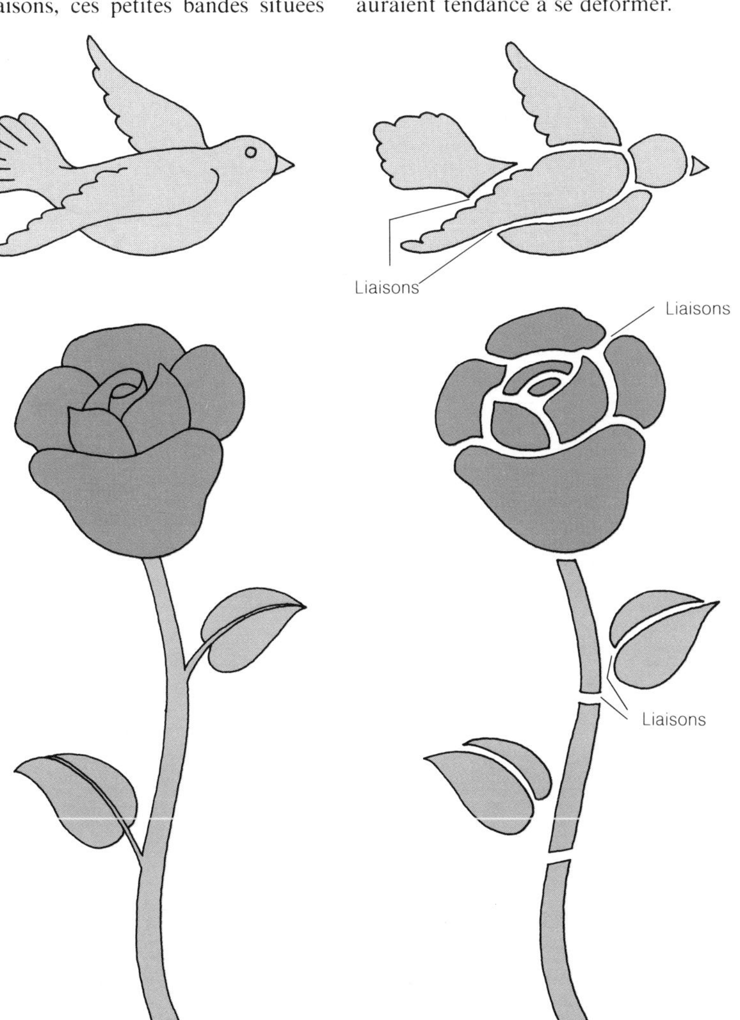

La peinture au pochoir

Avant de commencer à peindre, essayez vos couleurs sur le support à décorer. (Si vous peignez des meubles au pochoir, faites un essai sur un morceau du même bois; si votre support est un mur, faites un essai dans un endroit caché.)

Mélangez les couleurs jusqu'à ce que leur consistance soit crémeuse. Les peintures diluées doivent s'appliquer en plusieurs couches minces avec une brosse très peu imprégnée pour éviter les infiltrations sous les bords de la découpe. Vous trouverez dans les sections *Couleur et motif* (pp. 86-87) et *Peinture* (pp. 88-107) des renseignements sur la façon de choisir, de mélanger et d'appliquer les couleurs. Après chaque utilisation, essuyez le pochoir et assurez-vous que son envers est propre avant de l'appliquer sur une autre surface.

Il faut appliquer la peinture avec une brosse presque sèche. On peut sécher la brosse en la pressant légèrement sur un journal avant de peindre.

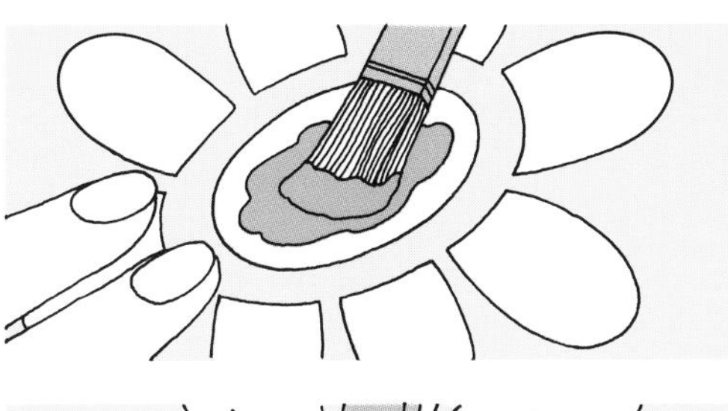

Plaquez fermement le pochoir sur la surface à peindre avec votre main libre. Posez d'abord la brosse au milieu d'une zone à couvrir pour la débarrasser de tout excédent éventuel de peinture.

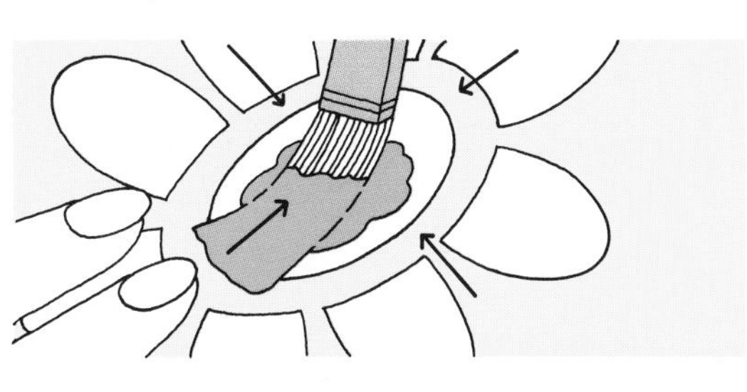

Quand vous peignez au pochoir, dirigez toujours votre brosse de la périphérie vers le centre. Evitez les coups de brosse contre les bords. Si la zone à peindre est très petite, brossez-la transversalement avec douceur.

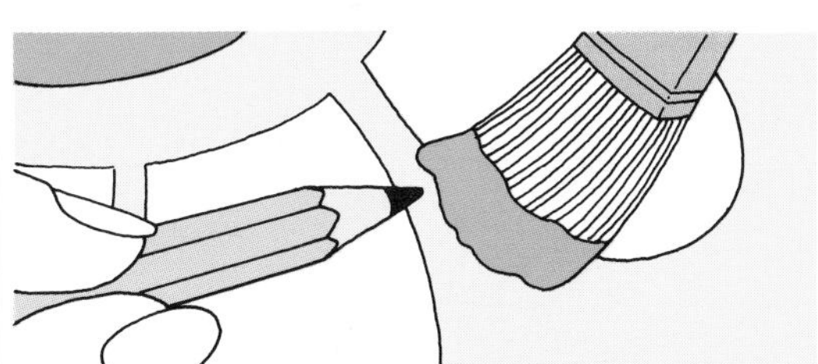

Quand vous peignez près d'une liaison, appuyez sur cette dernière avec un petit objet pointu (crayon, etc.).

Travail au pochoir

Emploi de deux ou plusieurs pochoirs

Il faut plus d'un pochoir pour réaliser les motifs qui comportent plusieurs couleurs, ou tant de petits détails que les nombreuses liaisons les morcelleraient trop. On trace le contour du premier pochoir sur tous les pochoirs secondaires. On découpe ensuite, au bord de ce contour, quatre ou cinq petits *repères* triangulaires pointés vers le centre. Après avoir peint le premier pochoir, on peut disposer les autres avec précision en vérifiant à travers les repères la couleur du pochoir précédent.

Lorsque deux couleurs se touchent, prévoyez qu'elles se chevauchent d'environ ⅛ po pour que leur jonction soit nette. Les couleurs claires ne couvrent les plus foncées que si l'on en passe plusieurs couches. Il vaut donc mieux peindre les couleurs claires en premier.

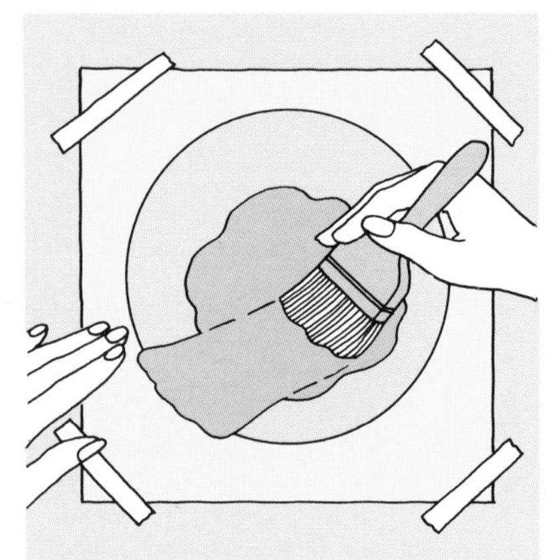

1. Si vous employez des pochoirs superposés, le premier vous permettra de délimiter le contour de base et d'appliquer la couleur du fond.

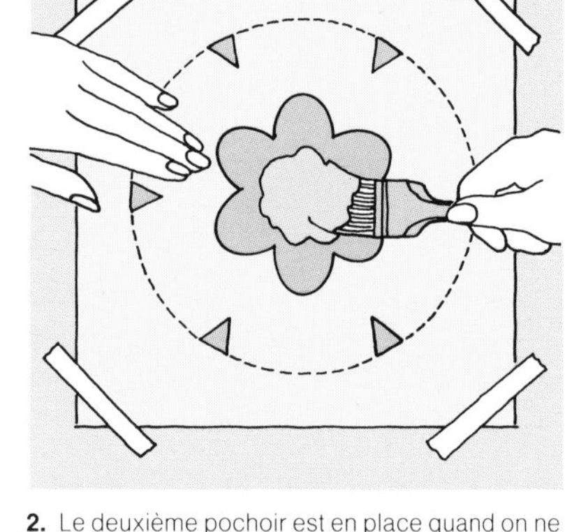

2. Le deuxième pochoir est en place quand on ne voit au travers de tous ses repères que la couleur du premier.

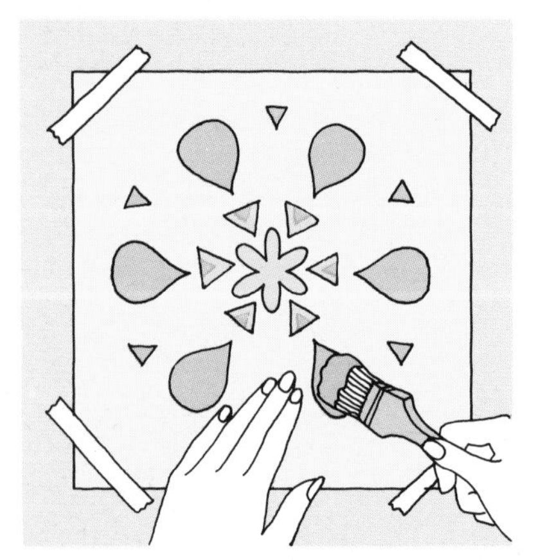

3. Positionnez aussi le troisième pochoir et les autres grâce aux repères. Laissez bien sécher chaque couche de peinture.

4. L'emploi de plusieurs pochoirs permet de réaliser un motif compliqué en plusieurs couleurs, sans qu'il y ait trop de liaisons.

Travail au pochoir/projet

Ornementation d'un meuble au pochoir

Les meubles en bois peint constituent un bon support pour les pochoirs. Le modèle représenté ici est appliqué sur un petit banc de bois brut que l'on commence par poncer et par recouvrir de deux couches de peinture au latex. Le pochoir est découpé dans du papier spécial fort ; on peint le motif avec des couleurs acryliques.

Avant de faire des pochoirs sur une surface, commencez par tracer un plan pour déterminer la position et la taille des motifs. Pour une grande surface, comme une porte, on peut concevoir plusieurs panneaux avec une bordure. Pour un mur, par exemple, on peut adapter le dessin principal pour réaliser un pochoir de bordure.

Dessins du pochoir. On peut reproduire à n'importe quelle grandeur le motif tracé sur la grille de la page ci-contre (voir *Dessin,* p. 78). Pour réaliser le dessus de ce banc, qui mesure environ 1 pi sur 2½, on double la taille du motif en le reportant sur la moitié droite d'un calque plié en deux. On dessine l'autre moitié en dépliant, puis en repliant le calque de façon à superposer sa moitié gauche sur la moitié droite, et l'on trace le contour par transparence. On déplie ensuite le motif que l'on dispose à plat, et l'on pose par-dessus une feuille transparente de papier à pochoir : il ne reste plus qu'à découper le pochoir.

Coins de la bordure. Pour faire des coins nets sur une bordure, mesurez les côtés avec précision avant de les peindre au pochoir pour que les motifs soient régulièrement espacés. Faites un motif complet ou spécial dans chaque coin. Ici, nous avons repris le motif de la feuille dans les coins.

Application de la peinture. Ne passez qu'une couleur à la fois, en mettant le moins de peinture possible sur votre brosse. Il faut d'abord appliquer le pochoir de la bordure sur les petits côtés, puis sur les grands côtés en partant de chaque coin.

On peut retoucher les bords irréguliers au petit pinceau soit avec de la peinture acrylique, soit avec la peinture au latex du fond. Un couteau ou une lame de rasoir permet d'ôter les barbes éventuelles d'un contour réalisé avec de la peinture acrylique.

Appliquez une couche de gomme laque claire quand la peinture est complètement sèche pour protéger la surface peinte au pochoir.

Variante du motif de la page 128

1. Avec du ruban, collez le motif recouvert de papier à pochoir sur un carton de façon à pouvoir faire tourner le pochoir en le découpant.

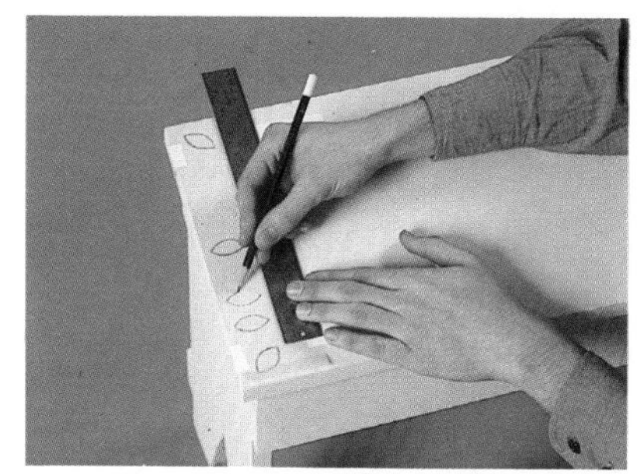

2. Pour réaliser cette bordure, dessinez une feuille dans chaque coin. Espacez ensuite régulièrement les autres feuilles avec une règle.

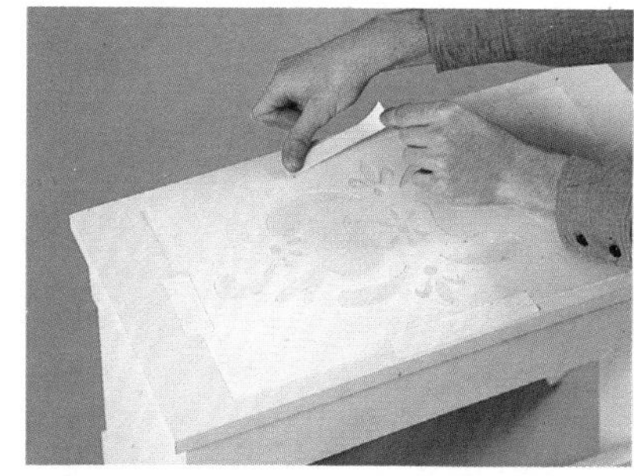

3. Assurez-vous que la surface peinte du meuble est propre et sèche, puis fixez le pochoir principal en place sur le bois.

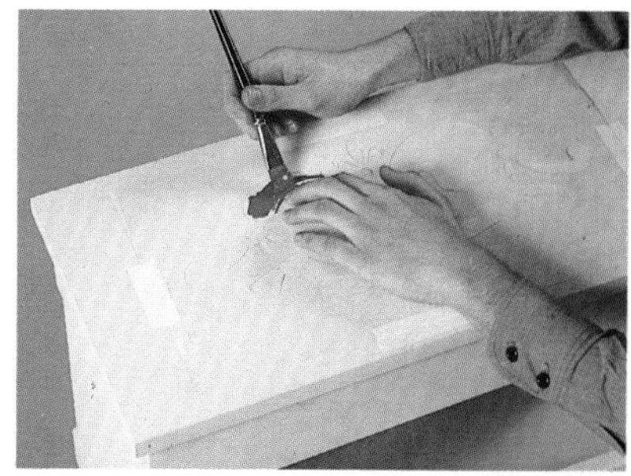

4. On peut utiliser les couleurs acryliques telles qu'elles sortent du tube, ou les mélanger. Peignez de la périphérie vers le centre.

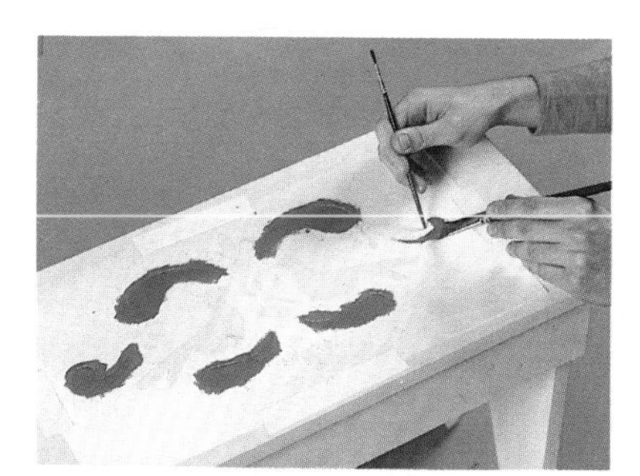

5. Appuyez toujours sur le pochoir pour obtenir un bord net. Un manche de pinceau sert ici à exercer une pression sur une petite surface.

6. Peignez les zones bleues du pochoir principal lorsque le rouge est sec. Quand le bleu est sec, peignez les coins, puis les petits côtés.

7. Sur les grands côtés, peignez la bordure en partant des coins ; puis placez le pochoir au milieu pour obtenir un espacement régulier.

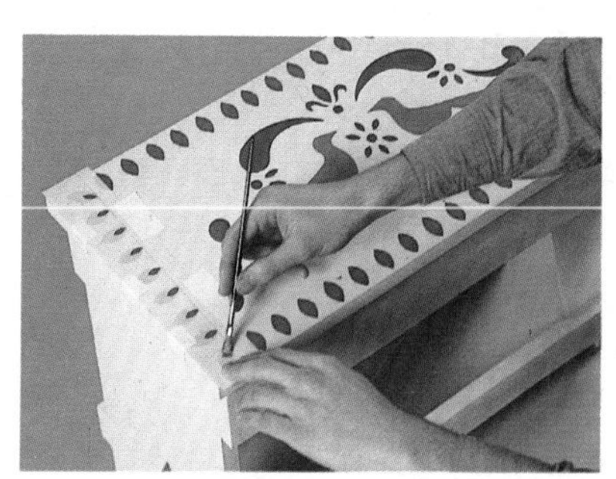

8. Quand la bordure est sèche, appliquez un second pochoir, percé de feuilles plus petites, sur le premier pour passer une autre couleur.

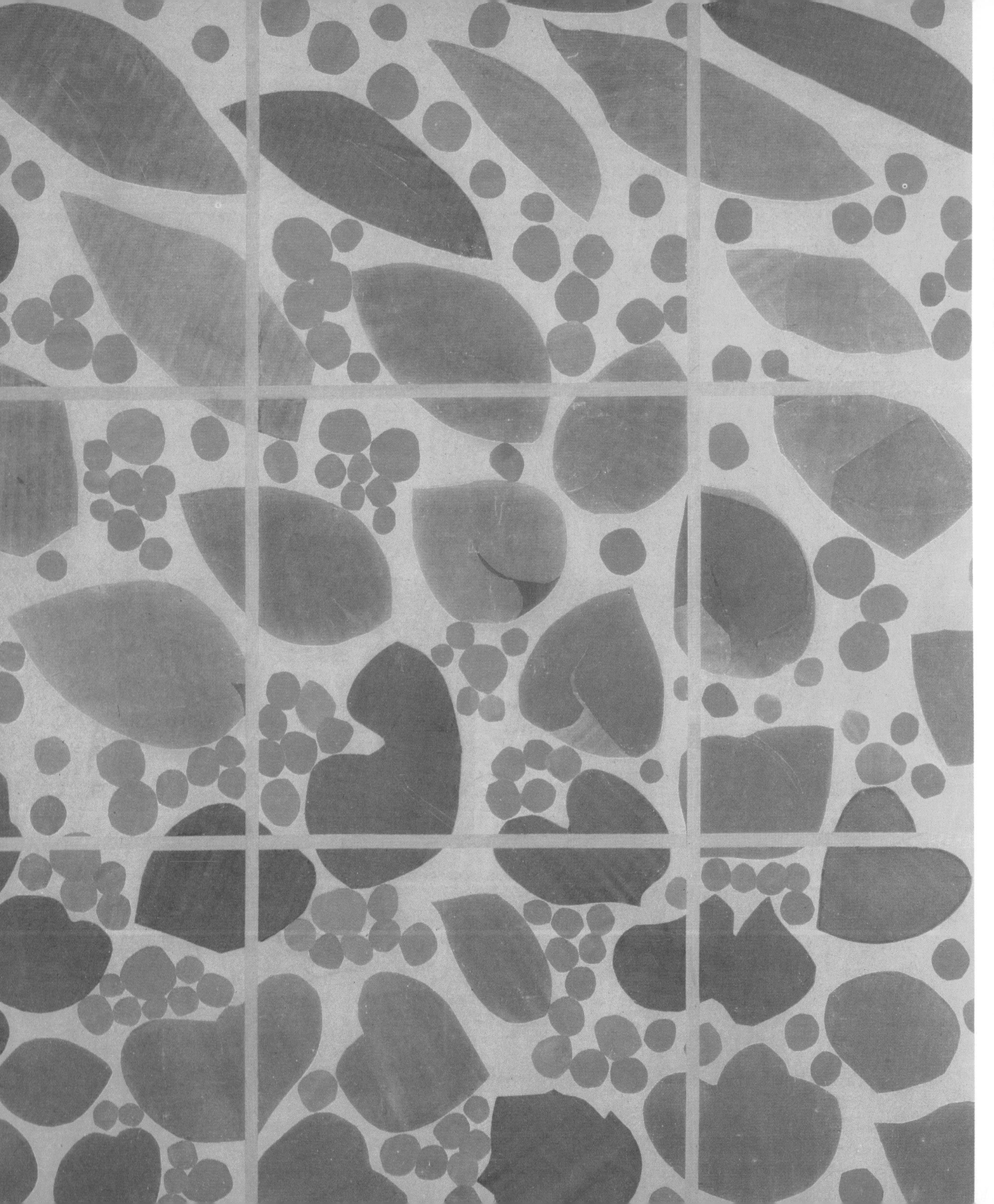

Collage

Forme d'art contemporaine

Un collage est une composition artistique faite de diverses matières collées sur un support. Presque tout peut servir à faire des collages : le tissu, le bois et le métal. Quand on emploie plus d'une matière dans une œuvre, cela s'appelle un assemblage. Celui-ci peut comporter des écrous et des boulons, des poignées de portes, des poupées en chiffon : en somme, tout ce qui plaît à l'artiste.

On fait des collages depuis longtemps, car aucune formation n'est nécessaire pour pratiquer cette forme d'art. Toutefois, quand Georges Braque et Pablo Picasso commencent au début du XXe siècle à incorporer des collages dans leurs tableaux, ce qui était jusque-là un art populaire devint vite un art sérieux. D'autres artistes ne tardent pas à s'adonner au collage, qui exerce une influence importante sur l'art du XXe siècle.

Outre les matières nécessaires pour faire le collage lui-même, vous aurez besoin de colle, de pinceaux et d'un support. Les supports les plus courants sont le Masonite, les panneaux de particules et le contre-plaqué. Un panneau de ⅛ po à ¼ po d'épaisseur suffira dans la plupart des cas. Comme on le verra à la page 133, il faut parfois employer un support plus épais pour un grand assemblage composé de nombreux objets lourds. La toile, plus coûteuse que les panneaux dont il vient d'être question, peut aussi être employée comme support, soit montée sur un châssis, soit collée sur une planche. Elle est toute désignée lorsqu'on veut combiner le collage et la peinture.

Les adhésifs les plus couramment employés pour faire des collages sont le polymère acrylique et l'acétate de polyvinyle ou colle blanche. On les dilue avec de l'eau en mélangeant 1 volume de colle pour 1 volume d'eau. Le polymère acrylique sert aussi de vernis et donne un aspect poli à la surface.

Détail de *Lierre en fleur*, une composition de Henri Matisse, faite de papiers découpés.

Les papiers collés

On peut se servir de n'importe quel papier pour faire un collage. Le papier journal, les illustrations de revues, les cartes postales, les photos, les cartes de vœux, les affiches, le papier pour cadeaux, les vieilles lettres et le papier peint jouissent d'une grande faveur. On se sert parfois d'emballages de sucreries ainsi que d'étiquettes de bouteilles ou de boîtes de soupe. On trouve des papiers de soie fins de couleur dans les magasins de fournitures pour artistes. Les papiers de riz japonais ont aussi des textures intéressantes et possèdent une beauté intrinsèque. On trouve des papiers de riz, de couleurs, de textures et de poids différents, dans la plupart des magasins de fournitures pour artistes.

Les essais. Les papiers de soie prennent des nuances plus claires quand on les colle. Deux morceaux de papier de la même couleur collés ensemble donnent un motif moucheté intéressant. On peut, en collant des papiers de riz de différentes couleurs les uns sur les autres, obtenir divers effets originaux.

Les essais sont la clé des collages réussis. Commencez par choisir des papiers dont les couleurs et les textures vous attirent. Découpez les illustrations que vous aimez ou faites des silhouettes dans diverses sortes de papiers. Posez-les sur votre support, puis essayez plusieurs compositions. Un motif surgira peut-être pendant que vous déplacerez et réagencerez vos découpures.

Quand vous serez parvenu à une composition agréable, collez les morceaux, mais si le résultat ne vous satisfait pas au bout de plusieurs jours, ajoutez d'autres formes et d'autres papiers.

L'apprêtage et l'enduction. La colle blanche et le polymère acrylique voilent le Masonite le plus mince (1/8 po) en séchant. Pour empêcher cela, apprêtez le panneau avant de faire le collage : passez des deux côtés du Masonite une couche diluée de l'adhésif que vous pensez utiliser, puis laissez sécher le panneau avant de poursuivre. Diluez l'adhésif avec de l'eau jusqu'à ce qu'il ait la consistance d'une crème légère. L'adhésif reste transparent en séchant, si bien que l'on voit toujours la couleur brune du Masonite sous-jacent.

Au lieu de l'apprêter avec de l'adhésif, on peut enduire la surface avec du « gesso ». C'est un enduit blanc dont les peintres se servent pour préparer les toiles ; il fait donc un fond blanc.

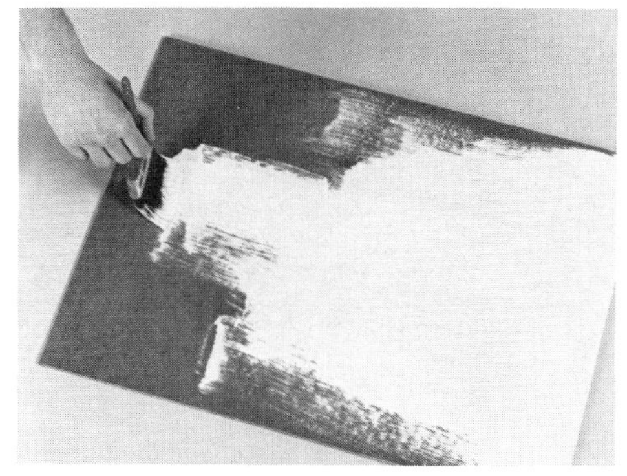

1. Avec un pinceau large, appliquez l'enduit (du « gesso ») du côté lisse du support (du Masonite). La colle blanche et le polymère acrylique sèchent en 30 min, le gesso en 2 h.

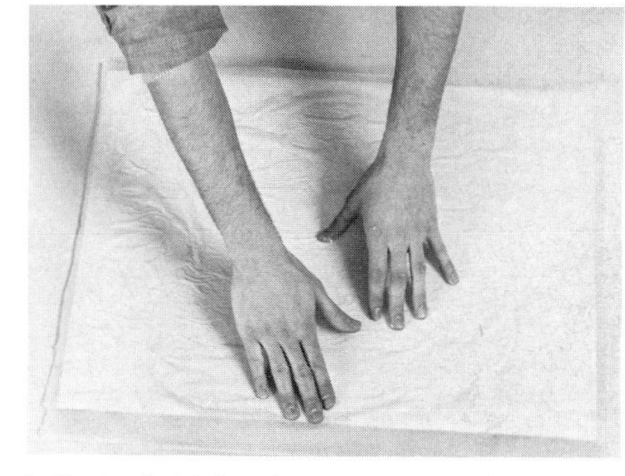

2. Etendez l'adhésif sur le support avec un pinceau, puis posez un fond, comme ce papier de soie légèrement ombré. Les plis confèrent une texture à l'ensemble.

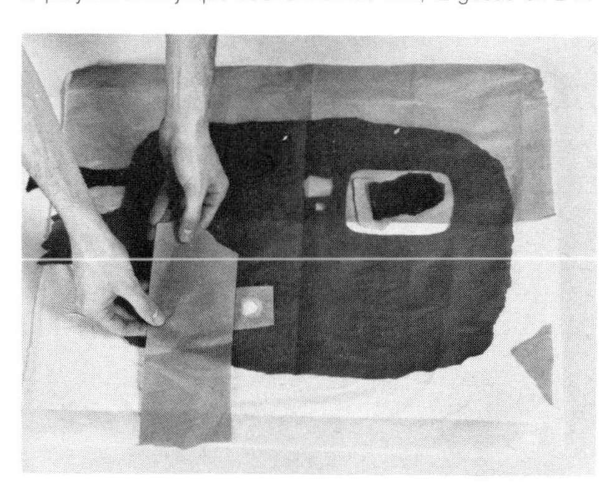

3. Laissez sécher le fond, puis découpez les éléments de votre motif. Disposez-les. Réagencez la composition jusqu'à ce qu'elle vous plaise.

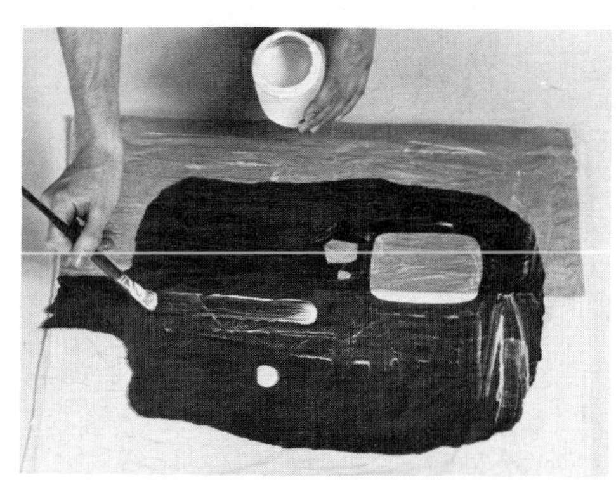

4. Le papier de soie étant mince au point que l'adhésif le transperce, étendez-le sur le papier et non dessous. Recouvrez la surface d'adhésif.

Collage

Les tissus collés

On emploie souvent des tissus pour faire des collages, car ils confèrent une texture naturelle et une certaine solidité qui produisent un effet totalement différent de celui obtenu avec du papier.

Le jute et la grosse toile sont, par suite de la rudesse de leur tissage, des matières recherchées ; ils donnent aussi de beaux fonds. Les étoffes légères, colorées, de soie, de coton et de nylon contrastent agréablement sur ces tissus épais. Les brocarts, le tissu d'ameublement, le cannage, la gaze, les filets en tous genres, la ficelle et la corde, la dentelle, les rubans, les vieilles chemises de flanelle, le croisé de coton, les vieilles serviettes de toilette et les courtepointes peuvent aussi servir à faire des collages.

Les tissus, tout comme les papiers, n'ont pas besoin d'être neufs ni en bon état pour être utilisables. De fait, les tissus déchirés et passés ont souvent une valeur symbolique et une texture qui manquent aux étoffes neuves. Parfois, vous devrez cependant acheter du tissu neuf pour obtenir certains effets et réaliser un projet.

Le tissu se prête mieux aux grands collages que le papier. Vous utiliserez en général pour vos collages de tissus des feuilles de contre-plaqué, de Masonite ou des panneaux de particules ayant au moins ¼ po d'épaisseur. Enduisez ou apprêtez le panneau comme pour les collages de papier (voir p. 131), puis appliquez le tissu de fond qui vous plaît. Vous pouvez utiliser les mêmes adhésifs que pour le papier. La colle blanche convient mieux que le polymère acrylique pour coller les morceaux gros et lourds, mais on peut utiliser ce dernier pour les éléments plus petits. Lorsque vous collez des tissus, ne diluez pas l'adhésif. Mettez-en une bonne quantité. Comme sur les papiers, une application d'une ou deux couches de polymère acrylique fait un vernis qui met en valeur les textures.

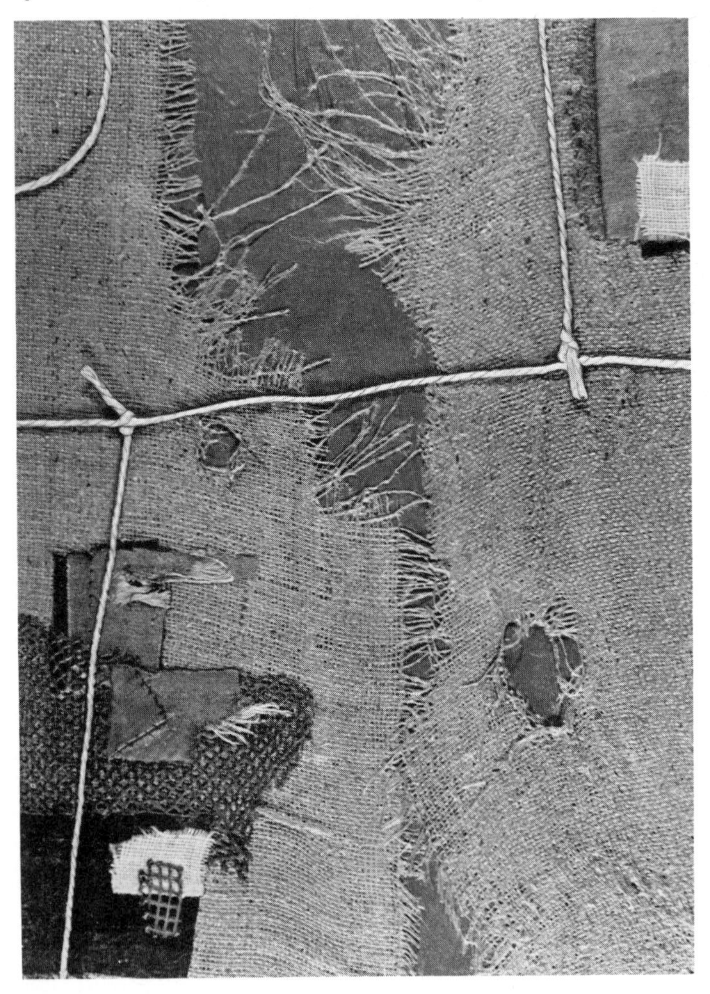

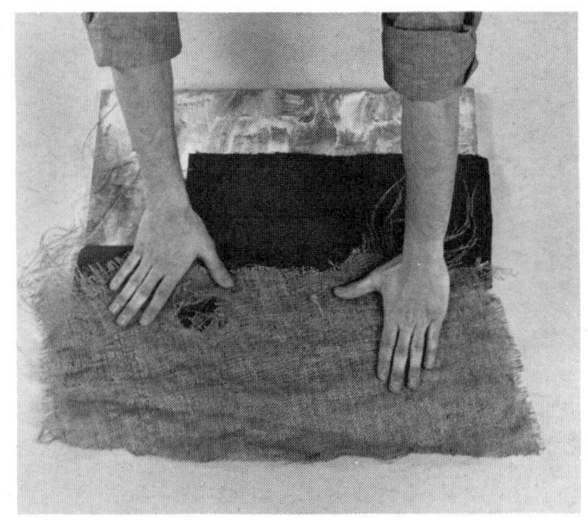

1. Disposez sur le support les divers morceaux de tissu que vous avez choisis. Le support utilisé ici est du contreplaqué de ½ po.

2. On dispose d'abord les grands morceaux du fond (de jute et de toile, dans l'exemple ci-dessus). On colle ensuite par-dessus les tissus plus petits.

3. La colle blanche étant la plus forte, elle sert à fixer les morceaux les plus lourds. Utilisez de la colle acrylique pour les éléments légers (ficelle, etc.).

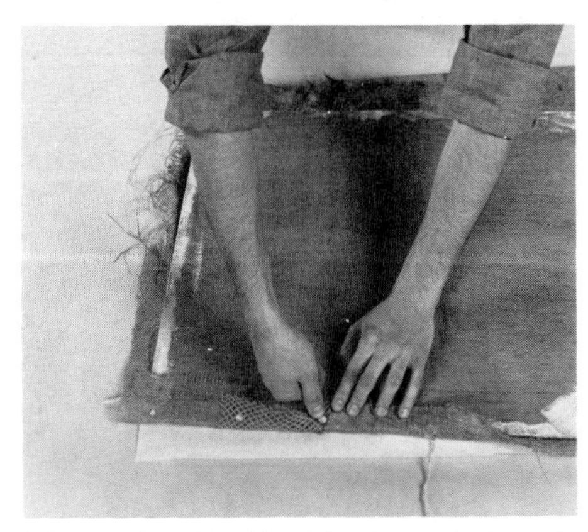

4. Lorsque le recto est terminé, retournez le panneau. Taillez la plupart du tissu excédentaire, repliez le reste, et collez-le ou agrafez-le.

Les assemblages

Un assemblage est un collage fait d'objets ou de matières autres que le papier et le tissu. Certes, il y a souvent du papier et des tissus dans un assemblage, mais ce sont les objets qui prédominent, car il s'agit de créer un effet architectonique en trois dimensions.

Comme les collages, on associe les assemblages aux noms de Picasso et de Braque. Les objets employés sont en général des articles courants, trouvés çà et là, et qui ne servent plus. Expression révélatrice de notre époque technicienne, on a eu recours à des objets fabriqués : mécanismes d'horlogerie, cadrans de montres et de pendules, engrenages, ressorts, rondelles, feuilles de métal, enjoliveurs de roues, lunettes, etc., pour obtenir des effets frappants. Mais les objets assemblés ne doivent pas forcément être des articles courants. Vous pouvez faire usage de coquilles d'œufs et de coquillages, de pommes de pin, de feuilles séchées, de galets ou d'arêtes de poisson. Les bobines de bois peuvent faire beaucoup d'effet, comme le montre l'exemple ci-dessous. Mais l'essence même d'un assemblage, c'est les vieilleries auxquelles on trouve un usage nouveau, créateur.

Comme pour les collages de papiers et de tissus, il faut essayer plusieurs des agencements d'objets afin de déterminer les motifs possibles. On ne peut pas toujours fixer les objets d'un assemblage avec des adhésifs. Certes, la colle blanche permet de faire adhérer maintes pièces métalliques légères au bois ou au tissu, mais il faut parfois clouer, agrafer ou visser les objets en raison de leur poids et de leur texture. On peut aussi les encastrer dans une couche épaisse de pâte « à modeler » (voir ci-dessous), ce qui vaut pour les articles lourds de métal.

Le poids des objets ainsi que les vis ou les clous employés pour les fixer déterminent l'épaisseur du support.

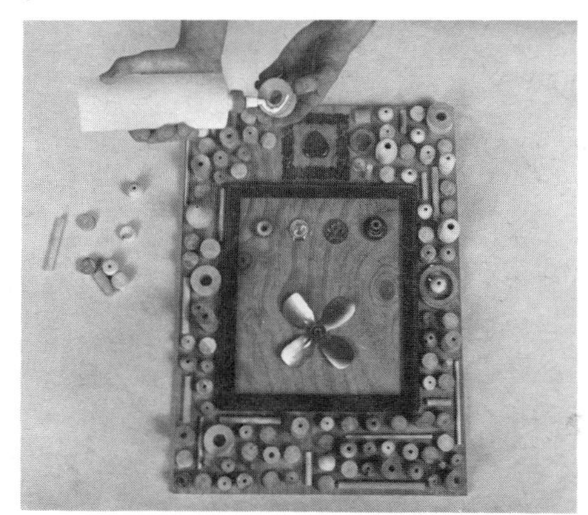

1. Pour cet assemblage, on utilise de la colle blanche pour fixer les pièces de bois à la périphérie du support constitué de contre-plaqué de ½ po.

2. On vaporise de la peinture blanche en aérosol sur les pièces de bois de la périphérie et sur le fond du support. Attention ! cette peinture est inflammable.

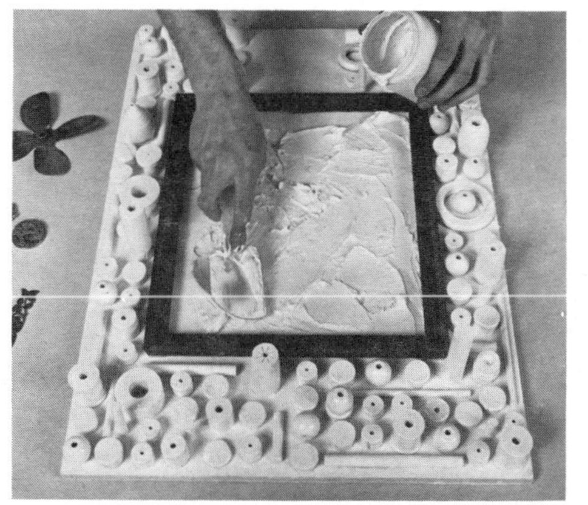

3. Le grand cadre est cloué avec des petites pointes (comme plus tard, l'hélice). La pâte « à modeler » sert à encastrer les objets de métal.

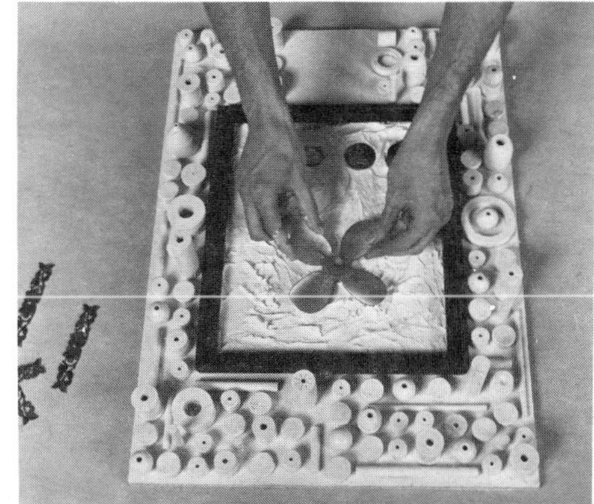

4. Le petit cadre est fixé sur le support (voir la grande photo, à gauche) avec de la colle blanche. On peut ensuite appliquer une couche de polymère acrylique.

Découpage

D'humbles origines

L'art qui consiste à décorer des surfaces de bois, de verre ou de céramique au moyen de découpages de papier naît en Italie, au XVIIIe siècle. A Venise, qui est le premier centre de cet art, on l'appelle à l'origine *l'arte povero* (l'art du pauvre), car il permet d'imiter à peu de frais les meubles laqués ornés de motifs peints à la main que l'on importe alors de Chine et du Japon.

Les artisans vénitiens manient bientôt cette nouvelle technique avec une virtuosité qui rivalise avec celle que dénotent les laques orientales. De Venise, le découpage se répand en France, en Allemagne, en Belgique, en Pologne, en Espagne, en Grande-Bretagne, dans l'Amérique coloniale puis au Mexique.

Mais vers 1850, les nouveaux procédés de gravure, d'impression, de gaufrage et de découpage à la presse mettent à la disposition de tous un vaste choix d'images en couleurs, d'impressions dorées, d'une qualité qui ne se trouvait auparavant que dans les œuvres d'art originales. Faire du découpage devient alors un passe-temps familial qui permet de décorer des meubles, des paravents, des boîtes à musique et des coffrets à bijoux, ainsi que des vases de porcelaine et de céramique.

La reine Victoria devient la plus célèbre collectionneuse de découpages. Amelia Blackburn, une invalide anglaise, compte parmi les meilleurs adeptes de cet art. C'est d'abord pour elle un passe-temps, mais bien vite ses oiseaux et ses guirlandes de fleurs en papier, aux couleurs exquises, créent une mode, celle des « belles amelias » que ses contemporaines ne tardent pas à imiter.

Le découpage est sans aucun doute une discipline astreignante, qui prend beaucoup de temps. Sa technique, pourtant très simple, permet de transformer les choses les plus ordinaires en objets de valeur.

Les ornements de ce meuble victorien sont des découpages de journaux et de revues.

Outils et matériel

Le découpage peut servir à embellir le bois, la porcelaine ou le verre. On commence par poncer les objets de bois (voir ci-dessous), puis on les peint ou on les teint avant d'y apposer les découpages (voir p. 138). On se sert d'apprêts pour préparer les surfaces de bois à recevoir de la peinture et empêcher que la couleur ne coule ou ne « bave ».

Un mastic à base de plastique, amovible, permet de disposer provisoirement les découpages sur l'objet, ce qui est très utile pour composer le motif souhaité. Avant le collage définitif, on fixe les découpages sur le bois avec de la colle blanche (acétate de polyvinyle), sur le verre ou la porcelaine avec un adhésif acrylique. Le rouleau permet d'aplatir les découpages et de chasser l'excédent de colle et les bulles d'air. Enfin, avec le brunissoir, on appuie sur les bords.

On passe 10 couches de vernis sur les surfaces de bois et les découpages, puis on ponce au papier abrasif mouillé. On emploie de la laine d'acier, de la pierre ponce, de l'huile et de la cire blanche lors de la dernière étape. On nettoie la surface avec un chiffon après chaque ponçage.

A part le rouleau, le brunissoir et les ciseaux à découper, tout le matériel nécessaire se trouve dans les quincailleries ou les magasins de peinture. Vous pouvez remplacer les ciseaux à découper par des ciseaux à cuticule, le rouleau à fourchette par un rouleau à pâtisserie ou par un crayon rond, et le brunissoir par le dos d'une cuiller. Si vous voulez faire l'apprêt vous-même, mélangez 3 volumes de gomme laque à 1 volume d'alcool. Le chiffon est de l'étamine trempée dans du vernis, puis essorée.

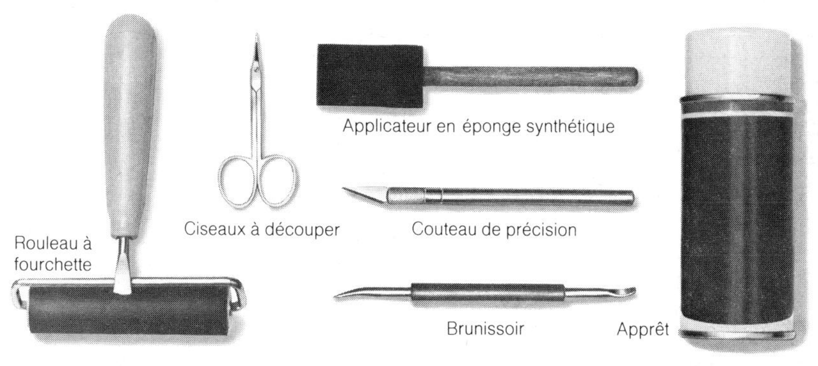

Les seuls outils spéciaux nécessaires pour réaliser les projets proposés ici sont le rouleau, le brunissoir et les ciseaux à découper. Si vous voulez préparer la surface avec du « gesso », de la cire métallisée, de la peinture ou des teintures, vous aurez aussi besoin d'éponges, de térébenthine, d'apprêt, de vernis, de pinceaux, de papier abrasif, de papier grenat, de laine d'acier, d'un tampon, de pierre ponce et d'huile, d'un bloc à poncer, de crayons de couleur pour artistes, de colle blanche et d'adhésif acrylique (qui se présente sous la forme d'un liquide et d'une poudre à mélanger juste avant usage). On emploie aussi deux apprêts en aérosol, dont l'un est acrylique et l'autre vinylique. Les applicateurs, qui sont des éponges polymères synthétiques, ne laissent aucune trace de pinceau. Vous aurez aussi besoin de petites éponges synthétiques composées de trois épaisseurs et d'un bloc de ponçage recouvert de feutre.

Préparation du bois pour les apprêts et la peinture

Les magasins de fournitures pour artisans vendent des boîtes et des plaques poncées prêtes pour l'application de découpages, mais vous pouvez les faire vous-même. Si vous souhaitez utiliser du vieux bois, décapez-le, puis poncez-le jusqu'à ce qu'il soit lisse.

Il faut poncer une dernière fois même les boîtes préparées que l'on achète dans les magasins de fournitures pour artisans, avant de les peindre ou de les teinter. Appliquez l'apprêt sur le bois *avant* de peindre. Si vous teignez le bois, appliquez-le *après* la teinture, quand elle est sèche. Employez du papier abrasif grenat fin (n° 220 ou n° 240). Si le bois est très rugueux, poncez-le d'abord avec du papier abrasif légèrement plus gros (n° 100 ou n° 120), puis terminez le travail avec du papier grenat.

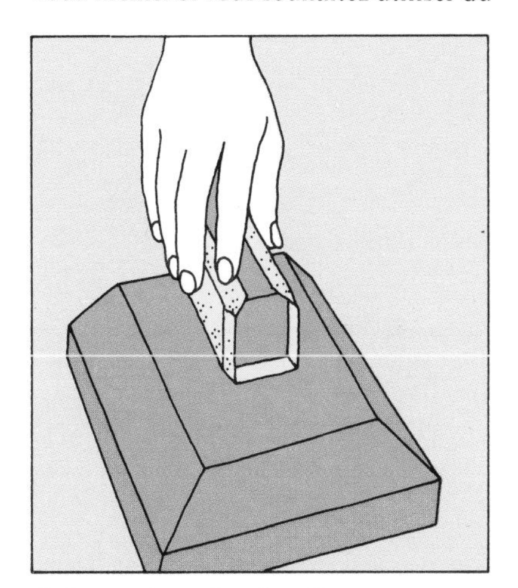

Entourez de papier abrasif un bloc garni de feutre. Poncez le bois dans le sens du fil.

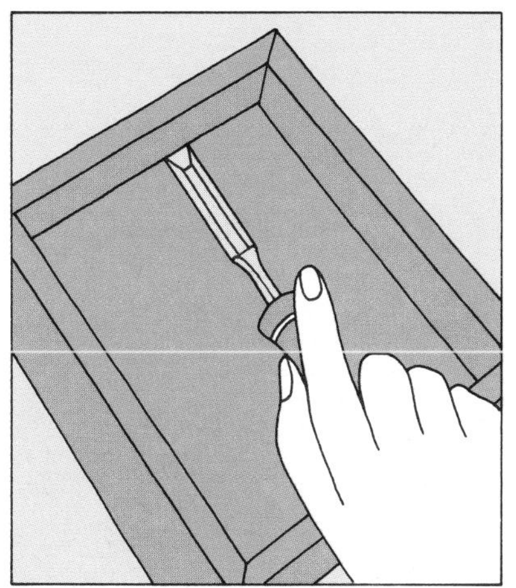

Enlevez au ciseau les boules de colle sèche sur les arêtes intérieures et dans les coins.

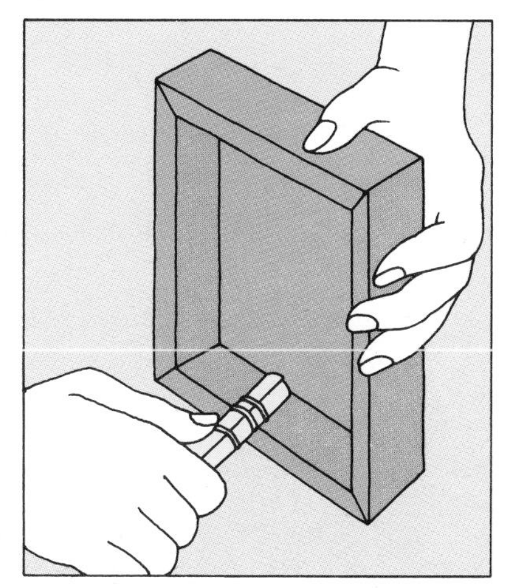

Poncez l'intérieur des bords avec un bâtonnet de bois entouré de papier abrasif.

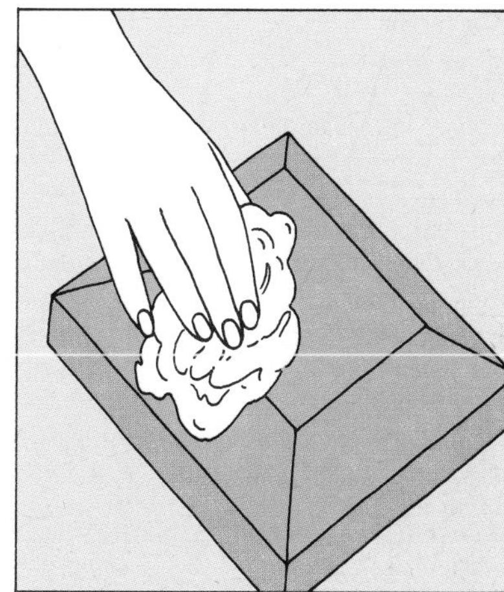

Après chaque ponçage, enlevez toute trace de poussière avec un chiffon.

Découpage

Choix et préparation des images

On vend des images à découper dans les magasins de fournitures pour artisans. Mais les livres d'art et les livres pour enfants, le papier pour cadeaux, les photos, les cartes postales et les cartes de vœux sont des mines de motifs.

Les documents épais, notamment les photos et les cartes postales, doivent être dédoublés selon la méthode indiquée à droite. On peut tirer parti de l'effet sculptural de bords en relief, mais une surface lisse est généralement préférable. C'est pourquoi on aplatit les bords des images au brunissoir après les avoir collées. C'est aussi la raison pour laquelle on incline les ciseaux quand on découpe les contours. En effet, les bords en biseau sont en contact plus étroit avec le bois que les bords droits. Vous pouvez aussi roussir ou denteler les bords, car les dentelures produisent un effet de relief agréable.

Attaches et enduits. Après avoir choisi votre image, déterminez quelles sont les parties du motif que vous utiliserez. S'il y a des portions délicates qui risquent de se déchirer lors des manipulations, dessinez des attaches entre elles comme l'indique l'étape 1, ci-contre. Epaississez aussi les tiges et les traits fins avec un crayon de la couleur voulue (étape 2). Fixez les zones coloriées avec un apprêt en aérosol ou avec de la gomme laque diluée.

Enduisez toute l'image avant de commencer à la découper. Si vous l'avez coloriée, vaporisez-la avec un apprêt vinylique, sinon utilisez un apprêt acrylique. Cela fait, découpez le papier qui entoure l'image, puis dégagez les portions que vous utiliserez. Découpez ensuite les portions intérieures, y compris celles tenues par des attaches, puis le bord. Conservez les attaches le plus longtemps possible : vous ne les couperez qu'après avoir appliqué la colle.

Quand vous découpez, tenez vos ciseaux avec le pouce et le majeur, puis guidez-vous avec l'index.

1. Dessinez des attaches entre les portions minces de l'image qui risquent de se déchirer. Vous les découperez juste avant le collage.

2. Epaississez les tiges, les vrilles ou les autres traits fins avec des crayons de couleur. Cela facilitera leur découpage.

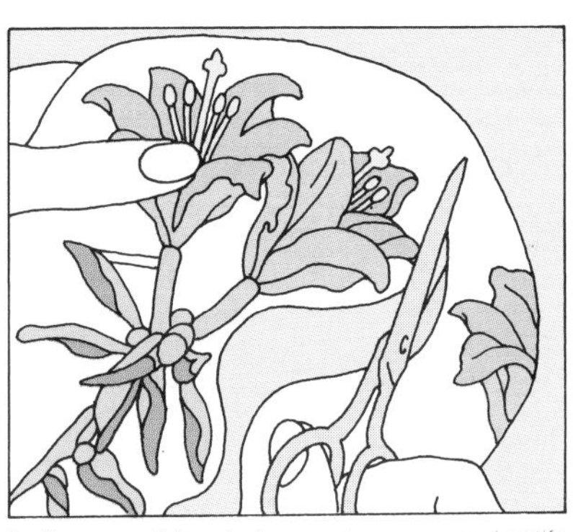

3. Coupez d'abord des contours approximatifs autour des portions de l'image que vous comptez inclure dans votre motif.

4. Pour faire une découpe intérieure, percez d'abord le papier par-dessus avec des ciseaux, puis élargissez le trou par-dessous.

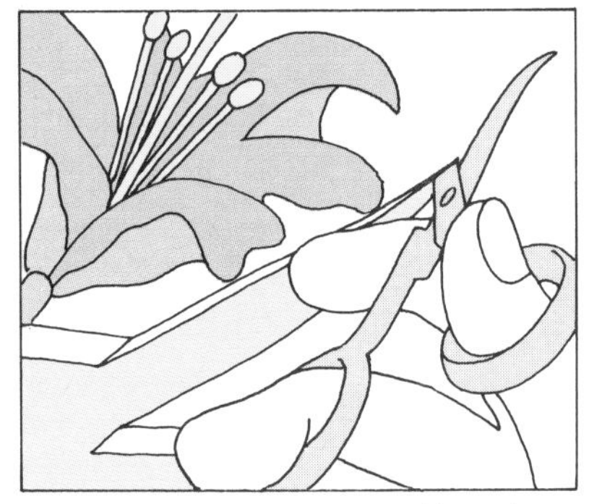

5. Découpez ensuite les bords extérieurs du motif. Biseautez les bords en inclinant les ciseaux vers le bas, comme sur l'illustration.

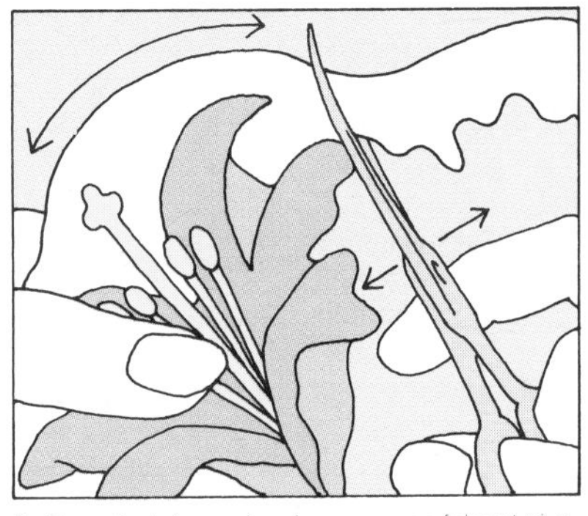

6. Pour denteler un bord, coupez en faisant pivoter rapidement l'image et les ciseaux, tantôt dans un sens, tantôt dans l'autre.

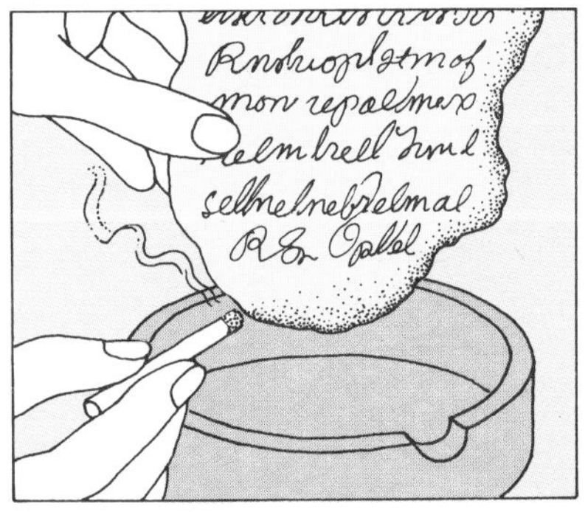

7. Pour obtenir un bord roussi, découpez l'image à la taille voulue, puis roussissez son contour avec une cigarette allumée.

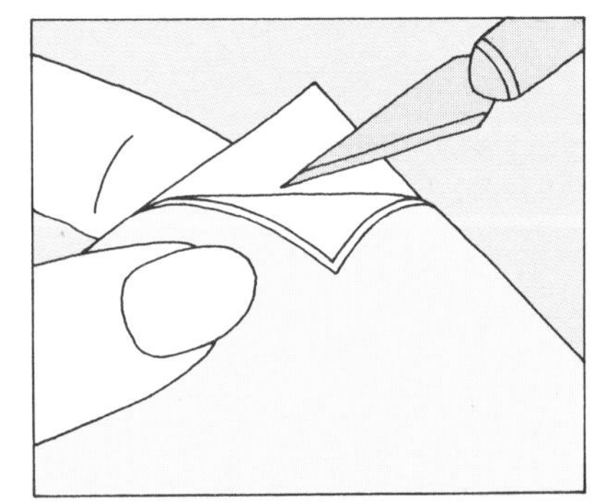

Dédoublage. Avant de découper le papier, enduisez le verso de colle blanche. Faites sécher. Dédoublez un coin avec une lame mince.

Dégagez un bord, puis ôtez toute la pellicule en l'enroulant sur un crayon. Poncez un peu le verso avec du papier grenat n° 220 ou n° 240.

Découpage / projet

Décoration d'une assiette en verre

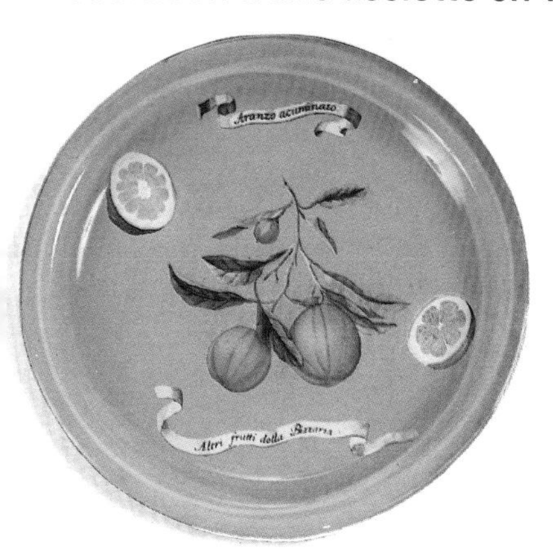

Le travail diffère suivant que l'on applique les découpages sur du verre ou sur du bois (voir pp. 138-139). Dans le premier cas, l'image apparaissant « sous verre », on n'a pas besoin de multiples couches de vernis pour obtenir un effet de transparence.

Vaporisez d'abord un apprêt acrylique au verso des documents. Découpez vos motifs, puis disposez-les (voir étapes 1 à 3 ci-dessous). Collez le recto des découpages sur le fond de l'assiette en verre avec un adhésif acrylique. Cet adhésif devient transparent en séchant.

Chassez ensuite avec un chiffon humide les bulles d'air emprisonnées entre les découpages et le verre. C'est essentiel, car ces bulles feraient des petites tâches brillantes sous le verre. Vérifiez sans cesse s'il en reste en regardant le dessus de l'assiette. Essuyez les amas d'adhésif au besoin.

Lorsque les découpages sont secs, étalez une peinture à émulsion avec une petite éponge synthétique sur tout le fond de l'assiette. Quand cette couche de peinture est sèche, passez un fond de peinture acrylique à l'eau. Faites sécher pendant 24 heures, puis appliquez-en une seconde couche. Enfin, passez deux couches de vernis séparées par un temps de séchage de 24 heures.

1. Placez l'assiette de verre sur du papier et tracez au crayon sa circonférence avec précision.

2. Composez le motif en plaçant le recto des découpages à l'intérieur de la circonférence tracée.

3. Placez l'assiette sur les découpages. Tracez leurs contours sur l'assiette avec un crayon gras.

4. Avec une éponge synthétique, passez une couche d'adhésif acrylique sur le fond de l'assiette.

5. Coupez avant le collage les attaches (voir p. 136) laissées lors du découpage initial.

6. Posez les découpages sur l'adhésif. Retournez l'assiette pour vérifier leur position.

7. Chassez les bulles avec un chiffon humide. Après séchage, recouvrez d'adhésif le dos de l'assiette.

8. Passez une mince couche de peinture acrylique, puis une seconde 24 h après. Vernissez.

Décoration d'une lampe

Il est difficile d'appliquer des découpages à l'intérieur du socle en verre d'une lampe. Travaillez sur un socle assez gros pour que votre main puisse se déplacer librement à l'intérieur. Composez d'abord votre motif sur la face extérieure du socle, comme ci-contre, en collant du mastic amovible (voir texte, p. 135).

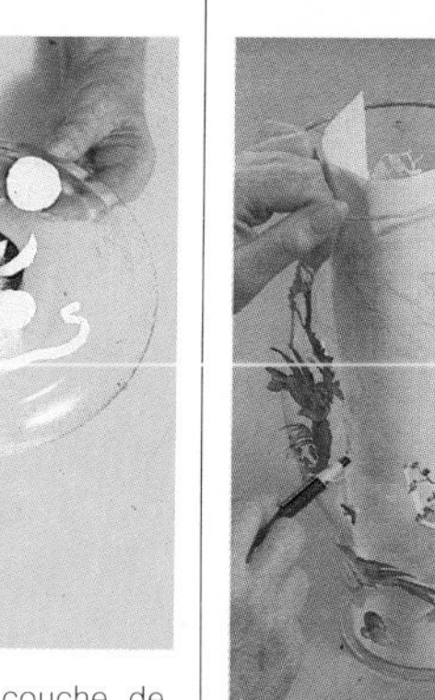

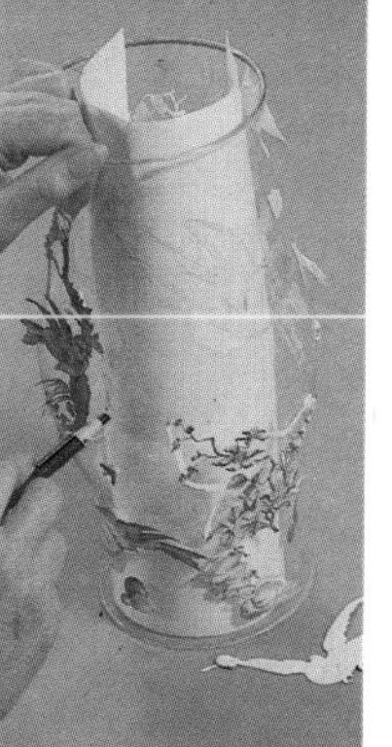

Dessinez les contours des découpages sur la face extérieure du verre avec un crayon gras. Numérotez chaque découpage pour indiquer l'endroit où il sera collé. Placez du papier à l'intérieur du verre pour simuler le fond peint. Puis, avec de l'adhésif acrylique, collez les découpages à l'intérieur du socle. Enfin, peignez le fond.

Découpage/projet

Décoration d'un coffret à bijoux en bois

Après avoir poncé puis nettoyé le coffret, on applique avec une éponge synthétique à trois épaisseurs un fond de cire qui contient une teinture métallisée couleur de rubis. Une fois le coffret ciré, vaporisez-le avec de l'apprêt vinylique.

Appliquez une couche mince et uniforme de colle au verso de chaque découpage. Vous pouvez appliquer la colle avec un pinceau, mais il est plus facile de le faire avec un doigt. Commencez par coller les découpages les plus grands.

Les finitions se font traditionnellement avec du vernis. Appliquez au minimum 20 couches du vernis le plus clair que vous trouverez. Faites sécher chaque couche pendant une journée avant de la poncer et d'appliquer la suivante. Travaillez dans une pièce où il n'y a ni poussière ni humidité. Faites un ponçage mouillé après la dixième couche de vernis, puis toutes les trois couches. Employez du papier abrasif n° 400 pour ponçage humide et à sec; trempez-le dans de l'eau savonneuse.

Mesurez le galon dont vous aurez besoin contre le bord du coffret. Mettez de la colle sur ses quatre morceaux, jusqu'à 1 po des coins. On ne collera ces extrémités qu'après avoir bien taillé le galon selon un angle de 45 degrés (voir étape 17, p. 139).

La dernière étape (qui n'est pas représentée sur les illustrations) consiste à passer de la cire blanche sur le coffret pour le faire reluire.

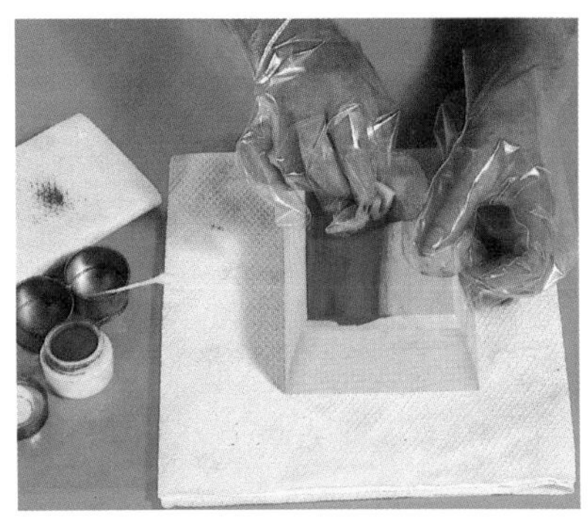

1. Trempez l'éponge dans de la térébenthine. Tamponnez-la sur une serviette en papier, puis prélevez de la cire métallisée et appliquez-la.

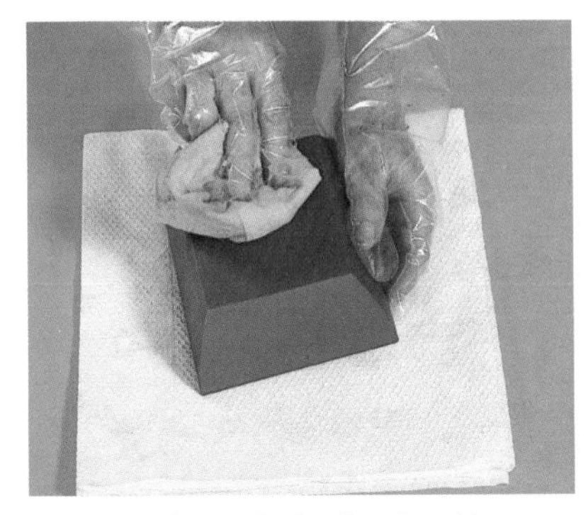

2. Laissez sécher 20 min. Otez l'excédent avec un chiffon doux et sec. Frottez jusqu'à ce que le métal de la cire commence à briller.

3. Placez le coffret à l'intérieur d'un carton, puis vaporisez-le avec de l'apprêt vinylique. Retournez-le, vaporisez l'intérieur, puis le couvercle.

4. Vaporisez une mince couche d'apprêt acrylique sur l'image. Tenez la bombe à 1 pi. Appliquez une seconde couche au bout de 2 min.

5. Découpez l'image en plusieurs portions. Faites les contours précis en inclinant les ciseaux pour biseauter le bord (voir p. 136).

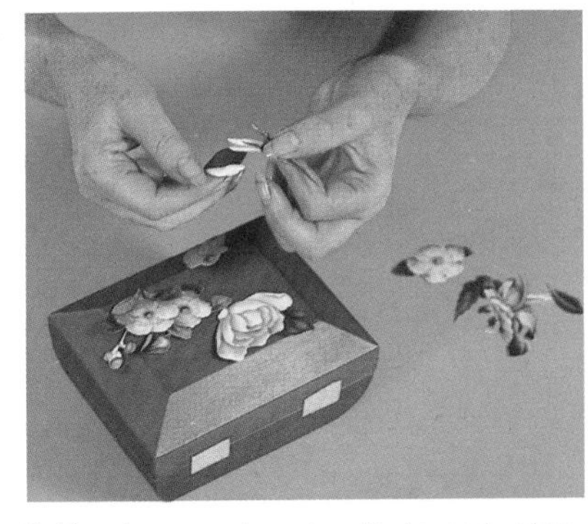

6. Fixez le couvercle sur le coffret avec du ruban. Mettez du mastic amovible (voir p. 135) sous les découpages, puis disposez-les sur le coffret.

7. Indiquez au crayon les endroits où vous collerez les découpages. Tracez des repères opposés pour permettre le positionnement.

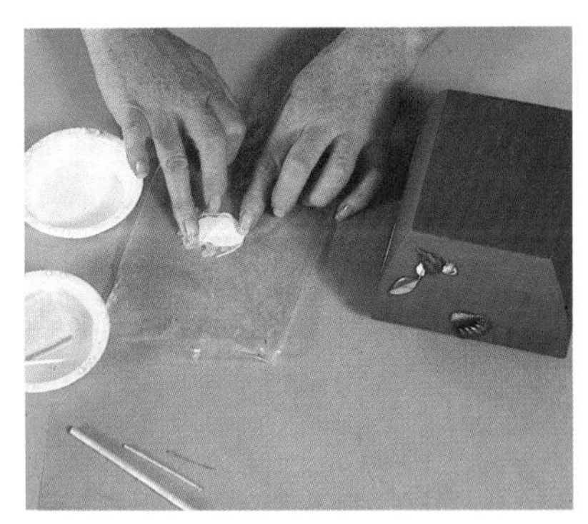

8. Otez le mastic. Couvrez le verso des découpages d'une couche de colle blanche. Travaillez sur une feuille de cellophane ou d'aluminium.

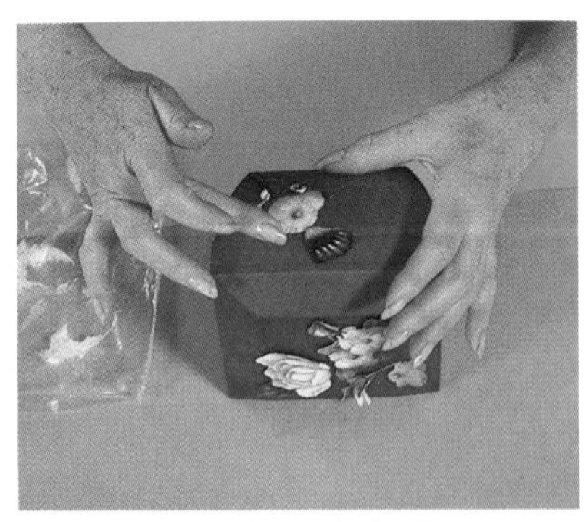

9. Collez les découpages l'un après l'autre. Avec un doigt propre, lissez-les du milieu vers les bords pour chasser la colle et les bulles d'air.

10. Pour les petits découpages, appliquez la colle avec un cure-dent, puis positionnez-les avec une pince. Pressez doucement avec le doigt.

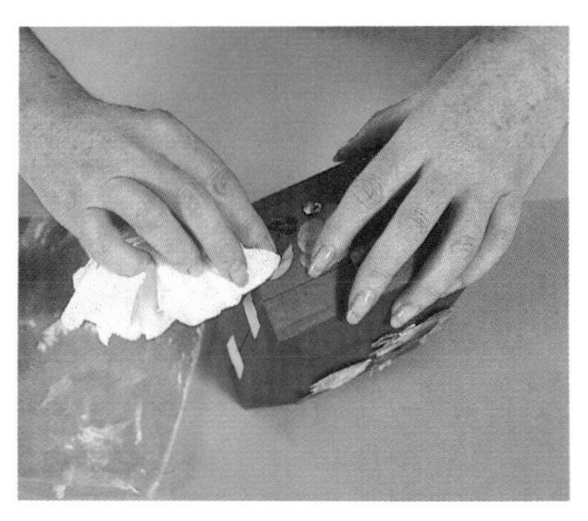

11. Lorsque tous les découpages sont collés, essuyez soigneusement tout excédent de colle avec un linge ou une éponge humide.

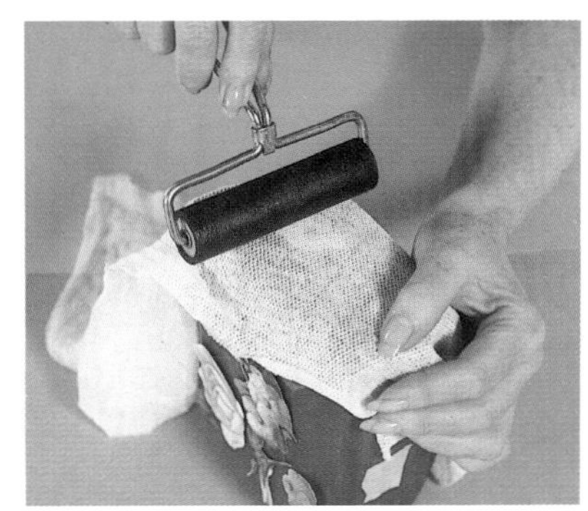

12. Posez un linge propre et humide sur les découpages. Passez fermement le rouleau en allant du milieu vers les bords.

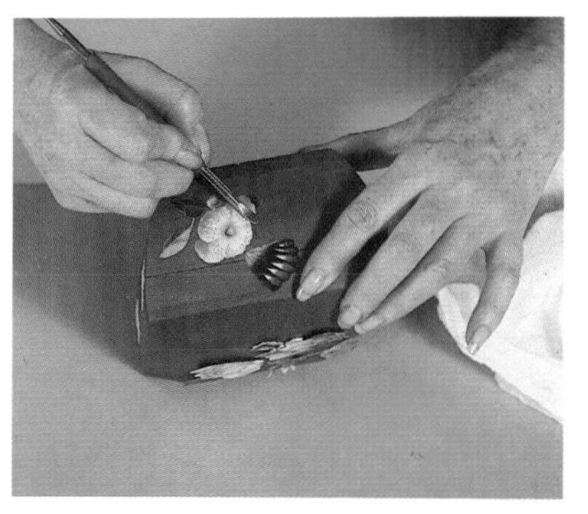

13. Quand la colle a séché (environ 2 à 3 h), appuyez sur les bords des découpages avec la spatule du brunissoir.

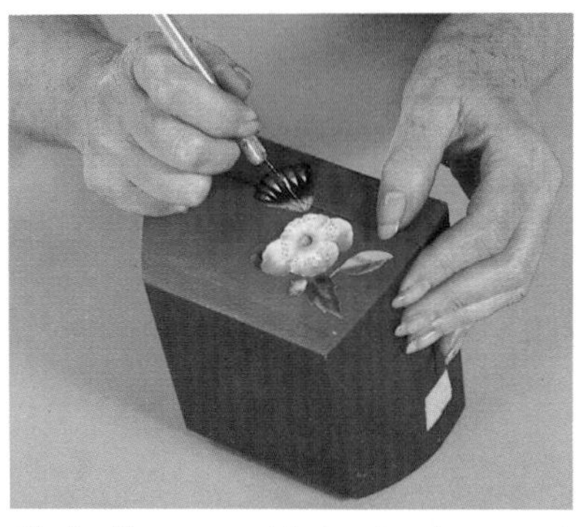

14. Ce découpage est à cheval sur le couvercle et le coffret. Coupez sur la ligne avec un couteau de précision.

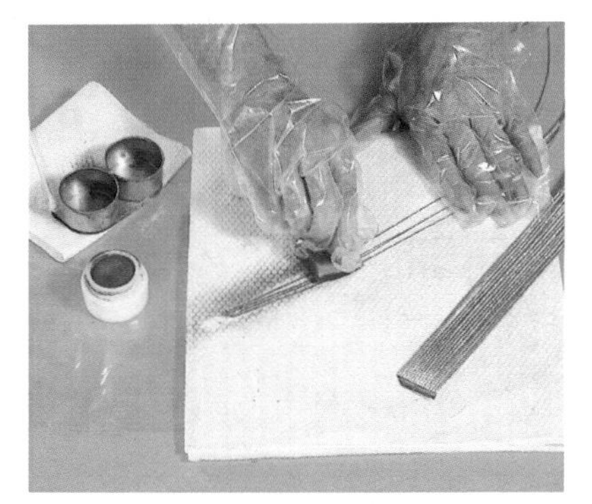

15. Teignez le galon doré comme vous l'avez fait pour le coffret. Placez-le sur une serviette en papier qui absorbera la teinture superflue.

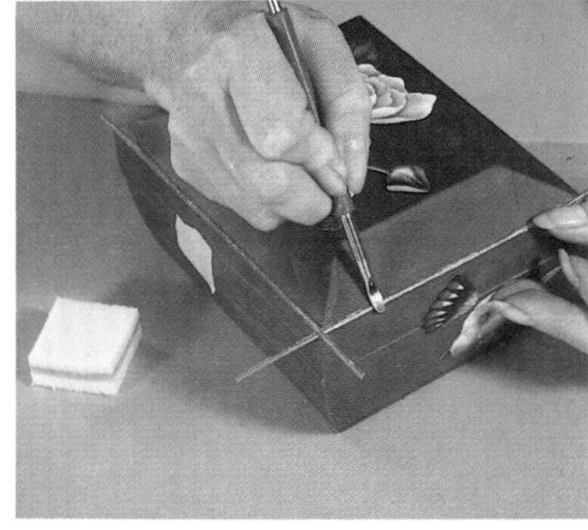

16. Appliquez la colle avec un cure-dent jusqu'à 1 po des coins. Posez le galon. Essuyez l'excédent de colle et pressez avec le brunissoir.

17. Faites un assemblage en biseau. Encollez les extrémités du galon avec le cure-dent et appuyez avec le brunissoir. Essuyez.

18. Appliquez la première couche de vernis et laissez sécher 24 h. Essuyez le coffret avec le chiffon avant la couche suivante.

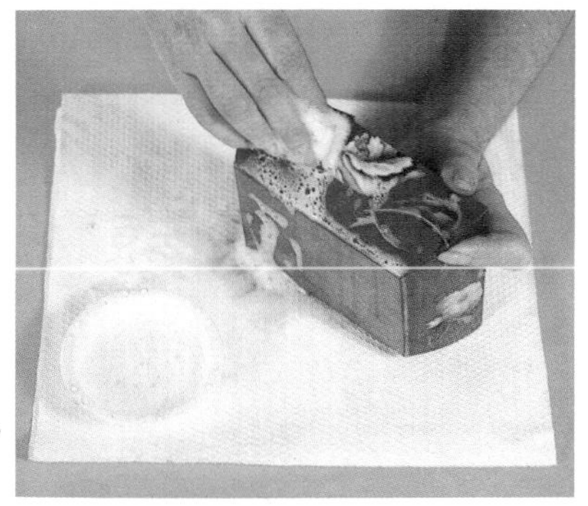

19. Faites un ponçage humide après 10 couches. Entourez l'éponge de papier. Trempez dans de l'eau savonneuse. Poncez la surface.

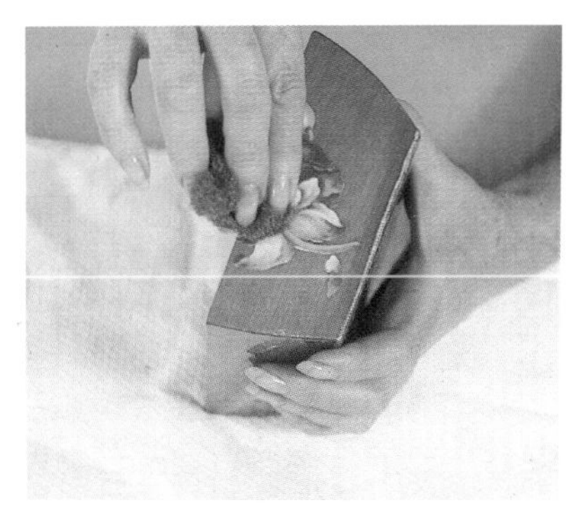

20. Faites un ponçage humide toutes les trois couches et après la dernière. Frottez avec de la laine d'acier n° 0000 : la surface doit être lisse.

21. Mélangez 1 volume de pierre ponce pour 2 volumes d'huile de lin. Appliquez et frottez avec un linge doux ; séchez avec un linge propre.

Ces élégants masques tibétains en papier mâché appartiennent à l'American Museum of Natural History.

Un art simple et attrayant

Jusqu'à il y a environ 2000 ans, l'homme écrit et dessine sur du papyrus, du parchemin, du vélin, du tissu ou de l'écorce d'arbre. Vers l'an 100, les Chinois inventent le papier qui est alors un mélange d'écorce, de chanvre, de vieux chiffons et de filets de pêcheurs.

Les Chinois explorent les possibilités fonctionnelles et esthétiques du papier et découvrent qu'il se combine bien aux colles naturelles et qu'on peut non seulement le façonner, mais aussi en faire des objets élégants et durables. C'est ainsi que plateaux, boîtes et figurines de cet amalgame viennent orner maints foyers chinois.

Les Français qualifient les objets ainsi faits d'articles en papier mâché. L'art du papier mâché atteint son apogée en Europe au cours du XVIIIe siècle. Le papier, qui était alors fait à la main, est un produit précieux : le papier mâché devient donc un moyen de « recycler » les affiches et les journaux pour en faire des objets utiles.

Les articles fonctionnels en papier mâché sont éclipsés à l'aube de la révolution industrielle. Et pourtant, maints objets en papier mâché de 200 ans ou plus gardent aujourd'hui autant d'attrait qu'à l'époque de leur fabrication.

Les armatures. La carcasse sur laquelle on moule le papier mâché se nomme l'armature. Dans les pages qui suivent figurent différents types d'armatures destinées à confectionner des animaux en papier mâché. On peut cependant réaliser toute une gamme d'objets en suivant les mêmes méthodes.

Concevoir des armatures stimulera votre imagination et votre sens de l'improvisation. Le papier mâché étant léger, ces armatures peuvent aussi être légères. Le carton ordinaire, qui se découpe facilement, est un matériau de choix pour les armatures. On peut, de plus, se servir de récipients de plastique ou d'aluminium en feuille pour réaliser des formes simples. Les boîtes de conserve permettent de faire certaines formes cylindriques. On emploie assez souvent du grillage et du fil de fer. Ce fil étant facile à tordre, il est idéal pour réaliser des infrastructures. Un journal façonné en boule ou même des ballons gonflés peuvent vous servir d'armature pour faire des objets ronds.

Les bustes et les masques. On peut façonner des objets complexes sur des armatures où plusieurs matières se combinent. On utilisera, par exemple, du carton et un ballon pour réaliser l'infrastructure d'un buste. Découpez du carton ondulé pour le cou et les épaules, puis étoffez-les en les recouvrant de

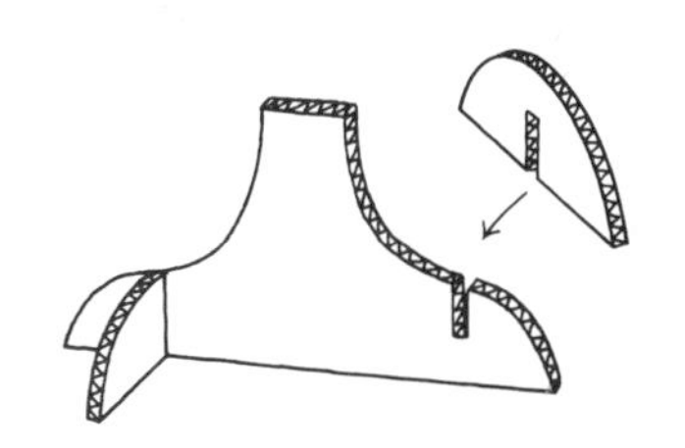

Armature de carton destinée à un buste.

lanières de papier collé. Pour la tête, collez des lanières de papier sur un ballon gonflé en laissant une ouverture

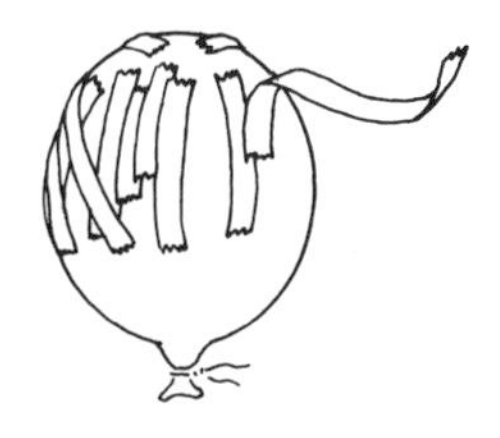

Ballon servant d'armature pour une tête.

dégagée à la base. Lorsque le papier est sec, percez le ballon et sortez-le par cet orifice. Fixez la tête sur le cou au moyen de lanières de papier collé. Appliquez ensuite la bouillie sur la forme (voir les illustrations, page ci-contre), puis modelez le visage ; enfin, poncez après séchage. Vous pouvez peindre ce buste ou vous contenter de l'enduire de laque. On peut aussi réaliser un masque en se servant d'un ballon, mais il ne faut alors ne recouvrir que la moitié de ce ballon.

Papier mâché

Techniques de base

Il existe deux méthodes pour faire du papier mâché : celle des lanières et celle de la bouillie. La première consiste à déchirer du papier en lanières et à l'appliquer sur une armature après l'avoir enduit de colle. La seconde consiste à faire bouillir du papier déchiqueté dans une solution d'eau et de colle pour obtenir une pâte que l'on modèle sur l'armature presque comme de l'argile. La méthode des lanières donne des textures qui continuent à évoquer le papier, alors que les surfaces obtenues avec de la bouillie ressemblent, une fois peintes, à du bois, du métal émaillé ou de la céramique glacée.

On peut combiner ces deux méthodes. Pour cela, on ébauche d'abord la forme sur l'armature avec des lanières de papier, puis on la couvre de bouillie pour obtenir une surface lisse.

Les colles et le collage. Les deux adhésifs les plus couramment utilisés sont la colle blanche et la colle de pâte (pour papier peint). Si vous employez de la colle blanche, diluez-la à raison de 1 volume de colle pour 1 volume d'eau. La colle de pâte s'achète dans les quincailleries ; mélangez lentement 1 volume de poudre pour 10 volumes d'eau.

Découpez les lanières avec une règle plate ou sur le rebord d'une table. Ainsi, les bords effilochés des lanières s'entrecroisent et forment une surface plus lisse. La longueur et la largeur des lanières dépendent de la taille de l'objet que vous voulez réaliser.

Il y a deux façons d'encoller les lanières : soit en jeter une poignée dans le mélange de colle et d'eau et les mettre à tremper pendant quelques minutes avant de les appliquer sur l'armature, soit tremper une éponge dans la solution adhésive et vous en servir pour étendre la colle sur les lanières. Ne faites pas trop tremper les lanières pour éviter qu'elles ne se défassent. Quand vous les appliquez, essuyez l'excédent de colle avec votre main ou avec une éponge.

Le papier journal et le papier pour essuie-mains conviennent bien pour ébaucher la forme sur l'armature avant d'y appliquer le papier plus fin de l'enrobage. Le papier de soie est difficile à travailler, car il risque de se déchirer quand on ôte l'excédent de colle. Il est cependant parfait pour réaliser un objet doux (comme le lapin de la page 144).

On peut aisément faire de la bouillie en suivant les indications données à droite. Porter l'eau à ébullition accélère la désintégration des fibres de papier et permet de fouetter plus facilement la bouillie. Les magasins de fournitures pour artisans vendent une bouillie en poudre à laquelle on ajoute de l'eau.

Le séchage et la finition. La plupart des objets en papier mâché sèchent en une nuit. On peut accélérer le séchage en les plaçant dans un four préchauffé à feu doux. Après le séchage, on finit les objets en les ponçant et en les peignant. On ponce les surfaces faites avec de la bouillie jusqu'à ce qu'elles soient lisses. En revanche, il est préférable de conserver la texture du papier pour les surfaces réalisées avec des lanières.

L'imperméabilisation et l'ignifugation. Pour imperméabiliser les surfaces et les rendre plus résistantes, vaporisez un apprêt vinylique clair sur l'objet terminé (voir *Découpage,* p. 135) ou revêtez-les d'au moins trois couches de laque. Pour ignifuger un objet, ajoutez 1 cuillerée à café de phosphate de sodium (en vente dans les pharmacies) par tasse de colle pour les lanières ou par tasse d'eau pour la bouillie.

Les photos des pages 142 à 145 illustrent les techniques de fabrication d'objets en papier mâché à partir de lanières ou de bouillie. Les indications données pour réaliser la boîte en papier mâché (p. 145) ont trait à la méthode des lanières. Si vous employez de la bouillie, vous pouvez poncer la surface, la décorer de motifs peints à la main et la vernir avec de la laque transparente.

Fabrication de la bouillie

1. Pour faire 1 pte (1 L) de bouillie, déchirez quatre feuilles de journal en petits morceaux. Faites-les tremper dans 2 pte (2 L) d'eau pendant 12 h.

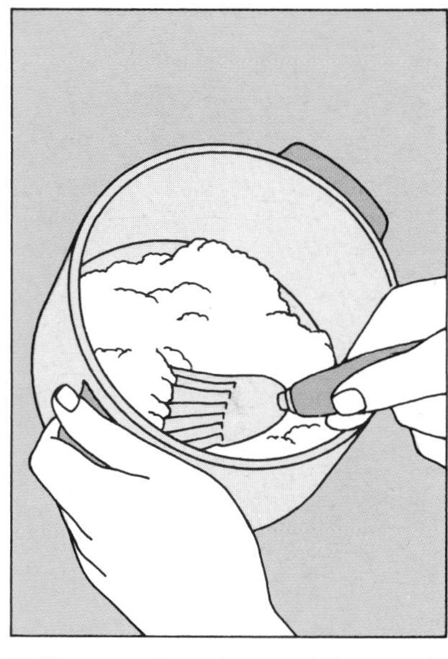

2. Versez ce mélange dans une vieille casserole. Faites-le bouillir pendant 20 min. Réduisez-le en bouillie pulpeuse avec un fouet.

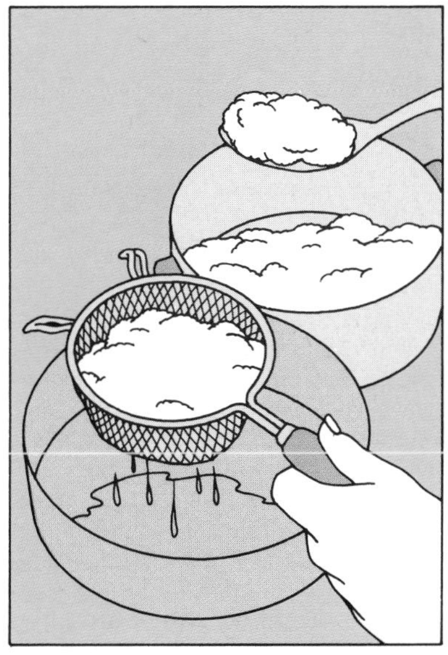

3. Mettez la pulpe dans une passoire. Secouez-la pour drainer l'eau, puis pressez pour obtenir une masse humide.

4. Versez-la dans un récipient. Ajoutez 2 c. à soupe (30 ml) de colle blanche et autant de colle de pâte. Tournez pour éliminer les grumeaux.

Papier mâché/projets

Armatures en fil de fer

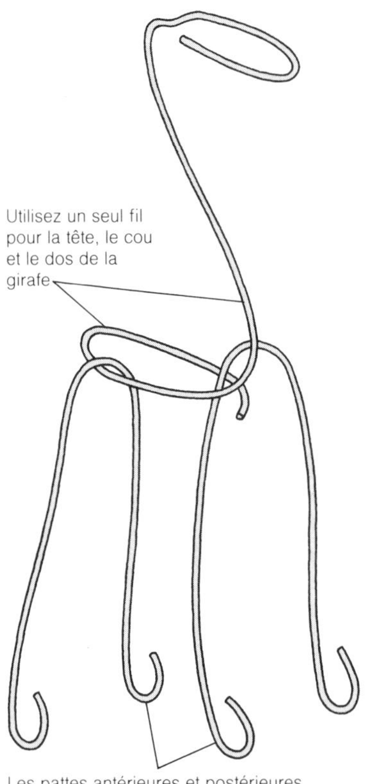

Une armature en fil de fer convient très bien pour réaliser cette girafe ou toute autre forme en papier mâché qui comporte des membres ou des parties minces. L'armature représentée ci-dessus a été réalisée avec du fil de fer galvanisé de 1/16 po de diamètre.

Ce fil se vend dans les quincailleries en bobines de longueurs et de sections diverses. La section dont vous avez besoin dépend de la taille et du poids de la forme que vous souhaitez créer. Il faut que vous puissiez facilement tordre le fil et qu'il soit assez rigide pour soutenir sans s'affaisser la quantité de papier que vous comptez employer. Vous pouvez utiliser un cintre, mais les cintres sont souvent trop rigides pour les manipulations délicates.

Pour réaliser cette girafe, coupez le fil avec des cisailles et faites les trois éléments représentés ci-dessus. Recourbez soigneusement le fil avec des pinces à l'endroit des sabots, de la tête et du dos.

Il faut employer deux sortes de papier pour faire la figurine : du papier journal en lanières pour l'ébauche, du papier essuie-mains pour les finitions. Le papier essuie-mains est plus facile à peindre que le journal, pour lequel il faut au moins deux couches de peinture pour couvrir l'encre d'imprimerie.

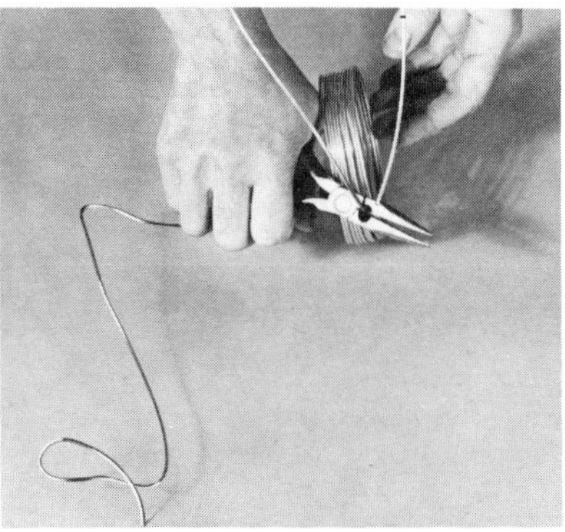

1. Courbez le fil selon les formes représentées à gauche, puis coupez-le avec des cisailles.

2. Reliez les pattes antérieures et postérieures au corps avec des cure-pipes ou du fil de fleuriste.

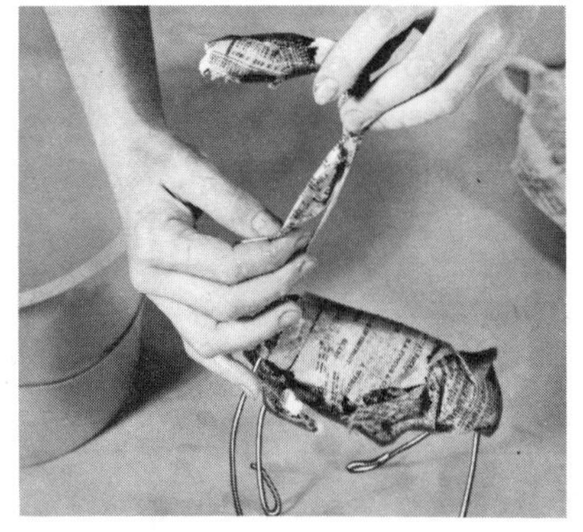

5. Faites la tête avec une autre boule de lanières. Fixez-la sur l'armature avec des lanières.

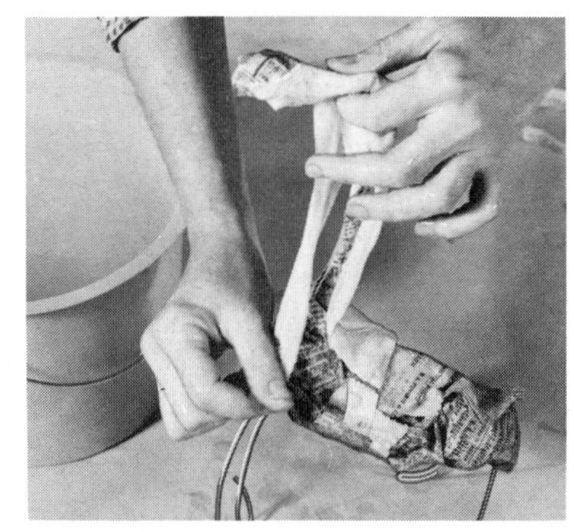

6. Etoffez le cou en l'entourant de lanières encollées de papier essuie-mains.

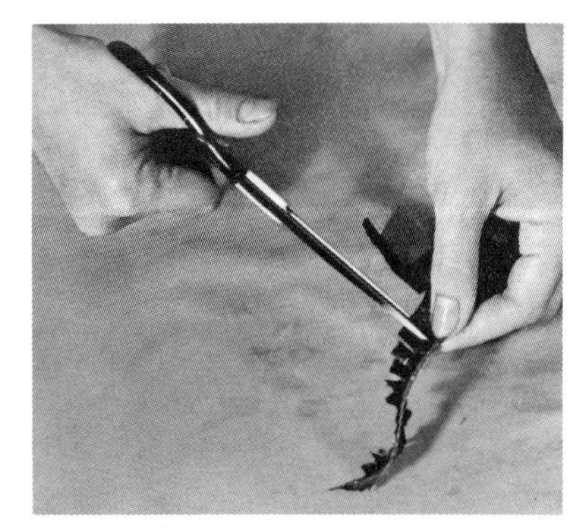

9. Faites la frange de la crinière et le pompon de la queue, en taillant du papier de soie brun.

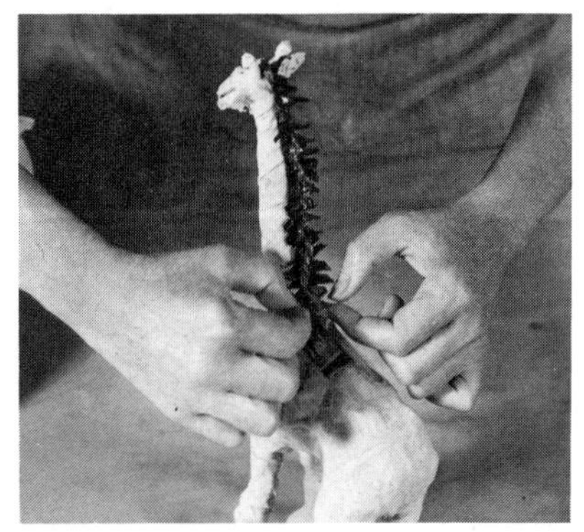

10. Collez soigneusement la crinière et le pompon de la queue. Ebouriffez la crinière.

3. Une fois les pattes fixées, l'armature doit tenir seule. Corrigez les défauts en courbant le fil.

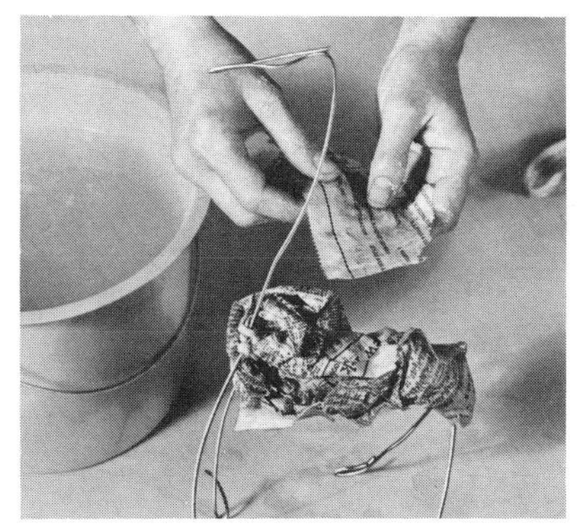

4. Faites le corps avec une boule de lanières encollées (voir p. 141). Fixez-la sur l'armature.

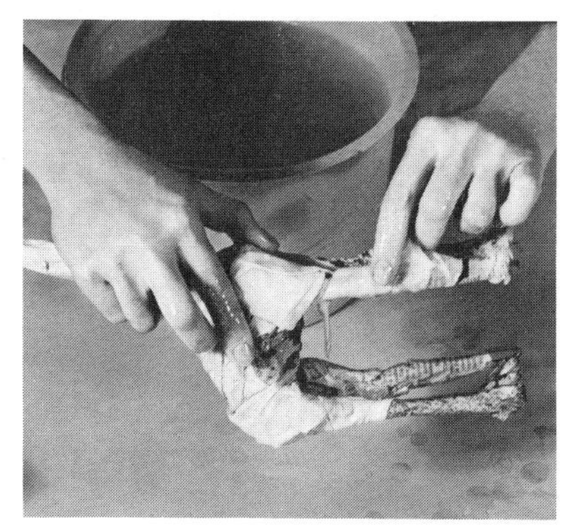

7. Etoffez les jambes en les entourant avec des lanières encollées de papier essuie-mains.

8. Modelez et fixez avec des lanières encollées les oreilles, les cornes et la queue. Faites sécher.

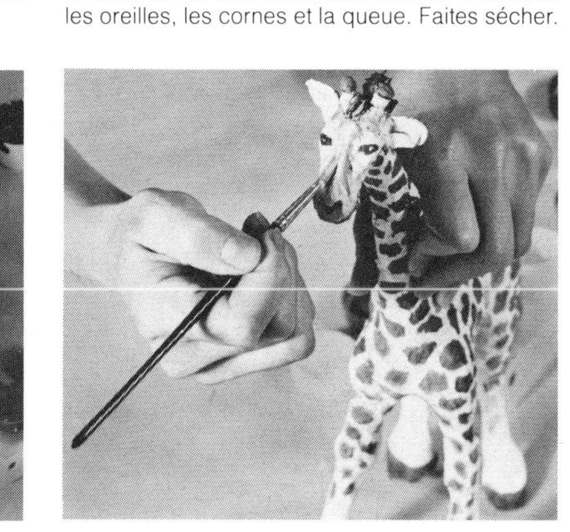

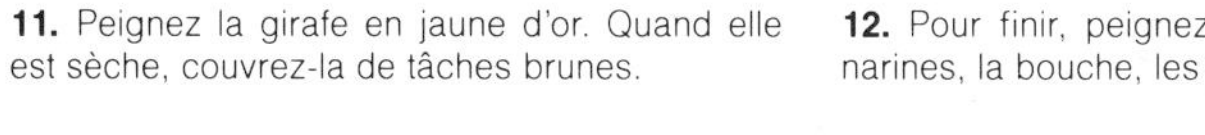

11. Peignez la girafe en jaune d'or. Quand elle est sèche, couvrez-la de tâches brunes.

12. Pour finir, peignez en brun les sabots, les narines, la bouche, les yeux et les cornes.

Armatures cylindriques avec feuille d'aluminium

La tête de la gerbille est en papier mâché appliqué sur une armature en feuille d'aluminium

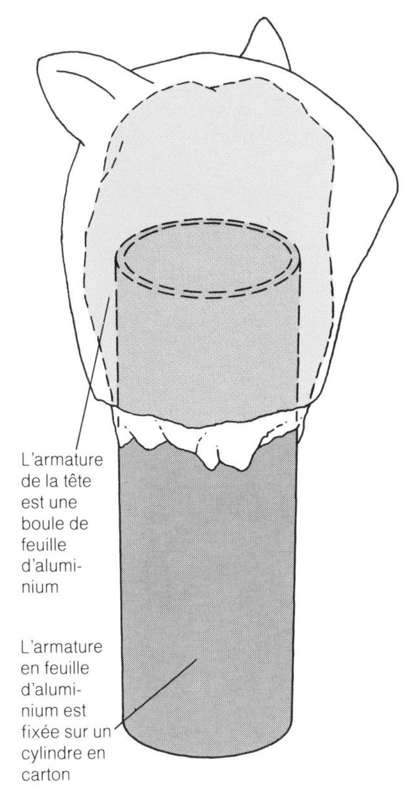

L'armature de cette tête de gerbille est constituée par une feuille d'aluminium fixée sur un tube de carton. On roule d'abord la feuille en formant une boule ovale. On relie ensuite cette boule au tube à l'aide d'une bande d'aluminium que l'on resserre à la jonction de la tête et du cou en carton. On étale ensuite la bouillie de papier mâché (voir *Fabrication de la bouillie,* p. 141) sur une feuille d'aluminium avec un rouleau à pâtisserie jusqu'à ce qu'elle atteigne ¼ po d'épaisseur. On place ensuite cette pâte autour de la tête d'aluminium et on lui donne la forme ovale désirée. On applique aussi la pâte sur le cou.

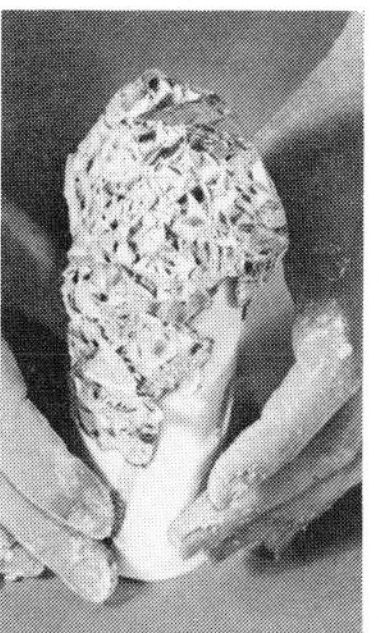

Formez une boule ovale avec la feuille d'aluminium. Fixez-la avec un autre morceau de feuille (à gauche). Couvrez l'aluminium de pâte. Modelez les oreilles avec le pouce (à droite).

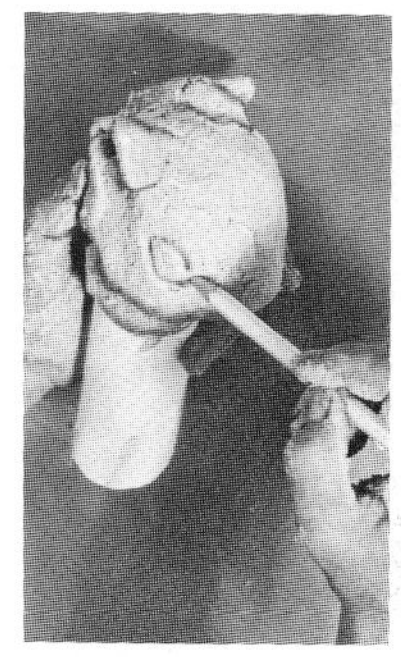

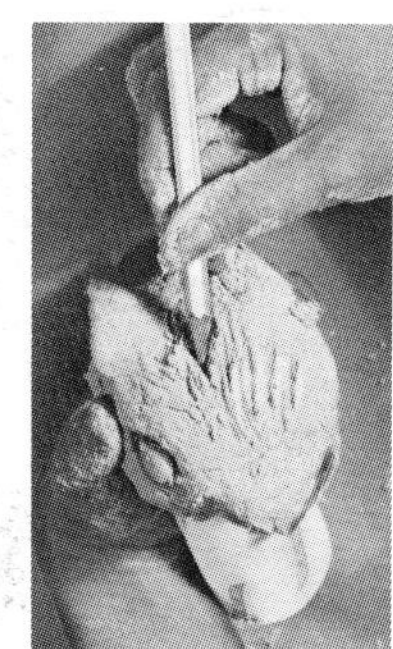

Pincez la pâte pour former un museau. Avec la pointe d'un crayon, faites les yeux (à gauche), puis la texture du pelage partout, sauf au bout du mufle (à droite).

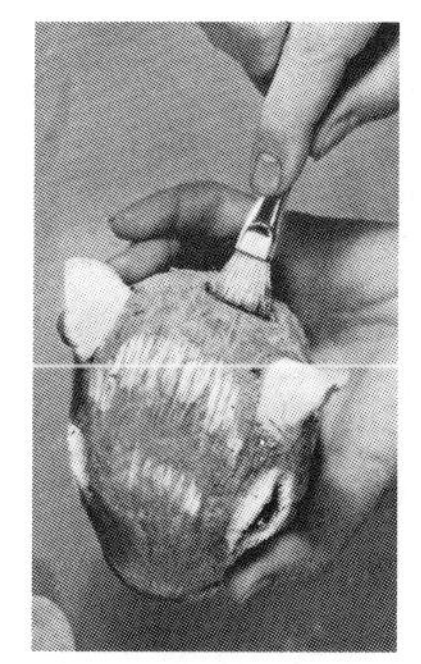

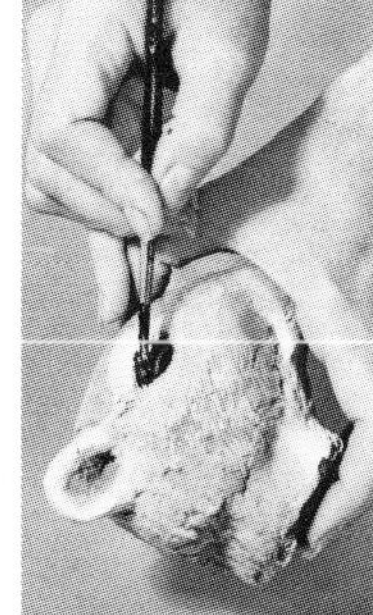

Lorsque la pâte est complètement sèche, peignez le pelage de la gerbille (à gauche) avec un pinceau presque sec. Faites les yeux, les joues et le mufle avec un pinceau très nourri.

Papier mâché/projets

Armature faite avec des boîtes et du papier

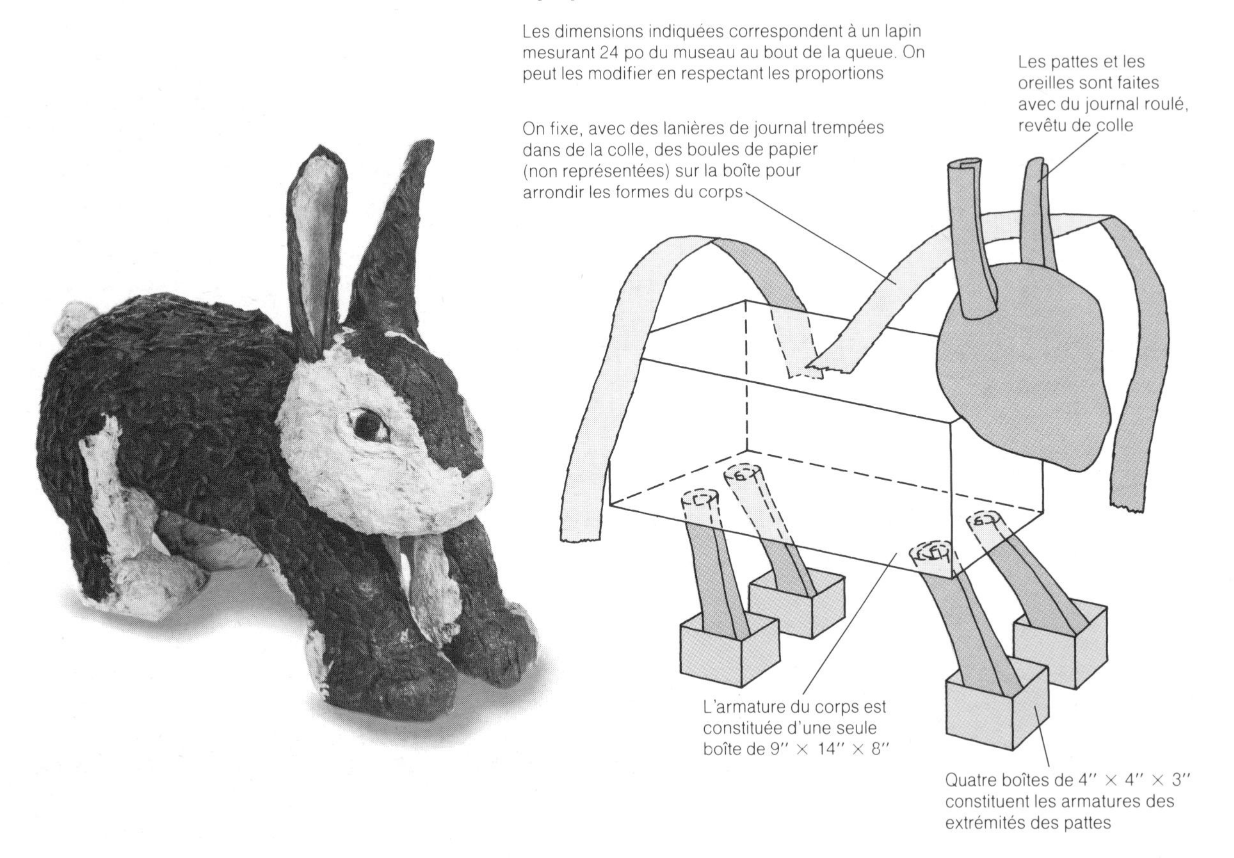

Formez les oreilles avec du fil métallique, puis plantez-les dans la tête

Pour faire la queue, collez un morceau de fil avec du ruban

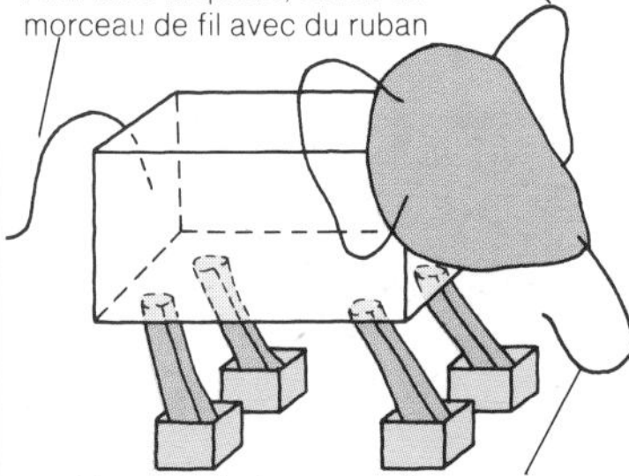

Pour faire la trompe, collez un morceau de fil sur la partie antérieure de la tête

On peut réaliser divers animaux avec la même armature de boîtes et de papier. Il est parfois souhaitable d'y ajouter des supports métalliques, comme ci-dessus (voir *Armatures en fil de fer,* p. 142).

L'armature du lapin représenté ici est faite avec des feuilles de journal roulées et des cartons à pâtisserie. Les dimensions voulues pour réaliser un lapin de 24 po de long figurent sur le dessin ci-dessus, mais si vous décidez de faire un lapin d'une autre grandeur, ou un autre animal, un lion ou un éléphant par exemple, la taille de vos boîtes doit varier en proportion.

Les pattes et les oreilles du lapin sont en papier journal revêtu de colle et roulé pas trop serré. La tête est faite de lanières de journal roulées en boule et trempées dans de la colle (voir texte, p. 141), puis modelées. Le corps du lapin est rempli de boules de papier imbibées de colle. Comme pour la girafe (voir pp. 142-143), on fixe ces boules et ces feuilles de papier sur l'armature avec des lanières de papier encollées.

On commence par fixer les pattes du lapin, puis on les écarte avec des gobelets de papier (étape 3, page ci-contre) pour empêcher qu'elles ne se collent pendant le séchage. On peut également commencer par poser deux pattes du même côté du lapin, que l'on fait sécher avant d'ajouter les deux autres pattes, sur l'autre côté. On exécute les finitions avec du papier de soie de couleur plutôt qu'avec de la peinture.

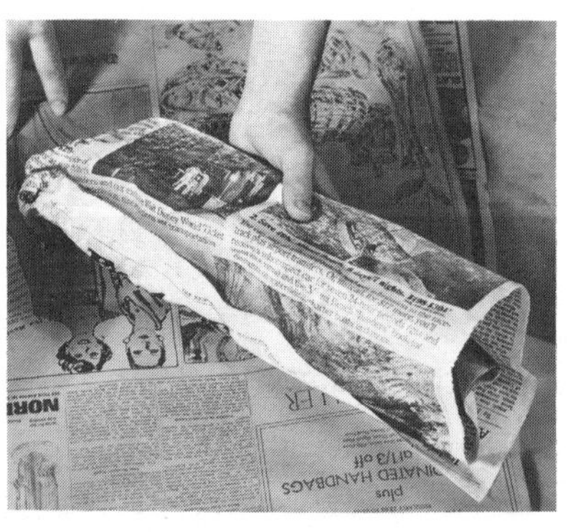

1. Trempez une éponge dans de la colle de pâte diluée (voir p. 141) et revêtez-en quatre feuilles. Roulez-les pour former les armatures des pattes.

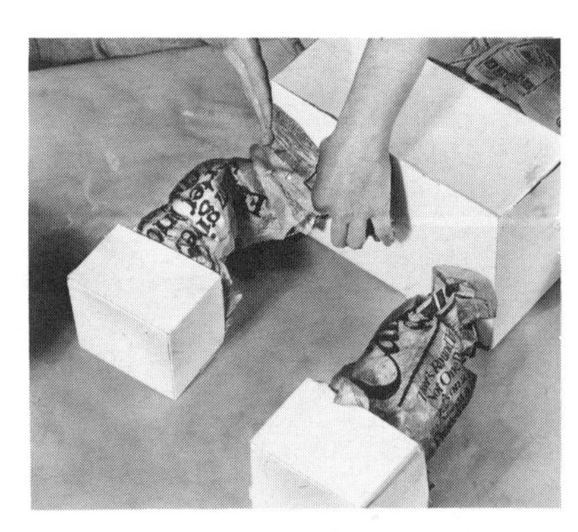

2. Fixez deux pattes à la boîte qui sert de corps, puis à celles qui forment les extrémités des pattes, avec des lanières encollées.

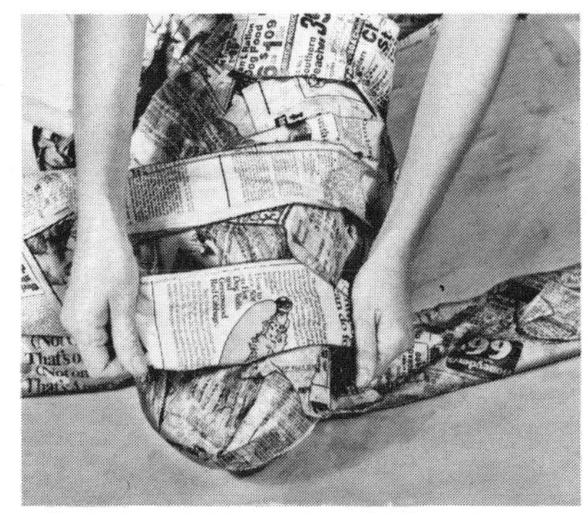

3. Formez la tête et le corps avec des boules de lanières de journal encollées. Fixez les deux autres pattes en les séparant pendant le séchage.

4. Pour faire une oreille, roulez une feuille de journal encollée et attachez-la sur la tête, comme ci-dessus. Laissez-la sécher, puis faites l'autre.

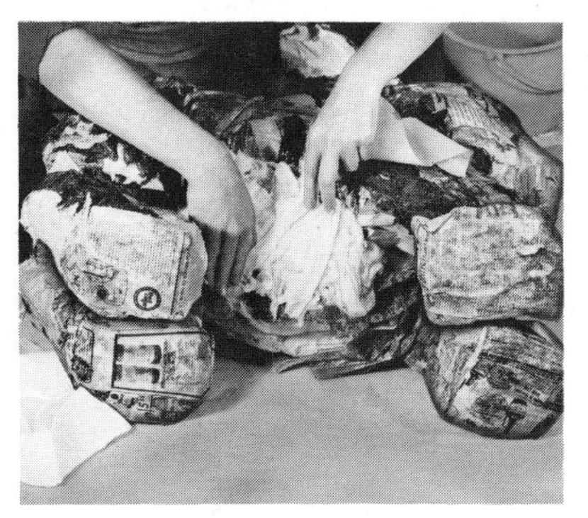

5. Finissez la figurine avec des lanières de journal encollées. Déchirez du papier de soie blanc pour faire la fourrure; collez-la sur le ventre.

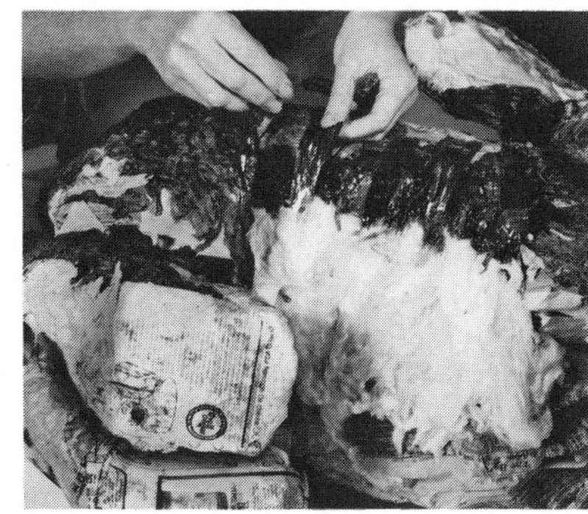

6. Recommencez les opérations de l'étape 5 avec du papier de soie brun. N'encollez pas trop le papier de soie pour éviter qu'il ne se déchire.

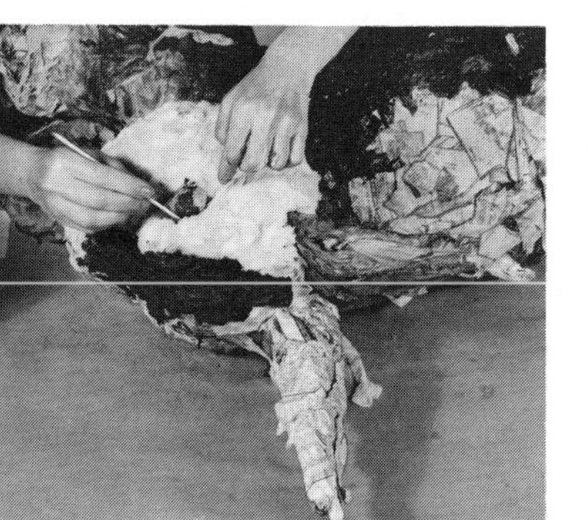

7. Faites les yeux avec du papier de soie rouge. Couvrez de papier de soie rose. Collez une boule de papier de soie blanc pour la queue.

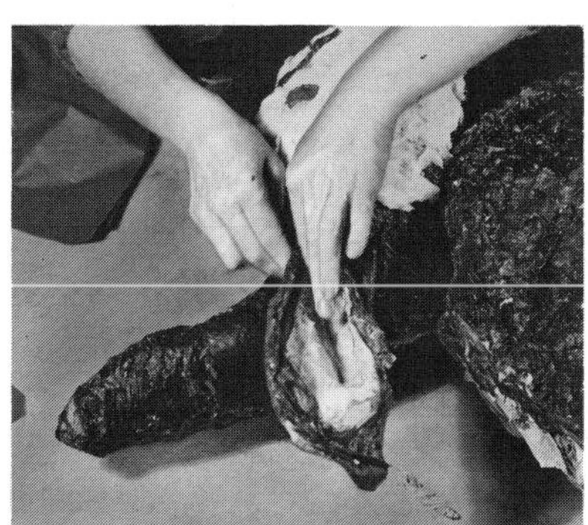

8. Faites l'intérieur des oreilles avec du papier de soie rose. Encollez le papier, appliquez-le sur les oreilles et déchirez l'excédent.

Fabrication d'une boîte en papier mâché

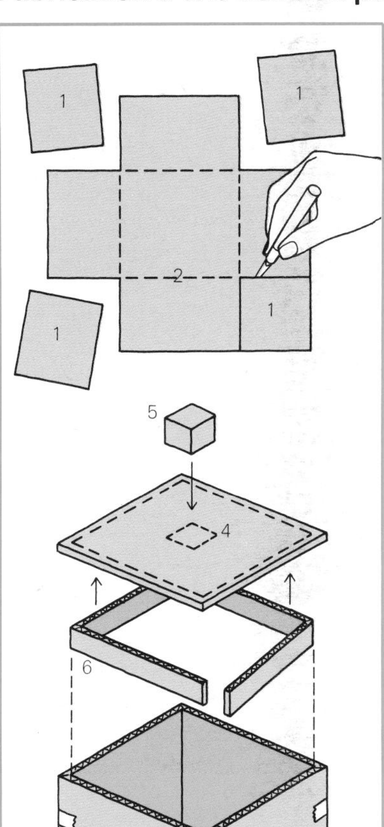

Indiquez les dimensions voulues sur un morceau de carton. Coupez les coins inutiles (1). Incisez les traits en pointillé (2) avec un couteau de précision. Pliez les côtés selon les pointillés et fixez les coins avec du ruban-cache (3). Mesurez et coupez le couvercle (4). Coupez et pliez le carton destiné à la poignée (5) comme pour la boîte. Coupez le rebord (6) ⅛ po de moins que le périmètre du haut de la boîte. Incisez les coins du rebord et collez-les avec du ruban pour former un rectangle. Collez la poignée et le rebord au couvercle avec de la colle blanche.

Pour recouvrir la boîte, trempez de petites lanières de papier essuie-mains dans la colle. Collez-les sur la boîte, le couvercle et la poignée.

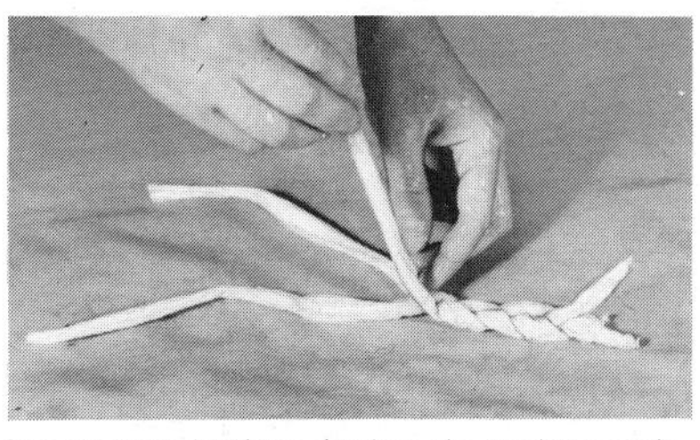

Prenez trois lanières étroites de papier essuie-mains. Enduisez-les de colle avec une éponge. Tressez-les.

Collez la tresse sur le couvercle lorsque la boîte est sèche. Coupez-la avec des ciseaux. Essuyez la colle. Faites les trois autres côtés.

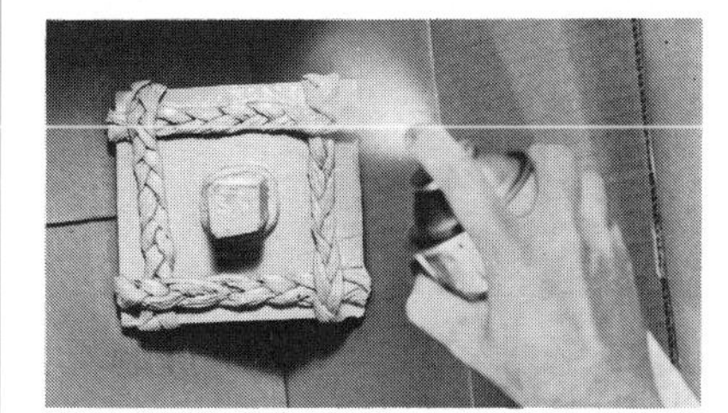

Placez la boîte et le couvercle dans un carton. Peignez avec de la peinture acrylique en aérosol, ou au pinceau avec de la couleur pour affiches.

L'art des clous et des fils recrée certaines figures géométriques de base.

L'art de la symétrie

L'art des clous et des fils transforme les droites en courbes : il constitue la meilleure approximation de la quadrature du cercle à laquelle nous puissions arriver. Cette forme d'art naît vers le début du XXe siècle lorsque les livres de mathématiques ont recours à des dessins pour expliquer comment tracer des courbes à partir de droites. Ces dessins sont recréés plus tard avec des fils tendus sur des clous ; certains artistes adaptent vite cette technique pour réaliser, grâce à des effets de couleur et de texture, des images et des sculptures en fil.

Fidèle à ses origines, l'art des clous et des fils est très géométrique. L'ordre et la symétrie sont à la base de son attrait.

Outils et matériel

Quelques outils et du matériel courant suffisent pour faire des réalisations en fils tendus. Pour concevoir l'image, il vous faut un crayon (ou des crayons de couleur), du papier, un compas et un rapporteur pour dessiner des cercles et mesurer des angles.

Pour faire le fond, prenez un panneau dans lequel les clous s'enfoncent facilement. Le contre-plaqué de ½ po d'épaisseur est idéal pour cela, mais vous pouvez employer n'importe quel bois. Vous pouvez peindre, enduire de gomme laque ou vernir ce panneau, ou encore le recouvrir de tissu (avec une bonne agrafeuse ou un pistolet). Vous aurez aussi besoin de ruban-cache qui vous permettra de fixer provisoirement le motif sur le panneau.

Le marteau est l'outil le plus important. Choisissez-en un que vous maniez aisément, car vous aurez beaucoup de clous à planter. Ayez aussi une pince à portée de la main pour redresser les clous au besoin.

Les clous et les fils sont vos matériaux de base. Tous les clous conviennent, mais il vaut mieux utiliser des pointes de calibre 16. Les clous dorés ou nickelés font le meilleur effet. Si vous pensez faire quelque chose de relativement plat, prenez des pointes de ½ po. Cependant, pour créer un effet de relief ou si certains clous doivent supporter plusieurs enroulements de fil, prenez des pointes de 1 po ou de 1½ po. Si vous envisagez une réalisation composée de plusieurs motifs superposés, vous devrez employer des clous de différentes tailles.

Vous pouvez utiliser n'importe quel fil à coudre, à tisser, de métal, ou même de la ficelle. Si vous préférez employer du fil métallique, achetez un bon fil de cuivre, de laiton ou de fer galvanisé (de calibre 28 ou 32). Prenez des fils de couleur, de nature et d'épaisseur diverses pour faire un même tableau afin de jouer sur les couleurs et les textures. Commencez par créer le motif de votre tableau, puis laissez-le régir les matières que vous utiliserez.

Clous et fils

Conception d'un motif

Vous pouvez réaliser avec des fils tendus presque toutes les formes. Ce sont généralement les formes abstraites qui donnent les meilleurs résultats, mais on peut faire aussi de belles réalisations figuratives en fils tendus. Les percées de soleil, les hiboux, les papillons et les ponts sont des sujets souvent traités.

L'art des clous et des fils fait largement appel aux formes géométriques. Les motifs composés de droites sont faciles à faire. Le problème est différent quand il s'agit de faire des cercles et des courbes.

Création d'une courbe illusoire. Comme un fil courbé ne peut tenir seul, il faut donner l'illusion d'une courbe en juxtaposant des droites.

On forme ainsi des cercles en disposant des points en rond, puis en les reliant par des droites qui remplissent la surface entourée par ces points. On peut complètement remplir cette surface, ou ne la remplir que partiellement en laissant une ouverture circulaire au milieu. Plus il y a de points, plus la trame du cercle est serrée. Nous donnons ci-après des indications pour dessiner un cercle à partir de 18 points.

Il existe d'autres figures incurvées plus simples que le cercle. On peut relier deux lignes quelconques par un enchevêtrement d'autres lignes, ce qui produit une figure incurvée.

Apprenez à dessiner les figures représentées à droite et sur les deux pages qui suivent, puis essayez de réaliser des formes de votre propre conception. Prenez ensuite un papier et un crayon, et faites un motif à partir de ces figures de base.

Règles de conception. Souvenez-vous de deux règles importantes: (1) l'intervalle entre deux points contigus sur la ligne des clous doit toujours être le même; (2) quand deux traits sont reliés, il doit y avoir le même nombre de points sur chaque trait. Cela assurera la symétrie qui est si importante dans l'art des fils tendus.

Tracé d'une couronne et d'un cercle plein

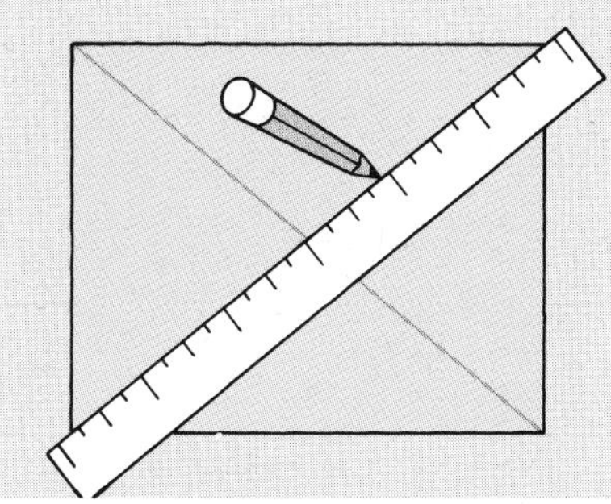

1. Pour trouver le centre du cercle, tracez avec une règle plate les diagonales de la feuille, du coin supérieur gauche au coin inférieur droit, et du coin supérieur droit au coin inférieur gauche.

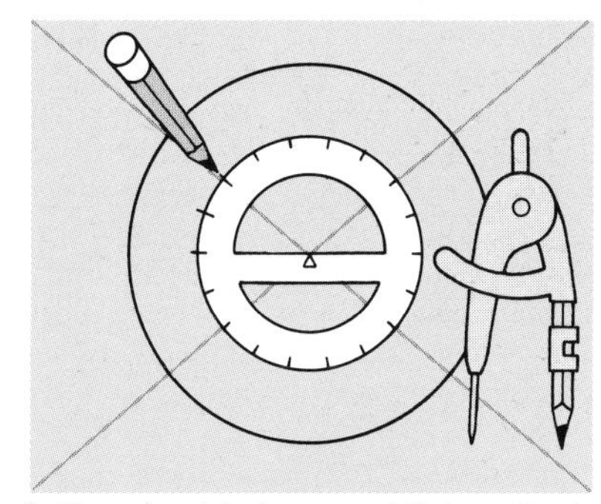

2. Placez la pointe du compas à l'intersection de ces diagonales et tracez un cercle. Placez le milieu du rapporteur au centre du cercle, et faites des points tous les 20 degrés.

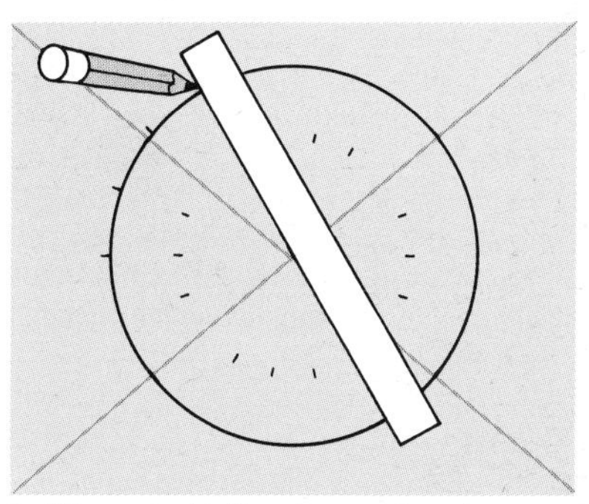

3. Si le cercle doit être plus grand que le rapporteur, faites coïncider la règle avec le centre et deux points tracés lors de l'étape 2. Faites-la pivoter en marquant des points sur ce cercle.

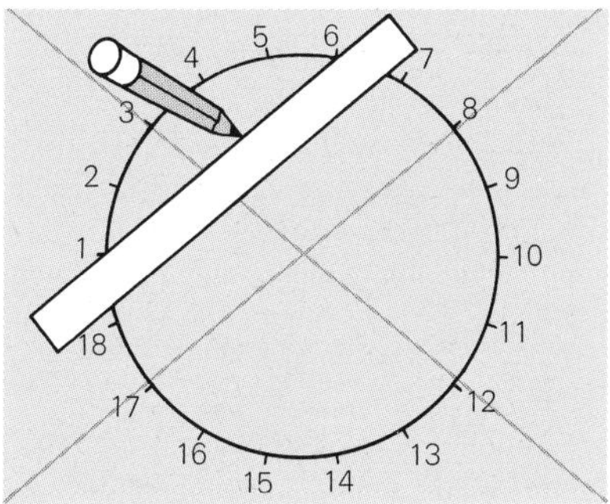

4. La couronne. Continuez à faire des marques sur le cercle, puis numérotez-les. Tracez un trait du point 1 au point 6, puis un autre du point 6 au point 2.

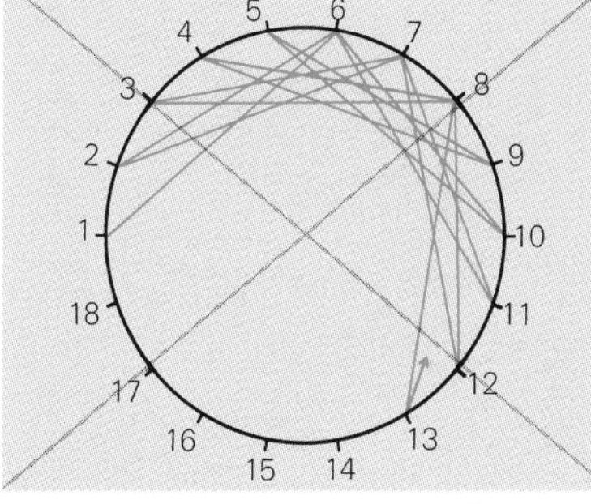

5. Continuez à tracer des traits en déplaçant la règle dans le sens des aiguilles d'une montre : de 2 à 7, puis de 7 à 3, de 3 à 8, de 8 à 4, de 4 à 9, de 9 à 5, de 5 à 10, et ainsi de suite.

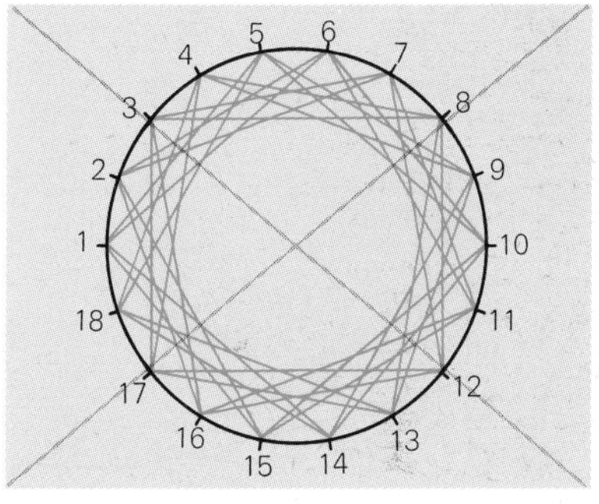

6. Continuez à tracer des traits dans le sens des aiguilles d'une montre, jusqu'à ce que vous ayez fait le tour du cercle. Le trait de 5 à 1 doit être le dernier.

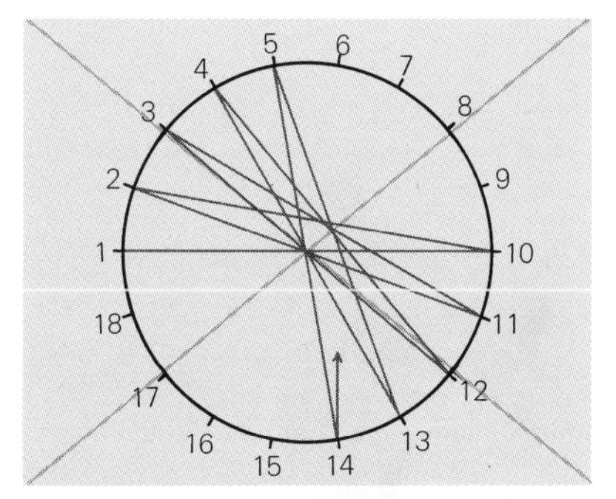

7. Cercle plein. Tracez le trait qui relie les points 1 et 10 (diamétralement opposés). Allez dans le sens des aiguilles d'une montre : de 10 à 2, de 2 à 11, de 11 à 3, de 3 à 12, de 12 à 4, etc.

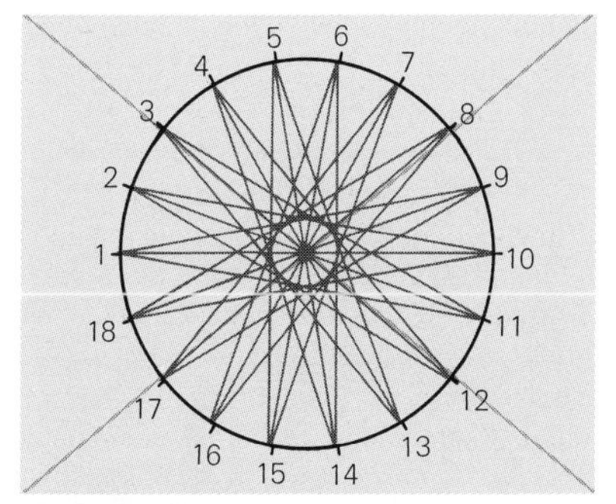

8. Le trait de 9 à 1 termine le cercle. Si vous voulez avoir une petite ouverture, commencez en reliant 1 à 9 ou 1 à 8. Moins vous sauterez de points, plus l'ouverture sera large.

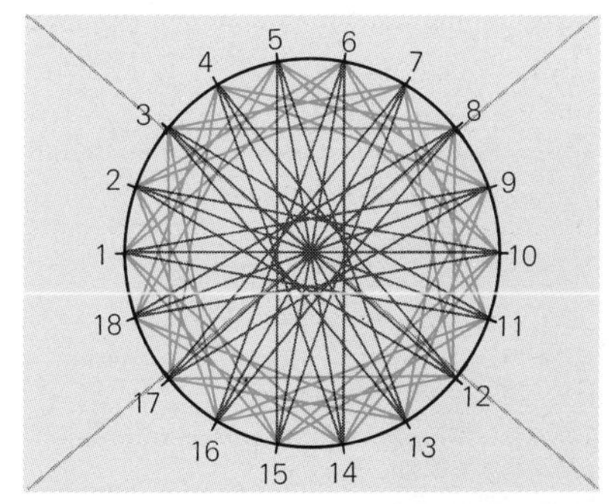

9. Pour superposer la couronne sur le cercle, faites d'abord les points et les traits du cercle qui a une petite ouverture. Puis, à partir des mêmes points, réalisez la couronne.

Clous et fils

Tracé d'un ovale

L'ovale n'est pas aussi fondamental que le cercle dans l'art des fils tendus, mais on peut en tirer un grand parti. Tout comme le cercle, il peut être plein ou comporter une ouverture. Avec un rapporteur, marquez des points équidistants sur le pourtour de l'ovale. On remplit l'ovale de la même manière que le cercle, mais il est plus difficile à dessiner. Si vous avez un objet ovale de la taille et de la forme voulues, tracez son contour sur votre motif. Sinon, suivez les indications ci-après. Faites le dessin sur une planche ou sur une table de travail, car il faudra que vous y enfonciez deux clous.

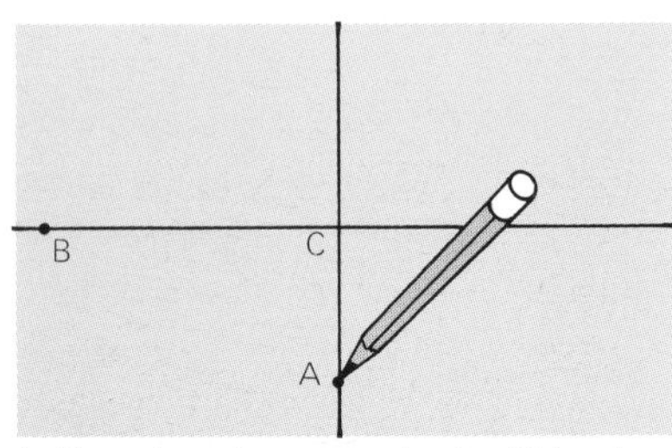

1. Placez le papier sur une planche. Divisez-le en quatre au moyen de deux droites qui se coupent. En prenant le point C pour centre, marquez la largeur A et la longueur B de l'ovale.

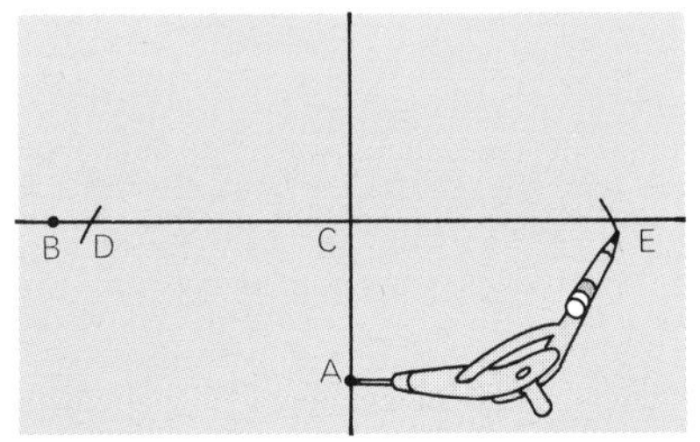

2. Réglez un compas sur le segment BC (la moitié de la longueur de l'ovale). Placez la pointe du compas en A, puis tracez les marques D et E, de part et d'autre de la sécante.

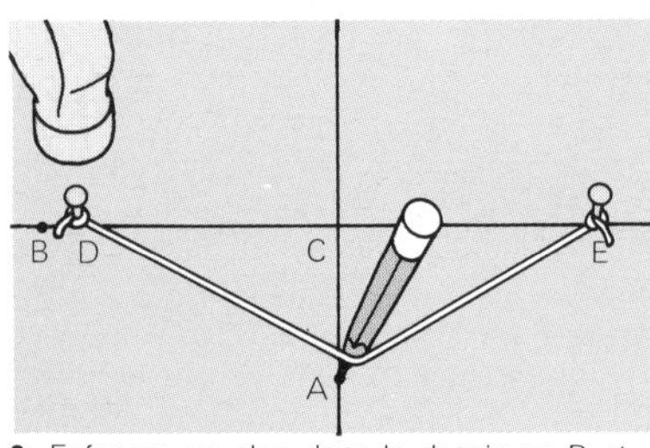

3. Enfoncez un clou dans le dessin en D et un autre en E. Attachez une extrémité d'une ficelle au clou D, et l'autre au clou E. Réglez la ficelle pour qu'elle soit tendue quand on la tire jusqu'en A.

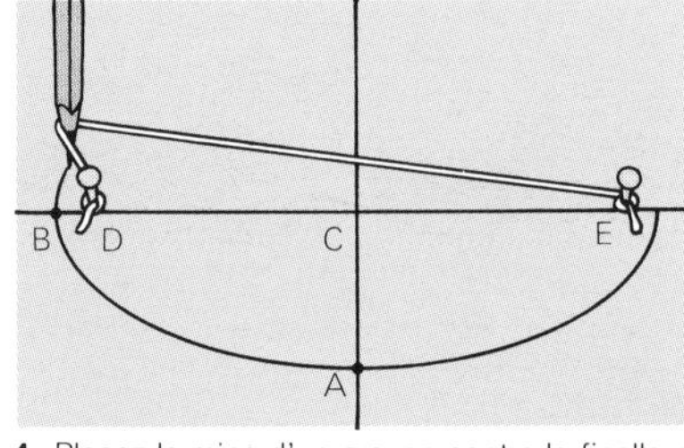

4. Placez la mine d'un crayon contre la ficelle et tirez sur le crayon pour le faire passer derrière l'un des clous. Tracez l'ovale, en laissant la ficelle guider le crayon.

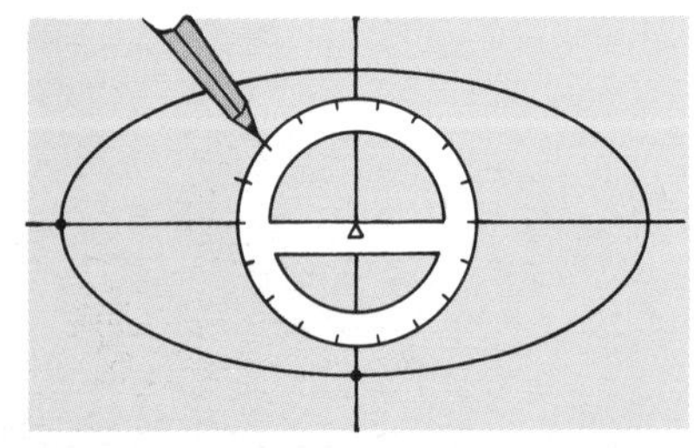

5. Centrez un rapporteur sur C et tracez des marques tous les 20 degrés. Avec une règle passant par C, faites les marques correspondantes sur l'ovale.

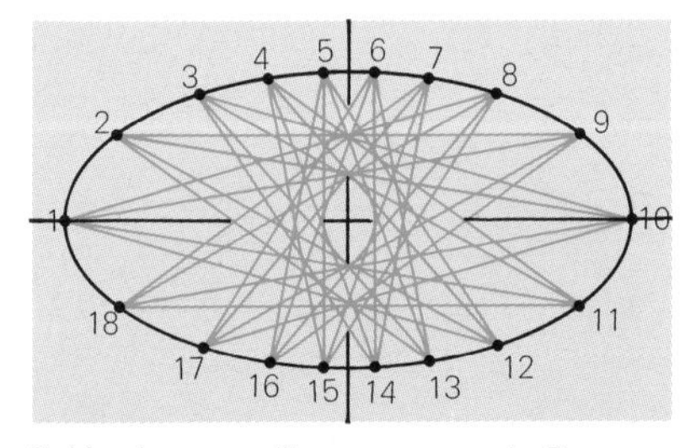

6. L'ovale se remplit comme un cercle. Pour remplir celui-ci, on a d'abord relié 1 à 9, puis on a continué dans le sens des aiguilles d'une montre jusqu'à ce que l'ovale soit complété.

Réalisations de courbes à partir de droites

La figure incurvée de base est la plus importante et la plus polyvalente de toutes. Tracez deux axes perpendiculaires et faites des points espacés de ¼ po sur ces deux axes. Numérotez les points de haut en bas sur l'axe vertical, et de gauche à droite sur l'axe horizontal, comme sur l'illustration 1. Tracez ensuite des traits entre les points portant le même numéro : de 1 à 1, de 2 à 2, etc. Vous obtiendrez la courbe indiquée sur l'illustration 2. Si vous préférez une figure plus courte d'un côté, vous pouvez moins espacer les points de ce côté. Cependant, les points situés sur un même axe doivent toujours être équidistants. On peut relier de la même façon des points répartis sur deux droites parallèles et numérotés en sens inverse pour obtenir la forme représentée sur l'illustration 3. Il est possible de modifier cette forme en faisant des demi-cercles ou des courbes à la place de l'une ou des deux droites, ou en les plaçant selon des angles différents, comme on le voit sur les illustrations 4, 5 et 6. (Dessinez les demi-cercles au compas et ajoutez-y des marques avec un rapporteur. Combinez la figure de base et ses variantes pour former d'innombrables motifs.)

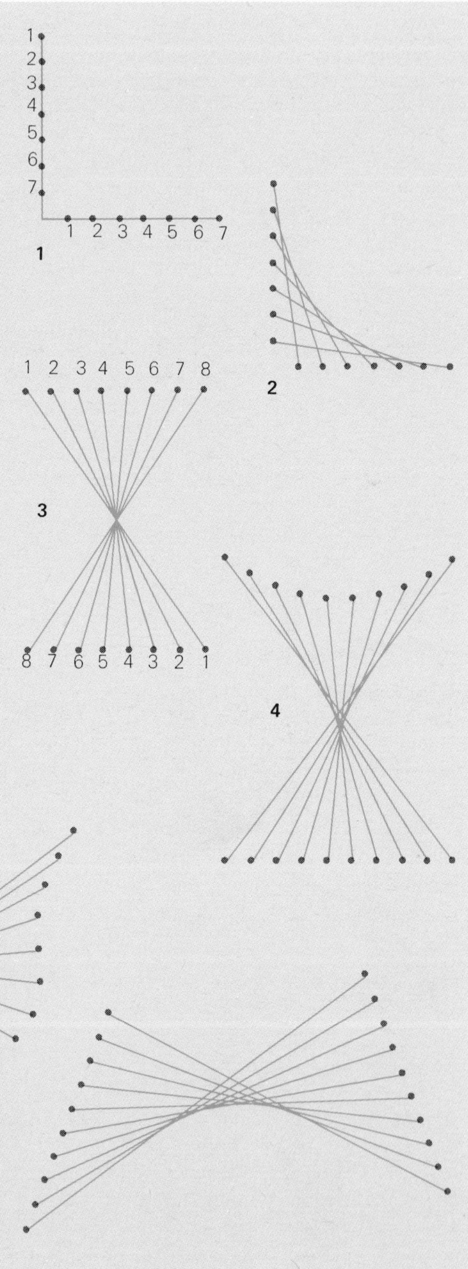

Combinaison de formes incurvées de base

On peut réaliser divers motifs en combinant deux ou plusieurs formes incurvées de base. Si deux formes se touchent, elles ont un point commun. Lorsqu'elles ont un côté commun, tous les points de ce côté servent à réaliser ces deux formes. On peut ainsi dessiner deux formes incurvées de base (illustration 2, p. 148) qui ont leur côté horizontal dans le même alignement. Il suffit alors de faire un seul côté vertical où des points sont échelonnés. Ces points servent à tracer des traits à gauche et à droite, qui donnent le motif représenté sur l'illustration 1. Tracez deux des formes de l'illustration 1, qui ont une base commune, pour obtenir le motif de l'illustration 2. Tracez quatre fois le motif de l'illustration 1 et opposez quatre sommets pour obtenir l'illustration 3. Deux formes incurvées de base côte à côte donnent un M majuscule couché, et si l'on remplit l'espace situé entre elles, on obtient l'illustration 4. L'illustration 5 est composée de deux formes incurvées de base, accolées à une extrémité pour former un croissant, sur lequel on a superposé la forme de l'illustration 1. La forme superposée a en commun avec le croissant les points du côté vertical de ce dernier. Le motif de l'illustration 6 est constitué de quatre formes incurvées de base. Le côté vertical de chacune a des points en commun avec le côté horizontal de celle qui lui est adjacente.

Préparation du panneau

Lorsque vous avez terminé votre motif, dessinez-le en grandeur nature. Ce dessin vous servira de patron. Choisissez ensuite un fond et un fil appropriés. Employez un panneau de fibre ou de bois, de ½ po d'épaisseur, de préférence. Vous pouvez laisser ce panneau tel quel, le peindre, le teindre et le vernir ou le recouvrir de tissus (de la façon indiquée ci-dessous). Prenez le fond qui mettra le mieux votre fil en valeur. Si vous comptez encadrer votre réalisation, attendez qu'elle soit terminée (voir *Encadrement*, pp. 278-282). Sinon, fixez le dispositif d'accrochage au dos du panneau avant de commencer le travail.

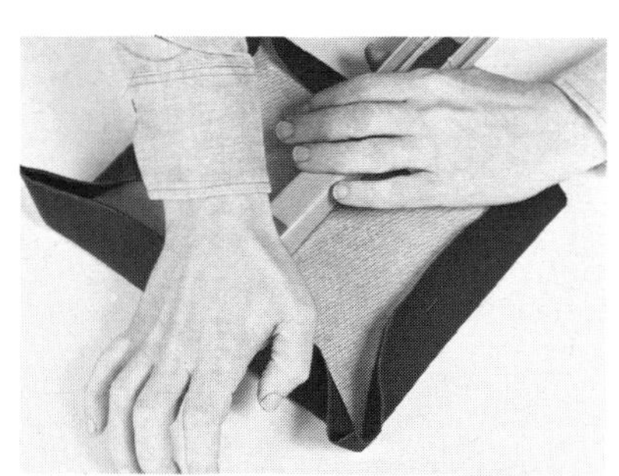

1. Placez le panneau sur l'envers du tissu, tendez le tissu et agrafez-le au dos du panneau.

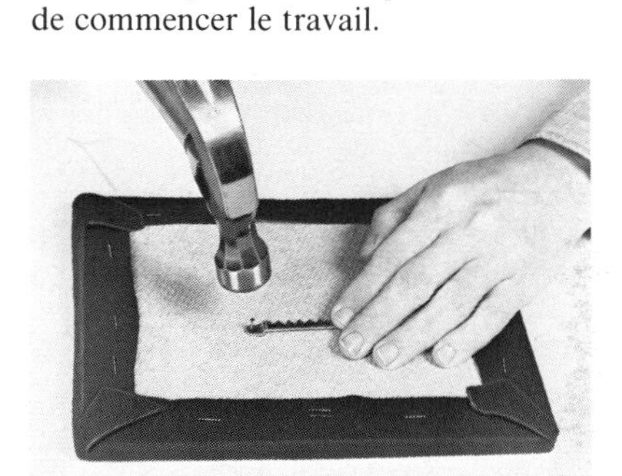

2. Si vous ne comptez pas encadrer votre œuvre, clouez une attache au dos du panneau.

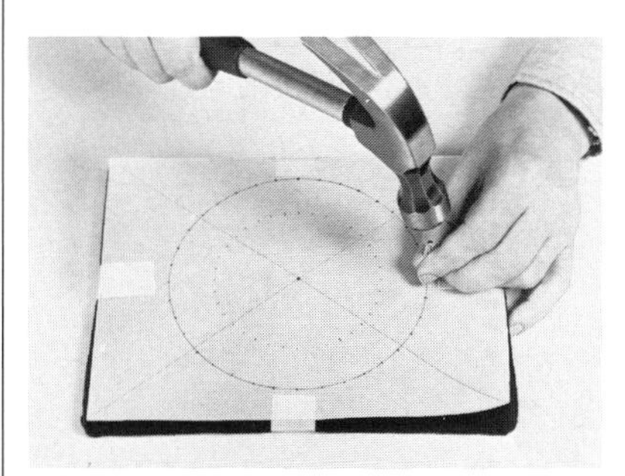

3. Fixez le patron sur le panneau avec du ruban. Plantez un clou par point.

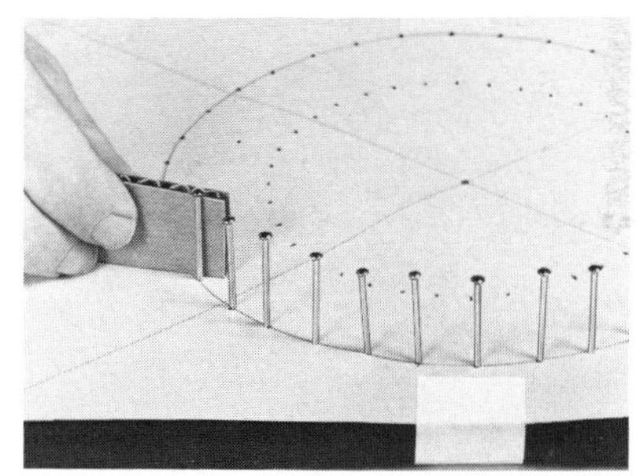

4. Fabriquez-vous un calibre en carton pour planter tous les clous à la même hauteur.

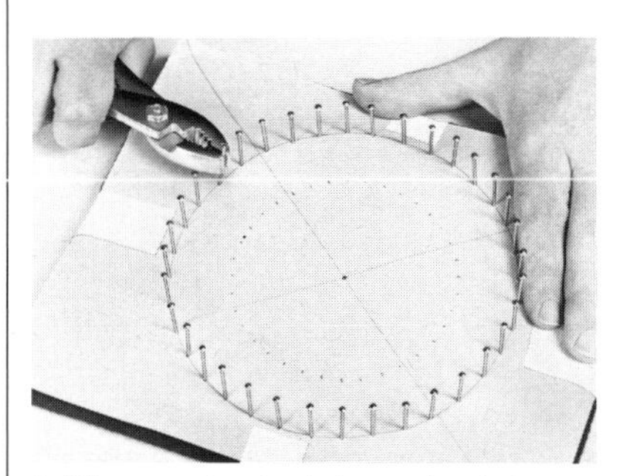

5. S'il vous arrive de planter un clou de travers, redressez-le avec une pince.

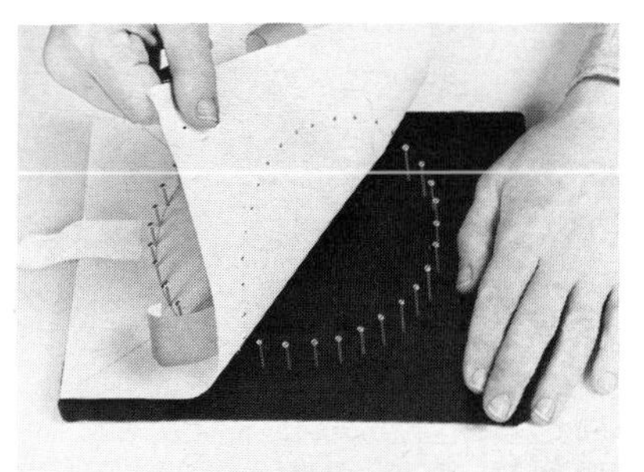

6. Quand tous les clous sont en place, arrachez le patron : le panneau est prêt.

Clous et fils

Cercle composé de trois nappes superposées

La mise en place du fil est la dernière étape du travail, c'est aussi la plus intéressante. Les fils suivent les traits dessinés sur les motifs. Nous donnons ci-dessous les indications nécessaires pour garnir un cercle. Le cercle représenté est composé de 36 points, échelonnés tous les 10 degrés. Ce nombre de points est le double de celui utilisé pour les dessins de la page 147, ce qui prouve les nombreuses possibilités offertes par le cercle. L'enchevêtrement sera donc plus serré. Si vous voulez qu'il le soit encore davantage, faites 72 points (1 point tous les 5 degrés). On met en place le fil de la même façon, quel que soit le nombre de points. On garnit les ovales comme les cercles. D'autres méthodes de laçage figurent sur la page ci-contre.

Commencez le laçage en nouant le fil de la première nappe sur le clou de départ. Faites d'abord un demi-nœud

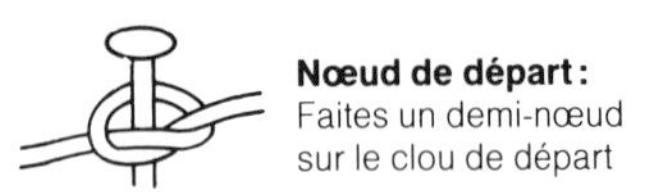

Nœud de départ: Faites un demi-nœud sur le clou de départ

comme pour nouer vos lacets de chaussures. Amenez le fil jusqu'au clou diamétralement opposé, entourez ce clou dans le sens des aiguilles d'une montre, puis passez au clou suivant. Le fil doit toujours être tendu, mais ne tirez pas trop pour ne pas le casser. Veillez à ce que les nappes de fil soient bien régulières. Le fil doit être soit en bas, soit sous la tête du clou, soit entre les deux, selon votre motif.

Plus vous réaliserez de nappes, plus l'image aura de relief une fois terminée. Commencez toujours par la nappe la plus basse et les parties qui seront les plus remplies: vous risquez sinon de ne pas pouvoir atteindre certains clous pour les garnir de fil. Quand vous avez fini avec une couleur, nouez le fil sur le dernier clou entouré. Pour faire un nœud d'arrivée, entourez deux fois le fil autour du clou, faites une boucle, tordez-la deux fois entre vos doigts et glissez-la par-dessus la tête du clou. Tirez

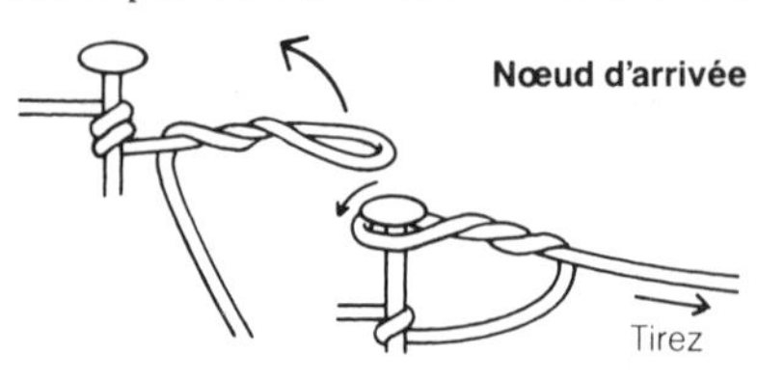

Nœud d'arrivée

sur le fil, la boucle se resserrera et ne bougera plus. Coupez son extrémité et rentrez-la pour qu'on ne la voie plus. Si l'extrémité libre ne reste pas en place, fixez-la avec un peu de colle.

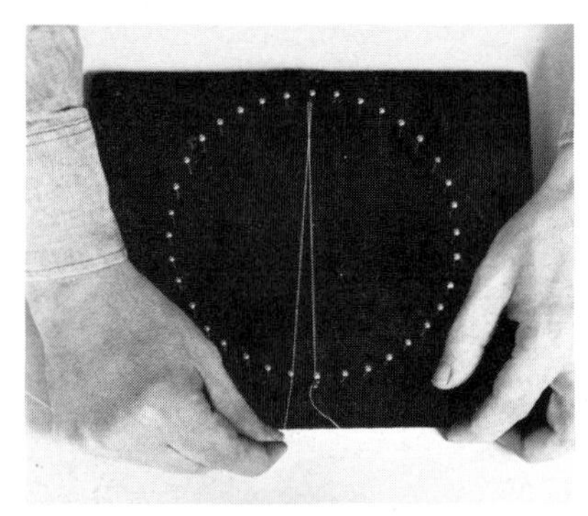

1. Nouez le fil sur le clou 1. Tendez-le et passez-le autour du clou 19, puis ramenez-le autour du clou 2, puis du clou 20.

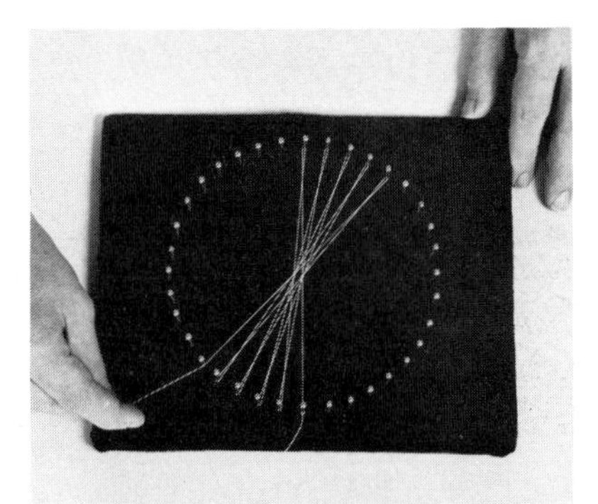

2. Continuez comme pour tracer le cercle. Reliez 20 à 3, puis 3 à 21, etc., dans le sens des aiguilles d'une montre. Le fil doit toucher le panneau.

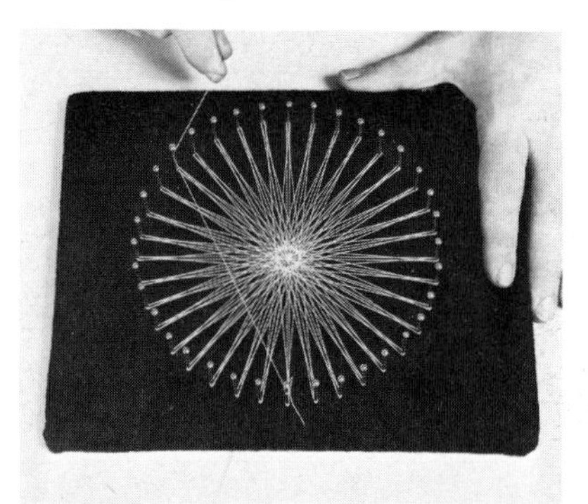

3. Une fois le cercle terminé, faites un nœud d'arrivée (voir ci-dessus) au clou 1. Avec un fil d'une autre couleur, reliez 1 à 14.

4. Allez dans le sens des aiguilles d'une montre, comme pour la première nappe, de 14 à 2, de 2 à 15, etc. Le fil doit être à mi-hauteur du clou.

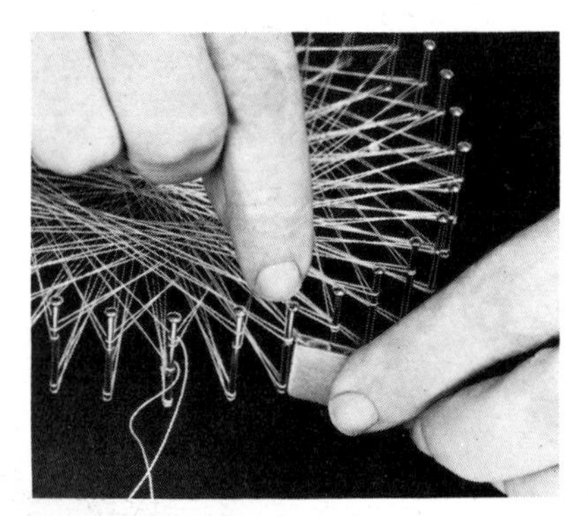

5. Avec un calibre en carton mesurant la moitié de la taille apparente du clou, assurez-vous que le fil est partout à la même hauteur.

6. Quand la deuxième nappe est achevée, faites un nœud d'arrivée sur le clou 1. Avec un fil d'une troisième couleur, reliez 1 à 9.

7. Lacez dans le sens des aiguilles d'une montre. Placez le fil sous la tête des clous. L'espace entre les trois nappes doit être le même partout.

8. Faites un dernier nœud d'arrivée sur le clou 1. Apportez les rectifications nécessaires et rentrez ou collez toutes les extrémités.

Laçage de formes non circulaires

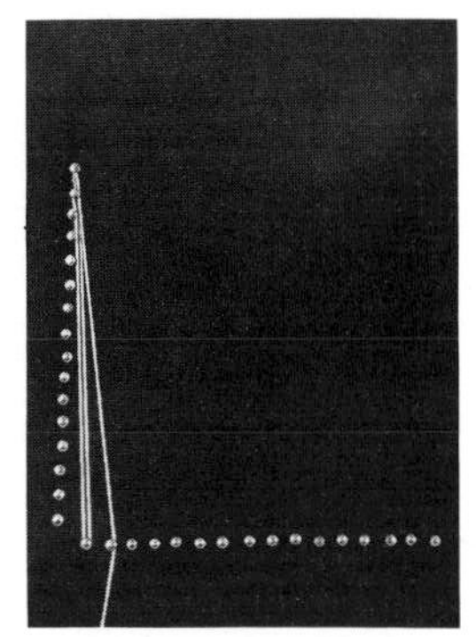

Formes incurvées. Nouez le fil sur le clou du haut et enroulez-le sur le premier clou horizontal.

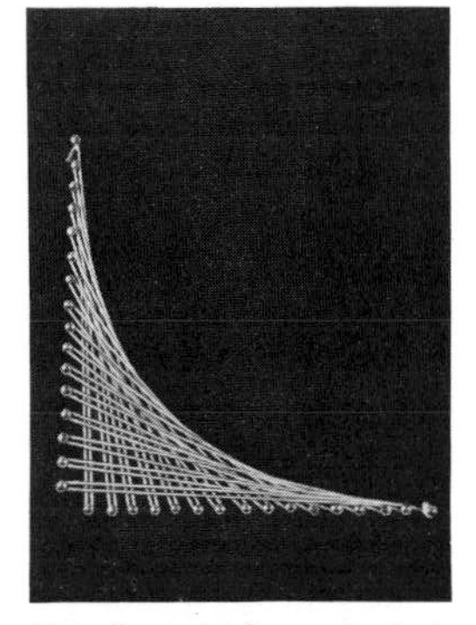

Allez d'un point à un autre (voir p. 148). Faites un nœud d'arrivée à la fin.

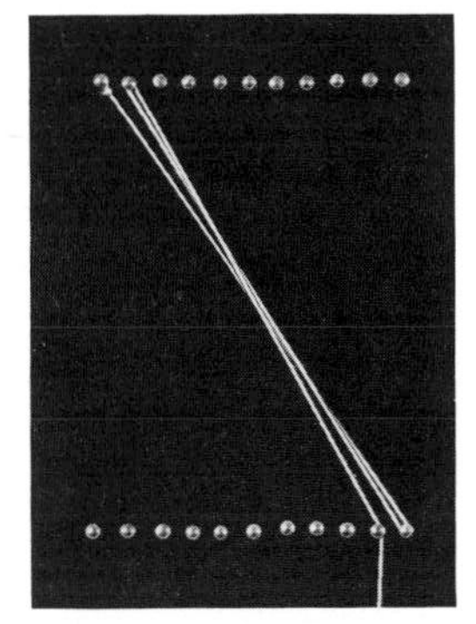

Le X. Nouez le fil sur le premier clou du haut, puis passez-le autour du dernier clou du bas.

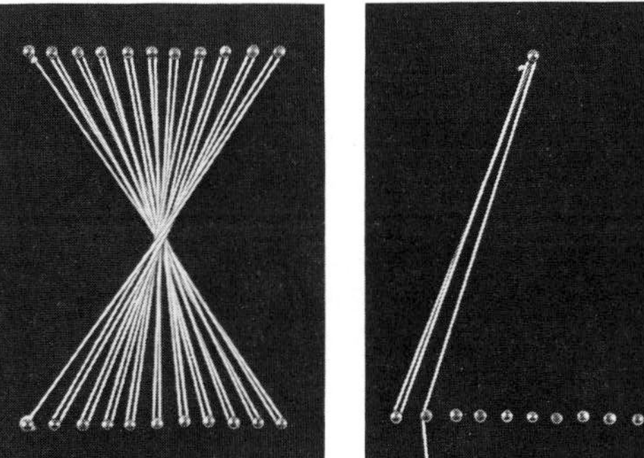

Continuez vers la droite en haut et vers la gauche en bas. Faites un nœud d'arrivée.

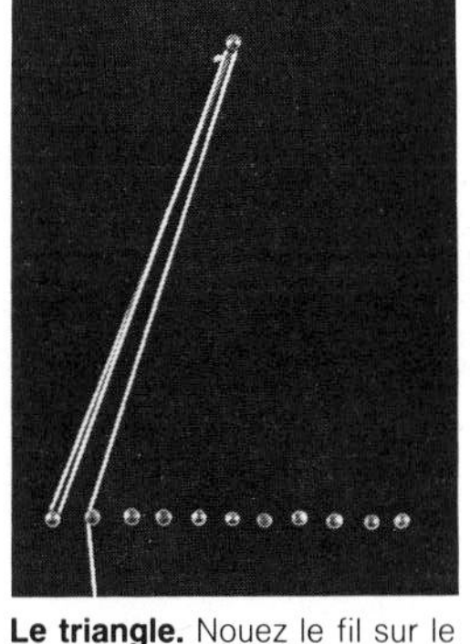

Le triangle. Nouez le fil sur le clou du haut, puis passez autour du premier clou du bas.

Passez le fil autour de chaque clou du bas, vers la droite. Faites un nœud d'arrivée.

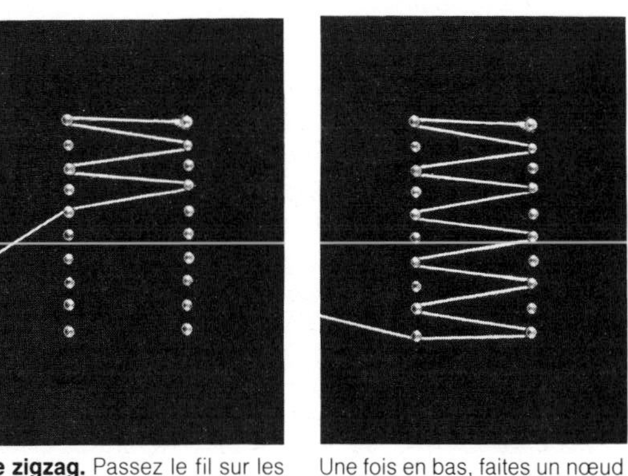

Le zigzag. Passez le fil sur les deux clous du haut. Lacez en zigzag en sautant un clou.

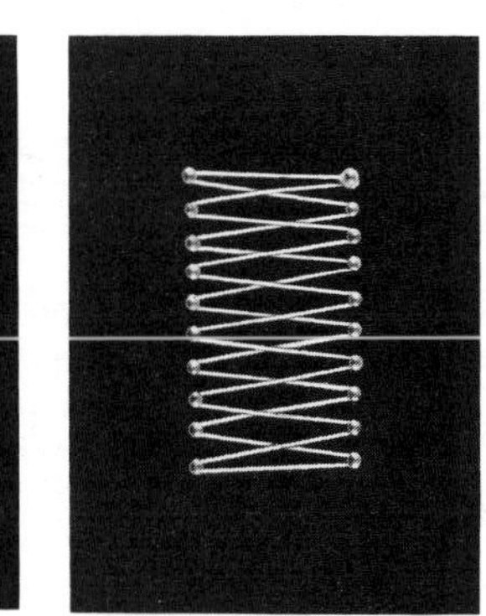

Une fois en bas, faites un nœud d'arrivée ou repartez en zigzag vers le haut.

Pour le double zigzag, repartez vers le haut et faites un nœud d'arrivée. Rentrez les bouts.

Exécution du contour d'une figure

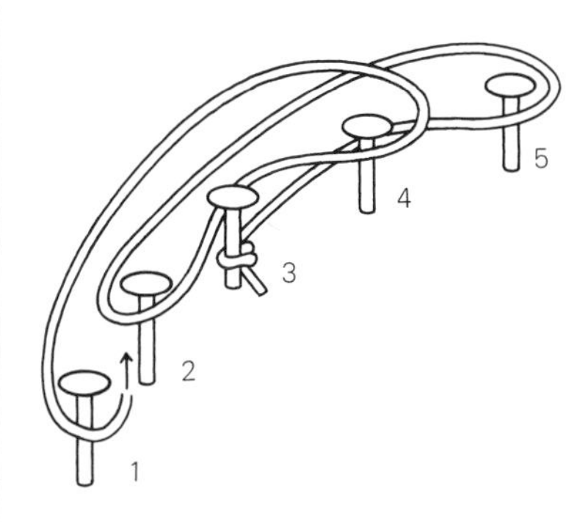

Le bord tissé permet de souligner une forme. En suivant le patron, faites un nœud sur le clou 3, passez le fil à l'extérieur du clou 4, puis à l'intérieur du clou 5, vers le bas, à l'extérieur du clou 2. Continuez en passant à l'extérieur de 3, à l'intérieur de 4 et autour de 1. Serrez bien. Recommencez au besoin.

Réalisations en trois dimensions

On peut dégager les motifs de leur support en planche pour créer des sculptures libres, des stabiles ou des mobiles en tenant le fil sur des cerceaux, des cylindres dressés, des cadres de tableaux, du plexiglas, ou toute autre matière que l'on peut entailler ou clouer.

Ce stabile est composé de trois tambours à broder entaillés à la scie, de haut en bas et tous les 10 degrés, sur leurs pourtours extérieurs. On tend le fil sur chaque tambour comme sur le cercle d'un panneau, mais de plus, on l'entoure sur les bords des tambours, puis on l'enfile dans des encoches au lieu de le passer autour de clous. On fait ensuite de profondes encoches en croix aux extrémités d'une tige de bois. On fixe le fil sur l'encoche supérieure de la tige, puis on le fait descendre jusqu'au bas de la tige en passant par une entaille de chacun des trois tambours et remonter jusqu'au sommet de la tige en passant par les encoches situées de l'autre côté des tambours. On recommence ce processus, en passant à l'encoche suivante, jusqu'à ce que toutes les encoches soient garnies. Il vous suffit d'adapter ces principes pour réaliser une sculpture en fil de votre création.

Fabrication des bougies

Notions de base

Depuis les Romains, on fait des chandelles avec du suif (graisse de bœuf ou graisse de mouton) et des bougies avec de la cire d'abeille. La paraffine, que l'on sait extraire du bois, du charbon ou du pétrole depuis le XIXe siècle, est vite devenue la principale matière fusible employée. Malgré l'éclairage électrique, on n'a jamais produit autant de bougies qu'aujourd'hui.

Il suffit d'avoir quelques matières et outils simples pour faire soi-même de belles bougies.

La paraffine se vend généralement en plaques de 10 ou 11 lb (4,5 ou 5 kg) dans les magasins de fournitures pour artisans. Une plaque donne environ 4 pte (4 L) de matière après fusion. La qualité de la paraffine varie selon son point de fusion : l'ordinaire fond entre 52 et 57°C, la moyenne entre 62 et 66°C, et la meilleure entre 71 et 74°C. Celle qu'il faut utiliser dépend du moule qu'on veut employer. On peut élever le point de fusion par une adjonction de stéarine (voir ci-après).

La cire d'abeille permet de réaliser de très belles bougies, mais elle coûte cher. Cependant, si l'on en ajoute une petite quantité (de 5 à 10 p. 100) à de la paraffine, on élève le point de fusion de la matière : les bougies brûlent plus longtemps et leur odeur est plus agréable. Il faut des conditions spéciales, réunies en laboratoire, pour que la cire bouille ou s'évapore, mais elle brûle et noircit audessus de 100°C, ce qu'il faut donc éviter. Les émanations de paraffine peuvent être dangereuses à la longue : travaillez dans un endroit dégagé et bien aéré.

Avant de couler la matière dans des moules de métal, faites-les tiédir dans un four à 38°C. Vous obtiendrez ainsi des bougies bien lisses. Une fois la matière coulée, vous pouvez hâter le refroidissement en plongeant le moule dans un seau rempli d'eau.

On coule les bougies à l'envers, c'est donc le bas qui se trouve près de l'ouverture du moule. La matière se contracte en refroidissant, si bien qu'un vide se forme sous la croûte autour de la mèche. Il faut régulièrement percer cette croûte pour remplir le vide de cire fondue jusqu'à ce que la bougie se soit solidifiée et que le vide ait complètement disparu.

Bain-marie et thermomètre de confiseur. Si vous faites fondre la paraffine sur un brûleur dans une casserole peu profonde, elle risque de s'enflammer. Il est donc plus sûr de la faire fondre au bain-marie. Faites d'abord bouillir l'eau. Prenez un pic à glace ou un marteau pour casser la plaque de paraffine en morceaux. Un thermomètre de confiseur vous permettra de mesurer la température de la matière en fusion.

La stéarine (ou acide stéarique) élève le point de fusion de la matière et durcit donc la bougie. Comme elle rend les bougies opaques, certains fabricants ne l'emploient pas. Associée à des teintures, la stéarine fonce les couleurs. La formule normalement employée pour faire des bougies est un mélange de 90 p. 100 de paraffine et de 10 p. 100 de stéarine, soit 3 cuillerées à soupe (50 ml) de stéarine par livre de cire. La stéarine se vend en poudre que l'on mélange à de la cire fondue. Faites des essais en réalisant des bougies de diverses couleurs avec et sans stéarine .

Les teintures. On n'ajoute la teinture que lorsque la stéarine s'est dissoute. N'employez que des teintures spéciales pour les bougies. Elles se vendent en liquide ou en pastilles. Pour obtenir une couleur de l'intensité voulue, n'ajoutez qu'un peu de teinture à la fois en versant des gouttes ou en taillant des petits morceaux de pastille. Pour vérifier la nuance, versez un peu de liquide teinté sur une surface blanche. La bougie terminée sera un peu plus foncée.

Ce carreau catalan du XVIIIe siècle, qui représente un fabricant de bougies espagnol, se trouve à Barcelone, au Museo de Bellas Artes de Cataluña.

Les moules. On peut les acheter, les fabriquer soi-même ou se servir d'objets divers. La température du coulage dépend du moule. S'il est en carton, en verre, en plastique ou en caoutchouc, employez de la paraffine de qualité ordinaire ou moyenne que vous coulerez à une température entre 65°C et 74°C. Si les moules sont en métal, employez de la paraffine de même qualité, mais ne la coulez qu'entre 88°C et 93°C.

La silicone en aérosol sert à vaporiser le moule avant d'y couler la matière, pour faciliter le démoulage.

Les mèches. Elles sont faites en coton tressé et se vendent en trois grosseurs: les fines, les moyennes et les grosses. Si la mèche est trop grosse pour la bougie, elle fume. Si elle est trop mince, la cire fondue éteint la flamme. Il faut des mèches fines pour les bougies qui font moins de 2 po de diamètre, des mèches moyennes pour les bougies de 2 à 4 po de diamètre et de grosses mèches pour celles de plus de 4 po. On place généralement la mèche dans le moule avant d'y couler la matière. On insère cette mèche, qui mesure quelques pouces de plus que la bougie, dans le trou prévu au fond du moule. On la fait avancer jusqu'à ce qu'elle ne dépasse du fond que d'environ 1 po. On fixe ensuite ce bout de mèche avec du mastic adhésif qui recouvre aussi le moule. (On trouve ce genre de mastic dans les magasins de fournitures pour artisans.)

On entoure la mèche du côté de l'extrémité ouverte du moule autour d'une mince baguette plus longue que le diamètre du moule (comme un crayon, par exemple). Il faut bien tendre et centrer la mèche avant de couler la matière. Les moules à bougie en métal comportent un joint et une barre pour fixer la mèche.

Il faut dans certains cas placer la mèche une fois la bougie coulée. On perce son trou avec un pic à glace chauffé. On insère alors une mèche armée et l'on remplit de cire l'espace situé autour.

Coulage d'une bougie

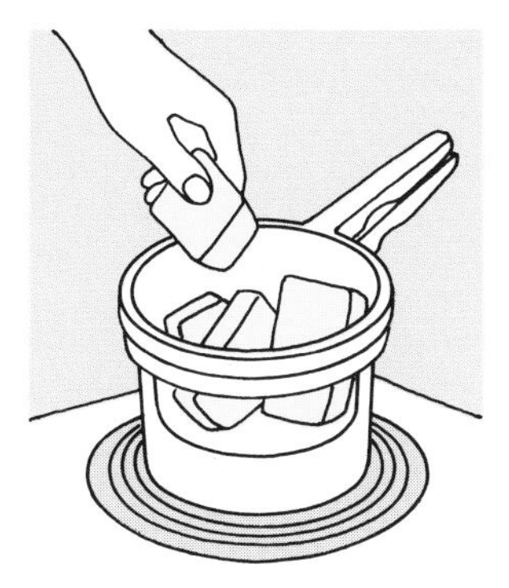

1. Amenez l'eau à ébullition. Ajoutez peu à peu la paraffine dans le récipient supérieur.

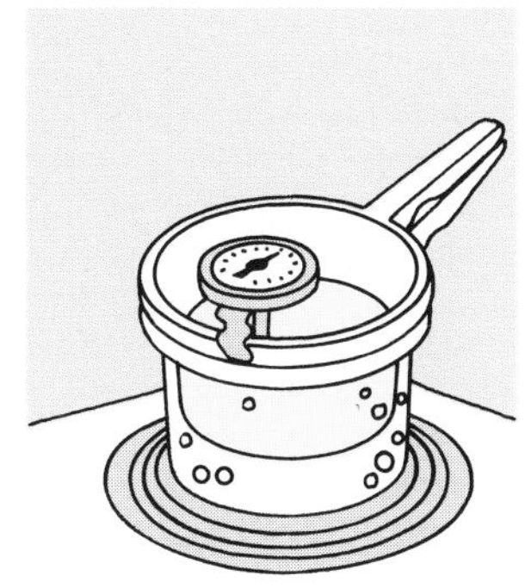

2. Mesurez la température de la matière avec un thermomètre accroché au rebord du récipient.

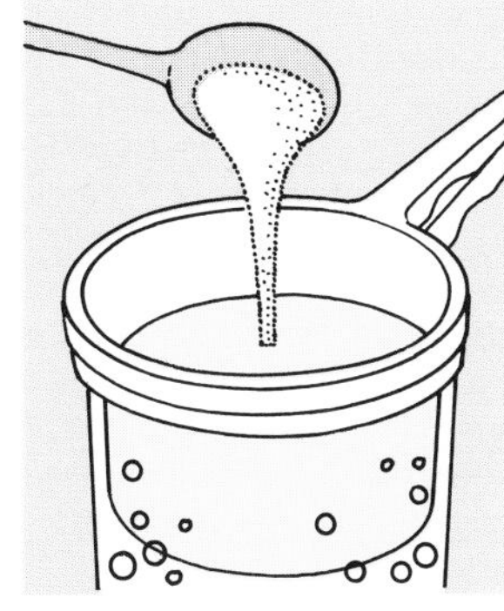

3. Quand la paraffine est fondue, incorporez 3 c. à soupe (50 ml) de stéarine par livre de matière.

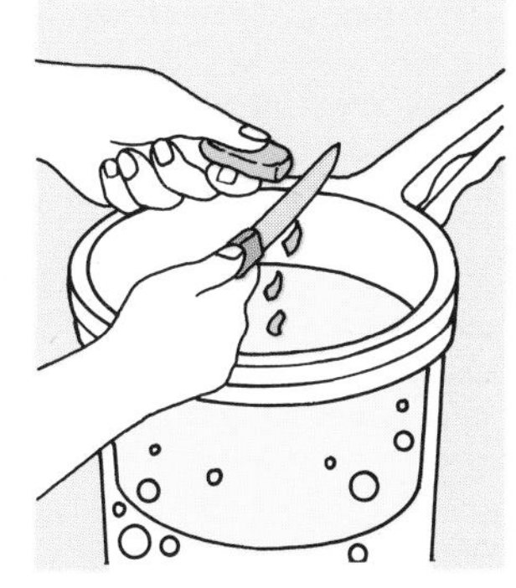

4. Lorsque la stéarine est dissoute, taillez-y la teinture. Pour les essais de couleur, référez-vous au texte.

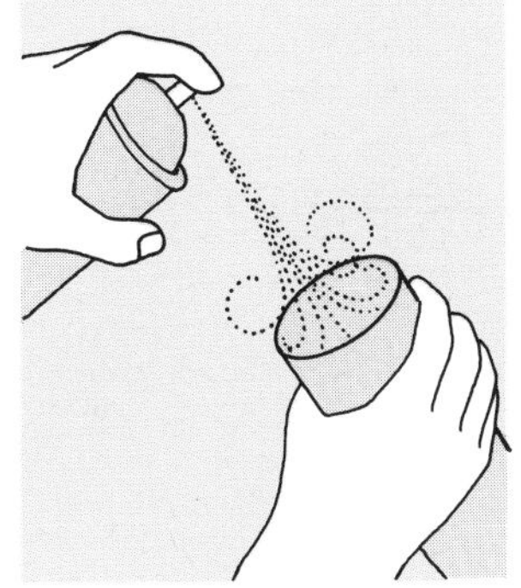

5. Pour faciliter le démoulage, vaporisez de la silicone dans le moule avant d'y couler la matière.

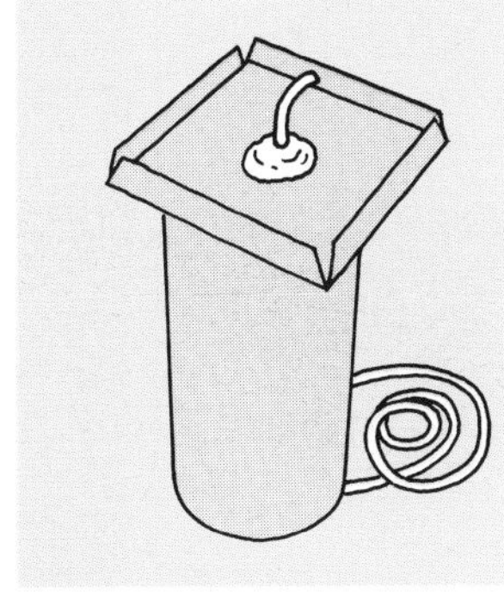

6. Enfilez la mèche dans son trou. Fixez son extrémité avec une vis, un joint ou du mastic.

7. Enroulez le bout libre de la mèche sur une tige. Centrez bien la mèche, puis tendez-la.

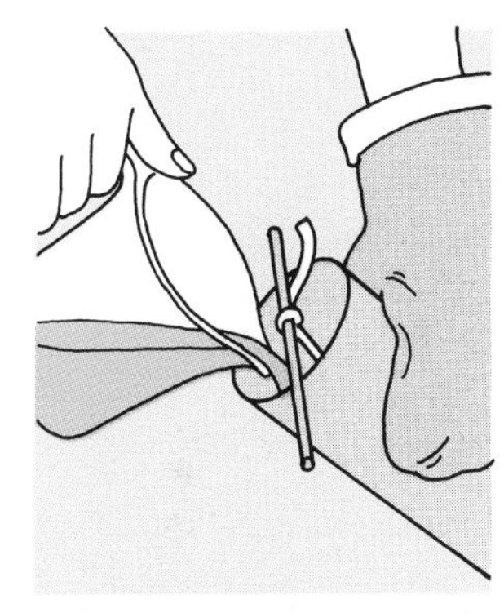

8. Tenez le moule avec une moufle isolante. Versez-y doucement le mélange avec une tasse à mesurer.

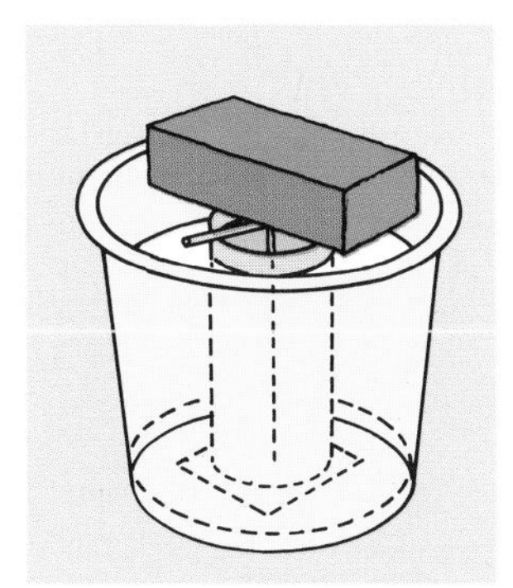

9. Plongez le moule dans l'eau fraîche jusqu'au niveau de la cire. Posez un objet lourd dessus.

10. Au bout de 30 min, enlevez le poids. Percez la croûte près de la mèche et versez-y de la cire.

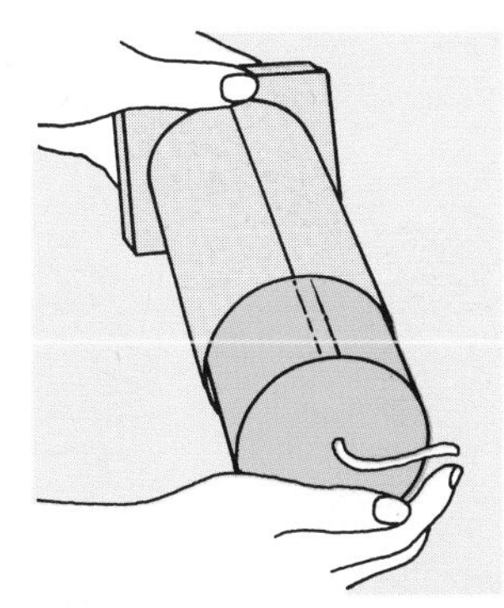

11. Quand la cire est prise, ôtez le moule de l'eau. Sortez la bougie en tirant doucement sur la mèche.

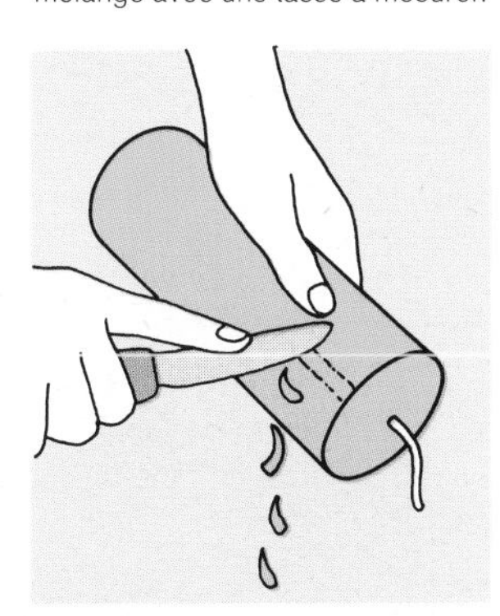

12. Les moules de métal ont souvent un joint qui laisse une marque. Enlevez-la avec un couteau.

Fabrication des bougies

Moules divers

Beaucoup d'objets peuvent servir de moules à bougie. C'est le cas des cartons de lait que l'on peut couper à n'importe quelle hauteur. Percez un trou pour la mèche au fond du carton, puis enroulez-la sur une tige au sommet.

Les boules d'arbres de Noël peuvent aussi servir de moules. Otez d'abord le capuchon en métal. Tenez la boule avec une moufle isolante et remplissez-la de cire. Lorsque la cire est prise et la cavité remplie (étape 10, p. 153), cassez la boule en la tapotant contre une table. Vous pouvez utiliser de l'aluminium en feuille pour créer des bougies rocailleuses, de formes diverses. Remplissez pour cela un plat de sable ou de terre et faites-y un creux. Placez la feuille dans le creux et façonnez-la avec vos mains. Versez la cire, laissez-la prendre et enlevez la feuille.

Les moules à aspic, à gelée et à petits gâteaux peuvent aussi servir de moules à bougie. Pour toutes les réalisations dont il vient d'être question, servez-vous de mèches armées et insérez-les avec un pic à glace lorsque la cire a durci, selon la méthode décrite à la page 153.

Bougies-lampions

Une bougie-lampion est une grosse bougie aux parois translucides à l'intérieur de laquelle se trouve une petite bougie. La petite bougie luit à travers les parois de la grosse, qui protège sa flamme du vent. Les parois doivent être faites d'une matière qui ne fond pas facilement.

Vous pouvez utiliser une casserole pour mouler l'extérieur de la bougie-lampion. Il faut 2 pte (2 L) de matière fusible pour faire cette bougie, mais cette matière est en grande partie réutilisable, car on la reverse du moule avant qu'elle ne se solidifie.

Ajoutez de la teinture quand la température de la paraffine atteint 93°C, mais pas de stéarine qui la rendrait opaque. Les parois doivent en effet rester translucides.

Remplissez le moule de paraffine et trempez-le dans de l'eau fraîche (étape 9, p. 153) jusqu'à ce que les parois et la base de la bougie se soient solidifiées sur une épaisseur d'environ 1 po. Enlevez ensuite la croûte et versez la cire liquide du centre. On peut réutiliser indéfiniment l'extérieur où il suffit de placer de nouvelles bougies.

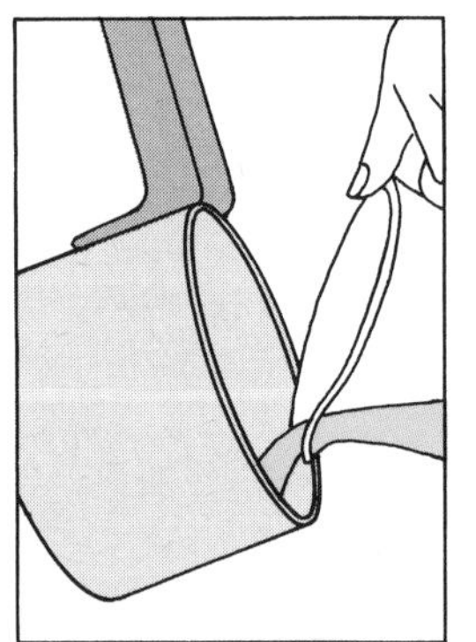

1. Vaporisez de la silicone dans la casserole pour faciliter le démoulage. Remplissez la casserole de cire légèrement teintée jusqu'à 1 po du bord.

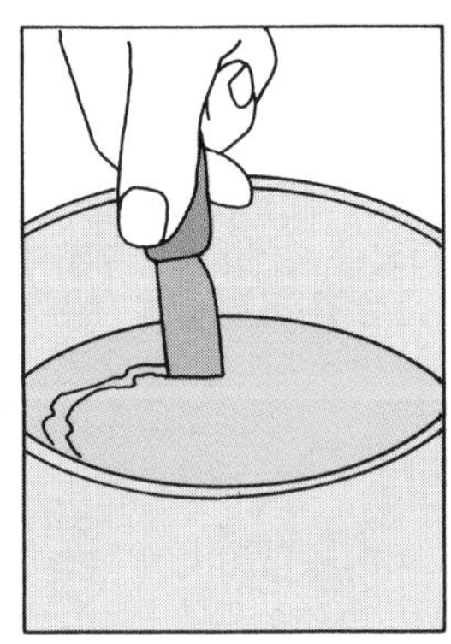

2. Lorsque la croûte se forme au cours du refroidissement, vérifiez son épaisseur. Quand elle atteint ¼ po, découpez un cercle à ½ po de la paroi.

3. Sortez la casserole de l'eau. Otez la croûte, puis versez le liquide qui se trouve au milieu. Laissez l'extérieur refroidir 24 h dans son moule.

Bougies trempées

La fabrication des bougies par trempage d'une mèche dans de la cire fondue est la plus ancienne et la plus simple qui soit. La mèche doit mesurer plusieurs pouces de plus que la bougie à réaliser. Si vous voulez faire plusieurs bougies à la fois, nouez des mèches à 2 ou 3 po les unes des autres sur une tige ou un cerceau. Il faut avoir au préalable préparé de la matière fondue dans un récipient suffisamment profond pour obtenir une bougie de la longueur voulue. Les hauts moules de métal conviennent pour tremper une bougie à la fois, et les chaudrons pour le trempage de plusieurs mèches.

Au cours de l'étape 1 illustrée ci-dessous, après avoir trempé une première fois la mèche dans la cire, on la tend pendant quelques secondes jusqu'à ce que la cire durcisse. On obtient ainsi une mèche droite, ce qui est utile pour les trempages ultérieurs.

Vous pouvez faire des bougies trempées dans de la cire de couleur, ou des bougies blanches que vous pouvez glacer plus tard avec de la cire teinte. On obtient un glacis à rayures en trempant successivement la bougie dans des bains de cire de couleurs différentes, de moins en moins profonds. Préparez, par exemple, des bains de cire bleue de plusieurs nuances. Trempez d'abord toute une bougie blanche dans le bain le plus clair. Après l'avoir fait sécher, trempez-la aux trois quarts dans le bain un peu plus foncé. Plongez-la ainsi dans des bains successifs pour obtenir une bougie rayée avec des nuances subtiles.

Pour aplatir la base de vos bougies, faites chauffer une spatule de métal sur une source de chaleur. Frottez l'extrémité de la bougie sur le métal chaud et laissez fondre la cire jusqu'à ce que la base soit plate.

1. Tenez la mèche par un bout et trempez-la dans la cire chaude. Retirez-la et prenez-la par l'autre bout pour la tendre. Retrempez-la quand la cire est dure.

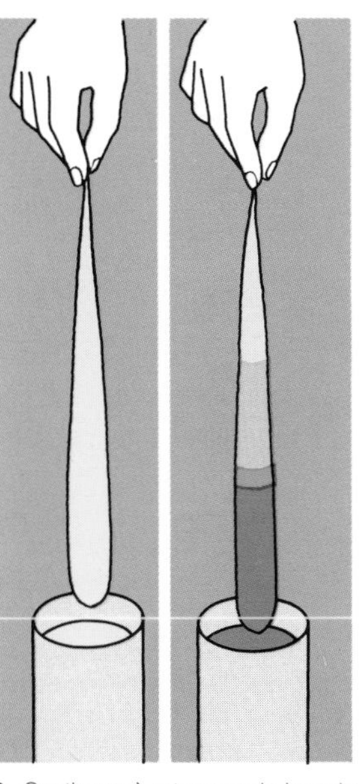

2. Continuez à retremper la bougie jusqu'à ce qu'elle ait l'épaisseur voulue. Laissez bien durcir chaque couche de cire avant de retremper la bougie.

Bougies aux couches multicolores

Pour faire des bougies composées de couches multicolores, on verse une couleur quand la précédente a durci (voir à droite). Préparez une certaine quantité de cire de chaque couleur nécessaire à la réalisation de votre motif et laissez-la durcir dans des godets. Lorsque vous en avez besoin, cassez cette cire en morceaux et refaites-la fondre pour couler les diverses couches.

Si vous versez une couche avant que la précédente soit parfaitement prise, les couleurs se fondent et vous obtenez un effet parfois imprévu. Si vous laissez les couches prendre pendant 3 à 5 heures, la démarcation entre celles-ci sera claire. Cela vous laisse amplement le temps de faire fondre la cire teinte, de la verser, puis de vider et de nettoyer le récipient supérieur de votre bain-marie avant d'y mettre de la cire d'une couleur différente pour la couche suivante.

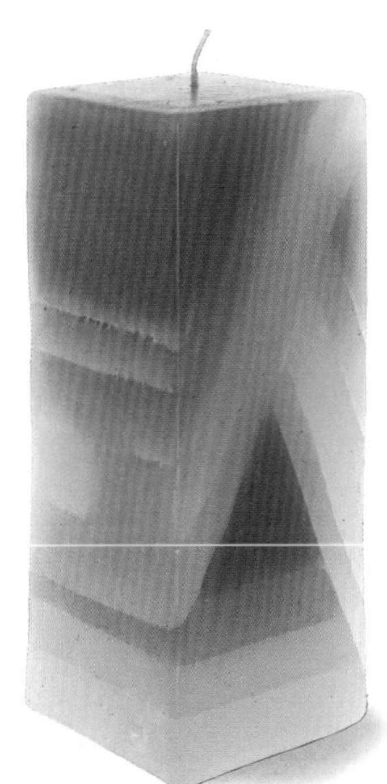

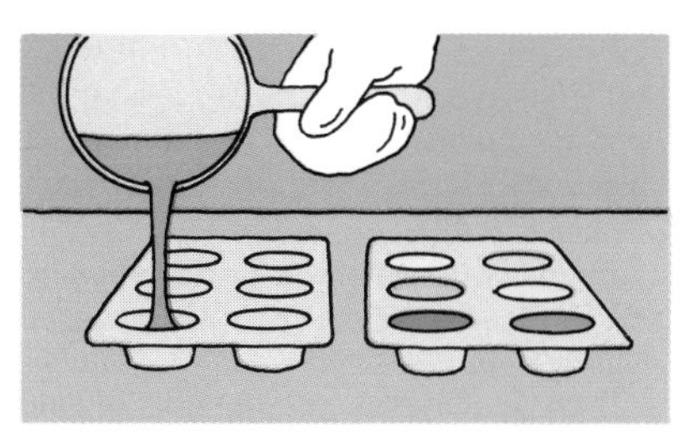

1. Mélangez de la cire de qualité moyenne, de la stéarine et des teintures pour chaque couleur voulue. Versez dans des godets et laissez durcir.

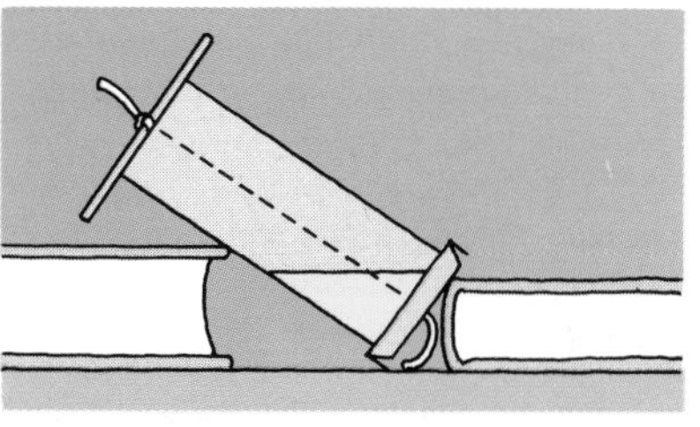

2. Montez la mèche dans le moule et vaporisez de la silicone à l'intérieur. Immobilisez le moule à l'angle voulu pour la première couche.

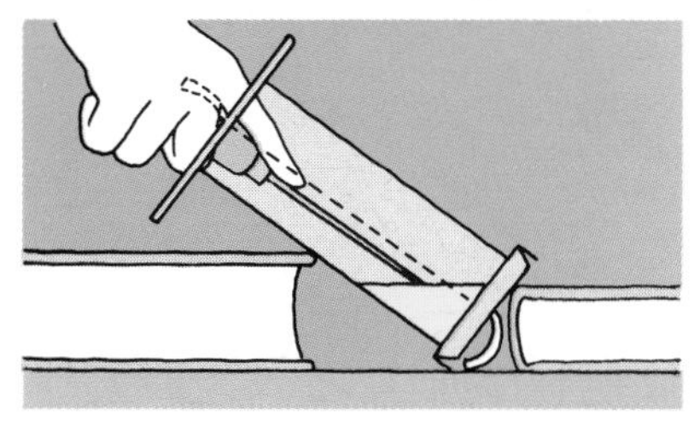

3. La périphérie de la cire prend avant la zone qui entoure la mèche. Vérifiez si cette zone est ferme avant d'ajouter une nouvelle couche.

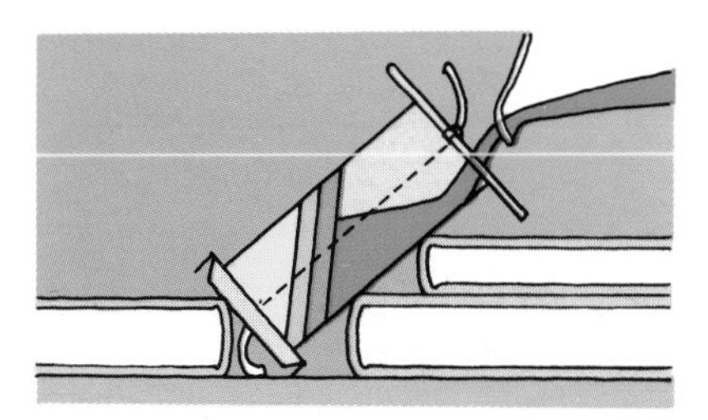

4. Lorsqu'une couche de cire est complètement prise, versez de la cire d'une couleur différente. Modifiez l'angle du moule si vous le désirez.

Fabrication des bougies

Bougies-œufs

Les coquilles d'œufs vides font de merveilleux moules. Faites sécher la coquille pendant 24 heures après l'avoir vidée et rincée selon les indications données ci-dessous. Prenez de la cire de qualité ordinaire ou moyenne et portez-la à une température de 82°C avant de la verser dans la coquille.

Il y a deux façons de colorer la bougie. Vous pouvez faire un œuf blanc, puis le glacer en le trempant dans un bain de cire chaude (55°C) teintée (étape 4). N'ajoutez pas de stéarine à la cire blanche ; mélangez plutôt de la stéarine et de la teinture pour faire le bain de couleur destiné à la glaçure.

Si vous aimez mieux faire la bougie de couleur dans de la cire teinte, ajoutez de la stéarine et de la teinture à la cire de la bougie et, à l'étape 4, trempez la bougie de couleur dans l'eau chaude. Remplissez le pourtour de la mèche avec de la cire de même couleur que la bougie.

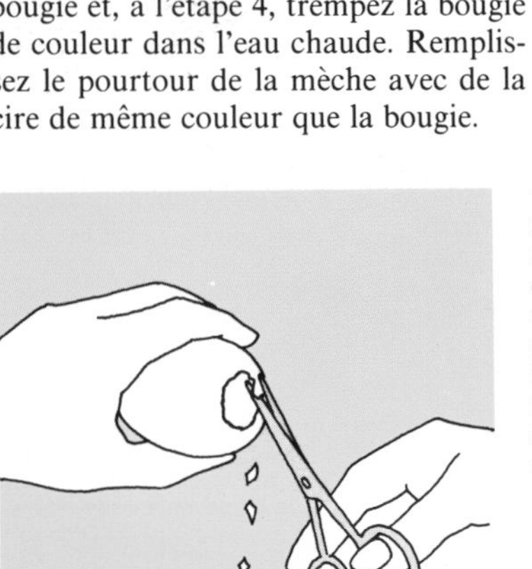

1. Percez un trou avec une épingle dans le bout le plus gros d'un œuf, puis découpez une belle ouverture avec des ciseaux à cuticule. Videz l'œuf dans un bol. Rincez la coquille à l'eau. Faites-la sécher environ 24 h.

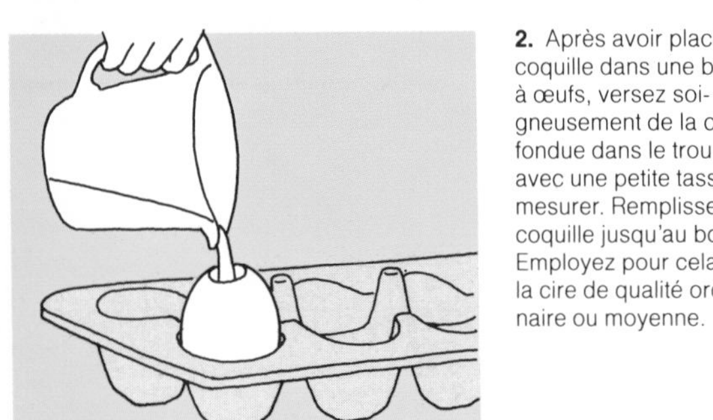

2. Après avoir placé la coquille dans une boîte à œufs, versez soigneusement de la cire fondue dans le trou avec une petite tasse à mesurer. Remplissez la coquille jusqu'au bord. Employez pour cela de la cire de qualité ordinaire ou moyenne.

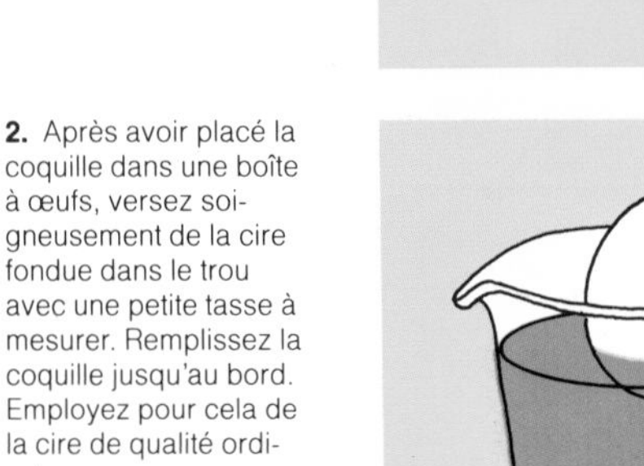

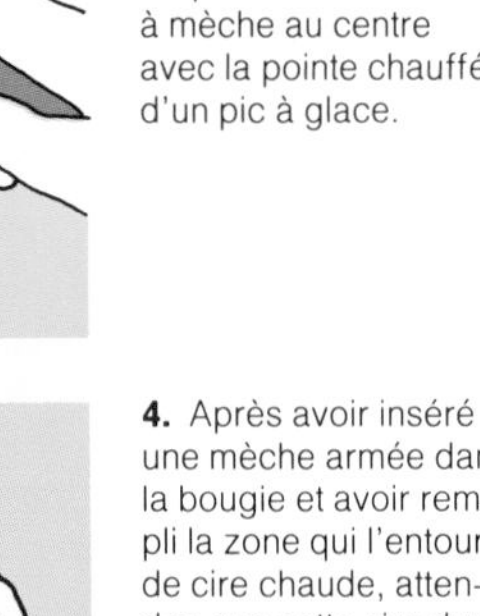

3. Laissez prendre la cire dans la coquille pendant une nuit, puis écalez la coquille. Veillez à ne pas abîmer la bougie en enlevant la coquille. Faites un trou à mèche au centre avec la pointe chauffée d'un pic à glace.

4. Après avoir inséré une mèche armée dans la bougie et avoir rempli la zone qui l'entoure de cire chaude, attendez que cette cire durcisse. Glacez la bougie en la trempant dans un bain de cire chaude teintée. Quand la glaçure est sèche, coupez l'excédent de mèche.

Bougies à rayures verticales

Pour faire une bougie ornée de rayures verticales, coulez une bougie ordinaire unie, puis suivez les indications données ci-dessous. Des rayures de la couleur initiale apparaissent quand on enlève le ruban. La bougie de base peut être blanche ou de couleur, et vous pouvez la rouler dans une nuance plus foncée de la même couleur ou dans une couleur qui contraste avec elle.

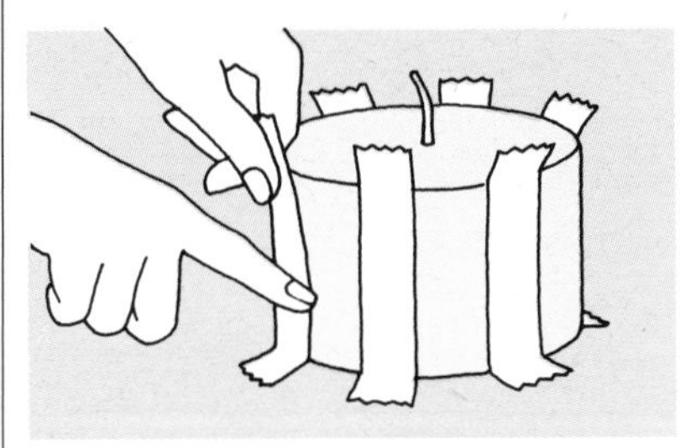

Appliquez du ruban-cache de haut en bas à la périphérie de la bougie sur les zones qui doivent rester de la même couleur que la bougie de base.

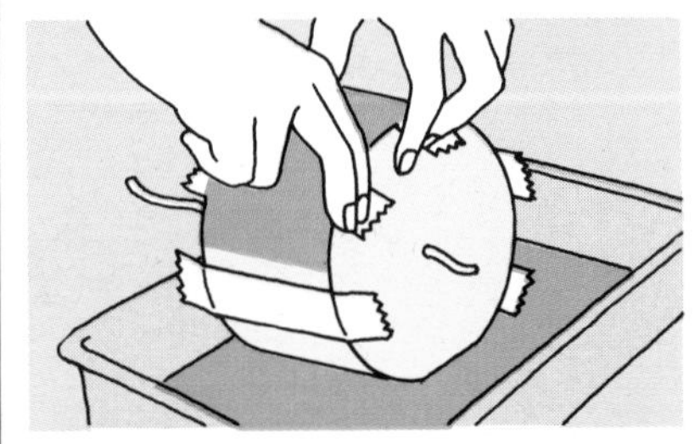

Versez ½ po de cire chaude et teintée dans un plat. Roulez-y la bougie. Enlevez doucement le ruban quand la cire prend.

Section 3

Artisanat de fil et de tissu

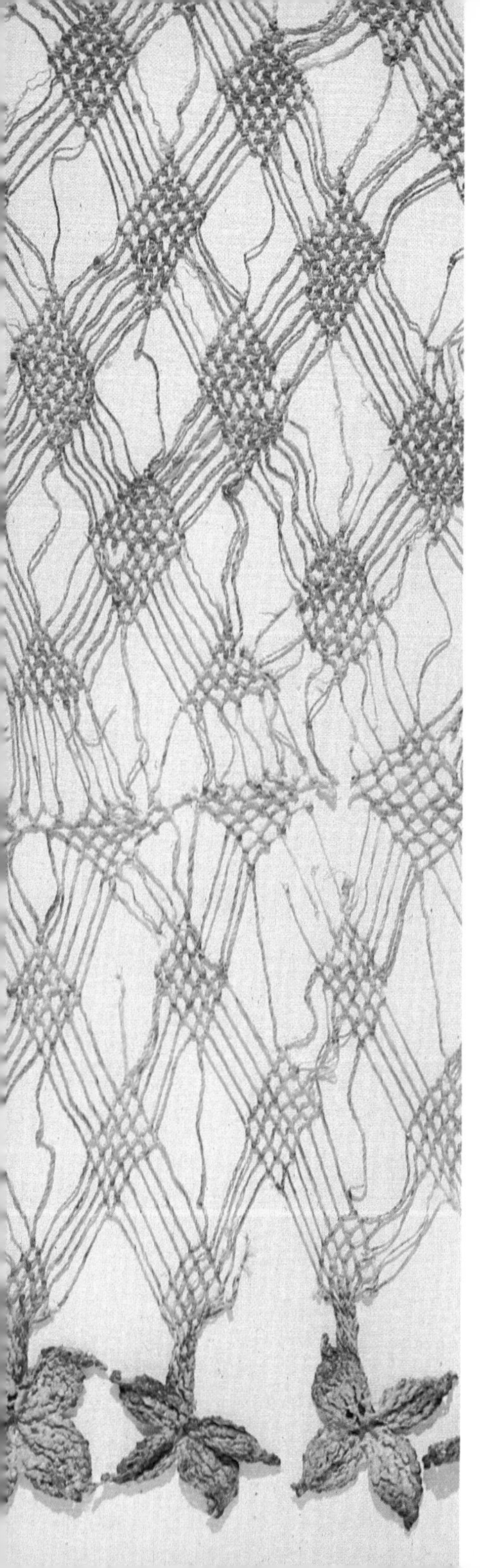

Macramé

Historique

Le macramé, cet art du nœud ornemental, s'est probablement répandu au XIIIe siècle grâce aux tisserands d'Arabie. Ils nouaient le surplus de fils en bordure des tissus faits à la main pour former des franges décoratives sur les serviettes de bain, les châles et les voiles. Le mot macramé vient de l'arabe *migramah* qui signifie serviette à rayures, frange ornementale ou voile brodé. Il désigne aujourd'hui la technique elle-même, quel que soit l'objet fini.

A la suite de la conquête de l'Espagne par les Maures, l'art du macramé y fit son entrée, puis rayonna dans toute l'Europe. Il fut introduit en Angleterre à la fin du XVIIe siècle, à la cour de la reine Marie, épouse de Guillaume d'Orange.

Les marins jouèrent un rôle important dans la perpétuation de cet art typiquement arabe. Ils s'y adonnaient durant les longs mois passés en mer et, de la Chine au Nouveau Monde, vendaient ou troquaient leurs propres créations. Le macramé demeura un passe-temps favori des marins anglais et américains durant le XIXe siècle. Leur nœud préféré pour la fabrication des hamacs, des ceintures et des franges à grelots était le nœud plat.

Le macramé connut son apogée durant l'époque victorienne. Un livre à succès suggérait à ses lecteurs « de faire de riches ornements pour les costumes noirs ou de couleur, tant pour la maison que pour les réceptions en plein air, les promenades à la campagne et les bals — parures dignes des fées pour la maison et la lingerie... ». En Angleterre, peu de foyers se passèrent de tels ornements.

Cet engouement pour le macramé s'atténua après quelques années, mais il connaît actuellement un regain de popularité comme technique pour fabriquer des murales, certains vêtements, des couvre-lits, des nappes, des tentures, des suspensions pour jardinières et autres articles pour la maison.

Ce filet en macramé de l'Egypte ancienne se trouve au musée des Beaux-Arts, à Boston.

Equipement et matériaux

Le macramé est une technique qui ne requiert que peu d'équipement et de matériaux. Pour la plupart des projets, il n'est pas rare de n'utiliser qu'une paire de ciseaux, des épingles, des fils et un simple support pour soutenir les fils pendant qu'on les noue.

Fils, tiges ou anneaux de montage. Les fils verticaux sont appelés fils de travail. On les monte souvent simplement en les attachant sur un autre fil horizontal, appelé fil de montage. Les fils de travail peuvent aussi être montés sur des tiges de bois ou sur des anneaux de bois ou de métal. Ceux-ci font habituellement partie intégrante du projet (voir *Murale,* p. 161, et *Jardinière suspendue,* p. 164).

Planche à macramé. Généralement, on commence le travail sur une planche à macramé. Celle-ci doit être légère et assez épaisse pour fournir un bon support, mais on doit pouvoir y piquer des épingles. Vous pouvez la fabriquer avec du carton épais ou un matériau isolant. Le liège n'est pas recommandé, car il s'émiette. Vous voudrez peut-être préparer plusieurs planches pour des projets de différentes grandeurs. Les grandeurs courantes sont : 12 po sur 24, 20 po sur 36 et 24 po sur 48.

Le fil de montage est fixé à la planche par des épingles en U. Les fils de travail sont noués à la tige, à l'anneau ou au fil de montage. Des épingles en T ou de simples épingles droites servent à fixer les fils lors de la réalisation du projet.

Pour de petits objets (voir *Collier,* p. 161), il sera souvent plus facile de garder la planche sur vos genoux ou de la poser sur une table. Cependant, pour des projets nécessitant de grandes longueurs de fil, vous trouverez plus commode de fixer la planche à macramé sur une surface verticale. Une autre technique consiste à commencer un grand projet sur la planche à macramé, puis à le transférer sur un autre support quand il devient difficile à manier, comme dans le cas de la jardinière suspendue, illustrée à la page 164.

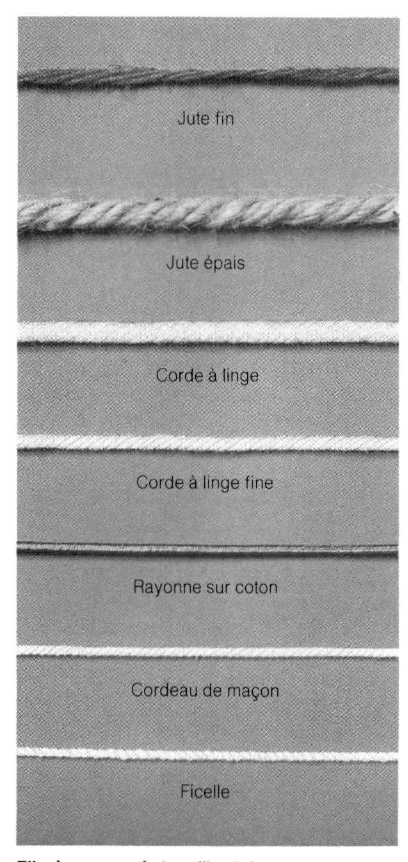

Fils à macramé. Les fils ci-dessus sont appropriés. On les trouve dans les quincailleries ou dans les grands magasins.

Improvisation. Vous n'avez pas vraiment besoin d'une planche à macramé : une planche à repasser rembourrée fait aussi bien l'affaire. En prenant de l'expérience, vous trouverez ou improviserez d'autres moyens de monter de grands projets. Vous pouvez, par exemple, accrocher un anneau de montage sur une poignée de porte élevée, comme celle de certaines armoires de cuisine ; ou, pour un arrangement permanent, fixer une cheville dans un mur.

Macramé

Techniques de base

Les deux nœuds de base employés en macramé sont le demi-nœud et le nœud de feston. La plupart des nœuds de macramé dérivent de ces deux-là. Les deux autres nœuds que vous utiliserez le plus souvent sont le nœud plat, fait de deux demi-nœuds, et le nœud de barrette, fait de deux nœuds de feston.

Une grande variété de textures et de motifs peut résulter de ces quelques nœuds, car chacun peut être noué de deux façons différentes — à l'endroit et à l'envers. Comme on peut le voir sur les illustrations de cette page, les nœuds se font de gauche à droite (nœud à l'endroit) et de droite à gauche (nœud à l'envers). Une série de demi-nœuds endroit va créer une chaîne en spirale tournant à droite, une série de demi-nœuds envers une spirale tournant à gauche.

La même chose se produit avec les nœuds de feston, bien qu'ils ne soient pas employés aussi souvent pour des effets de spirales. Des rangs de festons et de barrettes en diagonale sont fréquemment employés (voir les illustrations des échantillons, en bas, à gauche, et la murale, pp. 161-163).

Tresses et modèles. Les gens font d'habitude leurs nœuds plus facilement dans un sens que dans l'autre. Exercez-

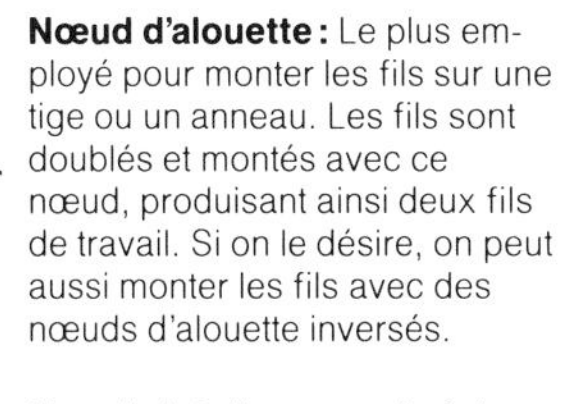

Nœud d'alouette : Le plus employé pour monter les fils sur une tige ou un anneau. Les fils sont doublés et montés avec ce nœud, produisant ainsi deux fils de travail. Si on le désire, on peut aussi monter les fils avec des nœuds d'alouette inversés.

Nœud plat : Il est constitué de deux demi-nœuds, l'un à gauche, l'autre à droite. Habituellement noués avec quatre fils : deux fils porteurs et deux fils de travail.

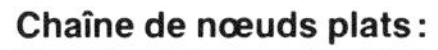

Chaîne de nœuds plats : Nœuds plats consécutifs faits sur les mêmes fils porteurs.

Nœuds de barrette : Généralement noués sur un même fil porteur, horizontal ou en diagonale vers la droite ou la gauche. Aussi faut-il savoir les exécuter dans les deux sens. On les emploie pour produire des effets linéaires ou pour ajouter un nouvel élément (tige ou goujon), comme c'est le cas ici.

Nœuds plats en résille : Ce motif compliqué est obtenu en faisant des nœuds plats sur des paires alternées de fils porteurs.

Spirales de demi-nœuds : Des demi-nœuds répétés dans le même sens produisent la spirale, ou torsade, illustrée ici.

Nœuds plats entrelacés : Cette variante s'obtient en interchangeant les fils porteurs et les fils de travail après chaque nœud. L'effet de papillon est obtenu en faisant un nœud plat à environ 1½ po sous le précédent et en le glissant vers le haut.

Cet échantillon emploie une variété de nœuds de base. Il illustre comment créer des motifs à partir de combinaisons de nœuds.

Nœud d'alouette

Nœud d'alouette inversé

Nœud de barrette normal (de gauche à droite)

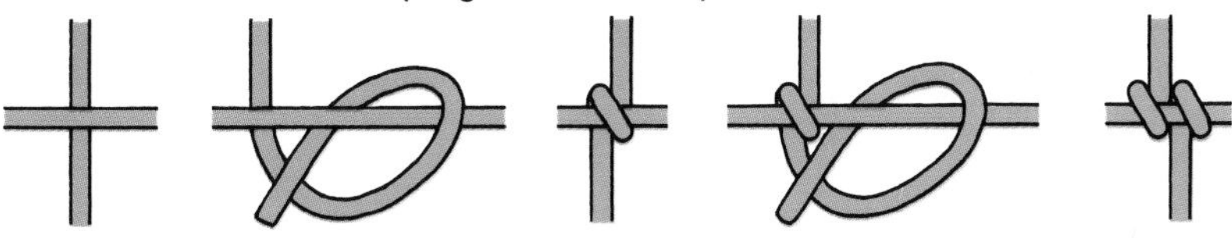

Nœud de barrette inversé (de droite à gauche)

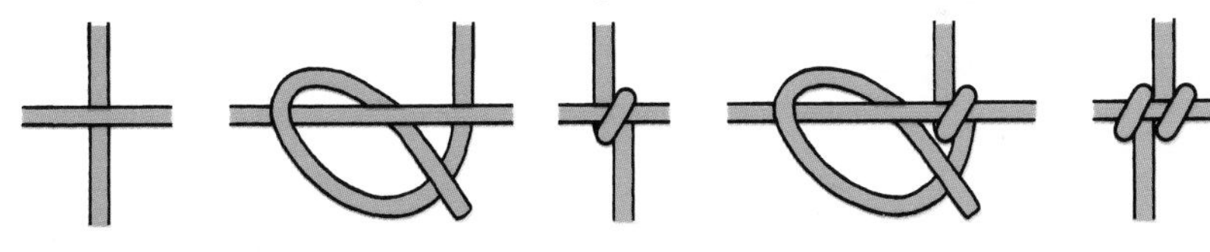

Nœud plat ou nœud carré (deux demi-nœuds)

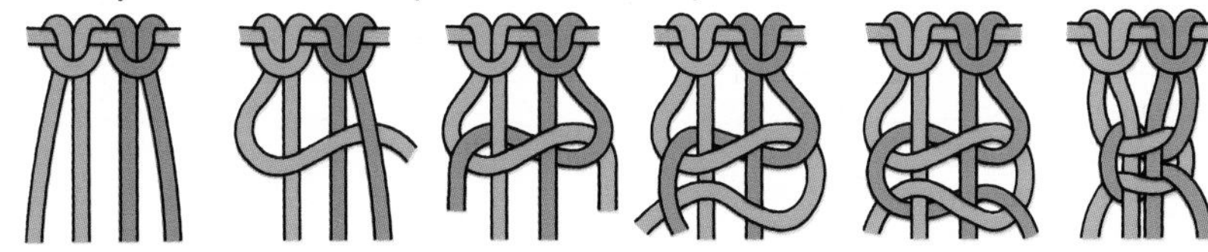

Nœuds plats en résille

Nœuds plats entrelacés

Effet de papillon

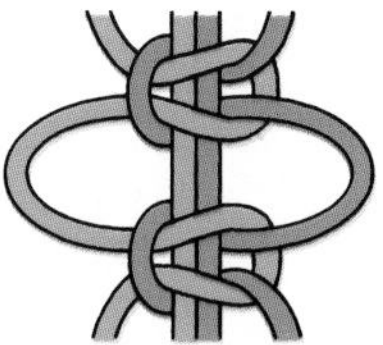

Macramé

Techniques de base *(suite)*

vous jusqu'à ce que vous les fassiez aussi bien dans les deux sens. Assurez-vous d'y mettre toujours la même tension, sans quoi votre ouvrage manquera de symétrie.

La meilleure façon d'apprendre les nœuds est par la répétition. Exercez-vous sur des tresses d'exercice; ce sont des chaînes formées de nœuds identiques. Commencez avec un ou plusieurs fils, doublés au montage pour faire deux brins ou plus d'égale longueur. Après ces tresses d'exercice, vous passerez aux échantillons. Ceux-ci sont composés de plus d'une tresse et comprennent une variété de nœuds.

Au début, il ne faut pas essayer de créer des projets trop compliqués puisqu'il est difficile de prévoir quel genre de nœud va le mieux convenir à un dessin. Il est préférable de suivre des patrons tout faits, comme ceux des projets qui suivent. L'expérience vous permettra de réaliser vos propres patrons, en particulier si vous faites des échantillons et utilisez différents nœuds. Ces nœuds vous feront découvrir les motifs qu'il vous sera possible de créer.

Fils et fibres. Exercez-vous avec différentes variétés de fils pour connaître leurs qualités et leurs textures. Le fil à tricoter, par exemple, est trop élastique pour le travail de macramé. Le coton, le sisal et le jute sont de bonnes fibres à tout faire qui possèdent chacune des propriétés particulières. La rayonne et le nylon ont une texture soyeuse et attrayante mais sont glissants et ne gardent pas bien les nœuds. Si vous décidez de travailler avec ces fibres synthétiques, il vous faudra les mouiller avant de commencer afin qu'elles gardent les nœuds. La corde à linge ordinaire est excellente pour s'exercer aux tresses.

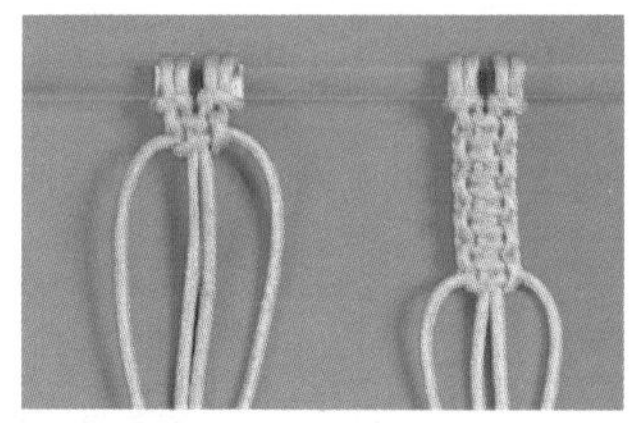

Exercices. 1. Montez quatre fils. Faites deux chaînes de nœuds plats. Début de la chaîne à gauche, fin à droite.

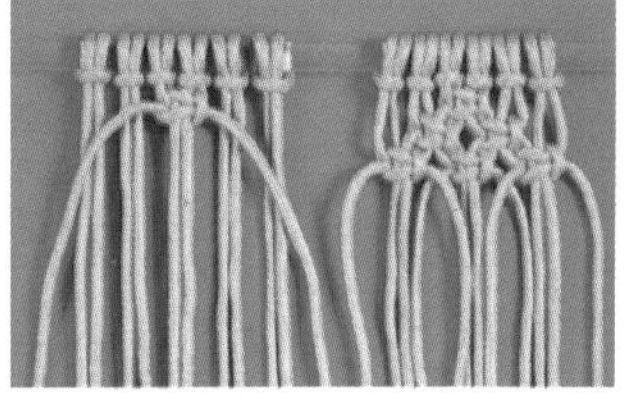

2. Montez six fils. Utilisez-les tous pour faire une chaîne de nœuds plats en résille, comme ci-dessus.

3. Montez quatre fils. Faites deux tresses de demi-nœuds (à gauche, spirale à gauche; à droite, spirale à droite).

4. Montez quatre fils. Amenez le fil de gauche vers la droite. Faites des nœuds de barrette avec les autres fils.

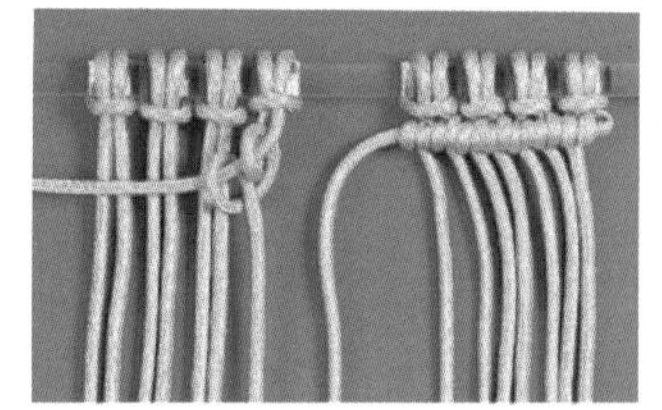

5. Montez quatre fils. Amenez le fil de droite vers la gauche. Faites des nœuds de barrette inversés.

Evaluation, mesure et coupe des fils

Il n'existe pas de formule précise permettant d'évaluer la longueur de fil à couper dans la préparation d'un projet de macramé. La longueur requise dépend de nombreux facteurs. Toutefois, une méthode approximative consiste à prendre des brins qui, avant d'être doublés au montage, ont de sept à huit fois la longueur de l'objet terminé. Une fois les brins pliés et montés, ils seront de trois fois et demie à quatre fois plus longs que l'article terminé.

Facteurs d'évaluation. Cette règle est assez sûre pour nombre d'objets en macramé, mais dans certains cas il vous faudra plus de fil ou vous en aurez trop. Les modèles à prédominance verticale, comme les jardinières suspendues qui ont peu de lignes horizontales ou obliques, ne requièrent pas de brins aussi longs que ce qui est mentionné ci-dessus. Par contre, des modèles élaborés, comportant beaucoup de nœuds et de lignes horizontales ou diagonales, exigeront plus de sept ou huit fois la longueur de l'ouvrage terminé.

L'épaisseur du fil est un autre facteur à considérer en en évaluant la longueur. Plus le fil est épais, plus les nœuds seront épais, ce qui signifie que les brins devront être plus longs que selon la règle précédente.

Il est toujours préférable d'avoir du fil en trop que d'avoir soudain à en ajouter à un ouvrage en cours. Même si la formule est assez exacte, faites une estimation plus généreuse lorsque vous évaluez le matériel nécessaire à vos propres modèles. En acquérant de l'expérience, en apprenant à travailler des fils de différentes épaisseurs, vous serez en mesure de faire des évaluations plus précises. Vous en arriverez peut-être à créer vos propres formules, selon les patrons, les nœuds et l'épaisseur du fil que vous employez.

Mesure et coupe. Certains artistes en macramé se servent d'un ourdissoir pour mesurer et couper à la longueur désirée le fil dont ils ont besoin. L'ourdissoir est un grand cadre en bois muni de chevilles autour desquelles on enroule le fil pour le mesurer et le couper. Toutefois, si vous ne possédez pas d'ourdissoir, il est cependant possible d'employer d'autres méthodes.

Par exemple, vous pouvez utiliser des serres en C en les fixant aux extrémités d'une table, à des dossiers de chaises ou à des objets solides placés à une certaine distance. Si vous voulez cinq longueurs de 20 pi, par exemple, placez les serres à 10 pi l'une de l'autre. Fixez ensuite une extrémité du fil à l'une des serres. Faites passer le fil autour de l'autre serre, ramenez-le et enroulez-le autour de la première. Répétez cette opération cinq fois et coupez le fil là où vous avez commencé.

La méthode la plus simple consiste à couper un brin à la longueur voulue et à l'utiliser pour mesurer les autres.

Bobines. Travailler avec de longs fils n'est pas très pratique. C'est pour cette raison que l'on utilise parfois des bobines. Celles-ci servent à enrouler le fil pour le raccourcir et le rendre plus maniable. Il existe des bobines spéciales que l'on trouve dans les boutiques pour travaux à l'aiguille.

Vous pouvez obtenir un résultat équivalent en confectionnant une papillote. Enroulez le fil en huit entre le pouce et le petit doigt et retenez-le au milieu avec un élastique.

Les bobines peuvent quelquefois être particulièrement gênantes. Elles sont surtout utiles quand on travaille avec de nombreux longs fils. On peut alors s'en servir provisoirement pour retenir les fils inactifs. Une bobine peut vous simplifier la tâche si vous avez un ou plusieurs longs fils utilisés presque exclusivement dans une partie du modèle. Dans ces cas-là, simplifiez l'opération en mettant ces fils sur des bobines.

Macramé / projet

Murale

La murale (ci-contre) et le collier (ci-dessous) ont été réalisés à partir du même modèle. Le collier requiert un fil plus fin que celui de la murale et ses extrémités libres ne sont pas effilochées ; les perles montées sur ces brins sont retenues par un nœud simple. La murale mesure 4½ pi sur 1½, le collier 11 po sur 5. Comme on emploie des clous pour ajouter de nouveaux fils à la murale, il vous faudra une planche à macramé plus large et plus épaisse que celle requise pour le collier, pour lequel vous utiliserez des épingles.

Matériaux. Murale : Il vous faudra 423 pi de jute de 7/16 po de diamètre et à cinq brins ; coupez-en 12 longueurs de 34 pi. Il reste 15 pi pour l'anneau. Dix grosses perles en céramique, dont huit de 1¼ po de long et deux (pour l'extérieur) de ⅞ po de long. Un anneau de montage de 6 po de diamètre.

Collier : Utilisez 125 pi de fil de ⅛ po en rayonne sur coton ; coupez-en 12 longueurs de 10 pi. Il reste 5 pi pour l'anneau. Dix perles creuses de 3/16 po de long. Un anneau en métal pour le cou.

1. Montez un fil sur l'anneau de montage avec un nœud d'alouette inversé (voir p. 159), tel qu'illustré.

2. A côté, montez un autre fil. Faites un nœud plat avec les brins extérieurs, sur les brins intérieurs.

3. Amenez le second fil à gauche ; faites un nœud de barrette inversé (p. 159) autour de ce fil porteur.

4. Ajoutez un nouveau fil à gauche. Posez un clou sur la planche, comme illustré, et passez le fil autour.

5. Avec le brin droit du nouveau fil, faites un nœud de barrette inversé autour du fil porteur.

6. Répétez l'étape 5 avec le brin gauche. Vers la gauche, faites toujours le nœud de barrette inversé.

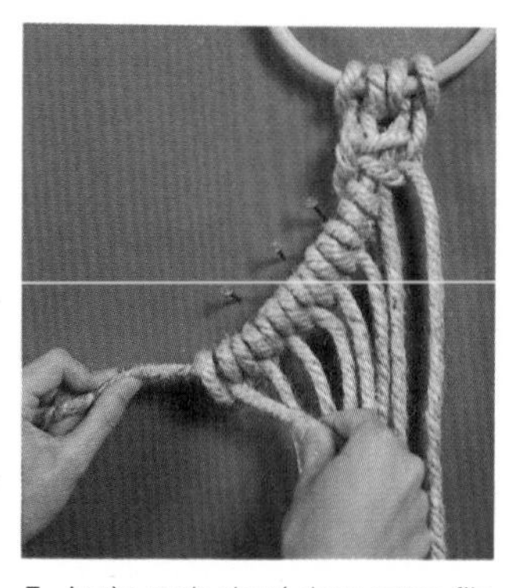

7. Après avoir ajouté deux autres fils, continuez les nœuds de barrette inversés le long du fil porteur.

8. Faites une série de nœuds de barrette de gauche à droite (p. 159) sur le fil porteur droit (étapes 3 à 7).

9. Amenez le fil du milieu droit à gauche ; nouez les fils verticaux avec des nœuds de barrette inversés. *(à suivre)*

Macramé / projet

Murale *(suite)*

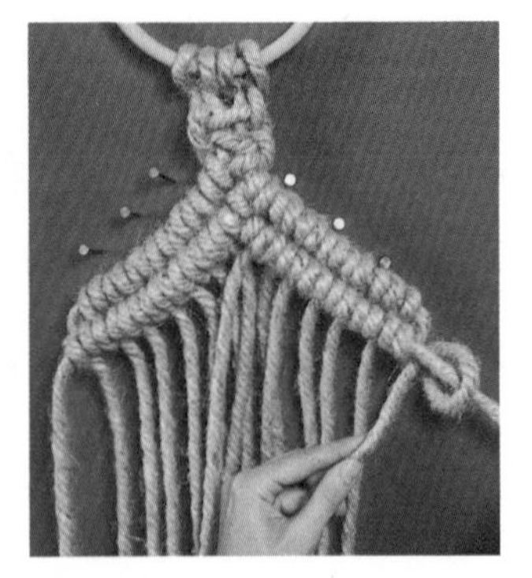

10. Amenez le huitième fil de droite vers la droite. Nouez-y les fils verticaux avec des nœuds de barrette.

11. Après avoir noué deux rangs de plus, faites un nœud plat avec les quatre fils du centre.

12. Au-dessous, faites deux nœuds plats en résille. Faites ensuite un nœud plat, au centre.

13. Jusqu'à l'étape 20, n'utilisez et ne comptez que les huit fils du milieu. Enfilez la perle dans le deuxième.

14. Faites un nœud plat sous la perle avec le premier et le quatrième fil de gauche des huit fils du milieu.

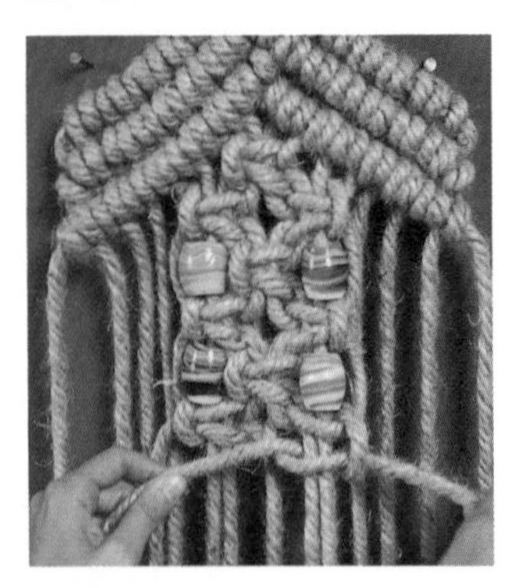

15. Remplissez le centre de la murale avec quatre perles en suivant les étapes 12, 13 et 14.

16. Faites un nœud plat à 3 po du nœud sous la perle de gauche. Poussez le nœud vers la perle.

17. Le nœud de l'étape 16 forme deux boucles, ci-dessus. Refaites un nœud identique juste au-dessous.

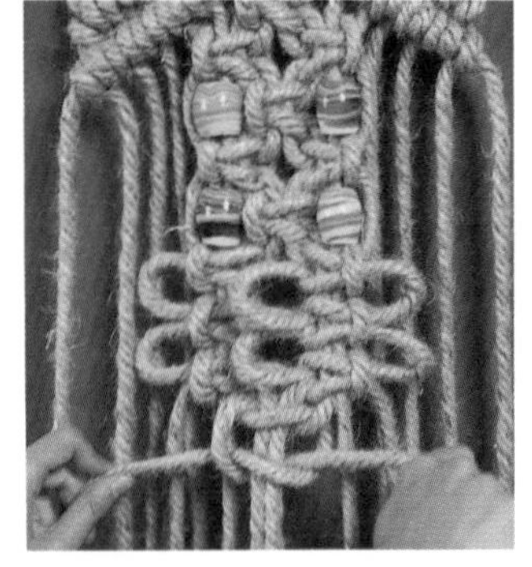

18. Répétez les étapes 16 et 17 sur le côté droit. Puis faites un nœud plat avec les quatre fils du milieu.

19. Ajoutez quatre perles en suivant les étapes 13 à 15. Faites un nœud plat avec les quatre fils du milieu.

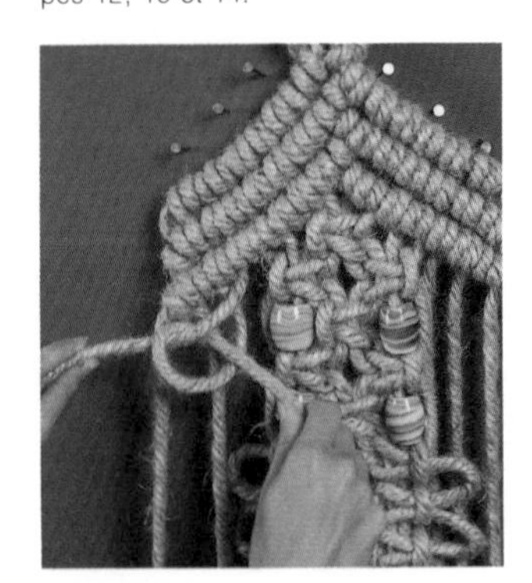

20. Le centre fini, amenez le quatrième fil vers la gauche et couvrez-le de nœuds de barrette inversés.

21. Faites d'autres nœuds de barrette inversés avec les fils de gauche. Ajoutez deux fils (étapes 4 à 6).

22. Faites deux autres rangs en prenant comme fils porteurs les deux derniers fils à partir de la gauche.

23. Avec les quatre derniers fils à partir de la gauche, faites un nœud plat comme ci-dessus.

24. Faites trois nœuds plats (étapes 16 à 17). Sur le quatrième fil, faites des nœuds de barrette inversés.

25. Enfilez une perle sur le premier fil et faites-y des nœuds de barrette avec les trois fils suivants.

26. Amenez le premier fil vers la droite. Faites-y des nœuds de barrette avec les sept fils suivants.

27. Répétez l'étape 26 deux autres fois pour obtenir trois rangs complets de nœuds de barrette en diagonale.

28. Amenez le cinquième fil vers la droite. Faites-y des nœuds de barrette avec les sept fils suivants.

29. Répétez les étapes 20 à 28 du côté droit. Finissez la dernière section avec des nœuds de barrette inversés.

30. Sur le fil du centre gauche, faites un nœud de barrette avec le fil du centre droit.

31. Répétez l'étape 28 deux autres fois de chaque côté pour obtenir deux autres rangs de nœuds de barrette.

32. Coupez les brins libres pour qu'ils aient environ 2 pi. Détordez-les pour en faire une frange décorative.

33. Egalisez la frange en laissant les fils de la section du centre un peu plus longs que ceux des côtés.

34. Coupez 15 pi de fil. Faites-en une bobine (voir texte, p. 160) et attachez-la avec un élastique.

35. Commencez une chaîne de nœuds d'alouette en attachant le fil à l'anneau avec un nœud de feston.

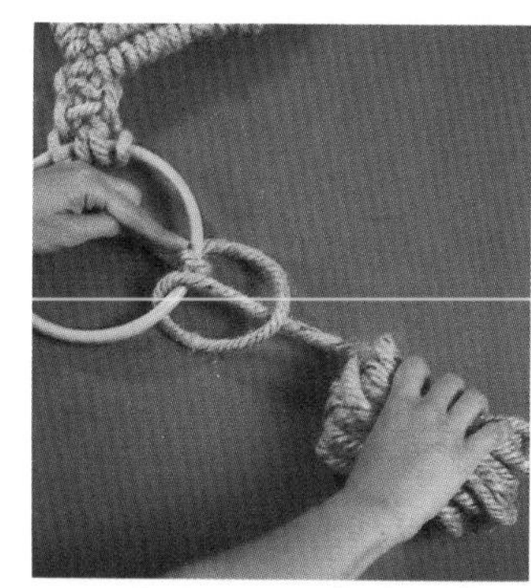

36. Complétez le nœud d'alouette en tenant le fil et en faisant un nœud de feston inversé.

37. Remplissez entièrement l'anneau de montage par une chaîne serrée de nœuds d'alouette (étapes 35 et 36).

38. Détordez le reste du fil. Avec une aiguille à tapisserie, rentrez ces brins sous le nœud plat.

39. Tissez ces brins et glissez-les sous les fils horizontaux à l'arrière. Coupez-les tel qu'illustré.

Macramé / projet

Jardinière suspendue

Ce porte-jardinière, à la fois simple et décoratif, mesure environ 5 pi. Les étapes 1 à 16 sont réalisées avec une planche à macramé et à l'aide de bobines. A l'étape 17, on suspend l'ouvrage par l'anneau. Une corde fixée à l'anneau permet de le suspendre à la hauteur voulue. L'emploi de bobines n'est plus utile à ce point, sauf pour finir l'anneau. Il est complété de la même façon que celui de la murale (voir p. 163).

Au besoin, référez-vous à la page 159 pour les nœuds suivants : nœuds plats en résille (étapes 6 à 14, 33 et 34) ; chaîne en spirale de demi-nœuds (étapes 20, 25 et 26) ; chaîne en spirale de demi-nœuds inversés (étapes 20 et 29) ; nœuds plats entrelacés (étapes 26 à 28).

Matériaux. 170 pi de jute à 6 brins, de 3/16 po de diamètre, coupés en huit longueurs de 20 pi ; il reste 10 pi pour l'anneau. Une perle de bois de 1¼ po de long et un anneau de montage de 3½ po de diamètre.

1. Fixez l'anneau sur la planche avec des épingles en U. Attachez-y les fils par un nœud d'alouette inversé.

2. Les huit fils montés donnent 16 brins ; pour chaque brin, faites une bobine avec un élastique (p. 160).

3. Amenez le huitième fil à gauche. Faites-y des nœuds de barrette inversés avec les fils à sa gauche.

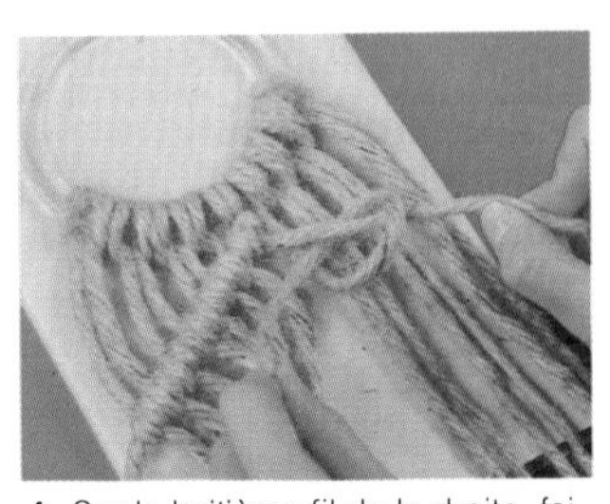

4. Sur le huitième fil de la droite, faites des nœuds de barrette avec les autres fils vers la droite.

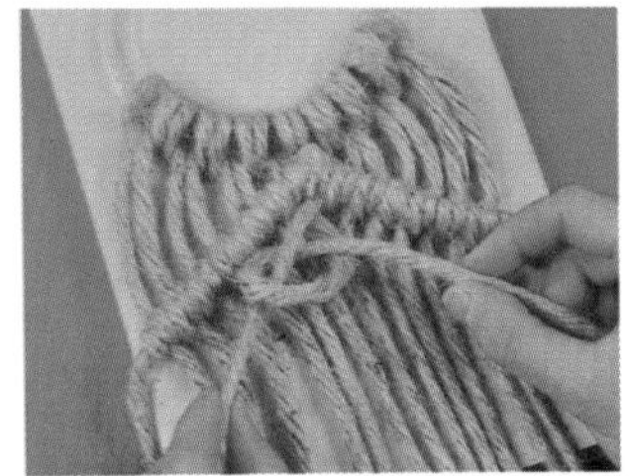

5. Répétez les étapes 3 et 4 pour faire encore un rang de nœuds de barrette vers la gauche et un vers la droite.

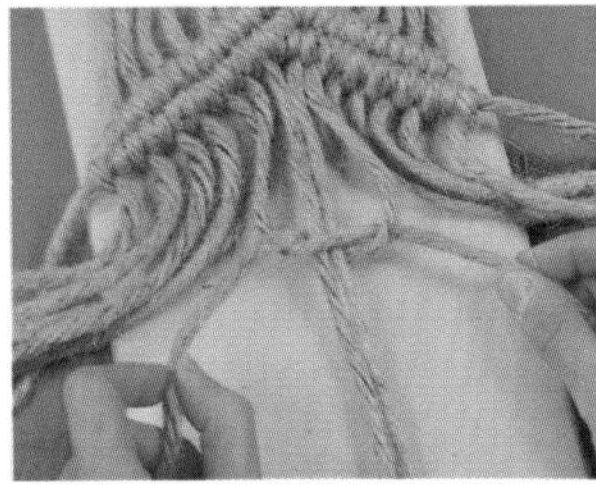

6. Prenez les quatre fils du centre. Avec les deux fils externes, faites un nœud plat sur les deux autres fils.

7. Faites des nœuds plats en résille avec les deux fils de gauche du nœud (étape 6) et les deux fils suivants.

8. Exécutez un autre nœud plat, en utilisant les deux fils de gauche du nœud de l'étape 7.

9. Terminez les nœuds plats en résille en faisant deux nœuds plats avec les quatre derniers fils de gauche.

10. Répétez les étapes 7 à 9 du côté droit, puis faites un nœud plat avec les quatre fils du centre.

11. Otez les élastiques des deux fils du centre. Enfilez ces fils dans une perle et poussez-la vers le haut.

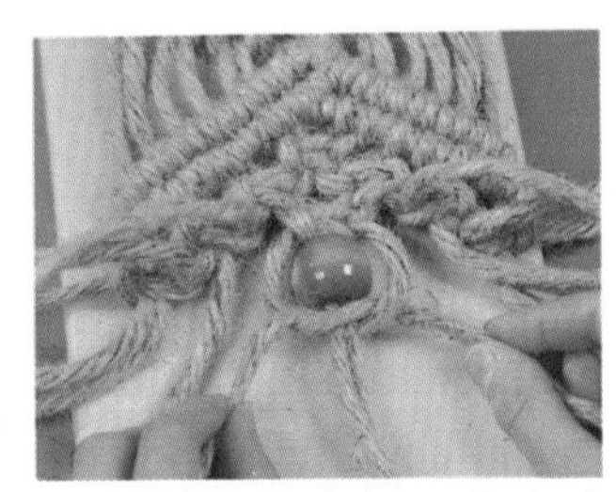

12. Faites un nœud plat en attachant les deux fils au-dessus de la perle autour des deux fils au-dessous.

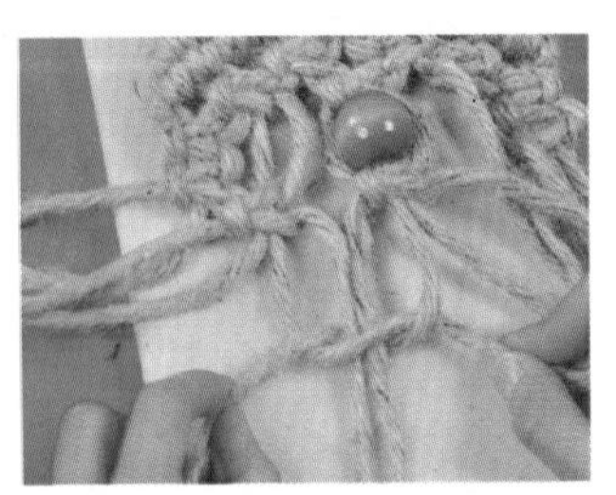

13. Mettez de côté les deux premiers fils. De la gauche, faites deux nœuds plats en résille avec les fils 3 à 8.

14. Répétez l'étape 13 du côté droit. Faites un nœud plat avec les quatre fils du centre.

15. Avec les fils externes de chaque côté comme fils porteurs, faites des rangs de nœuds de barrette.

16. Prenant de nouveau les fils externes, répétez l'étape 15 pour faire un second rang de chaque côté.

17. Suspendez l'anneau et défaites les bobines. Exécutez un nœud plat avec les quatre fils du centre.

18. Avec les deux fils les plus proches du centre, faites un autre nœud plat au-dessous du précédent.

19. Répétez l'étape 18 avec les deux fils suivants, pour exécuter le troisième nœud plat.

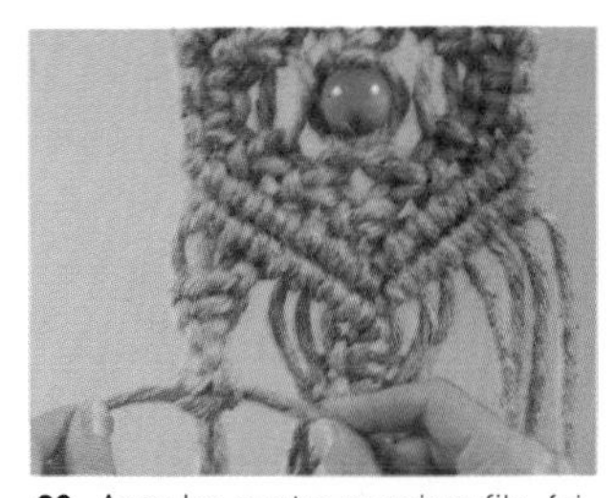

20. Avec les quatre premiers fils, faites six demi-nœuds. A droite, répétez avec des demi-nœuds inversés.

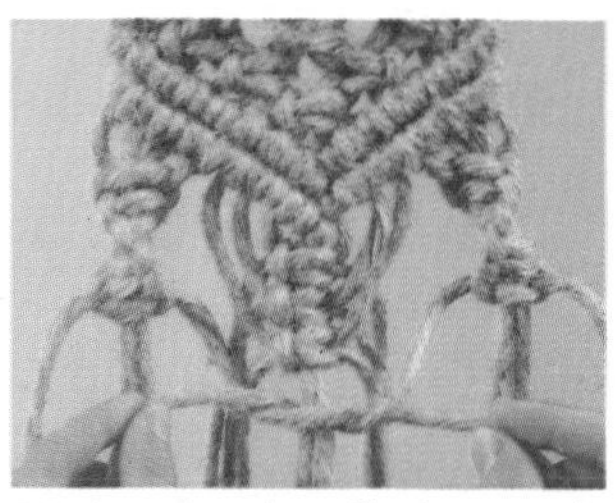

21. Avec les deux fils internes de droite et de gauche, faites un nœud plat autour des deux fils du centre.

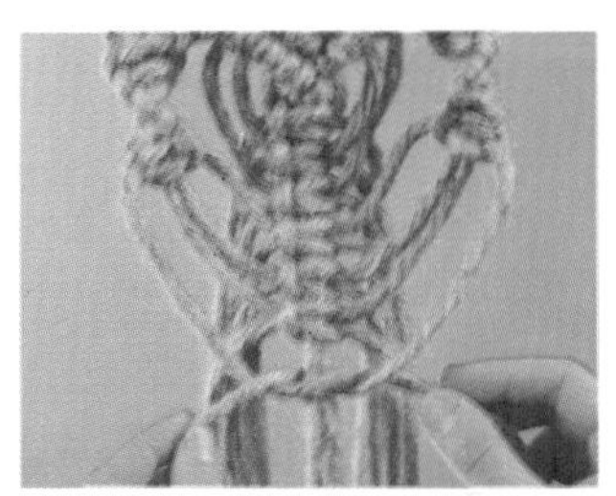

22. Répétez l'étape 21, vers l'extérieur, avec chaque paire successive de fils libres.

23. Travaillez maintenant avec quatre groupes de quatre fils chacun : avant, arrière, droit et gauche.

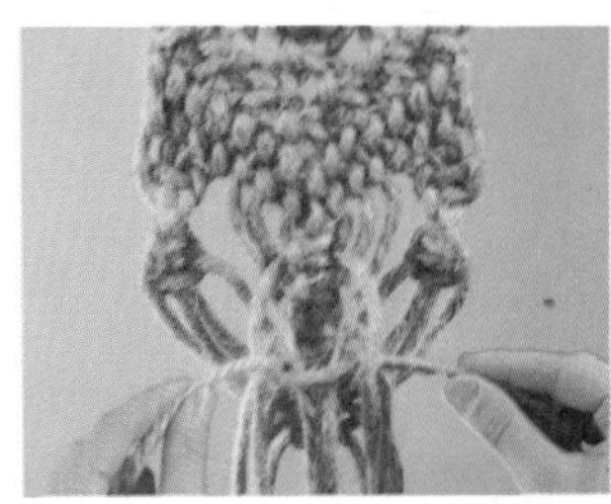

24. Sur les groupes arrière, gauche et droit, faites des nœuds plats pour les aligner avec les nœuds avant.

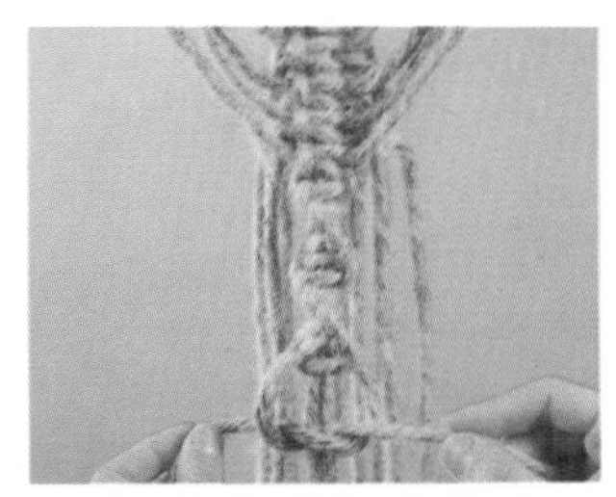

25. Sur le groupe avant, faites une chaîne en spirale de 10 demi-nœuds. Terminez avec un nœud plat.

26. Faites ainsi sur les autres groupes. Commencez les nœuds plats entrelacés avec les deux fils internes.

27. Complétez le premier des nœuds plats entrelacés. Il en faut sept sur chacun des quatre groupes de fils.

28. On peut voir ici le début du deuxième nœud de la série de sept nœuds plats entrelacés.

29. Faites ensuite des chaînes en spirale de 16 demi-nœuds inversés. Terminez avec un nœud plat.

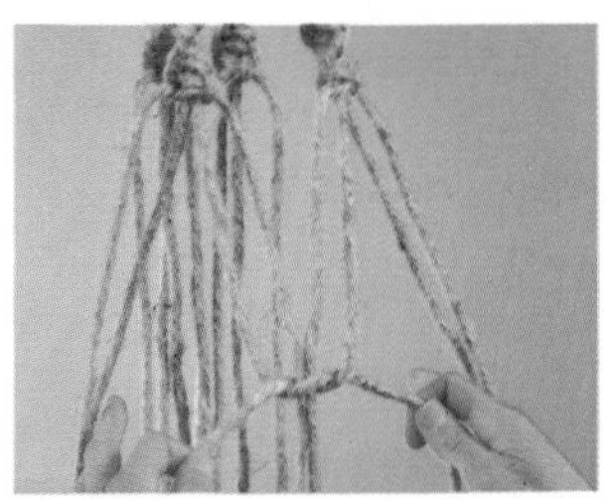

30. Finissez les groupes. Commencez des chaînes de nœuds plats avec les deux fils de groupes adjacents.

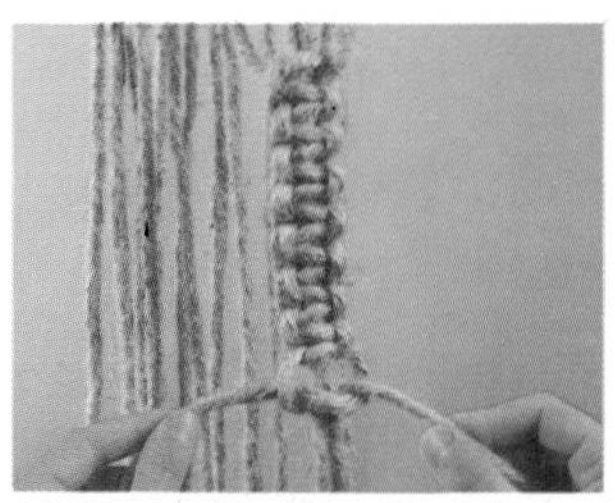

31. Une chaîne de neuf nœuds plats donne environ 5 po sous chaque paire de chaînes en spirale.

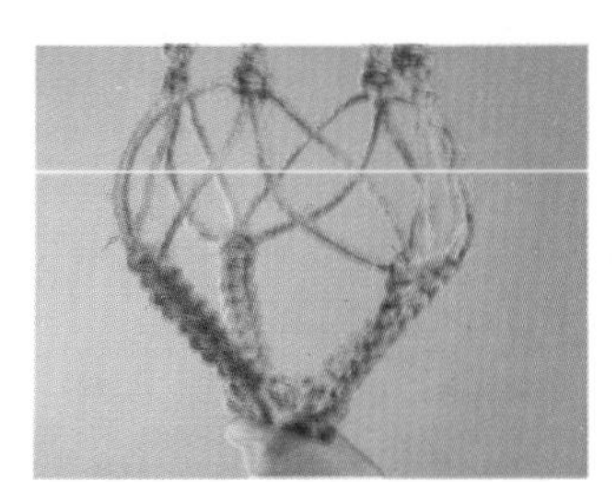

32. Les quatre groupes de chaînes de nœuds plats forment le fond destiné à recevoir la jardinière.

33. Reliez solidement les groupes de fils à la base avec un rang de nœuds plats en résille.

34. Répétez l'étape 33 encore deux fois pour obtenir trois rangs de quatre nœuds plats en résille.

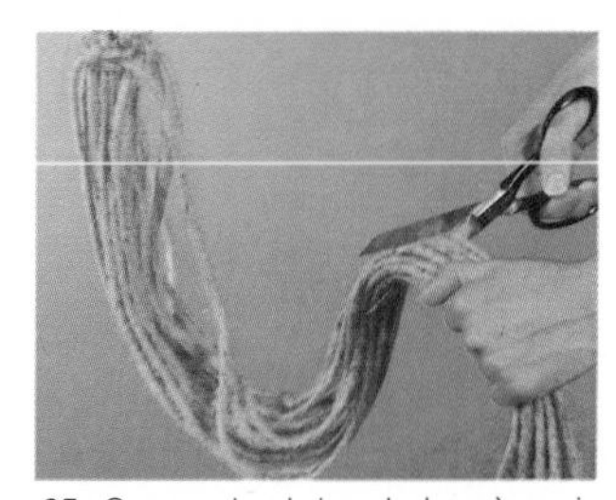

35. Coupez les brins du bas à environ 1 pi sous les derniers nœuds, ou à la longueur choisie.

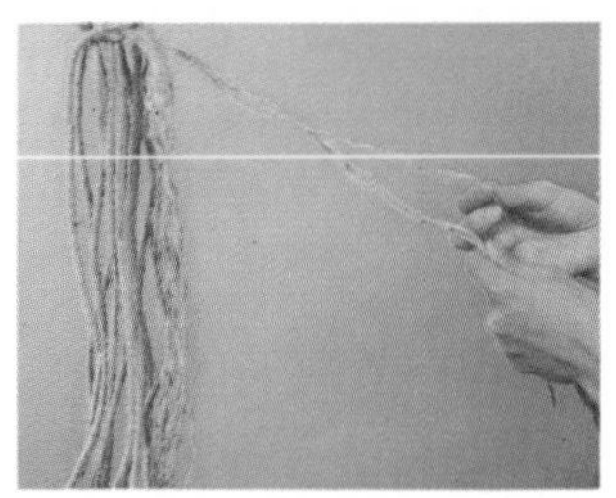

36. Laissez les brins ainsi ou déliez-les. Terminez l'anneau comme aux étapes 34 à 39 de la page 163.

Tissage

Un métier pour vêtir l'homme

Le tissage est né de la vannerie lorsque l'invention du métier à tisser permit enfin à l'homme de maintenir des fils tendus parallèlement (la chaîne) pour y glisser perpendiculairement un autre fil formant la trame du tissu.

Les fibres employées en vannerie sont rigides, mais le métier permet l'usage de fibres souples, comme le lin, la soie, le coton et la laine, qui, à l'exception de la soie, doivent d'abord être filées en brins, puis tordues pour obtenir un fil.

L'image du plus ancien métier à tisser qui nous soit parvenue est peinte sur un plat en terre cuite datant de 4400 av. J.-C., découvert dans un tombeau d'El Badari, en Egypte. On y retrouve tous les éléments du métier moderne. La chaîne est tendue horizontalement entre deux baguettes, semblables aux ensouples des métiers modernes, qui sont tenues par quatre chevilles plantées dans le sol. Trois tiges perpendiculaires à la chaîne assurent la séparation des diverses nappes de fils. Ces baguettes permettaient au tisserand de soulever tour à tour chaque nappe pour passer le fil de trame au-dessus et au-dessous des fils de chaîne dans un ordre précis. La séparation des nappes est appelée foule. Chaque aller-retour du fil de trame forme une duite. La moitié d'une duite est une passée ou demi-duite.

A côté de ce métier antique, on trouve deux accessoires, dont un peigne tasseur servant à serrer chaque duite pour former la trame du tissu. Ce métier possédait donc tous les éléments nécessaires aux trois mouvements de base du tissage : l'ouverture de la foule, le passage de la trame et le serrage des duites.

L'autre accessoire représenté sur le plat d'El Badari pourrait être une perche à lisses qui, disposée perpendiculairement au fil de chaîne, permettait, justement, l'ouverture de la foule. Un fil sur deux était ainsi enfilé dans les lisses. Il suffisait de soulever la perche pour ouvrir la foule dans laquelle on passait alternativement chaque demi-duite.

L'ancêtre du métier à tapisserie est apparu en Egypte pendant la XVIIIe dynastie. Les Indiens navajos emploient encore un métier analogue.

Entre 1766 et 1122 av. J.-C., les Chinois mirent au point un métier plus élaboré pour tisser des étoffes de soie aux motifs complexes, impossibles à réaliser sur un métier à deux foules. Il semble que ses nombreuses lisses étaient montées sur des harnais que le tisserand actionnait au moyen de pédales.

Au XIIIe siècle, on trouve en Europe un métier de haute lisse dont chaque lame ou harnais est actionné par une pédale. On voit aussi apparaître le cadre à ourdir (voir ci-contre et p. 169) qui permet de maintenir l'enverjure de la chaîne, c'est-à-dire la double séparation des fils en nappes impaire et paire, avant de commencer à dresser le métier.

La révolution industrielle. Le métier à tisser évolua peu à peu jusqu'au XVIIIe siècle. Mais les inventeurs français et anglais des XVIIIe et XIXe siècles allaient accélérer la mécanisation du tissage. Au XIXe siècle, le tissage artisanal était en voie de disparition. Dans la tradition occidentale, il subsista uniquement dans les manufactures européennes de tapisserie, en Scandinavie, dans les régions montagneuses du sud des Etats-Unis et dans certains districts ruraux des Iles britanniques. Ainsi préservé, l'art du tisserand s'épanouira à nouveau au XXe siècle avec le regain d'intérêt suscité par l'artisanat.

Aujourd'hui, cet art est rarement pratiqué à des fins lucratives, mais plutôt pour les satisfactions qu'il procure, la fascination des couleurs et des motifs, l'ordre précis du rentrage et du liage, le rythme reposant du métier et la fierté de créer ses propres étoffes ou tapisseries.

Les Vierges sages et les Vierges folles, tapisserie du XVIIIe siècle, musée des Arts appliqués, Oslo.

Les métiers et leurs accessoires

Vous choisirez votre métier en fonction de sa taille, de sa mobilité, de son coût et du genre de travail envisagé. Chaque métier permet de nombreuses variations (voir le matériel suggéré pour les divers projets), mais on préférera en général un métier de haute lisse à quatre lames pour les tissus de dimensions moyennes, et un métier simple, de haute ou basse lisse, pour les tapis et les tapisseries. Le métier à peigne rigide est de construction simple et d'usage facile; toutefois, avec ce type de peigne, le compte en chaîne est invariable. Vous pouvez fabriquer à peu de frais un cadre à tapisserie, mais il faut veiller à assurer une tension uniforme de la chaîne (voir p. 177).

Lorsque vous aurez choisi un type de métier, étudiez les divers modèles disponibles. Un métier doit être robuste et toutes ses pièces mobiles doivent jouer facilement. Tenez compte aussi de sa largeur et de sa profondeur de travail (entre la poitrinière avant et le battant sur un métier de basse lisse). Certaines caractéristiques (lisses métalliques ou en cordelette) seront choisies selon vos préférences ou votre expérience.

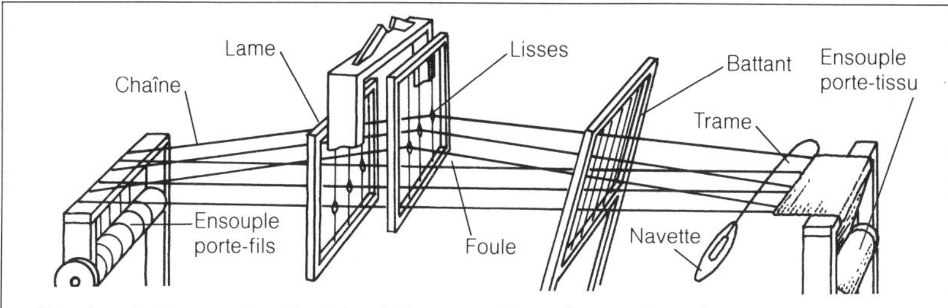

Principe du tissage. Les fils de la chaîne, enroulés sur l'ensouple arrière, passent au travers des lisses soutenues par le harnais. Le tissu s'enroule sur l'ensouple avant. Les lisses montent et descendent pour ouvrir la foule. La navette traverse la foule pour former les duites. Chaque fil de trame doit ensuite être tassé au moyen du battant.

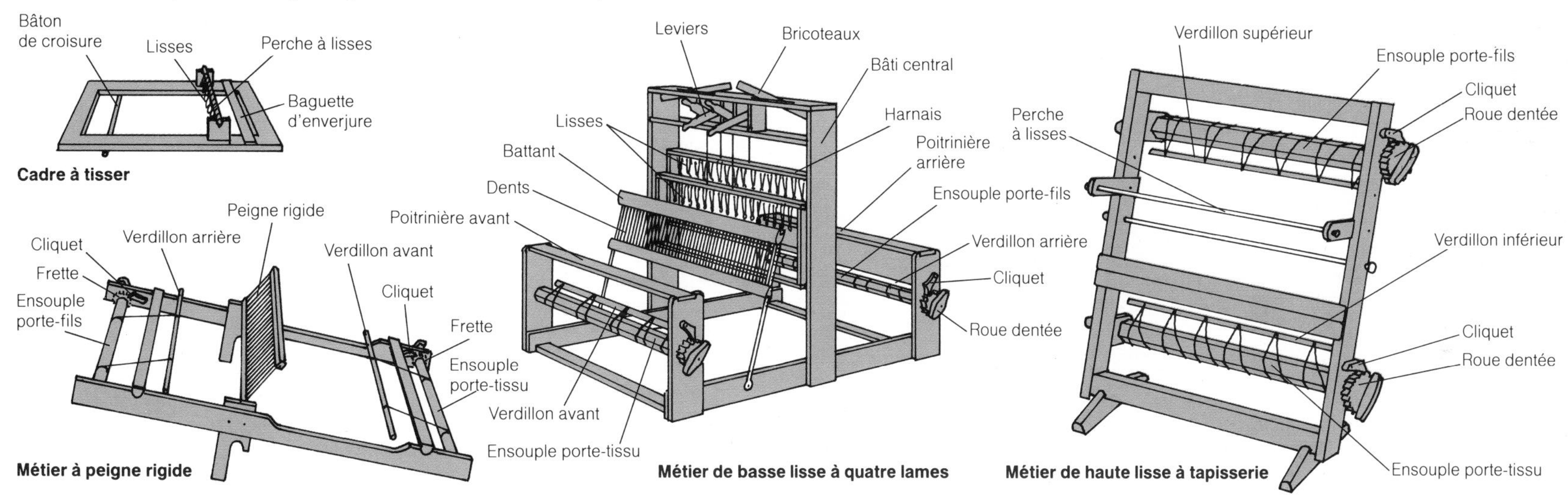

Cadre et fiches à ourdir

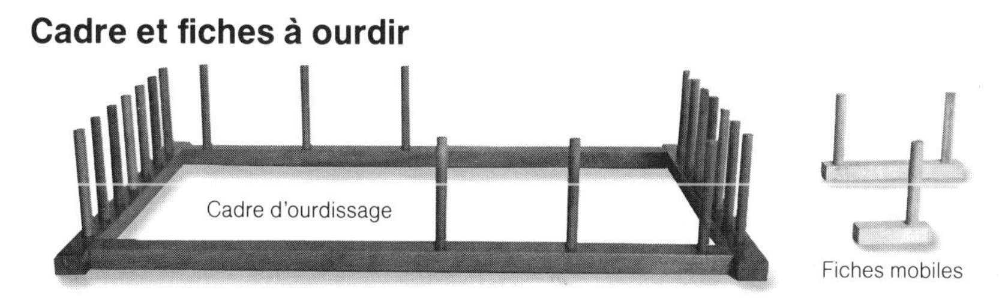

Ci-dessus : Les fiches mobiles servent à ourdir les chaînes courtes. Pour une chaîne longue, employez un cadre d'ourdissage. A droite : Les baguettes d'encroix et le râteau (une baguette de 1 po sur 1 couvrant la largeur du métier et portant un clou tous les pouces) servent à dresser le métier (voir pp. 170-171). La canetière permet de bobiner la canette. Le bobinoir permet de faire des pelotes plus rapidement qu'à la main. La navette sert à passer les duites que l'on tasse ensuite au moyen du peigne. Employez la passette pour enfiler la chaîne dans le battant.

Les accessoires du tisserand

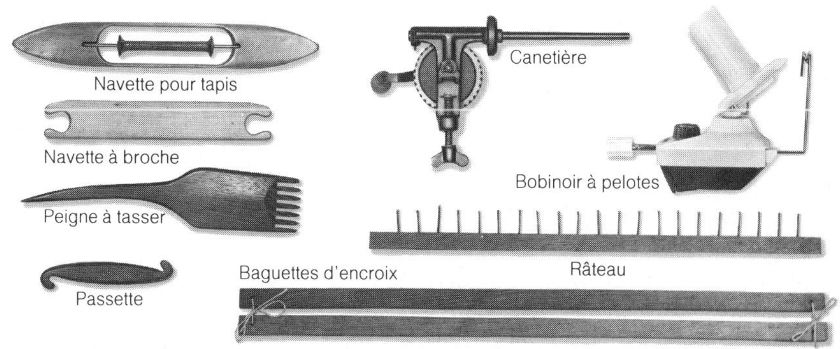

Tissage

Fibres et fils

La création commence par le choix des matériaux. Les matières synthétiques sont certes solides, lavables et infroissables, mais les tisserands leur préfèrent souvent les fibres naturelles comme la laine, le coton, le lin ou la soie.

Presque toutes les fibres doivent être filées. Le premier tordage des fibres donne une longue mèche ou brin que l'on doit ensuite retordre. La torsion de gauche à droite est dite torsion Z, la torsion de droite à gauche torsion S. Le fil retors est réalisé par l'assemblage de 2, 3 ou même 10 brins auxquels on imprime simultanément une torsion uniforme dans le même sens.

La laine est soit cardée, soit peignée. La laine cardée donne un fil moelleux à faible torsion, idéal pour le tissage de vêtements et de couvertures. Le fil peigné, moins souple et plus lustré, s'emploie pour les tissus décoratifs. La laine à tricoter, de texture très lâche, est inutilisable en chaîne, mais elle convient en trame. Tissez toujours un échantillon avant de choisir un fil.

L'étiquette des écheveaux et des bobines donne le plus souvent le poids du fil, suivi de deux nombres, par exemple 10/2. Le premier nombre, appelé titre, désigne la grosseur du fil, et le plus gros fil porte le titre 1. Le fil de titre 2 est deux fois plus mince ; ainsi, un fil de titre 10 sera dix fois moins gros (donc dix fois plus long) qu'un fil de titre 1. Dans le système le plus couramment utilisé au Canada, 1 lb de fil de titre 1 contient les longueurs suivantes : laine cardée, 1 600 vg ; laine peignée, 560 vg ; coton, 840 vg ; lin, 300 vg ; fil de soie, 840 vg.

Le deuxième chiffre de l'exemple indique le nombre de brins dont le fil est constitué. Pour calculer la longueur d'une pelote ou d'un écheveau de 1 lb de fil, multipliez le titre par la longueur normale indiquée ci-dessus et divisez le résultat par le nombre de brins. Ainsi, pour 1 lb de laine cardée 10/2, on obtient $10 \times 1\,600 \div 2 = 8\,000$ vg.

Le fil de trame

Le fil de trame sera choisi en fonction de sa couleur, de sa grosseur et de sa contexture. Avant d'arrêter le choix de vos coloris, tissez d'abord un échantillon. Pour ce faire, prenez un petit rectangle de carton et pratiquez des entailles sur deux bords opposés en les espaçant selon la densité de votre chaîne (voir page de droite). Enroulez le fil de chaîne sur le carton en l'engageant dans les fentes. Avec une aiguillée de fil de trame, tissez un échantillon de quelques pouces. Tassez les duites avec une fourchette.

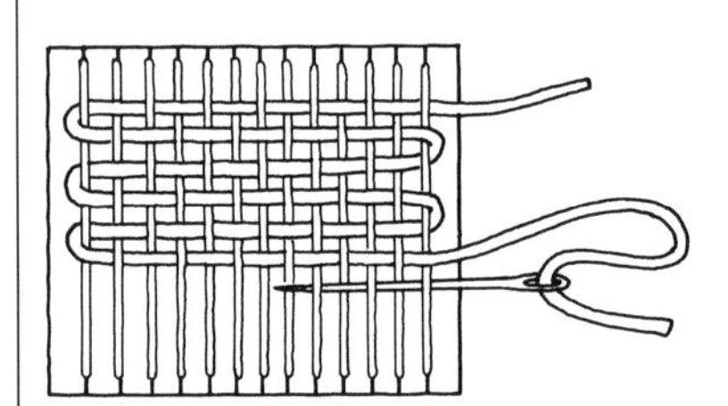

Pour créer un tissu à effet de trame (dont les fils de chaîne sont entièrement cachés par les duites), choisissez un fil de trame plus épais que celui de la chaîne et réduisez le compte en chaîne par rapport à la trame. Les tapisseries et les tapis sont généralement tissés avec effet de trame. Si vous voulez que la chaîne et la trame soient également visibles, elles doivent être constituées par des fils de même grosseur. Pour obtenir un tissu à effet de chaîne, le fil de trame sera plus mince que les fils de chaîne, qui devront être très serrés.

Le fil de trame peut être moins solide que celui de la chaîne, qui doit rester constamment tendu. On a donc un plus grand choix et on peut mélanger diverses matières et contextures, dans la mesure où l'épaisseur des fils ne varie pas au point où la tenue du tissu soit irrégulière. On peut mêler à la trame d'autres matériaux : herbes séchées, plumes et matières plastiques. Mais avant cela, il faut bien maîtriser les techniques de base du tissage.

Calculez d'abord la longueur totale de fil nécessaire pour votre projet, de manière à acheter en une seule fois du fil provenant du même lot de teinture. Reprenez le carton sur lequel vous avez tissé l'échantillon. Comptez le nombre de fils de trame au pouce. Calculez la longueur de chaque passée (demi-duite) en ajoutant 25 p. 100 à la laize du tissu à réaliser. Multipliez le compte en trame au pouce par la longueur de chaque passée et celle du tissu à réaliser. Divisez le résultat par 36 pour obtenir la longueur de fil nécessaire en trame.

Plusieurs méthodes de préparation de la trame sont illustrées ci-dessous. Si votre fil est en écheveau, faites-en des pelotes (voir p. 167).

Préparation de la trame

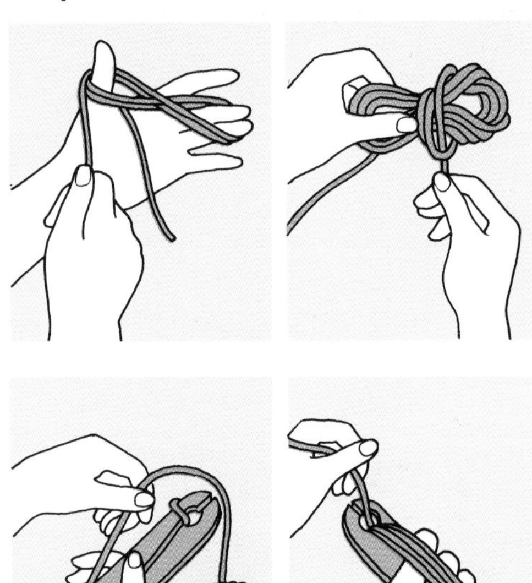

Les échevettes. Passez le fil autour du pouce, puis autour du majeur et de l'annulaire tenus ensemble, en croisant à chaque boucle. Dégagez le papillon lorsqu'il a 1 po d'épaisseur. Enroulez l'extrémité du fil au croisement en serrant et finissez par un demi-nœud. Les échevettes servent à tisser la trame des tapisseries et des tapis lorsque les passées sont trop courtes pour la navette. Le fil se déroule depuis l'intérieur du papillon, qui correspond à son extrémité libre.

Navette à tapis. Nouez le fil à une des extrémités, puis enroulez-le en spires successives en gardant quatre doigts sous la navette pour éviter que le fil ne soit trop serré. Le mouvement est donné uniquement par la main tenant la navette, l'autre main devant rester immobile afin que le fil ne s'entortille pas. N'enroulez pas trop de fil à la fois, afin que la navette puisse toujours facilement passer entre les fils de chaîne tendus.

Préparation de la canette

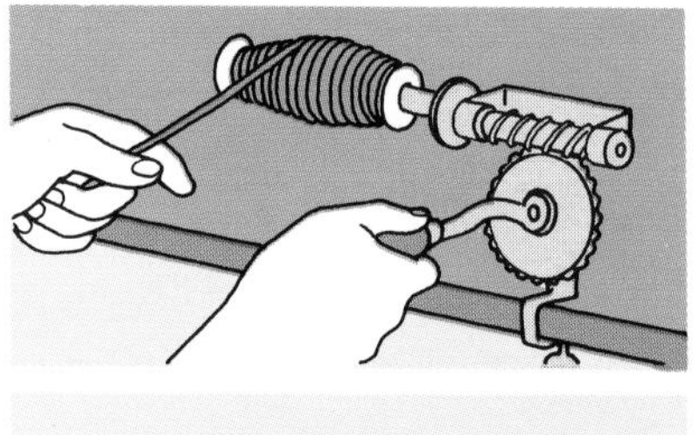

Alimentez la canette de manière à répartir uniformément le fil pendant que, de l'autre main, vous actionnez la manivelle. Ne nouez pas le fil au départ, les autres spires suffisent à le tenir en place. Lorsque la canette est pleine, enroulez encore quelques spires supplémentaires au centre, juste assez pour doubler l'épaisseur. Montez la canette sur son axe et faites passer le fil par l'œil de la navette, tel qu'illustré ici.

L'ourdissage de la chaîne

Les femmes navajos n'ourdissent jamais leur chaîne et ne dressent jamais leur métier en présence d'enfants. Elles préfèrent attendre pour ne jamais être interrompues. Faites de même. L'ourdissage consiste à mesurer précisément la longueur et la largeur de la chaîne. Cette opération exige une attention exclusive.

Le fil. Votre chaîne peut être faite de fil de lin, de coton, de laine, de soie ou de matière synthétique. Choisissez un fil solide qui résistera à la tension et à l'usure du tissage. Tendez entre vos mains environ 6 po de fil et tirez brusquement. Si le fil casse, il est trop fragile. Il doit toujours rester lisse. Les fils pelucheux se séparent difficilement au moment de l'ouverture de la foule. En général, on monte la chaîne avec du fil retors plutôt qu'avec du fil à un brin.

Dimensions de la chaîne. La largeur de la chaîne est 10 p. 100 plus grande que la laize du tissu à réaliser. La différence sert à confectionner les lisières de part et d'autre de l'étoffe, là où l'on rabat les fils de trame, afin que le tissu ne s'effiloche pas. Ainsi, pour réaliser une pièce d'étoffe de 20 po de large, votre chaîne doit mesurer 22 po d'un bord à l'autre. Vous devez ensuite déterminer la densité de la chaîne, densité qu'on exprime généralement par un nombre de fils au pouce. L'expérience vous apprendra à choisir votre compte en chaîne selon l'effet recherché. En cas de doute, posez les fils de chaîne côte à côte sur une règle graduée. Comptez le nombre de fils au pouce et divisez par deux.

D'autres facteurs influencent la densité des fils. Pour obtenir un tissu lâche ou un effet de trame, utilisez moins de fils. Pour un effet de chaîne, augmentez votre compte. Si vous décidez de tisser avec huit fils au pouce, multipliez ce chiffre par la largeur de la chaîne, soit, dans notre exemple, 22 po. Vous obtenez ainsi 176 fils de chaîne.

Pour calculer la longueur de la chaîne, ajoutez d'abord 10 p. 100 à la longueur de tissu voulue, pour tenir compte de l'embuvage (différence due à l'insertion de la trame), plus 8 po pour lier les fils au verdillon avant, plus la frange, plus une marge de sécurité. Celle-ci varie en fonction de la longueur de fil mesurée depuis le verdillon de l'ensouple arrière jusqu'à la dernière duite tissée. Sur la plupart des métiers à tapisserie ou à peigne rigide, on prévoit 8 po de chutes et, sur un métier à bras, 4 po par lame.

Pour tisser une longueur d'étoffe de 60 po sur un métier à quatre lames, cette formule donne donc : $60 + 6 + 8 + 16 = 90$ po. En multipliant ensuite ce résultat par le nombre de fils (176), on obtient la longueur totale du fil de chaîne, soit 15 840 po ou 440 vg.

Une chaîne courte peut s'ourdir simplement sur trois fiches mobiles. Mais si vous devez tisser plusieurs verges de tissu, vous avez intérêt à vous procurer ou à fabriquer un cadre à ourdir dont les fiches opposées sont séparées de 36 po.

L'encroix. Les fils doivent être croisés de manière qu'ils restent toujours dans l'ordre où ils ont été passés sur les chevilles. On évite ainsi de les emmêler pendant le dressage du métier.

Si votre fil est en pelote ou en bobine, mettez celle-ci dans une boîte ou dans un bol posé sur le sol pendant l'ourdissage. Dévidez les écheveaux et faites-en des pelotes. Maintenez une légère tension régulière sur le fil. Enroulez le fil en ordre sur les chevilles jusqu'à ce qu'elles soient entièrement recouvertes. Poussez ensuite le fil doucement vers le bas sans en modifier l'ordre. Il ne doit y avoir aucun nœud sur les fils de chaîne qui seront pris dans le tissu. Aussi tous les nœuds doivent-ils être faits au niveau des chevilles extrêmes. Si votre chaîne se compose de plusieurs coloris, aboutez vos fils uniquement aux chevilles d'extrémité.

La tresse. Faites une tresse de votre chaîne si elle est longue.

Ourdissage sur fiche ou sur cadre

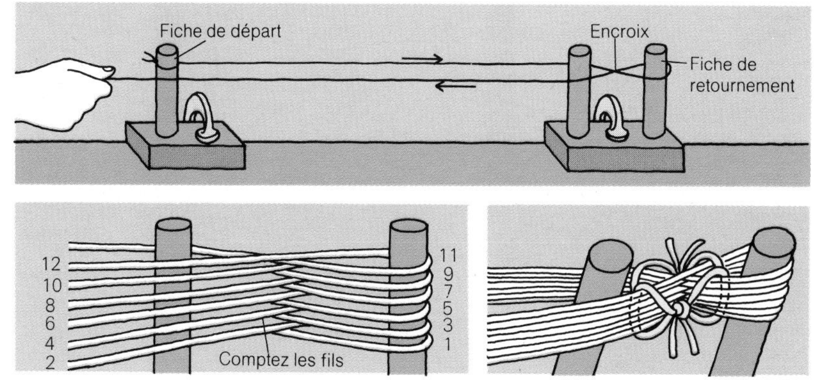

Montez les fiches sur une table à une distance égale à la longueur de la chaîne. Nouez le fil à la première fiche. Enroulez dans le sens des flèches en faisant un encroix comme indiqué. Comptez les fils à l'encroix et nouez le dernier fil sur une fiche d'extrémité. Séparez les nappes à l'encroix par un cordon noué. Nouez un cordon à l'autre extrémité et toutes les verges.

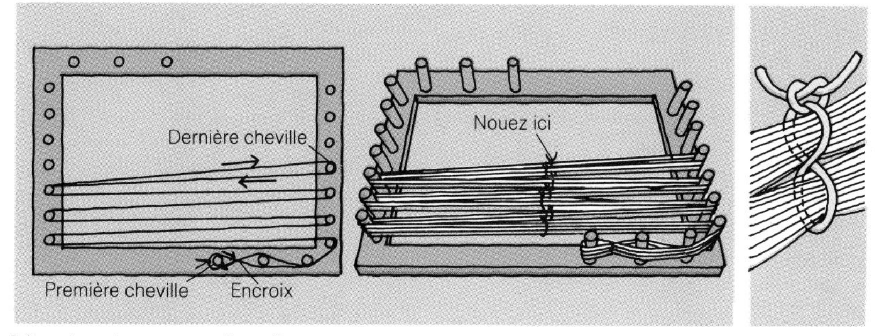

Déterminez le parcours d'un aller-retour complet au moyen d'un cordon deux fois plus long que la chaîne. Faites un encroix immédiatement après la première cheville. Comptez les fils à l'encroix. Nouez un cordon autour de la chaîne toutes les verges pour éviter que les fils ne s'emmêlent (au centre). Nouez les fils en groupes égaux (à droite) pour ne pas avoir à les recompter un à un.

Tressage de la chaîne

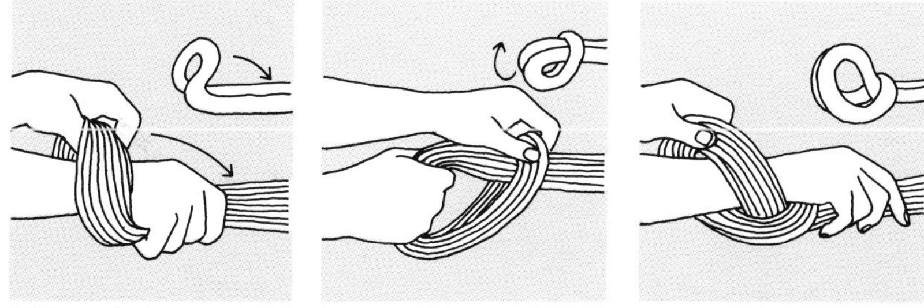

1. Dégagez la chaîne en commençant du côté opposé à l'encroix et en gardant le fil légèrement tendu. Glissez la main droite dans la boucle et saisissez les fils. **2.** Passez la boucle au-dessus de la main droite. Saisissez la nouvelle boucle de la main gauche. **3.** Passez la main droite dans la boucle, saisissez la chaîne et recommencez. Continuez la tresse jusqu'à l'encroix.

Tissage

Montage de la chaîne sur le métier

Vous pouvez maintenant commencer à dresser votre métier. Comme l'ourdissage, cette opération doit mobiliser toute votre attention. A première vue, le montage de tous ces fils dans l'ordre peut vous sembler impossible. Mais l'expérience vous montrera qu'avec un peu de patience, et en maintenant l'encroix comme illustré ci-dessous, le montage de la chaîne se fait très facilement.

On attache d'abord une extrémité de la chaîne au verdillon de l'ensouple arrière, puis on enroule la chaîne sur l'ensouple (voir ci-dessous) jusqu'à ce que l'autre extrémité des fils atteigne le niveau de la poitrinière avant. On enfile ensuite les fils dans les œillets des lisses (voir page de droite). Puis, on les passe dans les dents du peigne au moyen de la passette. Enfin, on noue les fils de chaîne sur le verdillon de l'ensouple avant (tambour porte-tissu) et on règle la tension. Lors du tissage, le tissu viendra s'enrouler sur l'ensouple avant.

Ces pages illustrent en détail le montage de la chaîne sur un métier de basse lisse à quatre lames. A quelques différences près, tous les métiers se dressent de la même façon. Ainsi, sur un métier de haute lisse, on dresse la chaîne verticalement ; l'ensouple porte-fils est en haut des montants, le tambour porte-tissu au bas. De plus, les baguettes d'encroix doivent être suspendues devant le métier pendant que l'on enroule la chaîne sur l'ensouple porte-fils (voir p. 178). Les duites étant battues au moyen d'un peigne tasseur, le métier de haute lisse est démuni de battant. Certains n'ont qu'un seul jeu de lisses.

Certains métiers sont munis d'un peigne rigide qui joue simultanément le rôle des lisses et du battant. Les baguettes d'encroix enfilées dans la chaîne sont suspendues en avant du peigne et les fils de chaîne doivent être rentrés, tantôt dans les œillets, tantôt dans les dents du peigne. On noue ensuite les fils de chaîne sur le verdillon arrière par portées de quatre, puis on les enroule sur l'ensouple et on les noue au verdillon avant, les regroupant selon leur compte au pouce (voir p. 169). Cette opération est illustrée à la page 183 (photos 1 et 2).

La chaîne doit toujours être bien centrée. En l'enroulant sur l'ensouple arrière, insérez des feuilles de papier fort ou des lattes entre les spires de fils pour maintenir une tension uniforme. Utilisez du papier journal pour les chaînes courtes de laine ou de coton souple ; employez des lattes pour les fils solides et lisses longs de plus de 2 ou 3 vg.

Lorsque vous êtes prêt à enfiler les fils dans les lisses, amenez les lames à la hauteur qui vous convient le mieux. Ecartez les lisses dont vous n'avez pas besoin également de chaque côté. Regroupez les lisses qui vont vous servir sur la droite. Si le battant vous gêne, vous pouvez le démonter pendant le rentrage.

L'encroix. Retrouvez les deux cordons qui séparent les deux nappes de fil à l'encroix (voir les illustrations, p. 169). Dégagez l'encroix en tirant les cordons en sens opposé.

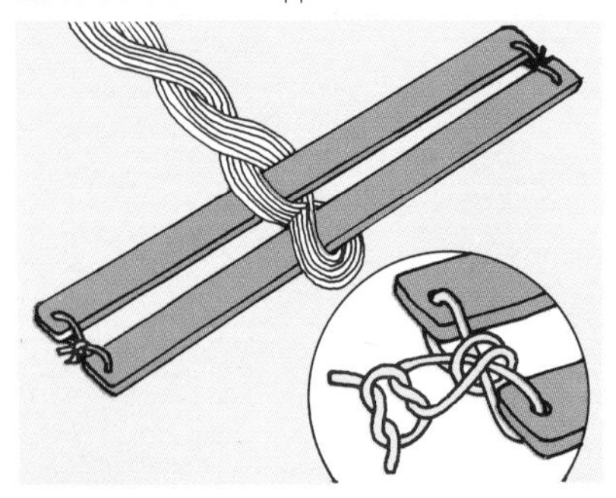

Les baguettes d'encroix. Enfilez les baguettes de part et d'autre de l'encroix. Montez un cordon à chaque extrémité en laissant 1 po entre les baguettes. Nouez comme indiqué.

Montage de la chaîne. Depuis l'arrière du métier, suspendez les baguettes d'encroix au bâti, au niveau des œillets des lisses. Coupez le cordon à l'encroix.

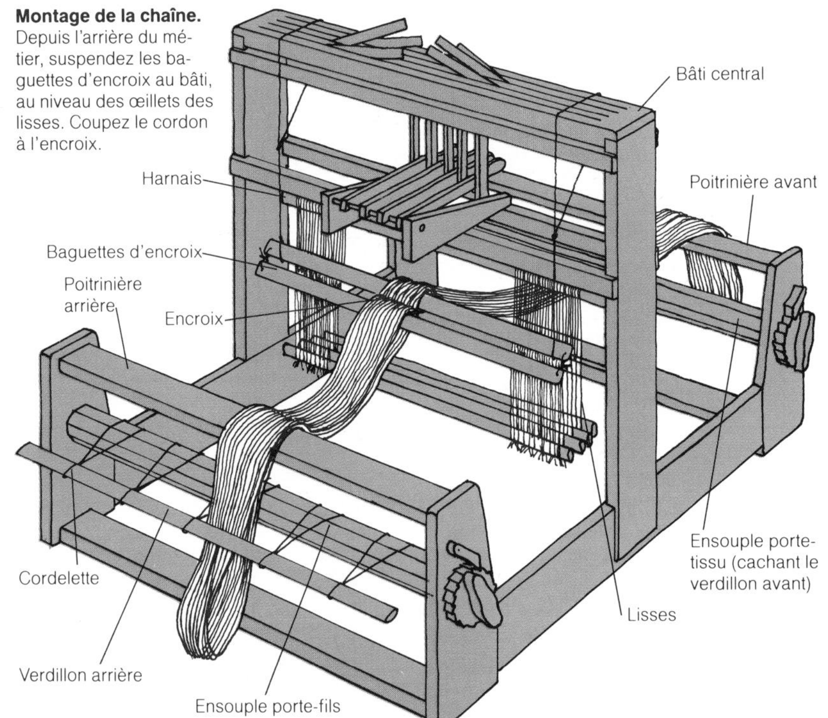

Réglage du verdillon arrière. Jouez sur la cordelette retenant le verdillon à l'ensouple porte-fils de manière que le verdillon soit parallèle à l'ensouple. Etalez uniformément les fils de chaîne sur les baguettes d'encroix.

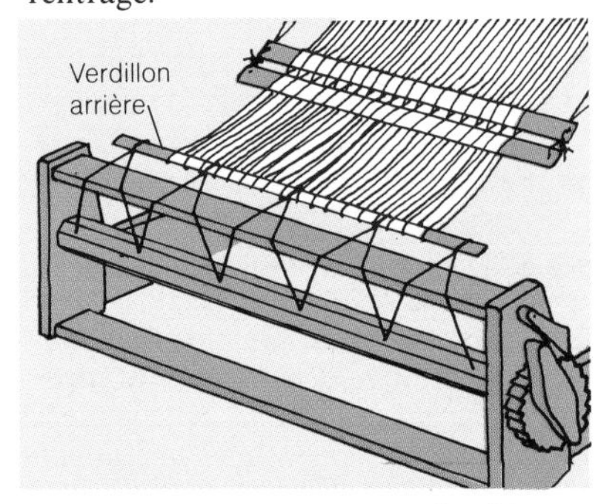

Le verdillon arrière. Centrez la chaîne. Dégagez la cordelette sur une moitié du verdillon et répartissez uniformément la chaîne. Remontez la cordelette et recommencez de l'autre côté.

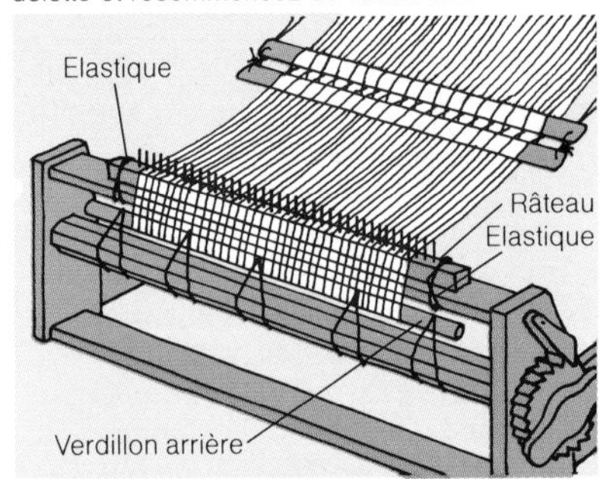

Le râteau. Le verdillon étant derrière l'ensouple, fixez le râteau (p. 167) à la poitrinière à l'aide d'élastiques. Amenez le verdillon devant l'ensouple et répartissez les fils dans les dents du râteau.

Montage sur l'ensouple porte-fils. **1.** Pendant qu'un aide tient la chaîne tendue avec les doigts entre les fils, tournez lentement l'ensouple arrière tout en insérant des feuilles de papier entre les spires. Coupez les cordons tenant la chaîne au fur et à mesure qu'elle s'enroule, en ramenant graduellement les baguettes d'encroix vers le bâti central. Si la chaîne se bloque, dénouez ou démêlez les fils. **2.** Fouettez la chaîne pour l'étendre. **3.** Lorsque la boucle atteint la poitrinière avant, coupez l'extrémité des fils en les groupant selon la densité de l'enfilage (voir p. 169). Si des nœuds se sont formés à la boucle, coupez 1 po de fil. **4.** Faites un nœud coulant sur chaque groupe de fils pour éviter de perdre l'encroix pendant l'enfilage des lisses.

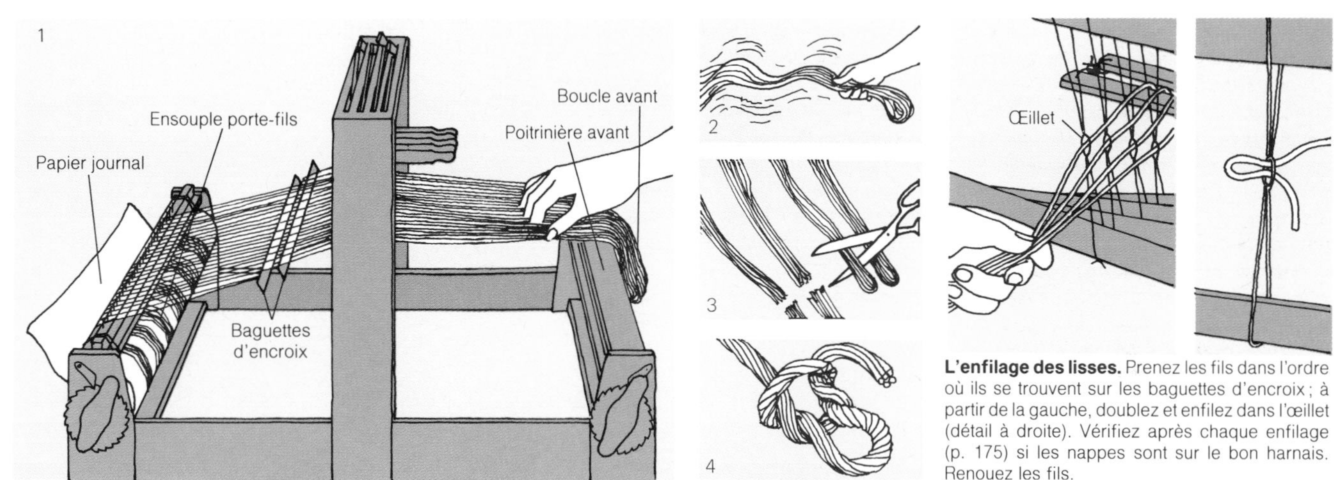

L'enfilage des lisses. Prenez les fils dans l'ordre où ils se trouvent sur les baguettes d'encroix ; à partir de la gauche, doublez et enfilez dans l'œillet (détail à droite). Vérifiez après chaque enfilage (p. 175) si les nappes sont sur le bon harnais. Renouez les fils.

1. Passage au peigne. Remontez le battant, si besoin est, et centrez le peigne sur la largeur de la chaîne que vous aurez séparée en deux. Marquez les bords de la chaîne sur le peigne avec deux cordelettes nouées sur le cadre du battant. Dénouez un à un les nœuds coulants des portées de fils en commençant par la gauche. Glissez la passette dans les dents du peigne et enfilez les fils dans le même ordre que sur les lisses. Pour une chaîne serrée, rentrez plusieurs fils dans chaque dent sans les croiser. Pour une chaîne lâche, laissez des dents vides à intervalles réguliers. **2. Liage sur le verdillon avant.** Enlevez le râteau et les baguettes d'encroix et réglez le verdillon (p. 170). Tournez l'ensouple porte-tissu pour que le verdillon avance de 1½ po à l'intérieur du métier. Rassemblez les fils de chaîne en portées régulières et nouez chaque portée au verdillon, une à droite, une à gauche, en progressant vers le centre de la chaîne.

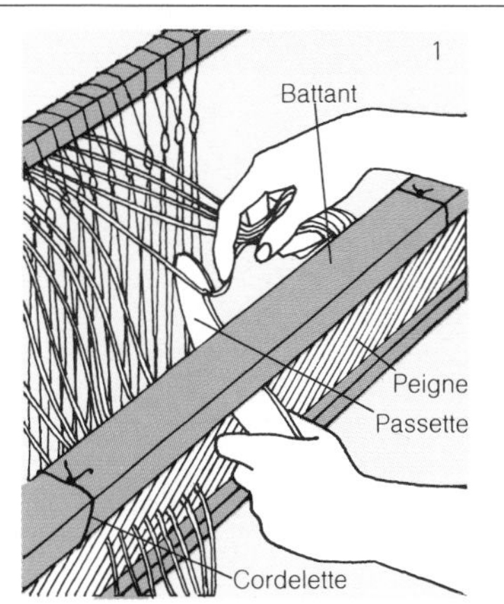

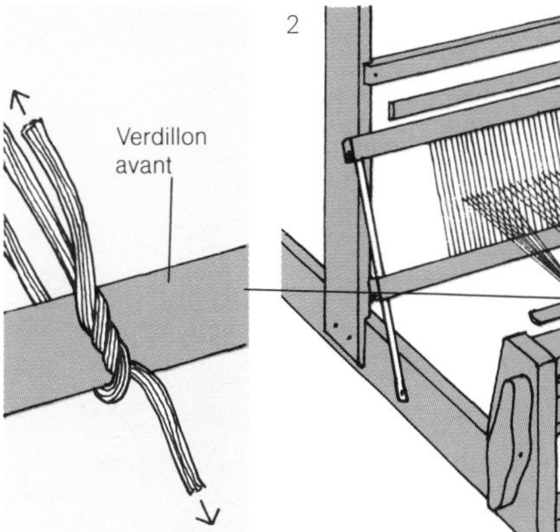

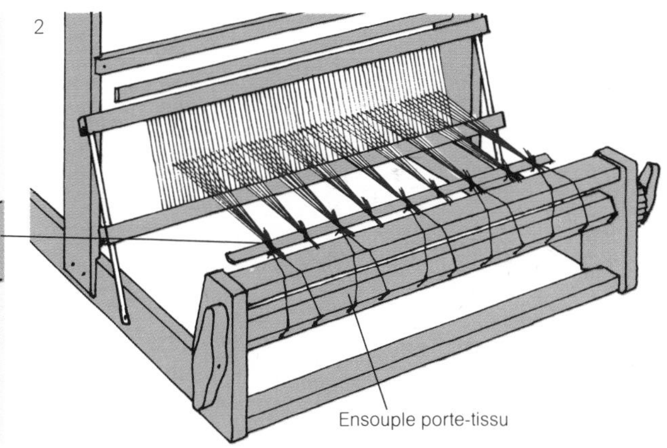

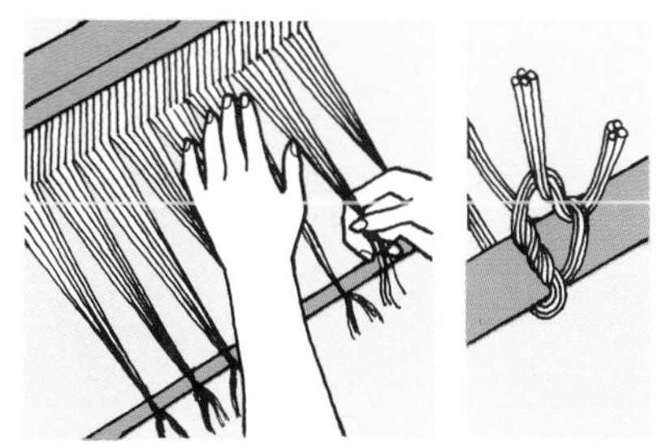

Tension de la chaîne. Quand toutes les portées sont nouées sur le verdillon, vérifiez la tension des fils en tâtant à la main. Tendez ou détendez les portées et renouez (détail).

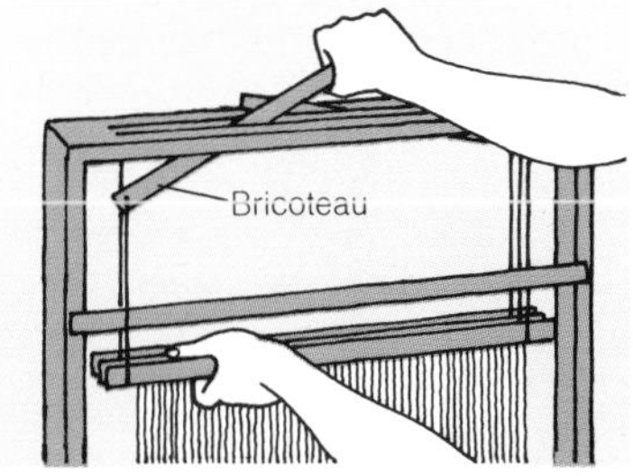

Hauteur des lames. Réglez la suspension des paires de lames de manière qu'elles soient bien parallèles. Note : Sur certains métiers, les lames se règlent automatiquement.

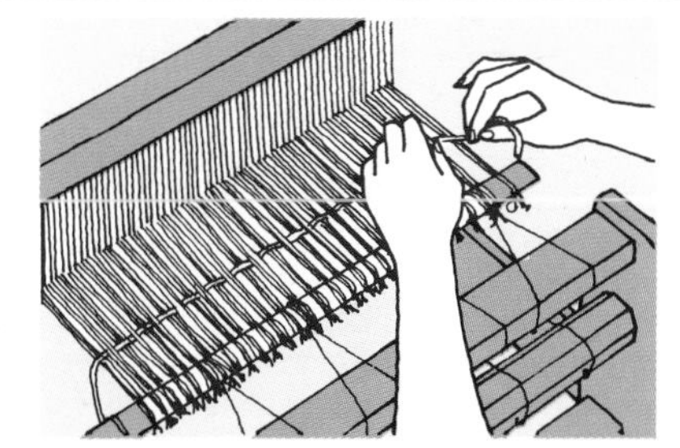

Tissage du cordon. Nouez un cordon à une extrémité du verdillon ; faites-le passer sur les fils qui passent sur le verdillon, puis sous les autres, alternativement. Nouez l'autre bout et tassez.

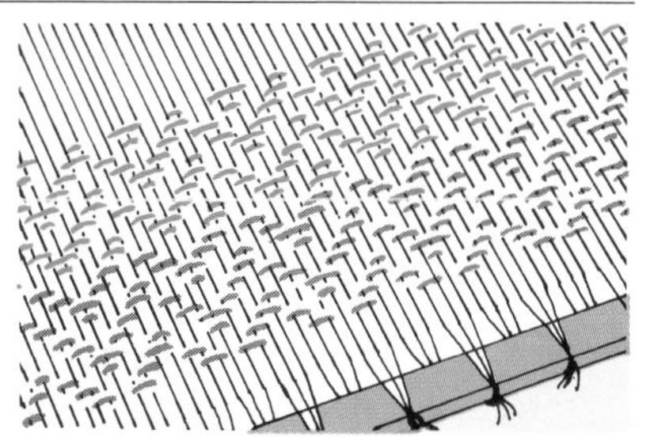

L'amorce. Utilisez des chutes de fil identiques à la trame et tissez une armure complète (p. 175). Vérifiez l'armure. L'amorce aide à uniformiser l'espacement des fils de la chaîne.

Tissage

Insertion de la trame

Le tissage comprend trois mouvements successifs qui se répètent suivant un rythme précis : ouvrir la foule, passer le fil de trame et tasser la duite.

Ouverture de la foule. Sur les métiers les plus simples (voir ci-dessous), on ouvre la foule en mettant la baguette d'enverjure de chant. Pour la deuxième foule, on soulève la perche à lisses dans les boucles de laquelle on a enfilé une nappe de fils de chaîne (pp. 176-177). Si le métier est dépourvu de lisses, le tisserand soulève à la main des petits groupes de fils pairs ou impairs pendant qu'il passe la navette. Sur un métier de basse lisse à quatre lames, le tisserand ouvre la foule en manœuvrant des leviers qui agissent sur les lames (p. 185).

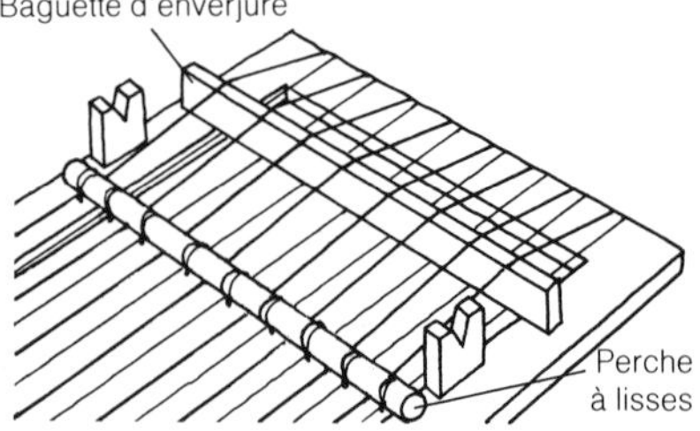

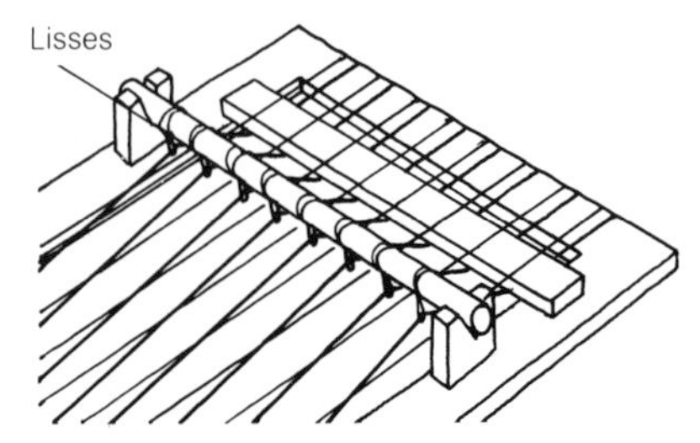

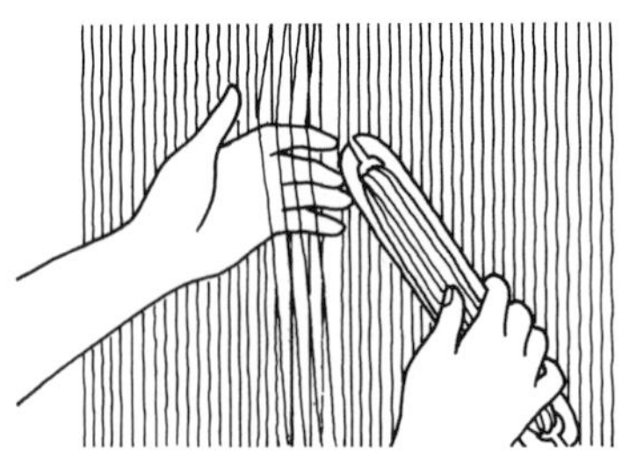

Foule ouverte à la main pour passer la trame.

Passée en vague ou en diagonale. Le fil de trame doit être passé en vague ou en diagonale. Le fil se tendra lorsque les duites seront battues. Pour une lisière bien droite, pincez le fil chaque fois que vous le retournez avant de lancer la canette dans la foule. Utilisez les vagues pour les tissus à effet de trame et les tapisseries. Formez les vagues avec les doigts quand vous passez la navette. Pour la plupart des tissus, la passée se fait en diagonale.

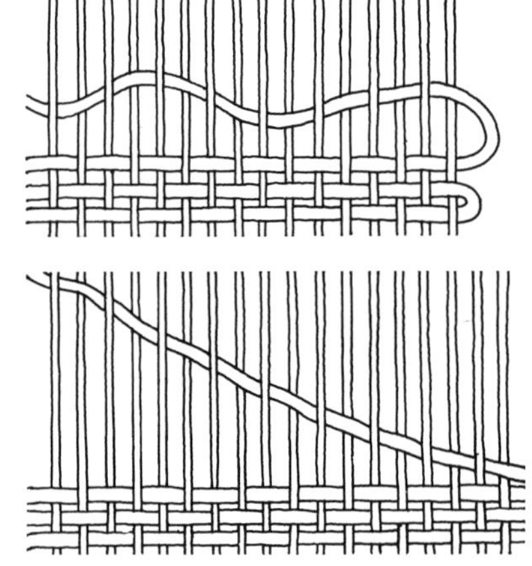

Passée en vague (en haut) ou en diagonale.

Tasser les duites. Le peigne doit être adapté au genre de tissu à réaliser. Pour une étoffe délicate, on tassera les duites avec les doigts, une fourchette ou un peigne à main. Pour la tapisserie ou les étoffes à effet de chaîne, qui doivent être vigoureusement tassées, on se servira d'un peigne tasseur. On trouve des peignes de poids différents ; certains sont lestés avec du métal. Sur un métier à bras, saisissez le battant par le centre de son cadre après chaque duite, tirez-le vers l'avant rapidement et repoussez-le vers l'arrière. Adaptez la force du mouvement à la délicatesse du fil et à la contexture du tissu. Les deux méthodes employées pour tasser les duites sont illustrées à la colonne suivante.

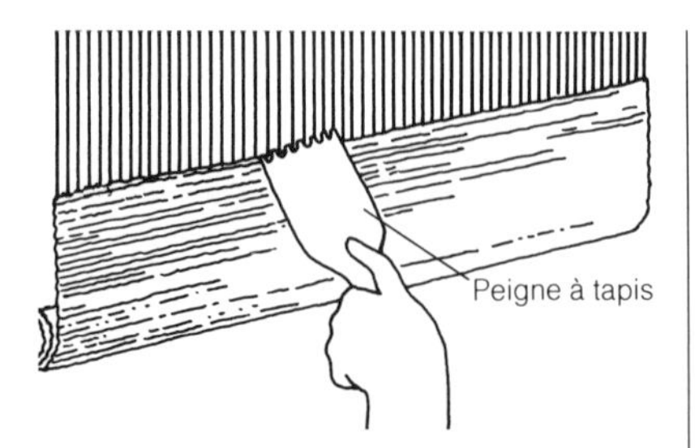

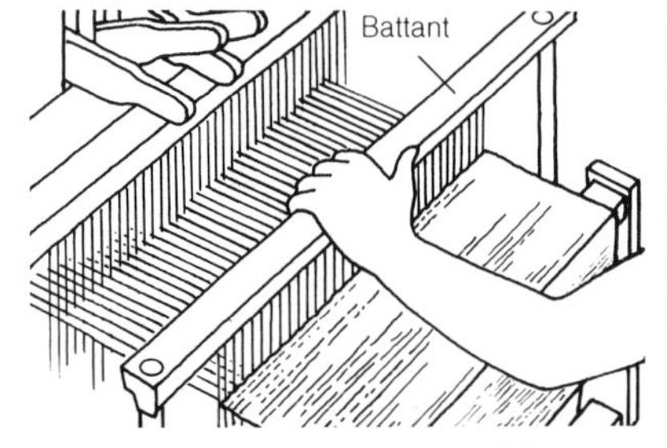

Deux méthodes pour tasser les duites.

Lorsque la foule ne s'ouvre plus assez pour laisser librement passer la navette, enroulez un peu de tissu sur le tambour avant. Détendez d'abord la chaîne en dégageant le cliquet qui retient la roue dentée de l'ensouple porte-fils (p. 167) ; retendez ensuite en faisant lentement tourner le tambour porte-tissu. Assurez-vous que les dernières duites sont toujours à portée du battant. Vérifiez à la main (voir p. 171) si la chaîne est tendue de façon uniforme. Au besoin, uniformisez la tension comme indiqué au tableau de la page de droite.

Vous pouvez laisser la chaîne en tension une nuit, mais si vous interrompez votre ouvrage plus longtemps, détendez-la pour éviter qu'elle ne s'étire.

Pour mesurer la progression du tissage, nouez des fils de couleur à la lisière à intervalles réguliers. Il vous suffira ensuite de compter ces fils à mesure que le tissu s'enroulera sur le tambour.

Quand la navette est vide ou si vous voulez changer le coloris de la trame, procédez comme indiqué dans la colonne de droite.

Changement de trame

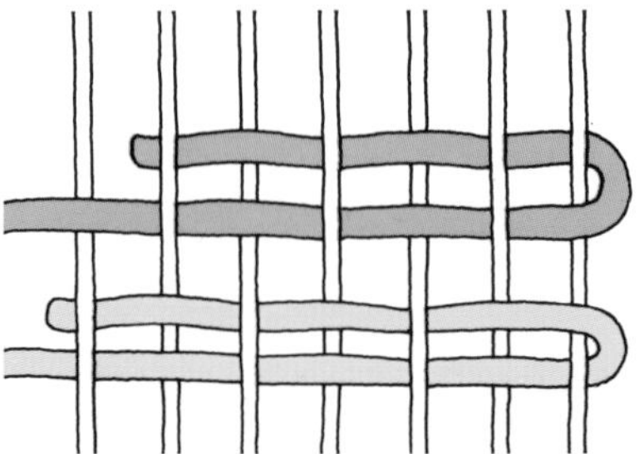

A la lisière. Coupez le fil en lui laissant 2 po. Rentrez et tissez le bout du fil dans la même foule au-dessus du dernier fil de chaîne. Tassez et commencez la nouvelle trame avec une amorce de 2 po rentrée et tissée au-dessus de la passée et dans la même foule. Le prochain changement de trame se fera à l'autre lisière.

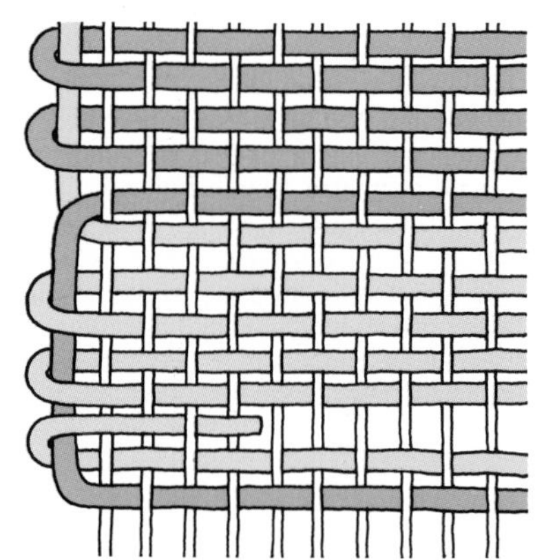

Parallèle à la chaîne. Pour alterner fréquemment la trame (tissus à rayures ou quadrillés), les fils peuvent être laissés parallèles à la lisière, dans la même foule.

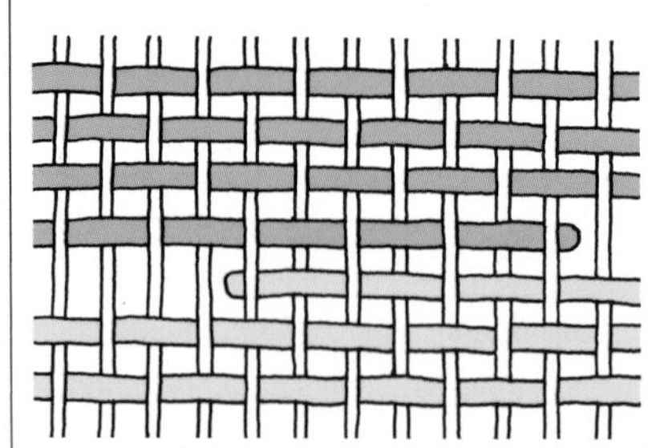

Entre les lisières. Avec certaines armures, le raccord est invisible même au centre de la chaîne. L'ancien et le nouveau se chevauchent sur 2 po. Coupez les bouts qui dépassent à la finition.

Finition du tissu

A la fin de la chaîne, tissez quelques pouces supplémentaires avec un fil comme celui de l'amorce du début (voir p. 171). Si vous commencez immédiatement une deuxième pièce sur la même chaîne, laissez un espacement suffisant entre les deux. Tissez une amorce pour la deuxième pièce. Pour enlever l'étoffe du métier, coupez la chaîne ou dénouez-la des verdillons avant et arrière et coupez les amorces.

La finition du tissu dépend de l'usage auquel il est destiné. Pour un tissu d'habillement, on arrête la trame en surfilant la dernière duite. Ce surfilage peut être enlevé après la confection de la frange (p. 177). Pour une écharpe, une tenture murale ou un tapis, faites la frange en nouant les bouts de la chaîne. Vous pouvez aussi torsader votre frange (p. 182) ou la tresser (p. 179). Si votre tissu ne doit être visible que d'un seul côté, il suffit de rentrer les bouts de fils de la chaîne dans le tissu et de coudre un liseré par-dessus (p. 181). Il est recommandé de ne jamais coudre à la machine une étoffe tissée à la main. Si vous faites un ourlet, prenez le temps de le piquer à la main.

Le tissu d'habillement doit être simplement lavé avec un savon doux dans de l'eau tiède (froide s'il s'agit de laine), puis repassé à la vapeur. Les tissus non lavables (tentures murales et tapisseries) ou de contexture lâche doivent être mis en forme. Dessinez la pièce aux dimensions voulues sur une grande surface de bois; fixez-y le tissu avec des punaises ou des agrafes inoxydables. Si la pièce est tissée trop serré, humectez-la au moyen d'une pattemouille roulée en boule. Si le tissu est trop grand, repassez-le avec un fer à vapeur ou un fer sec et une pattemouille de coton humide, en réglant le fer sur la position coton. Laissez sécher le tissu avant de le démonter du cadre. Pendant ce temps, arrêtez les fils de chaîne comme indiqué ci-contre, à droite.

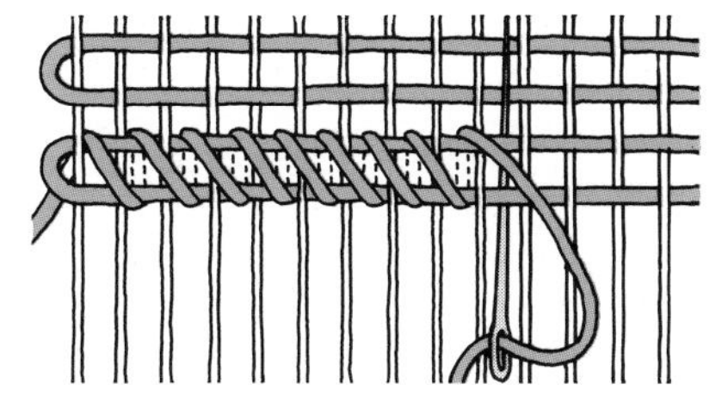

Point de surfil. Surfilez les deux derniers fils de trame entre chaque fil de chaîne comme illustré ci-dessus. Si le surfilage est temporaire, on peut employer un point plus lâche.

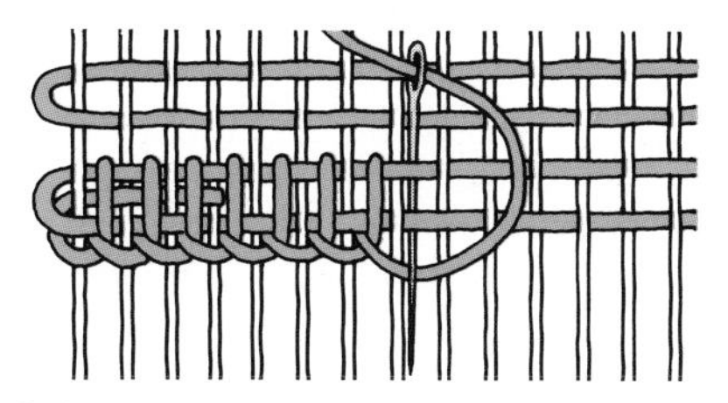

Point de feston. Réalisé avec du fil de trame, le point de feston donne un fini plus solide que le surfil. Il forme une série de boucles autour des deux derniers fils de la trame.

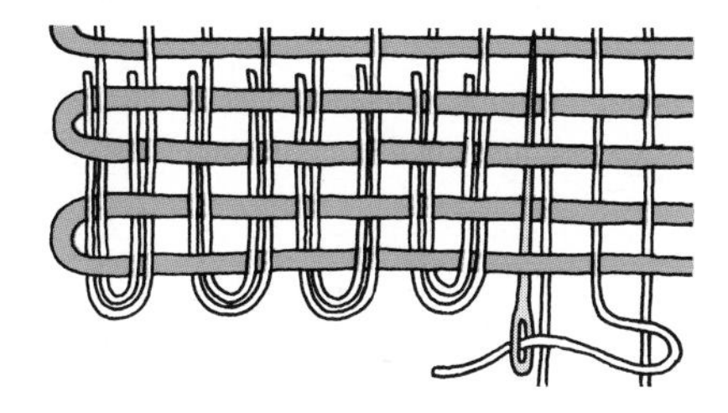

Reprisage de la chaîne. Pour donner un fini ressemblant à une lisière, enfilez chaque bout libre sur une aiguille et rentrez-le le long du fil de chaîne voisin comme indiqué ci-dessus.

Nouage de la frange. Groupez les fils de chaîne (4 à 10 fils fins, 2 ou 3 fils épais) et faites une série de nœuds à plein poing. Tressez (p. 179) ou torsadez (p. 182) la frange.

Solution de problèmes courants

DÉFAUT	CAUSE	SOLUTION
2 fils rentrés ensemble sur un métier à 2 lames	Erreur d'enfilage	Coupez un fil de chaîne ou rentrez un fil de plus dans l'autre nappe
Armure irrégulière	Erreur d'enfilage	Montez une nouvelle lisse
Fil de chaîne cassé	Chaîne trop tendue ou fil fragile	Montez un nouveau fil de chaîne (voir ci-dessous)
Ruptures de chaîne fréquentes	Tension irrégulière Chaîne prise dans les lisses	Corrigez la tension comme indiqué ci-dessous Vérifiez si la chaîne passe librement dans les lisses
Ruptures de chaîne fréquentes à la lisière	Duites trop serrées ; le battant use la lisière	Tendez moins les duites avant de tasser les fils de trame
Inégalités dans le tissu ; trame trop lâche	Les fils de chaîne de cette section sont moins tendus qu'ailleurs	Insérez des lamelles de bois ou des bandes de carton sous les fils lâches à l'ensouple arrière
Dépressions dans le tissu ; trame trop tirée	Les fils de chaîne de cette section sont plus tendus qu'ailleurs	Si les nœuds sont accessibles, détendez les fils ; sinon, retendez les autres (voir ci-dessus)
Lardure : la foule est trop étroite pour que la navette passe librement	Vous tissez trop près des lisses Le débattement vertical des lames est insuffisant Fil de chaîne pelucheux Tension insuffisante	Enroulez le tissu sur l'ensouple avant Réglez la longueur des cordelettes des bricoteaux (voir p. 171) Tassez après chaque passée Retendez la chaîne

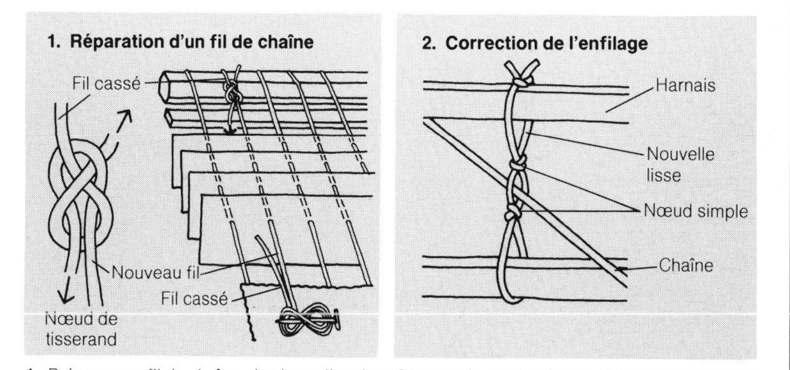

1. Préparez un fil de chaîne plus long d'environ 6 po que la section à finir. Epinglez-le à 3 po du bord de la trame et enfilez-le dans la lisse. Nouez-le au fil cassé à l'ensouple arrière avec un nœud de tisserand. Continuez à tisser. Lorsque le nœud atteint la lisse, défaites-le et renouez-le à l'ensouple porte-fils, et ainsi de suite jusqu'à la fin. A la finition, enlevez l'épingle et reprisez les deux bouts de fil de chaîne côte à côte sur environ 3 po. Coupez l'excédent. **2.** En cas d'erreur d'enfilage, installez une nouvelle lisse sur la bonne lame à l'endroit voulu. Formez un œillet au moyen de deux nœuds simples. Rentrez la chaîne dans la nouvelle lisse et laissez l'autre lisse libre sur la lame.

Tissage

Armures et contexture

Toutes les contextures de tissu découlent de trois armures fondamentales : toile, sergé et satin. L'armure satin, qui exige au moins cinq lames, est surtout employée en tissage industriel.

Dans l'armure toile à deux foules, que l'on peut aussi réaliser sur un métier de basse lisse à quatre lames, les passées en trame séparent alternativement les couches de fils pairs et de fils impairs de la chaîne. C'est sans doute la contexture la plus ancienne et la plus courante, qui donne un tissu solide et durable. Un tissu à armure toile dont la trame et la chaîne ont le même compte de fils au pouce est appelé taffetas.

Malgré sa simplicité apparente, l'armure toile comprend un tel nombre de variantes que certains tisserands y consacrent toute leur carrière. Elle permet de réaliser des rayures en chaîne ou en trame, en deux coloris ou plus ; on peut aussi varier la texture des fils ou la densité de la chaîne. Toutes ces variations peuvent se combiner à l'infini. Les illustrations ci-dessous représentent des tissus unis, rayés, quadrillés et écossais (tartans), tous réalisés en armure toile.

Le natté ou panama est une variante de l'armure toile dans laquelle un fil de trame double passe alternativement au-dessus et au-dessous de deux ou trois fils de chaîne. Sur un métier à deux lames, les fils de chaîne sont enfilés deux par deux dans le même œillet de lisse ; sur un métier à quatre lames, ils sont rentrés sur deux harnais voisins commandés simultanément. On peut doubler la trame de plusieurs manières : en canetant deux fils sur la même navette, en lançant deux fois de suite la navette dans la même foule tout en retournant le fil de trame à la lisière entre chaque passée, ou en lançant simultanément deux navettes. A cause de la contexture en résultant, le natté donne un tissu chaud qui convient particulièrement à la confection des écharpes et des couvertures.

Avec l'armure sergé ou diagonal (page de droite), la chaîne et la trame apparaissent en diagonale sur le tissu plutôt qu'en alternance rectangulaire comme dans l'armure toile. Le sergé exige un minimum de trois lames, et généralement quatre, mais ce tissu est plus souple et donne un meilleur drapé que la plupart des autres armures. Sa contexture en fait aussi un chaud tissu d'habillement.

Le sergé se tisse avec soit deux sautés et deux pris, soit trois sautés et un pris, soit un sauté et un pris (le fil de trame passant au-dessus du fil de chaîne abaissé est un sauté, celui qui passe sous le fil de chaîne est un pris). En armure sergé simple, les diagonales sont continues d'une lisière à l'autre. Le sergé dont les côtes changent de sens régulièrement est appelé chevron. Les chevrons sont dits de sens chaîne ou de sens trame selon qu'ils pointent en direction de la chaîne ou de la trame. Le projet décrit aux pages 184 et 185 est réalisé en armure chevron. Les illustrations et les croquis ci-contre représentent diverses variantes de sergé.

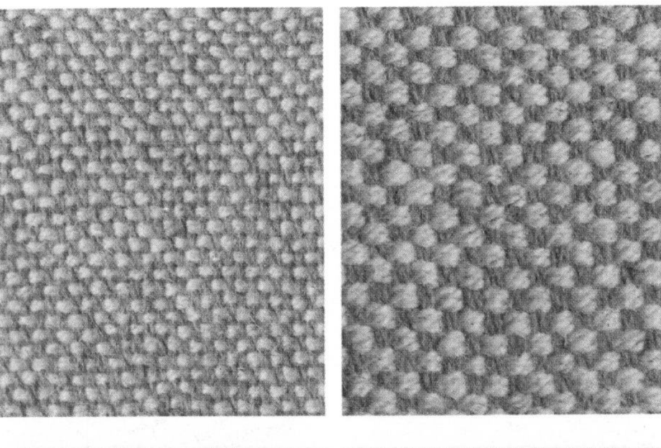

L'armure toile. Dans l'armure toile la plus simple (à l'extrême gauche), le compte de fils en trame est le même qu'en chaîne.
Le natté (à gauche) est une variante de l'armure toile où les fils de chaîne et de trame sont tissés deux par deux (deux pris suivis de deux sautés).

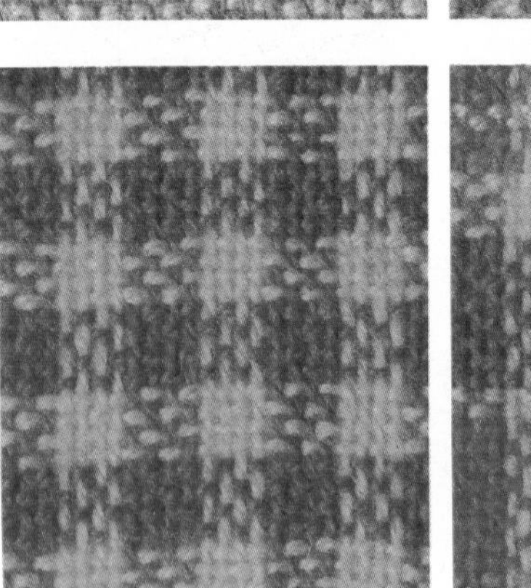

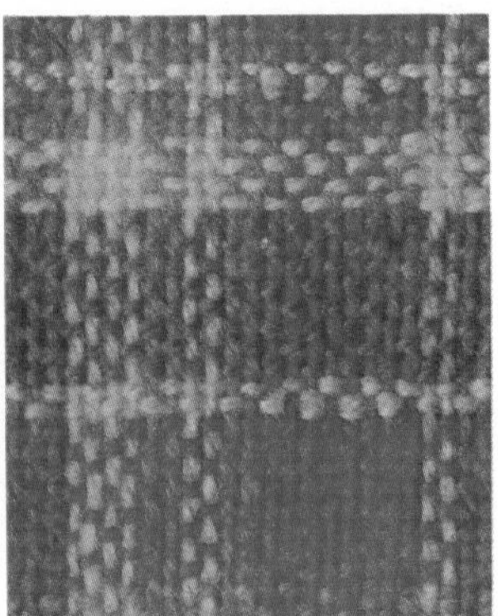

Le quadrillé (extrême gauche) est obtenu par l'alternance de deux rangées de couleurs différentes, identiques en chaîne et en trame.
Le tartan (à gauche) se tisse aussi avec des alternances identiques, mais avec des coloris plus nombreux et des rayures de largeurs différentes.

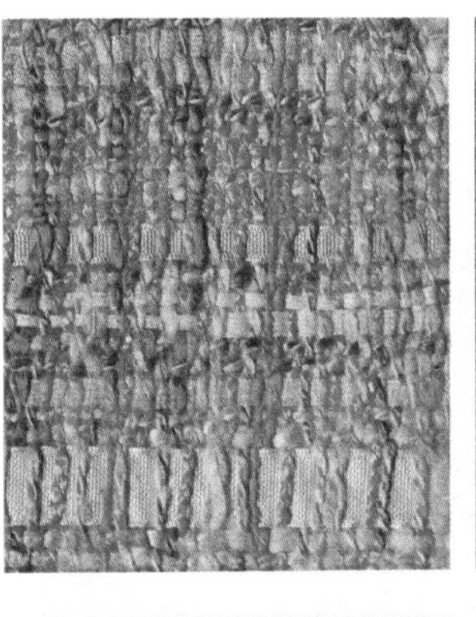

Trame fantaisie (extrême gauche) faite de fils et de rubans de soie et de gros-grain en rayonne tissés sur une chaîne de rayonne.
Chaîne à densité variable (à gauche) avec trois intervalles différents. Plus simple à réaliser avec quatre lames, elle peut aussi se tisser sur un cadre simple.

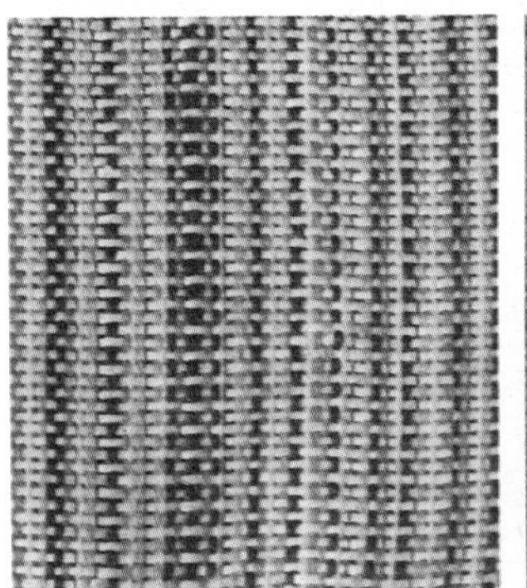

Chaîne rayée faite avec quatre laines de couleurs différentes et un fil métallique. L'effet varie selon la trame : lin retors à 12 brins (à l'extrême gauche) ou laine dans un ton de marron (à gauche).

Le graphisme du tissage

Le graphique d'armure est au tisserand ce que la partition est au musicien : il lui indique les diverses manœuvres qui lui permettront d'obtenir le tissu voulu. Les conventions de mise en carte varient beaucoup : par exemple, les croix indiquant ici le rentrage sont parfois remplacées par des chiffres. Dans l'exemple, les carreaux pleins représentent un pris (passée sous la chaîne) et les carreaux vides un sauté (passée sur la chaîne).

Le graphique comprend cinq éléments. Le *rapport* représente la plus petite partie strictement nécessaire de l'armure. L'*armure à répéter* donne une idée de l'aspect du tissu fini. L'*enfilage* indique l'ordre dans lequel les fils de chaîne doivent être enfilés dans les lisses. Le schéma se lit de bas en haut ; la première rangée de carreaux correspond à la première lame à l'avant du métier, la deuxième rangée à la deuxième lame, etc. (En Scandinavie, les lames sont traditionnellement numérotées de 1 à 4 en partant de l'arrière.)

Le secteur à droite de l'enfilage, appelé *liage,* indique les lames qui doivent être manœuvrées simultanément. La rangée du bas correspond à la première lame, la rangée au-dessus à la deuxième, etc., selon l'ordre de rentrage.

Le schéma de *rentrage* (schéma de *pédalage* sur les métiers à pédales) indique l'ordre dans lequel doivent être actionnés les jeux de lames. Il se lit de haut en bas. A la gauche de chaque carreau marqué d'une croix, on peut voir quel fil de chaîne doit être levé ou abaissé à chaque passage de la navette. Souvenez-vous que chaque carreau plein représente un fil de chaîne levé ou pris, tandis que les carreaux vides correspondent à une passée au-dessus de la chaîne, soit à un sauté.

Les schémas ont été établis pour un métier à quatre lames. Si vous employez un métier à lames descendantes, plutôt que remontantes, inversez le liage en remplaçant les carreaux pleins par des carreaux vides et vice versa.

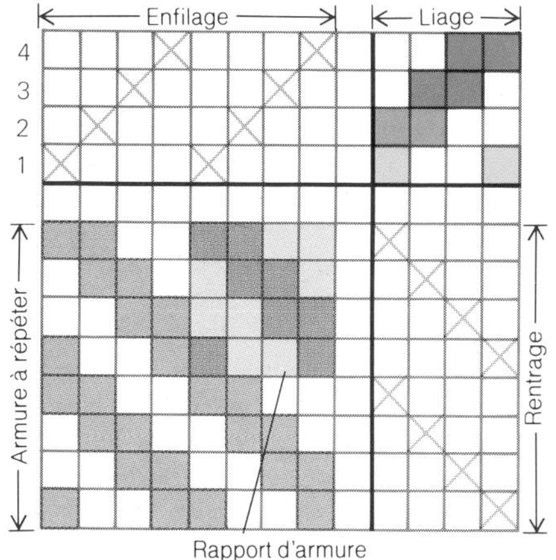

Le sergé s'oriente à droite ou à gauche.

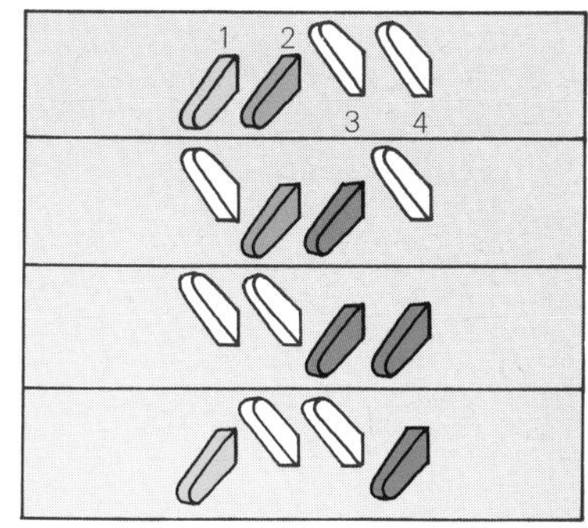

Lecture du croquis de l'armure. L'enfilage se lit et s'exécute de gauche à droite. Enfilez le premier fil de chaîne sur une lisse de la lame 1, le deuxième sur la lame 2, le troisième sur la lame 3, le quatrième sur la lame 4, recommencez avec le cinquième sur la lame 1 et ainsi de suite. Tissez en suivant bien l'ordre de rentrage lu de haut en bas. Chaque colonne marquée d'une croix dans le croquis de rentrage comprend un ou plusieurs carreaux pleins dans le croquis de liage ; ces carreaux indiquent les lames à lever à chaque passée. Les couleurs du croquis correspondent aux différents leviers représentés ci-dessus.

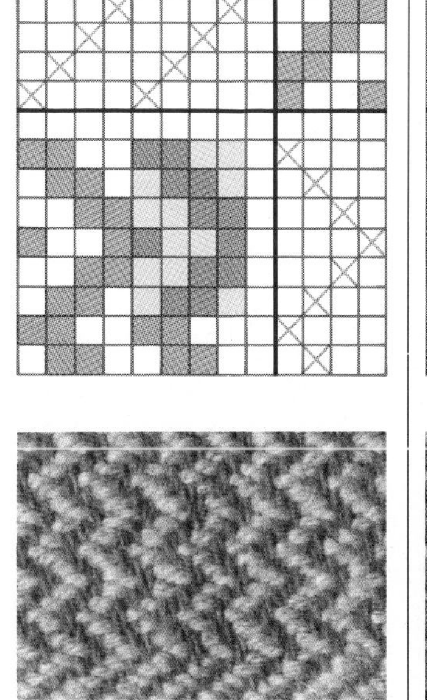

Sergé inversé à chevrons verticaux.

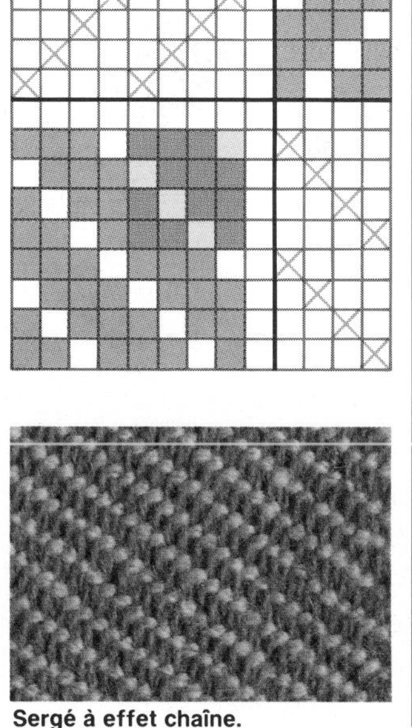

Sergé à effet chaîne.

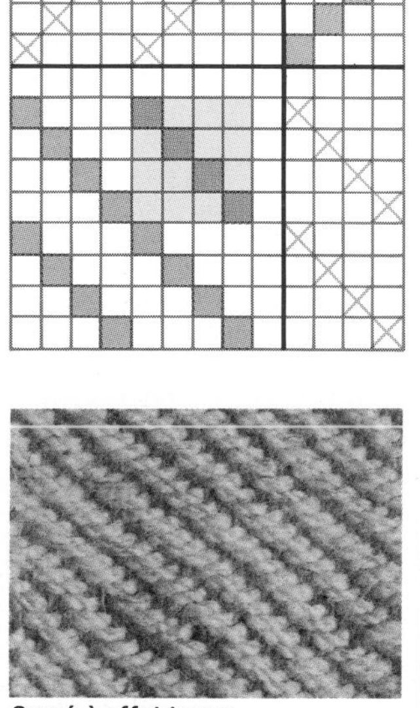

Sergé à effet trame.

Chevrons pointant vers la chaîne.

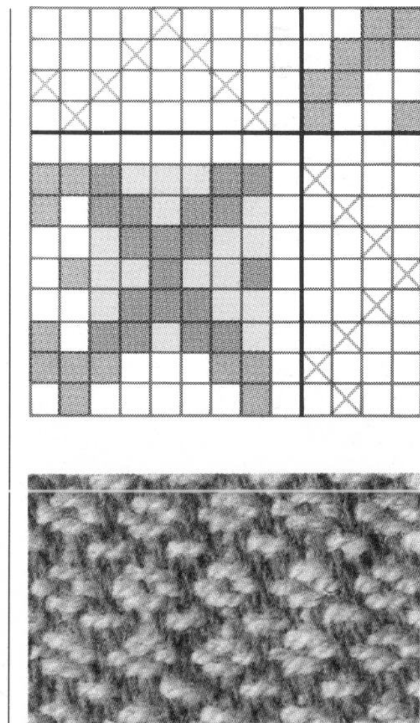

Sergé « œil-de-perdrix ».

Tissage/projet

Deux napperons sur un cadre

Vous pouvez tisser deux napperons (photo ci-dessus) sur un simple cadre à tisser. Comme, dans ce cas, la chaîne est constituée par un fil continu enroulé autour du cadre (page de droite), il est possible de tisser deux pièces sur la même chaîne.

Le cadre est un châssis en bois semblable à ceux qu'utilisent les peintres pour tendre leurs toiles. Quand vous serez prêt à employer un métier de tisserand, ce cadre pourra vous servir à réaliser vos échantillons. La première foule est obtenue à l'aide d'une baguette d'enverjure, l'autre avec une perche à lisses de cordelette. La perche repose sur la chaîne lorsque la baguette d'enverjure est de chant (voir p. 172). Pour former la deuxième foule, on met la baguette d'enverjure à plat et on remonte la perche sur ses montants.

Matériaux et outils. Procurez-vous deux tasseaux de bois de 26 po et deux autres de 22 po. Les coins s'assemblent par tenons et mortaises. Les montants soutenant la perche à lisses sont des rectangles de contre-plaqué épais de ¾ po et mesurant 3 po sur 4. Taillez une encoche en V de 1 po sur le haut des montants. L'ensouple porte-fils et la perche à lisses sont des tiges de bois de ½ po de diamètre et de 22 po de long. Les coins sont renforcés par quatre ferrures en équerre. La baguette d'enverjure, une latte de 1½ po sur ¼ et plus longue de quelques pouces que le cadre, doit être poncée au papier de verre et à la laine d'acier. Les baguettes de tension, tenues en place avec du ruban adhésif, sont faites avec deux bandes de carton ondulé épais. On les enlève lorsque la chaîne est tendue. Il vous faudra aussi une perceuse, un tournevis, une équerre, des serre-joints et un marteau.

Fournitures. Pour la chaîne, il vous faudra quatre bobines de 175 vg de fil de coton pour le crochet : 2 jaune paille, 1 jaune d'or et 1 multicolore. Pour la trame, réalisée en rayonne à tapis, achetez 1 écheveau de 2 oz de couleur jaune paille et 1 écheveau de 2 oz dans un ton crème ; procurez-vous aussi des lanières de chiffon de 1 po de large et une cordelette de coton blanc de même grosseur que la chaîne. Les premières et les dernières duites sont tissées en jaune paille. Les fils de chaîne tendus près des lisières sont plus foncés.

La chaîne. Tracez aux extrémités du métier des marques espacées de ½ po pour vous aider à disposer les fils. Montez votre chaîne de 150 fils avec une densité de 5 fils au pouce sur une largeur de 15 po. Disposez les fils dans l'ordre suivant : 10 fils jaune d'or, 10 fils multicolores, 110 fils jaune paille, 10 fils multicolores, 10 fils jaune d'or.

La trame. Elle compte 144 fils répartis comme suit : 24 fils jaune paille, 96 fils crème, 24 fils jaune paille. Enroulez chaque coloris sur une canette (p. 168). L'ouvrage est entièrement réalisé en armure toile. La tension étant limitée, le tissu tend à rétrécir et le napperon fini mesure environ 12 po de large.

Montage du cadre

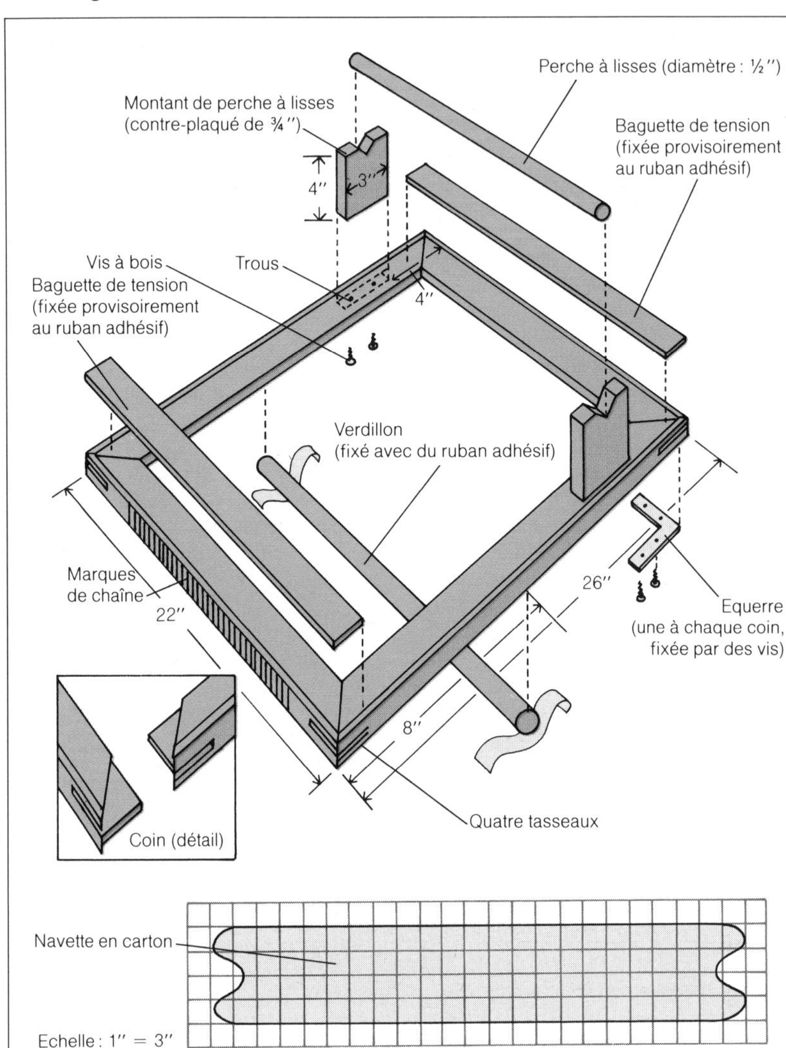

Le cadre à tisser. Assemblez les quatre tasseaux. Vérifiez les coins à l'équerre et corrigez à petits coups de marteau. Posez des serre-joints sur trois coins et montez une ferrure en équerre sur le quatrième. Montez les autres équerres une à une. Percez les quatre trous de fixation des montants de la perche à lisses qui seront assujettis à 4 po du haut du cadre. Tracez des marques espacées de ½ po à l'extérieur des tasseaux du haut et du bas en laissant 2 po libres à chaque coin. Fixez le verdillon sous le cadre avec du ruban adhésif, à 8 po du tasseau inférieur. **La navette.** Découpez la navette illustrée ci-dessus dans du carton fort ou du bois dur de ⅛ po. Arrondissez les angles et poncez.

Tissage des napperons

Ourdissage. 1. Fixez les baguettes de tension au cadre avec du ruban adhésif, en marquant les lisières de la chaîne, espacées de 15 po. Nouez le fil au verdillon arrière.

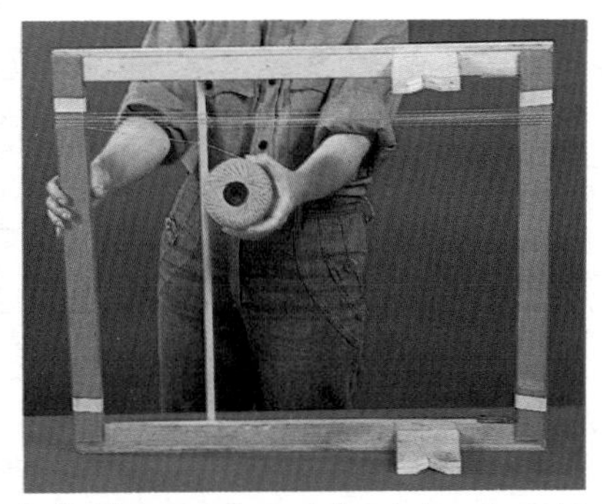

2. Ourdissez les deux chaînes autour du cadre (commencez par le bas). Faites une boucle autour du verdillon à chaque tour. Conservez toujours le fil bien tendu sur le cadre.

3. Après 10 tours de fil or, passez au fil multicolore. Nouez les deux fils au verdillon comme illustré ci-dessus. Finissez l'ourdissage dans les coloris indiqués à la page de gauche.

La première foule. Disposez une feuille de papier blanc entre les deux chaînes. Levez les fils impairs (1, 3, 5, etc.) sur le papier et glissez dessous la baguette d'enverjure.

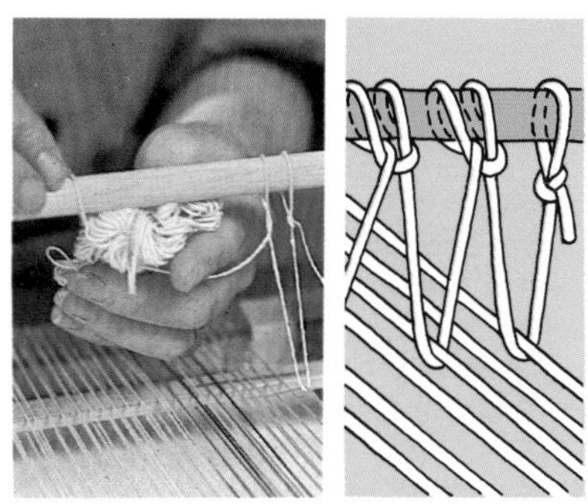

Les lisses forment la deuxième foule. Faites une échevette (p. 168) de cordelette blanche que vous nouerez sur la perche à lisses (détail) en y passant les fils pairs (2, 4, 6, etc.).

Réglage des lisses. Posez la perche sur ses montants et jouez sur les nœuds des lisses de manière que les fils soient à la même hauteur et que la navette puisse librement passer.

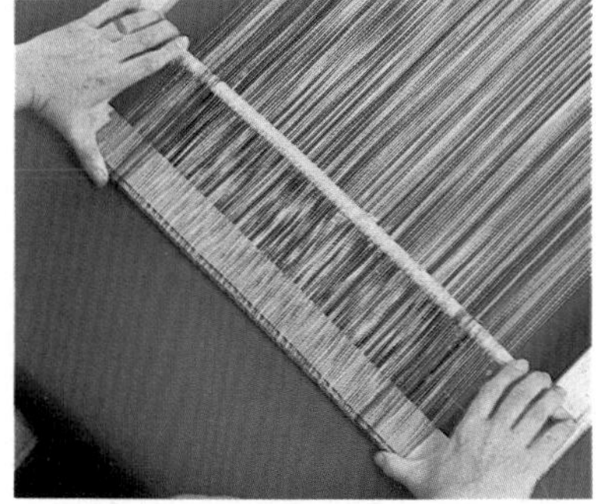

Le verdillon arrière. Retournez le cadre. Décollez le ruban et amenez le verdillon au-dessus de l'extrémité inférieure du cadre. Repoussez la baguette d'enverjure à sa position de départ.

Passage des duites. Tissez un cordon (p. 171) et commencez immédiatement à passer les duites en diagonale. Tassez chaque duite avec une fourchette comme ci-dessus.

Changement de trame. Passez d'un coloris à l'autre selon la première méthode (p. 172). Tissez une bande de 3 po en fil doré, 12 po en fil crème et encore 3 po en fil doré.

Les cordons. Finissez le premier napperon par un cordon tissé avec deux passées de chiffon en bandes de 1 po de large. Commencez aussi le napperon suivant par du chiffon.

Fin du deuxième napperon. Surfilez la trame avec un coton retors doublé et coupez la chaîne entre les deux pièces d'un mouvement rapide afin que la chaîne se détende d'un coup.

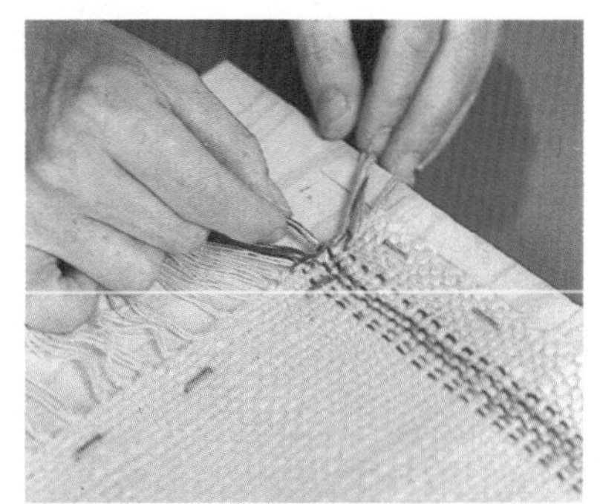

Finition. Laissez reposer le tissu jusqu'au lendemain. Montez-le sur un cadre et humectez-le. Après séchage, nouez les fils de chaîne quatre à quatre pour former des franges (p. 173).

Tissage/projet

L'opulence du rya

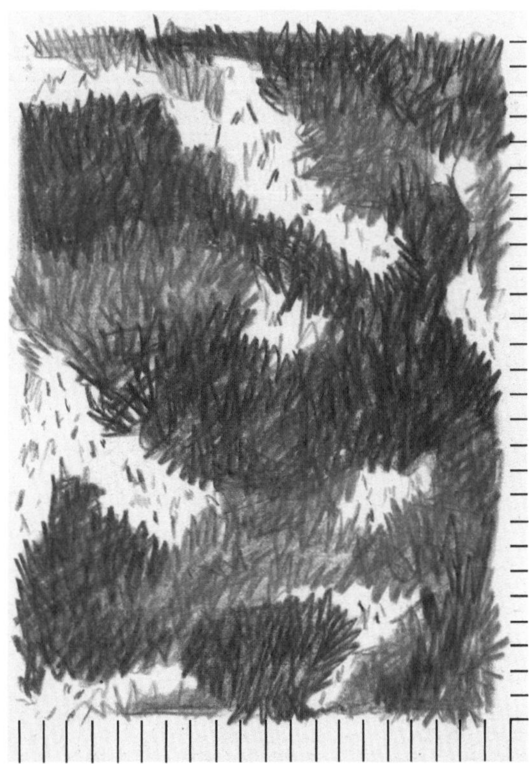

Le carton. Fixez une feuille de papier-calque sur le carton. Quadrillez le calque à la règle et au crayon en suivant les repères inscrits en marge du carton. Le trait vertical central est plus épais pour séparer les deux moitiés du tapis qui seront tissées l'une après l'autre sur la même chaîne. Transférez le dessin du carton sur la chaîne, comme il est expliqué à la page de droite. Chaque carré mesure 2 po de côté en grandeur réelle.

A l'origine, les tapis rya scandinaves remplaçaient les couvertures de fourrure dont ils imitent les longs poils. On en fit ensuite des tentures murales et des dessus de table puis, enfin, des tapis de sol. La technique du rya combine une armure toile (p. 174) avec des rangées de longs brins de laine réalisés par un nœud turkbaff ou Ghiordes. Ces brins doivent être suffisamment longs pour cacher le fond tissé.

La photographie ci-dessus représente un tapis rya de 40 po sur 54, réalisé en deux parties aboutées chaîne à chaîne. Le motif s'interprète librement d'après le carton reproduit à droite de la photo. Les tâches les plus grandes (marron, havane et blanc) sont reportées sur la chaîne et les plus petites sont improvisées. Chaque tapis est donc le fruit d'une interprétation individuelle.

Si vous préférez d'autres coloris, vous pouvez facilement adapter le dessin en remplaçant le marron et le havane par des coloris contrastés dans le même ton, et le ton rouille et le marron moyen par deux coloris moyens dont l'un peut faire contraste. Le blanc reste inchangé.

Matériel. Il vous faudra un métier de haute lisse ou un métier à quatre lames avec une profondeur de travail d'au moins 20 po, un cadre à ourdir, un râteau (p. 167), une navette à tapis (p. 176) et un peigne tasseur.

Fournitures. Pour la chaîne, procurez-vous un tube de lin à tapis 10/6, de coloris naturel; pour la trame du fond, 2¼ lb de fil de laine à 2 brins en marron. Doublez la trame au tissage. Pour les nœuds, achetez de la laine à tapis : ¾ lb à 3 brins en havane, 1¼ lb à 4 brins en blanc, 2 lb à 2 brins en rouille, 1¼ lb à 2 brins en marron moyen, 1 lb à 2 brins en marron foncé et autant à 4 brins dans le même ton. Chaque nœud est formé de 4 bouts de laine à 2 brins et de 2 bouts à 3 ou 4 brins. Il vous faut aussi du fil solide, du coton retors pour les cordons et 3 vg de ruban à tapis en coton sergé, de 1⅜ po de large.

La chaîne. La chaîne de 120 fils mesure 20 po de large et 162 po de long. Préparez-la sur un cadre à ourdir en quatre groupes de 30 fils.

Le dressage du métier. Le métier de haute lisse se dresse comme celui illustré aux pages 170 et 171 malgré l'absence de lames et de battant. Répartissez également les fils de chaîne dans les dents du râteau et nouez-les en groupes égaux sur le verdillon inférieur. Avant d'ôter les baguettes d'encroix, insérez au-dessus une baguette d'enverjure. Mettez-la de chant pour vérifier si la foule s'ouvre correctement en deux nappes distinctes, puis attachez-la à la traverse supérieure du métier.

Certains métiers à tapis sont munis d'une perche à lisses; dans ce cas, formez la deuxième foule en y nouant des lisses (voir p. 177). Sinon, formez-la à la main (voir page ci-contre).

Avec un métier de basse lisse à quatre lames, suivez le schéma de rentrage direct de la page 175. Les lames 1 et 3 sont actionnées simultanément pour ouvrir la première foule, les lames 2 et 4 pour la deuxième. Tassez chaque duite d'abord avec le battant, puis avec le peigne.

Les amorces. Suivez les instructions de la page 171 pour niveler la chaîne et tisser les amorces au début et à la fin de chaque moitié du tapis.

Finition. Une fois le tissage terminé, disposez les pièces côte à côte et à l'envers. Alignez les rangs de nœuds et assurez tous les 10 po. Assemblez les lisières au point de surjet avec un double fil de trame marron. Entretenez cet ouvrage avec un aspirateur ou faites-le nettoyer à sec.

Tissage du tapis rya

Le nœud Ghiordes

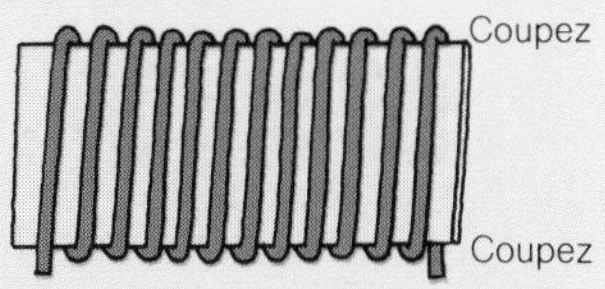

Méthode A. Pour faire quelques nœuds d'un même coloris ou un nœud multicolore. **1.** Enroulez le fil sur un carton de 5½ po de large et coupez comme indiqué ci-dessus.

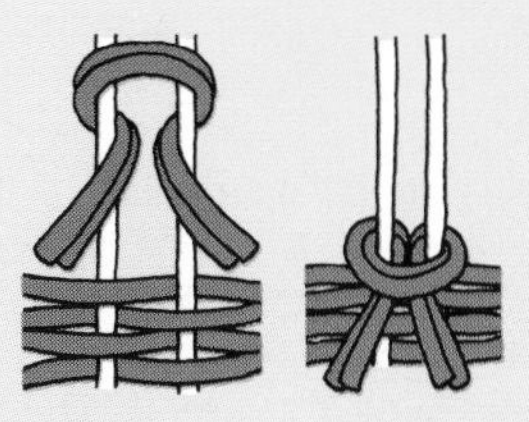

2. Doublez ou quadruplez les fils que vous monterez ensuite sur les brins de la chaîne (à gauche), en ramenant leurs extrémités vers l'avant. Tendez-les fermement sans trop serrer (à droite).

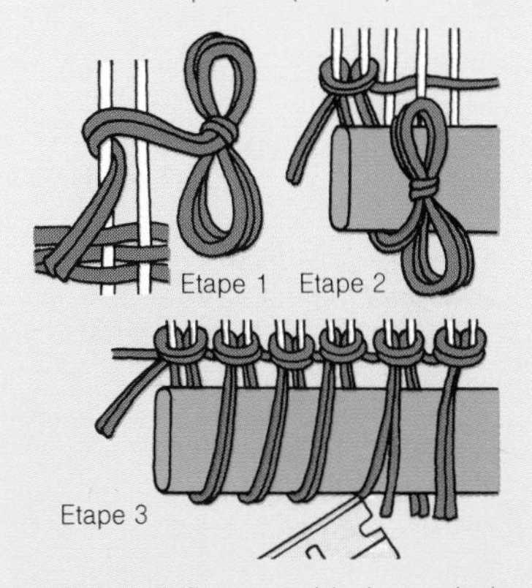

Méthode B. Pour une série de nœuds de même coloris. Faites une échevette de fil doublé (p. 168). Enroulez-la sur le fil de gauche (étape 1), puis passez-la entre deux fils de chaîne. Tirez vers le bas et passez le fil autour d'un carton ou d'une baguette calibrée à la longueur de la frange (2). Terminez tous les nœuds du même coloris en passant autour du calibre entre chaque nœud. Coupez ensuite les boucles avec une lame de rasoir (3).

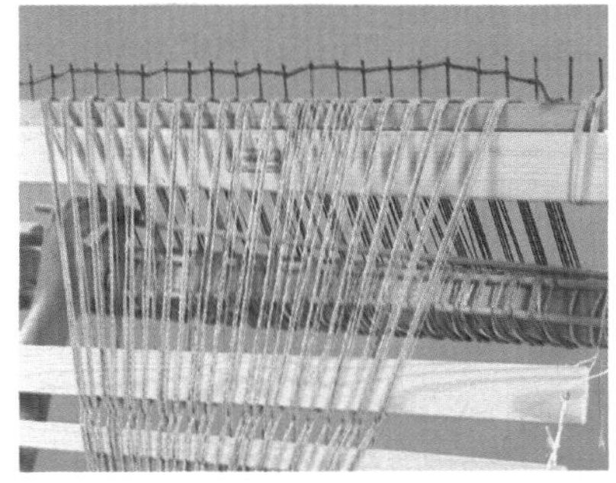

Montage de la chaîne sur l'ensouple porte-fils. Séparez les spires de fils avec des tiges de bois de ¼ po de diamètre et utilisez une cordelette pour empêcher les fils de sortir du râteau.

La trame. La baguette d'enverjure forme une foule, alors que l'autre est faite à la main en soulevant les fils six par six. Modelez chaque passée en vague de 2 po environ (p. 172).

Le traçage du dessin. Tissez 1 po au point de toile avant de tracer les principaux éléments du motif sur la chaîne avec un marqueur indélébile tout en stabilisant les fils du dos de la main.

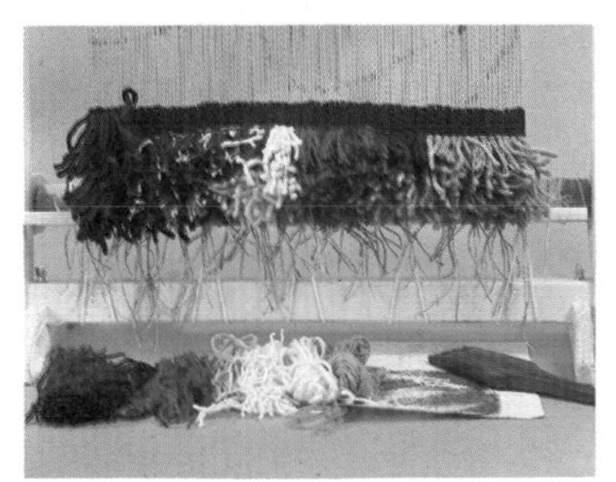

Le motif commence à apparaître. Tissez des bandes de ¾ po au point de toile entre chaque rangée de nœuds. Coupez la chaîne après 54 po de tissage, comme illustré à droite.

Entre les deux moitiés, tissez deux bandes de 1 po au point de toile, séparées de 12 po, et coupez la chaîne. Enlevez la première moitié du tapis et remontez la chaîne sur l'ensouple.

Correspondance des motifs. Gardez la première moitié à côté du métier pendant le tissage de la deuxième pour faire correspondre les motifs, les coloris et les rangées de nœuds.

Finition de la frange : tresse suédoise

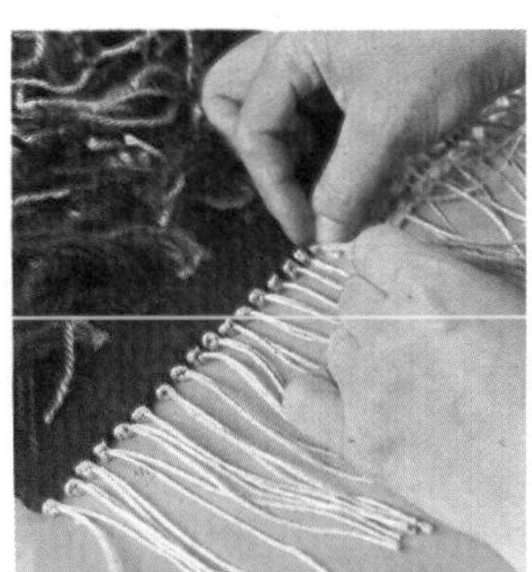

1. Coupez les bandes d'amorce tous les 6 po et enlevez. Groupez les fils de chaîne deux par deux et nouez (p. 173). Serrez les nœuds.

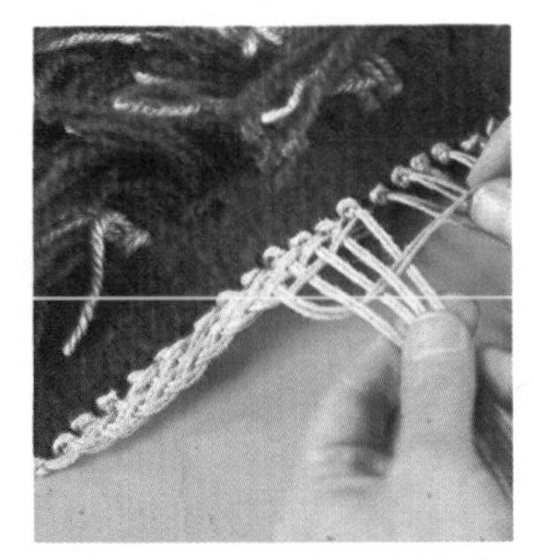

2. Tressez la première paire de fils avec les quatre suivantes et rentrez sous le tissu. Continuez la tresse jusqu'à la lisière.

3. A la lisière, finissez la tresse avec les cinq dernières paires de fils sur 2 po. Retournez et cousez au dos du tapis.

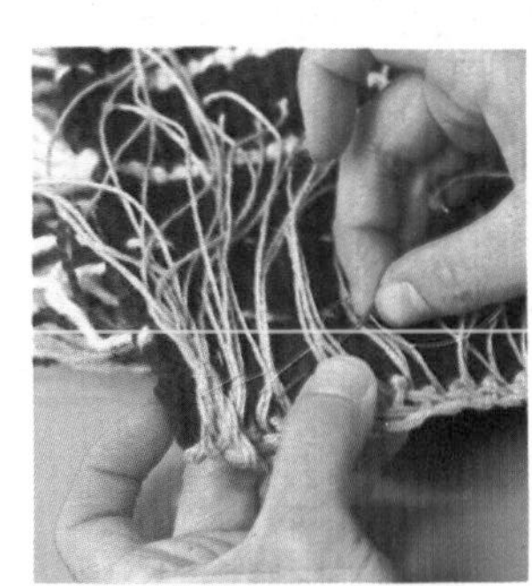

4. Surfilez les fils de chaîne par groupes de deux paires et coupez ½ po au-dessus du surfil. Cousez un galon sur la chaîne.

Tissage/projet

La tapisserie ou l'art du point de toile

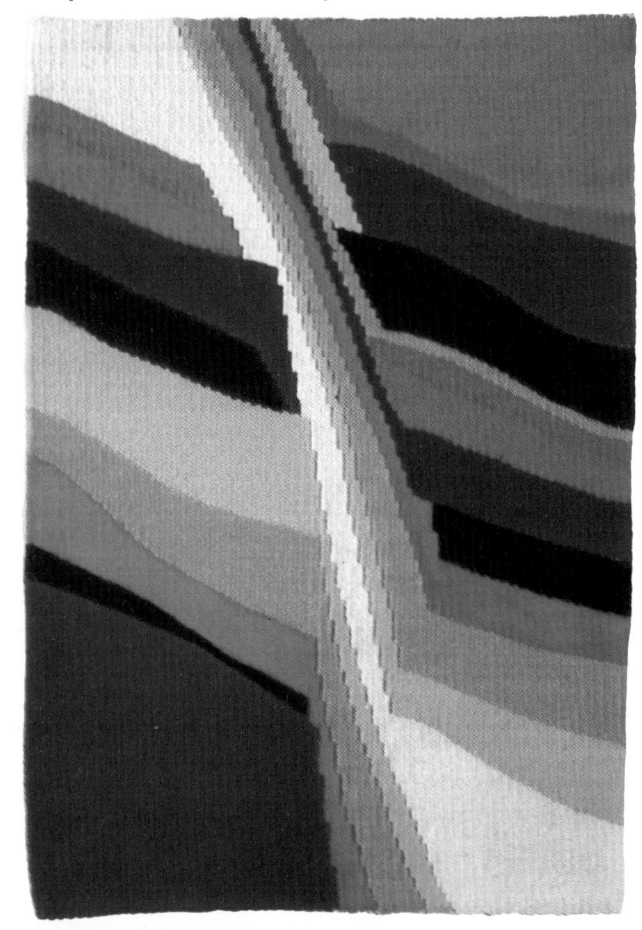

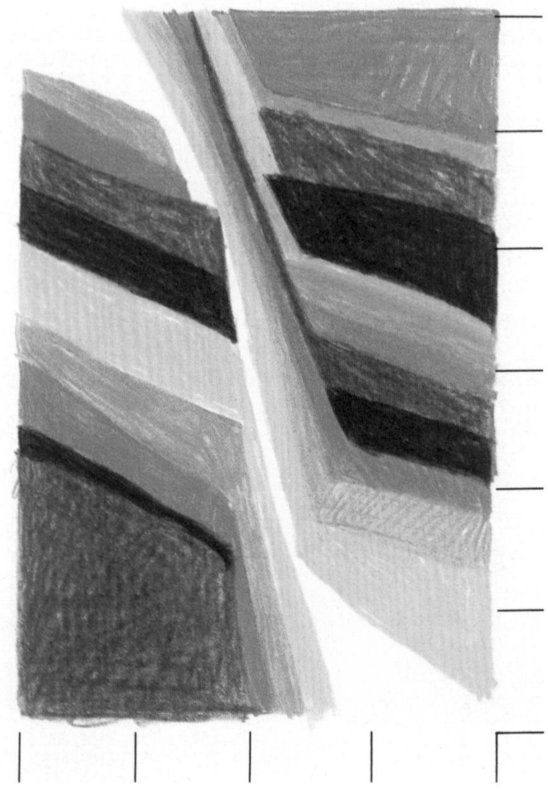

Le carton. Fixez un calque sur le carton. Quadrillez en suivant les repères inscrits en marge et calquez le motif. Quadrillez une feuille de papier fort de 20 po sur 32 ; les carrés doivent mesurer 5 po de côté. Reproduisez le motif (voir p. 78) ; laissez une marge de 2 po au bas de la feuille. Epinglez le dessin sous la chaîne.

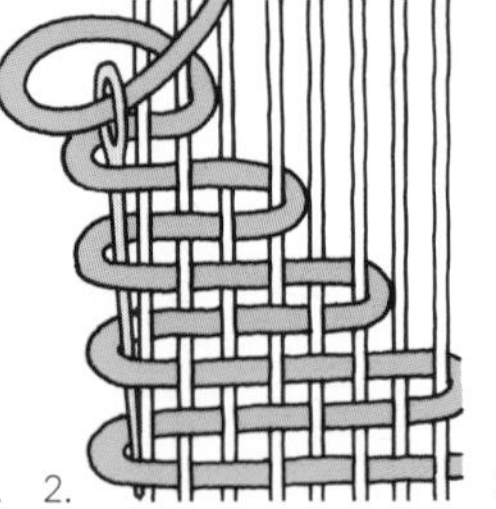

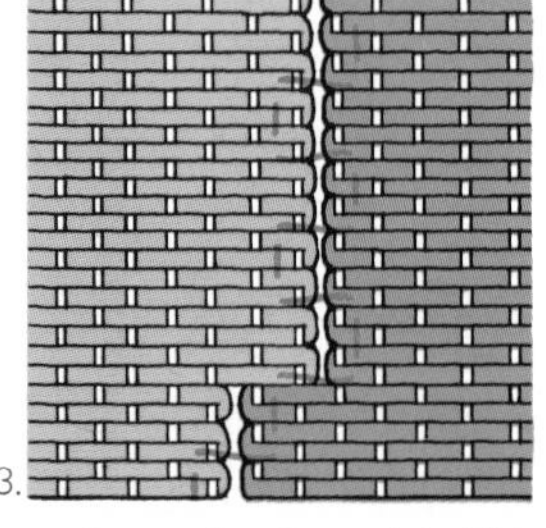

Les techniques du licier. 1. Corrigez les défauts dus à une trame trop lâche comme expliqué au tableau de la page 173. Ajoutez quelques duites pour épaissir la trame. **2.** Toutes les duites commencent et finissent à la lisière (p. 172), mais si elles sont très courtes, rentrez leur extrémité le long du dernier fil de chaîne. **3.** Cousez les relais au dos de la tapisserie en faisant des petits points parallèles à la chaîne (un ou deux points suffisent pour les petits relais).

La créativité du licier fait appel à l'armure la plus simple, le point de toile, et s'exprime par l'originalité du dessin à laquelle il consacre tout son art.

Le licier tisse un à un chaque motif de couleur sans aligner précisément les duites d'une lisière à l'autre. Il change de coloris en laissant une fente verticale ou relais (voir page de droite). Si la tapisserie est suspendue avec sa chaîne à la verticale, on peut laisser les relais ouverts. Si la chaîne est mise à l'horizontale, tous les relais doivent être cousus (opération appelée rentraiture).

Fournitures. Pour une tapisserie de 20 po sur 30, procurez-vous 4 oz de cordelette blanche de coton câblé à 8 brins pour faire la chaîne. Pour la trame, achetez de la laine à tapis à 2 et 4 brins : 4 oz en bordeaux et 2 oz en noir, blanc, or, orange, rouge vif et rouge foncé respectivement. Il vous faut également 2 vg de galon de ½ po de large, 1 vg de ruban de 1 po, 20 po de baguette de bois ou de métal de ½ po sur ⅛, et 1 ou 2 pi de fil de pêche en nylon transparent. Les duites de réglage seront tissées avec des chutes de fil de la même grosseur que les fils de trame.

Le métier. Une tapisserie peut être tissée sur n'importe quel métier d'au moins 20 po de large. Munissez-vous de fiches mobiles ou d'un cadre à ourdir, d'un râteau, d'une navette à tapis et d'une aiguille à tapisserie.

Préparation. La chaîne, longue de 49 po, est formée de 120 fils. Dressez le métier comme indiqué aux pages 170 et 171, sans lisses ni battant. Les duites étant très courtes, les foules sont toujours ouvertes à la main (p. 172). Préparez des échevettes de fil de trame (p. 168). Pour les grands motifs unis, vous pouvez aussi vous servir de la navette illustrée à la page 176.

Le liage. Doublez le fil à 2 brins ou employez du fil à 4 brins. Faites des passées en vague (p. 172) et veillez à ce que la trame ne tire pas la chaîne aux lisières et aux relais. Tassez les duites pour masquer la chaîne. Tissez en une seule fois chaque motif uni. Si la trame est trop tendue et déforme la chaîne, détissez et recommencez.

Finition. Tendez la tapisserie sur un cadre et repassez à la vapeur (voir texte, p. 173). Tandis que la tapisserie est sur le cadre, nouez et arrêtez la chaîne.

Le dessin. Dessinez de grandes surfaces unies délimitées par des diagonales ou des courbes. Evitez les relais verticaux. Réalisez la chaîne en coton fort, en lin ou en fil navajo, et la trame en laine.

Raccord des coloris

Relais à fente. Retournez les duites sur deux fils de chaîne adjacents. Entrecroisez les deux trames toutes les 5 ou 10 duites. Au besoin, le relais sera cousu au dos du tapis à la finition.

Perfilage. Les duites de gauche et de droite contournent le même fil de chaîne. Cette méthode convient mal aux raccords longs, car il se forme une côte en relief à la surface de l'ouvrage.

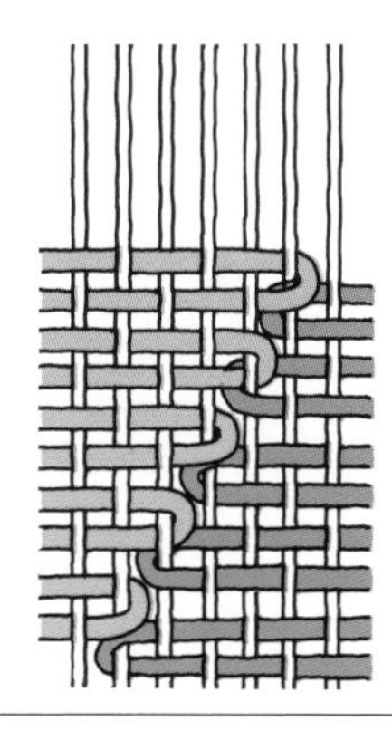

Ligne oblique. Les duites augmentent ou diminuent régulièrement d'un ou de plusieurs fils de chaîne selon l'angle du raccord. Pour obtenir un angle proche de la verticale, alternez fentes et obliques.

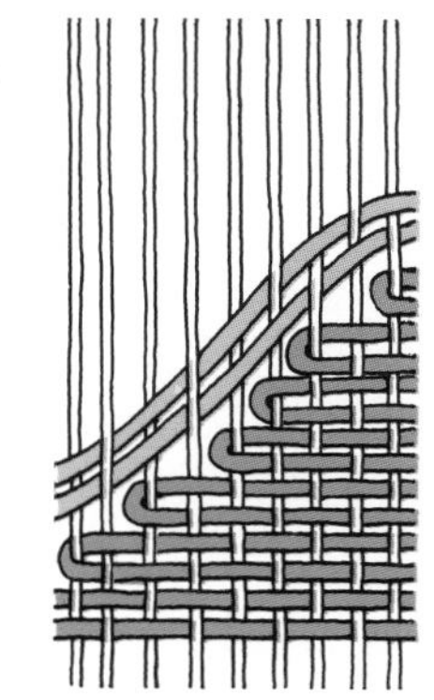

Raccord incurvé. La trame augmente et diminue de façon irrégulière, par exemple de 2, 1, 1, 1, 2 fils de chaîne, pour former un raccord incurvé, et la première duite du nouveau coloris suit le tracé de la courbe. Les duites suivantes sont horizontales.

Réalisation de la tapisserie

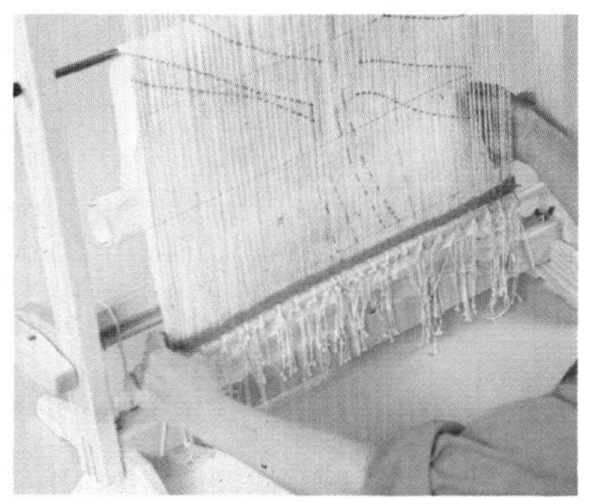

Fixation du carton. Le licier dispose le carton sous la chaîne avant de l'épingler à la bande d'amorce. Le croquis à l'aquarelle guide le choix des couleurs de la trame.

Tassez la trame à la main à chaque passée. Utilisez un peigne tasseur (plus léger que le peigne à tapis) chaque fois que vous avez tissé environ ½ po de trame.

Entrecroisez les duites au niveau des raccords de couleurs suivant une ligne oblique. Dans le cas d'un relais vertical, entrecroisez deux duites tous les pouces.

Les couleurs. Tissez plusieurs duites de la trame qui progresse par diminutions, puis passez à la trame qui augmente à chaque passée. Tissez plusieurs duites avant de changer de couleur.

Les courbes sont d'abord soulignées par deux demi-duites parallèles au contour (ci-dessus, à droite), puis le licier tasse des passées horizontales sur le reste du motif.

Enroulez la tapisserie sur l'ensouple de façon à toujours travailler à une hauteur confortable. Tissez régulièrement chaque zone de couleur pour que l'ouvrage progresse uniformément.

Finition. Enlevez les bandes-amorces. Tressez la chaîne en demi-nœuds (en médaillon) et coupez l'excédent de fil. Cousez (ou collez au fer) un galon de ½ po de large.

Pour accrocher la tapisserie, cousez un galon de 1 po sur trois côtés, insérez une tige de bois ou de métal sur le quatrième côté et ourlez. Pendez-la avec un fil de nylon transparent.

Tissage/projet

Tapis mural en leno rehaussé

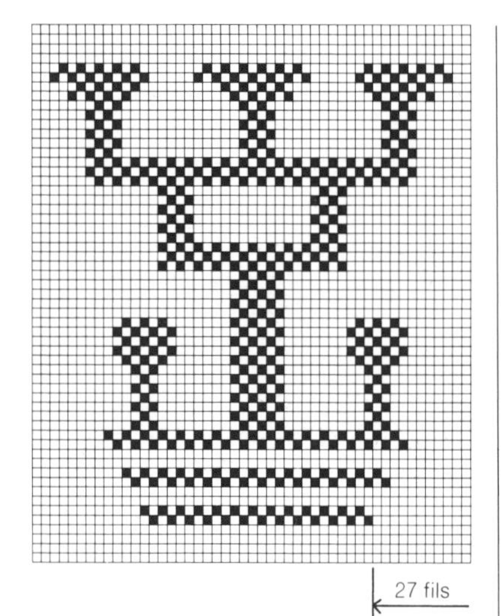

La trame. Commencez la trame par le bas du tapis. Sauf indication contraire, toutes les duites sont au point de toile : 8 fils beiges, 2 noirs, 2 beiges, 1 beige au point de gaze, 7 beiges, 2 noirs, 3 beiges, 1 beige au point de gaze, 8 beiges. Motif central : 49 fils beiges pour le fond. Comptez 27 fils de chaîne depuis la lisière droite et rehaussez en suivant le motif ci-dessus. Au-dessus du motif : 9 fils beiges, 1 beige au point de gaze, 6 beiges, 2 noirs, 5 beiges, 1 noir, 1 beige, 1 noir, 1 beige, 1 beige au point de gaze, 1 beige, 1 noir, 1 beige, 1 noir, 9 beiges, 1 beige au point de gaze, 10 beiges, baguette, 6 beiges.

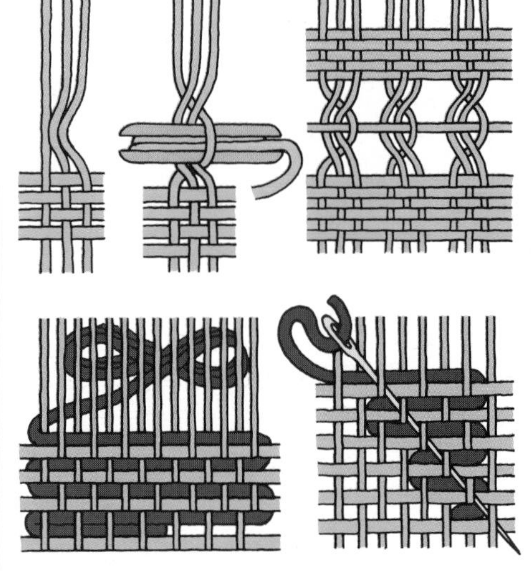

Les duites gaze. Changez de foule après une passée gauche-droite au point de toile. A la lisière droite, amenez deux fils de chaîne au-dessus du fil suivant et passez la navette comme indiqué ci-contre. Procédez de la même manière avec tous les groupes de 3 fils jusqu'à la lisière gauche et tassez fermement la passée. Reprenez le tissage de base en veillant à rétablir l'ordre exact de la chaîne. Uniformisez la hauteur des ajours.

Le motif. Passez une demi-duite de fond et tassez. Ne changez pas de foule. Comptez les fils de chaîne requis depuis la lisière (croquis). Doublez l'extrémité du fil noir comme pour commencer un rajout (p. 172) et tissez en trame en suivant le croquis. Changez de foule, passez et tassez une autre demi-duite de fond, suivie d'une passée de fil noir. A la finition, rentrez le bout du fil noir sous la chaîne beige au dos du tapis.

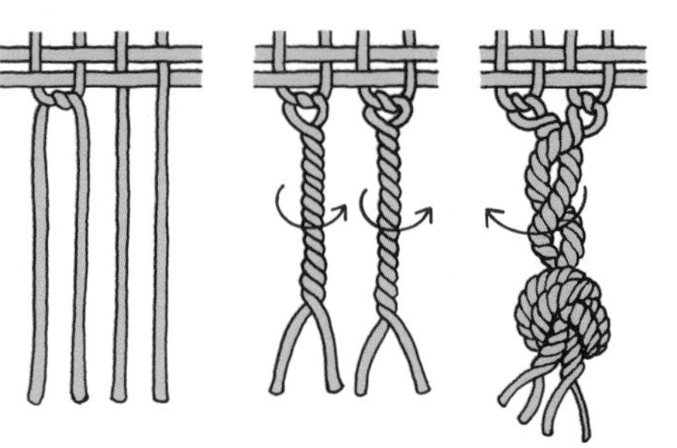

Les franges. Regroupez les fils de chaîne deux à deux par un demi-nœud (à gauche). Alignez les nœuds sur une droite que vous aurez tracée sur le cadre (p. 173). Torsadez chaque paire de fils en tournant dans le sens indiqué. Réunissez les torsades deux par deux et torsadez en sens inverse. Faites un nœud à plein poing à 2½ po du bord de la trame. Laissez les fils pendre librement au-dessous du nœud.

Le leno rehaussé se tisse en intercalant des passées au point de gaze dans une armure toile classique. Ce tapis mural de 8½ po sur 17, tissé sur un métier à peigne rigide, illustre cette technique.

Le leno, ou point de gaze, se fait en torsadant à la main les fils de chaîne pour obtenir des ajours, soit d'une lisière à l'autre, soit sur une partie de la passée. Cette torsion renforce la contexture des napperons, des rideaux et de divers accessoires vestimentaires. Les fils de chaîne peuvent être torsadés un à un, deux à deux ou même trois à trois. Ici, les fils sont disposés deux dessus et un dessous, sauf les deux derniers.

Le point de gaze tire sur les lisières. Faites des passées en diagonale et évitez de trop tendre le fil de trame. La chaîne reprendra sa position normale à la demi-duite suivante.

Rehaussez ensuite le tissu avec un fil de texture ou de couleur différente des duites voisines. C'est ainsi qu'on réalisera le motif illustré ci-dessus.

Bobinez une échevette de fil (p. 168). Si les diverses parties du motif sont très rapprochées, laissez pendre l'échevette à l'envers du tissu. Si elles sont séparées de plus de ½ po, comme dans le haut du motif ci-dessus, préparez une échevette pour chaque partie différente.

Fournitures. La réalisation de ce magnifique tapis mural, malgré la richesse de son motif, est très économique. Il vous faudra 4½ oz de coton retors beige à 8 brins pour la trame et pour la chaîne, et une petite longueur de coton à broder noir pour le motif rehaussé. Tissez les amorces au coton retors blanc et finissez le haut du tapis avec un fil à coudre en coton retors beige. Procurez-vous une baguette de bois de ¼ po de diamètre et longue de 1 pi ; elle servira à accrocher le tapis.

Métier. Employez un métier à peigne rigide ou, à défaut, le cadre à tisser décrit à la page 176, en prenant soin de tendre la chaîne fortement et uniformément. Munissez-vous aussi de fiches à ourdir mobiles, d'une navette à tapis et d'une aiguille à tapisserie.

Contexture. Ourdissez une chaîne de 80 fils longs de 40 po (voir p. 169). La chaîne est large de 10 po. La trame a la même densité, soit 8 fils au pouce.

Finition. Tendez le tapis sur un cadre et mettez-le en forme comme indiqué à la page 173. Finissez le haut et le bas (voir page de droite). Enlevez le ruban adhésif tenant la baguette et collez sur celle-ci les fils de chaîne de la lisière. Coupez les extrémités en laissant dépasser ⅜ po de chaque lisière.

Réalisation du tapis mural

Préparez le métier comme expliqué aux pages 170 et 171. Attachez les baguettes d'encroix devant le peigne. La cordelette entourant le cadre du peigne servira à centrer la chaîne.

Rentrez les fils de chaîne dans le peigne d'avant en arrière et attachez-les au verdillon arrière. Enroulez la chaîne en intercalant du papier journal entre les spires de fils.

Le peigne rigide. Tassez la première passée de fil de fond au moyen du peigne rigide. Tenez le cadre à deux mains de façon qu'il soit toujours parallèle aux duites (flèche).

Formez la première foule (ci-dessus) en plaçant le peigne dans les encoches supérieures. Pour la deuxième foule, posez le peigne dans les encoches inférieures du cadre.

Le point de gaze. Les ajours formés au point de gaze vont d'une lisière à l'autre. Faites la passée en oblique pour ne pas trop tirer sur la chaîne aux lisières.

Après la passée au point de gaze, tissez plusieurs duites en armure toile, puis réglez la hauteur de la demi-duite gaze de manière que tous les ajours soient égaux.

Rehaussez le tracé du motif au fil noir en le passant entre les fils de trame formant le fond. Les bouts de fil noir dépassant au dos du tapis seront dissimulés ultérieurement à l'arrière de l'armure.

La baguette. Glissez la baguette entre les fils de chaîne comme pour une passée normale (voir page ci-contre). Fixez provisoirement les extrémités de la baguette au ruban adhésif.

Démontez le tapis du métier en coupant la chaîne aussi près que possible des nœuds du verdillon arrière. Déroulez le tapis de l'ensouple et dénouez les fils de chaîne.

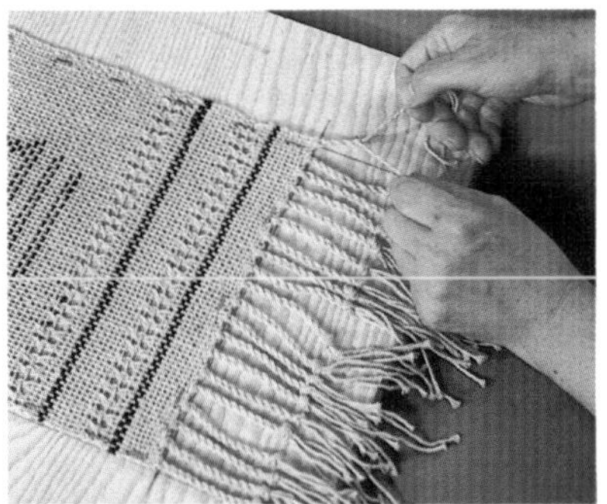

La frange. Découpez la trame d'amorce au bas du tapis et torsadez les brins de la frange (page de gauche). Egalisez la longueur de la frange en coupant les brins sous les nœuds.

Reprisage du fil noir. Passez une aiguille au dos du tapis sous les fils beiges compris dans le motif rehaussé. Enfilez ensuite le fil noir sur l'aiguille, puis rentrez-le.

Finition du haut. Surfilez les deux derniers fils de trame avec un fil beige (p. 173). Enlevez l'amorce et coupez la chaîne à ¼ po du surfilage. Retournez et ourlez, tel qu'illustré.

Tissage / projet

Un poncho ruana sur un métier à quatre lames

Le poncho ruana traditionnel se porte croisé sur le devant. La femme élégante préférera sans doute draper l'un des pans par-dessus l'épaule opposée (voir l'esquisse ci-dessus, à droite). Faites un premier essayage avant de finir la couture du dos. Ajustez l'avant et l'arrière au même niveau avant de finir la couture que vous arrêterez par un nœud solide.

Sergé à chevrons. La façon de lire le croquis d'armure de ce sergé à opposition de liage est expliquée à la page 175. L'angle des chevrons du tissu fini (gros plan) est d'environ 45 degrés, mais il varie selon que le tisserand rabat le battant avec plus ou moins de force sur les duites.

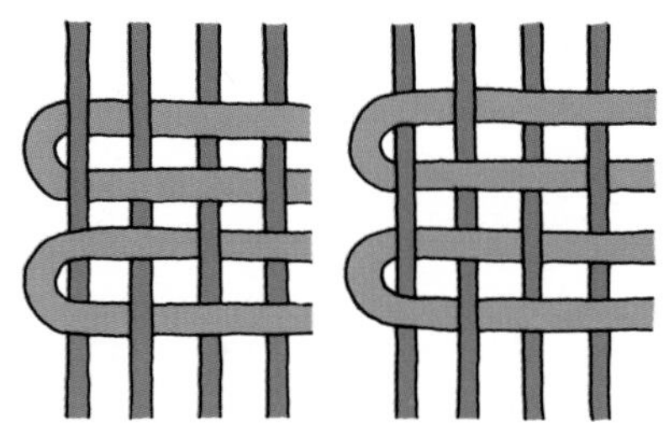

Ce défaut à la lisière est fréquent avec le sergé à chevrons : la duite ne contourne pas le dernier fil de chaîne (à gauche). Pour éviter ce problème, changez de foule avant de passer la navette en sens inverse en contournant le fil de chaîne de chaque côté de l'ouvrage, comme illustré ci-dessus, à droite.

La couture dans le dos. Posez les deux pièces côte à côte en les ajustant soigneusement. Montez une aiguillée de fil dans le même coloris que la chaîne. Posez un point à la frange et faites un nœud à plein poing (p. 173), puis assemblez en alternant les points d'une lisière à l'autre. Faites un autre nœud en haut.

Le poncho ruana, d'origine sud-américaine, est l'accessoire idéal des fraîches soirées d'automne et de printemps. Il peut être utile à l'intérieur l'hiver. Au contraire du châle, le poncho ne glisse pas des épaules et il laisse les mains libres. Sa conception est simple : deux pièces identiques de tissu de laine cousues lisière à lisière dans le dos. Chacune des pièces mesure 16 po de large et 60 po de long ; elles se tissent sur une même chaîne ininterrompue.

Métier. L'armure chevron est un sergé que l'on réalise sur un métier de basse lisse à quatre lames offrant une profondeur de travail d'au moins 18 po. Il vous faudra aussi un cadre d'ourdissage, un râteau, une navette à canette et une aiguille à tapisserie.

Fournitures. Pour la trame, procurez-vous 14 oz de laine filée à la main, dans un ton olive foncé, et doublée pour donner une texture plus riche. La chaîne est réalisée avec trois fils de laine à tapis à 4 brins : 2 oz en jaune paille, 8 oz en jaune d'or, 6 oz en bronze doré, et 3 oz de laine olive filée à la main. Les amorces seront tissées avec des chutes de la même grosseur que les fils de la trame.

La chaîne, longue de 164 po, large de 18 po, compte 144 fils, soit 8 fils au pouce. Disposez les coloris de la chaîne comme suit : 8 fils jaune paille, 4 jaune d'or, 4 jaune paille, 48 jaune d'or, 8 olive, 4 bronze doré, 4 jaune d'or, 8 olive, 8 bronze doré, 4 olive, 4 jaune d'or, 12 bronze doré, 4 jaune d'or et 24 fils bronze doré.

La trame est formée de 10 fils au pouce. Si la laine est en écheveaux, dévidez ceux-ci pour faire des pelotes (p. 168) avant de commencer à caneter. Prenez deux pelotes (ou deux bobines selon le cas) et préparez les canettes de fil doublé pour votre navette (p. 168). Au tissage, faites vos passées en diagonale comme expliqué à la page 172.

Conseils pratiques. Ourdissez la chaîne et dressez le métier comme illustré à la page de droite ; vous trouverez plus de détails aux pages 169 à 171. Au fur et à mesure que le tissage progresse, enroulez le tissu sur l'ensouple avant en détendant la chaîne à l'ensouple porte-fils, puis retendez en tournant l'ensouple avant. N'éloignez pas trop les dernières duites du battant. Vérifiez à chaque fois la tension en palpant la chaîne de la paume. Si vous devez interrompre le tissage, arrêtez-vous après la fin d'une armure à répéter, afin que vous sachiez exactement où reprendre le travail.

Finition. Surfilez les deux fils de la dernière duite (p. 173) et laissez la chaîne en frange. Enlevez les amorces (page de droite) et lavez le tissu à l'eau tiède avec un savon et un adoucisseur. Laissez sécher et repassez à la vapeur.

Grâce à sa contexture, l'armure chevron à opposition de liage donne un tissu chaud. On peut aussi la tisser avec des fils plus souples pour faire une couverture de berceau. Pour réaliser une couverture ou un couvre-lit, tissez quatre pièces identiques avec un fil pelucheux plus épais.

Tissage du poncho

1. Faites une tresse avec la chaîne que vous aurez ourdie en séparant les nappes de fil toutes les verges avec un nœud de cordelette. Les coloris doivent être ourdis dans l'ordre.

2. Le tisserand monte les baguettes d'encroix (p. 170) et les suspend derrière le bâti central. Il peut alors couper les nœuds qui séparent les nappes à la croisure.

3. Centrez la chaîne sur le verdillon arrière et enroulez celui-ci sur l'ensouple. Répartissez ensuite les fils sur le râteau, à raison de huit fils entre chaque dent.

4. Pendant qu'un aide tient la chaîne devant le métier, le tisserand tourne l'ensouple porte-fils en intercalant des feuilles de papier journal entre les spires de fils (p. 171).

5. Le rentrage. Défaites un à un les nœuds coulants tenant les fils de chaîne que vous enfilez ensuite selon le schéma (page de gauche). Regroupez les fils par huit et nouez.

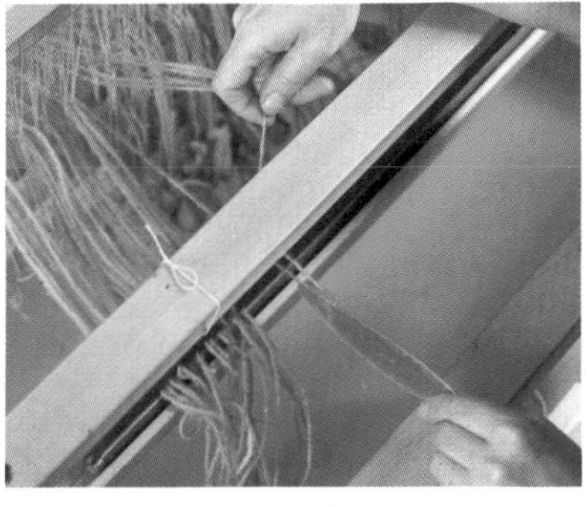

6. Défaites les nœuds un à un et enfilez la chaîne dans le battant au moyen de la passette (p. 171). Vérifiez l'ordre d'enfilage tous les huit fils de chaîne et refaites-le au besoin.

7. Le tisserand change de foule pour tisser l'amorce. Vérifiez l'armure et, au besoin, corrigez l'enfilage. Vérifiez aussi le contournement à la lisière (page de gauche).

8. Mettez le verdillon au niveau de la poitrinière avant de passer les duites de fil vert. Ici, le tisserand lance la navette de la main gauche et la reçoit dans la droite.

9. Le tisserand mesure le travail accompli à la lisière où il noue un ruban de couleur tous les 12 po. Le nombre de rubans visibles sur l'ensouple donne la longueur du tissu.

10. Lorsque la première moitié du poncho est terminée, tissez 1½ po d'amorce et laissez environ 5 po de chaîne libre avant de commencer à tisser la deuxième amorce.

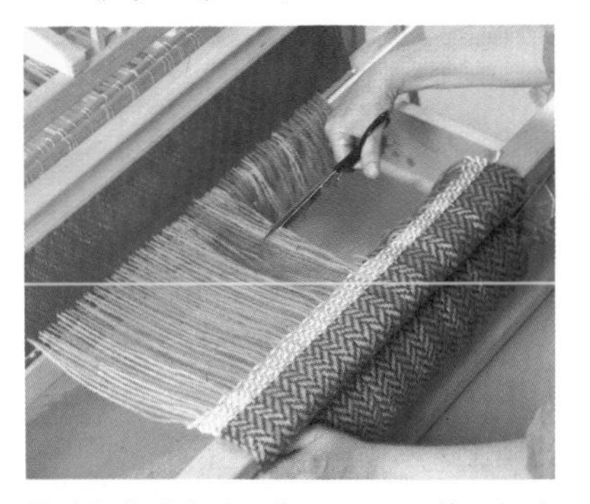

11. A la fin de la deuxième amorce, détendez la chaîne et coupez. Déroulez l'étoffe de l'ensouple avant et détachez-la du verdillon. Coupez la chaîne entre les deux moitiés.

12. Cousez les deux moitiés au dos (page de gauche) et surfilez aux extrémités (p. 173) avec du fil de trame doublé. Coupez les amorces tous les 5 po pour les enlever.

Batik et teinture par liens

Teinture par réserves

Les procédés de décoration des tissus appelés batik et teinture par liens sont apparus en Orient vers le VIe siècle de notre ère. Bien qu'on attribue l'invention du batik à plusieurs pays, c'est avec raison qu'on associe cette technique à la culture javanaise, puisque les Javanais en ont fait un art contemporain qui suscite l'admiration dans le monde entier. Quant à la teinture par liens, autre art populaire, elle aurait vraisemblablement évolué parallèlement en Inde, en Chine et au Japon.

Batik et teinture par liens font appel à une technique dite de réserve. Dans le batik, par exemple, on réserve à la cire les parties du tissu qu'on veut soustraire à l'action de la teinture. Pour appliquer cette cire, on emploie un petit outil typiquement javanais, le *tjanting* (prononcer « tchantigne »), qui permet de fins tracés sur le tissu. Puisque batik, en javanais, veut dire « écrire à la cire », on peut considérer le tjanting comme une sorte de plume. Toutefois, pour réserver de grandes surfaces ou des motifs pleins, on étale la cire à l'aide de pinceaux ou de brosses.

Dans la teinture par liens, c'est généralement avec des nœuds qu'on réserve le tissu, quoiqu'on obtienne plusieurs motifs en nouant certaines parties de celui-ci avec de la ficelle ou en les cousant. Dans le bain, le tissu ainsi réservé reste intact, tandis que le reste de la pièce s'imprègne de teinture. Le *tritik* (couture, en javanais) est de tous ces procédés le plus difficile à réussir ; avec de la pratique, cependant, on arrive à exécuter ainsi de tout petits ronds. En Inde, pour obtenir un tel effet, on pique dans le tissu des grains de riz ou des clous qu'on « scelle » ensuite en cousant tout autour. Après le bain de teinture, on retire les fils. Dans certains tissus indiens, on peut compter jusqu'à 30 cercles dans un seul pouce carré !

Tissus, cires et teintures

Les fibres textiles se divisent en deux catégories : les fibres naturelles et les fibres synthétiques. Par ailleurs, les fibres naturelles se subdivisent en fibres cellulosiques (végétales) et en fibres protéiniques (animales).

Le coton, le lin et la rayonne de viscose sont des fibres cellulosiques ; la soie et la laine, des fibres protéiniques. Toutes conviennent au batik, quoique les procédés de teinture varieront selon la matière textile, certaines teintures prenant mieux sur des fibres cellulosiques et d'autres sur des fibres protéiniques.

Par contre, les fibres synthétiques, difficiles à teindre, ne sont pas recommandées en batik. Certains tissus, comme les soies très fines et les laines très épaisses, posent des problèmes particuliers. Ainsi, la cire a tendance à passer à travers la soie fine sans adhérer aux fibres, tandis qu'elle pénètre difficilement dans la laine épaisse. Notons aussi que les tissus peluchés, comme le velours, se travaillent mal.

On recommande aux débutants de s'initier au batik sur du coton souple ; ainsi, des chutes de vieux draps leur fourniront un tissu doux et serré qui prend très bien la cire et la teinture, ainsi que les teintures chimiques les plus courantes.

Décatissage. On empèse souvent le tissu neuf pour lui donner un aspect plus lustré. Avant de le travailler au batik, il faut donc le décatir, c'est-à-dire lui enlever son apprêt en le lavant une ou plusieurs fois dans de l'eau chaude savonneuse. Le tissu est ensuite rincé, séché et, s'il y a lieu, repassé.

Cadre. Le batik s'exécute sur un cadre. Il s'en trouve de tout faits dans le commerce, mais vous pouvez vous en fabriquer un ou employer un vieil encadrement de tableau. Tendez fermement le tissu sur le cadre et fixez-le en posant des punaises dans l'ordre indiqué sur

Les coloris riches et subtils du batik sont bien mis en valeur dans ce splendide détail d'une murale javanaise. Les Javanais sont passés maîtres dans cet art.

l'illustration ci-dessous. S'il en faut davantage, continuez d'en poser en les répartissant comme dans le diagramme pour que la tension soit uniforme.

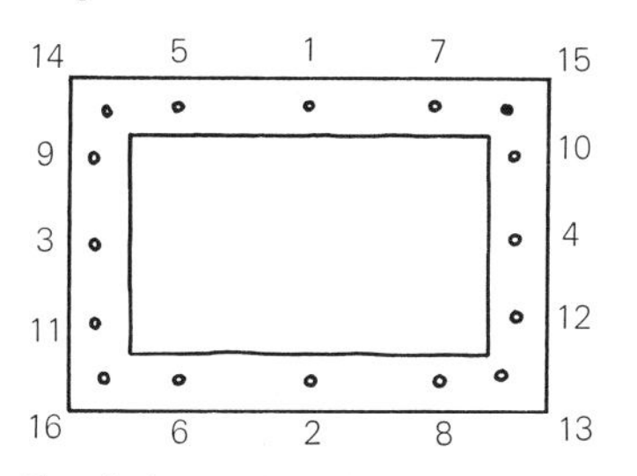

Fixez le tissu sur le cadre dans cet ordre.

Tracé du motif. Lorsque le tissu est bien tendu, on procède au tracé du motif à l'aide d'un fusain. Pour les tissus fins et transparents, dessinez-le d'abord sur du papier en faisant des traits épais et foncés, puis épinglez l'étoffe sur celui-ci et reproduisez le motif. Pour les tissus épais, dessinez le motif sur du carton; découpez-le ensuite soigneusement, puis posez-le sur le tissu et reproduisez-en le contour au fusain.

Réserve à la cire. Le dessin ayant été reproduit sur le tissu, recouvrez de cire, avant le premier bain de teinture, les parties du motif qui doivent demeurer intactes (voir p. 188).

Après ce bain, enlevez la cire en faisant bouillir la pièce ou en la repassant au fer chaud. Recouvrez ensuite de cire les parties à réserver avant le second bain de teinture et continuez de la sorte jusqu'à ce que le dernier bain de teinture soit complété.

Voilà la façon traditionnelle d'exécuter un batik. Ce procédé donne des contrastes vifs, des couleurs bien délimitées. Cependant, l'élimination de la cire après chaque bain de teinture est une opération longue et fastidieuse. Aussi avons-nous choisi de décrire dans les pages qui suivent une méthode plus simple et plus rapide. Les couches de cire appliquées entre les bains de teinture sont éliminées toutes en même temps, à la fin du travail. Non moins traditionnel que le précédent, ce procédé donne des coloris plus assourdis.

Pour obtenir les effets de craquelures si caractéristiques du batik, enduisez le tissu de cire, puis, lorsque celle-ci s'est solidifiée, chiffonnez-le. Vous obtiendrez les mêmes résultats, mais avec plus de précision, en utilisant un stylet métallique pour ôter la cire là où vous voulez. La cire en se craquelant permet à la teinture de fuser au travers du tissu. Si votre motif exige plusieurs bains de teinture, vous devrez recouvrir de cire toutes ces craquelures après le premier bain pour leur conserver leur couleur.

Mélanges de cire. La cire à batik est un mélange de cire d'abeille et de paraffine; les proportions varient et chaque artiste dose ces éléments selon ses préférences. On peut dire cependant que plus le mélange contient de cire d'abeille, moins il est dur et moins il se craquelle. Inversement, plus il renferme de paraffine, plus il est dur et plus il se craquelle facilement. Comme la paraffine à l'état pur ne craquelle pas mais s'effrite, il faut toujours lui ajouter de la cire d'abeille. Pour chaque livre (environ 500 g) de paraffine, calculez 5 cuillerées à soupe (75 ml) de cire d'abeille et vous aurez une cire qui se travaille bien, mais n'en mettez que 2 ou 3 cuillerées à soupe (30 ou 45 ml) pour la même quantité si vous voulez obtenir un nombre important de craquelures.

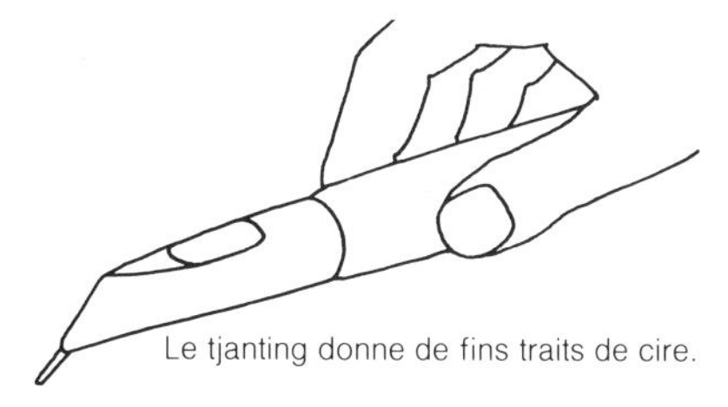

Le tjanting donne de fins traits de cire.

Température de la cire. La température de la cire fondue doit être d'environ 77°C. Quelques degrés en plus ou en moins sont admissibles. Cependant, si la cire est trop froide, elle n'imbibera pas complètement le tissu; si elle est trop chaude, elle le traversera sans adhérer aux fibres.

Application de la cire. Pour appliquer la cire, on se sert d'un tjanting, de *tjaps* (prononcer « tchops »), de pinceaux ou de brosses.

Le tjanting consiste en un petit réservoir métallique à canule fixé à un manche en bois. Pour le remplir, on le plonge dans la cire chaude. On se sert du tjanting pour faire les tracés fins; pour les motifs pleins, il faut utiliser un pinceau. Les plus appréciés sont les pinceaux en poil de martre ou ceux dont les Japonais se servent pour écrire. Ils sont tous les deux faciles à manier. Les premiers coûtent plus cher que les seconds, mais ils durent plus longtemps. Quand vous avez fini d'utiliser un pinceau, lissez ses poils avant de le laisser sécher. La cire qui imprègne les poils fondra au prochain exercice.

Comme la cire refroidit plus vite sur un pinceau que dans un tjanting, faites-lui prendre quelques degrés de plus quand vous utilisez ce procédé.

Les tjaps sont des tampons d'usage traditionnel en Indonésie. Ils se composent d'une plaque de métal fixée à une poignée en bois. On en trouve de différents motifs dans les boutiques spécialisées. Pour utiliser le tjap de son choix, il suffit de le plonger dans la cire chaude, puis de l'appuyer sur le tissu. On peut répéter le même motif sur toute la pièce, ou utiliser plusieurs tjaps et associer divers motifs.

Des clous, des écrous, des boulons, des vis, des pièces de monnaie, des dés à coudre et des emporte-pièce peuvent aussi tenir lieu de tampons.

Bain de couleur. Les coloris de la pièce dépendent de la nature de la teinture et de la quantité utilisée, du tissu, de son épaisseur et de la durée du bain. Nous parlons des teintures chimiques ci-dessous et des teintures naturelles dans les textes explicatifs accompagnant les projets.

Il existe plusieurs sortes de teintures chimiques. Celles qu'on appelle teintures à batik sont composées en fonction des diverses fibres et s'appliquent au moyen d'un bain froid; un bain chaud ferait évidemment fondre la cire.

Ces teintures donnent des coloris vifs qui ne coulent pas. Elles ne conviennent pas, cependant, aux fibres synthétiques. Il est important de suivre fidèlement les instructions du fabricant; on vous dira, par exemple, combien de colorant utiliser par verge ou par livre (environ 500 g) de tissu. En augmentant légèrement les quantités, vous obtiendrez des coloris plus foncés; en les diminuant, des coloris plus pâles. Toutefois, si vous utilisez trop de teinture, la pièce risque de sortir bariolée du bain.

La superposition des coloris par immersions successives entraîne aussi certains problèmes. Pour réussir votre pièce, allez toujours du pâle au foncé et choisissez des coloris qui se mélangent bien. Supposons que vous commenciez par du jaune; si le second bain est bleu, la superposition des deux coloris donnera du vert. Un dernier bain rouge vous donnera par superposition des parties orange, pourpres et brunes (voir *Couleur et motif,* pp. 86-87).

La teinture étant un art plutôt qu'une science, vous devrez multiplier les expériences avec divers tissus et teintures avant d'obtenir les coloris que vous avez en tête. Notons enfin que les teintures naturelles exigent toujours un mordançage des tissus avant le bain (voir p. 189).

Température des bains. Lorsque vous utilisez des colorants qui doivent être dissous dans de l'eau chaude, laissez le bain descendre à 43°C avant d'y plonger le tissu enduit de cire; des températures supérieures risqueraient de faire fondre celle-ci.

Batik et teinture par liens

Réserve à la cire, teinture et repassage

Les vignettes ci-dessous illustrent les procédés de réserve à la cire et de teinture, ainsi que l'ordre dans lequel ils doivent être exécutés. A gauche, on voit la pièce terminée et le code-couleurs des opérations.

Commencez par laver et rincer le tissu pour lui enlever son apprêt. Quand il est sec, fixez-le à un cadre (voir illustration, p. 187). Dessinez votre motif sur du papier et reproduisez-le sur l'étoffe (voir p. 187).

Les teintures pâles précèdent toujours les teintures foncées. Réservez d'abord le vase à la cire, puisque celui-ci doit rester de la couleur de l'étoffe. Les tissus à batik, en général non blanchis, sont de teinte blanc cassé. C'est la couleur qu'aura le vase quand le travail sera terminé. Si vous utilisez du coton et des teintures naturelles, n'oubliez pas de mordancer l'étoffe (voir p. 189).

La dernière étape, qui n'est pas illustrée ici, est celle du repassage. Faites d'abord sécher l'étoffe, puis placez-la entre deux couches de serviettes de papier ou de vieux journaux. N'utilisez pas de papier journal imprimé en couleurs ou des journaux récents: leur encre déteindrait sur le tissu et le tacherait.

Réglez le fer à sec (sans vapeur) et choisissez au thermostat le degré juste en dessous de celui recommandé pour l'étoffe. La mousseline se traite comme la laine. La chaleur du fer fera fondre la cire qui pénétrera dans les papiers. Changez-les souvent pour qu'ils absorbent bien la cire. Vous ne réussirez pas à l'enlever entièrement, mais pour certains articles — tentures, murales —, l'effet obtenu n'en sera que plus frappant. Toutefois, s'il s'agit de foulards, de blouses ou autres vêtements, faites-les nettoyer à sec chez le teinturier.

Il arrive qu'après le repassage on voie apparaître des cernes sombres sur le tissu. Dans ces cas, c'est que la cire a coulé en fondant sur les parties non réservées et les a tachées. Si ces cernes vous déplaisent, vous pouvez recouvrir la pièce entière de cire avant de la repasser. Ainsi, si en fondant celle-ci entraîne de la teinture, le résultat de ce coulage vous donnera au moins un fond uniforme. Toutefois, vous pouvez aussi envoyer la pièce subir un nettoyage à sec.

Ce motif simplifié de batik exige les réserves à la cire et les bains de teinture illustrés à droite. Ce sont les opérations fondamentales de tout projet de batik.

1. Enduisez le vase de cire fondue (1, à gauche), à l'aide d'une brosse.

2. Enlevez le cadre, puis plongez la pièce dans un bain de teinture grise.

3. Tendez le tissu sec sur le cadre; réservez l'arrière-plan (2) à la cire.

4. Plongez la pièce dans un bain de teinture bleu clair.

5. Tendez le tissu sec sur le cadre; réservez à la cire les pétales (3).

6. Après le bain bleu foncé, faites sécher; ôtez toute la cire au fer.

Batik et teinture par liens/projet

Batik teint à la pelure d'oignon et à la cochenille

Pour ce projet, on a choisi de la mousseline de coton non blanchie. Les teintures sont naturelles : pelures d'oignon pour le jaune ; cochenille, substance rouge fournie par des insectes appelés cochenilles, pour le marron.

Mordançage. Les cotons, y compris la mousseline, doivent subir un traitement spécial avant de pouvoir absorber les teintures naturelles. (Vous pouvez cependant utiliser des teintures chimiques qui n'exigent aucun mordant ; dans ce cas, suivez attentivement les instructions du fabricant.) Il existe deux types de mordançage : un long et un court. Le premier demande beaucoup de temps, mais le second donne des coloris plus fades. Exécutez toutes les opérations décrites ci-dessous pour le premier procédé, et les opérations 1 à 3 pour le mordançage court.

1. Lavez et rincez la mousseline plusieurs fois pour enlever l'apprêt.

2. Pour chaque livre (500 g) de coton, faites dissoudre dans une quantité suffisante d'eau 4 oz (100 g) d'alun et 1 oz (25 g) de carbonate de soude.

3. Faites mijoter le tissu 1 heure environ dans cette solution ; laissez le tissu y refroidir de 12 à 24 heures, puis retirez-le et rincez-le.

4. Préparez un autre bain avec 1 oz (25 g) d'acide tannique par livre (500 g) de tissu dans autant d'eau qu'en 2.

5. Faites comme en 3.

6. Répétez les étapes 2 et 3. Rincez le tissu parfaitement et laissez-le sécher avant de le teindre.

Teintures. Utilisez deux poignées de pelures d'oignon par pinte (ou litre) d'eau et assez d'eau pour que le tissu y baigne librement. La cochenille est un colorant très concentré ; employez-en 1 cuillerée à thé (5 ml) par pinte (ou litre) d'eau. Mouillez toujours les tissus avant de les plonger dans le bain.

Vous pouvez agrandir le motif de droite aux dimensions que vous voulez (voir *Dessin,* p. 78).

Pour agrandir ce motif, voir la rubrique *Dessin,* p. 78.

1. Après le mordançage, préparez la teinture jaune (voir à gauche). Laissez mijoter le tissu dans le bain pendant 1 h.

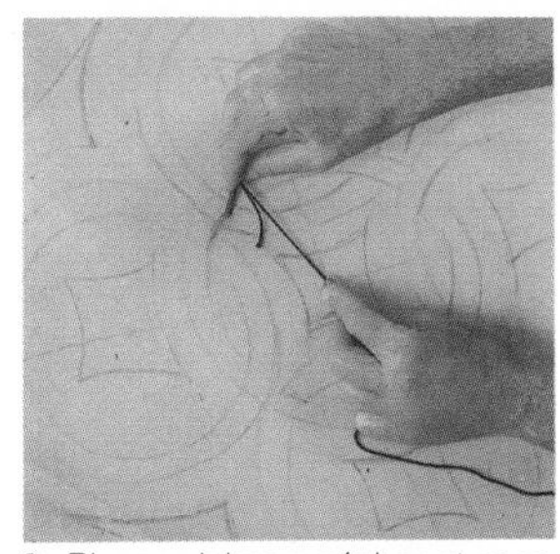

2. Rincez, laissez sécher et montez sur cadre. Tracez le motif au fusain. Pour les cercles, le crayon attaché à la ficelle sert de compas.

3. Avec un pinceau en poil de martre, réservez à la cire chaude les cercles, les losanges et les quatre triangles extérieurs.

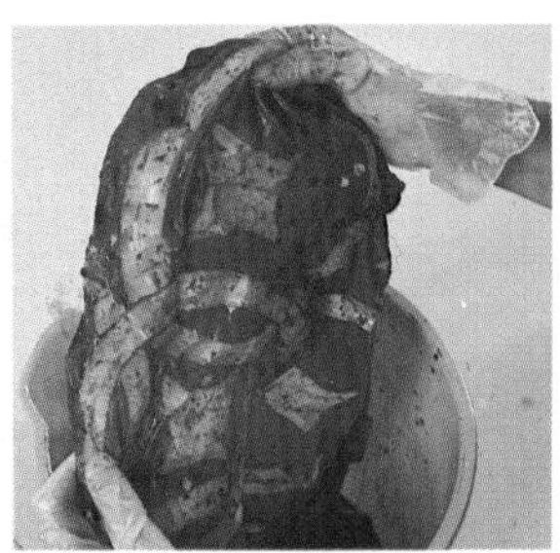

4. Préparez 2 pte (2 L) de teinture marron (voir à gauche). Mélangez, laissez reposer, puis faites-y tremper le tissu 12 h environ.

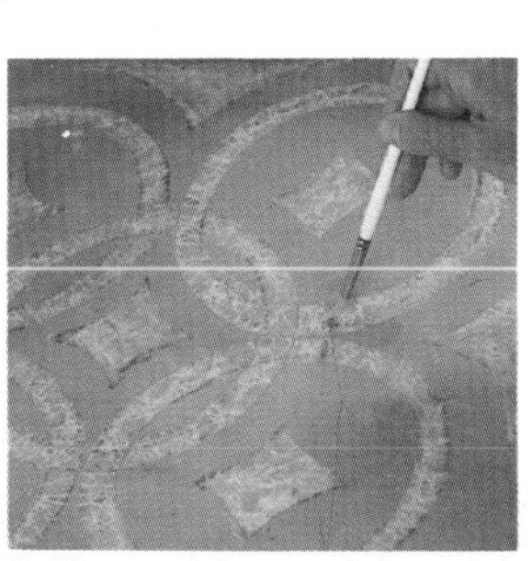

5. Rincez, laissez sécher, puis montez sur un cadre. Remettez de la cire comme à l'étape 3 : les craquelures resteront marron clair.

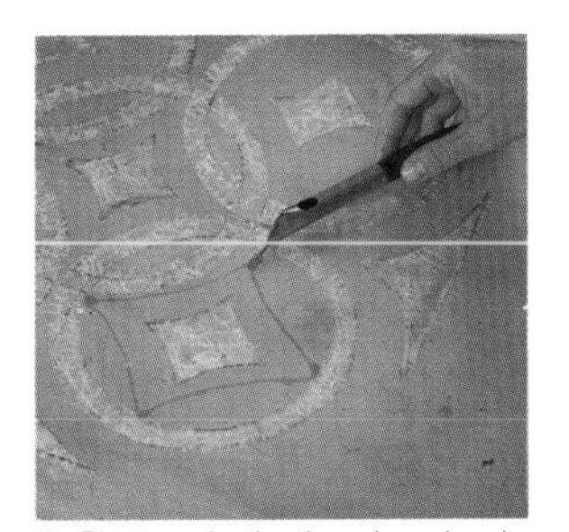

6. Plongez le tjanting dans la cire chaude. Protégez le travail avec du papier, puis dessinez les traits les plus fins.

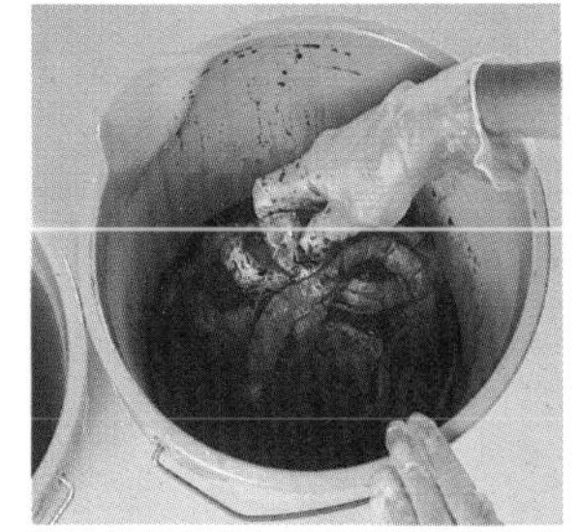

7. Plongez la pièce dans le bain marron comme à l'étape 4. Après 12 h de trempage, retirez le tissu et rincez-le parfaitement.

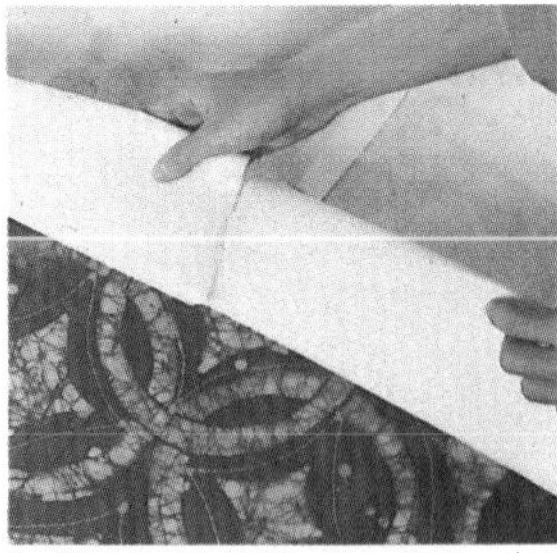

8. Placez le tissu sec entre des couches de serviettes de papier ou de vieux journaux. Enlevez toute la cire avec un fer chaud (p. 188).

Batik et teinture par liens / projet

Batik avec teintures à base de curcuma, de cochenille et de bois de campêche

Le motif floral du panneau mural ci-dessous peut paraître complexe au premier abord ; en réalité, il présente peu de difficultés et vous pouvez en modifier le dessin et les coloris. Ne vous en faites pas si vous laissez tomber un peu de cire sur le tissu. Ces petites maladresses donnent à votre travail une touche de spontanéité charmante.

Les teintures que nous vous suggérons d'utiliser ici sont d'origine végétale ; rien ne vous empêche cependant d'employer des teintures chimiques. Les teintures nécessaires à ce travail sont, dans l'ordre dans lequel on les utilise, des extraits de curcuma (teintes de jaune), une plante ; de cochenille (teintes de rouge), un insecte ; et de bois de campêche (teintes de bleu). Pour la préparation de la teinture rouge, voir le projet précédent.

Mettez 8 oz (250 ml) d'extrait de campêche dans un sac d'étamine ; autant de curcuma, mais dans un sac plus grand car cette substance augmente de volume.

Voici le panneau mural terminé. Les petites vignettes à droite illustrent les trois principales étapes du travail. En mirant le panneau contre une source lumineuse, vous pouvez vérifier la qualité de l'application de la cire et du bain de teinture. La vignette du haut illustre le premier travail de réserve à la cire ; la suivante, le second travail de réserve et le bain de teinture. Dans la troisième, les parties recouvertes de cire sont rosâtres.

Pour agrandir le motif, voir la rubrique *Dessin*, p. 78.

Laissez tremper chaque sac dans environ 2 gal (10 L) d'eau chaude pendant 12 heures.

Faites bouillir le bain de curcuma environ 2 heures, celui de bois de campêche, 1 heure. Retirez les sacs quand les bains ont refroidi. Chaque bain suffit à teindre 1 lb (500 g) de coton.

Le tissu utilisé ici est de la mousseline non blanchie. Si vous employez des colorants naturels, le tissu doit recevoir un « mordant » (voir p. 189). Avec les colorants chimiques, cette opération n'est pas nécessaire. Pour teindre la mousseline, laissez-la tremper environ 12 heures dans le bain approprié. Avant d'utiliser le troisième bain, celui qui est à base de bois de campêche, ajoutez ¼ de cuillerée à thé (1 ml) de sulfate de cuivre pour obtenir un bleu plus foncé.

Pour modifier les dimensions du dessin illustré à la page 190, suivez les instructions données à la rubrique intitulée *Dessin,* page 78.

1. Après le bain de mordant, tendez la mousseline sur le cadre. Dessinez le motif au fusain.

2. Tracez tige et pétales à la cire avec le tjanting. Arrêtez le filet de cire avec une serviette de papier.

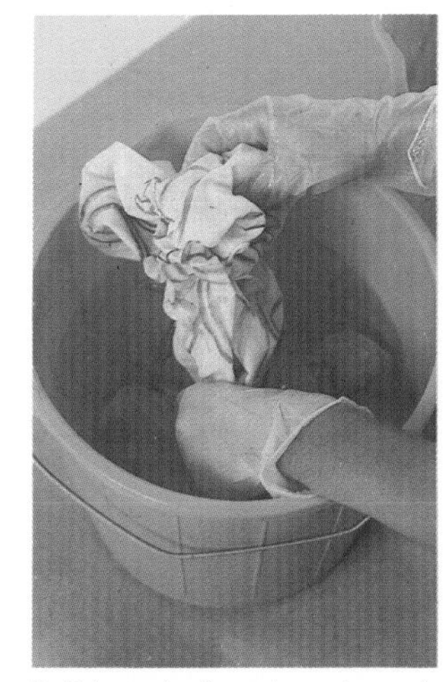

3. Enlevez le tissu du cadre, puis plongez-le dans de l'eau froide en prévision de la teinture.

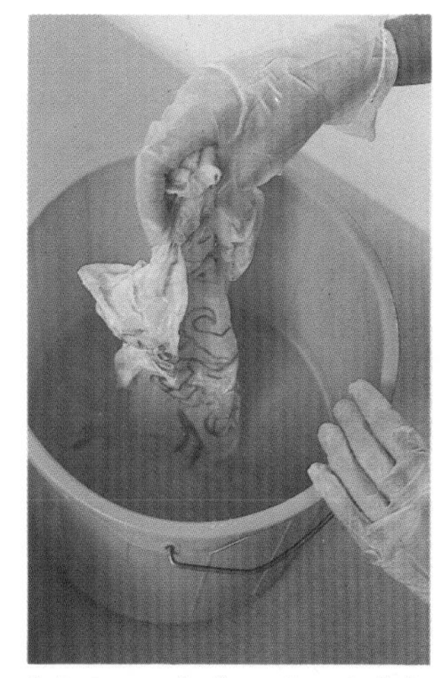

4. Immergez le tissu dans le bain jaune. Laissez tremper 12 h ; rincez et faites sécher.

5. Tendez le tissu sur le cadre. Enduisez de cire au pinceau les pétales qui doivent rester jaunes.

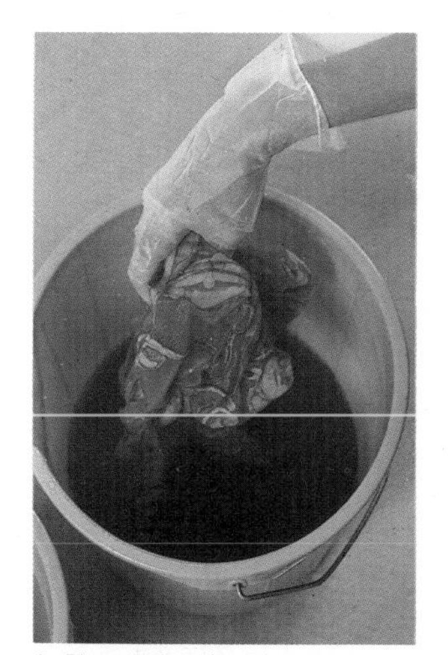

6. Plongez la pièce dans l'eau. Immergez dans le bain rouge pendant 12 h ; rincez et faites sécher.

7. Posez le tissu sur le cadre. Enduisez de cire les parties qui restent orange. Plongez la pièce dans l'eau.

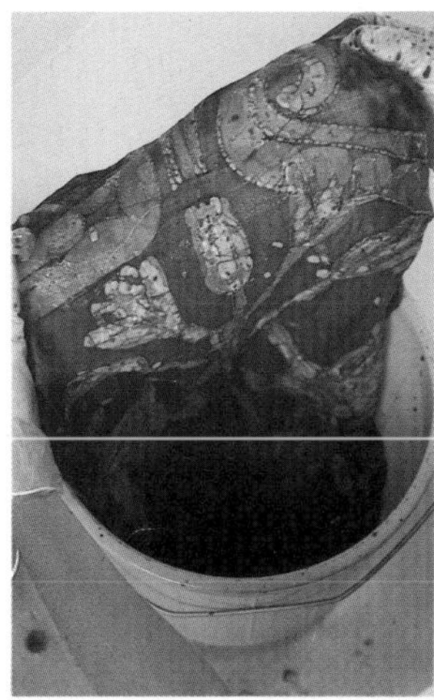

8. Immergez dans le bain bleu (campêche et sulfate de cuivre) pendant 12 h ; rincez et laissez sécher.

9. Etendez la pièce entre des serviettes de papier ou des pages de vieux journaux pour la repasser.

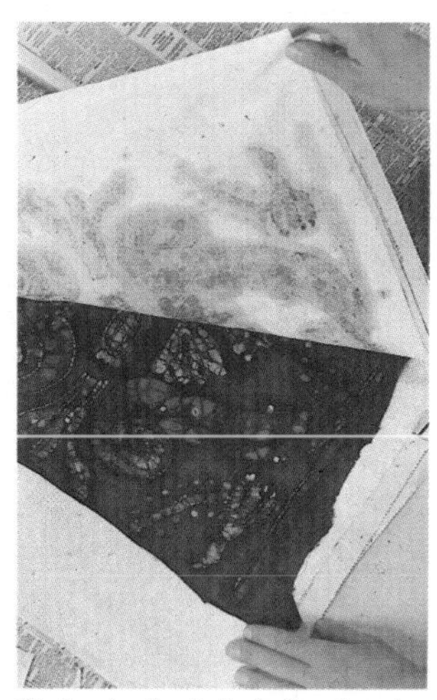

10. La cire fond et pénètre dans les deux couches de papier. Changez-les souvent.

Batik et teinture par liens

Techniques de la teinture par liens

La teinture par liens est un procédé simple qui consiste essentiellement à faire des nœuds ou à poser des liens dans le tissu aux endroits choisis. (La teinture par liens inclut aussi les réserves au fil.) Une fois que la pièce est teinte puis rincée, on retire les liens ou on défait les nœuds. Les parties liées ou nouées, non exposées à la teinture, demeurent de la couleur originale du tissu. On peut alors poser d'autres liens et refaire des teintures comme on l'a déjà décrit.

Le nombre de liens ainsi que les endroits où vous les placez sont laissés à votre discrétion. Les motifs n'ont pas besoin d'être aussi précis que dans le cas du batik. A dire vrai, une série de liens posés au hasard donnent souvent des résultats plus heureux qu'un modèle rigide auquel ce procédé convient mal.

C'est d'ailleurs à ce jeu du hasard que la teinture par liens doit une partie de son charme. D'un travail à l'autre, il est impossible de se répéter, quand bien même on le voudrait. Le tissu ne sera jamais lié ou noué deux fois de la même façon : les plis seront différents, la tension aussi.

Certains types de liens ont cependant été normalisés et donnent à peu près toujours les mêmes résultats. Nous les illustrons ici même, à droite. Vous pouvez cependant les modifier et les combiner au gré de votre fantaisie. Les possibilités sont d'ailleurs infinies. Exception faite du tritik (voir p. 194), l'improvisation est la règle de l'art dans la teinture par liens.

Les effets de teinture obtenus au moyen de liens ou de nœuds se réalisent mieux dans des tissus légers comme la soie non blanchie, le linon et diverses sortes de cotonnades. Comme c'est le cas pour le batik, il faut d'abord décatir le tissu, c'est-à-dire lui enlever son apprêt. Avec les teintures naturelles, il faut en plus mordancer les cotons (p. 189). Pour la mousseline de soie, employez le procédé décrit à la page 194.

La teinture par liens vous permet d'utiliser des bains de teinture chauds dans lesquels la cire du batik fondrait. Or, ces bains agissent beaucoup plus rapidement. Si vous utilisez des teintures chimiques, suivez les instructions du fabricant. Pour ce qui est des teintures naturelles, plongez l'étoffe dans le bain au moment où il commence à mijoter. La durée du bain varie selon le colorant employé, mais, en général, de 30 à 60 minutes suffisent.

Comme le batik, la teinture par liens permet de procéder par immersions successives (p. 187). Rincez le tissu après le premier bain ; enlevez ou gardez les liens, selon votre motif, et posez-en de nouveaux. Plongez la pièce dans le second bain et continuez de la sorte jusqu'à la fin.

Les photos et les dessins à droite illustrent différentes façons de plier, de nouer, d'attacher ou de coudre le tissu pour obtenir toutes sortes de figures géométriques. Les vignettes du haut montrent comment plier l'étoffe ; celles du milieu, comment l'attacher, la nouer ou la coudre. Dans les photos du bas, on voit les pièces teintes et dénouées.

Comme le tissu ne résiste pas uniformément à la teinture, les coloris sont nuancés plutôt que francs. Le nombre de plis façonnés dans l'étoffe détermine le nombre de motifs produits par un seul lien. Dans le panneau 2, par exemple, chacun des trois liens détermine plusieurs formes parce que l'étoffe a été au départ pliée en quatre. Le panneau 1 montre comment lier le tissu avec des nœuds ; le panneau 4, comment réaliser des motifs à l'aide de techniques de couture. Les vignettes à la droite de ce panneau illustrent comment poser un lien.

En guise de lien, on prend du fil, de la ficelle ou de la corde. La grosseur du lien importe peu, sauf dans les travaux délicats ou compliqués pour lesquels on utilise du fil ou de la ficelle fine.

Panneau 1

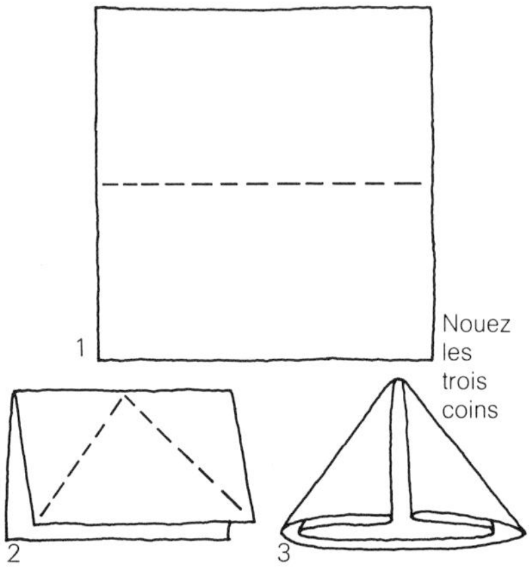

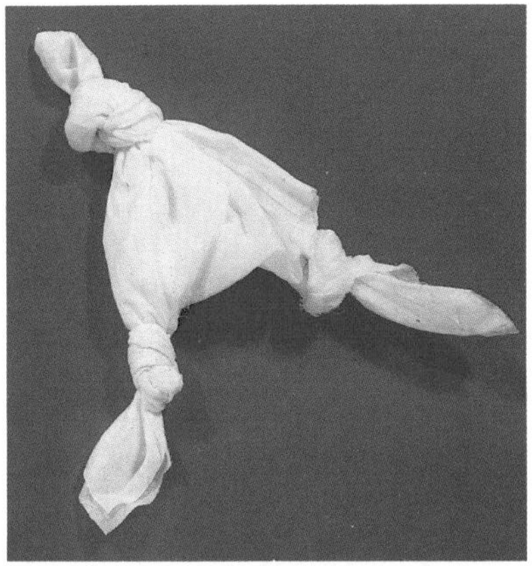

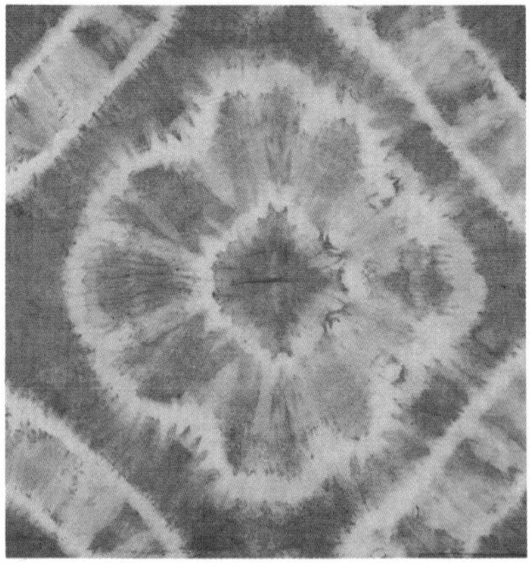

1

2

3 Nouez les trois coins

Panneau 2

1

2

3 Posez un lien aux X

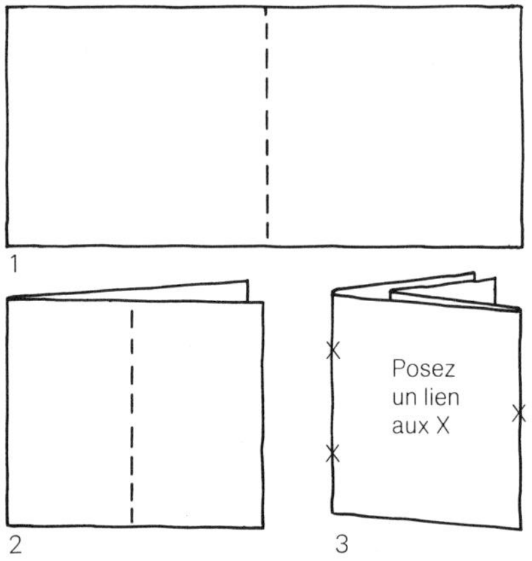

Panneau 3

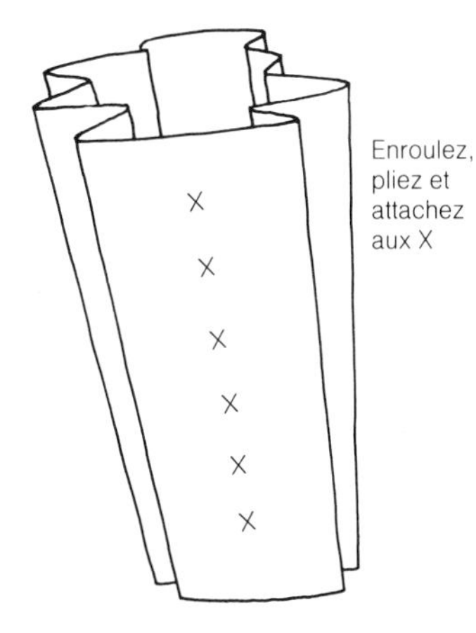

Panneau 4

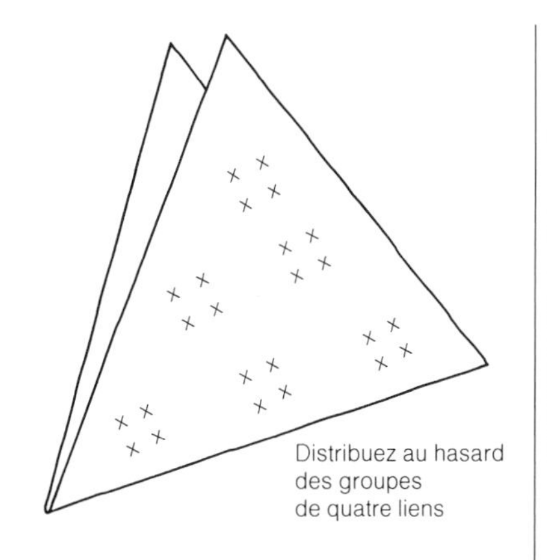

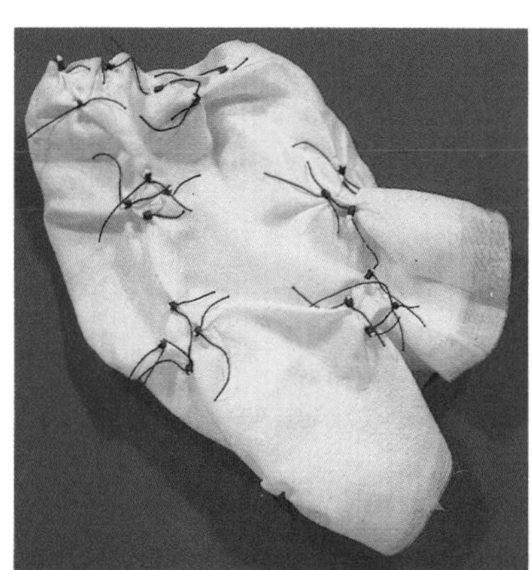

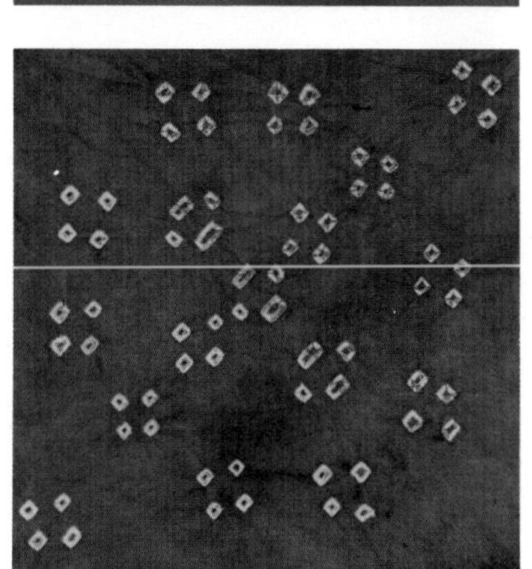

Comment poser un lien

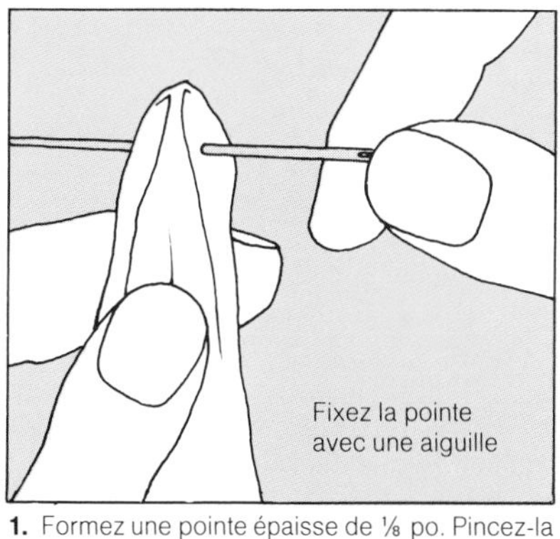

1. Formez une pointe épaisse de ⅛ po. Pincez-la entre le pouce et l'index à ¼ po du haut ; passez une aiguille au travers.

2. Prenez un fil de 4 à 5 po de long. Faites-y un nœud coulant, passez-le autour de la pointe et serrez bien.

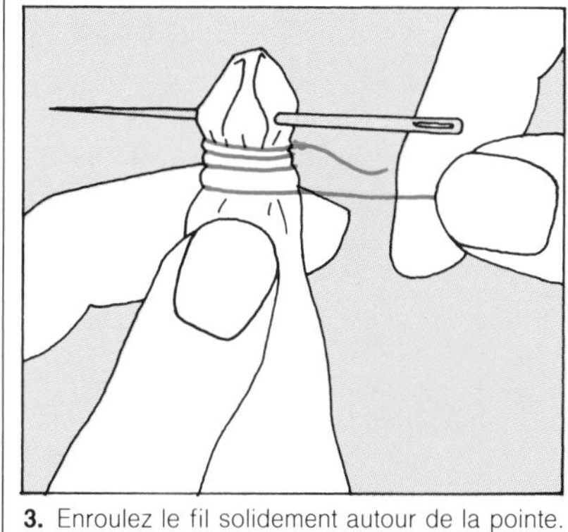

3. Enroulez le fil solidement autour de la pointe. La largeur de l'enroulement détermine le diamètre du motif.

4. Glissez le bout du fil sous la dernière spire et tirez. Le dernier tour de fil doit être bien serré, si l'on veut que les motifs soient nets.

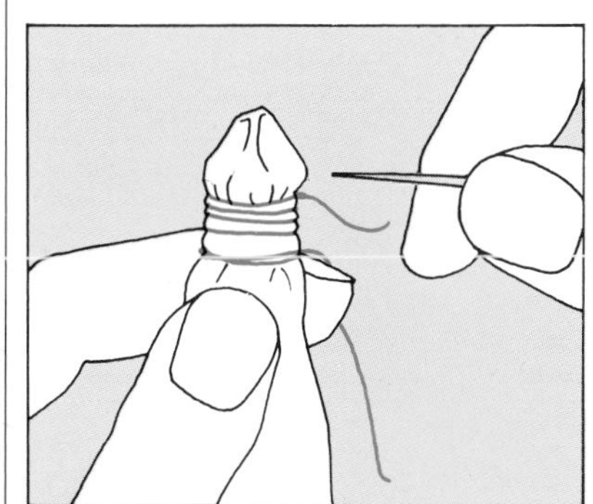

5. Retirez l'aiguille, coupez le fil en trop avec des ciseaux. Posez tous les liens avant de passer au bain de teinture.

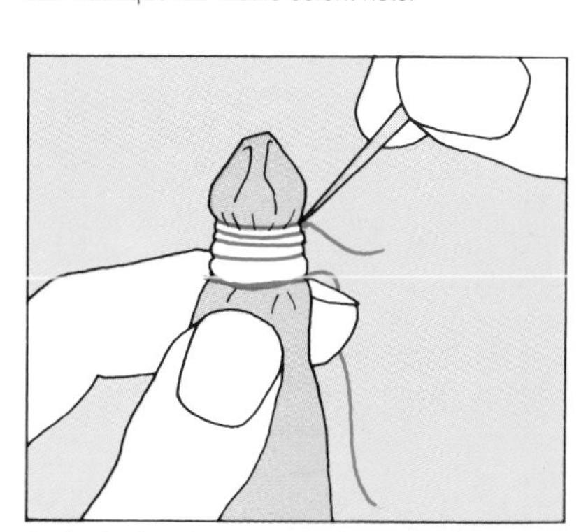

6. Après la teinture et le rinçage, dégagez le nœud coulant avec une aiguille. Otez le fil, laissez sécher la pièce, puis repassez-la.

Batik et teinture par liens/projets

Papillon en tritik

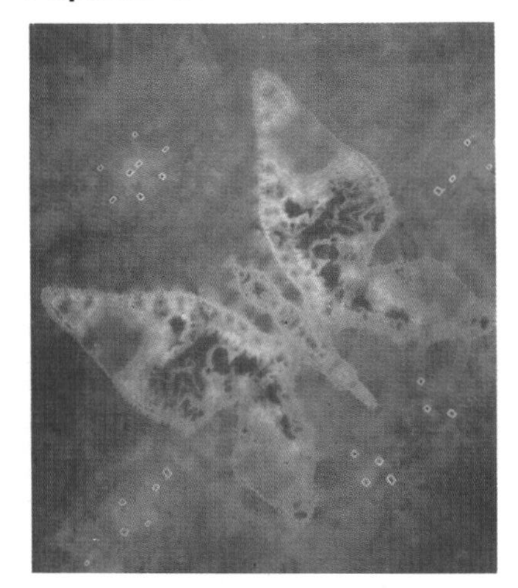

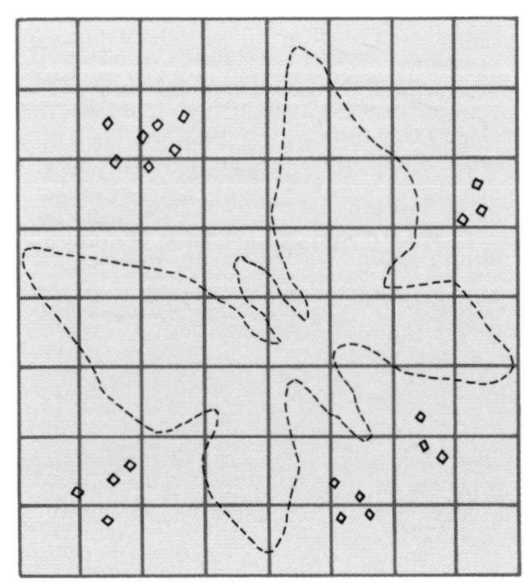

Pour agrandir ce motif, voir *Dessin,* p. 78.

Ce motif de papillon illustre la technique du tritik ou réserve cousue, communément utilisée dans la teinture par liens. Le motif est d'abord dessiné sur l'étoffe au fusain. Puis, avec une longue aiguille fine et du fil, on faufile le tracé. On tire ensuite sur les deux bouts du fil de manière à froncer le tissu, comme on l'illustre dans la quatrième vignette, ci-contre, à droite.

Prenez assez long de fil pour pouvoir faufiler tout le périmètre du motif avec un seul fil et sans que celui-ci sorte du chas de l'aiguille. Faites un nœud à l'extrémité du grand bout du fil pour éviter que les premiers points ne se défassent à mesure que vous avancez. A la fin du travail de faufilage, vous ferez un nœud à l'extrémité du petit bout après avoir retiré l'aiguille.

Le procédé du tritik convient surtout aux motifs simples et de bonne taille. Il s'emploie seul ou en combinaison avec d'autres procédés de teinture par liens, comme dans le projet décrit ici où le papillon en tritik est entouré de groupes de petits carrés exécutés selon la méthode décrite à la page 193.

Le tissu utilisé dans ce projet est une mousseline de soie, idéale pour faire un foulard. Si vous utilisez des teintures naturelles, il vous faudra d'abord mordancer la soie. Pour ce faire, versez assez d'eau dans un bassin pour que le tissu y baigne aisément, soit un minimum de 6 pte (7,5 L) pour chaque verge (ou mètre) de tissu. Faites-y dissoudre 3 cuillerées à soupe (45 ml) d'alun et 1 cuillerée à soupe (15 ml) de crème de tartre pour 6 pte (7,5 L) d'eau. Laissez mijoter la soie dans ce bain pendant 1 heure.

Après le mordançage, la durée du bain de teinture n'est que de 5 minutes. Si l'eau s'évaporait trop en mijotant, il vous faudrait en rajouter après l'étape 9 pour ramener le bain à son niveau premier. On peut substituer aux teintures naturelles des colorants chimiques qui ne requièrent pas de mordançage.

La pièce que vous obtiendrez ne sera pas une copie conforme de celle qui est illustrée ci-dessus, même si vous avez suivi scrupuleusement toutes les instructions. D'une fois à l'autre, en effet, il s'introduit des variantes dans la façon de coudre, de lier et de plier le tissu ou encore dans la force et la qualité des teintures naturelles. Votre objectif ne sera donc pas de copier exactement le travail illustré ici, mais de l'interpréter à votre guise, avec cette spontanéité qui fait le charme du tritik.

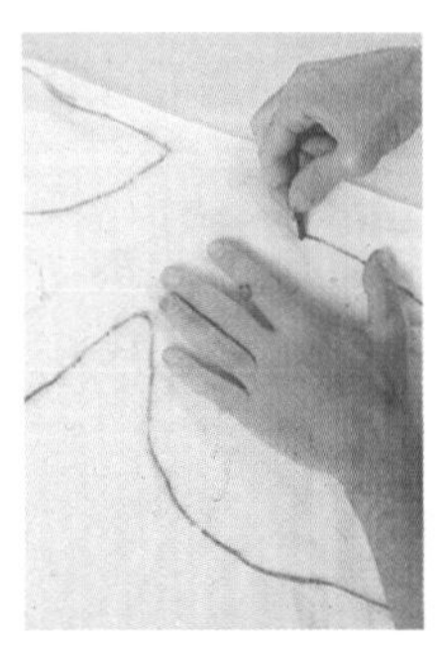

1. Pliez l'étoffe en deux. Sur un côté, dessinez le motif au fusain. Epinglez les deux épaisseurs de tissu, en suivant le contour du motif. Refaites le tracé du papillon sur l'autre côté de l'étoffe.

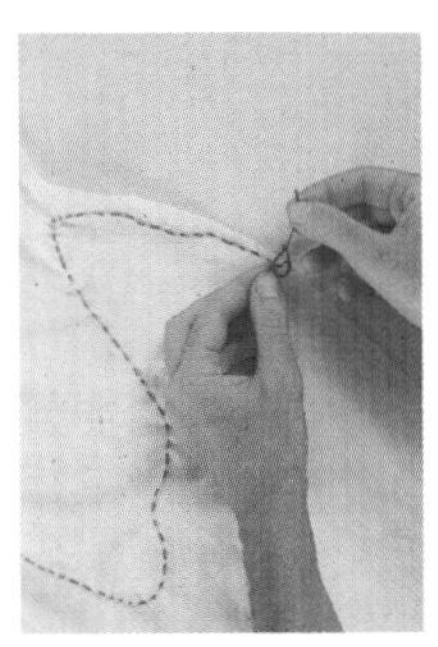

2. Enfilez une aiguille avec du fil de moyenne grosseur. Faites un nœud à une extrémité. A très petits points, faufilez le long du trait en tirant bien le fil à chaque point. A la fin de cette étape, faites un nœud au bout du fil et retirez les épingles.

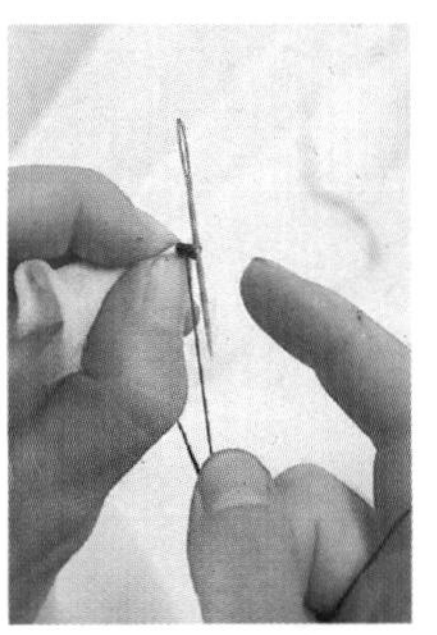

3. Avec une aiguille et du fil, liez les groupes de petits carrés. (Pour déterminer leur emplacement, suivez le patron à gauche.) Adoptez la technique décrite à la page 193.

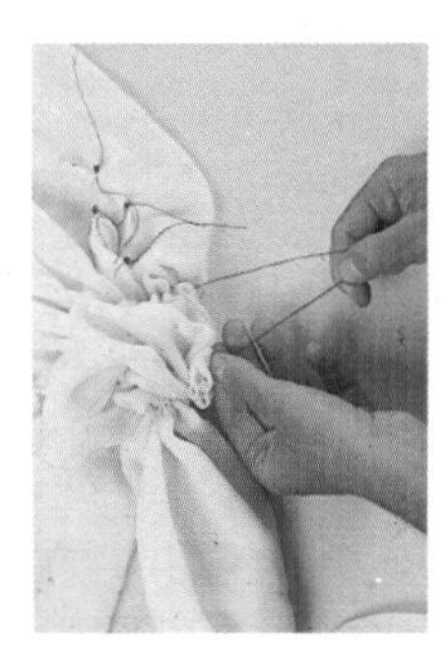

4. Tirez les deux extrémités du faufil qui entoure le papillon de façon à froncer le tissu. Assurez-vous de ne pas froncer au-delà du faufil.

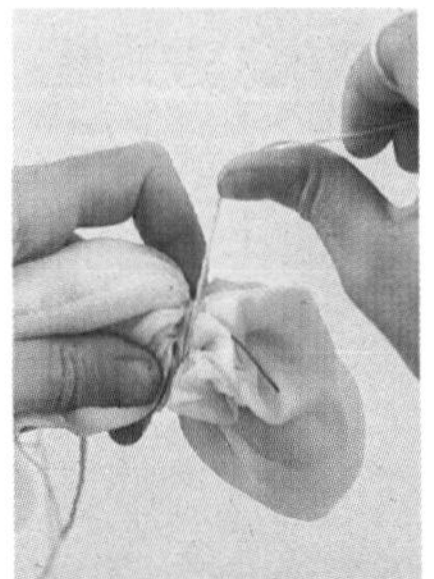

5. Attachez les deux bouts du fil ensemble. Avec de la ficelle, faites un nœud coulant bien serré autour du faisceau de fronces, le long du faufil. Enroulez la ficelle plusieurs fois, suivant cette ligne et, à l'étape 6, tenez-la bien en place.

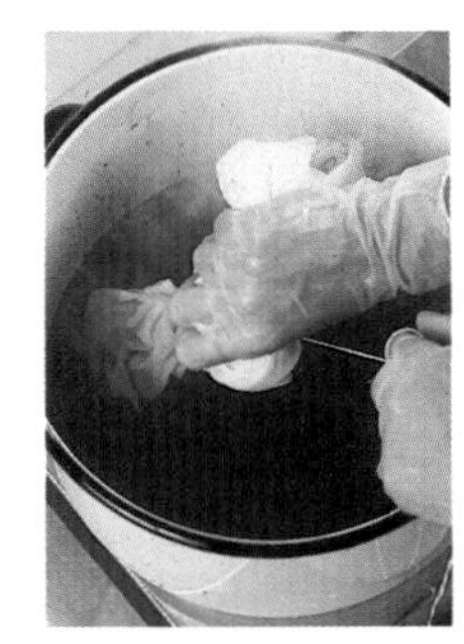

6. Préparez un bain de cochenille avec 1 c. à thé (5 ml) de teinture par pinte (ou litre) d'eau et assez d'eau pour que le tissu baigne librement. Plongez le faisceau de fronces dans le bain (portez des gants). Après 5 min, rincez à l'eau froide.

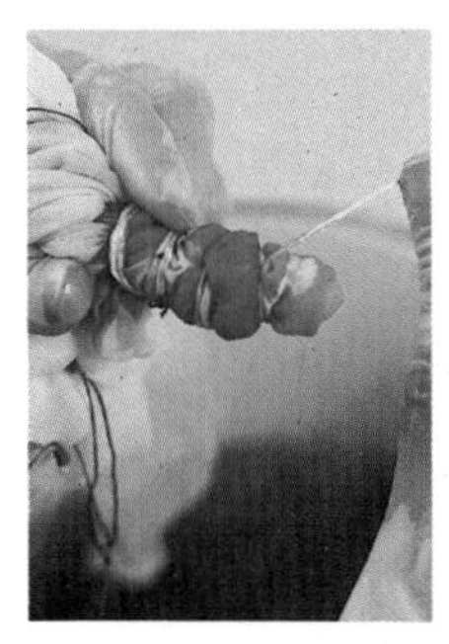

7. Enroulez le bout libre de la ficelle en spires parallèles autour du faisceau teint en allant le plus près possible du sommet. Au dernier tour, faites un nœud coulant pour assujettir la ficelle, puis coupez-en l'excédent.

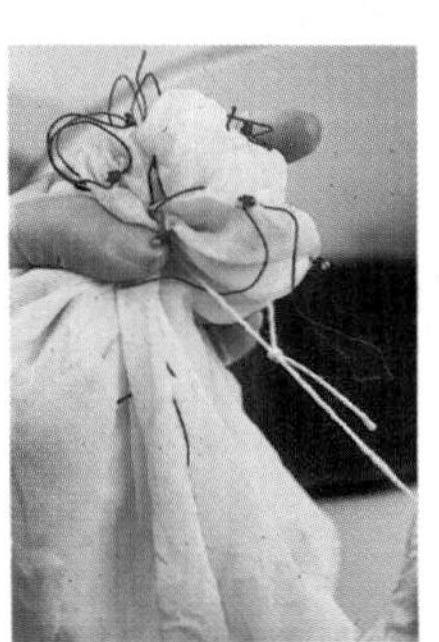

8. Séparez les groupes de carrés réservés à l'étape 3 du reste du tissu en les rassemblant en un faisceau. Liez la base de celui-ci avec de la ficelle et un nœud coulant.

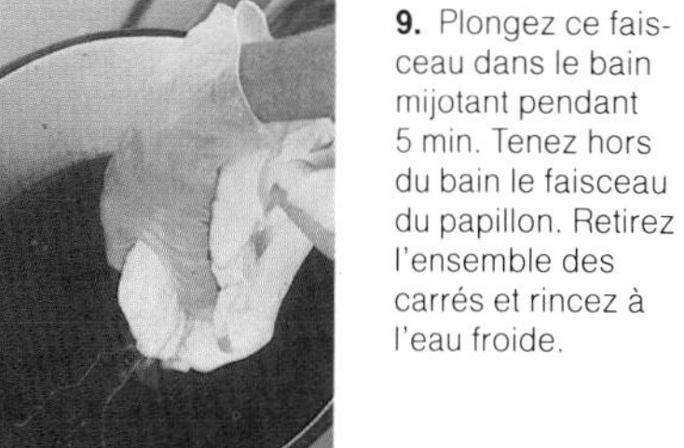

9. Plongez ce faisceau dans le bain mijotant pendant 5 min. Tenez hors du bain le faisceau du papillon. Retirez l'ensemble des carrés et rincez à l'eau froide.

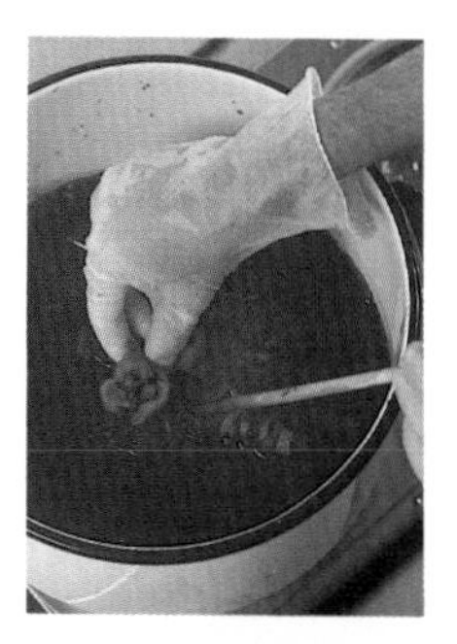

10. Ajoutez 1 c. à thé (5 ml) d'alun au bain pour le rendre pourpre. Reprenez le faisceau teint à l'étape 9 et, en le maintenant hors du bain, plongez le reste de la pièce dans la solution mijotante assez longtemps pour obtenir un coloris contrastant.

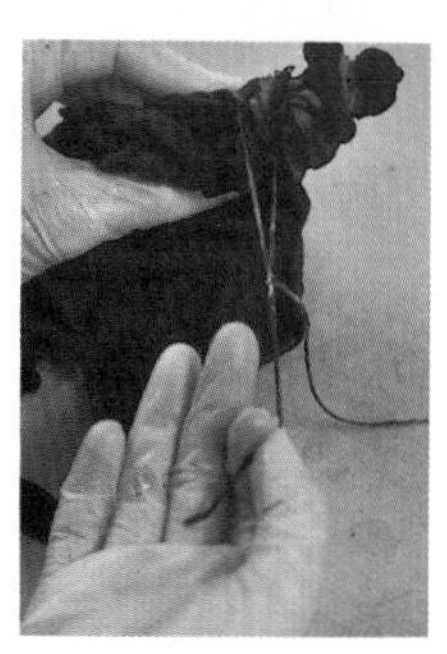

11. Rincez la pièce à l'eau froide. Retirez toutes les ficelles. Avec une aiguille, défaites les nœuds coulants que vous avez pratiqués à l'étape 3 (voir les illustrations, p. 193).

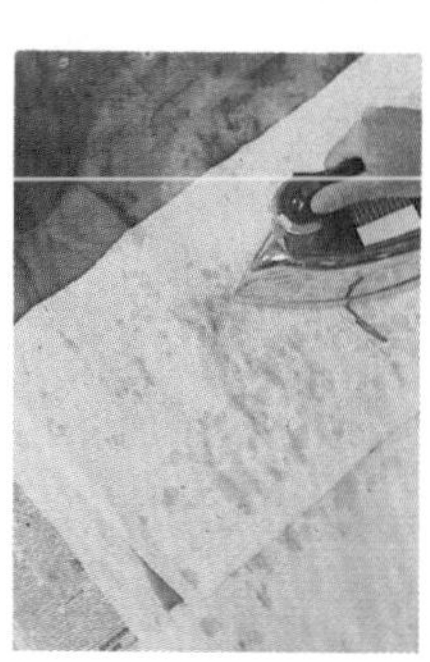

12. Séchez et repassez le carré. Au cas où la teinture ne serait pas complètement stable, glissez la pièce entre des couches de serviettes de papier ou de vieux journaux après l'avoir aspergée d'eau. Réglez le fer au degré approprié.

Teinture par liens et batik combinés

Le recours simultané aux procédés de la teinture par liens et du batik ouvre à l'imagination un immense champ de possibilités dont l'exemple ci-dessous ne donnera qu'une faible idée. Dans ce projet, des parties du tissu sont soustraites à l'effet de la teinture par une réserve de cire et des plis pratiqués dans l'étoffe. Ces plis agissent en réalité comme les liens du procédé décrit à la page 194.

Le tissu utilisé dans ce projet-ci est de la mousseline de coton. Si on utilise des teintures naturelles, on doit d'abord le mordancer (voir p. 189), puis le laisser sécher avant de pratiquer les plis. Sitôt la cire appliquée, il faut déplier la pièce pour que la cire ne traverse pas d'une épaisseur à l'autre.

Le bain colorant est à base de campêche et de sulfate de cuivre. Préparez-le selon les instructions données à la page 190. Au sortir du bain, rincez le tissu et laissez-le sécher avant de le repasser.

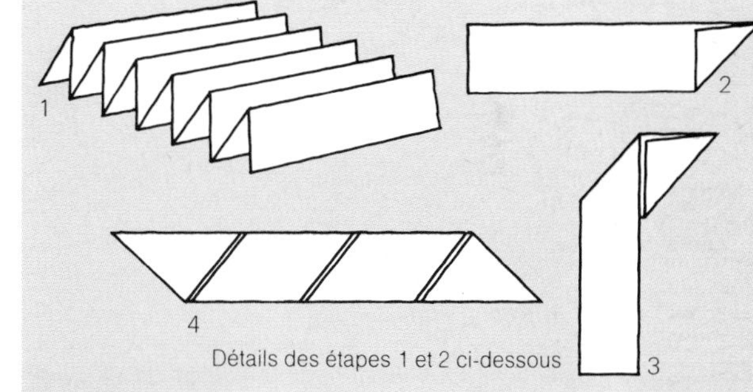

Détails des étapes 1 et 2 ci-dessous

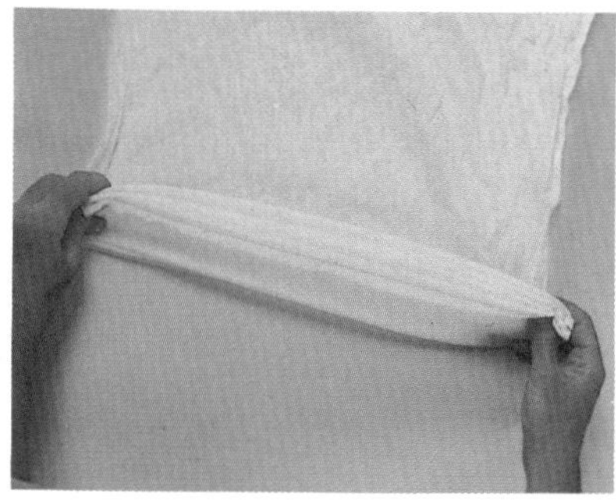

1. Pliez le tissu en accordéon.

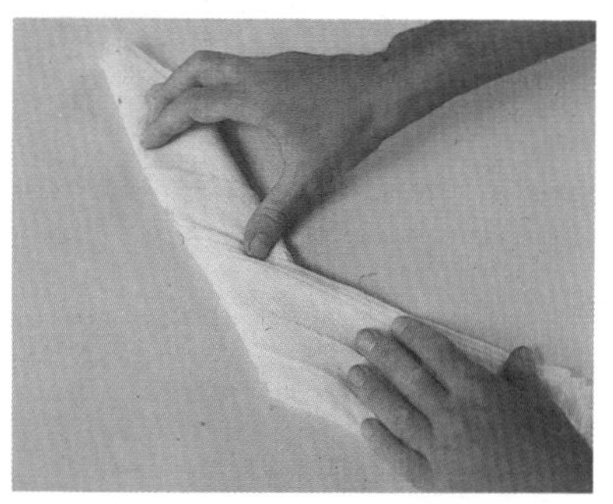

2. Façonnez la bande en spirale à l'oblique.

3. Plongez chaque côté dans de la cire chaude.

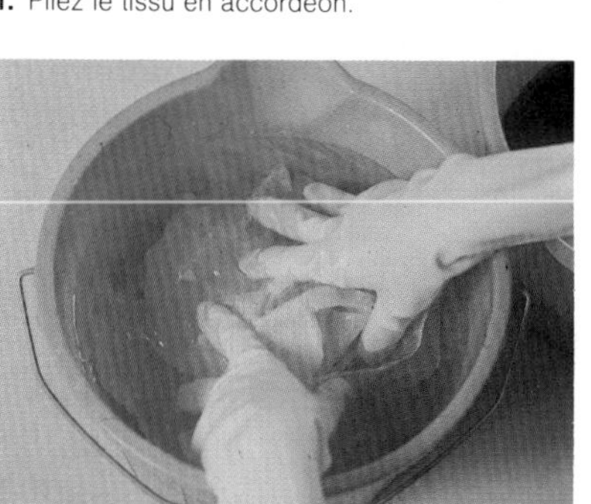

4. Dépliez le tissu immédiatement et rincez.

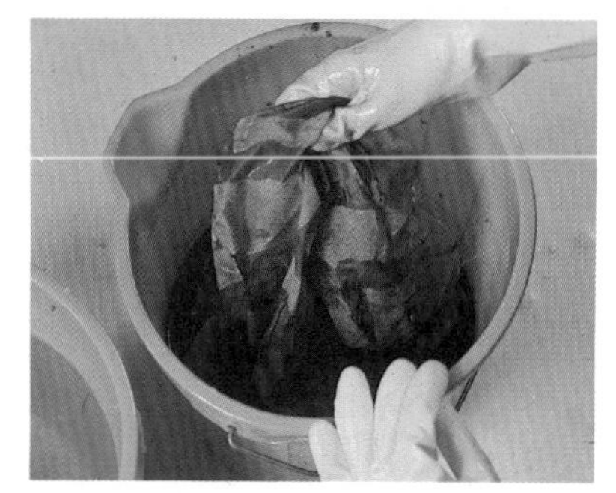

5. Laissez-le 12 h dans le bain de teinture.

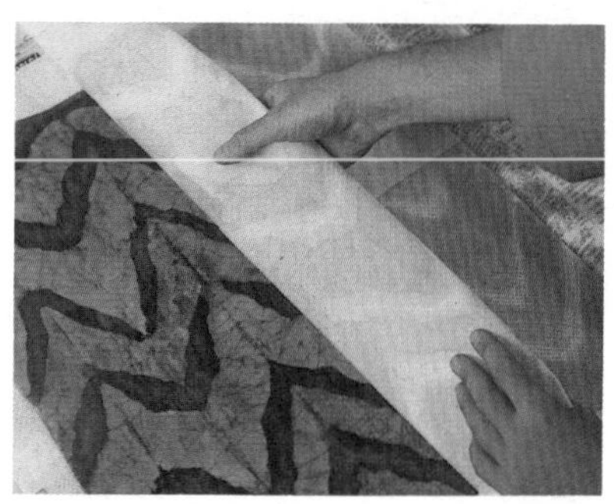

6. Repassez comme on l'explique à la page 188.

Quilting

Un art né de la nécessité

Le quilting fut introduit en Europe au Moyen Age par les croisés qui revenaient du Moyen-Orient portant, sous leur armure, des doublures matelassées faites de deux épaisseurs de tissu réunies sur une garniture intérieure.

Au cours du XIVe siècle, l'Europe connut une vague de froid intense durant laquelle on s'inspira de la méthode décrite ci-dessus pour rendre les vêtements et le linge de lit plus chauds. Les étoffes, le plus souvent unies, étaient décorées de piqûres élaborées. La plus ancienne courtepointe aurait été fabriquée en Sicile vers l'an 1400; elle illustre la légende de Tristan et Iseult en fils bruns et blancs sur toile de lin brute.

Au XVe siècle, des appliques de tissu se mirent à remplacer les luxueuses broderies sur les vêtements et les pièces d'ameublement; c'était une nouvelle mode qui s'implantait en passementerie. Elle durait encore au XVIIIe siècle, puisque à la cour de Marie-Thérèse d'Autriche on décora d'appliques en satin la robe de mariée de Marie-Antoinette. En France, le quilt à appliques atteignit un haut degré de perfection et pénétra aux Etats-Unis au cours de la guerre de l'Indépendance.

Curieusement, c'est en Amérique du Nord qu'allait se développer le patchwork, grâce aux femmes des colons qui employaient les chutes de vieux vêtements par souci d'économie pour en faire des courtepointes. Elles pratiquèrent d'abord le patch craquelé, assemblage de pièces irrégulières formant de grands pans d'étoffe. Le procédé s'affina peu à peu; les pièces prirent des formes régulières et le pavé, plus facile à travailler, apparut. Réunies autour du métier, les femmes bavardaient tout en tirant l'aiguille.

Très populaire aujourd'hui, le quilting est devenu un art raffiné et a fait son entrée dans les musées.

Détail d'un quilt à patchwork et appliques (1810). Mary Totten, Staten Island, Etat de New York.

Matériel et équipement

Tissu. Rares sont les artisans qui utilisent aujourd'hui des chutes de vieux vêtements pour faire une courtepointe; en général, ils achètent du tissu neuf qu'ils choisissent en fonction d'un motif précis. Parmi les tissus les plus employés, la palme revient au coton fin, peu exposé à s'étirer ou à s'effilocher, suivi des cotons synthétiques. Les velours cordés donnent des pièces chaudes, les velours unis et les soies, des pièces luxueuses, mais il faut de l'expérience pour travailler ces tissus. Les étoffes transparentes ou rudes et celles qui s'étirent, comme les tricots, sont à éviter. Avant de les travailler, lavez les tissus dans de l'eau chaude pour les faire rétrécir et pour vérifier le bon teint des couleurs. Repassez-les.

Doublure. La doublure est traditionnellement faite de toile de coton blanche. Toutefois, les draps de lit jouissent d'une certaine faveur à cause de leurs dimensions, mais il faut écarter la percale qui se travaille mal. La flanelle de coton fait aussi un bon fond. On peut tailler la doublure dans un tissu uni ou dans un des imprimés du dessus et la ramener en bordure sur l'endroit (p. 202). Avant tout, il faut choisir un tissu facile à travailler.

Rembourrage. Il n'y a rien de mieux que le molleton de polyester de ¼ po d'épaisseur pour rembourrer un quilt. Ce matériau se vend en rouleaux, dans des dimensions qui conviennent aux plus grandes courtepointes. Pour faire plus chaud, on en mettra deux couches.

Fil. A défaut de fil spécial à quilting, on prend du fil de coton mercerisé n° 50. Enduisez-le de cire d'abeille s'il a tendance à se nouer. Pour coudre le patchwork ou les appliques, on utilise le même fil ou du fil de polyester.

Equipement. Avec des aiguilles n°s 7 à 10 longues (1½ po) ou mi-longues (1¼ po), on peut faire des piqûres à la main fines et régulières. Il ne faut pas hésiter à se servir d'une machine à coudre pour le patchwork (p. 199) et les appliques (p. 201).

Il vous faut deux paires de ciseaux : une pour le motif et les gabarits, une autre (non dentelée) pour les tissus ; vous aurez également besoin d'épingles, d'une règle et d'une verge ou d'un ruban à mesurer en métal. (Comme un ruban en tissu peut s'étirer, il est peu fiable.) Servez-vous d'une petite règle en plastique transparent, graduée en huitièmes de pouce sur toute sa longueur, pour calculer les marges. Marquez les tissus clairs avec un crayon ou un stylo à bille, et les tissus foncés avec une craie de tailleur. Un doigt en caoutchouc vous sera plus utile qu'un dé à coudre.

Procurez-vous du grand papier quadrillé à huit carreaux au pouce et de grandes feuilles de papier-calque pour dessiner les motifs et les pavés ; du carton ou du plastique transparent vous serviront pour tailler les gabarits.

Métier. Un métier pour tendre l'étoffe est un accessoire essentiel lorsque plusieurs personnes travaillent au même ouvrage. Celui illustré ci-dessous est démontable et facile à fabriquer. Le tambour à quilting, qui ressemble à un grand tambour à broder, peut remplacer le métier. Il s'en vend montés sur pied ou faits pour reposer sur les genoux. Enfin, certaines personnes préfèrent travailler sur une grande surface plane.

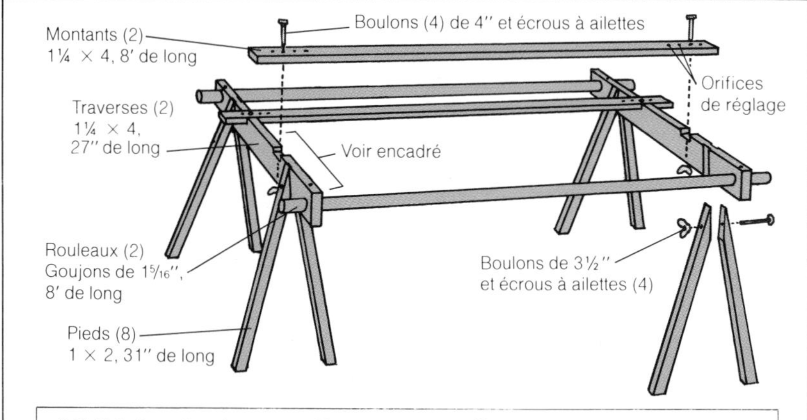

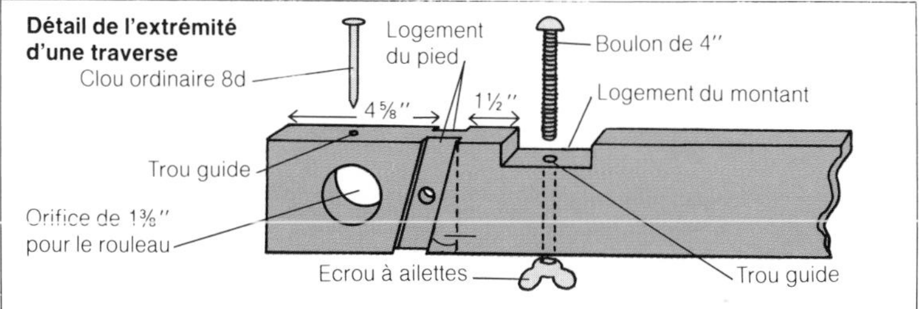

Métier à quilt. Pin blond, grandeurs nominales. Les grandeurs réelles étant différentes, mesurez pieds et montants avant d'entailler les traverses à la scie et au ciseau ou au trusquin (voir *Menuiserie et ébénisterie*, p. 236). Traverses et montants sont à égalité. Percez des trous guides pour les boulons et les clous. Voir le métier en usage, page 203. Avec des montants de 8 pi, on peut exécuter des ouvrages de 90 po ou moins. Pour réduire la taille du métier, prenez des montants plus courts ou multipliez les trous de réglage.

Préparation et dessin

Qu'ils soient faits au patchwork ou décorés d'appliques, la plupart des quilts se composent de pavés carrés ou rectangulaires de 8 à 16 po de côté cousus ensemble. Dans certains cas, il est préférable d'assembler quatre ou six pavés à la fois, de les piquer, puis de terminer la pièce en cousant ensemble, à la main ou à la machine, les sections ainsi formées (p. 202).

Les dimensions. Pour déterminer les dimensions de l'ouvrage, mesurez le lit de la tête au pied, par-dessus les oreillers, en comptant 12 à 14 po de rabat, à ramener sous ceux-ci. Ajoutez le nombre de pouces nécessaires pour que la courtepointe retombe jusqu'au sol : vous aurez la longueur totale de l'ouvrage. Mesurez ensuite la largeur du lit et ajoutez la retombée au sol de chaque côté et vous obtiendrez sa largeur totale.

Pour modifier les dimensions d'une courtepointe, vous avez le choix entre agrandir ou réduire les pavés, en ajouter ou en soustraire, ou encore introduire dans l'ouvrage des bandes intercalaires ou des bordures.

La courtepointe normale se compose de six pavés en largeur et de sept en longueur ; si chacun mesure 12 po de côté, vous pouvez ajouter des bandes intercalaires et une bordure le long des quatre côtés (p. 202) pour agrandir l'ouvrage. Si vous n'aimez pas l'effet des bandes intercalaires, vous pouvez faire des pavés de 14 po de côté, pour ne pas avoir à en modifier le nombre, ou les réduire à 10 po de côté et en fabriquer un plus grand nombre.

Le patron. Après avoir choisi un motif de pavé, dessinez l'ouvrage entier à l'échelle (1 po étant égal à 1 pi, par exemple) sur du papier quadrillé. Tracez simplement les contours du motif et des pavés ainsi que des bandes intercalaires et des bordures, s'il y a lieu ; ne les coloriez pas. Ensuite, avec du ruban adhésif, fixez du papier-calque par-dessus le dessin et, avec des crayons à dessiner, ajoutez les couleurs (voir texte, p. 198). Répétez cette étape jusqu'à ce que vous ayez découvert les harmonies chromatiques qui vous plaisent.

Le calcul du tissu. Comptez le nombre de pièces de même forme et de même couleur dont vous aurez besoin. Faites-vous un tableau précis, comme celui de la page 207. Pour chaque couleur, prenez un morceau de papier fort de 45 po de largeur. Avec des gabarits (pp. 198 et 200), dessinez toutes les pièces de même couleur qu'il vous faut. Mesurez ensuite la longueur du papier que vous avez utilisé : vous saurez combien de tissu acheter, en coupons de 45 po de largeur. Répétez cette opération pour chaque couleur. Mesurez de la même façon le tissu requis pour les bandes intercalaires et les bordures. N'oubliez pas d'inclure tout autour de chaque forme une marge de couture de ¼ po de largeur. Certains fournisseurs vendent les tissus à courtepointe au ¼ vg ; toutefois, les magasins de tissu ordinaires exigent souvent une commande minimale de ½ vg.

Doublure, rembourrage et bordure. La doublure doit avoir de chaque côté 2 po de plus que le dessus. Si vous bordez la courtepointe avec la doublure (p. 204), ajoutez de 2 à 4 po sur les quatre côtés, selon la largeur de la bordure. Pour le rembourrage, calculez les dimensions de la courtepointe, bordures comprises (p. 204), et ajoutez 1 po de chaque côté pour les piqûres. En cours d'exécution, vous aurez sans doute besoin de rectifier la doublure et le rembourrage. Si vous taillez les bordures dans un tissu différent (p. 204), n'oubliez pas qu'elles doivent être légèrement plus grandes que les côtés de la courtepointe et ajoutez une marge pour les coutures.

Choisissez de préférence un fournisseur spécialisé dans le tissu de courtepointe et n'hésitez pas à changer vos harmonies chromatiques si vous trouvez une étoffe qui vous plaît.

Quilting

Le patchwork : un art géométrique

Les pavés de patchwork se composent de rectangles, de carrés, de triangles, de losanges, d'hexagones et d'arcs. Ces éléments sont disposés à l'intérieur d'une grille de 4, 9, 16, 25 et même parfois 36 carreaux par pavé. On identifie les pavés par le nombre de carreaux qu'ils renferment. Ainsi, on peut confectionner des pavés à 4 carreaux, à 9 carreaux, à 16 carreaux, etc., ce chiffre représentant non le nombre de pièces utilisées, mais celui des carreaux de la grille.

En analysant les motifs illustrés ici, vous serez capable par la suite de vous inspirer des œuvres conservées dans les musées ou illustrées dans les livres et de les transposer sur papier pour créer vos propres motifs.

Avant d'arrêter les dimensions des pavés, déterminez le nombre de carreaux que chacun contiendra. Un carré de 12 po se divise aisément pour former un pavé à 4, 9 ou 16 carreaux. Mais pour un motif comme le Choix de mère-grand, à pavés de 25 carreaux, il vaut mieux au départ adopter un carré de 10 ou 15 po. Le carré de 14 ou 16 po convient bien au pavé à 4 ou 16 carreaux, tandis que pour un pavé à 9 carreaux, on adoptera un carré de 12 ou 15 po.

Dans le choix du motif, tenez compte des couleurs, de leurs effets et des éléments qui donneront du relief à l'ouvrage. On ne se trompe pas si dans chaque pavé on allie des teintes sombres, moyennes et claires. Disposez les pièces de façon à obtenir des diagonales, des verticales et des horizontales bien soutenues. Ainsi, le quilt de la page 206 joue sur la force de ses diagonales. Un autre élément d'intérêt est obtenu en faisant varier les dimensions d'un même motif.

Quand vous aurez transposé sur papier-calque l'harmonie de couleurs qui vous plaît (p. 197), faites-en trois copies conformes que vous poserez côte à côte pour juger de l'effet d'ensemble et rectifier au besoin coloris et nuances.

Enfin, fabriquez un gabarit pour chaque forme ; taillez les pièces de tissu qui entrent dans un pavé et faufilez-les ensemble. Vous vérifierez ainsi une dernière fois l'esthétique du motif et l'exactitude des gabarits.

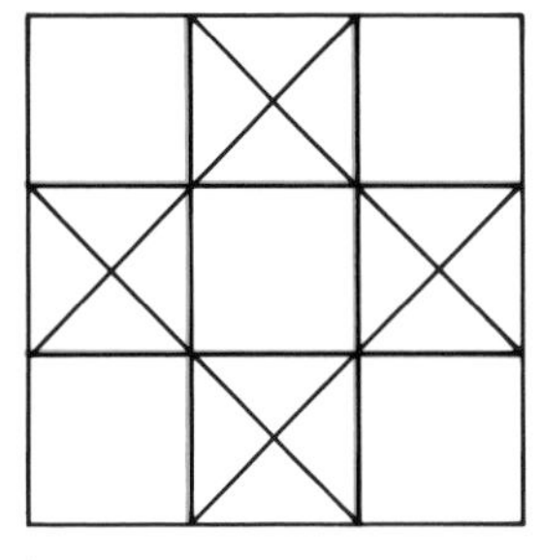

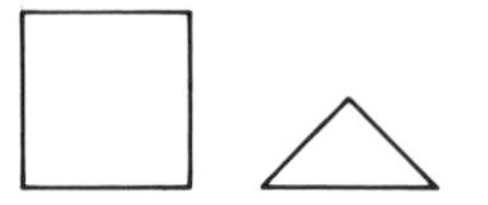

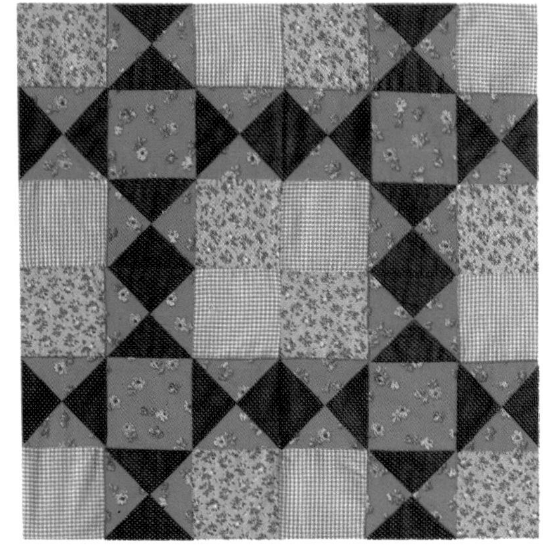

L'examen d'un pavé. Etoile en mouvement est un pavé de 9 carreaux puisqu'il s'inscrit dans une grille à 9 carreaux égaux. Il se compose de 21 pièces et de deux formes : un carré et un triangle (à gauche). Quatre pavés réunis (ci-dessus) font apparaître les fortes horizontales et verticales du motif.

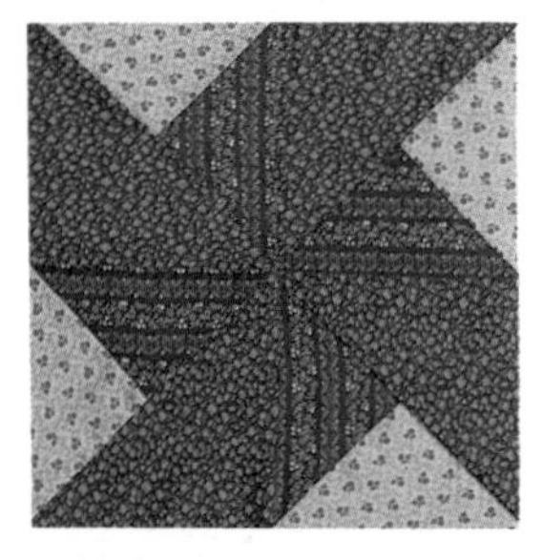

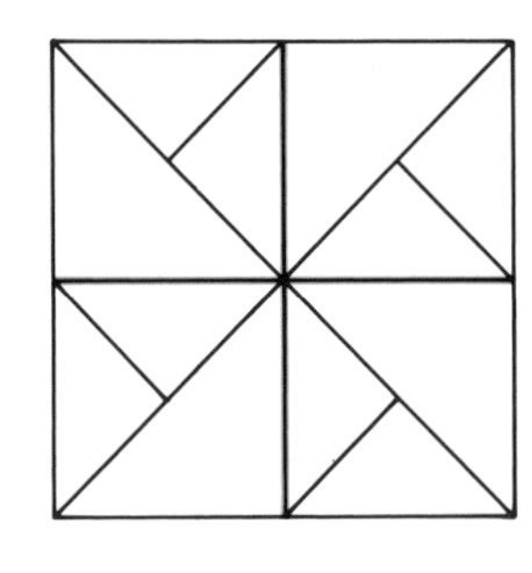

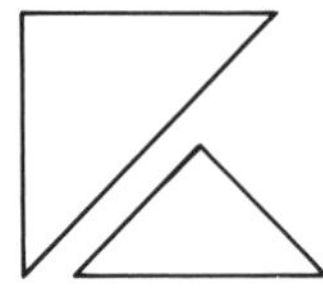

Le Moulin à vent, à 4 carreaux et grandes pièces, demande peu de piqûres.

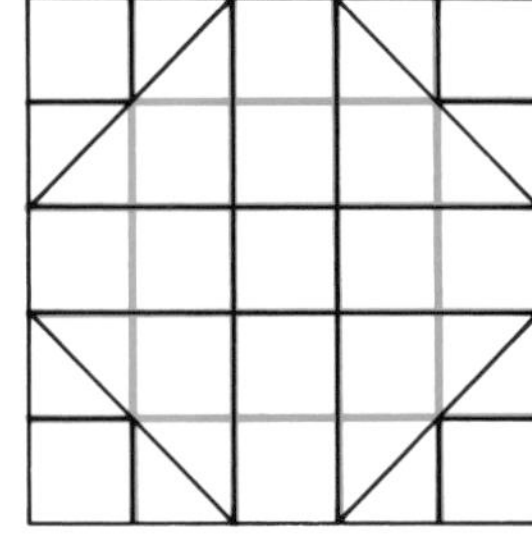

Le Choix de mère-grand tient dans une grille de 25 carreaux identiques à celui du centre.

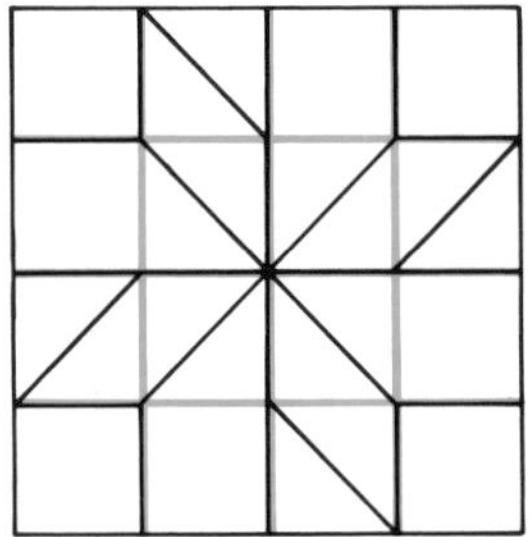

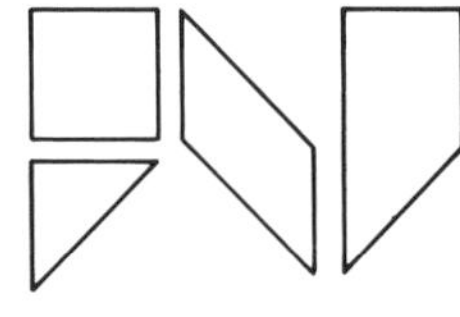

Le Choix de Clay, pavé à 16 carreaux, se fait aussi avec des losanges pâles.

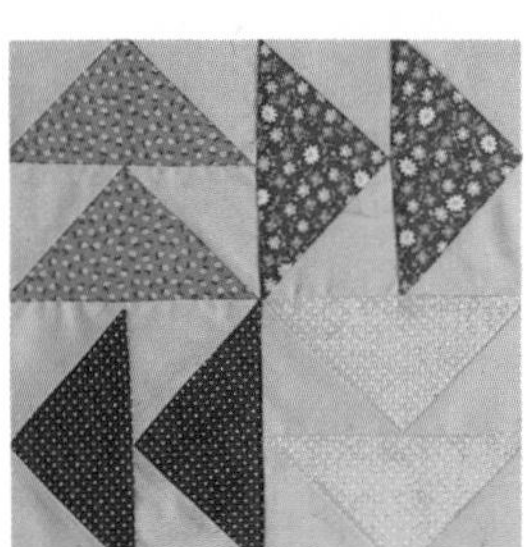

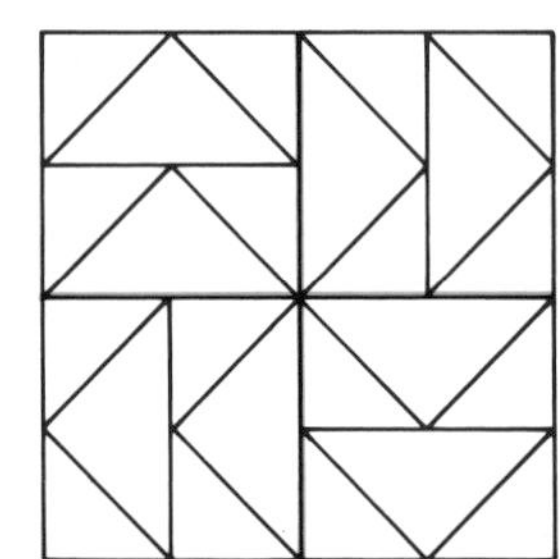

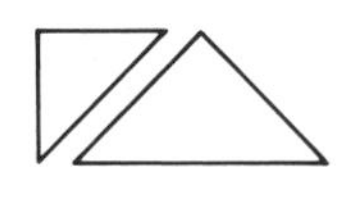

Le Casse-tête hollandais est un pavé à 4 carreaux, subdivisé en 16 morceaux.

Confection d'un pavé

Les piqûres droits-fils, c'est-à-dire dans le sens de la trame ou de la chaîne d'un tissu, doivent être les plus nombreuses. Carrés et rectangles ne présentent à cet égard aucune difficulté. Ce n'est toutefois pas le cas des triangles et des losanges dont au moins un côté tombe sur le biais, c'est-à-dire sur une diagonale par rapport aux deux droits-fils. Comme ce sont des coupes qui se déforment facilement, essayez autant que possible de placer les piqûres biais entre deux piqûres droits-fils ; par exemple, dans un triangle rectangle, posez les côtés à angle droit sur les droits-fils du tissu. Une règle cependant ne souffre pas d'exceptions : les côtés des pavés doivent toujours être cousus en droit-fil.

Opération préliminaire. Même si la coupe précède le piquage, c'est lui qui la commande. On doit donc bien le planifier. Après avoir déterminé l'emplacement des côtés droits du motif, faites des flèches dans le sens des droits-fils sur les patrons et les gabarits ; elles vous aideront à placer correctement ces derniers sur le tissu au moment de la coupe. Procédez de la même façon pour calculer, sur papier, la quantité de tissu dont vous aurez besoin (p. 197).

Piquage main ou machine. Les puristes du patchwork n'acceptent rien d'autre que des piquages main à points devant, mais le piquage machine, plus expéditif, gagne en popularité. Cependant, lorsqu'un pavé comporte plusieurs petites pièces, le travail se fait parfois plus rapidement à la main. Dans tous les cas, laissez toujours une marge de couture de ¼ po tout autour des pièces. Comme les piqûres du quilting sont apparentes, contrairement à celles du patchwork, elles sont généralement exécutées à la main (p. 203).

Repassage des coutures. Après chaque piqûre, couchez les marges du même côté au fer, de préférence du côté du tissu le plus foncé. Repassez les pavés avant de les assembler (p. 202).

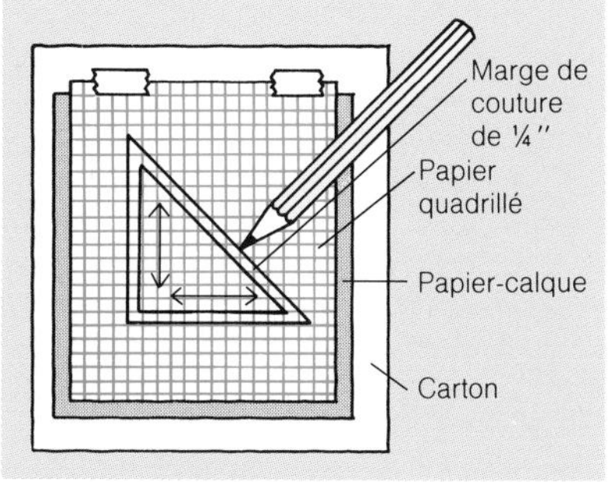

Les gabarits. Avec une règle, dessinez chaque forme sur du papier quadrillé ; entourez-la d'une marge de ¼ po et reportez le tout sur du carton. Découpez le gabarit.

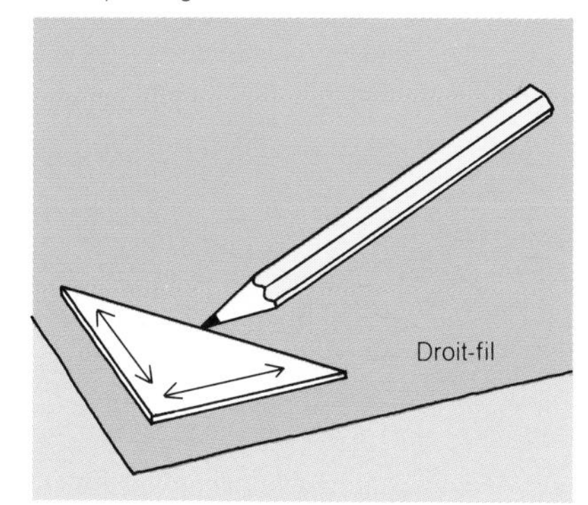

La coupe. Posez le gabarit à l'envers, sur l'envers du tissu ; faites un trait autour. Ne coupez qu'une épaisseur de tissu à la fois, en respectant ses droits-fils (flèches).

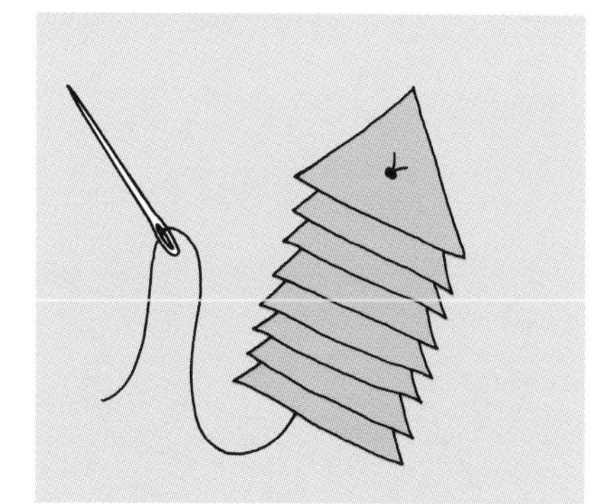

Les pièces. Réunissez par un fil noué à un bout toutes les pièces de même forme et de même couleur. Ne nouez pas le fil à l'autre extrémité et retirez les pièces à mesure que l'ouvrage avance.

Ordre des coutures

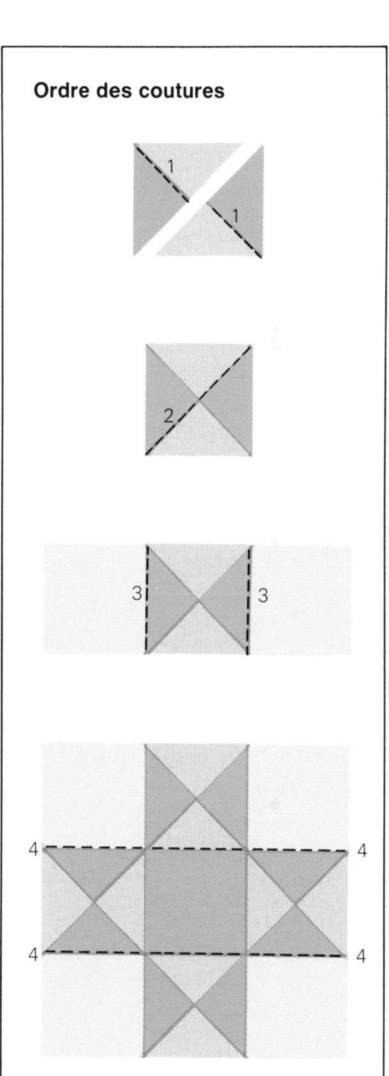

On doit toujours coudre les petites pièces avant les grandes et faire les piqûres en ligne droite, sans tourner les coins. Voici l'ordre des coutures du pavé Etoile en mouvement (voir p. 198). **1.** Assemblez quatre triangles deux à deux. **2.** Assemblez les deux triangles obtenus ainsi en carré. **3.** Joignez ces carrés aux pièces carrées. **4.** Réunissez trois bandes horizontales.

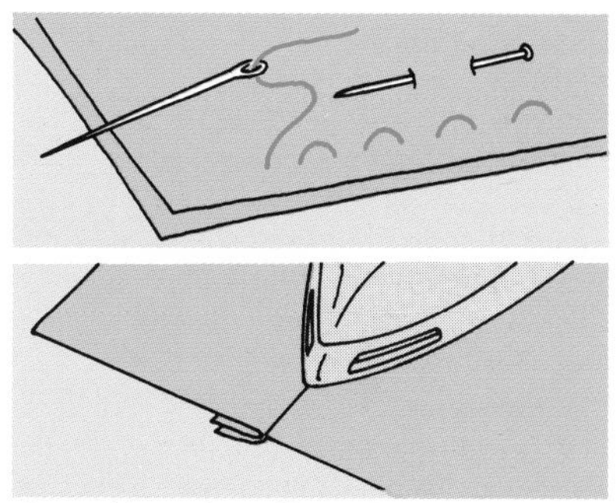

Assemblage des pièces. Epinglez les pièces endroit sur endroit, bord sur bord ; piquez à ¼ po du bord en points devant. Repassez à plat en couchant les marges du même côté.

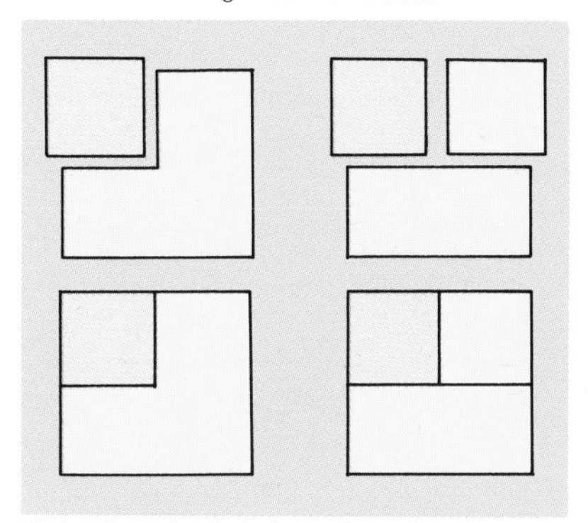

Coins à angle droit. Les pièces d'angle se cousent aisément à la main, mais plus difficilement à la machine. Pour travailler à la machine, choisissez des formes qui se piquent droit.

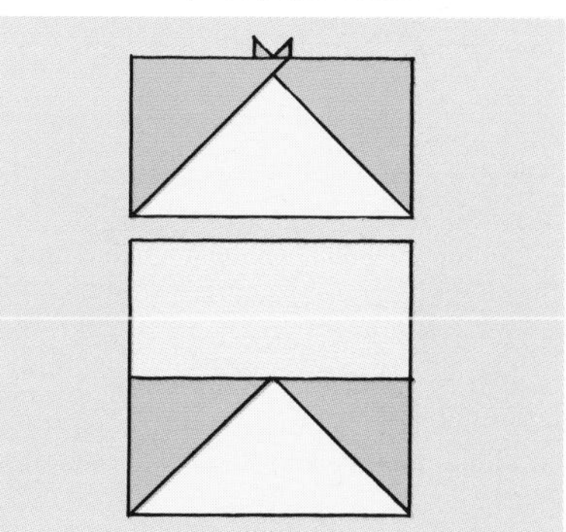

Triangles en angle droit. Visible dans le haut, le décalage disparaît quand on ajoute la pièce qui suit. Ce détail est tiré du motif Casse-tête hollandais (p. 198).

Quilting

Les appliques : un quilt en images

Par opposition au patchwork, composé de formes abstraites, l'applique est un procédé figuratif. Comme autre différence, l'applique se coud sur un fond alors que le patchwork est un ouvrage intégral, complet en lui-même. Tous deux cependant s'exécutent en modules appelés pavés, qui sont ultérieurement assemblés et piqués.

Les pavés peuvent être composés d'un motif traditionnel, comme la Feuille de chêne, ou d'un mélange de patchwork et d'appliques, comme le Soleil. On peut également adopter le procédé hawaïen selon lequel, en pliant un carré de papier en huit, on obtient un motif semblable au flocon de neige stylisé des dessins d'enfants. Pour un quilt-cadeau, comme l'Oiseau dans l'arbre, chacun des pavés peut être exécuté par une personne différente.

L'applique permet de représenter sur tissu diverses scènes. Parfois composées de formes abstraites, elles sont le plus souvent figuratives et reflètent les préférences de l'auteur : oiseaux, animaux, fleurs, montagnes, soleil, visages ou personnages.

Si l'ouvrage projeté est une pièce murale, on peut l'exécuter dans des tissus non lavables et miser sur des jeux de textures, en n'écartant que les matières très extensibles ou glissantes. En matelassant quelques-unes des appliques, on peut même obtenir des effets tridimensionnels fort intéressants.

Les modèles. Reportez-vous à la rubrique *Dessin,* page 78, pour agrandir les motifs ci-dessous ou en créer de nouveaux. Sur du papier quadrillé, dessinez le pavé grandeur nature. Reportez ensuite le tracé sur du papier fort plutôt que sur du carton (p. 199) en ajoutant 3/16 po de marge (on supprime la marge dans les applications à la machine ou les motifs hawaïens), puis découpez les gabarits. En général, on met le droit-fil de l'applique sur celui du tissu ; indiquez-le avec des flèches sur les gabarits.

La coupe. Epinglez le gabarit à l'endroit, sur l'endroit du tissu, et découpez. Taillez ensuite les pavés dans la doublure en allouant 1/4 po de marge de couture tout autour.

Le pavé. En disposant les pièces du pavé sur la doublure, il faut tenir compte des marges de 3/16 po. Les petites pièces ou les formes compliquées se manipulent mieux si vous leur passez une piqûre de soutien près des marges. Là où deux pièces se superposent, laissez celle du dessous entière sans la coudre. Le bon sens vous indiquera comment les agencer : une fleur, par exemple, devrait donner l'impression de sortir de terre. Pour le piquage, prenez du fil de la couleur de l'applique à moins de viser à un effet particulier. Quand toutes les pièces sont cousues, retirez le fil de bâti. Posez le pavé à l'envers sur une serviette de bain pour ne pas écraser l'applique et repassez-le au fer.

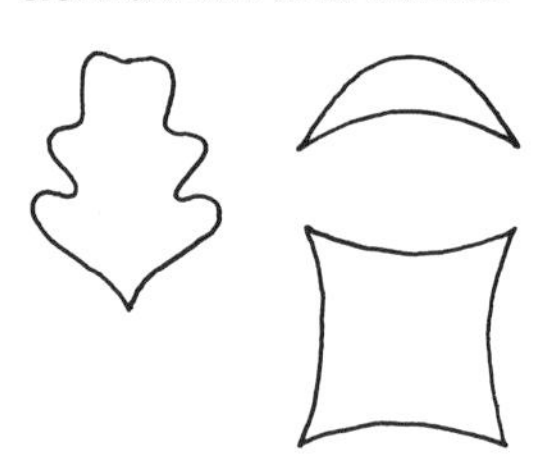

La Feuille de chêne est un très beau motif traditionnel à nombreuses variantes. De couleur rouge ou verte, elle est appliquée sur un fond de coton blanc ou blanc cassé.

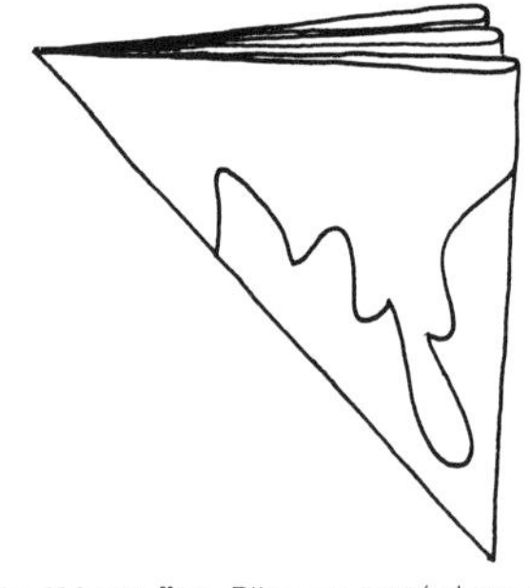

Motif hawaïen. Pliez un carré de papier en deux à la verticale, à l'horizontale et en diagonale. Dessinez et taillez le motif sans couper les plis. Piquez sans marge au point croisé.

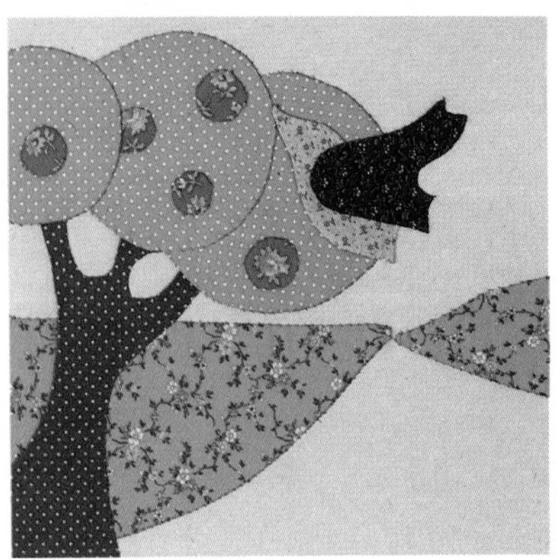

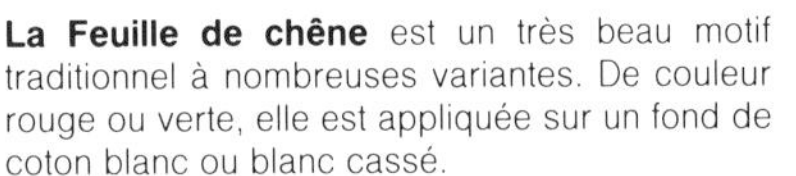

L'Oiseau dans l'arbre. Voilà un motif approprié pour un quilt-cadeau, réalisé par plusieurs personnes. Ce pavé est complet en lui-même. L'assemblage se fait par piqûres en écho (p. 203).

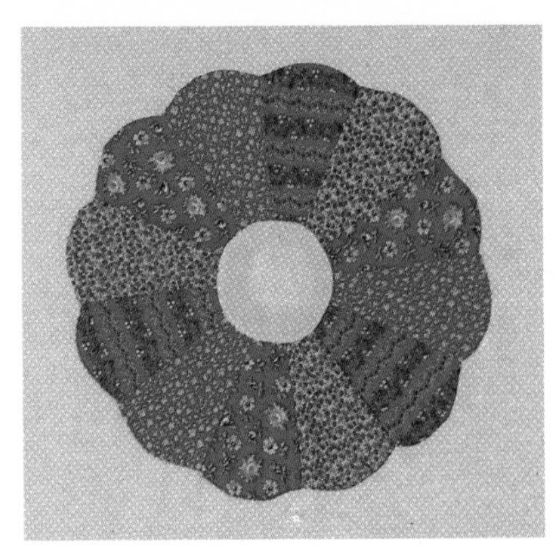

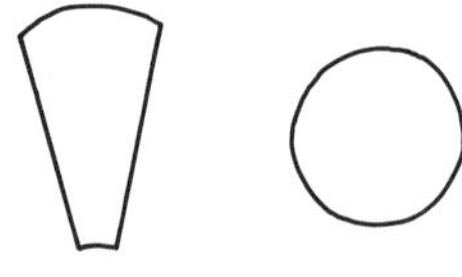

Le Soleil. C'est un motif populaire combinant patchwork et appliques. Découpez et piquez les 14 pointes en patchwork ; appliquez ce pavé sur le tissu de fond et rajoutez le centre.

Avant de coudre

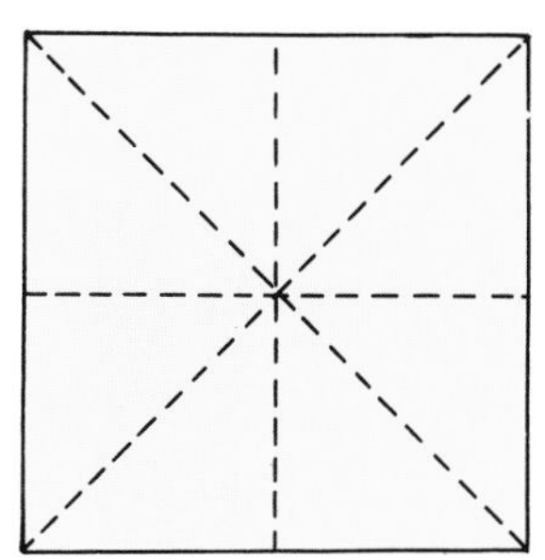

Le fond. Pliez le tissu en deux sur la largeur, sur la hauteur et en diagonale. Repassez légèrement ; dépliez. Les lignes vous aideront à placer les appliques.

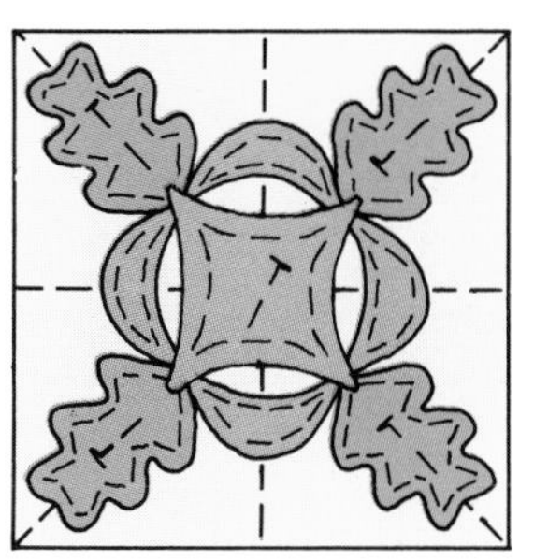

La mise en place. Disposez les appliques sur le fond ; épinglez-les et fixez-les par de longs points de bâti à ½ po du bord. Les pièces ne se chevaucheront plus une fois la marge (traits brisés) rabattue.

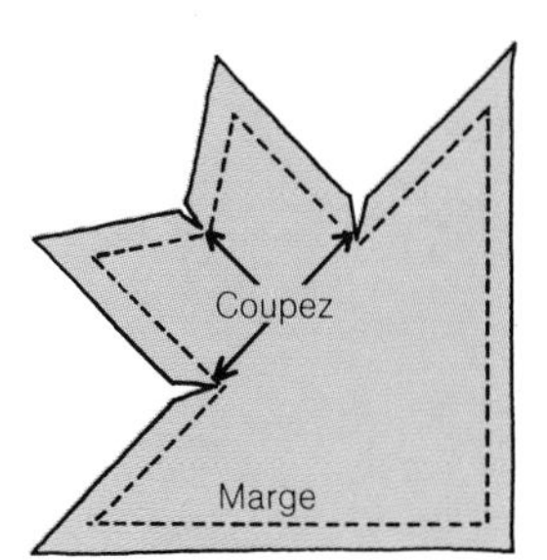

Les angles droits. Pour les angles rentrants, coupez en diagonale dans la marge de 3/16 po.

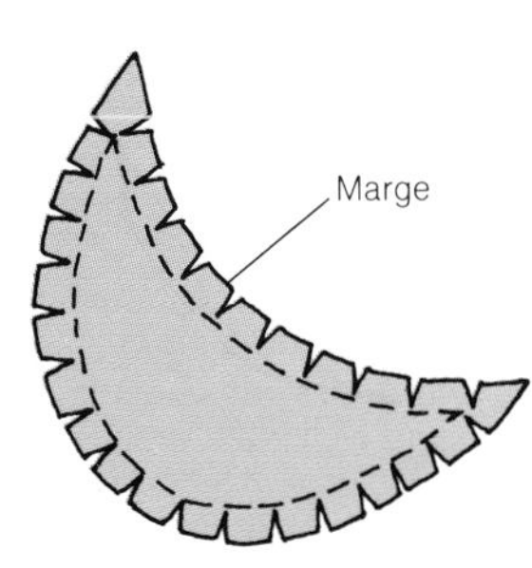

Les courbes. Crantez de ⅛ po les courbes concaves et convexes pour donner du jeu au tissu. Les courbes douces et les bords taillés sur le biais n'ont pas besoin d'être crantés.

Les points pour appliques

Piqûres à la main

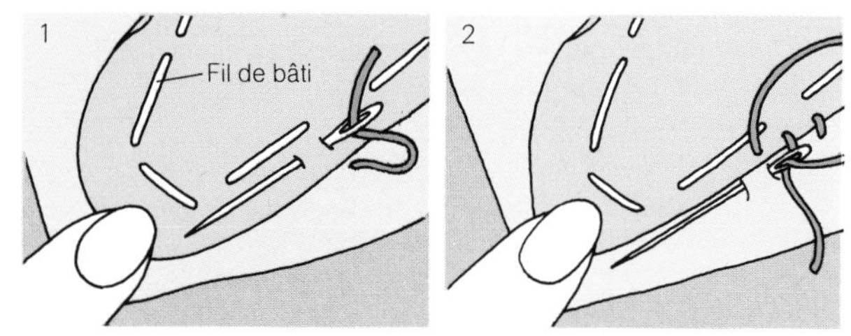

Point d'ourlet. Rentrez la marge de 3/16 po. Nouez le fil. **1.** Sortez l'aiguille sur l'endroit près du bord de l'applique. Juste au-dessus, faites un point à travers l'applique et le fond. **2.** Piquez l'aiguille dans le fond, en dessous du point précédent, et faites un point dans le fond seulement. Répétez. Faites des points de ⅛ po.

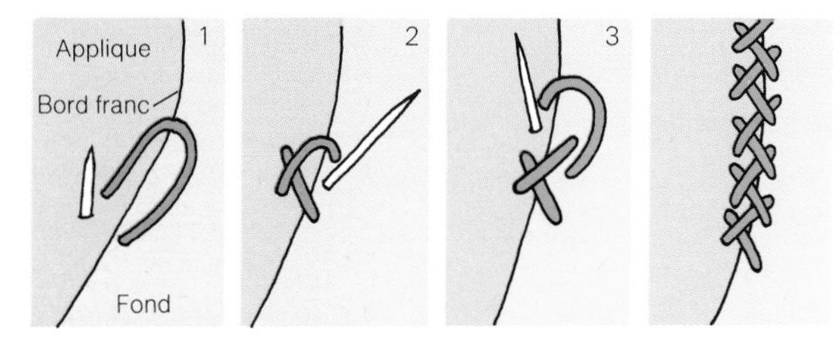

Point croisé. Nouez le fil. **1.** Sortez l'aiguille à travers le fond et l'applique, à ⅛ po du bord, puis piquez-la dans le fond seulement, en diagonale, derrière le point précédent. Ressortez-la dans l'applique en reculant de ⅛ po. **2.** Piquez-la dans le fond, en diagonale, au-dessus du point précédent. Ressortez-la dans l'applique en reculant de ⅛ po. **3.** Répétez.

Piqûres à la machine

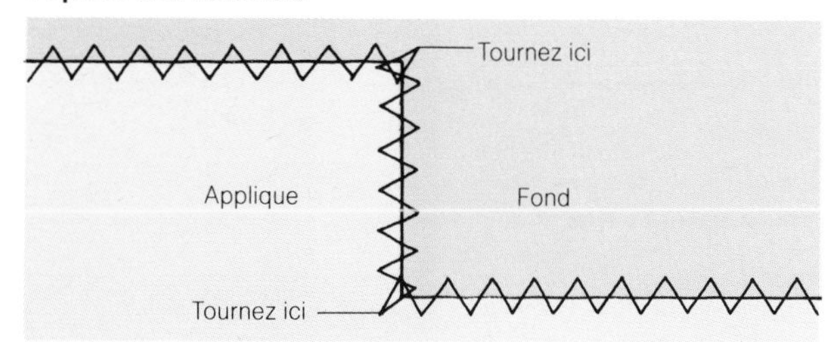

L'applique est taillée sans marge ; les piqûres, souvent en fil contrastant, se font par-dessus les bords francs. Epinglez l'applique ou fixez-la avec du tissu thermocollant. Utilisez des points zigzags longs et rapprochés. Réglez la machine à 20 points au pouce. Dans les coins, rentrez l'aiguille, tournez le tissu et continuez.

Les pointes

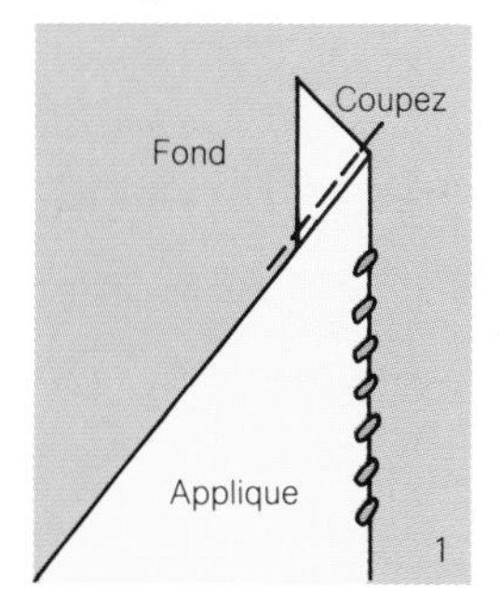

1. Arrêtez la piqûre ¼ po avant la pointe. Coupez le tissu en saillie parallèlement au bord que vous vous apprêtez à piquer.

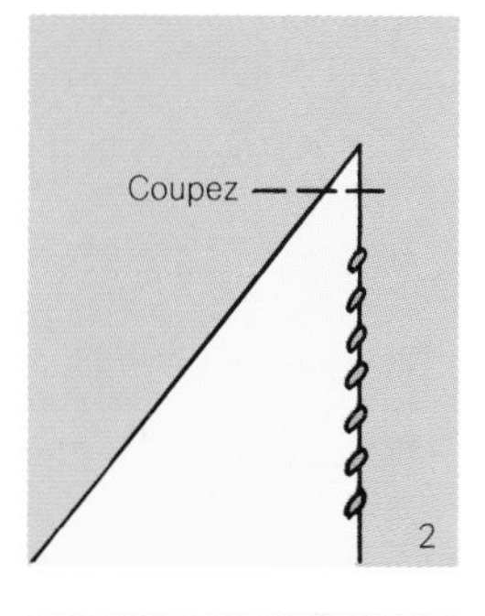

2. Coupez la pointe qui reste. Laissez juste assez de tissu pour pouvoir le rentrer comme ci-dessous.

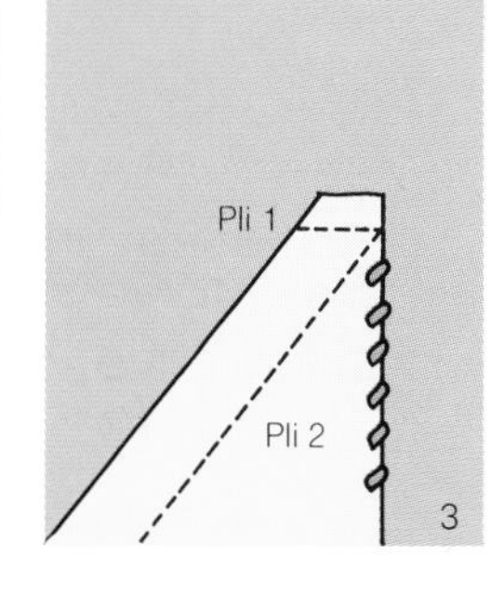

3. Faites un pli parallèlement à la coupe précédente. Rabattez-le sous la marge du bord que vous vous apprêtez à coudre.

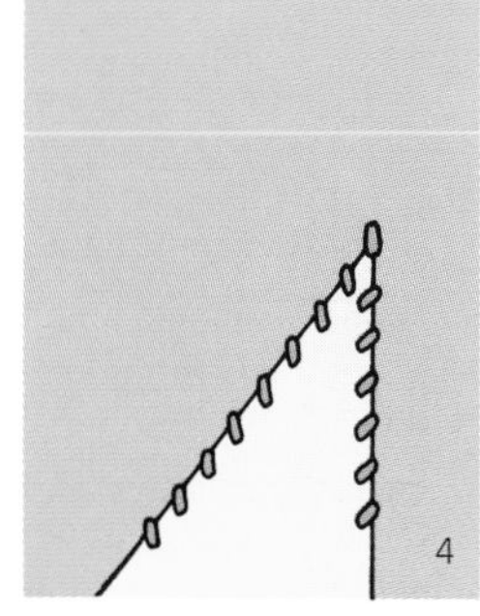
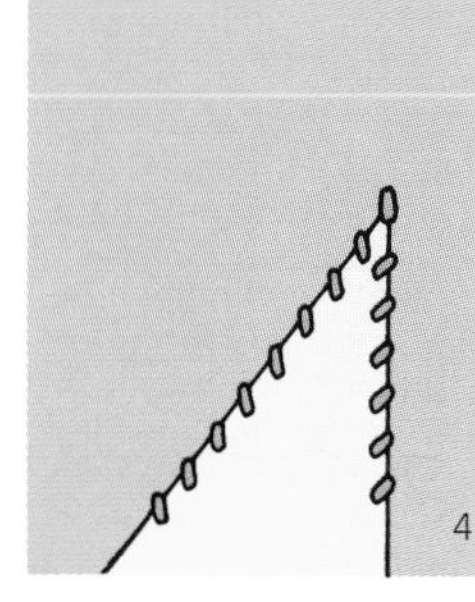

4. Continuez la piqûre en ayant soin de faire un point juste au sommet de la pointe pour bien la fixer.

Quilting

Montage du quilt

En quilting, l'opération par laquelle on assemble les pavés s'appelle montage. Tout doit être prévu pour le faciliter. Par exemple, si le projet comporte des bandes intercalaires, on doit en tenir compte en calculant les dimensions finales de l'ouvrage. Trois procédés de montage sont illustrés ci-dessous.

Disposez les pavés dans l'ordre où ils seront montés. Si la bordure est en patchwork ou à appliques (voir p. 204), posez-la pièce à pièce sur chacun des pavés extérieurs, comme pour les bandes intercalaires (ci-dessous).

Préparez la doublure en lui donnant au moins 2 po de plus de chaque côté que le dessus : vous en rectifierez les dimensions plus tard, au moment de la finition (p. 204). Si elle comprend plusieurs morceaux, ménagez toujours ¼ po de marge de couture autour de ceux-ci. Ouvrez les marges au fer. Le rembourrage doit avoir 1 po de plus de chaque côté que le dessus. Comme pour la doublure, vous en rectifierez les dimensions à la finition.

On peut monter les pavés par rangées, les surpiquer hors métier, puis assembler les sections ainsi obtenues (voir ci-dessous, à droite). Dans un tel cas, on donnera à la doublure d'une section 2 po de plus de chaque côté en prévision d'un rabat de ½ po. Le rembourrage aura lui les mêmes dimensions que la section, afin qu'il aboute contre celui de la section précédente lors de l'assemblage.

Montage des pavés. Posez-les côte à côte (à l'extrême gauche) ou alternez les pavés ouvrés et les pavés unis (à gauche). Surpiquez les pavés unis avec un motif d'étoile, comme à la page 203.

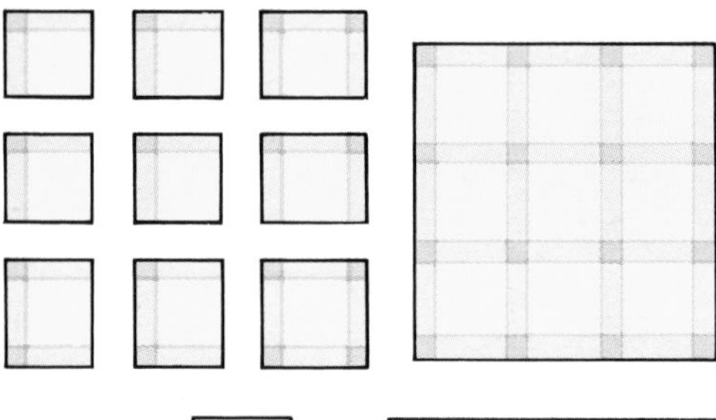

Bandes intercalaires. Montez les bandes et les carrés d'angle sur les pavés comme des pièces de patchwork (à l'extrême gauche). Assemblez ensuite les pavés comme on l'illustre à gauche.

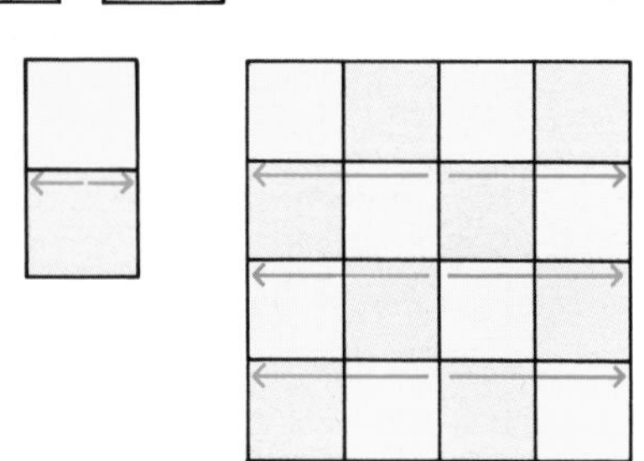

Assemblage des pavés. Mettez deux pavés endroit sur endroit. Piquez du milieu d'abord vers un coin, puis vers l'autre coin. Assemblez ainsi des bandes de pavés, puis montez ces bandes ensemble en travaillant toujours du centre vers les coins.

Montage d'une courtepointe hors métier

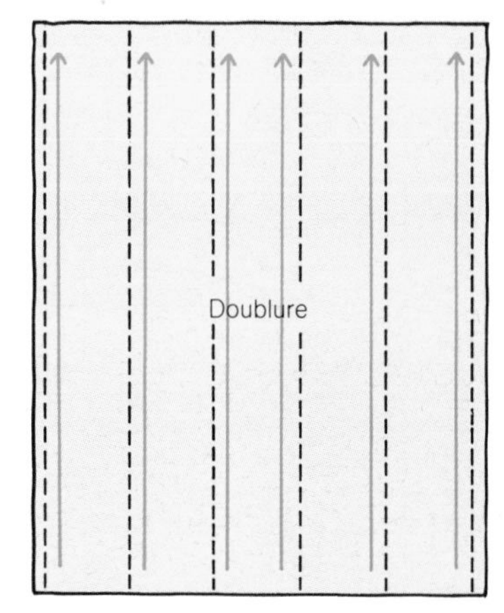

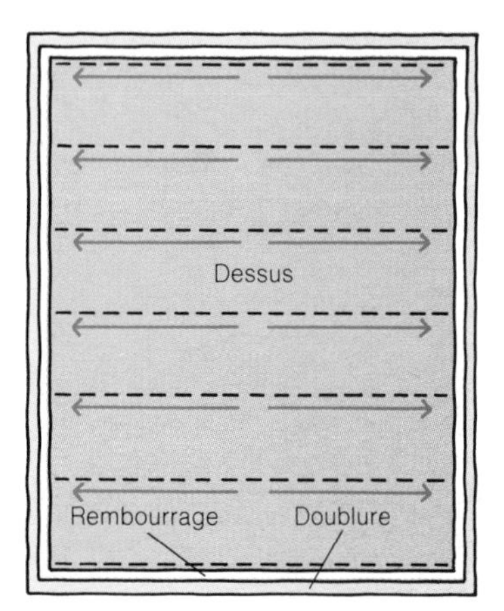

Montage des éléments. Etendez le rembourrage sur une table ou sur le parquet. Posez la doublure par-dessus. Epinglez et faufilez tous les 9 ou 12 po, sur la longueur, en commençant à 1 po du bord (à gauche). Lissez la doublure en travaillant. Tournez l'ouvrage. Posez le dessus, épinglez et faufilez à travers les trois épaisseurs, sur la largeur, en allant du centre vers les bords (à droite). Avec un métier, on n'a pas besoin de bâtir.

Le quilting par sections

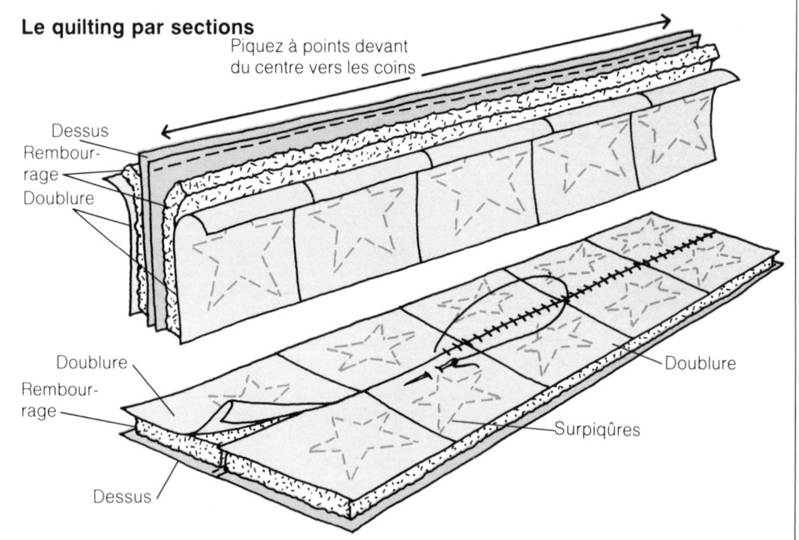

1. Assemblez les pavés par bandes, comme si elles formaient chacune un vrai quilt. Surpiquez (p. 203). Ecartez la doublure qui pourrait vous gêner. Placez deux bandes endroit sur endroit et piquez-les avec une marge de couture de ¼ po, en allant du centre vers les bords. Coupez doublure et rembourrage en trop. **2.** Au dos du quilt, rabattez la doublure sur ½ po et fixez-la à points d'ourlet sur l'envers du dessus (p. 201).

Le surpiquage

C'est d'un point très simple, le point devant, exécuté à raison de huit points au pouce, qu'on se sert pour assembler les trois épaisseurs du quilt. Autrefois, on mesurait l'habileté de l'artisan à la finesse de ses points et à la complexité de ses piqûres. Il faut avouer que les motifs étaient parfois très délicats: plumes, feuilles, oiseaux, cœurs. Aujourd'hui, ce travail reste beau, mais il n'est plus nécessaire, puisque les rembourrages modernes, généralement faits de polyester, gardent leur forme, même après de nombreux lavages. On peut donc laisser jusqu'à 6 po entre les séries de piqûres.

Le modèle. Les motifs bord à bord comme les coquilles ou les diagonales (p. 206) doivent être dessinés sur le quilt avec un crayon ou de la craie de tailleur; ces marques disparaîtront au lavage. Pour les lignes courbes, faites-vous un gabarit ou utilisez un objet rond: tasse ou soucoupe. Il existe des gabarits perforés pour les motifs complexes; vous pouvez même vous en fabriquer un. Dessinez le motif sur du papier-calque et trouez-le. On exécute le quilt au trait à main levée en prenant les coutures comme guide.

Les procédés. Le quilting peut se faire sans métier, sur l'ouvrage en entier ou par sections (p. 202); on peut aussi l'exécuter sur un tambour ou un métier. C'est sans doute la méthode qui serait la plus populaire si le métier ne prenait pas tant d'espace. Le quilt illustré à la page 206 a été fait sur tambour; cela se voit au léger renflement des pièces. Quelle que soit la méthode, laissez toujours intacte la marge de couture de ¼ po qui servira à la finition (p. 204).

Le surpiquage à la machine est décevant. Il n'a pas la finesse du fait-main; de plus, pour garder les épaisseurs bien en place, il faut tellement multiplier les faufilures qu'on y perd un temps précieux, temps qui serait mieux employé, tout compte fait, à exécuter les piqûres à la main.

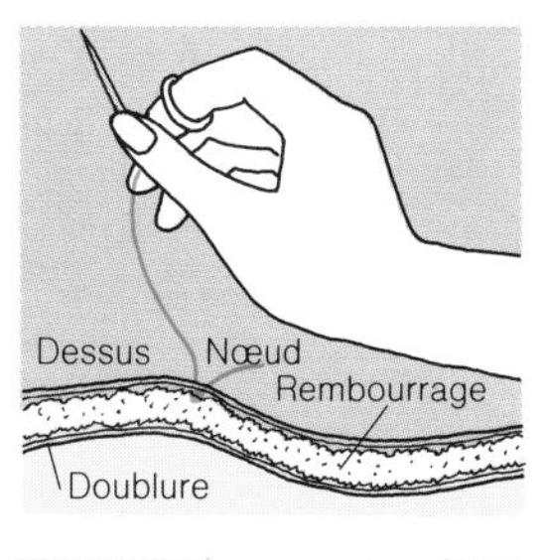

Le point devant. Faites un nœud au bout du fil, côté bobine; enfilez l'aiguille à l'autre bout. Tirez le nœud à travers doublure et rembourrage ou insérez l'aiguille dans une des piqûres du dessus et dissimulez le nœud sur l'envers.

Portez deux dés ou deux doigts de caoutchouc. Placez une main sous le quilt. Avec un mouvement de va-et-vient, poussez l'aiguille à travers le quilt jusqu'au moment où vous sentez la pointe.

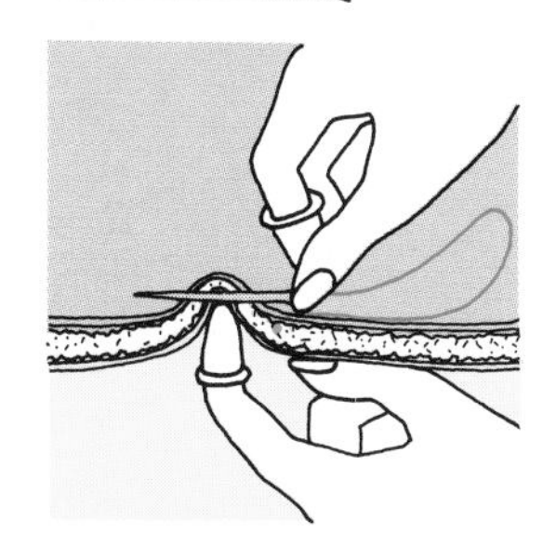

Ramenez l'aiguille sur le dessus. Hors métier, vous pouvez faire plusieurs points à la fois; sur métier ou tambour, faites-les un à un. Arrêtez le fil en refaisant quelques points vers l'arrière.

L'emploi du métier

Ouvrage surpiqué à enrouler sur le second rouleau
Zone à surpiquer bien tendue entre les montants
Montants
Ouvrage non surpiqué
Rouleau

Fixez la doublure à l'un des montants avec des broquettes ou des punaises inoxydables. Etendez le rembourrage et le dessus du quilt. Retirez les broquettes et repiquez-les dans les trois épaisseurs après avoir vérifié qu'elles tombent bien les unes sur les autres. Tendez l'ouvrage et fixez-le sur l'autre montant. Enroulez le quilt sur le rouleau de tête pour qu'il ne vous gêne pas. A mesure que le travail avance, retirez les broquettes, déroulez le quilt et enroulez la partie surpiquée sur le second rouleau pour l'écarter de votre aire de travail. A chaque étape, retendez bien le quilt entre les montants.

Quelques motifs de quilt

Motif bord à bord. Pour le motif Coquille, prenez un demi-cercle comme gabarit. Le quilt à fortes diagonales, pages 206-207, présente lui aussi un motif bord à bord.

Dessin au trait. Choisissez des formes et reproduisez-les régulièrement dans tous les pavés. Surpiquez à ¼ po des piqûres; laissez les marges intactes.

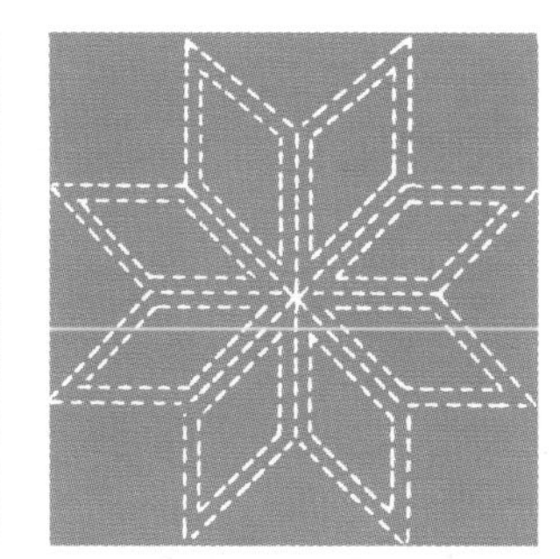

Motif en étoile. On peut l'exécuter sur certains pavés et, au montage, intercaler un pavé uni entre deux pavés ouvrés (p. 202). Pour agrandir le modèle, voir *Dessin*, page 78.

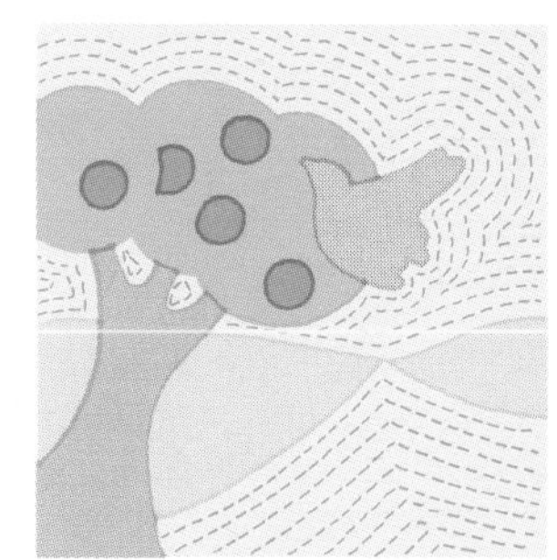

Piqûres en écho. Souvent destinées à mettre une applique en relief, elles sont très serrées près du motif et s'espacent en s'en éloignant, avec un effet ondulatoire.

La finition

La pose d'une bordure est facultative; toutefois, on peut user de ce stratagème pour agrandir le quilt ou pour lui donner du relief. Que la bordure soit en patchwork ou en appliques, elle reprend généralement un motif de l'ouvrage, mais on peut aussi la faire unie. Par exemple, le quilt Etoile en mouvement (p. 198) peut être bordé de pièces carrées de même taille et de même tissu que celles des pavés ou d'une rangée de triangles, comme celle de droite. Le motif Feuille de chêne (p. 200) peut s'accompagner d'une bordure en appliques de feuilles. On prépare la bordure par bandes de la longueur d'un pavé et on coud celles-ci aux pavés avec des marges de couture de ¼ po avant le montage du quilt. On prolonge le rembourrage dans la bordure, qu'on surpique en même temps que le reste de l'ouvrage (p. 202).

Finition des bords. Elle peut se faire de plusieurs façons. On peut tout simplement rabattre les deux bords et les coudre au point d'ourlet. La courtepointe de la page 206 est finie ainsi. Si la doublure est décorative et qu'elle soit faite dans un des tissus employés sur le dessus, on peut s'en servir comme bordure. La bordure en droit-fil convient aux quilts finis droits, la bordure en biais aux quilts à bords arrondis ou crantés.

Rectification des épaisseurs. Comme la doublure et le rembourrage sont un peu plus grands que le dessus, il faut en rectifier les dimensions. Dans le cas d'une finition au point de surjet, coupez la doublure aux dimensions du dessus, et le rembourrage pour qu'il ait ¼ po de moins. Dans le cas d'une bordure rapportée, les trois épaisseurs ont les mêmes dimensions. Lorsqu'on rabat la doublure en guise de bordure, le rembourrage doit aller jusqu'au bord de celle-ci; aussi faut-il le prévoir lors du montage. La doublure aura les mêmes dimensions que le dessus, plus deux fois la largeur de la bordure dans chaque sens, plus ½ po par côté de marge.

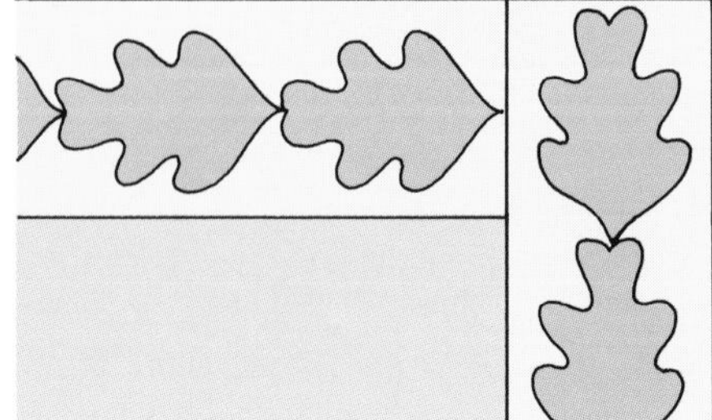

Bordures. Confectionnez les bordures en bandes et cousez-les aux pavés avant le montage. Le motif se rendant rarement jusque dans le coin, on y met généralement une pièce carrée. La bordure en patchwork (à l'extrême gauche) reprend une forme géométrique du pavé. La bordure à appliques (à gauche) convient au motif Feuille de chêne illustré à la page 200.

Finitions des bords

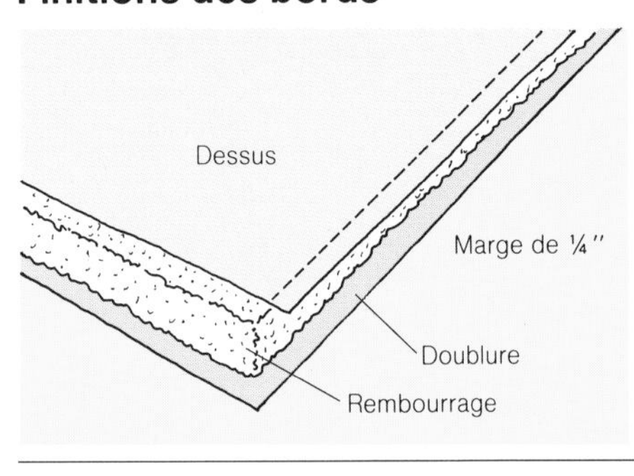

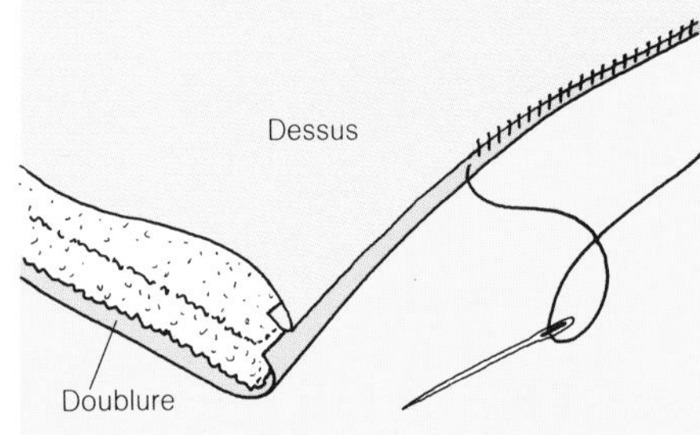

Finition au point de surjet. Sur la vignette à l'extrême gauche, on peut voir que le dessus et la doublure sont de mêmes dimensions, et que le rembourrage a ¼ po de moins. Ramenez la doublure sur le rembourrage (à gauche); repliez le dessus de ¼ po et réunissez doublure et dessus au point de surjet en faisant les points aussi petits et invisibles qu'il se peut.

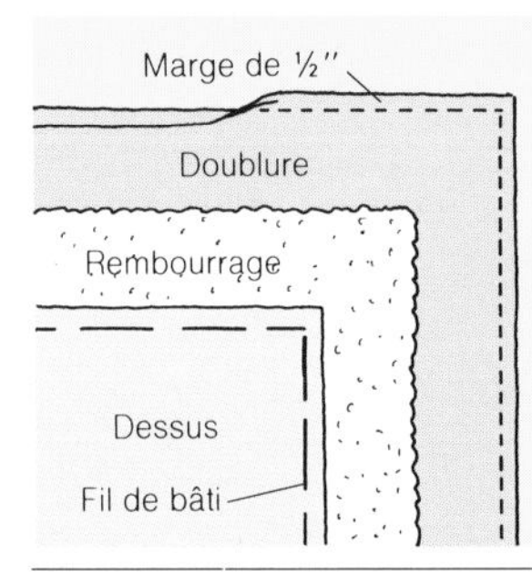

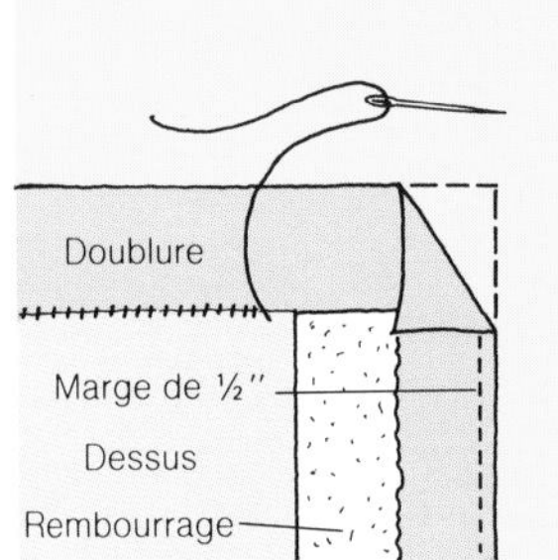

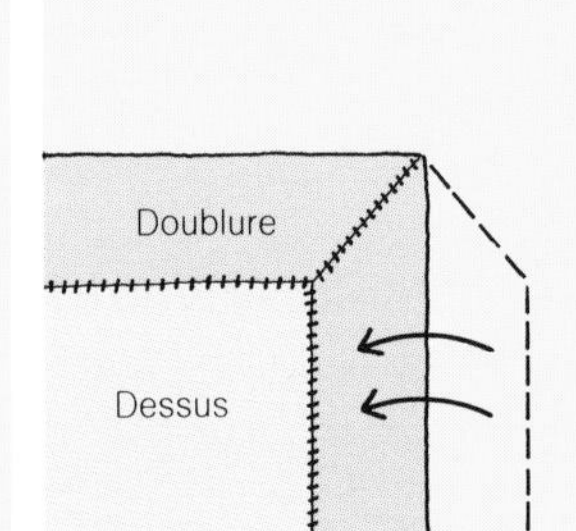

Bordure rabattue. Dans la vignette à l'extrême gauche, tout est prêt pour la finition. Ramenez la doublure par-dessus le rembourrage, pliez sa marge de rabat de ½ po et cousez la doublure le long du dessus au point d'ourlet (p. 201). Arrêtez à ¼ po du coin. Pliez le coin de la doublure en diagonale (vignette centrale), puis ramenez la doublure du côté suivant par-dessus le rembourrage. Continuez à coudre au point d'ourlet.

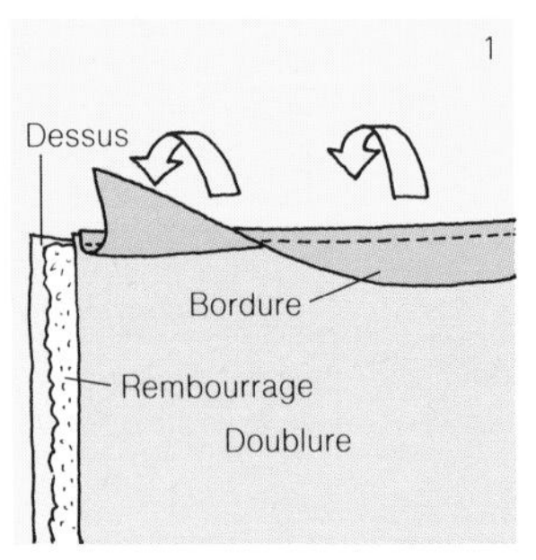

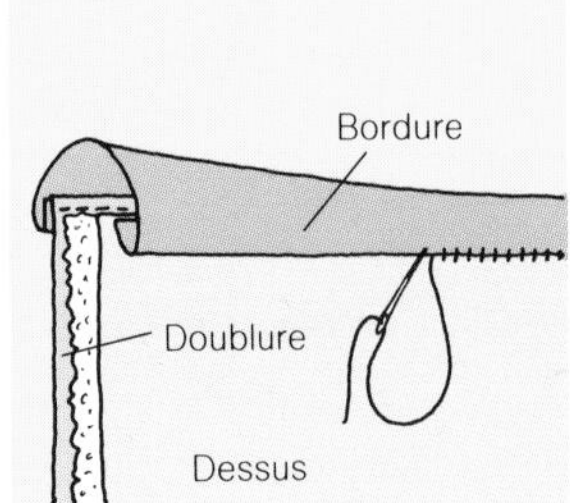

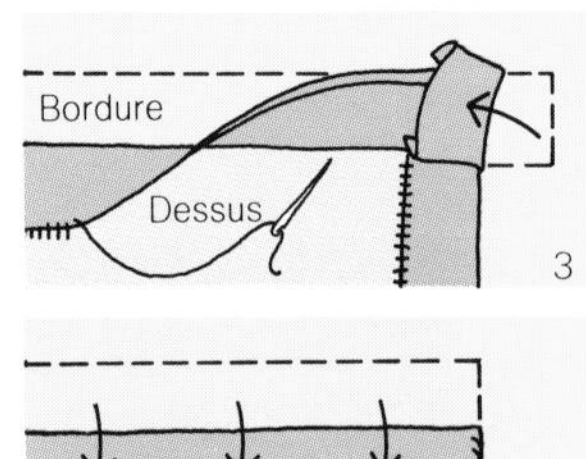

Bordure rapportée. Préparez quatre bandes droits-fils de 1½ po de largeur et un peu plus longues que les côtés de la courtepointe. **1.** Posez une bordure sur la doublure, endroit contre endroit; cousez jusqu'à ¼ po du coin. **2.** Ramenez la bordure en place en pliant sa marge de rabat de ¼ po et cousez-la au point d'ourlet. Bordez deux côtés opposés; coupez le tissu droit aux angles. **3.** Bordez les deux autres côtés en faisant dépasser le tissu de ½ po; repliez-le pour que les bords soient droits. **4.** Terminez l'ouvrage.

Quilting/projet

Losanges à renforts de papier

Coussin à cubes. Un des auteurs les plus célèbres d'un coussin comme celui-ci, le président Calvin Coolidge, le confectionna à l'âge de 10 ans, en 1882. Dans une courtepointe, les surpiqûres suivent les lignes des losanges à ¼ po des piqûres.

Il est bon de faire ses premières armes en quilting avec un projet de petite envergure, comme un dessus de coussin, qui demande peu de temps et peu de fournitures. Le dessus décrit ici mesure 16 po sur 16, mais son motif convient tout aussi bien à une courtepointe, tout comme conviennent à un coussin les motifs illustrés aux pages 198 et 200.

Les losanges du motif Cubes sont montés et cousus selon un procédé différent de celui exposé aux pages 198-199. Chacun des losanges est doublé d'un losange en papier par-dessus lequel on rabat la marge de couture et on bâtit; les losanges sont ensuite assemblés au point de surjet bord à bord. Ce travail terminé, on retire les renforts de papier et les faufilures.

Fournitures. Pour obtenir un effet tridimensionnel, on prend des tissus de trois tons: foncé, moyen et clair. Il en faut trois de chaque sorte, soit en tout neuf tissus différents, à raison de ¼ vg chacun. Désignez chacun d'eux par une lettre, comme dans le tableau des coupes ci-dessous.

Achetez aussi ½ vg de doublure, du fil assorti, un coussin non fini et une fermeture éclair de 16 po pour rendre le dessus amovible. Montez le patchwork sur un carré de doublure de 16½ po de côté. Assemblez-le ensuite à un autre carré de même grandeur, qui formera le dessous. Posez la fermeture éclair sur un des côtés.

COULEURS		LOSANGES
Foncé	**a**	1, 15, 20
	b	4, 18, 23
	c	7, 12, 26
Moyen	**d**	2, 13, 27
	e	5, 10, 24
	f	8, 16, 21
Clair	**g**	3, 14, 19, 28
	h	6, 17, 22
	i	9, 11, 25

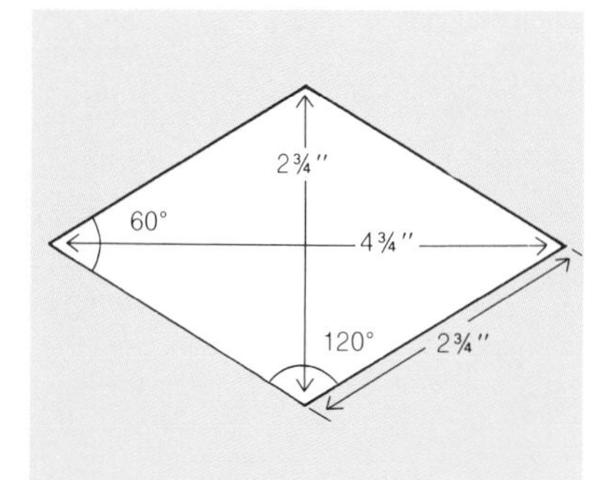

1. Gabarit. Dessinez sur du carton un losange ayant les dimensions données ci-dessus. Servez-vous d'un rapporteur pour les angles. Découpez le carton.

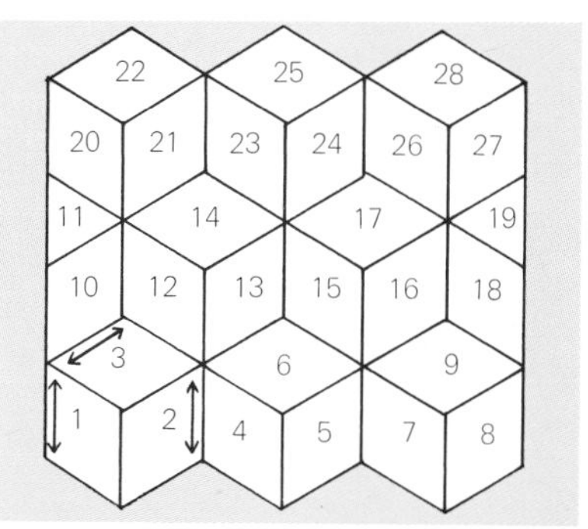

2. Maquette. Avec ce gabarit, dessinez la pièce suivant ses dimensions réelles, sur du papier fort. Numérotez les losanges au recto et au verso. Indiquez le droit-fil avec des flèches.

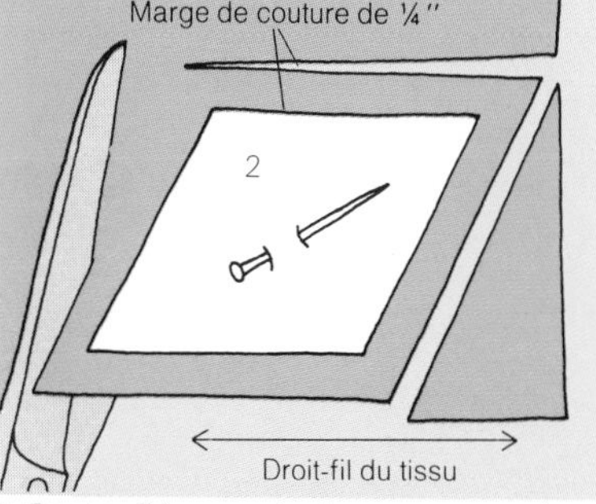

3. Coupe. Découpez les losanges en papier et épinglez-les sur l'envers des tissus en suivant le tableau. Mettez les flèches sur le droit-fil et laissez une marge de couture de ¼ po.

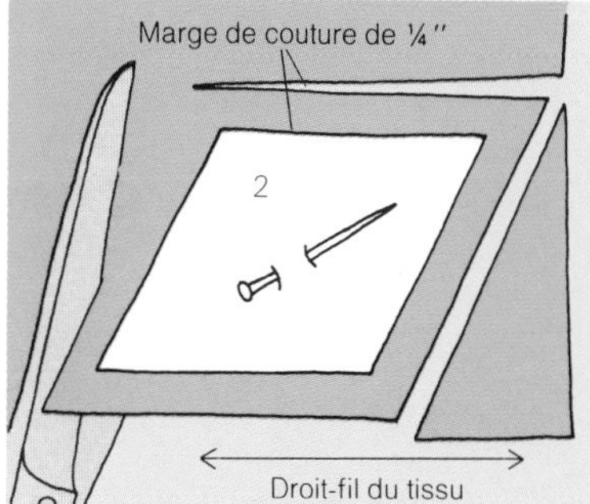

4. Pièces. Rabattez le tissu par-dessus le papier; épinglez et bâtissez. Dans les angles, suivez les instructions données à la page 201. Retirez faufilures et papiers après l'étape 6.

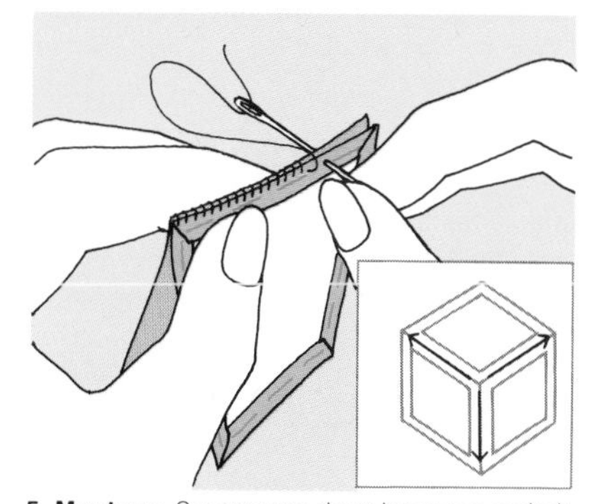

5. Montage. Superposez deux losanges endroit sur endroit. Cousez au point de surjet dans le sens des flèches. Faites de petits points et autant que possible ne perforez pas le papier.

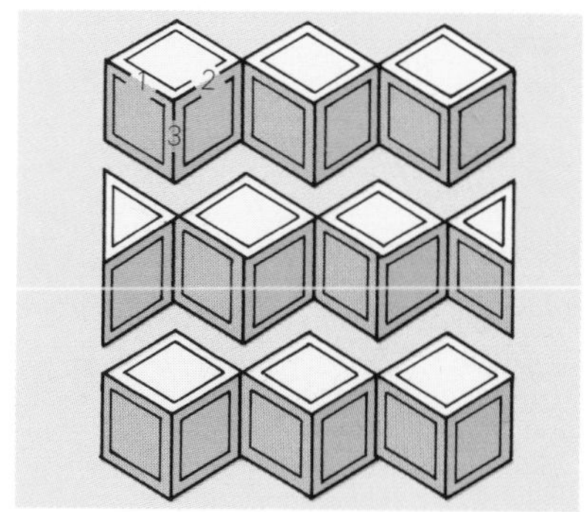

6. Ordre des coutures. Montez les losanges en suivant l'ordre des coutures (en haut, à gauche). Montez les pavés en sections horizontales et réunissez-les comme à l'étape 5.

Quilting/projet

Un motif ancien interprété à la moderne

Un quilt à motif hélicoïdal. Dérivé d'un ancien thème très populaire, la Roue dentée ou Soleil, le modèle Hélice est relativement nouveau en quilting. Ses lignes dominantes, en rouge dans la vignette ci-dessus à droite, mettent en relief les puissantes diagonales du motif hélicoïdal. Les pièces ont été cousues à la machine, mais le quilting a été fait à la main.

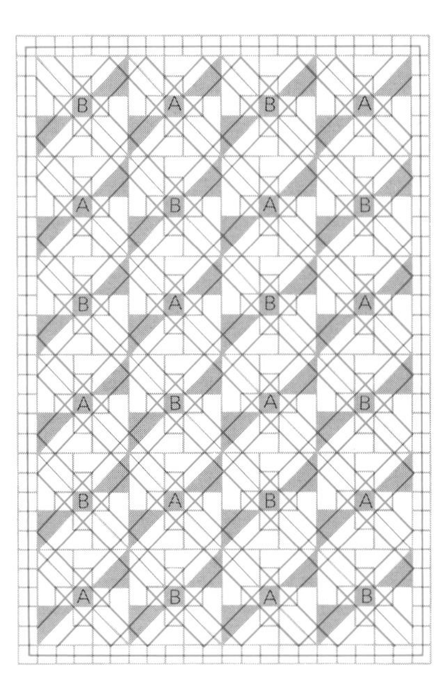

Le motif connu sous le nom d'Hélice est empreint de mouvement. Un jeu de triangles tourbillonne autour d'un carré central tandis qu'un autre jeu de triangles virevolte au point de rencontre de quatre pavés. Des diagonales hautes en couleurs vont du coin supérieur droit au coin inférieur gauche à travers le carré central des pavés.

Cette courtepointe de 66 po sur 96 est faite pour un lit à une place, garni d'un volant. Elle se compose de 24 pavés — 4 dans la largeur, 6 dans la longueur — mesurant chacun 15 po de côté. Une bordure de petits carrés de 3 po reprend le motif du carré central de chaque pavé.

Douze pavés, identifiés par *A* ci-dessus et dans le diagramme page 207, sont identiques et se répètent en diagonale, de haut en bas et de droite à gauche (voir ci-dessus). Ils alternent avec 12 autres pavés, les pavés *B*, semblables aux pavés *A* sauf pour les centres et deux lames des hélices qui sont traités dans des coloris différents.

Chacun des pavés comprend deux figures de base : un carré de 3 po de côté et un triangle rectangle dont deux côtés ont 6 po et l'hypoténuse 8½ po. (Voir la fabrication des gabarits, p. 199.) L'assemblage de cette courtepointe ayant été réalisé à la machine, on a ajouté quatre piqûres par pavé pour éviter de coudre dans un angle.

Fournitures. On utilise pour les pavés 10 tissus différents qui sont identifiés dans le diagramme, page 207, par des lettres minuscules. En dessous, un tableau donne la quantité requise pour chacun d'eux dans du tissu de 45 po de large, et le nombre de pièces à y tailler.

La doublure est faite, ici, d'un tissu vert clair, identifié par la lettre *a* dans le pavé *A ;* il en faut 5½ vg dans du tissu de 45 po de large. Coupez-en deux bandes de 34 po sur 99 et joignez-les sur la longueur. Le rembourrage est en molleton de polyester de ¼ po d'épaisseur. Pour les piqûres machine, il vous faudra deux grosses bobines de fil bleu pâle ; pour faufiler, une grosse bobine de fil blanc ; pour surpiquer, une grosse bobine d'un fil contrastant avec tous les tissus, ici du vert vif.

La bordure se compose de 104 carrés taillés dans les 10 tissus. Utilisez le même gabarit que pour les pavés, et cousez les carrés sur le bord extérieur des pavés. En partant du deuxième carré dans le coin supérieur gauche et en allant vers la droite, l'ordre des tissus est le suivant : *e, f, g, a, b, c, d, x, y, z.*

Pour choisir une autre gamme de coloris, reportez-vous aux suggestions données page 198 et dans *Couleur et motif,* pages 86-87. Si vous voulez modifier les dimensions de la courtepointe, référez-vous à la page 197. Dès que vous vous écartez d'un modèle, faites un patron et suivez-le quand vient le temps de couper et de coudre. Respectez toujours les diagonales de pavés *A* et *B* quand vous ajoutez des rangées de pavés sur la largeur ou sur la longueur.

Réalisation de la courtepointe

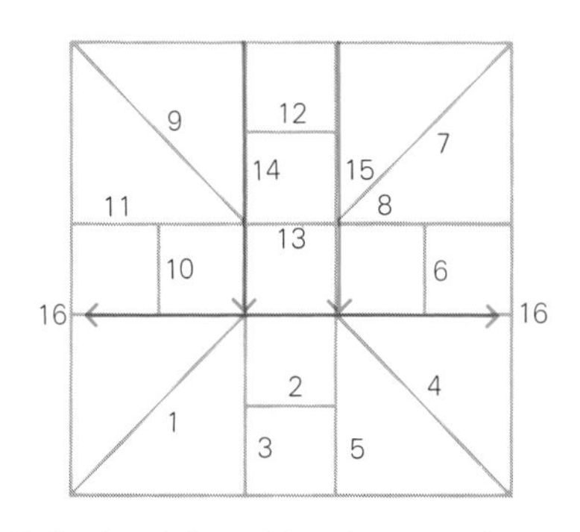

Ordre des piqûres. Suivez l'ordre numérique ci-dessus pour relier à la machine les éléments d'un pavé. En général, on coud les petites pièces ensemble, puis on les assemble aux grandes.

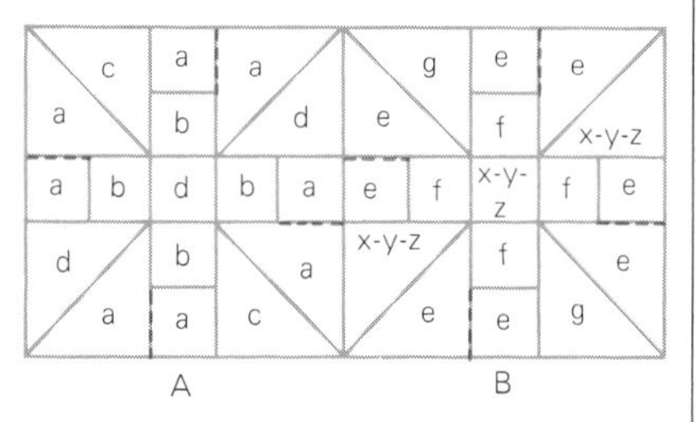

TISSU		PIÈCES À DÉCOUPER		
	Quantité (en verges)	**Pour les pavés**		**Pour la bordure**
a	1 2/3	48 ■	48 ▲	11 ■
b	2/3	48 ■		10 ■
c	2/3		24 ▲	10 ■
d	3/4	12 ■	24 ▲	10 ■
e	1 2/3	48 ■	48 ▲	11 ■
f	2/3	48 ■		11 ■
g	2/3		24 ▲	11 ■
x	1/2	4 ■	8 ▲	10 ■
y	1/2	4 ■	8 ▲	10 ■
z	1/2	4 ■	8 ▲	10 ■

▲ = triangle ■ = carré

Les deux pavés. Pour cette courtepointe, il faut 12 pavés *A* et 12 pavés *B*. Les lettres minuscules identifient les tissus. Le tableau ci-dessus indique le nombre de pièces de chaque tissu. Les pointillés en rouge donnent les piqûres exigées pour l'assemblage machine. Les pièces *x*, *y* et *z* changent à chaque rang en diagonale du pavé *B*. Employez le tissu *y* dans le pavé *B* du haut, à gauche (p. 206), le tissu *x* pour la diagonale suivante, puis le tissu *z*. Recommencez.

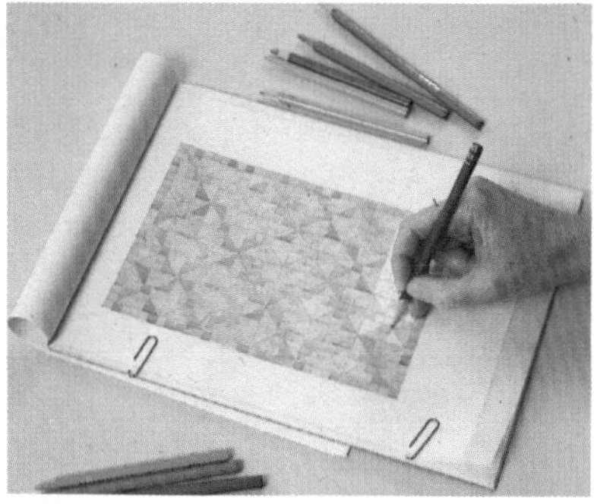

1. Maquette. Posez un papier-calque sur le schéma de la courtepointe et coloriez les éléments. La maquette est à l'échelle de ¼ po aux 3 po ou de 1 po au pied.

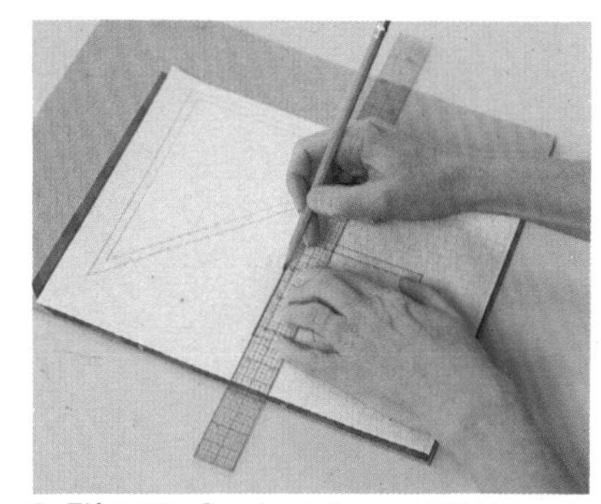

2. Eléments. Sur du papier quadrillé de quatre carrés au pouce, dessinez un triangle rectangle de 6 po sur 6 sur 8½ et un carré de 3 po de côté. Tracez une ligne à ¼ po tout autour.

3. Marquage. A l'aide des gabarits, marquez l'envers du tissu avec un stylo bille. Utilisez un crayon à marquer pour les tissus sombres. Respectez le droit-fil (voir texte, p. 199).

4. Assemblage. Mettez les éléments en place et assemblez-les dans l'ordre donné. Voir le diagramme en haut à gauche. Ici, on en est à la deuxième piqûre.

5. Repassage. Repassez les pavés à l'envers. N'essayez pas d'aplatir les marges. Repassez-les du côté du tissu sombre s'il y a lieu. Assemblez les pavés (voir p. 202).

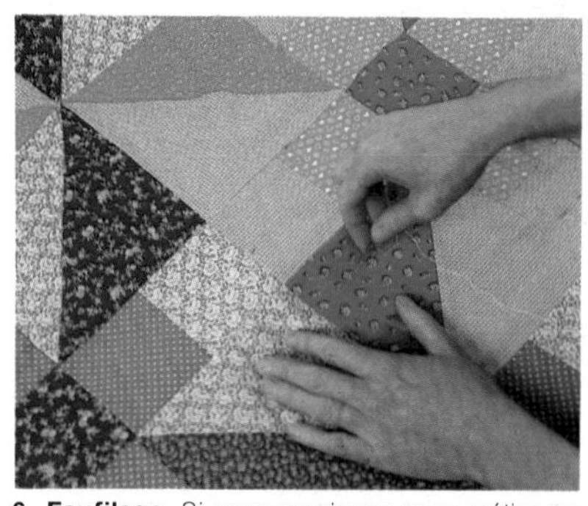

6. Faufilage. Si vous surpiquez sans métier ou sur un tambour, faufilez les épaisseurs tel qu'indiqué page 202. Lissez le tissu devant l'aiguille. Avec un métier, nul besoin de faufiler.

7. Marquage des surpiqûres. Utilisez une règle et un crayon à marquer. Suivez le diagramme page ci-contre. Avec un métier, marquez-en le haut avant d'assembler les épaisseurs du tissu.

8. Surpiquage. Posez le tambour au centre de l'ouvrage. Prenez une aiguille par surpiqûre et cousez jusqu'au tambour. Déplacez celui-ci et continuez. La bordure se fait sans tambour.

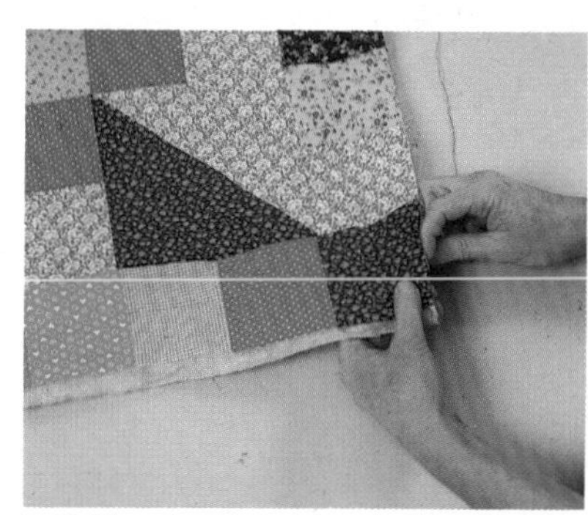

9. Finition. Pour la bordure à même (p. 204), rabattez la marge de couture du dessus. Rabattez la doublure sur le rembourrage. Les bords étant égaux, réunissez-les au point d'ourlet.

Tapis

Un art trois fois millénaire

Le tapis de sol a connu son plus grand essor et atteint un sommet de perfection artistique en Asie Mineure, à la fin du Moyen Age.

Vers la même époque, en Europe, où le sentiment du cadre de vie reposait davantage sur la décoration des murs que sur celle du sol, la tenture murale, en particulier la tapisserie, jouait un rôle artistique prépondérant.

Ces différences affectèrent non seulement la production, mais également l'attitude des Occidentaux envers le tapis d'Orient. Celui-ci était connu et très prisé, tout au moins depuis le XIIIe siècle, et n'était pourtant que rarement étendu sur le sol, mais plutôt utilisé comme tapis de table ou de coffre, ou comme tenture murale.

Le plus ancien tapis à points noués connu, qui nous vient de Pazyryk, en Sibérie méridionale, prouve que les débuts de l'art du tapis remontent au moins à la seconde moitié du Ier millénaire av. J.-C.

On pense que ce sont les Seldjoukides qui, au XIe siècle, introduisirent cet art en Asie Mineure durant leur migration du Turkestan en direction de l'ouest. C'est en effet de l'émirat seldjoukide de Rûm que proviennent les plus anciens spécimens de l'art anatolien médiéval du tapis dont Marco Polo vantait déjà l'étonnante beauté.

La période qui va de la fin du XVe siècle à la fin du XVIIe siècle est qualifiée d'« époque classique » du tapis. C'est alors que les caractéristiques particulières des différentes régions d'Asie Mineure et du Caucase se manifestent avec netteté et apparaissent dans des originaux impressionnants.

C'est en Espagne, où son histoire peut être retracée depuis le XIIe siècle, que la production européenne de tapis a les plus étroites affinités avec les productions orientales. Ainsi, de nombreux ouvrages du XVe siècle ont été grandement influencés par des dessins d'Asie Mineure qui ne seront supplantés qu'un siècle plus tard par des éléments décoratifs inspirés principalement par la culture européenne.

C'est au XVIIe siècle, en France, que l'Europe voit naître un style de tapis qui lui est spécifique et que l'on regroupe sous l'appellation de « savonneries », d'après le nom d'une manufacture renommée pour la qualité de son travail. Adaptés à la décoration lourde, en partie sculptée, des parois et des plafonds, ces tapis français constituent le type européen le plus caractéristique et le contraste le plus accusé par rapport aux tapis d'Orient.

Le tapis de sol à points noués fut importé en Angleterre, au XVIIIe siècle, par des immigrants français. Un siècle plus tard, l'invention du métier jacquard et l'apparition de métiers mécanisés allaient permettre d'augmenter rapidement la production et de rendre les tapis accessibles aux nouvelles classes bourgeoises.

En Amérique, l'art du tapis s'implanta d'abord en Nouvelle-France avec l'arrivée des colons européens dont les ouvrages demeurèrent longtemps strictement utilitaires.

Au XIXe siècle, alors qu'en Europe les métiers mécanisés sont en train de supplanter les métiers manuels, le tapis fait main s'impose partout en Amérique du Nord comme l'un des arts traditionnels les plus novateurs. Les fibres se diversifient, les points se multiplient et les motifs deviennent de plus en plus sophistiqués.

Aujourd'hui, devenus virtuoses, les tisserands utilisent des métiers de haute et de basse lisse, à deux ou à plusieurs lames, pour confectionner des tapis qui frappent par leur qualité et leur très grande beauté.

Un tapis à l'aiguille anglais de 1775, réalisé surtout au petit point et au point de riz.

Tapis à l'aiguille — fournitures

On trouvera les fournitures nécessaires dans les merceries, dans les boutiques pour travaux à l'aiguille et chez les fabricants de tapis. Choisir soi-même ses « pennes » (voir ci-dessous), c'est encore le meilleur moyen d'obtenir ce que l'on veut.

Canevas. Le tapis à l'aiguille se fait sur canevas. Ce canevas est dit « simple » lorsqu'il est tissé fil à fil, c'est-à-dire un fil de chaîne sur un fil de trame, ou « double » lorsque ses fils sont tissés deux à deux. Il peut aussi être plus ou moins gros. Moins il y a de fils au pouce, plus il est gros. C'est d'ailleurs ainsi qu'on le désigne; par exemple, un canevas double n° 5, le plus fréquemment utilisé, présente cinq fils doubles au pouce. Il se vend en largeurs de 12, 22, 27 et 36 po et en plusieurs qualités; il est préférable de choisir la meilleure. C'est la largeur de votre ouvrage qui détermine celle du canevas; sur la longueur, comptez de 1 à 3 po de plus que le travail fini, selon les dimensions du tapis, pour rentrer le tissu à chaque extrémité.

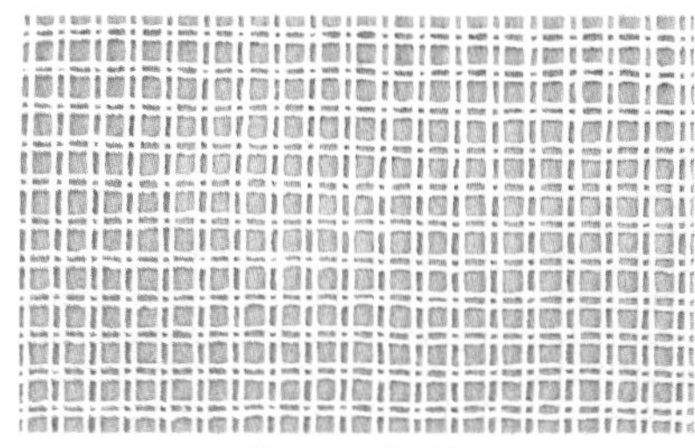
Canevas double

Fils. Les tapis se font surtout avec de la laine. Les laines à broderie étant chères, on peut essayer de se procurer des pennes, c'est-à-dire les longs fils de chaîne qui restent sur les métiers industriels du côté de la petite ensouple. Cette laine est généralement à deux brins, pure ou mélangée avec des fibres synthétiques. Les pennes sont de teintes variées et on les vend en sacs de 1 ou 2 lb. Assorties par couleur, elles coûtent cependant un peu plus cher. On peut aussi se procurer de la laine en écheveau. Il faut compter environ 5 oz de laine au pied carré pour un tapis ras et à peu près 9 oz pour un tapis velours, sur canevas double n° 5. Les coloris n'étant pas tout à fait les mêmes d'un bain de teinture à l'autre, achetez-en un peu plus que ce que vous prévoyez utiliser, de manière à ne pas en manquer.

Aiguilles. Les tapis se font avec des aiguilles épointées à chas large, vendues dans les tailles 13, 14, 15 et 16. Toutes conviennent au canevas double n° 5. Pour les travaux sur canevas fin, prenez des aiguilles à tapisserie; elles sont émoussées elles aussi mais plus fines. L'aiguille ne doit pas déformer les jours du canevas en passant.

Calque. Employez un crayon indélébile à pointe fine pour reproduire le motif sur canevas. N'utilisez pas de crayon feutre: l'encre coulerait quand vous mouillerez le tapis pour le mettre en forme.

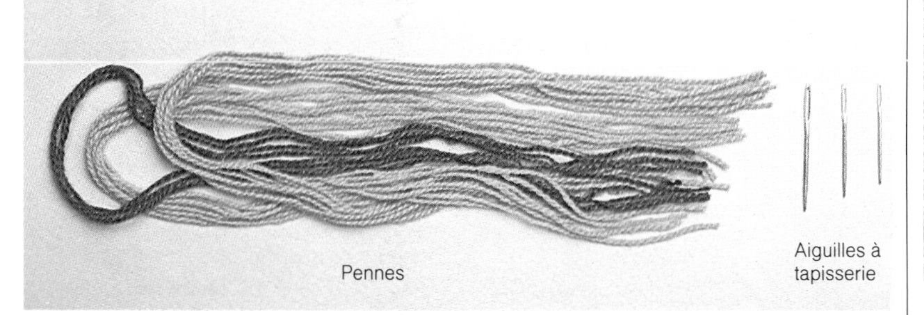
Pennes

Aiguilles à tapisserie

Tapis économiques — fournitures

Jute. Il se vend à la verge dans les boutiques pour travaux à l'aiguille, dans certains magasins à rayons et chez les fournisseurs de tissus d'ameublement, en pièces de 3 pi et de 4½ pi de largeur. Il doit être tissé assez lâche pour qu'un crochet ou un poinçon puisse passer entre les fils sans briser l'armure. En calculant la quantité dont vous aurez besoin, n'oubliez pas d'ajouter 2 ou 3 po aux deux extrémités pour pouvoir faire la finition.

Canevas. Il faut un canevas pour crochet à clapet lorsque l'on choisit d'exécuter le travail selon la méthode n° 3. Ce canevas présente un trou au quart de pouce et une ligne repère tissée dans l'étoffe tous les 10 trous; il se vend en largeurs de 14, 27, 30, 36 et 45 po. Vous pouvez vous le procurer dans les boutiques pour travaux à l'aiguille ou chez les fabricants de tapis en vous y présentant en personne ou en le commandant par la poste.

Poinçons. Ce sont des instruments pointus en bois dur (du chêne, en général) de tailles grande, moyenne ou petite, capables de perforer à peu près tous les tissus. On les achète dans des boutiques spécialisées en fournitures pour tapis; on peut aussi en trouver qui sont usagés. Clous, brochettes en bois ou en métal pour la cuisine, cartouches de stylo à bille, coupe-papier, limes à ongles ou anciennes épingles à linge peuvent tous en tenir lieu.

Jute

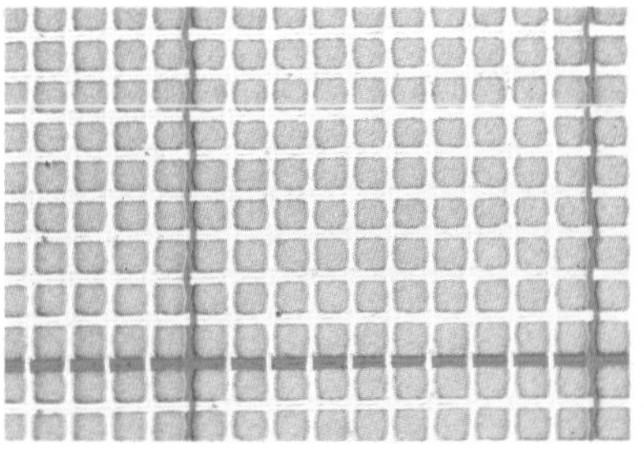
Canevas pour crochet à clapet

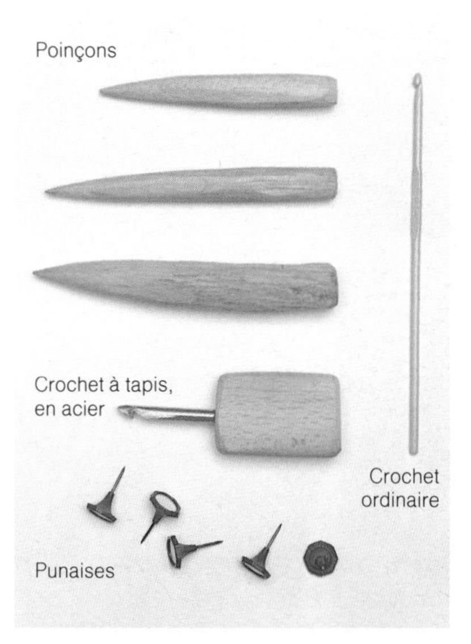

Crochets à tapis. On peut encore trouver dans des boutiques spécialisées l'ancien crochet en acier à manche de bois ou de corne. Le crochet à clapet qui sert à fabriquer les tapis à points bouclés ne fait pas l'affaire.

Crochets à broder. Un crochet de taille moyenne, soit à bec de ⅛ po environ, peut permettre de faire passer des tissus d'épaisseur moyenne à travers un fond de jute. La pointe d'un tel crochet doit être assez fine pour qu'on puisse l'insérer entre les fils sans les briser. Si les bandes de tissus sont très étroites et très longues, il sera possible d'exécuter le travail avec un crochet un peu plus petit.

Tapis

Les tapis ras à l'aiguille

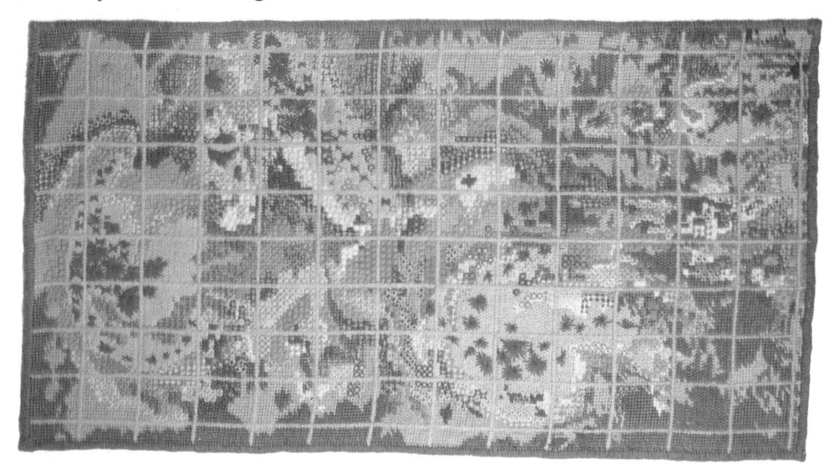

Le motif de cet ouvrage : une carte météorologique du monde vu d'un satellite.

Un grand nombre de points divers sont utilisés dans la fabrication des tapis à l'aiguille. Ce sont des points solides qui résistent à l'usure et permettent de réaliser des motifs et des jeux de texture intéressants. Plusieurs tapis de table de l'ère élisabéthaine ont été exécutés au point de croix ou au petit point. Nous en conservons encore de remarquables spécimens et, parmi eux, on compte notamment ce fameux tapis de table Gifford qui a été réalisé vers le milieu du XVIe siècle au petit point, à raison d'environ 400 points au pouce carré.

L'ouvrage ci-dessus mesure à peu près 27 po sur 50. Entièrement réalisé avec des points brodés, c'est un tapis auquel de subtiles nuances de couleur donnent richesse et profondeur.

Parmi les points employés dans sa confection, on retrouve les points de croix, de Smyrne, de riz, d'œillet, des Gobelins entrecroisé (p. 211) et de croix à longues branches (p. 215). On reconnaît également le point de croix noué et le point étoilé. Les points d'araignée, surimposés en brun, ont été inventés par l'auteur de l'ouvrage; bien qu'on ne les trouve dans aucun livre, ils ont ici une force expressive incontestable.

Les points. Plusieurs points de broderie entrent dans la confection des tapis sur canevas. Ils se font horizontalement, verticalement ou en diagonale, selon leur genre (voir les diagrammes). Parfois, on lance le fil à tapisser par rangées, mais, dans d'autres cas, il faut renverser le canevas à chaque rangée pour revenir sur le rang précédent. A l'encontre de ce qui se pratique en couture, les mouvements sont décomposés. Par exemple, on sort l'aiguille en tirant la laine jusqu'au bout avant de la passer à nouveau au travers du canevas. La tension du point doit être constante et correcte, ni trop grande ni trop lâche, et les points doivent recouvrir toute la surface du canevas. Il est sage de répéter un point nouveau avant de l'exécuter « au propre » et de surveiller attentivement au début l'envers de l'ouvrage : on peut facilement oublier un fil.

Tous les points illustrés ici (sauf le point d'œillet, p. 211) se font avec des fils doubles de laine Axminster sur canevas double nº 5. Enfilez une aiguillée et tirez-la jusqu'à mi-longueur pour que le fil soit double. Dans le canevas double, il faut s'assurer qu'on ne sépare pas les fils de croisement.

Les diagrammes. Comptez toujours les fils du canevas entre le trou par où sort l'aiguille et celui par où elle rentre. Lorsqu'un point est suivi de la formule 2 × 1, cela signifie que vous devez compter sur le canevas deux fils horizontaux et un fil vertical. Ne comptez jamais les trous.

Les instructions données ici ont été conçues pour un ouvrage où on emploierait un fil d'une seule couleur ; elles sont illustrées en deux couleurs pour les rendre plus faciles à comprendre.

Afin que les explications soient le plus claires possible, l'ordre à suivre dans l'exécution des points est indiqué par des lettres. Les instructions précisent également s'il faut sortir l'aiguille sur l'endroit du travail ou la rentrer. Les traits brisés représentent le fil vu sur l'envers de l'ouvrage.

Pour se simplifier la tâche, les gauchers peuvent renverser les diagrammes ou les tracer en détail et les lire au verso et non au recto.

Ne vous faites pas de souci s'il vous arrive de vous tromper. Personne n'y échappe et, le cas échéant, il suffit de défaire et de recommencer.

Préparation du canevas. A chaque extrémité de l'ouvrage, rentrez 1 ou 2 po de canevas en alignant bien les trous et passez un fil blanc d'une lisière à l'autre, à travers les deux épaisseurs et de trou en trou, pour que le canevas ne bouge pas durant le reste des travaux. Le pourtour de l'ouvrage sera terminé au point de bordure (p. 215).

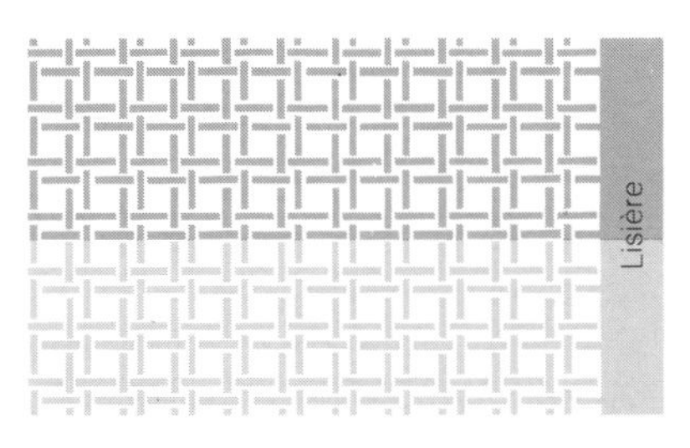

Commencez par rentrer les bouts du canevas.

Début d'un point. On peut commencer un motif de trois façons différentes. Dans chaque méthode, les fils sont complètement dissimulés sous la première rangée de points.

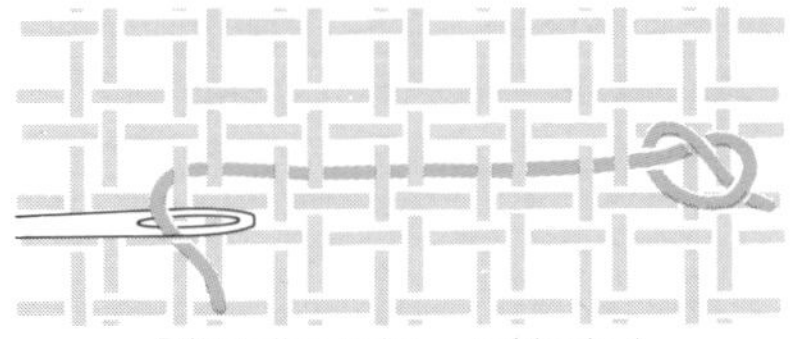

Début d'un point — méthode 1.

Méthode 1. Pour les points qui vont de gauche à droite, faites un nœud au bout des fils, piquez l'aiguille sur l'endroit du canevas et ressortez-la environ 2 po plus loin.

Cette méthode s'emploie surtout pour les motifs isolés. Quand le rang de points rejoint le nœud, coupez celui-ci avec soin. Procédez à l'inverse pour les points venant de droite.

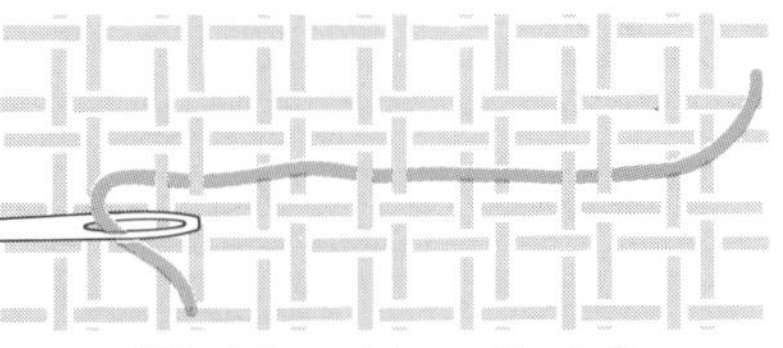

Début d'un point — méthode 2.

Méthode 2. Exécutez des points devant sur 2 po dans le canevas avant de commencer le point du motif. Pour les points de gauche à droite, suivez le diagramme. Pour les points de droite à gauche, inversez-le.

Méthode 3. Quand il y a déjà des points sur le canevas, commencez sur l'envers et piquez dans ceux-ci sur 3 po environ en prenant chaque fois un peu du canevas, mais sans que cela se voie sur l'endroit. Sortez ensuite l'aiguille en bordure du motif.

Finition. Rentrez l'aiguille et faites des points sur l'envers de l'ouvrage, sur 3 po environ, pour arrêter le fil. Ici et là, piquez dans le canevas, mais sans que cela se voie sur l'endroit.

Les points brodés

Les points qui suivent sont à la portée des débutants; leur variété permet d'obtenir des effets intéressants: pour réaliser des contrastes de texture, comme dans le tapis illustré à la page 210, ou des motifs figuratifs, comme dans le tapis reproduit à la page 212.

Le point de croix. Il existe plusieurs façons de réaliser ce point de tapisserie très populaire. Selon la méthode illustrée ci-dessous, chaque point est exécuté séparément. Ceci présente l'avantage que, en cas d'erreur, on peut défaire un point à la fois. Dans un point croisé, les fils du croisement doivent tous aller dans la même direction. Le point de croix comporte de nombreuses variantes selon qu'on le désire long et étroit ou court et large.

Le point de Smyrne. Ce point se fait à partir d'un point de croix (2 × 2) auquel on surimpose un point de croix droit. On obtient ainsi un motif légèrement en relief. On peut réaliser de très jolis effets en utilisant un fil d'une couleur pour le point de base et un deuxième d'une autre couleur pour le point de croix droit. On peut également renverser l'ordre et exécuter d'abord le point de croix droit, puis le point de croix classique.

Le point de riz. Il s'agit d'un point très serré, qui couvre bien la surface du canevas. On l'obtient en superposant un point de croix classique (2 × 2) et quatre petits points en diagonale, de préférence dans un fil plus fin, croisant chaque branche du premier. Comme dans le cas du point de Smyrne, on peut utiliser un fil d'une couleur pour le point de base et un second d'une autre couleur pour les petits points.

Le point d'œillet. Ce point se réalise avec un fil simple, mais on doit éviter de le faire dans un coin, car il se déforme facilement.

Le point de fougère. Ce point se travaille à la verticale et permet d'obtenir un effet d'ondulations.

Le point jacquard. Ce point en diagonale donne un effet de degrés; il s'exécute sur trois rangées à la fois, et on y intercale du petit point.

Le point des Gobelins entrecroisé. Ce point a l'avantage de se faire rapidement, il couvre bien le canevas et donne un tapis très ras. Si vous changez de couleur de fil chaque fois que vous enfilez l'aiguille, ou d'un rang à l'autre pour créer un motif à raies, vous obtiendrez des effets intéressants.

Le point de Paris en diagonale. Comme la plupart des points en diagonale, celui-ci peut être exécuté avec des fils de différentes couleurs.

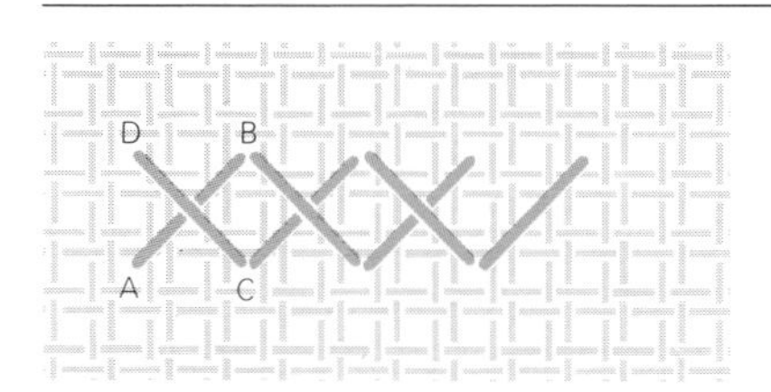

Le point de croix. Sortez en A, rentrez en B; faites courir le fil sur l'envers pour sortir en C. Rentrez en D, ressortez en C et ainsi de suite. A la fin du rang, renversez l'ouvrage et reprenez exactement de la même façon.

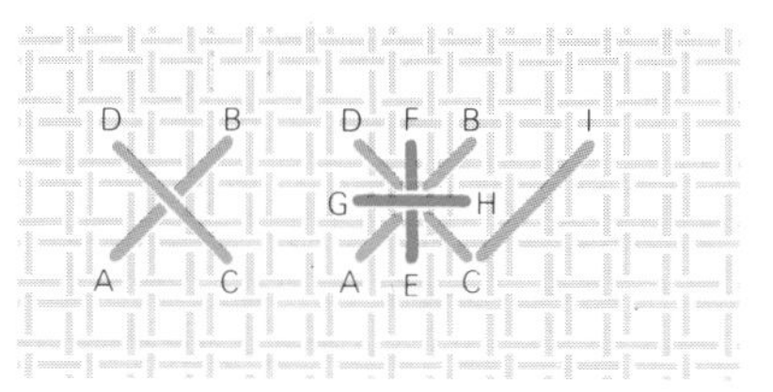

Le point de Smyrne. Faites un point de croix (A à D). Sortez en E, rentrez en F, sortez en G et rentrez en H. Pour le second point de base, sortez en C et rentrez en I. Continuez en exécutant les points dans le même ordre.

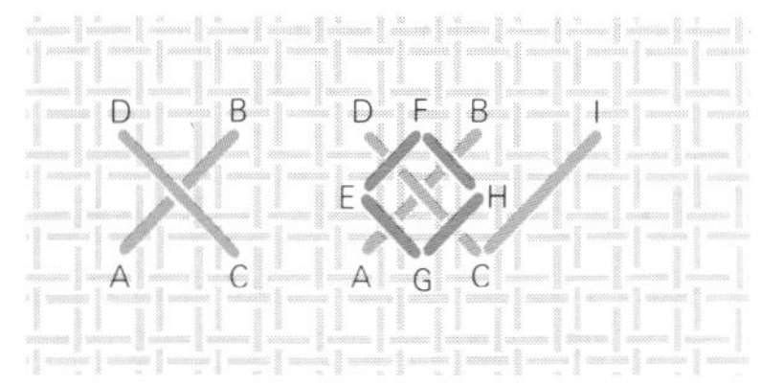

Le point de riz. Commencez par exécuter un point de croix. Faites ensuite les points en diagonale: sortez en E, rentrez en F; sortez en G, rentrez en H; sortez en E, rentrez en G; sortez en F, rentrez en H. Recommencez en C vers I.

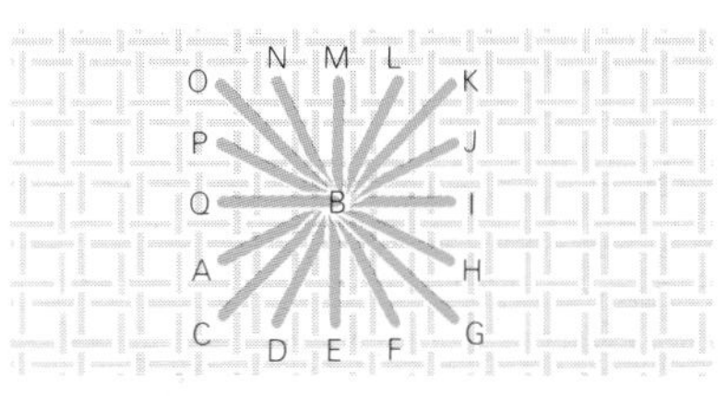

Le point d'œillet. Sortez en A, rentrez au centre en B. Sortez en C et continuez de la sorte en brodant toutes les branches du point vers le centre dans l'ordre alphabétique illustré sur la vignette. Le dernier trait est en Q.

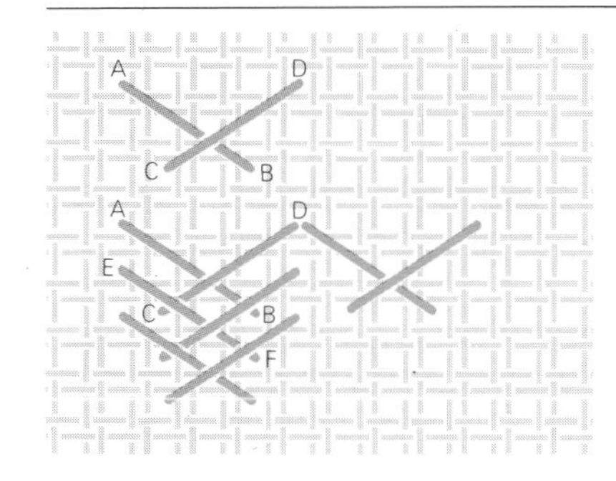

Le point de fougère. Sortez l'aiguille en A; comptez trois fils de canevas vers la droite et deux fils vers le bas et rentrez en B. Enjambez sur l'envers deux fils de canevas et sortez en C. Rentrez en D. Sortez en E, rentrez en F et ainsi de suite jusqu'à l'extrémité du motif. Pour le second rang, repartez à côté du premier point au sommet et travaillez vers le bas.

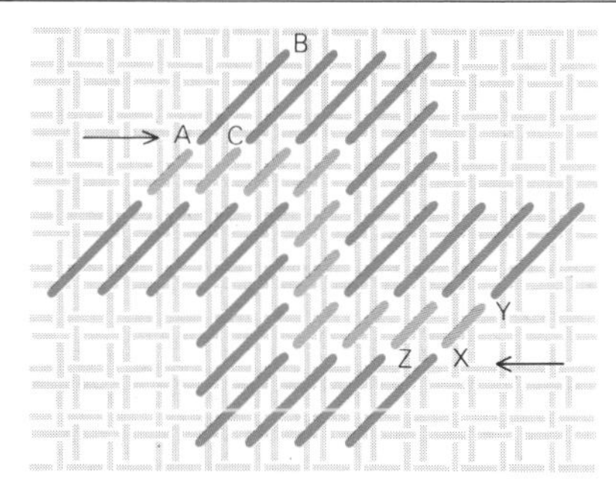

Le point jacquard. Sortez en A. Comptez deux fils vers le haut et deux fils vers la droite; rentrez en B. Sortez en C et continuez à travailler en degrés descendants comme sur le diagramme. Au deuxième rang, sortez en X, rentrez en Y. Ressortez en Z et continuez ainsi jusqu'en haut. Le troisième rang est la répétition du premier. Ce point se fait par groupes de 5.

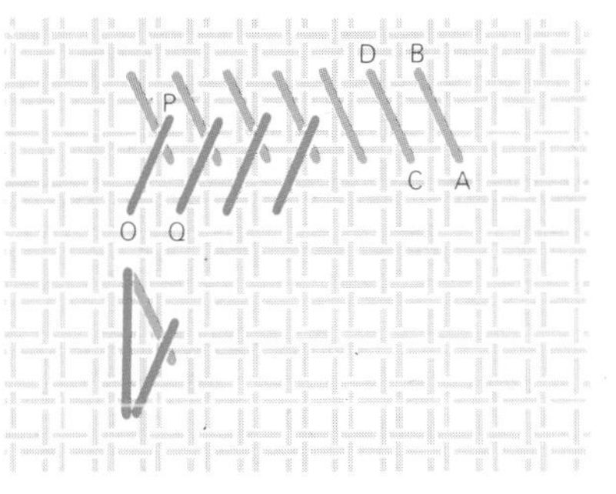

Le point des Gobelins entrecroisé. Commencez du côté droit. Sortez en A, rentrez en B. Sortez en C, rentrez en D et continuez ainsi. Pour le deuxième rang, commencez à gauche en enjambant trois fils sur l'envers; sortez en O. Rentrez en P. Sortez en Q et continuez ainsi. Pour obtenir une bordure bien nette, terminez chaque rang avec un point droit (voir ci-dessus).

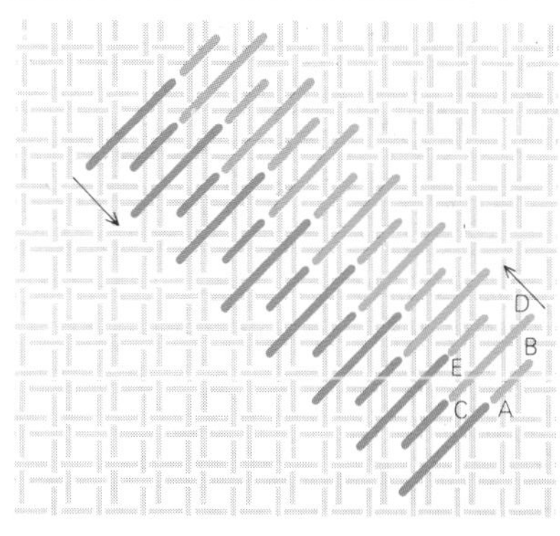

Le point de Paris en diagonale. Commencez au bas de l'ouvrage, à droite. Sortez en A, rentrez en B; sortez en C. Suivez le diagramme jusqu'au sommet de l'ouvrage. Le travail sera plus facile si vous renversez le canevas pour exécuter la deuxième diagonale.

Tapis

Les points brodés *(suite)*

Le point Soumak. Ce point s'exécute horizontalement en séparant les fils du canevas double avec un fil simple de laine, côté trame. On peut aussi le réaliser à la verticale. Le tapis doit être très ras. S'il y a des vides en bordure, remplissez-les avec des points arrière (voir ci-dessous). Le point Soumak couvre rapidement le canevas.

Le point arrière. C'est un point idéal pour remplir des vides entre des groupes de points, surtout là où l'espace est trop restreint pour qu'on puisse avoir recours à d'autres sortes de points. Il s'exécute horizontalement, verticalement ou en diagonale.

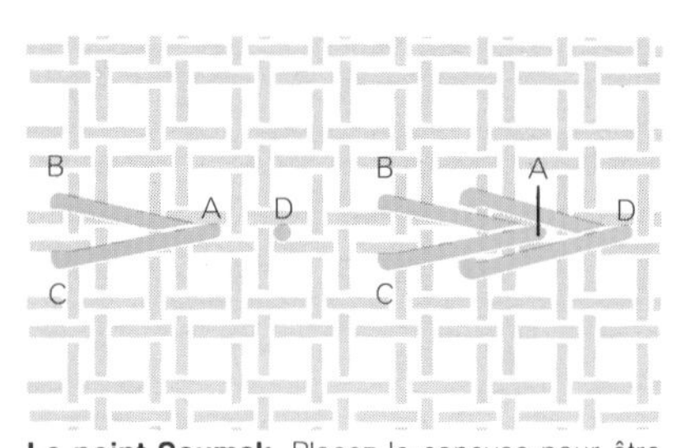

Le point Soumak. Placez le canevas pour être dans l'axe du V. Sortez en A au milieu des deux fils. Comptez deux fils vers le haut et rentrez en B. Glissez l'aiguille sous les doubles fils et sortez en C. Rentrez en A, sortez en D et répétez comme on l'illustre à droite. Quand vous êtes rendu au bout du rang, tournez l'ouvrage et revenez en sens contraire.

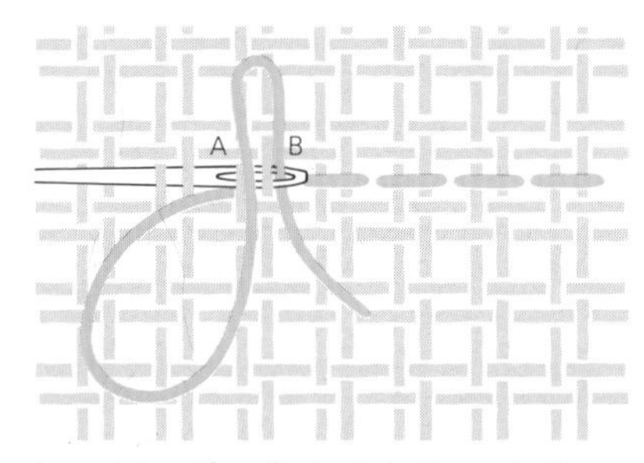

Le point arrière. Sortez l'aiguille en A. Passez par-dessus les doubles fils et rentrez en B, puis allez vers l'avant comme l'indique la position de l'aiguille ci-dessus. Rentrez toujours dans le trou du point précédent.

Points brodés et points noués combinés

Légende des points exécutés dans ce tapis : 1. Soumak ; 2. Ghiordes ou Surrey ; 3. Jacquard ; 4. Fougère ; 5. Gobelins entrecroisé ; 6. Petit point ; 7. Paris en diagonale ; 8. Riz ; 9. Œillet ; 10. Croix à longues branches ; 11. Arrière ; 12. Bordure. Plusieurs de ces points se retrouvent ailleurs dans le tapis.

Le tapis ci-dessus représente un lièvre aux champs près d'une église dans le Gloucestershire, en Angleterre. Il fait partie d'un groupe de six tapis conçus par Mildred Lewis, de Oddington. Dans chacun d'eux, il y a une église, mais aussi un blaireau dont la fourrure est en points noués, une renarde à queue touffue devant la chaire, un faisan sur une pierre tombale, une loutre avec un poisson-lune près d'un ruisseau et un loir endormi parmi les feuilles d'automne, des baies et des champignons. Pour exécuter ces tapis, l'auteur a eu recours à de nombreux points et à différentes bordures réalisées soit en points brodés, soit en points noués. Tous ces tapis ont été faits avec des pennes en utilisant du canevas nº 5.

Le tapis illustré ici, qui représente un lièvre, nous fait voir quels effets surprenants on obtient en choisissant judicieusement ses points. Haies et bosquets sont en points noués Ghiordes ou Surrey qui imitent le feuillage. Pour simuler un champ d'avoine, on a employé le point de fougère, réservant le point des Gobelins entrecroisé aux grandes étendues vertes derrière le lièvre. Enfin, le champ en friche est en points jacquard.

Les points noués courts. Il y en a deux : le point Ghiordes ou turc et le point Surrey. Leur différence est manifeste sur l'envers de l'ouvrage (voir à la page ci-contre). Le travail se fait en rangées, en remontant vers le haut du canevas. Avec un canevas double nº 5, il faut environ 9 oz de pennes pour chaque pied carré d'ouvrage. Dès qu'un rang est fini, coupez le poil avec des ciseaux en lui laissant ¾ po de hauteur. Mesurez à l'œil. Bien que normalement on ouvre et coupe les boucles, on peut aussi les garder telles quelles et en obtenir des effets intéressants.

Le point Surrey

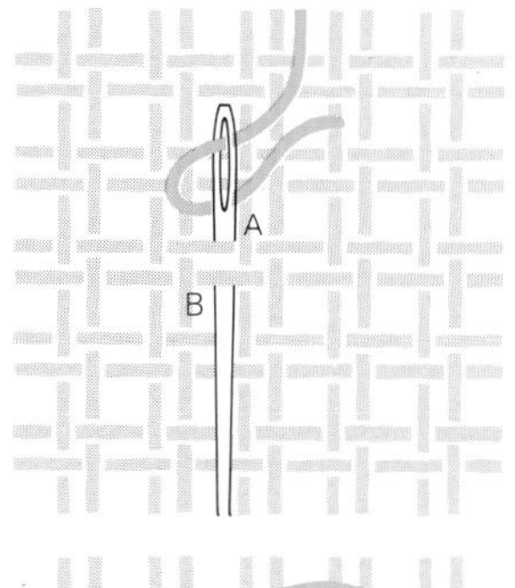

1. Commencez dans le coin inférieur gauche du tapis. Rentrez l'aiguille en A. Sortez en B d'un mouvement continu et tirez la laine en laissant derrière un bout de fil de 2 po. Couchez-le vers le bas, à la droite du fil, et tenez-le avec le pouce gauche.

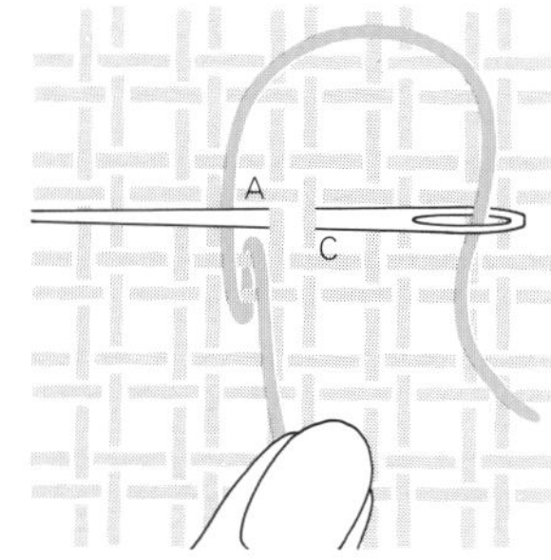

2. Faites passer le fil au-dessus de l'aiguille. Rentrez-la en C et sortez en A. Tirez la laine (elle est toujours au-dessus de l'aiguille) et amenez-la vers le bas de manière à former un point biaisé, semblable à un petit point. Enlevez le pouce ; le bout de laine demeurera couché.

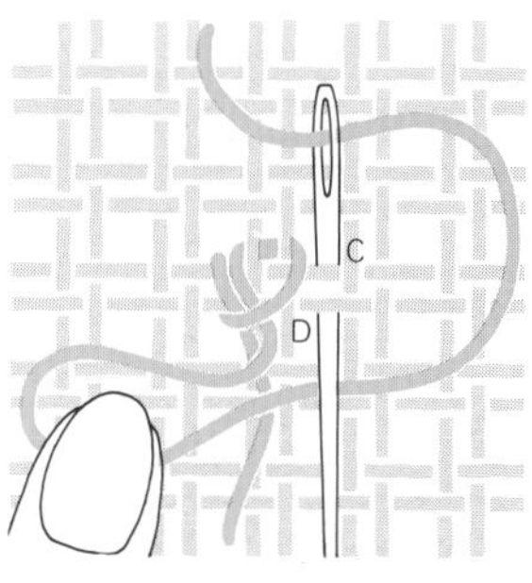

3. Tenez le fil du pouce gauche en lui donnant la longueur désirée ; il doit être parallèle à la trame du canevas. Rentrez l'aiguille en A, sortez en D, par-dessus le fil. Tirez la laine pour former une boucle. Avec de l'exercice, vous obtiendrez des boucles toutes égales.

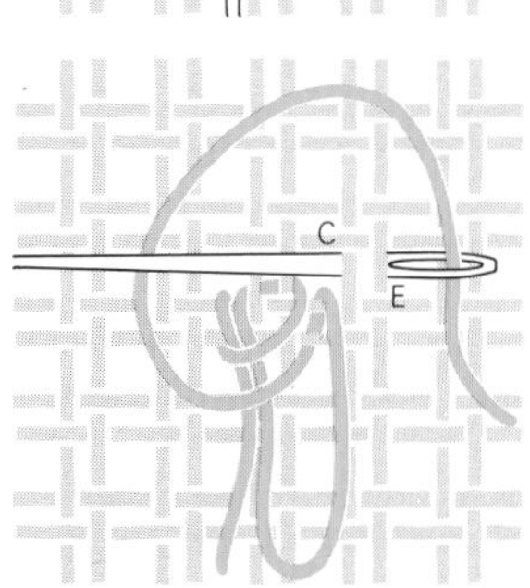

4. Mettez le pouce gauche sur la boucle. Faites passer le fil au-dessus de l'aiguille et rentrez-le en E. Sortez en C et tirez vers le bas (voir en 2). Répétez 3 et 4 jusqu'à la fin du rang.

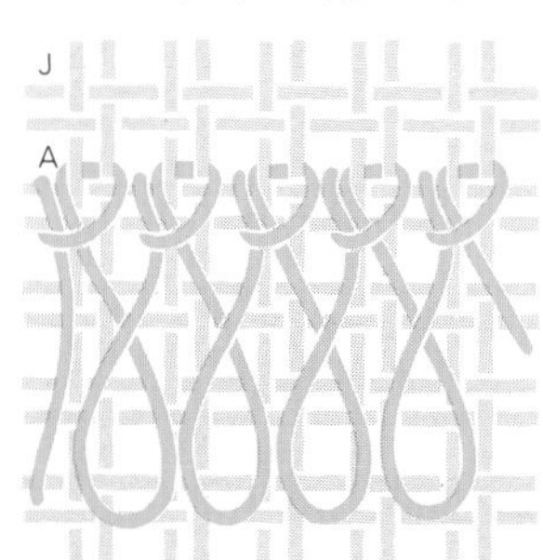

5. Quand vous arrivez au bout de votre aiguillée, faites comme en 1. Au bout du rang, coupez les boucles, raccourcissez les poils à ¾ po. Entreprenez le rang suivant au-dessus du premier ; rentrez l'aiguille en J, sortez-la en A.

6. Voici une section terminée ; les boucles ont été coupées et égalisées. En dessous, on voit l'envers de l'ouvrage. Dans une murale, on peut obtenir un effet particulier en gardant les boucles intactes.

Le nœud Ghiordes

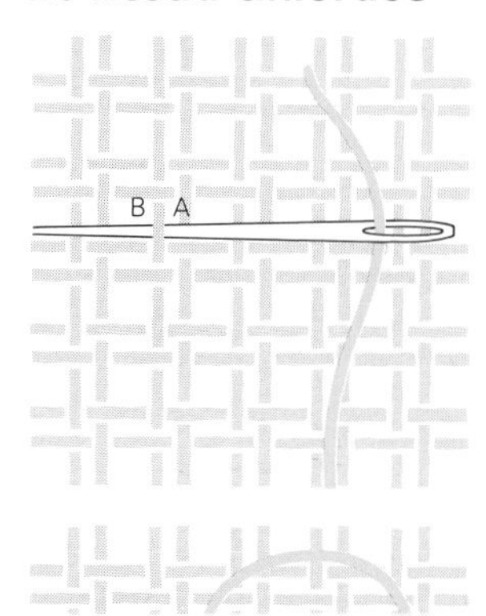

1. Commencez dans le coin inférieur gauche du tapis. Glissez l'aiguille entre les deux fils de chaîne et rentrez en A ; sortez en B. Tirez la laine en laissant derrière un bout de fil de 2 po.

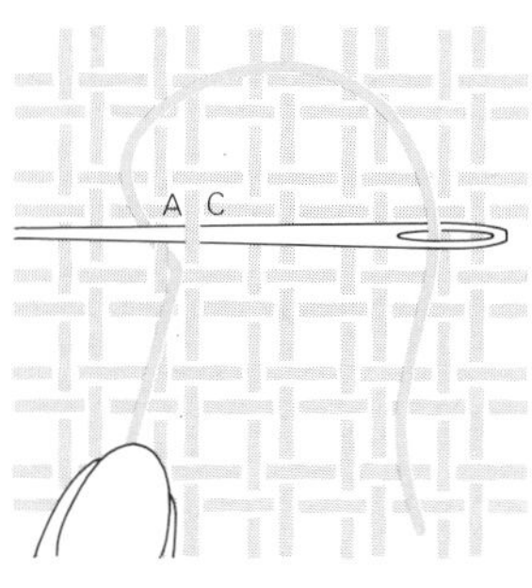

2. Tirez ce bout vers le bas de la main gauche et tenez-le en place avec le pouce gauche. Faites passer le fil au-dessus de l'aiguille. Rentrez en C et sortez en A (entre les fils de chaîne). Tirez la laine vers le bas de manière à faire un nœud.

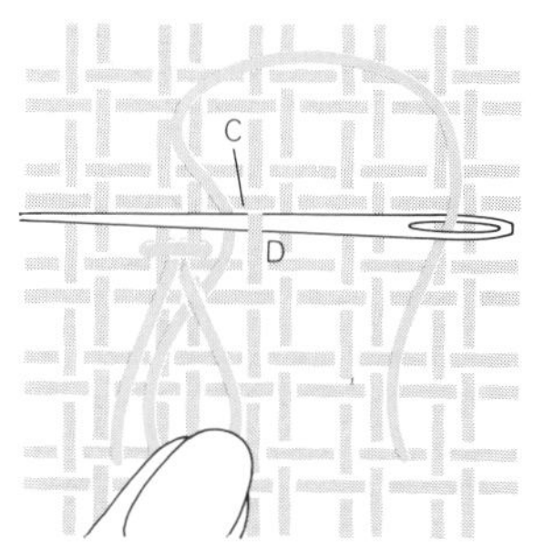

3. Avec le pouce gauche, tenez la laine pour qu'elle soit parallèle à la chaîne du canevas et donnez à la boucle la longueur voulue. Continuez en rentrant en D et en sortant en C.

4. Tirez la laine. Le fil étant toujours au-dessus de l'aiguille, rentrez en E et sortez en D. Tirez la laine vers le bas pour former un nœud.

5. Quand le rang est terminé, coupez et égalisez les boucles. Faites le rang suivant au-dessus du premier en K, L et M.

6. Voici une section terminée ; les boucles ont été coupées et égalisées. En dessous, on voit l'envers de l'ouvrage. Dans une murale, on peut obtenir un effet particulier en gardant les boucles intactes.

Tapis / projet

Carpette à motif abstrait

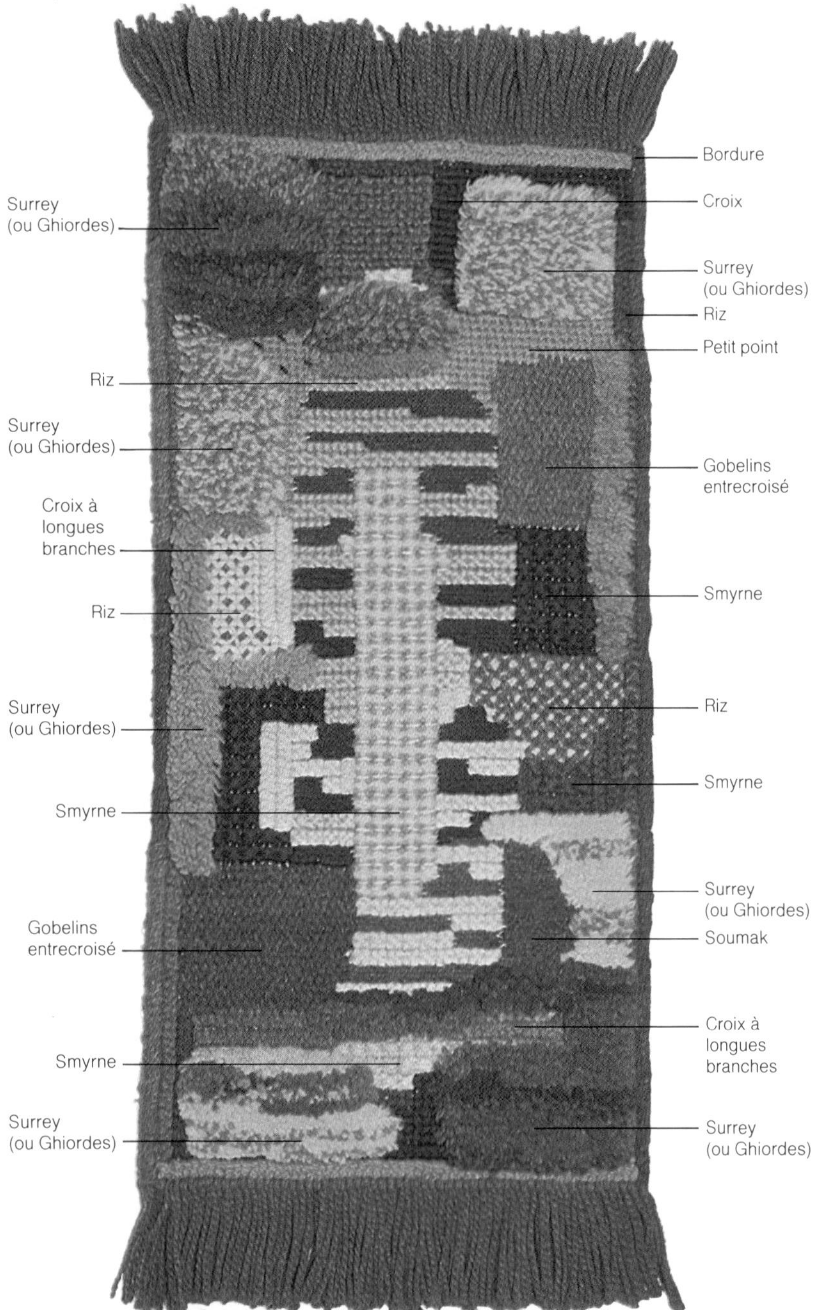

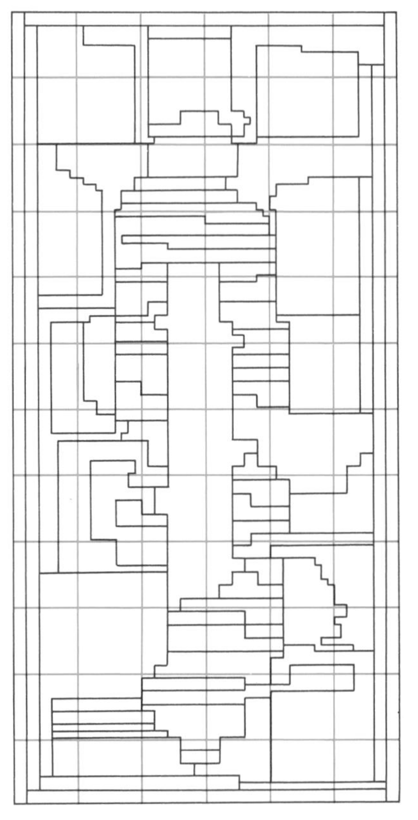

Facile et rapide à réaliser, ce projet convient particulièrement aux débutants. C'est une carpette de petite taille (environ 2 pi sur 1) qui s'exécute avec des pennes à deux brins et un canevas double n° 5. Le motif allie une belle gamme de points : riz, Smyrne, Gobelins entrecroisé et Soumak, petit point, point de croix à longues branches, points noués Surrey ou Ghiordes. Les côtés se font au point de bordure ; les extrémités se terminent par une frange de 1½ po en longues boucles coupées.

Dans ce projet, on a combiné des verts vifs et sombres à du beige et du brun, mais on pourrait, par exemple, remplacer les verts par des bleus de même nuance.

Fournitures

Il vous faut un canevas double n° 5 d'environ 28 po sur 12 : 1 lb de pennes 2 brins dans des tons de vert ; 1 lb de pennes 2 brins dans des tons de brun ; une aiguille à tapis n° 14 ; un stylo d'encre indélébile à fine pointe ; du fil de coton ou Sylko pour coudre les extrémités du canevas (p. 210). Vous ne pouvez pas acheter moins que 1 lb de pennes ; avec ce qui vous restera une fois ce projet terminé, vous pourrez confectionner un autre tapis.

Technique. La grille du diagramme est en carreaux de 2 po. Comptez 2 po de plus à chaque extrémité et ½ po de plus sur les longs côtés pour la bordure ; dessinez la carpette grandeur nature sur du papier (voir *La mise au carreau,* p. 78). Dessinez à gros traits pour que le motif se voie quand vous le placerez sous le canevas. Reproduisez-le avec un stylo indélébile. N'employez pas de stylo feutre : l'encre coulerait quand vous mouillerez le tapis pour le mettre en forme. Vous pouvez aussi reproduire les formes principales du dessin à main levée et remplir le reste à votre goût.

Il est préférable de commencer par les points de bordure sur les lisières du canevas. Indiquez ensuite où sera le haut de l'ouvrage. A chaque bout, laissez un rang de points pour la frange et abordez tout de suite les points des différents motifs. Vous obtiendrez un effet chiné superbe si vous mélangez les coloris ; toutefois, vous pouvez aussi les traiter séparément. Ici, les nœuds Surrey ou Ghiordes mélangent les verts. Faites les points noués de bas en haut. Pour le point de riz, vous pouvez superposer deux coloris. Remplissez les vides entre les motifs au petit point. Si le canevas apparaît entre les formes, remplissez au point arrière en choisissant un coloris contrastant.

Un tapis étant en général un ouvrage volumineux, enroulez les parties sur lesquelles vous ne travaillez pas dans du tissu pour ne pas les salir.

Le point de bordure. Il s'exécute sur les lisières du canevas et donne une finition bien nette, aussi belle à l'envers qu'à l'endroit. Les bordures se font souvent avant l'ouvrage proprement dit ou au fur et à mesure que celui-ci avance. On leur donne la largeur des lisières ou davantage. Si les petits côtés du tapis n'ont pas de frange, on prolonge la bordure tout autour de l'ouvrage sans en modifier la largeur. Le point de bordure ressemble au point de croix à longues branches et s'exécute facilement. Dans les coins cependant, le canevas paraît généralement; pour le dissimuler, on le teint avec un stylo d'encre indélébile de la couleur du fil et on essaie de le couvrir le plus possible.

Le petit point. On se sert de ce point pour effectuer les nuances et les détails. C'est un point très fin; il faut l'exécuter avec beaucoup de précision pour ne pas déformer le canevas. Il se fait à l'horizontale de droite à gauche par rangs uniques (en renversant l'ouvrage à chaque rang). On peut aussi le travailler en diagonale quand le motif à remplir est grand en glissant chaque rang dans celui qui le précède.

Le point de croix à longues branches. Il ressemble à un point natté et se fait facilement. On le trouve souvent dans les broderies très anciennes.

Bordure. Enfilez l'aiguille et sortez en A. Faites un point de croix sur la lisière en enjambant deux fils et sortez en B. Passez par-dessus le bord et sortez en A. Continuez ainsi en avançant de trois fils, puis en reculant de deux. Dans les angles, reculez d'un fil seulement pour raccourcir le point et terminez le rang avec un point de croix. Refaites des points par-dessus les premiers en gardant le canevas bien à plat. Abordez le côté suivant avec un point de croix, mais ne le faites pas partir du coin même : il se déformerait.

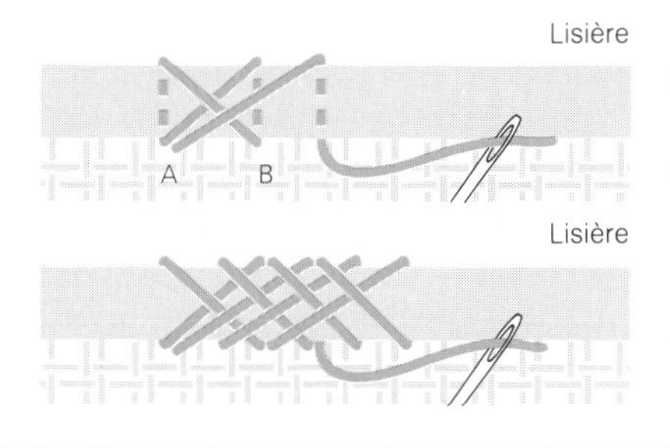

Petit point horizontal. Sortez l'aiguille en A. Comptez un fil vers le haut et un fil vers la droite; rentrez en B. Enjambez deux fils et sortez en C. Répétez jusqu'à la fin du rang. Renversez l'ouvrage et recommencez.
Petit point en diagonale. Premier rang en bleu. Sortez l'aiguille en A. Comptez un fil vers le haut et un fil en diagonale; rentrez en B. Passez deux fils vers la gauche et sortez en C. Répétez. Au sommet de la diagonale, faites un autre point sur le côté et revenez en enjambant deux fils vers le bas; sortez en K et continuez comme précédemment, mais à l'inverse.

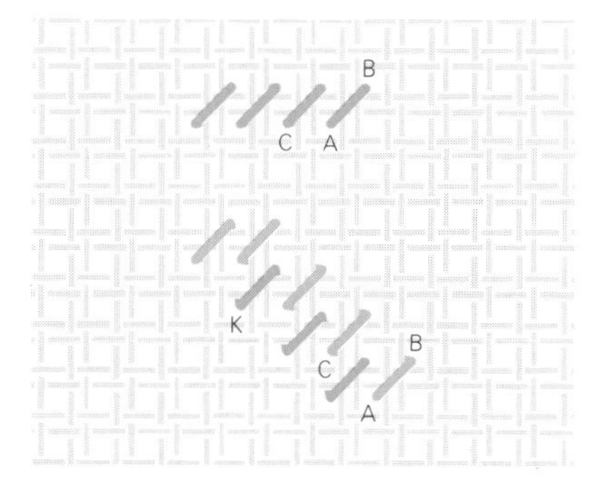

Point de croix à longues branches. Faites un point de croix (A-D), sortez en A et refaites un autre point en couvrant deux fils. Rentrez en E, sortez en F et reculez d'un fil pour terminer le point en rentrant en B. Répétez. Terminez la rangée par un point de croix. Dans le cas d'un motif à remplir, renversez le canevas pour le deuxième rang ou recommencez du côté gauche et faites le rang juste en dessous du premier.

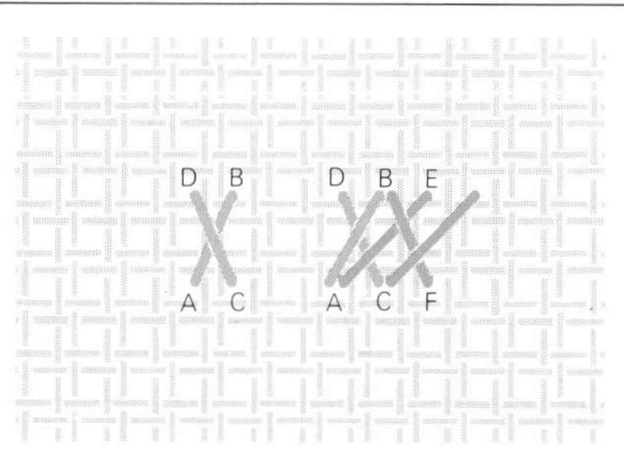

Finition du tapis

Mise en forme. Sous la tension des points, le canevas se déforme légèrement; aussi faut-il l'étirer pour lui faire reprendre sa forme originale. On peut étirer une carpette sur une planche de bois, mais lorsqu'il s'agit d'un tapis, il faut le faire sur un plancher dans lequel on peut clouer des broquettes. Au besoin, déposez par terre le patron du tapis pour vous guider. Mettez le tapis en place, le haut dans la bonne direction; prenez le patron et les planches du parquet comme guides. Formez d'abord les coins en angles droits. Puis, clouez des broquettes inoxydables ou des punaises tous les 2 po sur chaque côté, en allant du centre vers les coins. Refaites le tour en en clouant d'autres entre les premières. Couvrez le tapis de papier absorbant propre et imbibez-le d'eau froide. Déposez par-dessus une serviette ou un morceau de tissu laineux et laissez le tapis ainsi pendant une semaine. Choisissez un endroit chaud, sec et propre pour exécuter ce travail. Le tapis pourrait moisir si l'endroit est humide. Enlevez les broquettes ou les punaises quand le tapis est complètement sec. Il est essentiel d'utiliser des broquettes ou des punaises inoxydables pour ne pas tacher le tapis de rouille.

La frange. Faites des nœuds Surrey (ou Ghiordes) sur les côtés (p. 213) comme pour les motifs à poil court. Il faut en général des boucles de 3 po pour obtenir une frange de 1½ po. Exécutez des boucles plus longues si le tapis est grand. Une fois qu'elles seront toutes en place, coupez-les pour que la frange soit uniforme.

Doublure. Les tapis sur canevas n'ont pas besoin de doublure, mais comme ils sont glissants, il faut les installer sur une thibaude antidérapante pour éviter les accidents.

Il ne vous reste plus qu'à signer votre œuvre. Brodez votre nom et la date de fabrication du tapis sur du ruban et cousez-le au dos du tapis.

Tapis

Les tapis économiques

Joli et bon marché, ce tapis rayé est fait au crochet sur canevas.

On peut, avec des chiffons, fabriquer des tapis qui ne coûtent presque rien et qui seront jolis et décoratifs.

Vous trouverez à la page 218 trois méthodes de fabrication à l'aide d'un poinçon et une quatrième à l'aide d'un crochet. Toutes sont conçues pour des droitiers; les gauchers devront faire les mêmes opérations, mais en les inversant.

Chiffons. Selon ces méthodes, on peut faire des tapis avec des tissus de toutes sortes. Le débutant, cependant, préférera n'utiliser qu'une sorte de fibre : coton ou laine par exemple. Toutefois, on obtient de très beaux résultats en mélangeant les étoffes.

Laine, lin, coton, rayonne, jersey, feutre mince et quelques fibres synthétiques constituent tous des matériaux utilisables. Même les bas de nylon peuvent servir, mais ils sont très élastiques et se marient mal aux autres matières. Mis en lanières, plusieurs vieux vêtements, robes, jeans, tee-shirts et articles en tricot machine, peuvent se transformer en tapis. Il en va de même des rideaux et des tentures, de leurs doublures et des draps de lit. On peut acheter à bon compte les fournitures nécessaires dans des marchés aux puces ou dans des boutiques spécialisées dans la vente de tissus abîmés en fabrique. Tout peut servir dans la fabrication de ce type de tapis : les étoffes unies ou imprimées, rudes ou douces, extensibles ou non.

Défaites les vieux vêtements tricotés à la main et utilisez la laine après l'avoir lavée pour la défriser. Si elle est fine, réunissez plusieurs fils et enroulez-les en écheveau pour la teinture, puis en pelotes, avant de vous en servir.

Teinture. Commencez par laver les chiffons et les fils; teignez les premiers avant de les découper en lanières. Les teintures à l'eau froide (comme les Dylon) vous offrent une vaste gamme de coloris, faciles à assortir aux autres matières. Le coton prend bien la teinture, mais les fibres synthétiques n'en absorbent qu'une quantité limitée et peuvent donner des résultats décevants à cet égard.

Si les étoffes que vous voulez utiliser s'harmonisent mal entre elles, teignez-les toutes de la même couleur ; elles ne se coloreront pas toutes aussi vivement et vous obtiendrez ainsi un joli effet de camaïeu. En outre, le tapis n'aura pas d'envers, étant donné que toutes les fibres des étoffes seront de même couleur.

Jute. Il faut un fond de jute pour travailler les tapis au poinçon ou au crochet (voir les différentes méthodes, p. 218). Si vous ne vous servez pas d'un métier, taillez le jute aux dimensions voulues en comptant 2 ou 3 po de plus pour rabattre la pièce de chaque côté. Surjetez les bords avec du fil de lin ou du fil à boutons de la même teinte que le fond ; vous pouvez aussi vous servir à cet effet de fils tirés du jute. Rentrez le tissu sur tout son pourtour et faufilez-le ; vous travaillerez ensuite de bord en bord à travers les deux épaisseurs.

Si vous vous servez d'un métier, ajoutez 3 po sur tous les côtés pour pouvoir fixer la pièce au cadre. Surjetez les bords pour que le jute ne s'effiloche pas.

Reproduction du motif. Les grands motifs simples conviennent mieux à ce genre de tapis que les petits motifs compliqués. Dessinez le modèle sur du papier-calque, du papier tissu ou du papier à l'épreuve des corps gras. Placez-le sur le jute, du côté qui sera l'endroit du tapis, et bâtissez en suivant les lignes du motif. Enlevez le papier en perforant les lignes du motif avec une aiguille pointue. Les points de bâti vous guideront dans votre travail. Si vous voulez passer par-dessus les points, faites-le avec de l'encre indélébile.

Rappelez-vous que le motif sera inversé si le travail se fait à partir du verso du jute. Dans un tel cas, inversez le motif avant de le reproduire sur le jute. Vous pourrez ainsi travailler sur l'envers du tapis et obtenir quand même les résultats prévus. C'est un détail à ne pas oublier, surtout si votre motif comporte des lettres ou des chiffres.

Avec un métier, on doit reproduire le motif sur le jute avant de fixer celui-ci au cadre.

Canevas. Vous pouvez aussi travailler sur un canevas. Posez alors le patron en dessous du canevas et reproduisez-le comme s'il s'agissait d'un tapis à l'aiguille, en utilisant un stylo d'encre indélébile (voir p. 214).

Emploi d'un métier. Le travail se fera plus rapidement si vous pouvez installer votre ouvrage sur un métier. Les boutiques spécialisées en vendent ; ils comportent deux montants munis de fentes dans lesquelles se glissent deux traverses latérales ajustables. Les bandes de tissu sont fixées sur les montants des extrémités, tout comme le jute. En glissant les traverses dans les fentes des montants, vous tendez l'étoffe. Des chevilles en bois maintiennent les montants en place. Un tel cadre peut avoir jusqu'à 3 pi de largeur.

Vous pouvez aussi utiliser un grand métier rectangulaire à broderie ou un vieil encadrement de peinture. Fixez le jute avec des punaises solides en vous assurant que les fils sont bien parallèles aux traverses latérales. Confectionnez le tapis section par section ; enroulez la partie terminée sur elle-même et protétez-la de la poussière avec un tissu.

Le travail terminé, dégagez le tapis du métier et rentrez les bords en les cousant avec un fil de lin, un fil à boutons ou un fil de jute détaché du canevas. Piquez les bords sur l'envers du tapis en faisant attention de ne pas prendre l'endroit dans vos points.

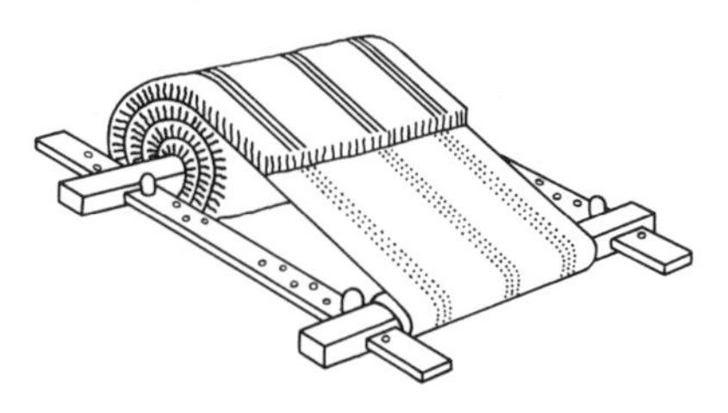
Tapis confectionné sur métier.

Confection des lanières

Si vous utilisez des chiffons, vous devez d'abord les découper en lanières. La largeur de ces lanières dépendra de la lourdeur du tissu et du modèle du tapis. Si vous associez des tissus lourds à des tissus légers, il vous faudra découper ceux-ci en bandes plus larges. De toute façon, il vaut toujours mieux faire des essais avant de traiter de grandes quantités d'étoffe. Employez des ciseaux bien coupants, des ciseaux électriques si vous en avez, et découpez les tissus un à un. Les diagrammes ci-dessous illustrent différentes façons de procéder. Taillez les bas en spirale après avoir supprimé le pied.

Mèches. Ce sont de courtes lanières introduites dans la trame pour créer un effet de relief plus ou moins accentué selon qu'elles sont grosses (4 po sur 1) ou fines (2 po sur ½). A vrai dire, on peut leur donner les dimensions qu'on veut selon l'effet désiré et les terminer droites ou de biais. Il est préférable, ici aussi, de faire quelques essais avant d'entreprendre l'ouvrage, car il vaut toujours mieux prévenir que guérir.

Certaines personnes préfèrent découper les tissus de récupération en lanières ou en mèches à mesure qu'ils se présentent en les groupant par coloris. Quand il y en a suffisamment, elles inventent un motif adapté aux fournitures dont elles disposent et le reportent directement sur le jute avec des tasses, des assiettes ou des soucoupes.

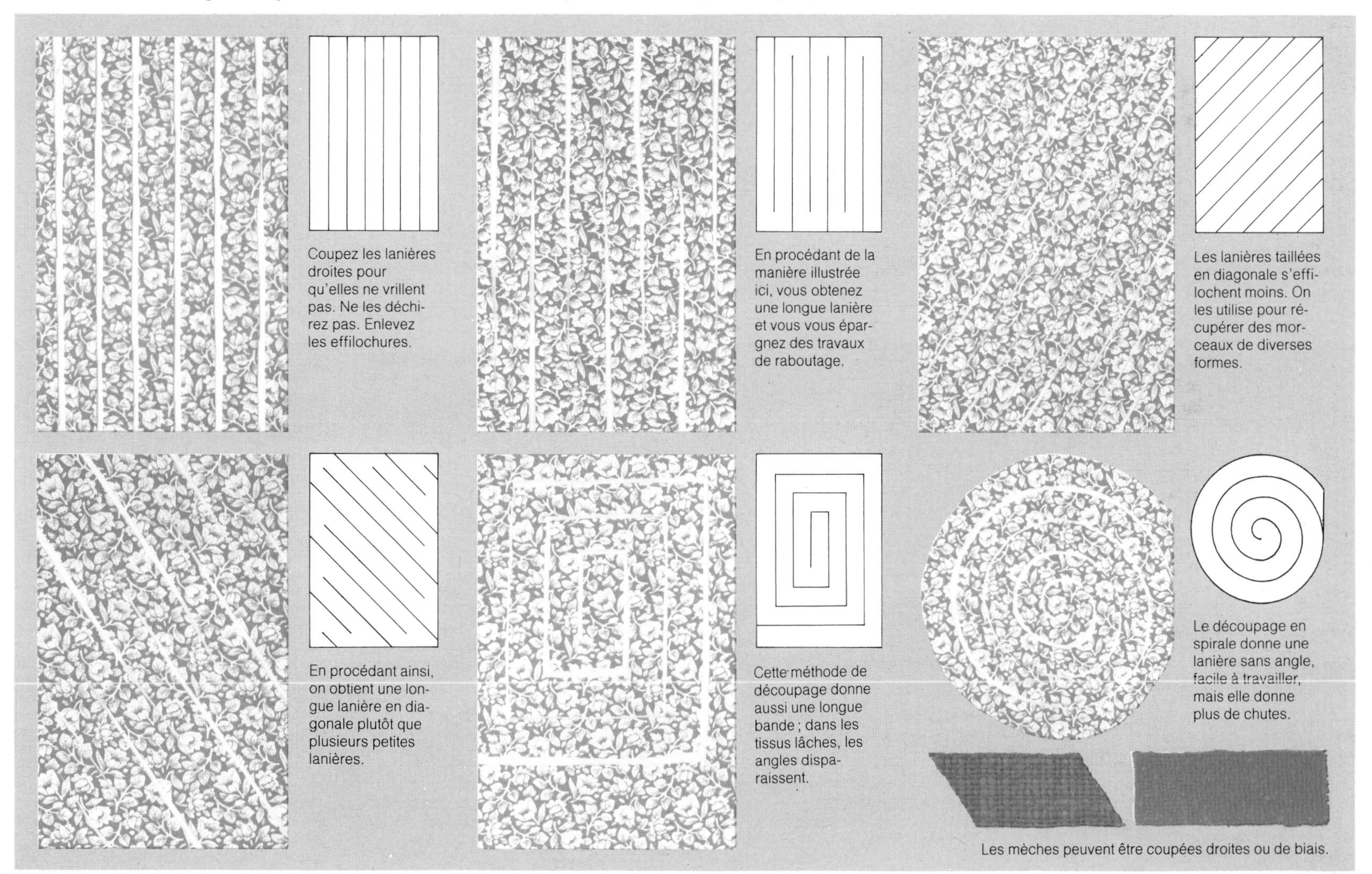

Coupez les lanières droites pour qu'elles ne vrillent pas. Ne les déchirez pas. Enlevez les effilochures.

En procédant de la manière illustrée ici, vous obtenez une longue lanière et vous vous épargnez des travaux de raboutage.

Les lanières taillées en diagonale s'effilochent moins. On les utilise pour récupérer des morceaux de diverses formes.

En procédant ainsi, on obtient une longue lanière en diagonale plutôt que plusieurs petites lanières.

Cette méthode de découpage donne aussi une longue bande ; dans les tissus lâches, les angles disparaissent.

Le découpage en spirale donne une lanière sans angle, facile à travailler, mais elle donne plus de chutes.

Les mèches peuvent être coupées droites ou de biais.

Tapis

Tapis au poinçon

Méthode 1. Ce tapis à poils très longs se fait avec des lisières de ½ po travaillées en boucles coupées, avec un poinçon moyen sur l'envers du jute.

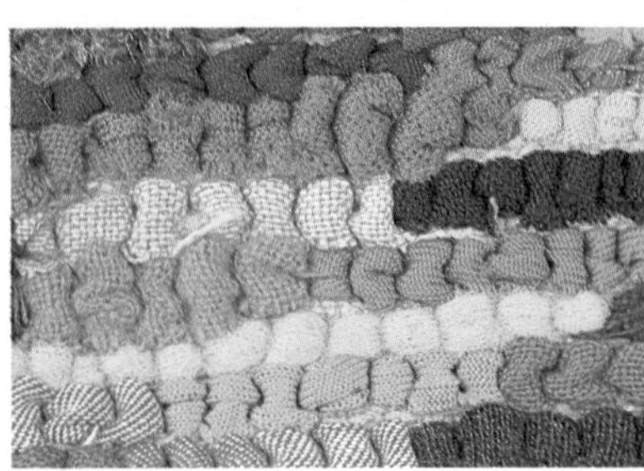

En tenant le poinçon de la main droite, faites un trou dans la bordure du jute. Tenez la lisière de la main gauche et, avec le poinçon, faites-en entrer l'extrémité dans le trou. Tirez sur l'endroit. Perforez le jute quelques fils plus loin ; poussez la lanière dans le trou avec le poinçon, puis formez une boucle. Continuez ainsi en enjambant toujours le même nombre de fils et en faisant des boucles égales. Quand vous êtes au bout de la lanière, repoussez-la sur l'endroit avec le poinçon. A la fin du rang, coupez les boucles. Travaillez par rangs horizontaux ou en remplissant les motifs un à un.

Le tapis ci-dessus est fait avec des lisières de tissus semblables ; on voit un rang de boucles non coupées. En dessous, une vignette montre des rangs tassés, sur l'envers du tapis.

Méthode 2. Ce tapis à longs poils est fait avec des mèches de 4 po sur 1 introduites avec un gros poinçon, ouvrage en main, sur l'endroit du jute.

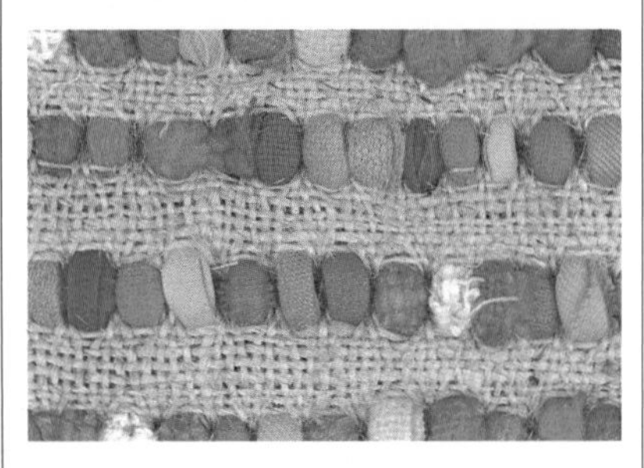

Pliez le jute sur son droit-fil. Avec le poinçon, faites un trou à ¼ po du bord à travers les deux épaisseurs. Pliez la mèche en deux sur la longueur et introduisez-la dans le trou avec le poinçon. Tirez-la à moitié avec la main gauche. Passez quelques fils et perforez un autre trou à gauche du premier. Insérez une mèche et continuez ainsi jusqu'au bout du rang. Ouvrez alors le pli pratiqué dans le jute et lissez le tissu avec la main. Egalisez les mèches et dépliez-les. Faites le second rang à ¾ po sous le premier. Gardez toujours le même espace entre les rangs.

Ce tapis a été fait avec une grande variété de tissus dans des tons de rouge et de rose, avec des touches de blanc ici et là. La vignette du dessous montre l'espacement des rangs au dos du tapis.

Méthode 3. Ce tapis à longs poils est fait à la main avec des mèches, comme en 2, mais avec un poinçon moyen ou une aiguille sur l'endroit d'un canevas.

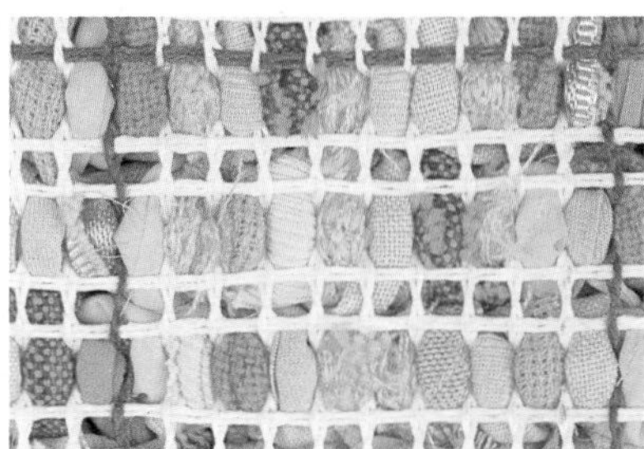

Rentrez d'abord le haut du canevas sur 1 po en alignant les trous. Fixez le bord avec du fil blanc, trou sur trou (p. 210). Premier rang : pliez une mèche de 4 po sur 1 en deux sur la longueur. Introduisez-la dans un trou du canevas avec le poinçon et faites-en sortir la moitié. Introduisez une autre mèche dans le trou suivant. Continuez ainsi jusqu'à la fin du rang. Tendez le canevas pour qu'il soit bien plat. Passez une rangée de trous et recommencez dans la rangée suivante. Avec une aiguille, enfilez les mèches et travaillez de la même façon.

Ce tapis met en valeur les superbes contrastes obtenus en employant des tissus de différentes textures. Il est bon de vérifier les largeurs des mèches pour qu'elles se marient bien une fois insérées dans le canevas.

Tapis au crochet

Ce tapis bouclé est fait de petites boucles montées au crochet sur l'endroit du jute. Travaillez sur un métier avec de longues lisières de ½ po.

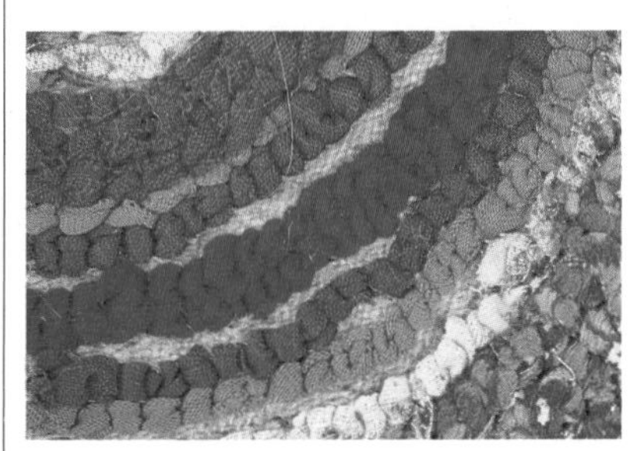

Avec une lisière dans la main gauche derrière le métier, poussez le crochet de la main droite à travers l'endroit du jute ; accrochez la lisière et ramenez-la sur l'endroit. Formez une petite boucle. Répétez la même opération quelques fils plus loin. Laissez le moins d'espace possible entre les boucles. Quand vous arrivez au bout de la lisière, ramenez-la sur l'endroit et coupez-la pour qu'elle ait la même longueur que les boucles. N'ouvrez pas celles-ci. Continuez ainsi rang par rang en suivant le motif du tapis. Faites des boucles égales.

Petites et non coupées, ces boucles forment un dessin très net, idéal aussi bien pour les motifs abstraits, comme ci-dessus, que pour les motifs figuratifs. Cette méthode permet de confectionner de très jolis dessus de coussin.

Section 4

Travail du bois

Secrétaire de Nouvelle-Angleterre, vers 1745 (détail des tiroirs, cases et tablettes).

Menuiserie et ébénisterie

Fabrication des meubles

Tout le monde ne conçoit pas l'ébénisterie de la même façon. Pour certains, cela consiste à fabriquer des armoires de cuisine ; pour d'autres, il s'agit de tourner un bol dans une essence rare ; d'autres encore la confondent avec la sculpture sur bois (qui est traitée aux pages 270-277). Dans cette section, nous verrons comment fabriquer des meubles de qualité, ce qui est un passe-temps à la fois passionnant et exigeant. Les meubles de série sont souvent d'une qualité médiocre. En fabriquant les vôtres, vous serez sûr de leur solidité et de leur durabilité.

Menuiserie et ébénisterie. L'outillage et la plupart des techniques sont à peu près les mêmes en menuiserie et en ébénisterie ; la différence réside essentiellement dans le degré de précision exigé pour le mesurage, le traçage et la taille. La marge de tolérance en menuiserie est de $1/16$ po, alors qu'en ébénisterie elle varie de $1/32$ à $1/64$ po selon la finesse du travail. (Pour un clavecin, par exemple, elle sera de $1/128$ po).

L'homme travaille le bois depuis la préhistoire, alors qu'il utilisait herminettes, ciseaux, gouges et alênes en pierre. Pendant l'âge de bronze, il a inventé la scie, les ciseaux en métal et les limes. Les Egyptiens de l'Antiquité utilisaient les mêmes assemblages que nous : d'about, à onglet, à feuillure, à queue d'aronde et à mortaise. La plupart des outils manuels étaient déjà inventés sous l'Empire romain. Le rabot, perdu pendant le haut Moyen Age, réapparut au XIIe ou au XIIIe siècle, tandis qu'en ajoutant une manivelle à un foret les charpentiers médiévaux inventaient le vilebrequin.

L'ébéniste moderne dispose non seulement d'outils manuels, mais de toute une gamme d'outils électriques, légers et portatifs ou lourds et fixes qui, mises à part leur précision et leur rapidité, exécutent les mêmes tâches millénaires que les premiers.

Outillage

Les outils manuels (voir page ci-contre et à la page 222) sont moins dangereux, moins coûteux et plus lents, et leur précision dépend de la sûreté de main de celui qui les guide. Les outils électriques (pp. 224-225) portatifs sont plus rapides, présentent plus de risques, et il faut en ajuster soigneusement les guides pour obtenir une précision satisfaisante. Les outils électriques fixes exigent un gros investissement, justifié seulement par une utilisation fréquente. Si vous devez tailler plusieurs morceaux rigoureusement identiques, essayez de trouver un atelier où on vous les louera sur une base horaire, comme dans certains centres de formation pour adultes.

L'établi. C'est là le principal outil ; il devrait être fait en bois dur et avoir au moins un étau complété par des valets (chevilles rectangulaires en métal qui permettent de maintenir l'ouvrage en place). Comme son prix est généralement élevé, vous économiserez en achetant des pieds en métal et en le construisant vous-même.

L'entreposage des outils. Un outil qui traîne ou une lame émoussée et qu'il faut affûter se traduisent toujours par une importante perte de temps. Vous résoudrez le problème en fabriquant un râtelier d'établi muni de crochets et d'attaches pour les tournevis et les ciseaux à bois. Rangez chaque outil dès que vous avez fini de vous en servir. Suspendez les serres à des languettes de bois clouées à des montants et dont l'épaisseur variera selon le poids des serres.

Entretien de l'outillage. Comme la rouille et la poussière sont les pires ennemis des outils, nettoyez-les toujours avant de les ranger. Dans les régions au climat humide, une fine couche d'huile protège de la rouille les lames des scies et des ciseaux et les fers des rabots. Le cas échéant, supprimez la rouille en les frottant avec du kérosène et une fine laine d'acier ; si la couche de rouille est épaisse, utilisez un dissolvant spécial.

Outils manuels

Les bons outils coûtent cher ; aussi, à l'exception des scies, des marteaux, des perceuses, des tournevis, des équerres, des règles et des autres outils indispensables, ne les achetez qu'au fur et à mesure de vos besoins. Ne vous fiez qu'aux marques connues et recherchez la meilleure qualité, compte tenu de vos moyens, sans tomber dans le piège des prétendues aubaines. Un bon outil, bien utilisé et entretenu, dure longtemps.

Vérifiez toujours si vous avez l'outil bien en main. Les têtes des marteaux doivent être en acier estampé et les lames de scie en acier trempé, tandis que celles des tournevis seront meulées sur le travers. Manches et poignées doivent être solidement fixés. Les numéros des pages donnés entre parenthèses indiquent là où sont utilisés ces outils.

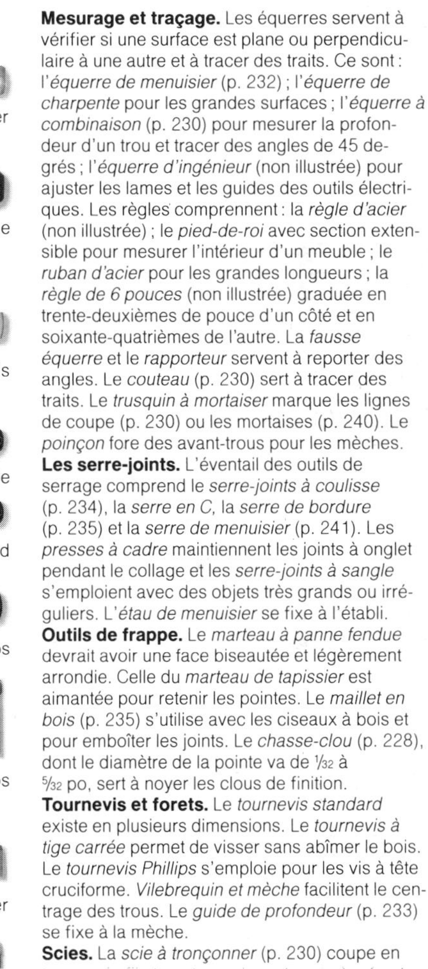

Mesurage et traçage. Les équerres servent à vérifier si une surface est plane ou perpendiculaire à une autre et à tracer des traits. Ce sont : l'*équerre de menuisier* (p. 232) ; l'*équerre de charpente* pour les grandes surfaces ; l'*équerre à combinaison* (p. 230) pour mesurer la profondeur d'un trou et tracer des angles de 45 degrés ; l'*équerre d'ingénieur* (non illustrée) pour ajuster les lames et les guides des outils électriques. Les règles comprennent : la *règle d'acier* (non illustrée) ; le *pied-de-roi* avec section extensible pour mesurer l'intérieur d'un meuble ; le *ruban d'acier* pour les grandes longueurs ; la *règle de 6 pouces* (non illustrée) graduée en trente-deuxièmes de pouce d'un côté et en soixante-quatrièmes de l'autre. La *fausse équerre* et le *rapporteur* servent à reporter des angles. Le *couteau* (p. 230) sert à tracer des traits. Le *trusquin à mortaiser* marque les lignes de coupe (p. 230) ou les mortaises (p. 240). Le *poinçon* fore des avant-trous pour les mèches.

Les serre-joints. L'éventail des outils de serrage comprend le *serre-joints à coulisse* (p. 234), la *serre en C*, la *serre de bordure* (p. 235) et la *serre de menuisier* (p. 241). Les *presses à cadre* maintiennent les joints à onglet pendant le collage et les *serre-joints à sangle* s'emploient avec des objets très grands ou irréguliers. L'*étau de menuisier* se fixe à l'établi.

Outils de frappe. Le *marteau à panne fendue* devrait avoir une face biseautée et légèrement arrondie. Celle du *marteau de tapissier* est aimantée pour retenir les pointes. Le *maillet en bois* (p. 235) s'utilise avec les ciseaux à bois et pour emboîter les joints. Le *chasse-clou* (p. 228), dont le diamètre de la pointe va de $\frac{1}{32}$ à $\frac{5}{32}$ po, sert à noyer les clous de finition.

Tournevis et forets. Le *tournevis standard* existe en plusieurs dimensions. Le *tournevis à tige carrée* permet de visser sans abîmer le bois. Le *tournevis Phillips* s'emploie pour les vis à tête cruciforme. *Vilebrequin et mèche* facilitent le centrage des trous. Le *guide de profondeur* (p. 233) se fixe à la mèche.

Scies. La *scie à tronçonner* (p. 230) coupe en travers du fil et peut remplacer la scie à refendre. La longueur la plus fonctionnelle est de 26 po avec huit dents au pouce. La *scie à dos* est renforcée pour un sciage précis des planches épaisses, tenons et autres joints. La *scie à tenons* (non illustrée) est plus petite, de même que la *scie à araser* (p. 235). La *scie à chantourner* découpe des courbes. La *boîte à onglets* (p. 239) sert à scier à 45 degrés avec la scie à dos.

Menuiserie et ébénisterie

Ciseaux, rabots et outils à façonner le bois

Tout bon ébéniste doit savoir utiliser les outils qui sont illustrés ci-dessous. Les rabots dressent et planent le bois, les ciseaux servent à tailler et à mortaiser les joints, les râpes et les grattoirs façonnent et polissent.

Les ciseaux. Ces outils sont classés selon l'épaisseur de leur lame et leur utilisation : à la main pour obtenir des coupes franches, et au maillet pour le mortaisage. Les ciseaux à parer ont une lame plus mince, biseautée sur trois côtés, et servent uniquement à parer. Les ciseaux plus robustes, et parfois biseautés, s'emploient pour parer ou rogner. D'autres, épais et très épais, n'ont pas de biseau sur les côtés de la lame et servent pour les gros travaux et le mortaisage. Les ciseaux à bois ont des lames de différentes longueurs : le ciseau à charnières a une lame qui va de 2½ à 3 po ; le ciseau à douilles, de 4½ à 5 po ; et le ciseau long, de 6 à 7 po. La soie des ciseaux à bois est fixée au manche par une virole. Même s'ils sont souvent vendus en jeux, il vaut mieux acheter les ciseaux au fur et à mesure de ses besoins.

Le tranchant d'un ciseau doit toujours être bien affûté (p. 223). Pour protéger le tranchant, déposez toujours l'outil sur son côté biseauté, tranchant sur le dessus. Pour mortaiser, tenez le ciseau perpendiculairement au bois du côté du rebut, son biseau tourné vers ce même rebut. Pour parer, couchez le ciseau presque parallèle au bois, le biseau vers le haut, sauf si l'espace ne vous le permet pas ou que l'entaille à pratiquer soit courbe. N'employez pas de maillet pour parer.

Les rabots. Le fer d'un rabot n'est rien d'autre qu'un ciseau retenu dans un fût. La semelle doit être parfaitement plane et d'équerre avec les côtés. Parfois, les vieux rabots en métal qu'on trouve à prix d'aubaine dans les marchés aux puces sont mieux construits, à cet égard, que les modèles récents. Certains ébénistes préfèrent une semelle rainurée à une lisse. L'une et l'autre se lubrifient avec de la cire ou de la paraffine.

Choix des fûts. Certains ébénistes préfèrent les rabots en bois parce qu'ils sont plus légers et demandent moins d'efforts. D'autres aiment mieux la durabilité et le poids d'un fût d'acier.

Les fers s'aiguisent comme les ciseaux (p. 223). Le réglage d'un rabot d'établi est expliqué à la page 231. En général, on rabote dans le sens du fil (pp. 226-227). Faites légèrement glisser la semelle sur la planche, avant la première passe, jusqu'à ce que vous sentiez que le contact entre les deux est total.

On peut voir aux pages 235 et 236 deux rabots spéciaux pour les joints. Les outils employés avec un tour sont illustrés à la page 248.

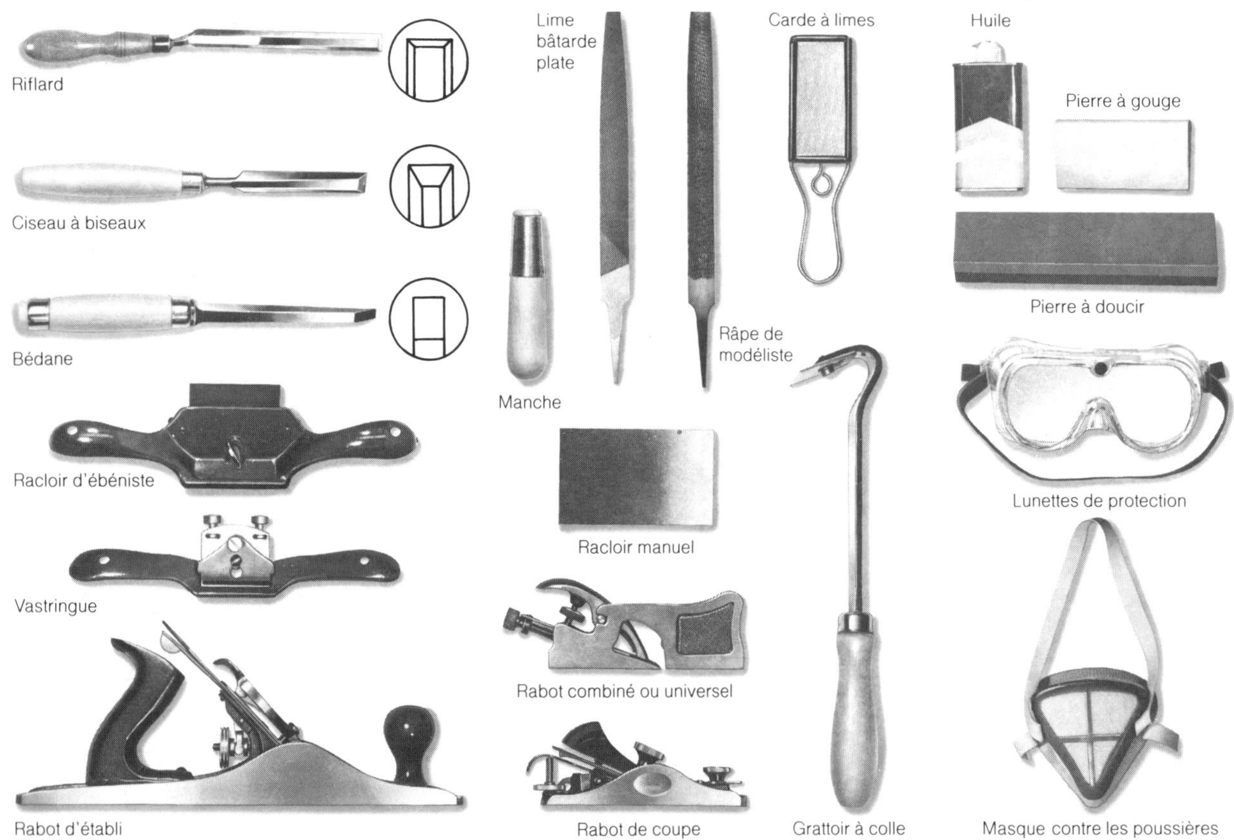

Ciseaux à bois. Les meilleures largeurs pour un *ciseau à biseaux* (p. 235) sont ⅛, ⅜, ¾, 1¼ et 2 po ; pour un *bédane* (p. 240), $\frac{5}{16}$ ou ⅜ po ; et pour un *riflard,* ¼ ou ½ po.
Limes et râpes. Pour affûter une lame de scie circulaire, un racloir d'ébéniste et des forets, employez une *lime bâtarde plate.* Pour façonner et planer des surfaces courbes, la *râpe de modéliste* nº 50 est celle qui a la denture la plus fine. Les limes et les râpes se nettoient avec une *carde à limes ;* on peut leur adapter un *manche.*
Rabots et grattoirs. Il existe quatre sortes de *rabots d'établi* (pp. 231-232) : le rabot à repasser, 9 ou 9¾ po ; la galère, 14 ou 14¾ po ; le riflard, 18 po ; la varlope, 22 ou 24 po. Le fer du *rabot de coupe* est à peine incliné pour le rabotage en bout. Le *rabot combiné ou universel* dégrossit les jouées d'une feuillure ou d'un tenon ; muni d'un petit nez (non illustré) au lieu d'un gros, il peut raboter jusqu'au fond des rainures ; sans nez, il pénètre dans les coins. Le *racloir manuel* plane et façonne les courbes. Le *racloir d'ébéniste* nivelle les surfaces. Le *grattoir à colle* enlève la colle séchée sur le bois. La *vastringue* sert à adoucir et à façonner des courbes ; ses fers s'adaptent aux surfaces concaves ou convexes. Choisissez-en une dont le fer s'ajuste avec un écrou.
Matériel d'affûtage (p. 223). Les lames des ciseaux et les fers des rabots s'affûtent avec une *pierre à doucir* qu'on lubrifie avec de l'*huile.* On les repasse ensuite sur un *affiloir en cuir* (non illustré). La *pierre à gouge* affûte les deux chants des gouges.
Précautions à prendre. Portez toujours des *lunettes de protection* pour travailler avec des outils électriques, ainsi qu'un *masque* qui filtrera la sciure.

Repassage des ciseaux, des fers de rabot et des outils de tourneur

Les outils tranchants ont besoin d'être affûtés souvent, même au cours de la réalisation d'un projet. Le repassage se fait avec une pierre à doucir contenant de l'oxyde d'aluminium, et la finition avec une pierre Arkansas. On procède de la même façon pour les ciseaux et les fers de rabot, tandis que les gouges et les ciseaux à épauler (p. 248) s'affûtent avec une pierre à gouge.

En général, le biseau d'un outil qu'on vient d'acheter a été aiguisé mécaniquement à un angle de 25 degrés. Pour lui redonner son tranchant, repassez-le selon le même angle. Puis, pour donner à l'outil un taillant qui dure, terminez avec un micro-biseau de 5 degrés, à peine l'épaisseur d'un cheveu et visible seulement par son reflet.

On ne doit affûter un ciseau neuf que dans certains cas : s'il n'a pas été aiguisé selon le bon angle, si son tranchant est ébréché ou s'il a été repassé sur une pierre arrondie. Si vous ne possédez pas de meule, faites-le affûter par un spécialiste. Avant de repasser, versez quelques gouttes d'huile minérale légère sur la pierre et étalez-la avec les doigts. Nettoyez la pierre après chaque usage en essuyant l'huile qui s'y trouve avec un chiffon propre, puis enduisez-la d'une nouvelle couche d'huile.

Affûtage d'une lame de ciseau ou d'un fer de rabot

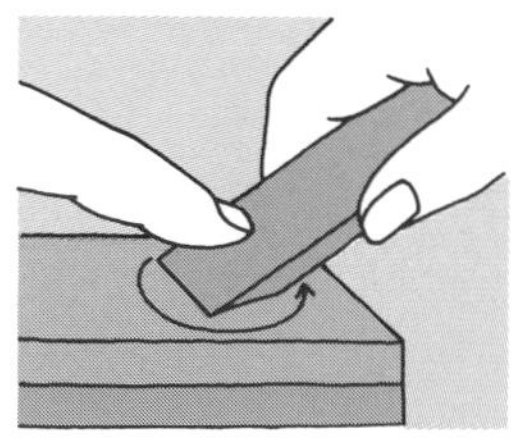

1. Repassage. Avec l'index, pressez le biseau bien à plat sur la pierre à huile et frottez jusqu'à ce que le morfil se forme ; reprenez sur une pierre Arkansas pendant 20 à 30 coups.

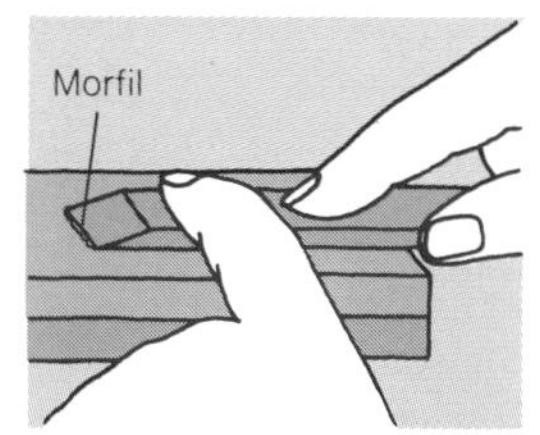

2. Emorfilage. Frottez la face du ciseau sur une pierre Arkansas en appuyant. Retournez et frottez le biseau à plat. Continuez jusqu'à ce que vous ne sentiez plus le morfil.

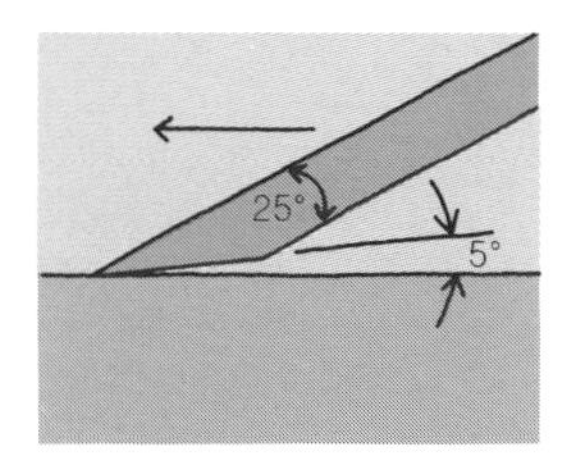

3. Micro-biseau. Posez le biseau à plat sur la pierre Arkansas, relevez le manche de 5 degrés et frottez cinq fois vers l'avant. Retournez le ciseau pour l'émorfiler (étape 2).

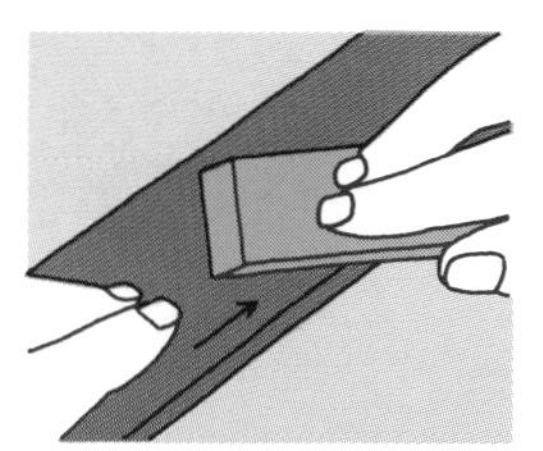

4. Repassage sur le cuir. Repassez la face et le biseau sur un morceau de cuir rigide et lisse, en procédant dans un seul sens, comme ci-dessus. Ne pas huiler le cuir.

Affûtage d'une gouge ou d'un ciseau à épauler

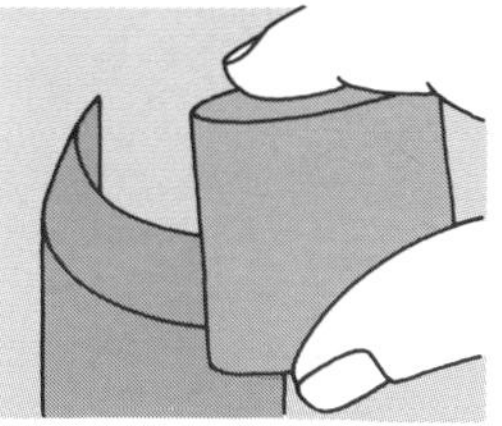

1. Repassage. Tenez le ciseau ou la gouge d'une main et frottez le biseau avec le plat de la pierre à gouge. Affûtez l'outil en gardant la pierre bien à plat sur le biseau.

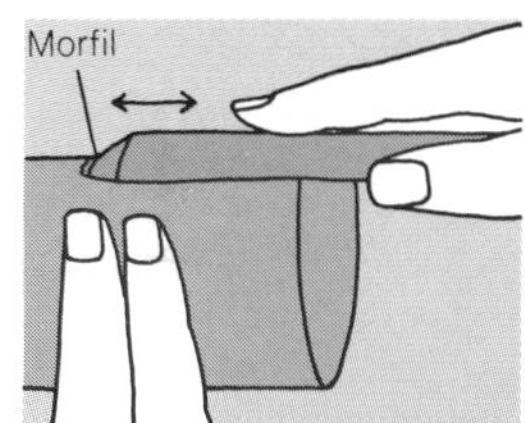

2. Emorfilage. Passez la pierre sur l'autre côté en un mouvement de va-et-vient jusqu'à ce qu'il n'y ait plus de morfil. Pliez le cuir pour repasser dans le creux de la gouge.

Précautions à prendre dans un atelier d'ébéniste

La négligence est la principale cause d'accident avec les outils électriques, mais on peut aussi se blesser avec des outils manuels mal employés. Pour votre propre sécurité, observez bien les précautions suivantes. Ne travaillez pas si vous êtes fatigué. Concentrez-vous sur votre ouvrage. Ne fumez pas dans l'atelier. Ne laissez rien traîner par terre ou sur l'établi et balayez souvent. Ne portez ni bijoux ni vêtements amples ; roulez vos manches ou boutonnez vos poignets. Les cheveux longs doivent être noués sur la nuque. Portez des lunettes de protection contre les éclats et la poussière : les lunettes correctrices sont inefficaces. Ayez toujours une trousse de secours sous la main.

Outils électriques. De plus, gardez vos outils électriques propres et en bon état. Mettez-les tous à la terre ; si vous n'avez pas de prises pour les fiches à trois broches, prenez un adaptateur et raccordez le fil de terre à la vis de la boîte de prise de courant. Ou bien achetez des outils doublement isolés. Débranchez-les avant de changer une lame ou de faire un ajustement. Ne travaillez jamais avec un outil électrique en étant sur un sol mouillé. Assurez-vous que le mandrin ou que le boulon de retenue de la lame sont bien serrés. Tenez-vous toujours d'un côté d'une lame de scie et utilisez un poussoir au lieu d'approcher dangereusement votre main de celle-ci.

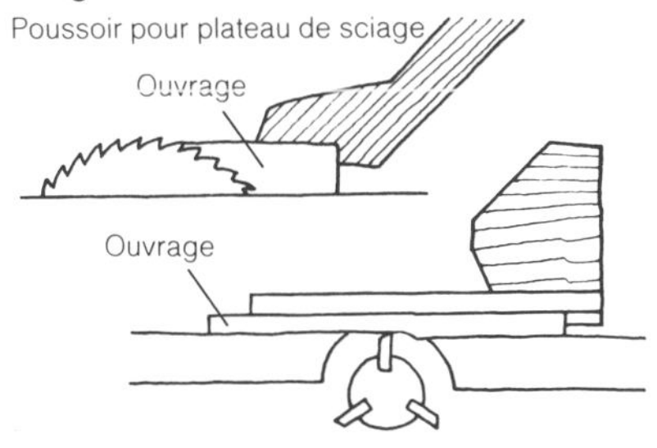

Sauf s'ils vous empêchent d'effectuer une tâche, laissez en place les couvre-lames et les écrans. Portez un masque de soudeur quand vous utilisez le plateau de sciage : il vous protégera mieux que des lunettes de protection (p. 222).

Solvants. Les solvants et les diluants sont une autre source de danger parce que leurs vapeurs sont extrêmement inflammables et souvent toxiques. Une bonne ventilation est indispensable ; ne vous contentez pas d'ouvrir une fenêtre, branchez plutôt un ventilateur qui aspirera ou éloignera les vapeurs. Il est également préférable d'avoir un extincteur chimique en permanence dans l'atelier.

Les solvants peuvent dessécher et crevasser la peau ; aussi vaut-il mieux porter des gants de caoutchouc si on doit travailler avec ces produits plus de quelques minutes.

Bruit. L'ouïe peut souffrir de l'utilisation intensive des outils électriques. On y remédiera un tant soit peu en gardant les outils bien huilés et en bon état, mais il est préférable de porter des protège-tympans qui étouffent le bruit tout en permettant d'entendre les voix.

Sciure de bois. Le port d'un masque (p. 222) permet d'éviter l'irritation nasale causée par la sciure de bois qui se dégage en ponçant, en sciant ou en dégauchissant.

Bois. Certaines essences, de même que les produits chimiques ou les moisissures contenues dans le bois peuvent provoquer des allergies cutanées ou respiratoires. Voici une liste partielle des essences, surtout exotiques ou tropicales, susceptibles de déclencher des réactions d'allergie : buis, thuya géant, acajou, ébène, palissandre, bois satiné de l'Inde et teck. Certaines de ces essences sont toxiques dès le premier contact et d'autres seulement après une exposition répétée.

Menuiserie et ébénisterie

Outils électriques

On divise les outils électriques en deux catégories : les portatifs, qu'on manœuvre à la main, et le gros outillage fixe. Avant d'acquérir ceux de la deuxième catégorie, il est préférable d'apprendre comment ils fonctionnent et comment les utiliser sans risques, par exemple en suivant un cours d'ébénisterie dans un centre d'artisanat.

Perceuses. La perceuse à colonne, à vitesse variable, perce des trous perpendiculairement au bois. L'avantage de la perceuse portative est qu'on peut l'emporter partout ; en outre, on peut y adapter des accessoires pour poncer, polir et mélanger la peinture. Sur certains modèles, un support permet de l'utiliser comme perceuse à colonne.

Les mandrins des perceuses portatives mesurent ¼, ⅜ ou ½ po. Plus le mandrin est petit, plus la vitesse de la perceuse est élevée ; un gros mandrin augmente la force de rotation pour le perçage de gros trous. Le vissage se fait mieux à vitesse réduite. Sur certains modèles, la vitesse est réglable.

La ponceuse orbitale. Il est préférable d'avoir un modèle qui peut passer d'un mouvement circulaire pour le ponçage des joints à un déplacement rectiligne, parallèle au fil du bois. La semelle devrait être mue directement par le moteur, tourner à une vitesse de 4 000 à 12 000 tr/min et avoir une orbite d'environ ⅛ po.

La toupie. Les nombreuses mèches de toupie permettent de tailler feuillures, entailles, rainures, biseaux, moulures et queues d'aronde. Une toupie à forte puissance a un meilleur rendement.

Scies portatives. Une bonne scie circulaire a une lame d'un diamètre d'au moins 7 po et doit pouvoir scier un 2 × 4 à un angle de 45 degrés. La scie sauteuse est moins rapide, mais permet de chantourner. Un moteur à vitesse réglable et ayant au moins ⅓ ch (cheval-vapeur) donne de bons résultats. La scie doit pouvoir faire des coupes en biseau et scier du bois d'une dimension nominale de 2 po.

Scies fixes. Le plateau de sciage est polyvalent et d'une grande précision. Il devrait avoir au moins ⅓ ch pour une lame de 8 po ; les lames ont de 7½ à 10 po de diamètre. La scie à ruban qui est la seule scie pouvant chantourner devrait avoir ⅓ ch ; la grandeur du plateau ainsi que l'écart entre la lame et le bras déterminent la dimension de l'ouvrage. La scie radiale a en général une lame de 10 ou 12 po et un moteur d'au moins 1½ ch.

La dégauchisseuse. Cette machine peut raboter et équarrir les chants et l'une des faces d'une planche grâce à des couteaux rotatifs. Elle peut aussi planer la seconde face, mais non redresser uniformément une planche irrégulière. La largeur des couteaux détermine celle de la planche à raboter.

Le tour à bois est décrit à la page 247.

Comment effectuer les coupes avec les scies électriques

	TRONÇONNAGE	COUPE DE REFEND	COUPE EN BISEAU	ENTAILLE OU RAINURE	COURBE
Scie circulaire	Employez comme guide une règle fixée au bois par des serres	Utilisez une règle ou un guide de refend ; lame à refendre ou combinée	Desserrez l'écrou d'inclinaison, ajustez la lame et revissez-le ; faites un essai	Utilisez le guide, réglez la semelle, sciez sur le trait, évidez par des coupes parallèles	Difficile à effectuer avec cette scie
Scie sauteuse	Employez comme guide une règle fixée au bois par des serres	Utilisez un guide de refend ou une règle fixée au bois par des serres	Desserrez la vis de réglage, inclinez la semelle, revissez ; faites un essai	Impossible avec cette scie	Prenez une lame étroite pour un court rayon ; fixez le bois à l'établi avec des serres
Plateau de sciage	Placez la planche à 90° contre le guide ; poussez-la vers la lame	Utilisez une lame à refendre ou combinée et un guide de refend	Inclinez la lame ; faites un essai	Utilisez une lame à entaille, ajustez sa hauteur ; faites un essai	Se limite aux courbes peu prononcées ; vérifiez les directives du fabricant
Scie radiale	Tenez l'ouvrage contre le guide ; passez la scie en travers	Tournez la lame parallèlement au guide ; tenez l'ouvrage contre lui et poussez-le vers la lame	Inclinez la lame à l'angle indiqué sur l'échelle de refend ; faites un essai	Utilisez une lame à entaille ou sciez sur les traits ; évidez par des coupes parallèles	Certains modèles permettent des courbes moyennes ; consultez le guide du fabricant
Scie à ruban	Sciage avec ou sans guide d'onglet ; guide-lame de ¼″ à ½″ au-dessus du bois	Sciage libre ou avec un guide ; lame large, de préférence	Inclinez le plateau à l'angle voulu ; faites un essai	Impossible avec cette scie	Utilisez une lame étroite ; vérifiez si l'ouvrage passe entre le bras et la lame

Utilisation des outils

Les directives fournies avec les outils électriques varient d'un modèle à l'autre. Comme certains exigent des précautions particulières, nous verrons ici comment utiliser la scie circulaire, la toupie, la dégauchisseuse et le plateau de sciage.

La scie circulaire. Utilisez-la toujours avec le plus grand soin. Fixez solidement l'ouvrage pour l'empêcher de glisser et faites soutenir le rebut à la fin d'une longue coupe. Tenez la poignée fermement et éloignez votre main libre de la lame. Mettez le moteur en marche avant d'entamer le bois et évitez tout brusque changement de direction. Retenez la scie à la fin de la coupe.

La toupie. Insérez la mèche dans le collet et resserrez les deux écrous avec les clés fournies avec l'outil. Réglez la profondeur de coupe avec l'anneau de réglage. Utilisez le guide (vendu séparément) ou une règle fixée avec des serres. L'écart entre la coupe et la règle doit être le même qu'entre le chant de la mèche et la rive extérieure de la semelle. Faites un essai et vérifiez la profondeur avec une règle graduée en soixante-quatrièmes de pouce. Placez l'ouvrage pour que la toupie s'éloigne de vous, de la gauche vers la droite, en un tracé rectiligne. Pour découper un arc ou un rectangle sur la rive intérieure, déplacez-la dans le sens des aiguilles d'une montre ; à l'extérieur, procédez dans l'autre sens. Mettez le moteur en marche avant d'entamer le bois. Un déplacement trop rapide fait surchauffer le moteur ; trop lent, il brûle le bois. Exercez-vous sur du bois de rebut.

La dégauchisseuse. Ajustez la table arrière au même niveau que le tranchant des lames. Réglez la profondeur de coupe en modifiant la hauteur de la table avant ; en général, on ne dégauchit que ¹⁄₁₆ po par passe. Tenez le bois des deux mains contre le guide pendant qu'il passe d'une table à l'autre. Quand il atteint la table arrière, continuez d'appuyer, mais en tenant vos mains de part et d'autre du porte-lames. Utilisez un poussoir quand vous planez les faces. Commencez par celle qui est concave, puis pressez-la contre le guide pour raboter son chant (voir texte, p. 232). Le protège-lame s'écarte pour le passage du bois et revient en place tout de suite après.

Le plateau de sciage. Travaillez avec le couvre-lame en place et un fendoir qui tient le bois écarté à mesure qu'il est scié. Ne vous tenez jamais dans l'axe de la lame, mais sur le côté pour éviter un contrecoup. Ne passez jamais la main au-dessus de la lame. Réglez la lame pour qu'elle dépasse l'ouvrage de ⅛ po. Pour refendre une pièce étroite, utilisez un poussoir (p. 223). Attendez, pour scier, que le moteur tourne à plein régime. Pour une coupe profonde, faites plusieurs passes en relevant légèrement la lame à chaque fois. Un morceau de bois fixé au guide d'onglet aide à maintenir une longue planche perpendiculairement à la lame.

Outils électriques portatifs

Scie circulaire

Scie sauteuse

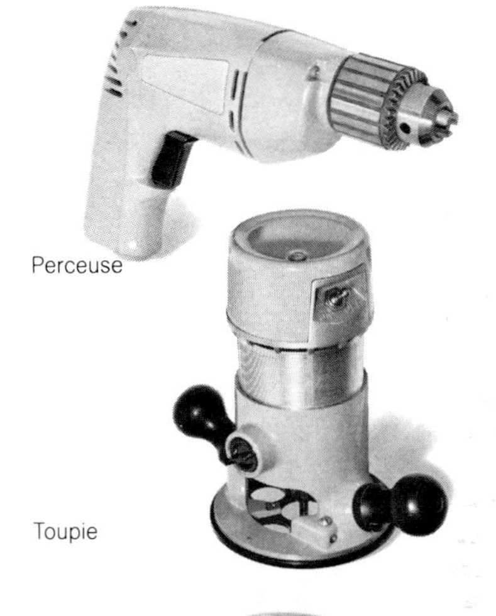

Perceuse

Toupie

Ponceuse orbitale

Outils électriques fixes

Dégauchisseuse

Plateau de sciage

Scie radiale

Scie à ruban

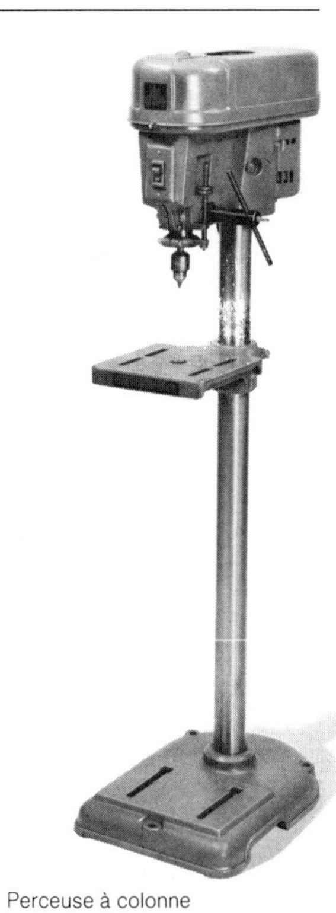

Perceuse à colonne

Menuiserie et ébénisterie

Matériaux : le bois

En menuiserie, on utilise essentiellement trois types de bois : le bois dur fourni par les arbres à feuilles caduques ; le bois tendre, qui provient d'arbres à feuilles persistantes ; et le contre-plaqué, qui est fait de minces feuilles de bois, ou placages, collées ensemble. L'acajou, le chêne et le cerisier sont les bois de prédilection des ébénistes, tandis que le bois tendre, moins coûteux, et le contre-plaqué servent surtout pour le dos des meubles, les fonds de tiroirs et les assemblages. Certains bois dits tendres sont plus durs que quelques bois durs.

Caractéristiques du bois. Le choix de la teinte est une question de goût. Par contre, le fil, la texture et la veinure déterminent la façon dont on travaillera le bois. En regardant le chant d'une planche, on peut voir la direction du fil ; le rabotage se fait dans le même sens pour ne pas risquer d'abîmer le bois. Quand le fil change de direction, on modifie le rabotage en conséquence.

La finition est déterminée par la répartition et la grosseur des cellules, ou pores, du bois. Leur veinure révèle la façon dont la croissance de l'arbre s'est déroulée : cercles annuels, nœuds, distorsions. On doit en tenir compte au moment du choix et de la disposition des planches.

Le tableau ci-dessous regroupe quelques-uns des bois durs les plus courants et deux bois tendres. Le fait qu'un bois soit qualifié de difficile à travailler ne devrait pas vous rebuter. Cela implique essentiellement que vos outils tranchants devront être bien affûtés, mais la finition est aisée et vous aurez un meuble beau et solide. Il y a aussi les essences exotiques, rares et plus coûteuses, qui donnent du bois dur : teck, palissandre, padouk, bubinga et bois satiné de l'Inde. On les trouve chez les marchands qui approvisionnent les ébénistes.

Séchage du bois. Assurez-vous que le bois que vous achetez est suffisamment sec. Le séchage au four, effectué sous surveillance, est préférable au séchage à l'air pour du bois qu'on utilisera sans attendre. Tout bois, même s'il est sec, subit des déformations : retrait, gonflement, gauchissement, bombement et cambrure (voir les illustrations à la page ci-contre). Ces déformations sont causées par les variations hygrométriques de l'endroit où il est entreposé.

Mode d'achat. Le bois dur se vend de trois façons : à l'état brut, blanchi ou taillé sur mesure dans les trois sens — longueur, largeur, épaisseur. Sauf si vous disposez d'une raboteuse ou d'une dégauchisseuse, il vaut la peine de payer

Essences employées en ébénisterie

BOIS	CARACTÉRISTIQUES	FINITION
Acajou (Afrique, Honduras, Philippines)	De rose à brun rougeâtre foncé ; grain ouvert ; densité moyenne ; dur et solide ; se travaille bien ; gauchit peu ; le faux acajou des Philippines a une texture plus grossière et est moins stable	Bouche-pores facultatif ; ne teindre que pour souligner la couleur ; finition en profondeur ou en surface (p. 250)
Cerisier d'automne	Brun rougeâtre allant du pâle au foncé ; fonce avec le temps ; grain serré ; moyennement dur ; se travaille assez bien ; résiste au retrait et au gauchissement	Bouche-pores inutile ; se teint bien (rarement teint) ; finition en profondeur ou en surface
Chêne rouge et blanc	De brun pâle (chêne blanc) à brun rougeâtre (chêne rouge) ; grain ouvert ; dur et très résistant ; assez difficile à travailler ; tendance au gauchissement ; le chêne blanc a une texture plus fine	Bouche-pores en pâte ; se teint bien ; parfois foncé à l'ammoniac ; finition en profondeur ou en surface
Erable à sucre	Brun pâle ; grain serré ; dur et résistant ; émousse rapidement les outils ; excellent pour le tournage ; doit être abondamment encollé ; veinure intéressante	Bouche-pores inutile ; se teint mal ; finition en profondeur ou en surface
Frêne blanc	Blanc crème à brun foncé ; grain ouvert ; dur et résistant ; se travaille difficilement ; ne se déforme pas ; souvent utilisé pour l'équipement sportif	Bouche-pores en pâte ; assez difficile à teindre ; finition en profondeur ou en surface
Noyer noir	Brun-gris à brun foncé ; grain ouvert ; dur ; se travaille bien ; facile à scier et à raboter ; retrait et dilatation de faible importance	Bouche-pores en pâte facultatif ; se teint bien ; finition en profondeur ou en surface
Peuplier	Brun jaunâtre pâle avec, parfois, une touche de vert ou de pourpre ; grain serré ; tendre ; se travaille bien ; excellent pour le tournage ; beaucoup le préfèrent au pin pour les travaux de base	Bouche-pores facultatif ; se teint bien ; finition en surface ; se peint sans problème
Pin	Crème à brun rougeâtre pâle ; grain serré ; tendre ; se travaille bien ; souvent noueux ; très peu de veinure ; le pin ponderosa est le meilleur	Bouche-pores inutile ; teindre pour la finition ; se peint sans problème

De la bille à la planche

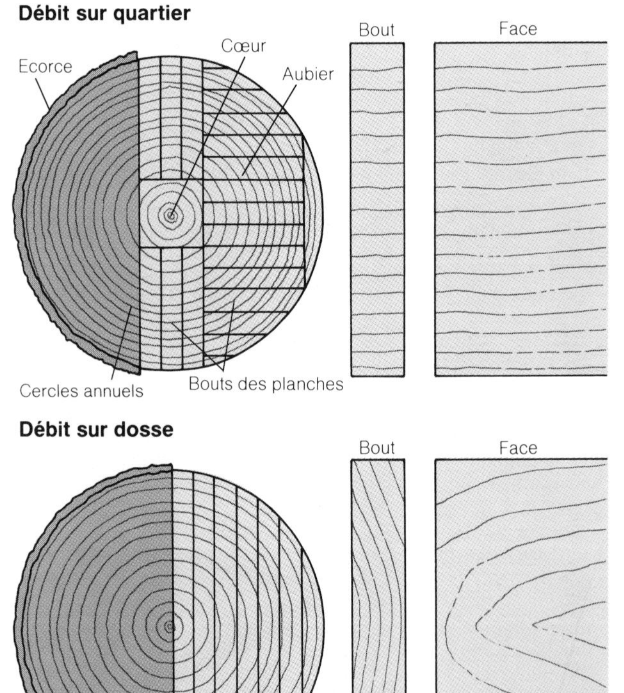

Le mode de sciage détermine l'apparence d'une planche et sa résistance aux déformations. Le retrait se produit généralement autour des cercles annuels. Une planche débitée sur dosse a tendance à gauchir depuis le cœur et à rétrécir sur la largeur. Si elle est débitée sur quartier, le retrait affecte surtout l'épaisseur. Avec le débit sur quartier, les cercles annuels semblent presque parallèles à la longueur de la planche et perpendiculaires au bout. L'aubier cerne le cœur, qui est plus foncé. Le débit sur dosse donne des veines en V. Le bois débité sur quartier est rare et coûteux.

un peu plus pour faire dresser ou couper vos planches sur mesure.

Précisez si vous voulez votre bois « blanchi sur deux faces » ou « blanchi sur quatre faces », ce qui inclut les rives. Celles-ci sont simplement refendues à la scie et peuvent avoir besoin d'être planées. Comme tout n'est pas toujours utilisable dans du bois dressé, commandez, pour la longueur, 10 ou 20 p. 100 de plus que ce qu'il vous faut. Le bois taillé sur mesure est le plus coûteux, mais n'a besoin que d'un léger planage.

Les dimensions du bois sont toujours formulées dans cet ordre : épaisseur, largeur, longueur. Le prix du bois dur se calcule au pied-planche (voir l'illustration) ou au pied linéaire ou courant.

La classification du bois dur est la suivante : le meilleur, dont 90 p. 100 est utilisable, porte la cote FAS, soit premiers et seconds. Le numéro 1, Commun et de Choix, comporte des nœuds et quelques défauts. Le numéro 2, Commun, a beaucoup de défauts et ne peut être utilisé qu'en petits morceaux.

Le bois tendre. Il se vend en planches, au pied-planche et au pied linéaire, ainsi que selon des dimensions régulières que l'on appelle stock de dimension. L'expression « dimension nominale » réfère au débit primaire : en fait, le morceau est plus petit. Ainsi, un 2 × 4 mesure en réalité 1½ po sur 3½ po. Il existe plusieurs qualités dans le bois tendre, mais la seule qui convienne pour l'ébénisterie est la catégorie de Choix qui se divise en A, B, C et D ; A et B, dites aussi 1 et 2 Clair, sont poncées pour un fini naturel, tandis que C et D peuvent être peintes.

Le contre-plaqué. Le contre-plaqué se vend généralement en feuilles de 4 pi sur 8 pi dont l'épaisseur peut aller de ⅛ po à 1⅛ po. Il est formé de feuilles, ou placages, en nombre impair. Un noyau en bois massif assure une meilleure prise pour les vis et les clous, mais augmente le coût du contre-plaqué. Les placages extérieurs peuvent être de bois dur ou tendre et ont une classification distincte. Le contre-plaqué en bois dur peut être classé Suprême, Bon, Sain, Utilité ou Rebut. On doit préciser, au moment de l'achat, la qualité désirée pour les faces, comme G1S (bon un côté) ou G2S (bon deux côtés), et si c'est pour un usage intérieur ou extérieur.

Le contre-plaqué en sapin, utilisé pour le dos et le fond des meubles, est classé de A à D, A étant le meilleur. Là encore, on doit préciser la qualité des deux faces, par exemple A-C, qui veut dire un côté d'excellente qualité et l'autre d'une qualité inférieure.

Anatomie d'une planche

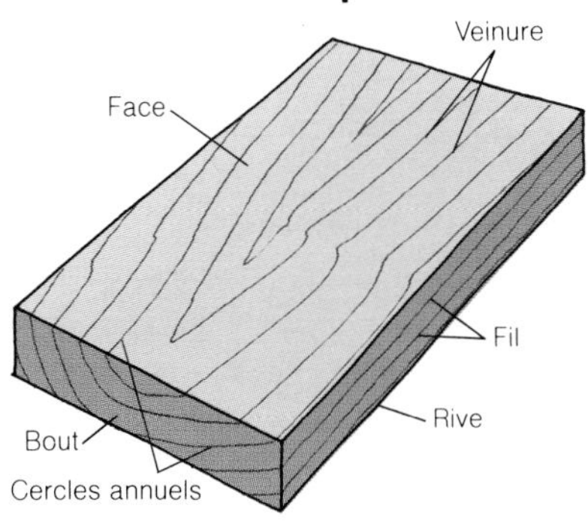

Quand on parle des faces, des chants, ou rives, et des bouts d'une planche, il s'agit des parties identifiées ci-dessus. Rabotez et poncez toujours dans le sens du fil, qu'on voit sur la rive. Les cercles annuels forment la veinure.

Le pied-planche

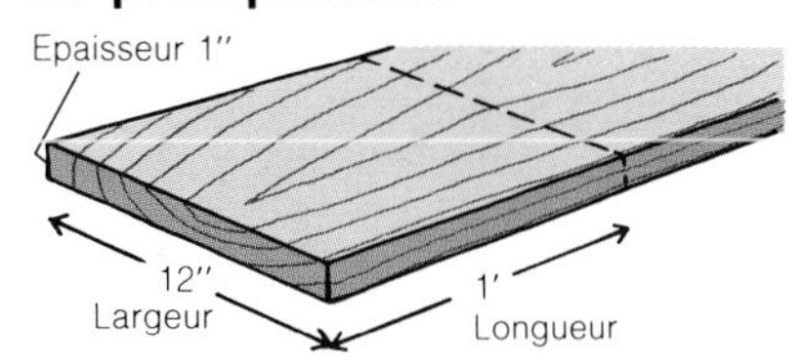

Un pied-planche est la quantité de bois dans une planche de 1 pi de long, 12 po de large et 1 po d'épaisseur. Formule : multipliez la longueur *en pieds* par l'épaisseur nominale *en pouces*, puis par la largeur *en pouces*, et divisez par 12.

Déformations et défauts du bois

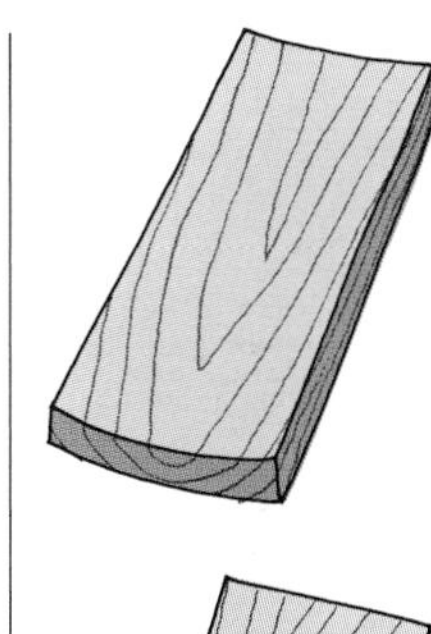

Soucoupe (bombement). Les rives sont arrondies. Pour corriger un bombement peu prononcé, on peut raboter (pp. 232-233) ou refendre la planche et inverser une planche sur deux comme dans l'assemblage sur chant (p. 234).

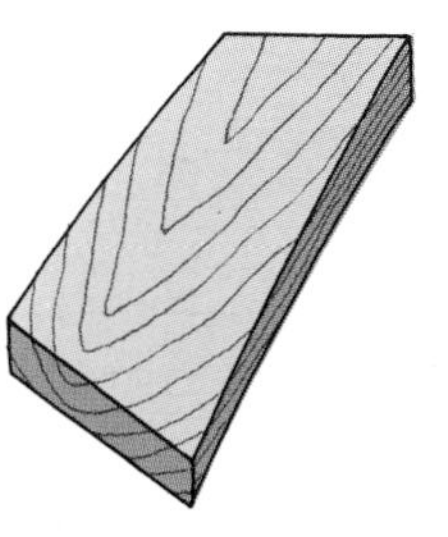

Hélice. Quand une planche est tordue en diagonale d'un angle à l'autre, corrigez cette déformation en rabotant en diagonale entre les deux angles les plus retroussés.

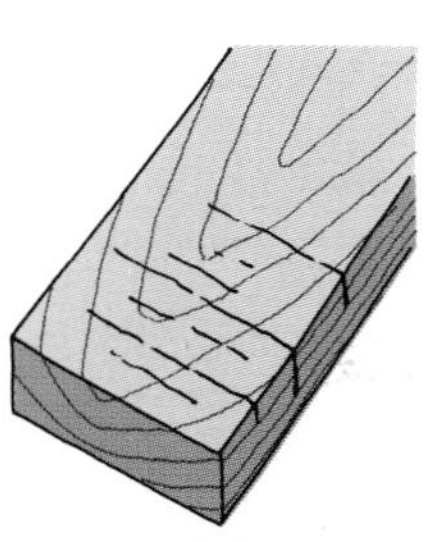

Gerces rayonnantes. Ces fentes en travers du fil ou qui s'étalent sur toute la largeur d'une planche sont dues à une compression subie par l'arbre vivant ou à l'abattage. Le bois ainsi abîmé s'utilise pour les endroits masqués.

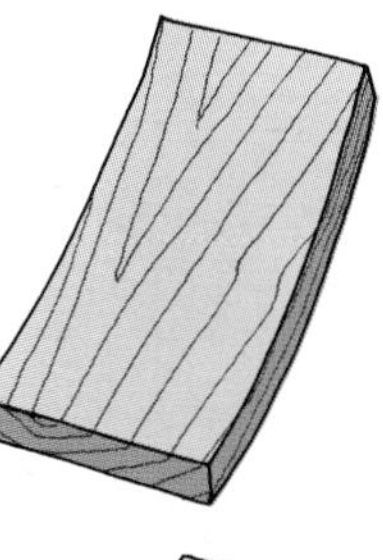

Arc (cambrure). Les bouts se retroussent et la planche est arquée en longueur ou comporte plusieurs petits arcs. Sciez-la en courtes longueurs et planez-la. On peut redresser une planche mince en la fixant à un cadre.

Fentes traversantes et gerces. Comme les bouts sèchent plus vite, il arrive qu'ils se fendent. Les gerces se produisent sur la face ; si elles sont peu profondes, on peut les raboter ou les boucher.

Flache. Quand une planche a été sciée trop près de la circonférence extérieure de l'arbre, il arrive que l'écorce et l'aubier soient encore attachés à sa rive. On peut l'utiliser après l'avoir sciée sur le long.

Crochet. Les faces sont planes, mais les rives s'incurvent. Sciez ou rabotez la planche de telle sorte que les rives soient d'équerre avec les bouts. La largeur utilisable sera alors plus étroite.

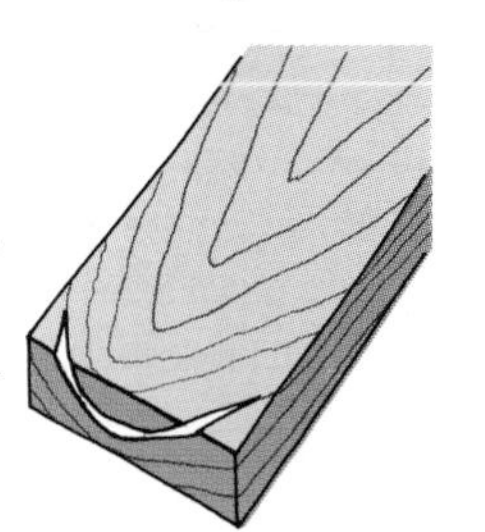

Roulures. Ces fentes épousent la forme des cercles annuels sur une partie ou la totalité de la circonférence du tronc. Elles n'ont rien à voir avec les bardeaux de fente utilisés pour les parements et les toits.

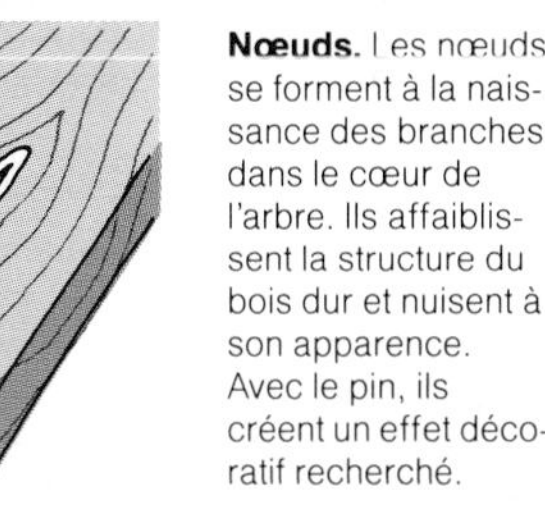

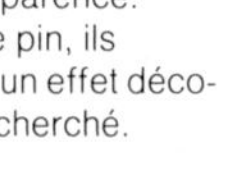

Nœuds. Les nœuds se forment à la naissance des branches dans le cœur de l'arbre. Ils affaiblissent la structure du bois dur et nuisent à son apparence. Avec le pin, ils créent un effet décoratif recherché.

Menuiserie et ébénisterie

Matériaux : colles, fixations et papiers abrasifs

Colles. Le choix d'une colle s'effectue selon ses propriétés, indiquées dans le tableau ci-contre. Si vous avez beaucoup de serres à poser, choisissez une colle dont le temps de jeu est assez long. Prolongez le temps de serrage indiqué par le manufacturier, surtout pour les pièces sous tension. Attendez toujours que le temps de durcissement soit écoulé. Il se prolonge si l'humidité est élevée, mais est abrégé si le temps est chaud.

Fixations. La dimension des clous s'exprime en *penny,* représenté par l'abréviation *d* après un chiffre ; le clou le plus petit est, en général, de 2d (1 po) et le plus grand de 60d (6 po). Les clous à finir vont jusqu'à 20d (4 po), et les clous d'emballage jusqu'à 40d (5 po). Les vis à bois ont une force de soutien supérieure à celle des clous. On emploie les boulons quand la fixation risque de transpercer l'ouvrage, quand il faut une plus grande résistance et quand les pièces sont démontées souvent.

Papiers abrasifs. Le papier silex est bon marché, mais il s'encrasse vite. Le papier grenat lui est préférable pour les travaux d'ébénisterie. Quand les outils ont laissé des marques, commencez avec un papier n° 50 ou 60 ; sinon, utilisez du 80, puis du 120 pour les premiers ponçages. La finition se fait avec du 220 pour les bois tendres et du 280 pour les bois durs. Un bloc à poncer est indispensable si on veut obtenir une surface parfaitement lisse et égale. Vous pouvez en tailler un dans du bois ou du liège ; la semelle aura 1½ po d'épaisseur et devra mesurer 3 po sur 5. Arrondissez les rives supérieures pour former une poignée. Si le bloc est en bois, collez un feutre sur sa semelle.

Le ponçage entre les couches de finition (pp. 250-251) se fait avec un papier au carbure de silicium au grain très fin : 400, 500 ou 600. Poncez à sec ou mouillez le papier pour aller plus vite. La laine d'acier n° 3/0 ou n° 4/0 complète la gamme des accessoires abrasifs.

COLLE	MARQUES	TEMPS DE JEU*	TEMPS DE SERRAGE*	DURCISSEMENT*	IMPERMÉABILITÉ	SOLVANT	REMARQUES
Résine de polyvinyle (PVA ou colle blanche)	Glue-All de Elmer, faite par Borden ; colle blanche de DuPont ou de Borden	25-30 min	4 h	24 h	Faible ; ne tient pas s'il y a de l'eau	Savon et eau chaude avant le durcissement	Prête à l'emploi ; empâte le papier abrasif ; résiste mal aux tensions continues
Résine aliphatique	Sure Grip de LePage ; colle aliphatique de Canada Glue	15 min	2-4 h	Toute la nuit	Moyenne ; ne pas employer pour les meubles de jardin	Eau chaude avant le durcissement	Prête à l'emploi ; prend vite ; ponçage facile ; plus stable que la colle blanche
Résorcine-formaldéhyde	Colle imperméable de Borden ; colle résorcine imperméable pour contre-plaqué de Weldwood	45-50 min	8-12 h (doit être à 21°C)	8-12 h (doit être à 21°C)	Imperméable ; résiste aux températures élevées	Eau froide avant le durcissement	Deux parties ; mélanger ce qu'il faut ; colle le bois à d'autres matériaux
Colle de peau	Colle animale 1XM de Canada Glue	45 min	Toute la nuit (doit être à 21°C)	Toute la nuit (doit être à 21°C)	Aucune	Eau chaude avant le durcissement	Prête à l'emploi ; long temps de jeu
Résine urée-formol (formaldéhyde)	Colle de résine plastique de Weldwood ou de Borden ; résine plastique de LePage	15 min	12 h (doit être à 21°C)	12 h	Bonne si elle a durci	Savon et eau chaude avant le durcissement	Vendue en poudre ; délayez avec de l'eau avant de l'utiliser

*à 21°C

Clous

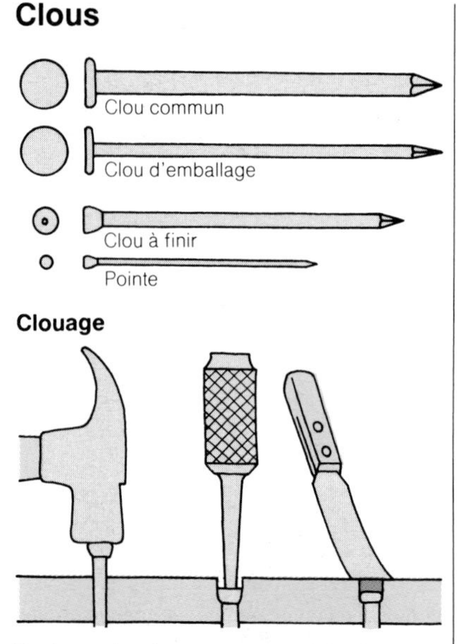

Employez des clous communs et à finir là où les têtes ne se verront pas. Cessez de clouer avant que le marteau ne marque le bois, terminez avec un chasse-clou (p. 221) pour noyer les têtes ; appliquez de la pâte de bois pour les masquer.

Vis et équerres

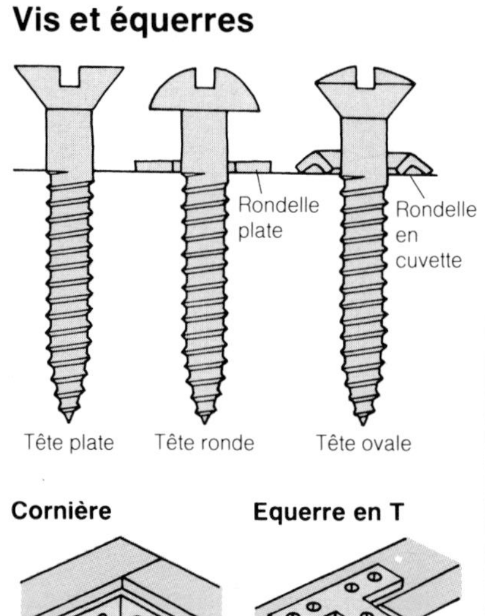

On noie les vis à tête plate (p. 241) ; si le bois est tendre, utilisez des vis à tête ronde avec une rondelle plate. On emploie une rondelle en cuvette avec les vis à tête ovale. Les équerres remplacent les joints.

Boulons et écrous

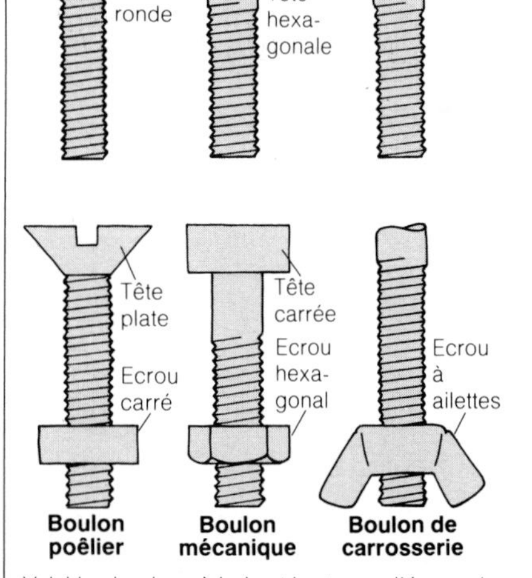

Voici les boulons à bois et les types d'écrous les plus courants. Percez un trou un peu plus gros que la tige. La tige doit mesurer ½ po de plus que l'épaisseur du bois. Si la tête n'est pas noyée, utilisez des rondelles.

Préparation des projets

Pour travailler en toute quiétude et sans risquer de se retrouver à court de bois, il est indispensable de consacrer tout le temps et le soin voulus à la planification. Le choix d'un projet n'est pas compliqué en soi, mais ne soyez pas présomptueux si c'est votre premier. Optez plutôt pour quelque chose de simple comme le coffret de la page 252. Même quand vous serez un peu plus aguerri, ne vous attaquez à une pièce qui demande des heures de travail que si vous possédez un outillage électrique.

Une fois que votre choix est fait, consultez des livres, des revues et des catalogues pour trouver un modèle. Pensez au type de bois que vous voulez utiliser ; le style et le matériau devront s'harmoniser avec vos autres meubles et objets. Faites quelques croquis pour déterminer les proportions, puis exécutez un plan à l'échelle (voir ci-dessous).

A ce stade-ci, certains ébénistes font un dessin à la cote, par exemple un plan frontal et un plan latéral, pour voir si l'ensemble est harmonieux.

Ensuite, déterminez l'épaisseur, la largeur et la longueur de chaque élément, sans oublier les parties d'assemblage. Identifiez-les sur votre plan par une lettre ou par leur nom, comme « tablette du haut » ou « côté gauche » ; plus tard, vous inscrirez ces repères sur le bois.

Préparez la liste du bois à acheter dans cet ordre : épaisseur, largeur et longueur. Sauf si vous faites couper toutes les pièces sur mesure — ce qui est possible, mais coûteux —, ajoutez une marge pour le rabotage et les traits de scie (1/16 po pour l'épaisseur, ¼ po en largeur et ½ po en longueur pour chaque planche). Pour le contre-plaqué qui se vend en feuilles de 4 pi sur 8 (voir p. 246), préparez un plan de coupe en ajoutant au moins ⅛ po pour les traits de scie entre les éléments. N'oubliez pas les autres matériaux, comme la colle et la quincaillerie ; vérifiez qu'il ne vous manque pas d'outils.

Dressez la liste détaillée des opérations. Elles se succèdent généralement ainsi : mesurage et traçage ; sciage des éléments (p. 230) ; équarrissage (pp. 232-233) ; découpage et assemblage des joints (pp. 234-240) ; encollage des joints (p. 241) ; ponçage ; et finition (pp. 250-251). Avant d'encoller les joints, poncez les surfaces intérieures, les tablettes, les panneaux et toutes les parties qui formeront un angle avec d'autres. Quand la colle est sèche, planez les joints et les coins, poncez les surfaces extérieures et ôtez soigneusement la poussière et les marques de colle avant de passer à la finition.

Dimensions courantes

Meuble	Hauteur	Profondeur	Longueur
Bibliothèque	32"-84"	8"-18"	libre
Bureau	30"	24"-30"	40"-60"
Chaise droite	siège 16"-18"	14"-18"	12"-16"
Commode	32"-54"	18"-24"	libre
Etabli	32"-34"	24"	libre
Placard	36"	12"-24"	libre
Table d'appoint	27"	15"-24"	24"-26"
Table à café	14"-18"	18"-24"	36"-60"
Table de chevet	23"-25"	18"-23"	libre
Table de cuisine	29"	30" min.	23" par personne

Comment dresser un plan à l'échelle

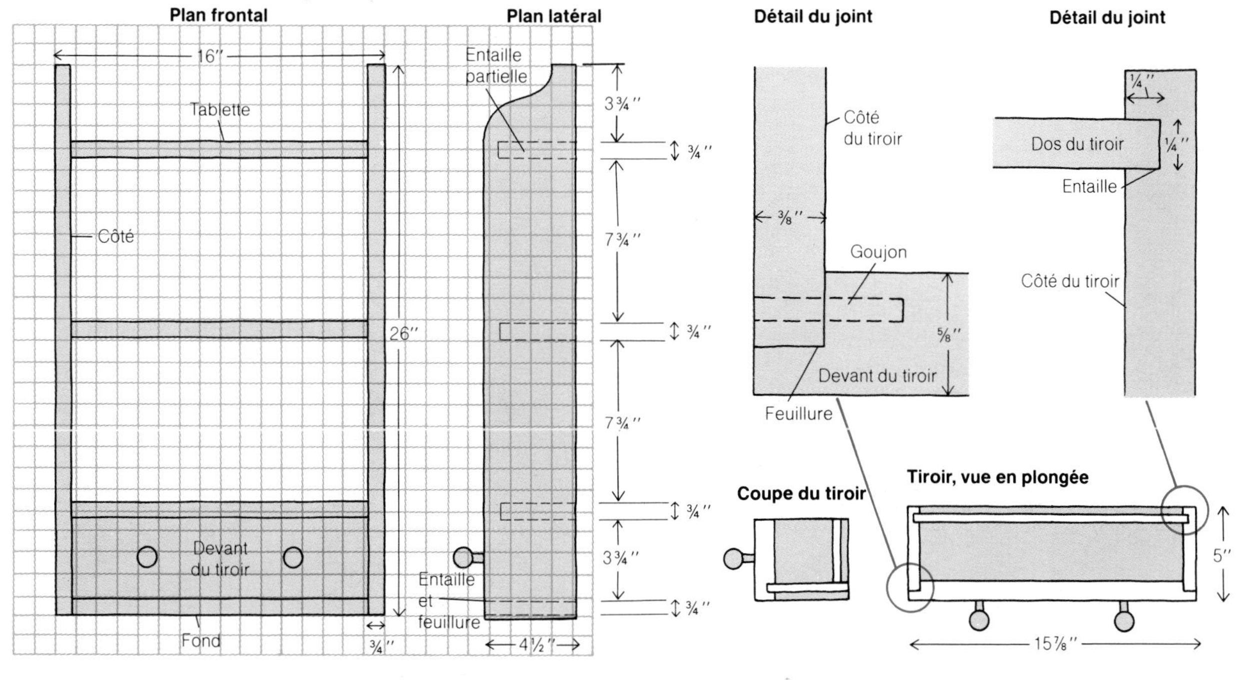

Une fois vos croquis terminés, dessinez votre projet sur du papier quadrillé, à raison de huit carreaux au pouce, par exemple, chaque carreau équivalant à 1 po². Commencez par le devant et les côtés, puis ajoutez, si besoin est, le dessus, le fond et le dos à l'aide de traits partant des angles et autres éléments du plan frontal. Les parties cachées sont indiquées par des tirets. C'est ce qu'on appelle une projection orthogonale. Pour représenter l'intérieur d'un meuble ou des tiroirs, tracez une droite traversant un ou plusieurs plans et dessinez un plan en coupe montrant le raccordement des divers éléments entre eux. Tenez compte des joints (pp. 234-240) et de leur nature selon les parties à assembler (pp. 242-245). Reproduisez-les sur une plus grande échelle. Inscrivez toutes les mesures à côté des éléments en indiquant par des flèches et des traits les sections concernées. Procédez de la même façon pour les joints. Vérifiez soigneusement toutes les mesures ; la plus grande précision s'impose ici parce que vous utiliserez ces plans pour commander votre bois. Pendant l'exécution, consultez constamment vos plans et modifiez-les au besoin. Les plans ci-contre représentent une étagère murale comprenant trois tablettes et un seul tiroir.

Menuiserie et ébénisterie

Mesurage, traçage et sciage

Les mesures pour la coupe se prennent avec une règle, une équerre et un crayon. Si la planche est blanchie, ajoutez entre 1/32 et 1/8 po pour le trait de scie, ainsi qu'un mince 1/16 po de chaque côté du trait pour le surfaçage des marques de scie. Pour le bois brut, qui sera dressé avec des outils électriques (p. 224) ou à la main, ajoutez 1/2 po en longueur et 1/4 po en largeur.

Sciage. Une coupe transversale se fait par le travers du fil et une coupe de refend dans le sens du fil. Vérifiez de nouveau vos mesures avant de scier. Marquez le rebut par des croix. Le bon côté se place à l'endroit si vous utilisez une égoïne ou un plateau de sciage, et à l'envers si c'est une scie radiale, sauteuse ou circulaire. Sciez du côté du rebut.

Traçage et coupe des joints. Le marquage des joints exige une grande précision et se fait avec une lame de couteau. Employez un morceau de bois dressé en guise de règle (pp. 232-233).

Traçage d'équerre. On doit souvent tracer les coupes de joints en un trait continu sur trois ou quatre faces. Ce traçage s'effectue avec une équerre et un couteau. Si les traits ne se recoupent pas sur le quatrième côté, vérifiez si la planche est bien d'équerre (pp. 232-233).

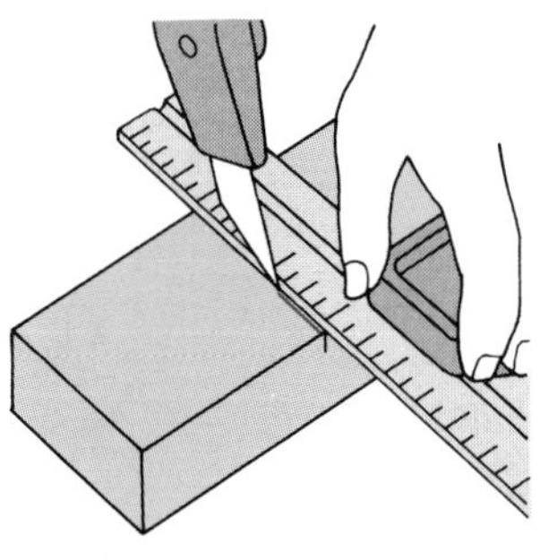

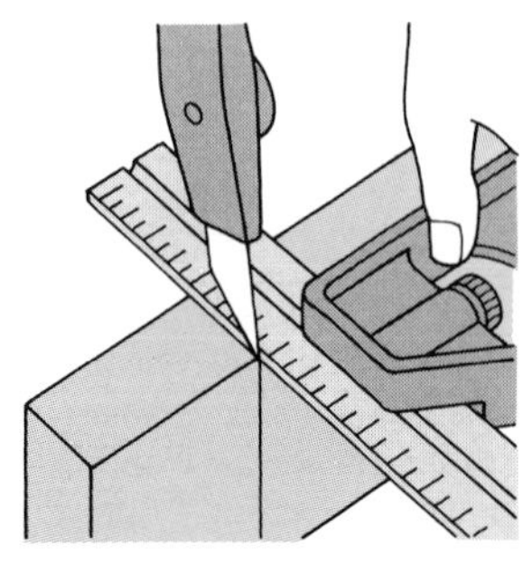

Traçage d'un joint. Pour marquer un joint à couper à la scie ou au ciseau, maintenez à plat contre la planche la tête de l'équerre à combinaison. Tracez avec la pointe du couteau contre la lame de l'équerre (à gauche). A l'arête, enfoncez un peu le couteau. Pour tracer d'équerre sur la rive, placez le couteau dans l'entaille, appuyez-y l'équerre et poursuivez le tracé.

Traçage d'un angle aigu ou obtus. Desserrez l'écrou de la fausse équerre, appuyez la poignée contre la base du rapporteur et ajustez la lame de l'équerre à l'angle voulu (à gauche). Resserrez l'écrou. Placez la poignée de l'équerre à plat contre la planche (à droite) et reportez l'angle sur le bois avec la lame du couteau.

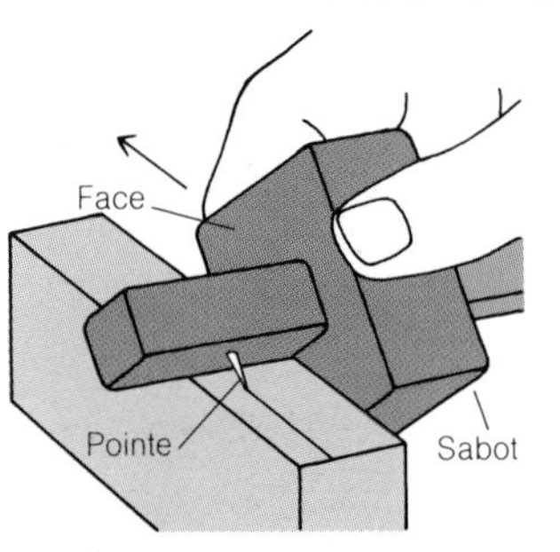

Le trusquin. Ne l'utilisez qu'avec du bois équarri (pp. 232-233). Ajustez la pointe et appuyez le sabot du trusquin contre la planche. Trusquinez en l'éloignant de vous.

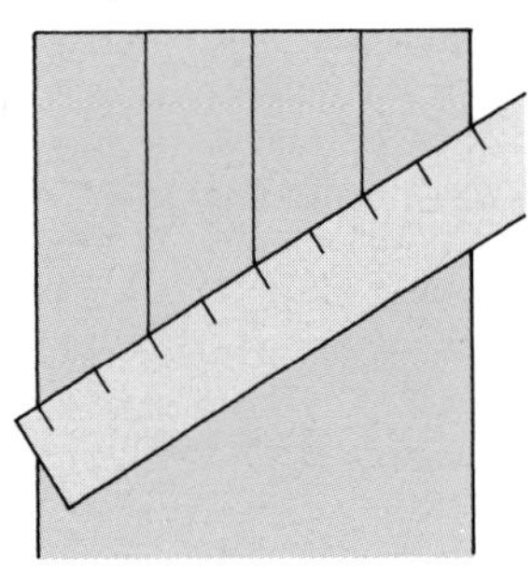

Traçage sans calcul. Pour diviser également une planche, inclinez une règle jusqu'à ce qu'elle indique des intervalles égaux. Marquez les repères et tracez avec l'équerre.

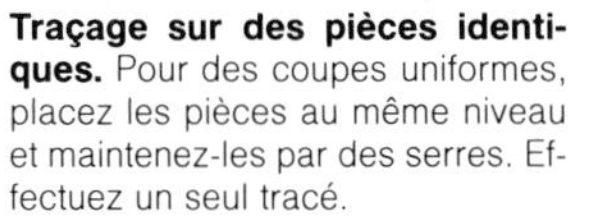

Traçage sur des pièces identiques. Pour des coupes uniformes, placez les pièces au même niveau et maintenez-les par des serres. Effectuez un seul tracé.

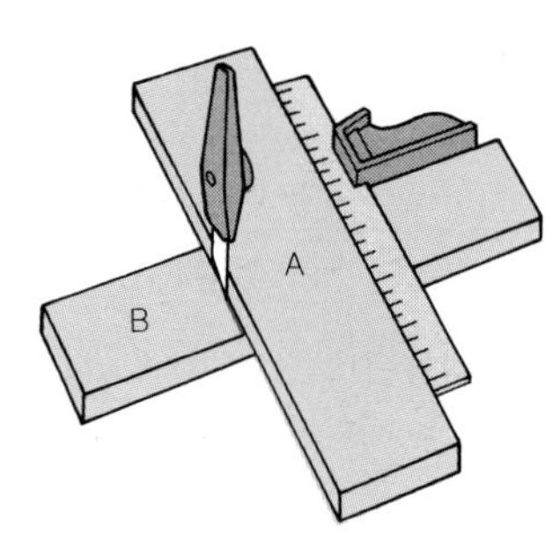

Mesurage avec une planche. Reportez la position de A sur B. A fait office de règle pour tracer sa propre largeur. L'équerre maintient A perpendiculairement à B.

Techniques de sciage

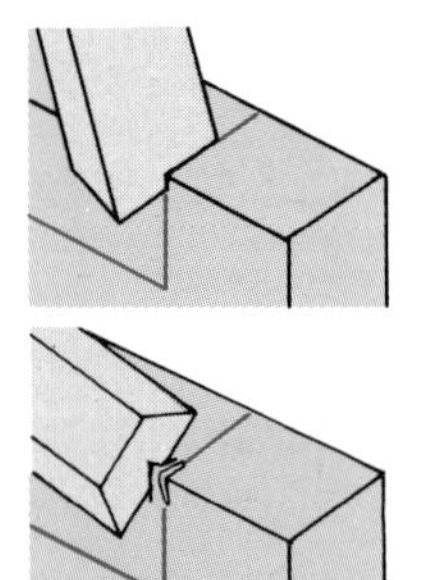

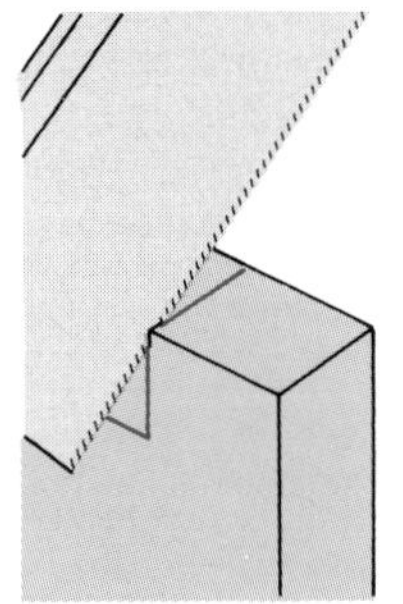

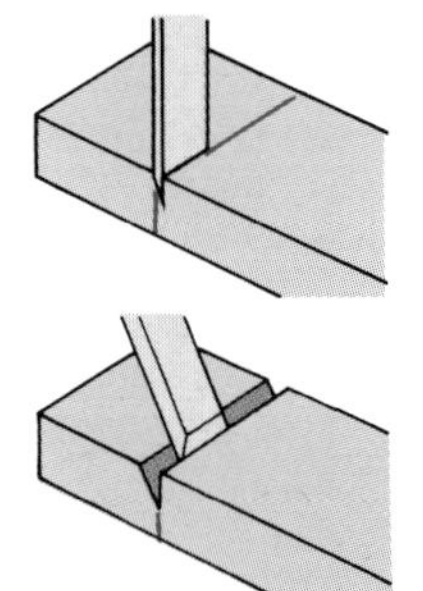

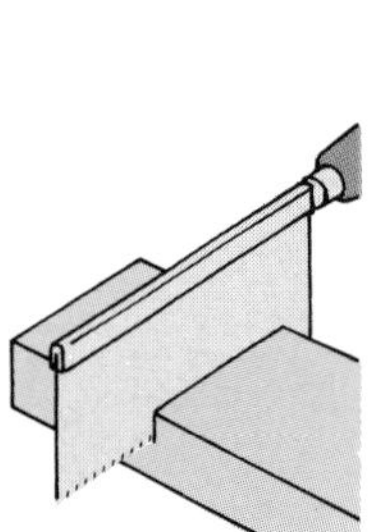

Encochage du trait de scie pour un joint. Inclinez et enfoncez le ciseau, le biseau tourné vers le rebut, dans le trait fait au couteau ; entaillez un peu le bois pour la scie (à gauche). Pour scier par le travers du fil avec une scie à dos ou à araser, enfoncez le ciseau verticalement dans le trait tracé au couteau et enlevez un mince éclat de bois sur toute la largeur de la planche (à droite).

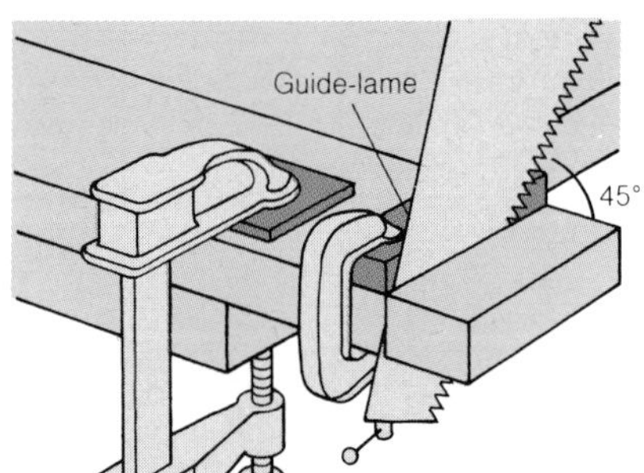

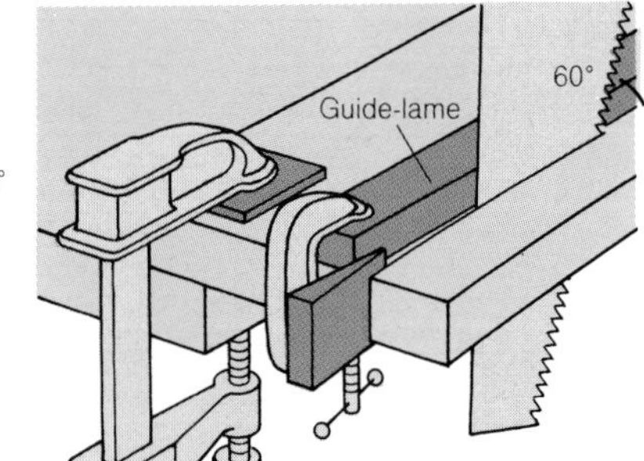

Sciage. Fixez la planche dans l'étau ou avec une serre. Pour la tronçonner (à gauche), amorcez le trait en tirant la scie par petits coups, puis allongez ceux-ci peu à peu jusqu'à ce que vous sciiez davantage en poussant qu'en tirant. Sciez à un angle de 45 degrés. A la fin, sciez verticalement et retenez le rebut de la main. Une coupe à refendre se fait à un angle de 60 degrés. Si la scie se coince, utilisez un coin.

Le rabot d'établi

Pour pouvoir raboter en souplesse, il faut que le fer soit bien affûté (p. 225) et qu'il soit correctement ajusté, ainsi que le contre-fer, en fonction du type de bois. Plus celui-ci est dur, plus le fer sera rentré et plus les passes seront minces. En passant une couche de cire ou de paraffine sur la semelle du rabot, on réduit la friction.

Des passes trop profondes rendent le rabotage malaisé, même si l'ajustement est correct et le fer bien aiguisé. Pour les réduire, remontez le fer plus qu'il ne faut, puis abaissez-le pour que le dernier réglage se fasse toujours vers le bas. En général, commencez à raboter avec le fer à peine levé, donc ne coupant pas, puis baissez-le graduellement en tournant la molette de réglage de profondeur selon l'équivalent d'une heure sur le cadran d'une montre.

Comme le réglage de la lumière se fait difficilement, ne déplacez le chariot qu'en tout dernier ressort. Si les copeaux s'y coincent, augmentez son ouverture. Mais, pour passer du bois tendre au bois dur et vice versa, il vaut mieux avoir deux rabots.

Posez toujours un rabot sur le côté pour éviter d'ébrécher le fer ou d'abîmer le support.

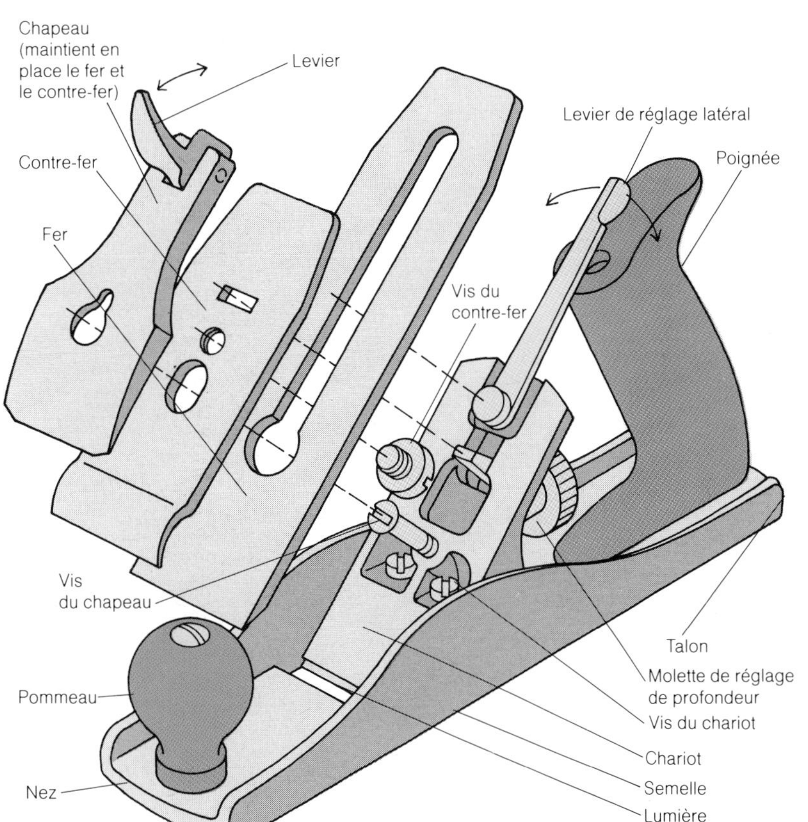

Réglages du fer

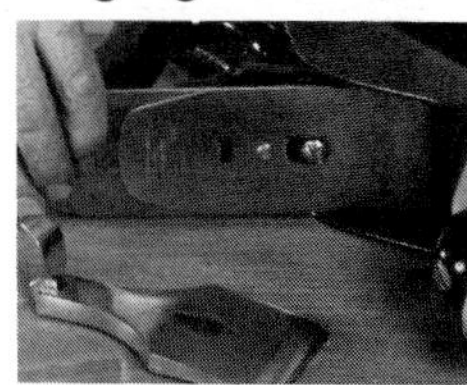

Pour ôter le fer, posez le rabot sur le côté. Levez le levier, retirez le chapeau (premier plan), puis le fer et le contre-fer.

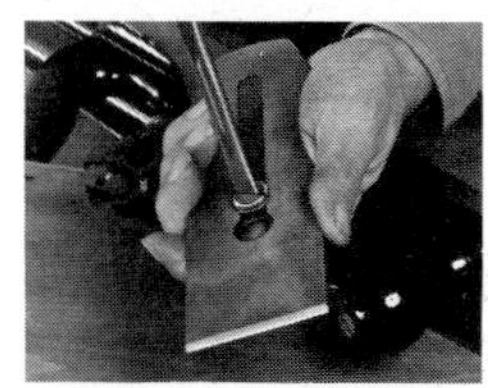

Retournez le fer et le contre-fer pour que le fer soit sur le dessus. Desserrez la vis du contre-fer et faites glisser le fer vers l'avant.

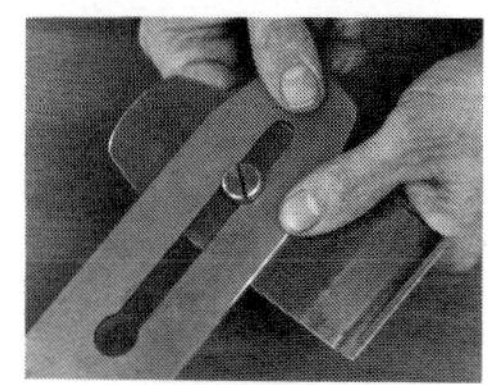

Tournez le fer perpendiculairement au contre-fer et faites-le glisser le long de la fente jusqu'à ce qu'il soit dégagé. Pour le remonter, procédez en sens inverse.

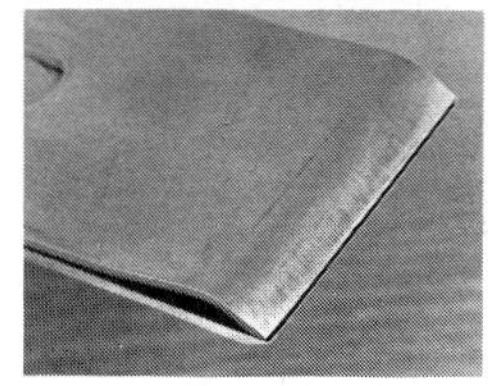

Réglez le contre-fer à 1/32 po du tranchant du fer pour du bois tendre et à 1/64 po pour du bois dur. Son bord doit s'appliquer exactement sur le fer et lui être parallèle.

Réglages du rabot

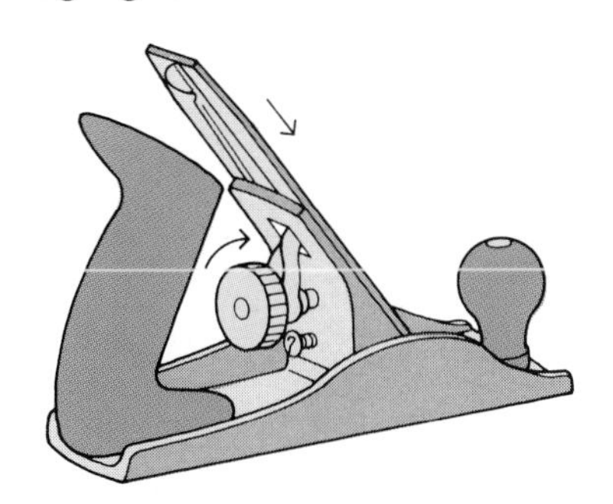

Profondeur des passes. Tournez la molette de réglage vers la droite pour baisser le fer et dans l'autre sens pour le remonter. Le dernier réglage devrait toujours se faire vers le bas (voir texte).

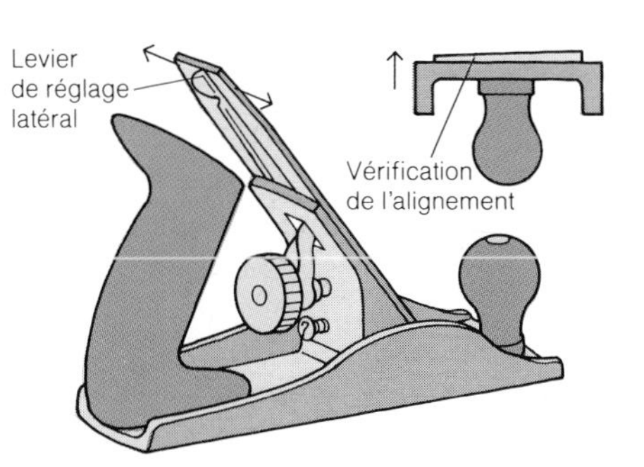

Alignement du fer. Si l'un des coins du fer est trop bas, déplacez le levier de réglage latéral vers ce coin. Vérifiez l'alignement en regardant le long de la semelle et en rabotant du bois de rebut.

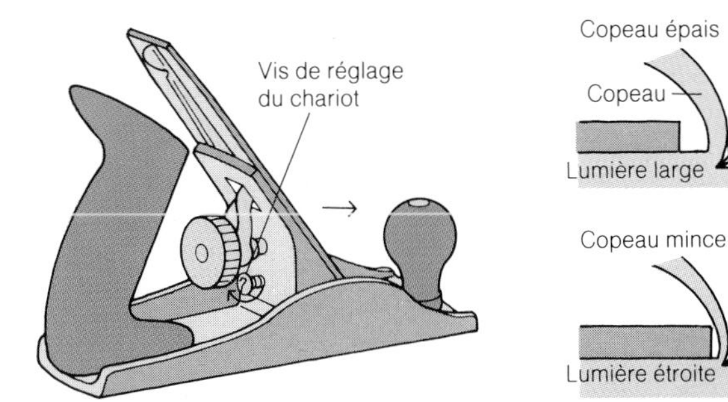

Ouverture de la lumière. Desserrez les vis du chariot. Tournez la molette de réglage du chariot vers la droite pour rétrécir la lumière (pour du bois dur ou des passes minces) et en sens inverse pour l'élargir (pour du bois tendre ou des passes profondes). On peut voir à droite les copeaux obtenus selon le réglage du fer et l'ouverture de la lumière.

Menuiserie et ébénisterie

Equarrissage du bois à la main

Le bois dressé est rarement d'équerre. Après avoir scié les planches aux dimensions voulues et avant de tailler les joints, vérifiez si les six surfaces sont bien planes et d'équerre (voir ci-dessous). Les marges laissées au moment de la coupe se suppriment maintenant. Il est plus facile de dégauchir une surface avec un long rabot qui nivelle les crêtes sans pénétrer dans les creux. Cependant, la varlope (le plus long des rabots) est lourde et épuisante à manier. Utilisez-la pour le dernier passage, avec son fer réglé pour des passes minces. La galère est préférable pour les petites surfaces et le riflard pour les plus longues.

Lorsque toutes les surfaces sont bien d'équerre, utilisez un rabot à repasser, le plus petit de tous, pour surfacer les marques et les petits défauts. Le fer doit être réglé pour une passe mince (p. 233).

Si vous avez la possibilité d'utiliser de l'outillage électrique fixe (p. 224), achetez du bois brut que vous dresserez selon l'ordre suivant : équarrissez la première face et une rive sur la dégauchisseuse ; équarrissez la seconde rive sur le plateau de sciage et passez-la une fois sur la dégauchisseuse ; puis, rabotez la seconde face avec la raboteuse ; tronçonnez les bouts avec la scie radiale ou sur le plateau de sciage.

Première face
Second bout
Seconde rive
Première rive
Premier bout
Seconde face

Phases de l'équarrissage. Chaque surface équarrie sert de repère pour la suivante. Suivez l'ordre indiqué à droite (texte en colonne). Aboutez toujours une équerre à combinaison ou de menuisier contre la surface qui vient d'être dressée. Les tirets (ci-dessus) indiquent selon quelles lignes on doit vérifier deux surfaces. Faites quelques passes au rabot sur les rives et les bouts, repérez les crêtes, marquez-les d'une croix (X), puis nivelez-les. Faites une marque au crayon sur chaque surface équarrie.

Première face

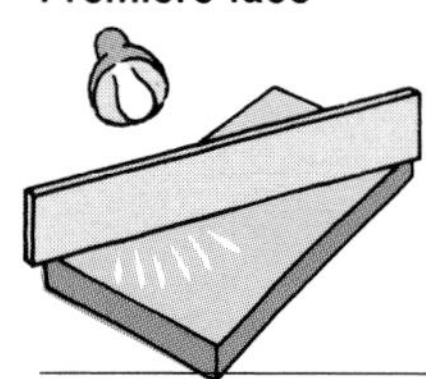

Avec une lampe et une règle, repérez les crêtes ; marquez-les d'une croix et rabotez. La planche est plane quand la lumière ne passe plus.

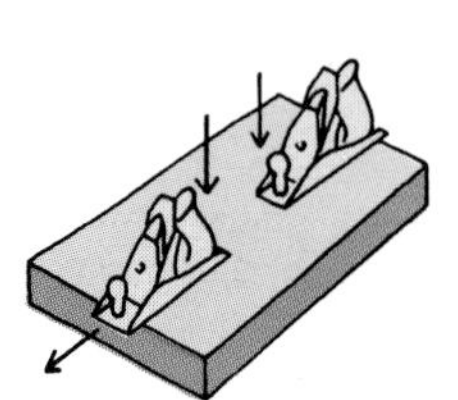

Pressez légèrement sur le nez. Egalisez la pression au milieu, puis transférez-la sur le talon. Déportez légèrement le rabot, semelle bien à plat.

Première rive

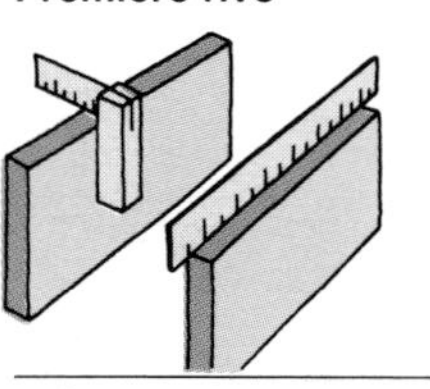

Glissez l'équerre sur la rive pour repérer les crêtes (marquez-les d'une croix). Voyez si les coins sont à angle droit. Vérifiez dans la longueur avec une règle.

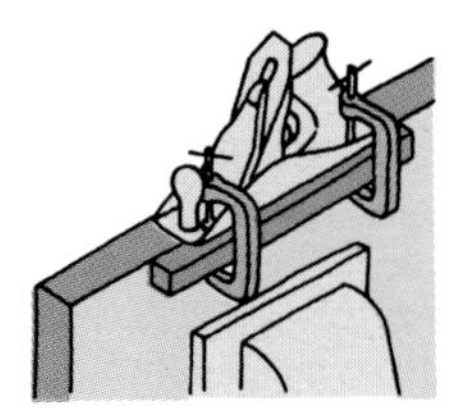

Utilisez une planche à dresser (p. 233) ou fixez un rebut équarri à la semelle du rabot pour maintenir l'outil de niveau et d'équerre avec la rive de la planche.

Premier et second bouts

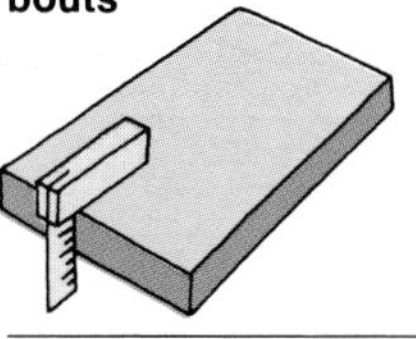

Vérifiez s'ils sont à angle droit en déplaçant l'équerre. Utilisez la face et la rive déjà équarries comme repères. Marquez les crêtes d'une croix.

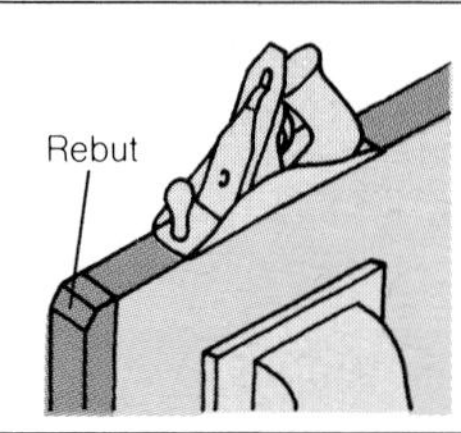

Planez les bouts avec un rabot de coupe ou à repasser. Fixez un rebut avec une serre à la rive pour ne pas faire éclater le fil dans le coin.

Seconde rive

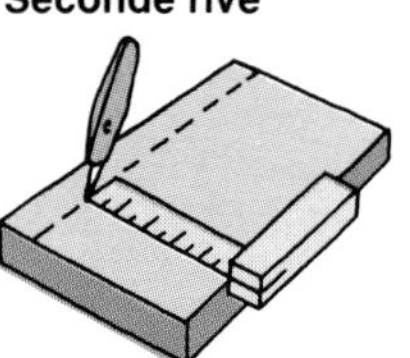

Si vous devez refendre la planche, tracez le trait. Sciez en laissant une marge de ⅛ po pour le rabotage. La vérification est la même que pour la première rive.

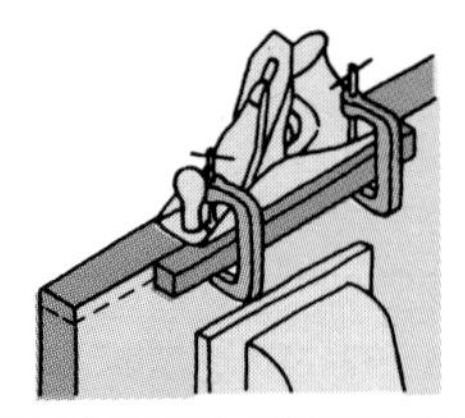

Rabotez avec la galère ou le riflard jusqu'au trait. Utilisez un guide ou une planche à dresser. La dernière passe devrait effacer le trait.

Seconde face

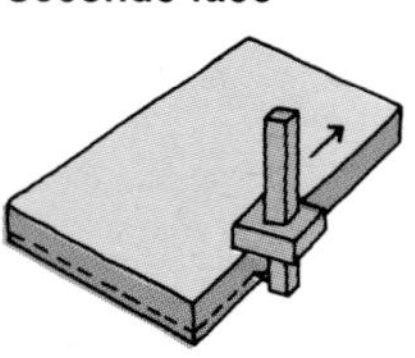

Si la planche est de la bonne épaisseur, vérifiez comme pour la première face. Sinon, utilisez celle-ci comme repère pour l'amincissement.

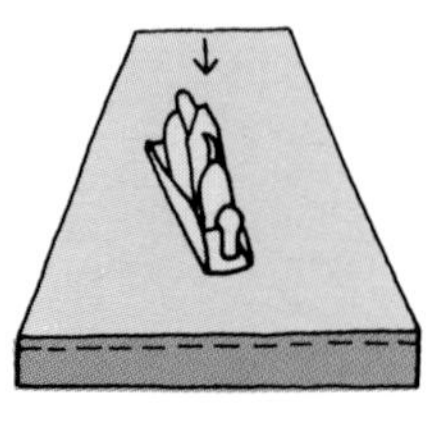

Rabotez comme pour la première face en supprimant les crêtes. Equarrissez en fonction des rives et des bouts. Vérifiez de nouveau la planéité avec la règle.

Accessoires de rabotage

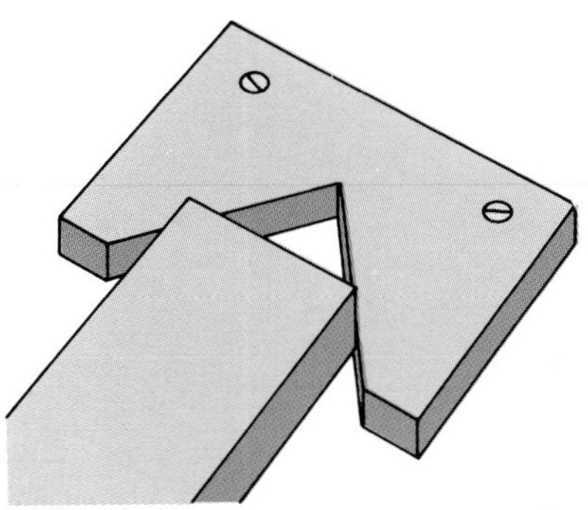

Butoir. Pour retenir la planche pendant le rabotage de face, vissez un morceau de bois taillé en V sur la table. Coincez-y le bout de la planche et fixez un rebut avec une serre à l'autre bout.

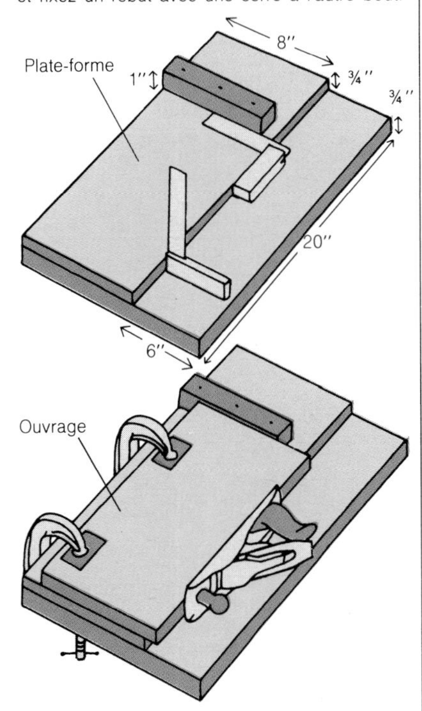

Planche à dresser. Une planche à dresser faite dans du rebut (en haut) permet de raboter une rive. Dressez toutes les parties et vérifiez avec une équerre de menuisier si elles sont bien à angle droit. Percez des trous et vissez les éléments. Les mesures données sont pour de petits ouvrages. Fixez la planche à la plate-forme avec des serres (en bas) et rabotez la rive.

Coupe des joints

L'emploi d'outils manuels ou électriques pour tailler des joints dépend de l'outillage qu'on possède et des goûts de chacun. Le plateau de sciage, malgré son prix, est incomparable pour faire avec précision des entailles, des rainures, des feuillures et des onglets. Par contre, le réglage des guides et les tests sur du rebut prennent beaucoup de temps. Les préparatifs sont aussi longs pour la toupie qui, par surcroît, est moins précise.

Tous les joints peuvent se faire avec des outils manuels, si vous mesurez, tracez et coupez avec soin. Les assemblages à queue d'aronde et à tenons et mortaises sont plus faciles à réaliser avec une égoïne et un ciseau. Des rabots spéciaux, comme la guimbarde (p. 235) et le guillaume (p. 237), permettent de tailler certains joints plus vite.

La scie à araser est la plus indiquée pour scier les joints. Deux types de coupes sont possibles avec le ciseau : le cisaillement, où l'on ôte de fines lamelles de bois et qui se fait à la main seulement ; et le mortaisage, où l'on emploie un maillet. Ces deux types de coupes sont illustrés (pp. 234-240).

Si l'assemblage est très serré, la couche de colle peut le rendre inutilisable. Pour éviter ce risque, planez ou poncez la pièce mâle très légèrement.

Choix des joints. Du moment qu'il est suffisamment résistant et qu'il correspond au projet, un joint devrait être le plus simple possible. Ainsi, une queue d'aronde est inutile dans le cas d'une cabane d'oiseaux où l'assemblage à plat suffit amplement : les deux surfaces planes sont aboutées et encollées.

Le joint à plat est le moins solide de tous : il a une surface encollée très restreinte et n'a aucun emboîtement. On l'emploie rarement en ébénisterie, mais il est utile pour un assemblage rudimentaire et rapide ; il faut le renforcer avec des clous, des vis, des blocs encollés ou des goujons (voir ci-dessous).

Joint goujonné

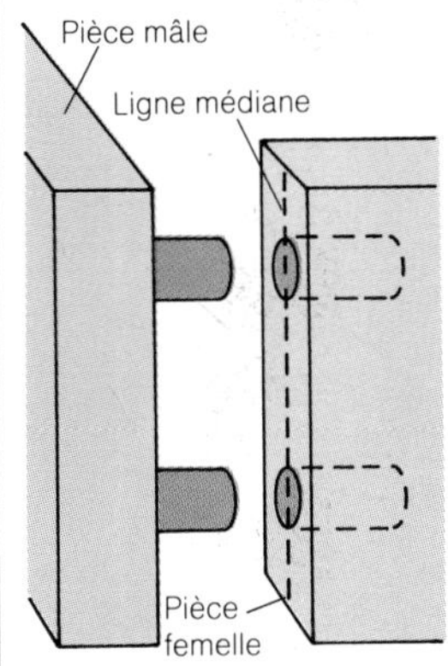

La difficulté, avec ce joint, consiste à aligner exactement les trous des goujons. Il est plus facile de forer des trous traversants et d'insérer les goujons quand la colle du joint est sèche ; cela peut aussi être décoratif. Vous pouvez acheter des baguettes circulaires en bouleau ou en érable que vous couperez, ou des goujons déjà taillés et à rainure spiralée qui laisse échapper l'air et l'excédent de colle. Leur diamètre varie de ⅛ à 1 po ; il doit être du tiers ou de la moitié de l'épaisseur des pièces à abouter. Le joint à tenons et mortaises (p. 240) est plus solide.

1. Traçage. Réglez le trusquin à mi-épaisseur de la pièce femelle et tracez une ligne médiane sur celle-ci. Reportez le même espacement sur la pièce mâle. Avec une équerre, tracez une ligne pour l'emplacement des goujons (photo). Faites au perçoir un avant-trou au point d'intersection pour le foret.

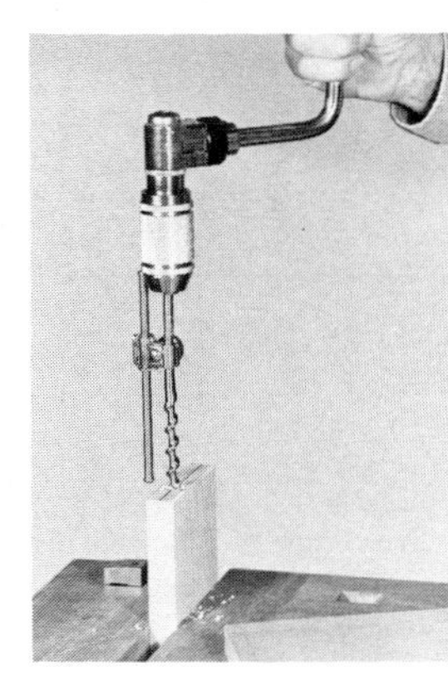

2. Perçage. Prenez le vilebrequin et une mèche hélicoïdale munie d'un guide de profondeur. Réglez-le pour que la mèche ne traverse pas la pièce mâle. Centrez la mèche et forez bien à la verticale. Le goujon peut s'enfoncer d'au moins 1 po dans la pièce femelle.

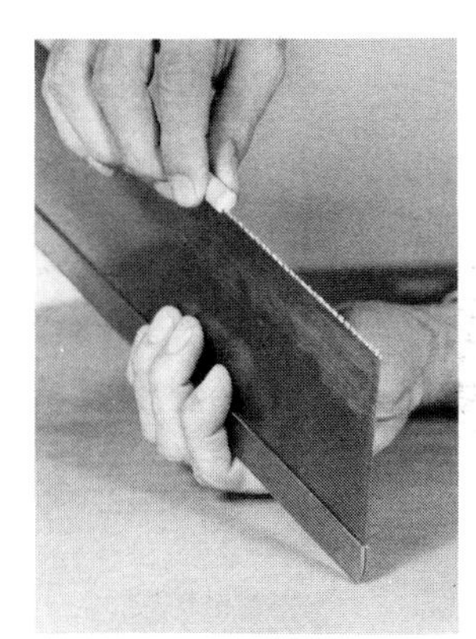

3. Goujons. Taillez les goujons ⅛ po plus courts que la profondeur combinée des deux trous. Poncez-en les extrémités et rainurez-les en longueur en les passant sur une lame de scie. Vérifiez l'assemblage. Si un trou est mal aligné, bouchez-le avec un goujon et percez-en un autre.

4. Encollage. Avec le bec de la bouteille ou un petit pinceau, encollez les trous de la pièce femelle. Plongez les goujons dans la colle et enfoncez-les avec un maillet. Encollez les trous de la pièce mâle et l'autre extrémité des goujons. Assemblez et maintenez avec des serres jusqu'à ce que la colle soit sèche.

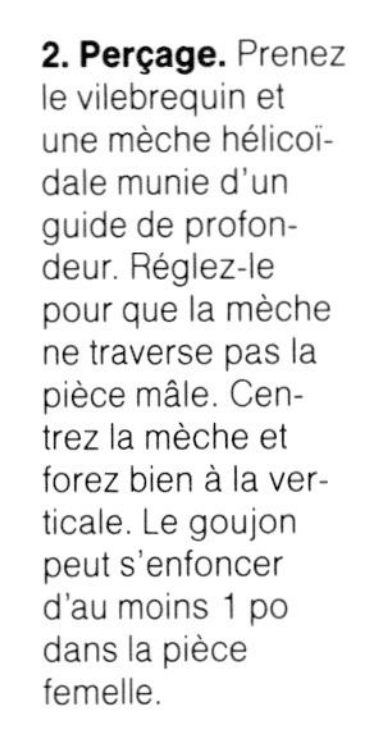

Menuiserie et ébénisterie

L'assemblage sur chant

Pour toute surface en bois dont la largeur excède 9 à 12 po, comme le dessus ou les côtés d'un meuble ou le dessus d'une table, il vous faudra assembler les planches côte à côte, sur leurs chants. Les planches en bois dur ne dépassent généralement pas 12 po de large ; si elles ont plus de 9 po, elles seront sûrement très bombées et très chères.

Plus une surface en bois est large et plus elle a tendance à gauchir. On peut l'éviter en refendant les planches et en alternant le sens des cercles annuels (voir l'illustration ci-dessous). Le dessus des blocs de boucher est un bon exemple d'assemblage sur chant.

Si vous décidez d'assembler deux ou plusieurs planches, tenez compte du fil et de la veinure (p. 226). Le rabotage est plus facile si le sens du fil est uniforme. Mais si vous recherchez plutôt un effet décoratif en reliant ou en inversant les veines, ce qui modifie le sens du fil, vous devrez raboter dans l'autre sens à chaque planche.

Sciez les planches en laissant ½ po de plus dans la longueur pour le décalage causé par la colle humide et le serrage. Equarrissez toutes les planches (pp. 232-233) et disposez-les selon l'ordre que vous aurez choisi (voir ci-dessous). Faites des repères au crayon en travers des joints — un pour le premier joint, deux pour le deuxième, etc. — afin d'en reconnaître l'ordre. Vérifiez bien les joints de toutes les rives (voir ci-dessous) et planez-les, le cas échéant.

Serres en C et serre-joints à coulisse. Assemblez à sec avec toutes les serres et les rebuts qui protégeront les planches des mâchoires. Pour que la pression soit uniforme, il vous faudra des serre-joints à coulisse espacés au plus de 12 po et placés en alternance sur et sous la pièce. Fixez les rebuts à leurs mâchoires et insérez du papier ciré entre les serres et le bois pour ne pas salir celui-ci. Pour maintenir l'alignement des faces, installez des serres en C au bout de chaque joint. Chacune sera munie de deux rebuts enduits de paraffine des deux côtés pour qu'ils ne restent pas pris dans la colle sèche.

Comme certaines colles sèchent en moins de 15 minutes, vous devrez travailler vite et avec précision. Faites-vous aider si les planches sont larges et nécessitent plus de trois serre-joints à coulisse. Le temps de serrage varie de 2 à 8 heures selon le type de colle (p. 228), l'air ambiant et le gauchissement des planches. Sciez à la bonne longueur et attendez 24 heures avant de raboter (étape 6, ci-dessous).

Disposition des planches

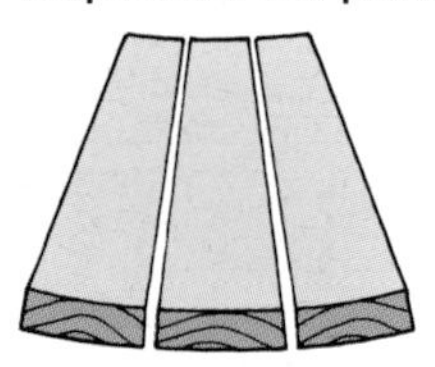

Les planches gauchissent en sens contraire de la courbe des cercles annuels. Si on les assemblait toutes dans le même sens, la tendance naturelle au gauchissement en serait accentuée (en haut). Pour l'éviter, disposez les planches pour alterner le sens des cercles annuels (en bas).

1. Encollage. Mettez de la colle sur les deux rives d'un joint et étalez-la avec les doigts ou au pinceau. Les serres à coulisse sont déjà en place, prêtes à être resserrées.

2. Serres en C. Assemblez les rives encollées. Resserrez les serres en C directement sur les extrémités des joints pour aligner les faces, protégées par des rebuts enduits de paraffine.

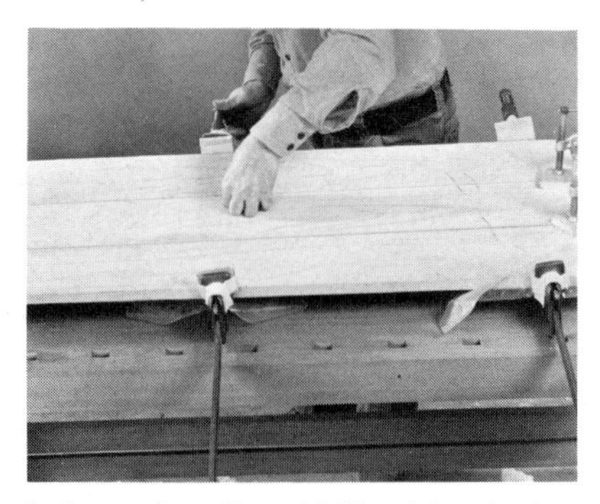

3. Serres à coulisse. Vérifiez si les planches affleurent. Pour les aligner, poussez-les à la main ou martelez-les avec un maillet en bois. Réglez d'abord la serre du milieu.

Vérification des rives

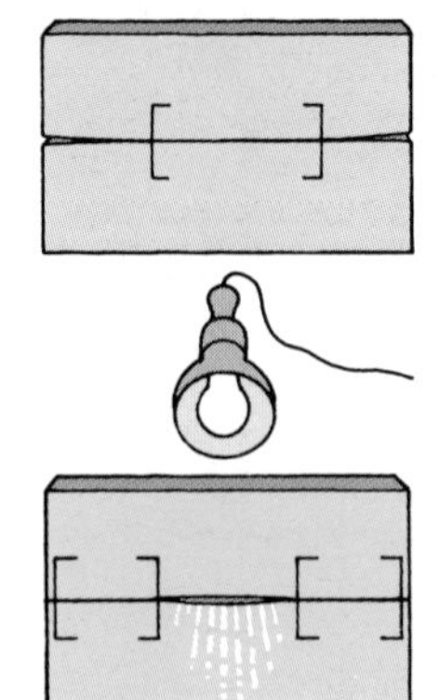

Si des planches assemblées sur chant oscillent (en haut), c'est qu'il y a une bosse au milieu de l'une d'elles ou des deux. Supprimez-la avec une varlope. Vérifiez le joint en plaçant une forte lampe derrière (en bas). Encadrez les points de contact et planez-les. Enfin, passez la varlope ou le riflard sur toute la longueur de la rive.

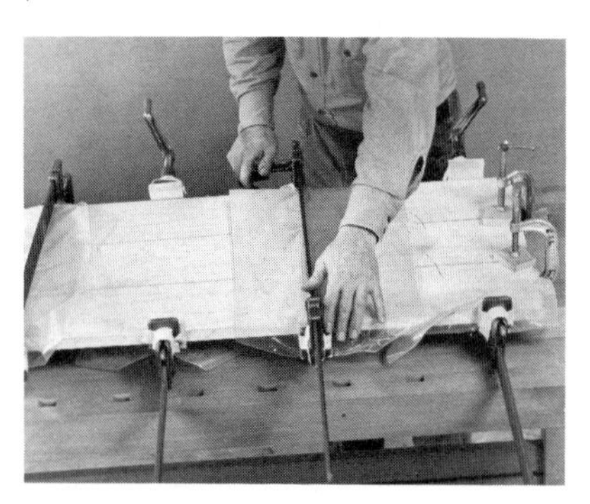

4. Serres à coulisse du haut. Ajoutez des serres à équidistance de celles du bas. Alignez les planches et vissez les serres en procédant du milieu vers les bouts. Essuyez ou raclez la colle.

5. Examen de la surface. Raclez la colle des deux côtés au bout de 24 h. Placez une forte lampe derrière une règle et marquez les crêtes au crayon pour pouvoir les raboter.

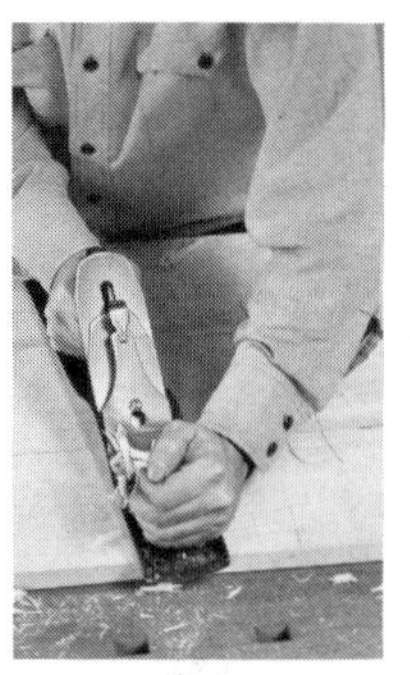

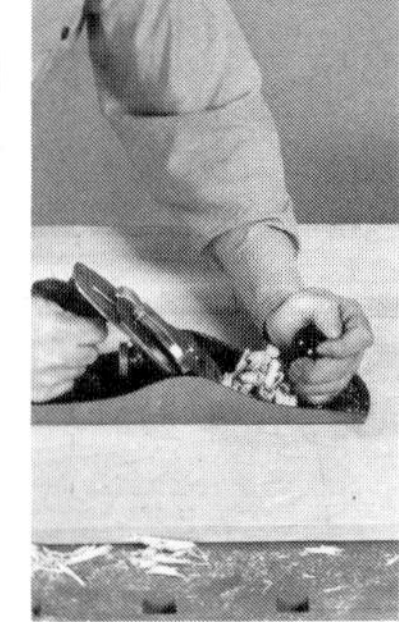

6. Rabotage. Rabotez la surface par le travers du fil avec une varlope ou un riflard (à gauche). Rabotez ensuite dans la longueur (à droite) pour effacer les traces de la première passe.

Joints à mi-bois

Dans un joint à mi-bois, chaque planche est entaillée à mi-profondeur pour former un assemblage en croix, en T ou en L, où leurs deux faces sont affleurées. Il faut qu'elles aient la même épaisseur. Entaillez le joint à la scie et dégagez le rebut au ciseau ou avec une guimbarde. Avec une toupie, réglez soigneusement le guide et la profondeur de coupe.

La rive du joint s'appelle ligne d'épaulement et sa profondeur est dite profondeur de coupe ou de passe. Comme pour tout joint, les surfaces doivent être planes, lisses et d'équerre (p. 232). Tracez tous les traits avec une équerre ou un trusquin, vérifiez bien avant de couper.

Joint d'angle à mi-bois

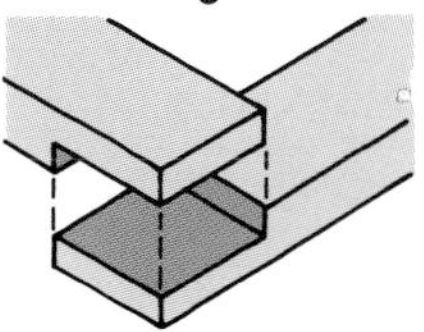

On emploie ce joint pour les sièges de chaises et chaque fois que deux planches perpendiculaires doivent affleurer.

Assemblage en T à mi-bois

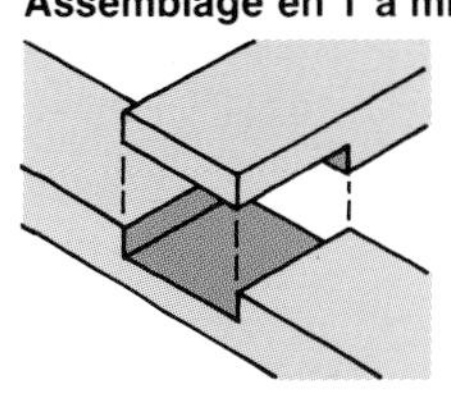

Dans la menuiserie d'un meuble à tiroirs, ce joint permet d'assembler le bout d'une planche et le milieu d'une autre. Le joint suivant est plus solide.

Queue d'aronde à mi-bois

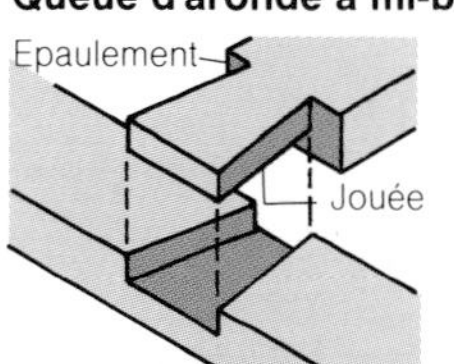

Tracez la partie emboîtante avec la fausse équerre ; sciez les épaulements, les jouées, puis l'angle. Reportez sur l'autre pièce et évidez-la.

Joint en croix à mi-bois

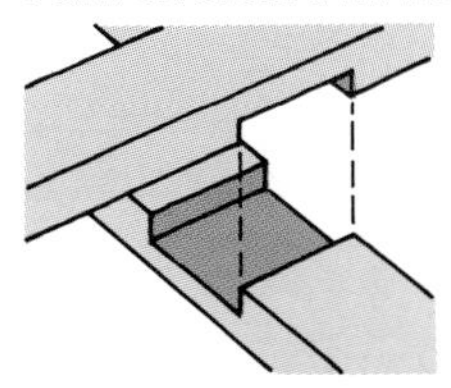

Ici, le joint est fait sur les faces des planches, mais il pourrait l'être sur leurs rives. Le processus est expliqué et illustré à droite.

1. Mesurez à partir du bout de la planche et tracez le premier épaulement avec un couteau et une équerre. Placez l'autre planche contre l'équerre et tracez l'autre épaulement.

2. Si les planches ont la même largeur, fixez-les côte à côte avec une serre et prolongez les lignes d'épaulement sur la seconde planche. Sinon, procédez comme à l'étape 1.

3. Réglez le trusquin à mi-épaisseur des planches. Marquez la profondeur de coupe sur leurs rives, sous l'épaulement, et reliez les deux lignes avec une équerre. La croix (X) indique le rebut.

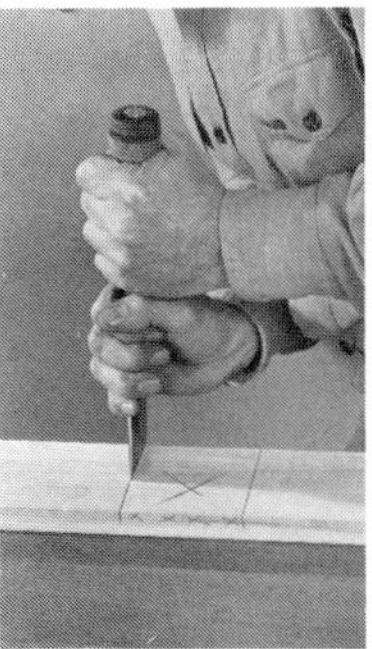

4. Encochez la ligne d'épaulement avec un ciseau tenu verticalement (à gauche). Inclinez-le (à droite) pour ôter un éclat du côté du rebut pour amorcer le trait de scie.

5. Prenez comme guide un bloc de bois assez épais pour que le dos de la scie le heurte en atteignant la profondeur voulue. Fixez-le avec une serre et appuyez-y la scie pour scier.

6. Faites des traits de scie tous les pouces pour faciliter l'évidement au ciseau et au maillet. Travaillez depuis les côtés vers le centre avec le ciseau à plat, biseau vers le haut.

7. Cisaillez la crête laissée au milieu. Travaillez depuis les côtés vers le centre avec un ciseau à large lame. Le cas échéant, augmentez la profondeur de l'épaulement à la scie.

8. Finissez la coupe à la guimbarde. Réglez le fer d'après la crête du centre. Tournez la molette d'un quart de tour à la fois jusqu'à ce que le fer atteigne la ligne de profondeur de coupe.

9. Nettoyez les coins du joint au ciseau tenu verticalement, puis dégagez le rebut avec l'outil presque couché, biseau vers le haut. Vérifiez l'emboîtement avec un maillet ou le poing.

Menuiserie et ébénisterie

Entailles, rainures et feuillures

Une entaille est une coupure à trois côtés, taillée par le travers du fil sur la face d'une planche. La rainure est une coupure faite dans le sens du fil. La feuillure est une entaille en L, coupée dans le sens du fil ou en travers. Elles sont très souvent employées pour les casiers, les tiroirs, les tablettes et l'assemblage à cadre et panneau (p. 242). On peut les tailler avec divers outils: scies, toupies, ciseaux, rabots, etc.

Le rebut s'enlève aisément par le travers du fil, comme dans l'entaille, que l'on peut faire au ciseau. Si elle est longue, vous devrez employer un riflard pour atteindre le fond de la coupe sans heurter la rive de la planche. La rainure se taille mieux avec un guillaume, une toupie ou un plateau de sciage, surtout si elle est longue.

Si on prévoit un poids ou une tension considérables, tous ces joints — et surtout la feuillure — devront être renforcés avec des vis ou des goujons. Percez les trous avec les serres en place pendant l'assemblage à sec.

Même s'ils sont souvent interchangeables, les goujons ont une meilleure force portante que les vis dans un joint d'angle. Et comme, en général, le fil de bout s'insère dans une entaille ou une feuillure taillée dans le travers du fil, il faut employer des goujons.

Dans le cas d'une longue feuillure taillée dans le sens du fil, les vis servent de serres pour relier les planches pendant le séchage de la colle. Deux ou trois serres suffisent alors pour juxtaposer les planches. Perçage et vissage se font durant l'assemblage à sec. Ensuite, on ôte le premier jeu de vis et on en installe un second, enduit de paraffine et définitif. Encollez le joint, insérez des vis à ses extrémités et au milieu, et ajoutez-en quelques autres.

On peut très bien masquer la partie visible d'une entaille ou d'une rainure avec un ruban de placage (p. 246) ou une moulure.

Entaille ouverte

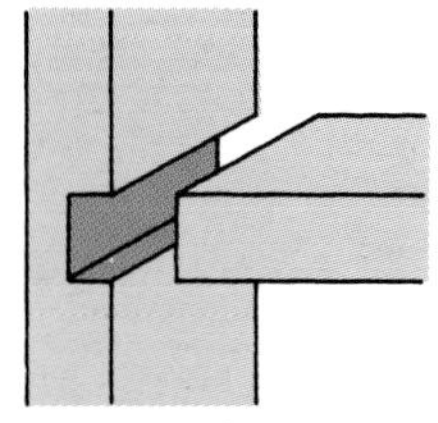

La profondeur de l'entaille ne doit pas avoir plus de la moitié de l'épaisseur de la planche. Employez scie à araser et ciseau, guimbarde, rabot universel, toupie ou plateau de sciage.

Entaille partielle

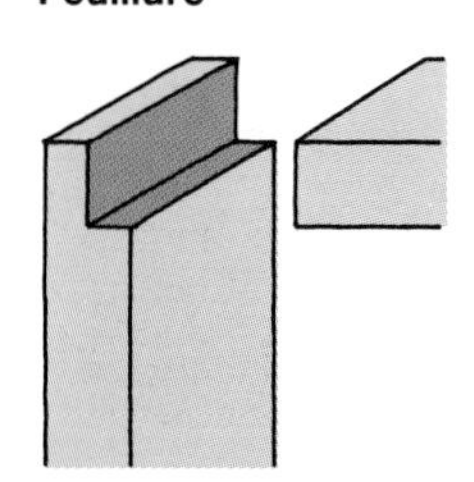

Porte aussi le nom de borgne. Elle s'arrête avant de toucher la rive de la planche. Une fois encollée, la pièce encochée semble abouter contre la planche.

Feuillure

Coupe à deux côtés faite au bout ou sur la rive d'une planche. Elle peut être coupée par le travers ou dans le sens du fil. Utilisez scie à araser, guillaume, toupie ou plateau de sciage.

Entaille et feuillure

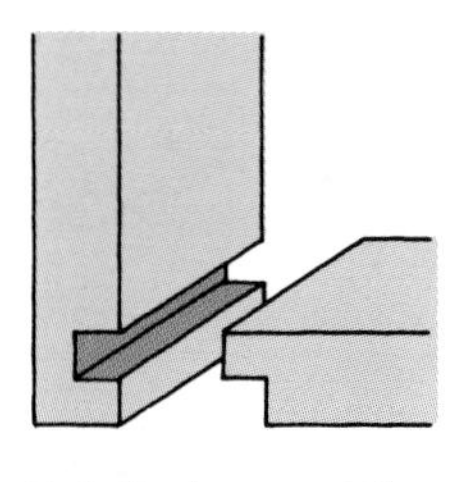

L'entaille reçoit la pièce mâle taillée à mi-épaisseur. Entaille et feuillure ont la même profondeur. Employez toupie; scie à araser, guimbarde et guillaume; ou plateau de sciage.

Entaille à queue d'aronde

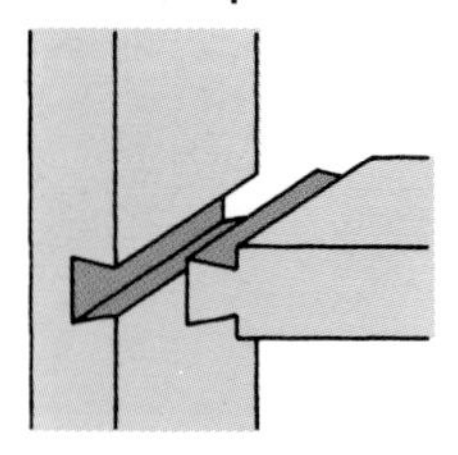

Joint employé pour des tablettes ou pour fixer des pieds à un socle. A la main (p. 237), taillez d'abord la queue; à la toupie, commencez par l'entaille.

Exécution d'une entaille

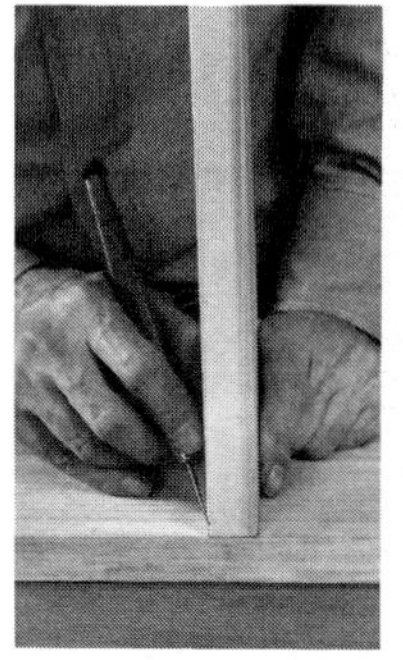

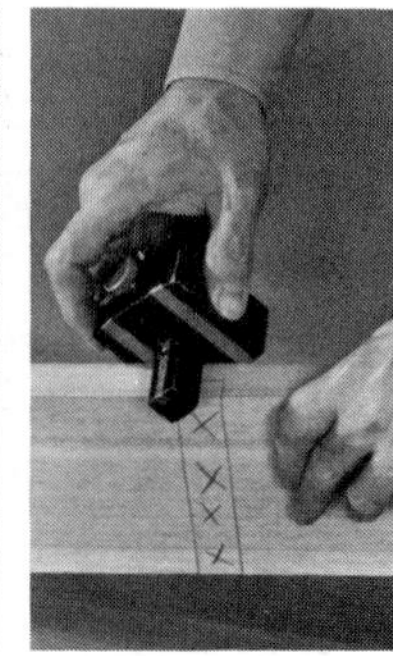

1. Traçage. Mesurez et tracez du bout de la planche à la ligne d'épaulement. Maintenez l'autre planche contre le trait et tracez le second épaulement (à gauche). Trusquinez l'entaille.

2. Sciage. Fixez un guide avec une serre à la ligne d'épaulement; sa hauteur doit bloquer le dos de la scie quand la profondeur voulue sera atteinte. Sciez les épaulements.

3. Ebauchage de la coupe. Avant de dégager le rebut avec une guimbarde, coupez au ciseau un des côtés de l'entaille jusqu'à la profondeur de coupe ou rabotez des rives vers le centre.

4. Evidement à la guimbarde. Réglez le fer pour qu'il dépasse à peine et faites une passe. Abaissez le fer d'un quart de tour à la fois. Au ciseau, procédez comme pour un joint à mi-bois (p. 235).

5. Rabotage. Si le joint est serré, planez ou poncez la pièce mâle. Si elle est finie ou recouverte d'un placage, planez l'entaille avec le côté de la guimbarde, comme ci-dessus.

6. Vérification de la profondeur. Réglez au point le plus bas de l'entaille la lame de l'équerre à combinaison. Glissez-la sur le long et notez les défauts. Surfacez au guillaume ou au ciseau.

Découpage d'une entaille partielle

1. Procédez comme pour l'entaille (p. 236), mais tracez une butée de ¼ à ½ po de la rive. Ensuite, ôtez suffisamment de bois au ciseau en deçà de la butée pour pouvoir scier l'épaulement.

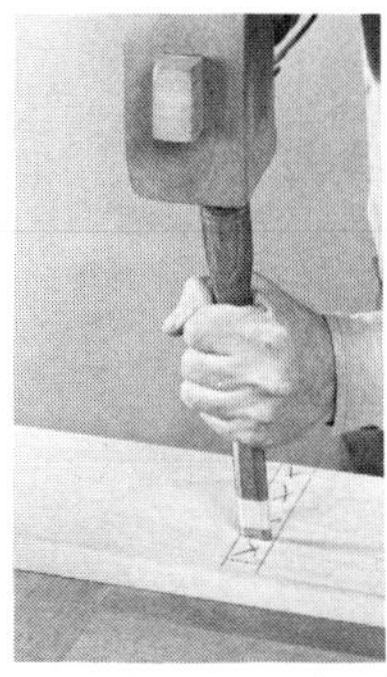

2. Le ciseau est enfoncé verticalement juste entre les traits (à gauche). Le ruban-cache indique la profondeur de coupe ; procédez par petits coups et ôtez le rebut en cisaillant (à droite).

3. L'évidement terminé, tracez la pièce mâle. Ici, on trace la largeur de la butée. Le trait visible a été fait avec une équerre à combinaison d'après la profondeur de l'entaille (p. 236, étape 6).

4. Taillez l'encoche avec une scie à dos ou à araser ; nettoyez l'angle au ciseau. Si le joint est trop serré, rectifiez-le selon les directives données à la page 236, étape 5.

Découpage d'une feuillure à la main

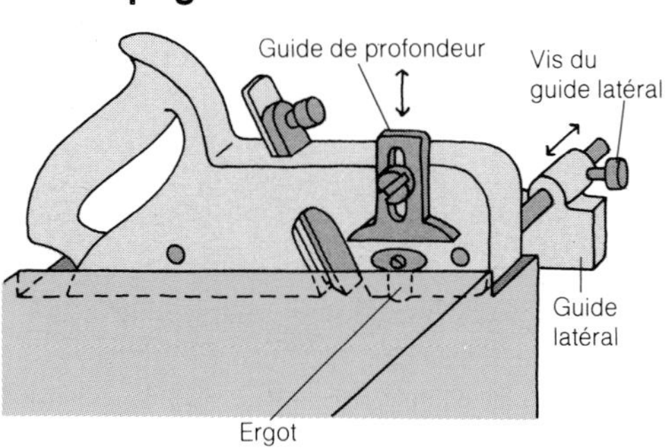

La largeur de la feuillure équivaut à l'épaisseur de la pièce mâle, et sa profondeur à la moitié de sa propre épaisseur. Ajustez le guide latéral à la largeur de la coupe. Réglez le fer du guillaume pour un rabotage en souplesse ; ajustez la profondeur de coupe avec le guide de profondeur. N'abaissez l'ergot que pour raboter par le travers du fil. Commencez à 2 po du fond et reculez légèrement à chaque passe jusqu'à ce que vous puissiez raboter la longueur d'un seul coup. Le guide doit affleurer la planche.

Assemblage à entaille et feuillure

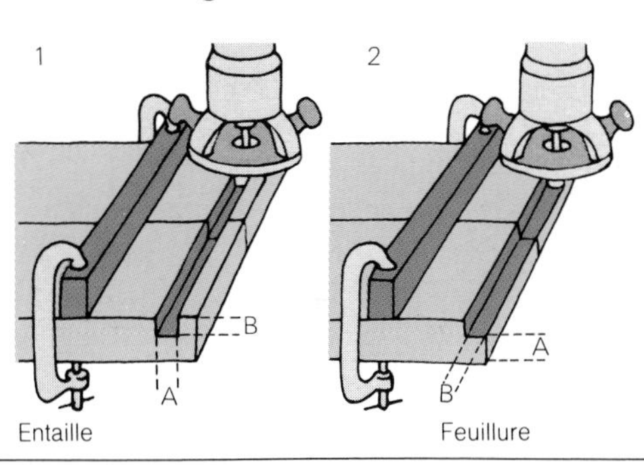

Calculez, sans les marquer, la profondeur et la largeur de la feuillure (la demi-épaisseur de la planche, en général), ce qui donne l'écart entre la rive et l'entaille. **1.** Tracez et évidez l'entaille. Pour toupiller deux planches à la fois, fixez-les côte à côte avec des serres. Mesurez A et B sur l'entaille, qui deviendront A et B sur la feuillure. **2.** Ajustez la mèche de la toupie, au besoin, tracez et coupez la feuillure. Vérifiez le joint ; s'il est trop serré, rectifiez-le au ciseau ou à la guimbarde.

Découpage d'une entaille à queue d'aronde

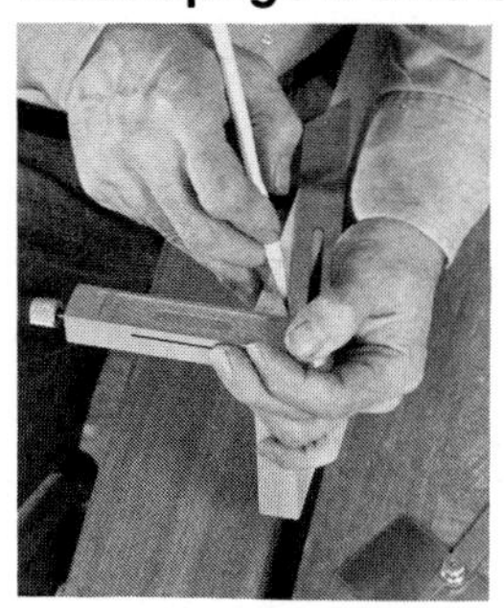

1. Traçage. Tracez la queue d'aronde sur la rive avec la fausse équerre à 80 degrés, prolongez-la sur le bout. Trusquinez l'épaulement sur la face.

2. Sciage. Inclinez la scie selon le tracé. Prenez garde de ne pas scier plus bas que l'épaulement. Posez la planche sur la face et sciez l'épaulement.

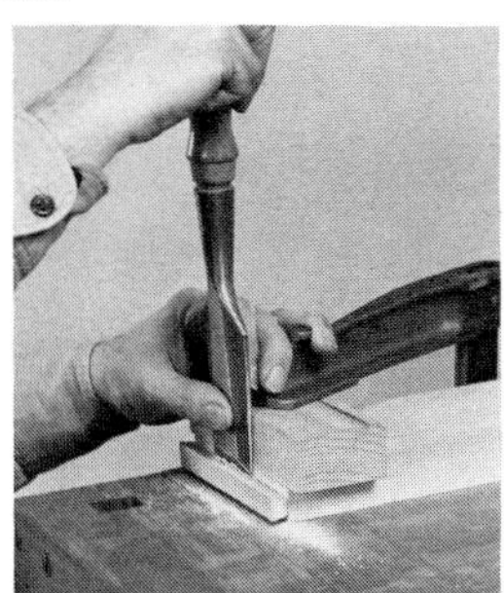

3. Nettoyage. Laissez en place le guide de profondeur réglé selon l'épaulement. Arasez l'angle au ciseau. Au besoin, planez la coupe en biais.

4. Traçage de l'entaille. Reportez les mesures de la queue avec la fausse équerre. Trusquinez la profondeur de coupe d'après l'épaulement.

5. Sciage. Faites un guide de sciage en reprenant avec la fausse équerre l'angle tracé à l'étape 4. Sciez les épaulements et entaillez le rebut.

6. Mortaisage. Mortaisez à la guimbarde ou au ciseau. Arasez les coins avec un riflard. Si le joint est serré, rectifiez l'entaille au ciseau ou poncez-la.

Menuiserie et ébénisterie

Assemblage à queue d'aronde

Le joint le plus solide pour abouter deux pièces de bois à angle droit est la queue d'aronde. Comme elle exige une très grande précision, surtout pour le sciage des queues et des tenons, il vaut mieux s'exercer sur du bois de rebut. A droite, on peut voir une queue d'aronde ouverte où les queues et les tenons sont apparents, et une autre, dite à mi-bois, ou queue de tiroir, employée pour les devants de tiroir.

Marquage d'une queue d'aronde ouverte. Les pièces doivent être équarries et avoir la même largeur et la même épaisseur. Marquez-les sur les deux faces et tracez les joints d'abord sur les faces internes.

En général, les queues sont taillées dans la planche dé façade. Plus elles sont semblables aux tenons, plus l'assemblage sera résistant ; comme celui-ci est déjà très solide, on réduit généralement la largeur des tenons pour que les veines d'extrémité soient moins apparentes, mais sans aller en deçà de 1/8 po, qui est la largeur du ciseau le plus petit. Le mortaisage se fait avec plusieurs types de ciseaux.

Espacement. Calculez un tenon tous les pouces pour les petits travaux et espacez-les davantage pour les autres. Si la planche ne mesure pas un nombre égal de pouces, divisez-la selon la méthode expliquée à la page 230. Les grands traits (voir photos ci-dessous) indiquent le centre des tenons. Comme chaque extrémité de la planche représente un centre, celle-ci comportera donc un demi-tenon de chaque côté. N'oubliez pas, en traçant, de marquer les rebuts d'une croix (X). Enlevez ceux-ci à la scie et au ciseau, ce dernier prenant appui contre le tracé.

Coupe. Il existe deux façons de tailler les queues d'aronde pour qu'elles s'emboîtent mieux. En augmentant la profondeur de l'épaulement de 1/32 po, on ne rabote que la partie saillante des tenons ou des queues au lieu de toute la planche. Sinon, évidez le joint en frappant avec un maillet sur le ciseau légèrement incliné pour empêcher le bois d'éclater.

Une queue d'aronde bien taillée devrait s'emboîter étroitement. Si, lors du test, elle reste coincée, retenez la pièce mâle (queues) dans un étau et secouez la pièce femelle (tenons) pour la dégager.

En taillant à la toupie avec un gabarit, vous obtiendrez des queues et des tenons qui seront identiques.

Queue d'aronde ouverte

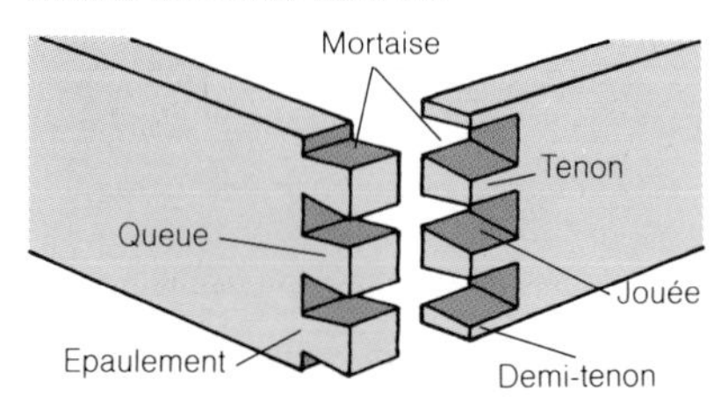

Queue d'aronde à mi-bois

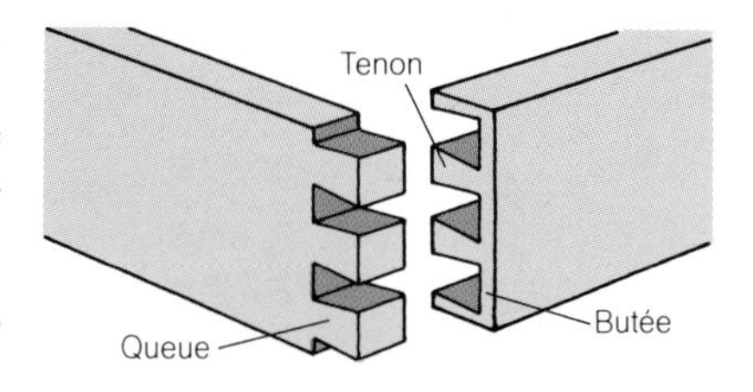

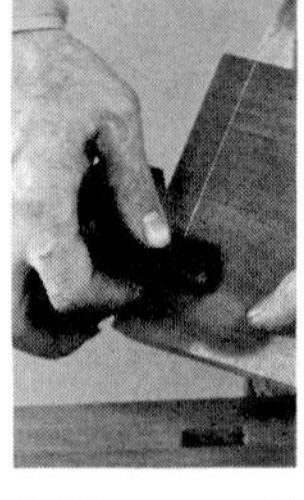
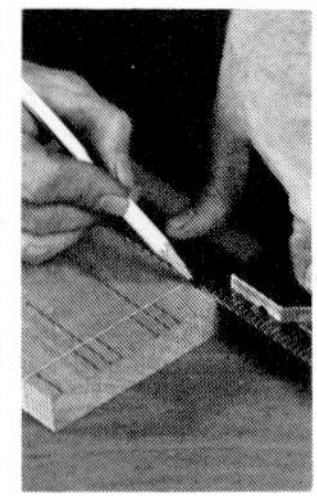

1. Marquage. Ajustez le trusquin à l'épaisseur du bois, plus 1/32 po. Marquez les quatre faces (à gauche), puis les bouts avec une équerre. Tracez la largeur des tenons (à droite).

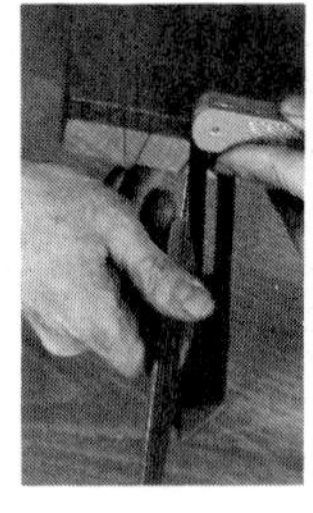

2. Tenons. Fixez, avec le rapporteur, la fausse équerre à 75-80 degrés ; prolongez le tracé des tenons sur le bout de la planche (à gauche), puis sur sa face externe (à droite).

3. Sciage des tenons. Inclinez la scie à un angle de 45 degrés ; redressez-la peu à peu et sciez sur toute l'épaisseur en suivant le tracé de la jouée et sans dépasser l'épaulement.

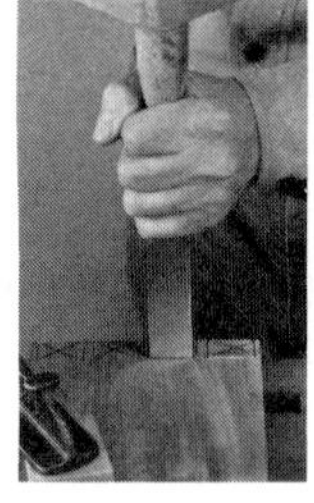
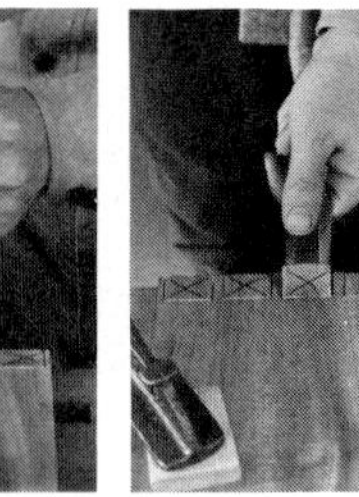

4. Mortaisage. Alternez les coupes verticales et horizontales. Après la première coupe, inclinez légèrement le ciseau pour mortaiser. Retournez la planche à mi-bois.

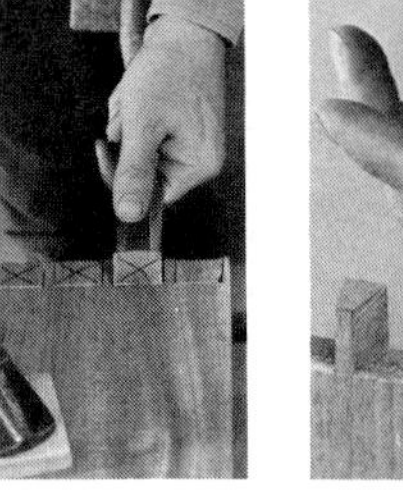

5. Nettoyage des mortaises. En procédant par petits coups de ciseau, arasez le fond des mortaises pour que les angles soient propres et d'équerre. Passez les jouées au ciseau.

6. Marquage des queues. Maintenez les planches avec une serre en bois. Avec un couteau, incisez le contour des tenons sur la pièce mâle ; prolongez les traits sur l'extrémité.

7. Marquage de la seconde face. Ajustez la fausse équerre à l'angle de la première face et reportez celui-ci sur la seconde. Vérifiez l'angle de chaque trait et rajustez-le au besoin.

8. Sciage des queues. Inclinez la planche dans l'étau afin de scier verticalement. Renversez-la pour le second côté des jouées. Chantournez les demi-mortaises d'extrémité.

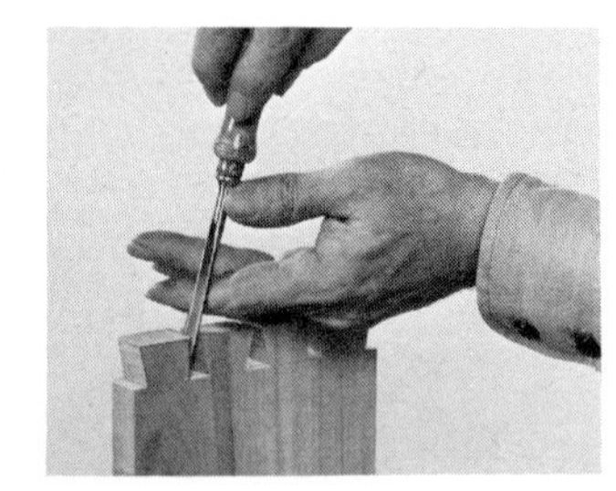

9. Dégagement des queues. Tenez la planche à plat avec des serres. Mortaisez au ciseau comme à l'étape 4. Redressez la planche et nettoyez les coins par petits coups de ciseau.

10. Ajustement. Emboîtez les pièces avec un maillet. Si le joint est étroit, taillez un gabarit dans du rebut pour emboîter tenons et mortaises avec un serre-joint au moment du collage.

Queue d'aronde à mi-bois

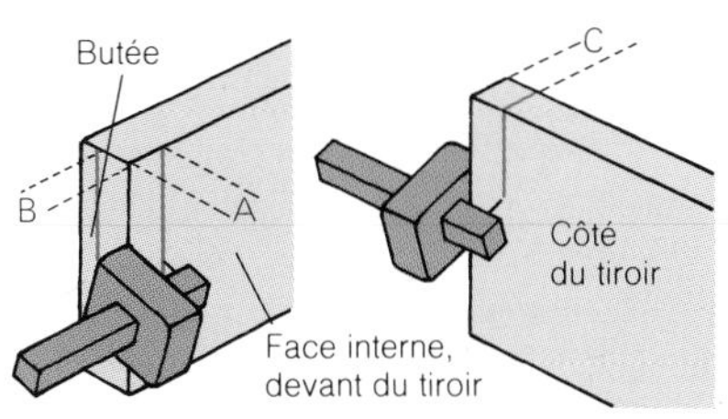

Marquage du joint d'un tiroir. Le devant est plus épais. *A* correspond à l'épaisseur du côté ; *B* et *C* équivalent aux deux tiers de l'épaisseur du devant ; marquez-les comme ci-dessus.

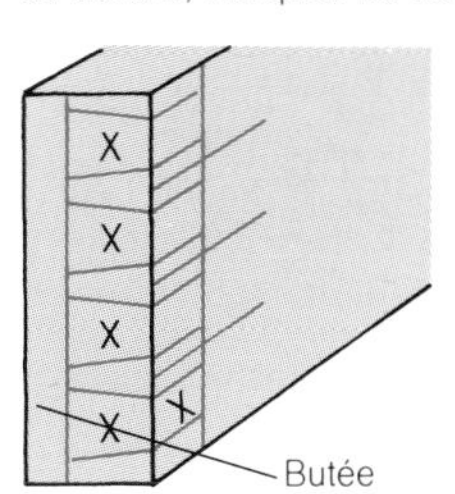

Marquage des tenons. Tracez les tenons comme à l'étape 2, p. 238. Les mortaises s'arrêtent au trait indiquant l'épaisseur du devant (voir *B* ci-dessus).

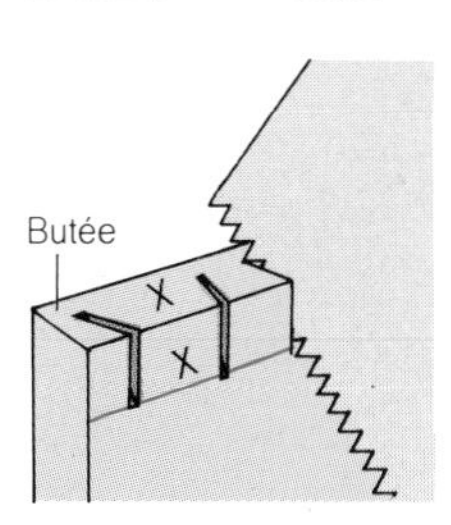

Sciage. A cause de la butée, ne sciez pas jusqu'au fond. Surveillez bien les deux côtés de la scie. Faites quelques coupes dans le rebut pour faciliter le mortaisage au ciseau.

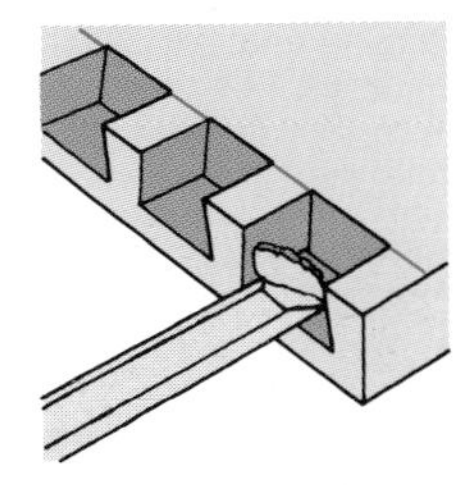

Mortaisage au ciseau. Entaillez le rebut avec un ciseau à biseaux. Pour atteindre plus aisément les coins, meulez et affûtez l'extrémité de la lame d'un vieux ciseau à 45 degrés.

Queues. Maintenez les deux planches avec une serre ; le bas de la mortaise doit affleurer le bord de la pièce mâle. Dessinez les tenons et mortaisez comme aux étapes 8 et 9, p. 238.

Joint à onglet

Deux pièces aboutées à angle droit et dont les extrémités sont coupées à 45 degrés forment un joint d'extrémité généralement plat, comme pour un cadre ou une moulure. Aboutées rive contre rive, elles forment un joint de rive, utilisé pour la construction de caisses. Quand l'assemblage des deux pièces n'est pas à angle droit, l'onglet divise toujours l'angle également.

Malgré sa simplicité apparente, ce joint exige une parfaite précision, aussi bien pour la coupe des angles que pour la longueur des pièces. Même en faisant très attention, vous devrez sûrement raboter un peu.

Peu solide, le joint à onglet est presque toujours renforcé selon l'une des méthodes illustrées ci-dessous. On peut l'encoller en le retenant dans des serre-cadres (p. 221), mais ils coûtent cher et le résultat n'est pas aussi probant.

Joint d'extrémité **Joint de rive**

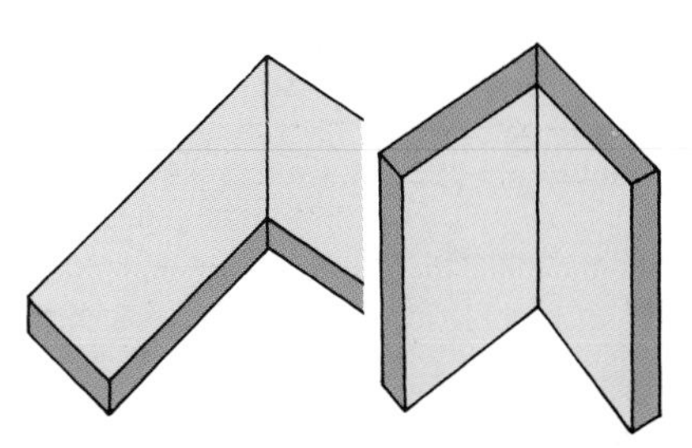

1. Marquage. Placez côte à côte les deux planches de même longueur et tracez sur chacune un angle de 45 degrés. De cette façon, les deux pièces seront identiques.

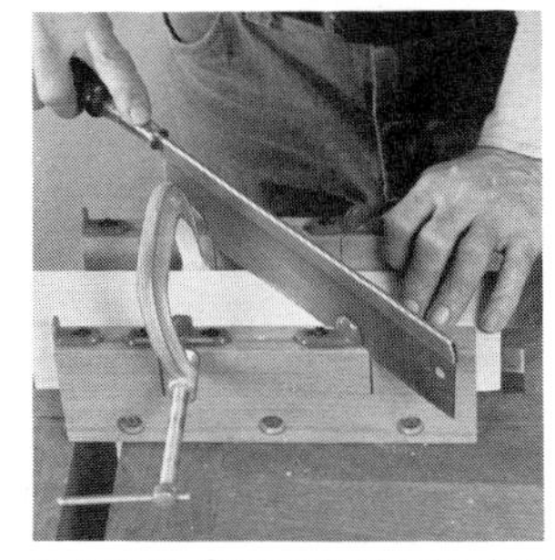

2. Sciage. Coincez la planche dans la boîte à onglets. A défaut de boîte à onglets, prenez un morceau de rebut comme guide de sciage. Varlopez un peu, au besoin.

3. Collage. Encollez les chants et laissez sécher. Pour le serrage, préparez des cales encochées sur leur angle extérieur. Encollez et assemblez les joints.

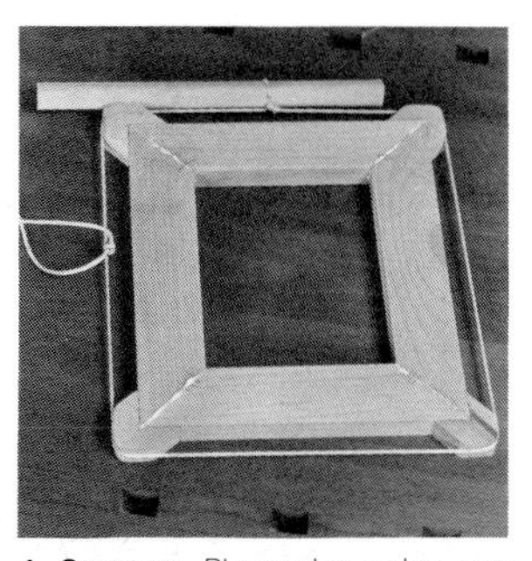

4. Serrage. Placez les cales aux quatre coins. Entourez d'une bonne ficelle et serrez avec un tourniquet. Faites reposer celui-ci contre l'un des coins pour maintenir la tension.

Renforcement d'un joint à onglet

Clé de contre-plaqué

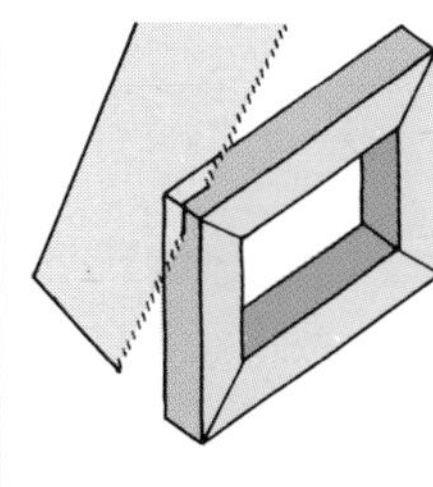

Quand la colle est sèche, rainurez un coin. Taillez une clé dans du contreplaqué ou du bois mince et poncez-la pour qu'elle soit de la bonne épaisseur. Insérez la clé dans la rainure après les avoir encollées toutes les deux. Laissez sécher et arasez au ciseau. Dans un joint de rive, posez des clés à intervalles réguliers.

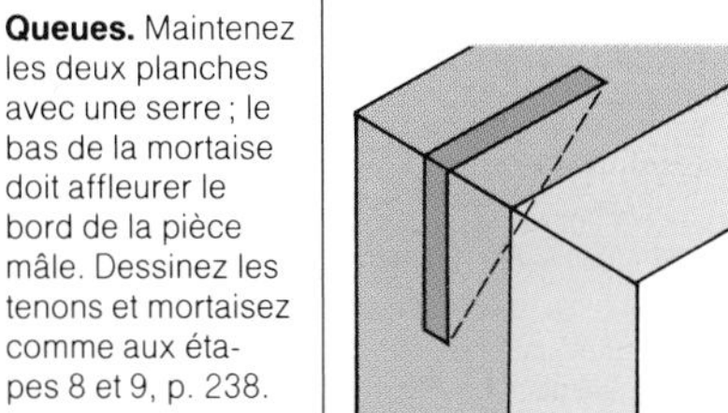

Languette

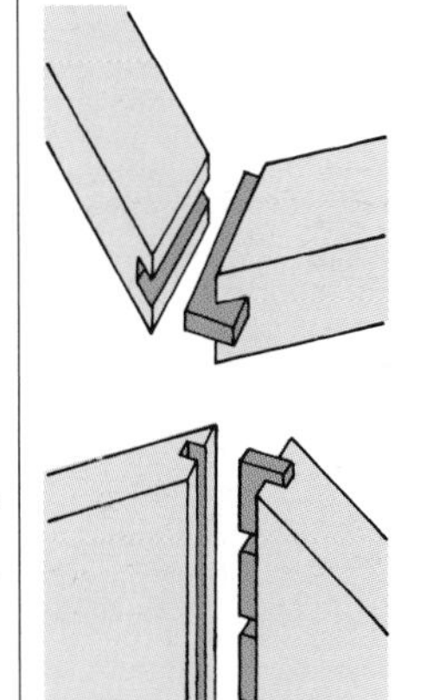

Avant d'encoller le joint, rainurez les surfaces contiguës à la toupie ou à la scie circulaire. Mesurez les rainures et taillez des languettes dans le même bois. Encollez-les en même temps que le joint et insérez-les. Posez-en plusieurs dans un joint de rive ; le joint de rive doit être plus près de l'intérieur du coin.

Goujons

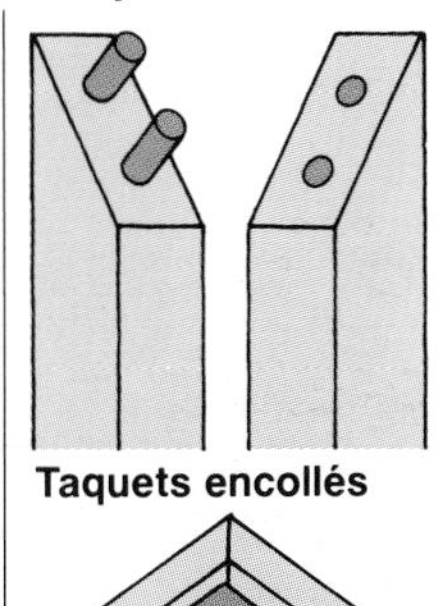

Marquez l'emplacement des goujons à l'étape 1, ci-dessus ; percez la surface des extrémités à la verticale. Poncez les goujons et encollez-les avec le joint. Ils s'inséreront mieux.

Taquets encollés

Percez alternativement deux côtés d'un taquet fait du même bois. A travers ces trous, marquez des avant-trous sur les deux pièces. Encollez le joint et le taquet, vissez celui-ci.

Menuiserie et ébénisterie

Joints à tenons et mortaises

Ce type de joint, qui est l'un des plus anciens, est souvent utilisé dans la fabrication de meubles pour réunir des pièces étroites comme les supports d'un dessus de table, les pieds et les traverses d'une chaise ou les parties d'un assemblage à cadre et panneau (p. 242). Les tenons peuvent avoir trois épaulements (comme ceux qui sont illustrés ci-dessous), deux, quatre ou n'en avoir aucun.

Pour qu'un tenon traversant soit bien serré, surtout s'il doit supporter une forte pression, on enfonce parfois dans des traits de scie, allant jusqu'aux trois quarts de sa profondeur, des coins faits du même bois ou d'un bois plus dur. Ces coins élargissent le tenon; la mortaise est taillée en biais pour les coins. Le résultat est décoratif, surtout si les coins sont plus foncés.

Tenon borgne

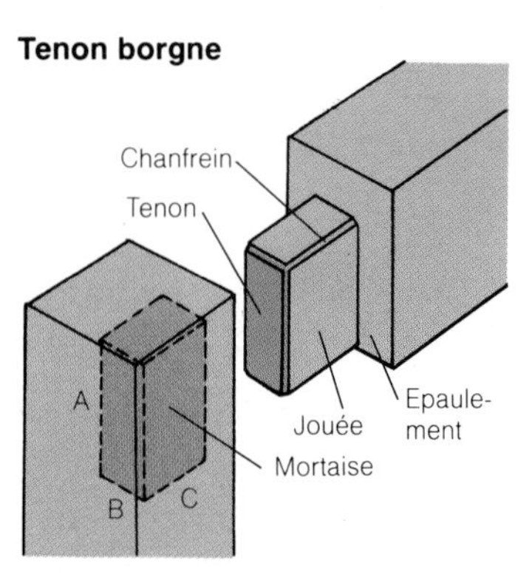

Les lettres correspondent aux dimensions de la mortaise et du tenon. A est égal aux trois quarts de la largeur de la planche mâle et B au tiers de son épaisseur. C est le double ou le triple de B. Pour éviter l'éclatement du bois, on peut scier le rebut de la mortaise après l'assemblage.

1. Traçage. Divisez la face du tenon en quatre. Placez-la contre la pièce à mortaiser, au bord de la ligne de coupe. Tracez le bas du tenon et la marque des trois quarts.

2. Choix du ciseau. Divisez la partie à tenonner en trois. Prenez un ciseau 1/16 po plus étroit que le tiers médian; sinon, adaptez la largeur à l'outil.

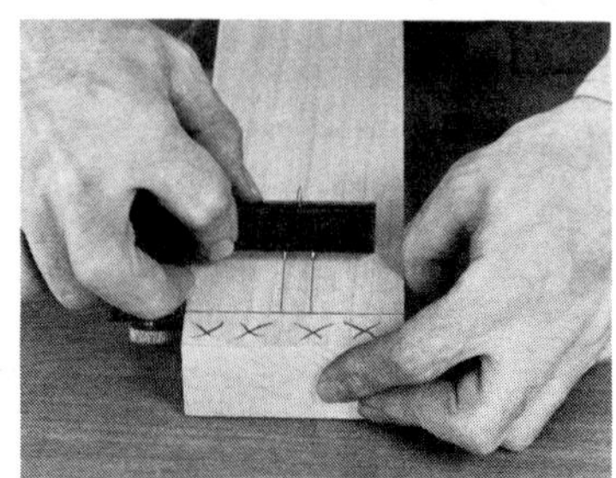

3. Largeur de la mortaise. Réglez les pointes du trusquin selon la largeur du ciseau plus 1/16 po. Trusquinez la mortaise à partir de la ligne de coupe.

Tenon traversant

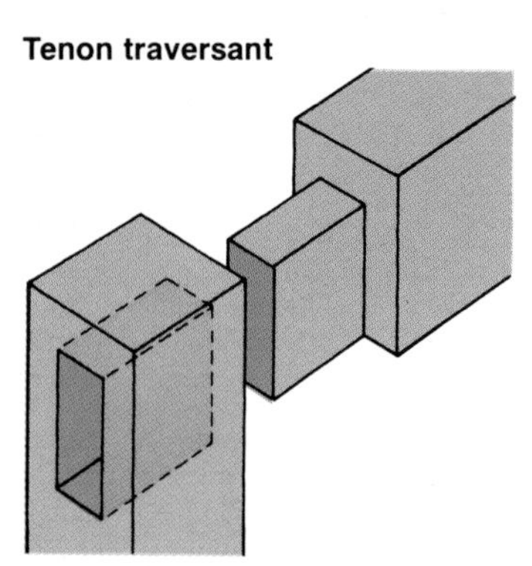

Trusquinez comme pour le tenon borgne, mais en prolongeant le tracé sur la seconde face de la mortaise avec une équerre. Forez la mortaise jusqu'à ce que la pointe de la mèche apparaisse. Retournez-la et percez de l'autre côté. Taillez le tenon 1/16 po plus long et arasez-le après l'assemblage.

4. Perçage du rebut. Ajustez le guide de profondeur de la mèche du double au triple de la largeur de la mortaise. Tracez l'axe de perçage. Faites plusieurs trous.

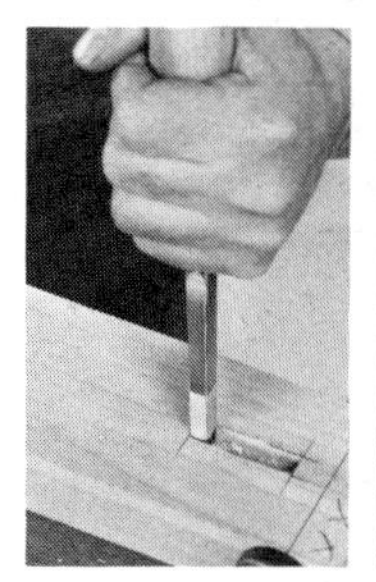

5. Evidement du rebut. Collez un ruban sur le ciseau à la profondeur de la mortaise. Taillez le fond et les bouts au maillet (à gauche), les côtés sans maillet (à droite).

6. Traçage du tenon. Reportez la longueur de la mortaise sur la pièce à tenonner. Mesurez la profondeur de la mortaise avec une équerre à combinaison et reportez-la.

Tenon traversant à clé

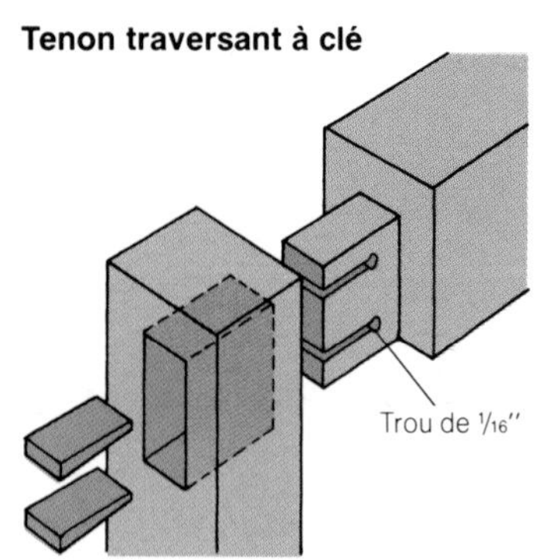

Sciez dans le sens du fil des coins trop longs de 4 po. Frottez-les à l'épaisseur voulue sur du papier abrasif. Sciez-les ¼ po plus longs que le trait de scie. Percez deux trous dans le tenon et sciez. Taillez la mortaise en biais. Encollez le joint, les traits de scie et les coins. Enfoncez ceux-ci ensemble au maillet. Sciez et rabotez le surplus.

7. Sciage du tenon. Sciez selon l'angle montré ci-dessus, la ligne d'épaulement face à vous; retournez la pièce dans l'étau et finissez les coupes à l'horizontale.

8. Chanfrein. Fixez la pièce à tenonner dans l'étau et chanfreinez les bords du tenon au ciseau. Il s'enclavera plus facilement dans la mortaise.

9. Essai. Si le joint est serré, passez le ciseau sur le tenon; s'il y a du jeu, collez-y des languettes de placage. Sciez le rebut de la mortaise.

Encollage et serrage

Comme, avec le temps, le bois sèche et se rétracte, on encolle généralement les joints pour éviter qu'ils ne se déboîtent. Les serre-joints maintiennent une pression constante et uniforme sur les pièces pendant le durcissement de la colle. Toutefois, une pression excessive fait sortir la colle du joint et empêche celui-ci d'être convenablement collé. Il vaut donc mieux serrer les presses à la main seulement. Reportez-vous au tableau de la page 228 pour choisir les colles et connaître le temps de serrage requis.

Les surfaces des joints à encoller doivent être parfaitement propres. Assemblez d'abord à sec pour vérifier le joint et voir où mettre les serres. Préparez des morceaux de rebut pour protéger le bois des mâchoires en métal. Si le rebut doit toucher la colle, frottez-le avec de la paraffine des deux côtés pour qu'il ne reste pas collé au bois. Si des serres de métal sont en contact avec la colle et le bois, enveloppez les mâchoires dans du papier ciré pour ne pas tacher le bois.

Comme certaines colles sèchent en 15 minutes, il vous faudra travailler vite et vous faire aider si la pièce est grande. Etalez généreusement la colle avec vos doigts ou un pinceau sur toutes les parties à joindre. Ayez de l'eau à portée de la main pour essuyer l'excès de colle. Serrez les presses. Si un mince filet de colle ne déborde pas des joints, dévissez les serres et ajoutez de la colle.

Quand le bois est prêt pour la finition, essuyez le surplus de colle avec un linge humide et passez un chiffon sec. Si vous devez planer et poncer la pièce, laissez la colle durcir; vous l'ôterez avec un grattoir dont les marques seront effacées par le planage.

La plupart des serre-joints ont une mâchoire fixe et une autre réglable. Certaines serres en C ont un sabot pivotant fixé sur la mâchoire fixe pour les surfaces obliques ou irrégulières. Les mâchoires du serre-joints de menuisier sont toutes les deux réglables. Elles peuvent être décalées et rester parallèles ou être réglées pour former un angle entre elles. On les emploie pour maintenir des pièces pendant d'autres opérations (voir ci-dessous); leur pression est insuffisante pour l'encollage de grandes pièces de bois. Quelques utilisations de serre-joints se trouvent aux pages 234 et 239. On peut aussi les remplacer par des vis (voir texte, p. 236). Il faut parfois improviser quand on manque de presses; l'une des solutions possibles est illustrée ci-dessous (au centre).

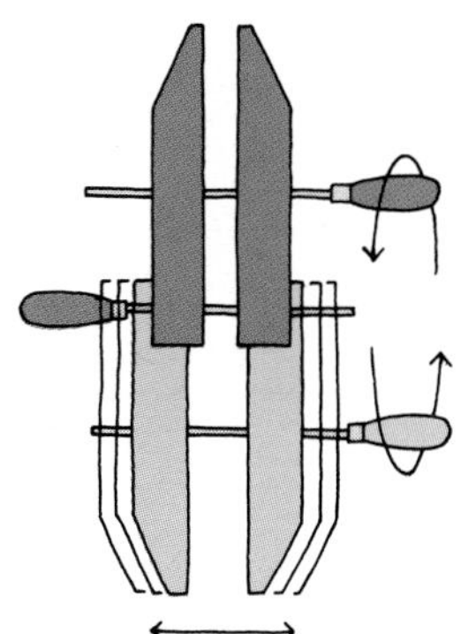

Serre-joints de menuisier. Pour les utiliser, tenez l'une des poignées et faites pivoter les mâchoires avec l'autre.

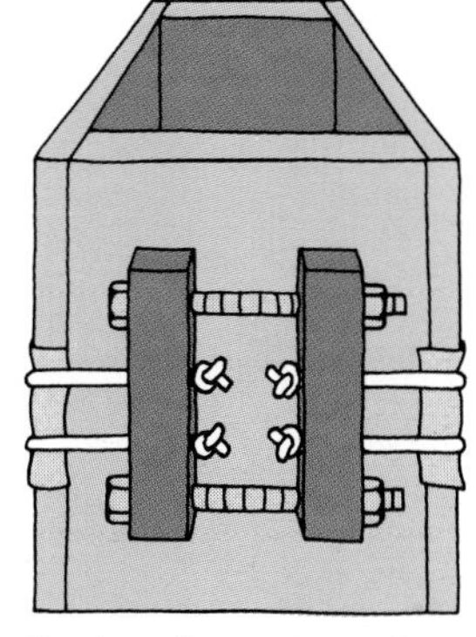

Cordes. On peut remplacer une serre à coulisse par une grosse corde, des blocs de bois et des boulons pour le serrage.

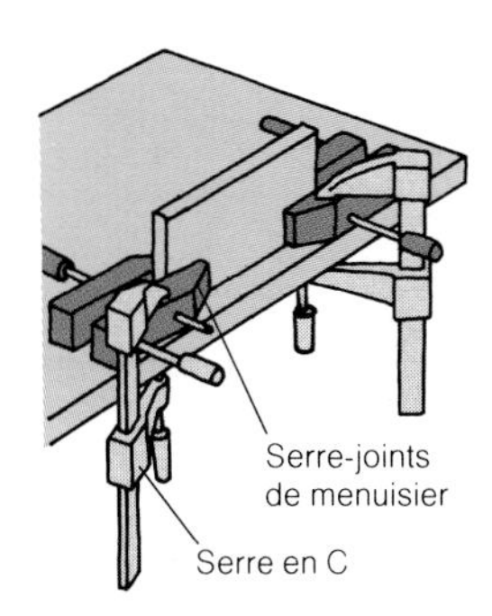

Serre-joints de menuisier comme étrier. Fixez-les à l'établi avec des serres en C pour scier ou mortaiser.

Vissage et clouage

Si les principaux éléments d'une ossature sont reliés par des joints encollés, les autres, comme les guides de tiroir, les tasseaux et les petites moulures, sont fixés par des vis ou des clous ou, quand il faut les renforcer, par des goujons. La vis ou le clou doivent s'enfoncer à moitié ou aux deux tiers dans la seconde pièce, sans la traverser.

Forez un trou de la longueur et du diamètre du collet de la vis et un avant-trou d'un diamètre égal au noyau de filetage et de la longueur de la vis.

Pour savoir quand arrêter de forer, collez un papier-cache sur la tige à la hauteur voulue ou utilisez un guide de profondeur (p. 221). Utilisez un guide, acheté ou fabriqué (voir ci-dessous) pour être certain de percer verticalement. Ou achetez un support vertical pour perceuse électrique. Amorcez le trou au poinçon pour que la mèche ne saute pas. Mettez le moteur en marche avant d'attaquer le bois.

Les vis à bois à tête plate peuvent affleurer la surface du bois. Pour qu'elles ne paraissent pas, vous pouvez les noyer de ⅛ po ou plus sous la surface et masquer le trou avec de la pâte de bois ou une cheville découpée avec un coupe-cheville.

L'affleurement se fait avec deux forets et une fraise spéciale (voir ci-dessous). Pour les vis noyées, on utilise trois forets d'un diamètre croissant. Il existe des forets qui percent tous les trous en une seule opération. Certains peuvent s'adapter à plus d'un calibre de vis.

Au moment de visser au cadre une planche large, comme un dessus de table, prévoyez une marge pour le retrait et la dilatation du bois en mortaisant une fente ovale qui permettra à la vis de se déplacer. La longueur de la fente doit être perpendiculaire au sens du fil de la planche (voir ci-dessous).

Faute de suivre certaines règles, le clouage peut s'avérer désastreux. Pour empêcher le bois de fendre, vous devrez émousser la pointe du clou avec le marteau. Dans du bois dur, percez un avant-trou légèrement plus étroit que le diamètre du clou. Au début, tenez le clou sous la tête. S'il se tord, remplacez-le. Employez un chasse-clou (p. 221) pour l'enfoncer un peu en dessous de la surface. Comblez le trou avec du mastic à bois et poncez la surface quand il est sec. Décalez les clous en rangée pour ne pas faire éclater le bois. N'enfoncez pas de clous ni de vis dans le grain de bout parce qu'ils sortent facilement.

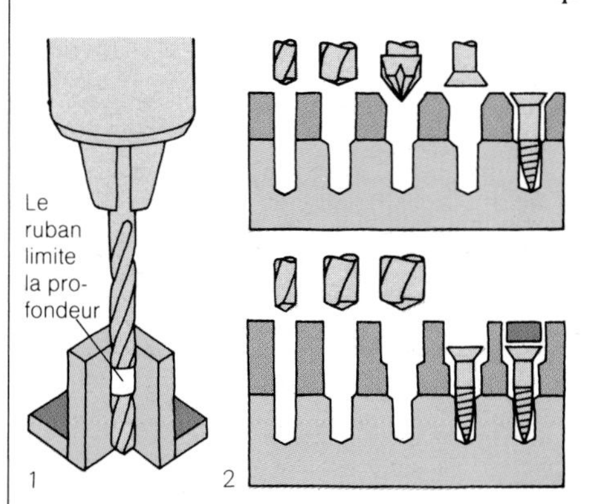

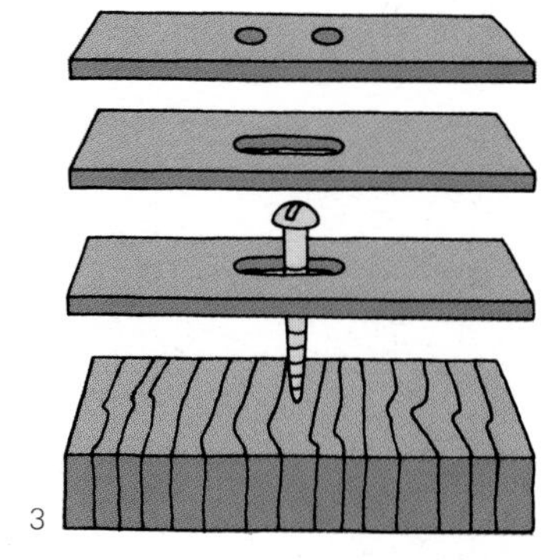

1. Le guide de perçage est fait de quatre morceaux de bois d'équerre et encollés. **2. L'affleurement** (en haut) nécessite trois forets (voir le texte); on vérifie le diamètre avec la tête de la vis. **Pour les vis noyées** (en bas), on emploie trois forets; après le vissage, on bouche le trou avec une cheville en bois. **3. Vissage à entaille.** Forez aux extrémités de l'ovale et mortaisez au ciseau.

Menuiserie et ébénisterie

Vocabulaire

Une caisse est une structure semblable à une boîte, sans limite de grandeur entre le coffre à bijoux et l'armoire à glace. On la fabrique de plusieurs façons. L'une des méthodes consiste à utiliser du bois plein monopièce pour le dessus, le fond, les côtés et le dos (elle vaut surtout pour des objets de grandeur moyenne). Selon le second procédé, dit assemblage à cadre et panneau, on insère de minces panneaux dans les rainures de membres lourds formant le cadre. Cela permet de fabriquer un grand meuble qui sera moins lourd que s'il était en bois massif; en outre, les panneaux, qui ne sont pas collés, ne risquent pas de gauchir toute l'ossature par suite des changements hygrométriques. Les plateaux monopièces ou à cadre et panneau peuvent être assemblés comme quatre murs sans entretoise ou être fixés sur une ossature rigide et robuste, faite d'étroits morceaux de bois, les traverses. Dans le cas de pièces importantes comme une commode, les traverses supportent les tiroirs et les portes (pp. 244-245). Les traverses forment également l'ossature des tables et des chaises, comme on peut le voir à la page suivante.

Pieds. Les pieds, qui peuvent être carrés ou ronds, tournés, droits ou fuselés, sont fixés aux traverses des chaises et des

Bois massif monopièce

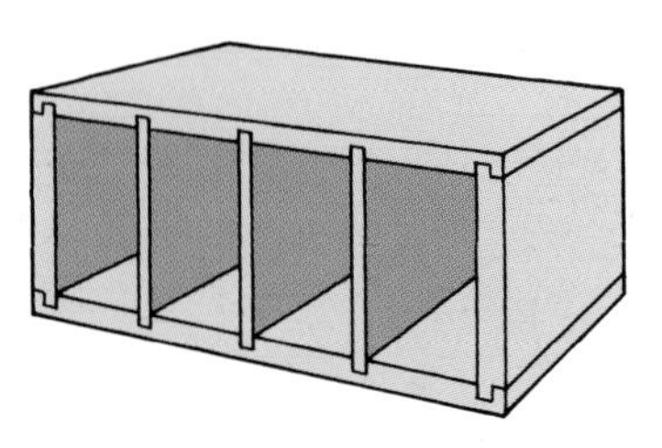

Casier à disques. Les joints d'angle sont à entaille et feuillure. Le fil du bois suit une seule direction. Le dos (invisible) est feuilluré des quatre côtés. Les cloisons coulissent dans les entailles.

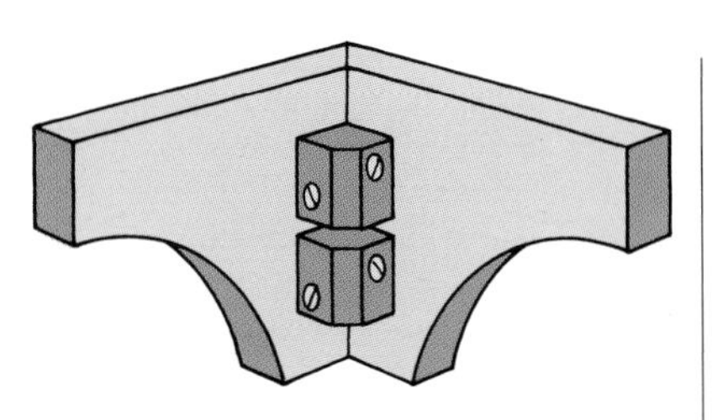

Pied renforcé. Le pied du coffre ci-dessous est joint à onglet et renforcé par des blocs encollés. Le coffre aurait aussi pu reposer sur l'un des socles illustrés à la page suivante.

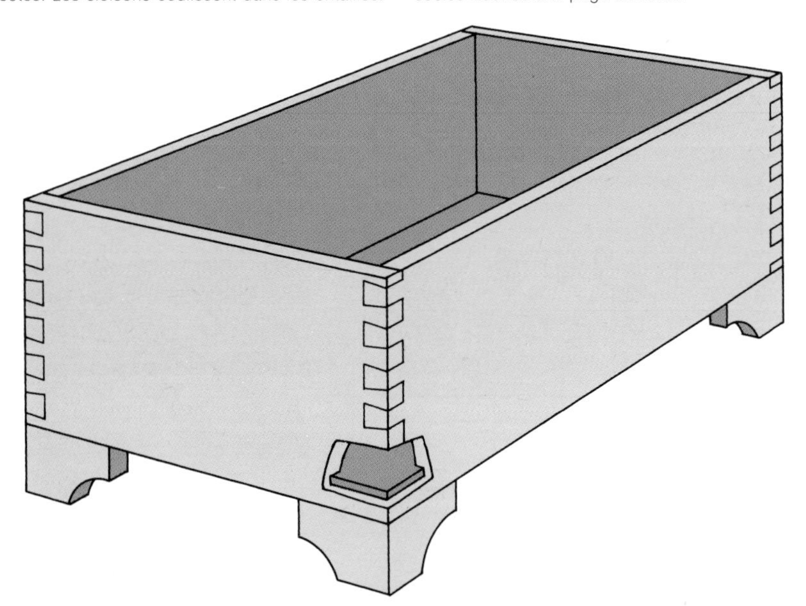

Coffre en bois monopièce. Ici, la boîte formant le casier à disques a été renversée, de sorte que le dos devient le fond. Pour supporter le poids du contenu, le fond est rainuré des quatre côtés et peut être renforcé par des blocs encollés. Le fil est dans le sens de la longueur du bois, tout autour, ce qui fait que le jeu du bois, qui se produit habituellement par le travers du fil, suit une même direction.

Assemblage à cadre et panneau

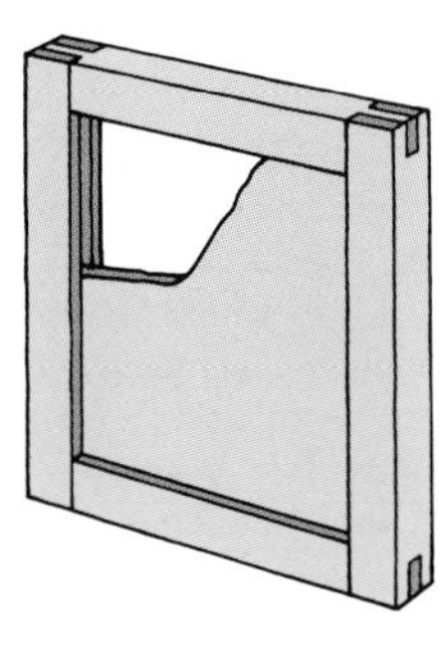

Le joint du cadre est à tenons et mortaises. Finissez le panneau avant l'encollage. Ne laissez pas la colle couler hors du joint et dans la rainure. Le panneau doit avoir du jeu. On peut coller un panneau de contreplaqué.

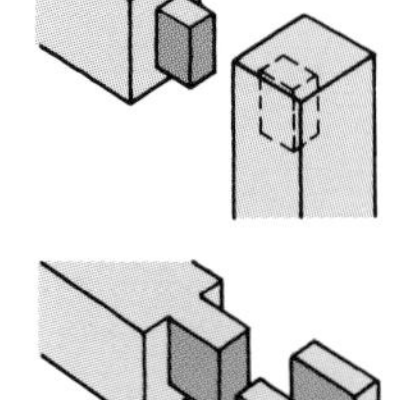

On voit ici le détail de deux joints à tenons et mortaises : la forme borgne (en haut) rappelle le joint d'about; le joint à enfourchement (en bas) sert pour les fenêtres, les portes et les moustiquaires. La mortaise doit être aussi large que la rainure du panneau.

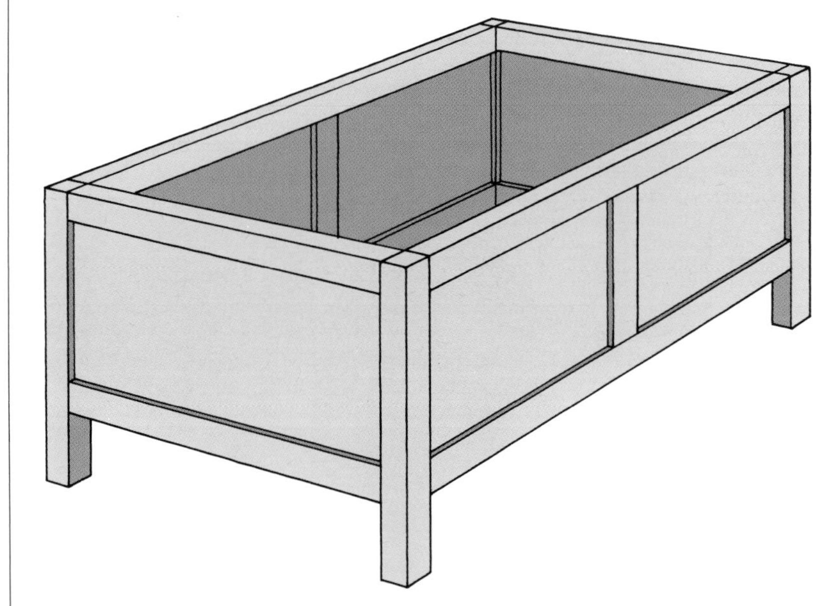

Coffre à cadre et panneaux. Les panneaux assemblés forment un coffre. Ce mode d'assemblage est utilisé pour le coffre des pages 256-257. Le cadre est allongé aux angles pour former les pieds. On peut fabriquer de cette façon une commode ou un bureau ; les portes sont souvent faites de cette façon. Les deux coffres pourraient avoir des couvercles fixés par des charnières (voir p. 245) à l'arrière.

tables par des joints à tenons et mortaises, par des goujons ou une combinaison des deux. Dans un assemblage à cadre et panneau, ils peuvent être un prolongement du cadre. On peut acheter différents modèles de pieds usinés.

Socles. Un meuble imposant, comme un coffre, a besoin d'un support plus solide que des pieds. On le monte alors sur une base appelée socle. Autrefois, celui-ci était légèrement plus large que le coffre et les deux parties étaient jointes par une moulure. De nos jours, le socle est souvent en retrait. Il est construit à part, renforcé par des blocs encollés et vissé à un coffre en bois massif; on peut percer des fentes pour les vis (p. 241) le long des traverses latérales pour laisser le bois travailler.

Dos. Quand un meuble doit être placé contre un mur, son dos est souvent en contre-plaqué ou en masonite (panneau de particules). Le dos augmente la rigidité de l'ossature; son épaisseur varie selon la taille du meuble. Il est parfois renforcé par des montants rainurés qui retiennent les panneaux.

Dessus de table. Le dessus peut se fendre en se rétractant ou se déformer en se dilatant s'il est trop étroitement ajusté aux traverses. On voit ci-dessous deux façons de fixer un dessus de table.

Traverses de renfort

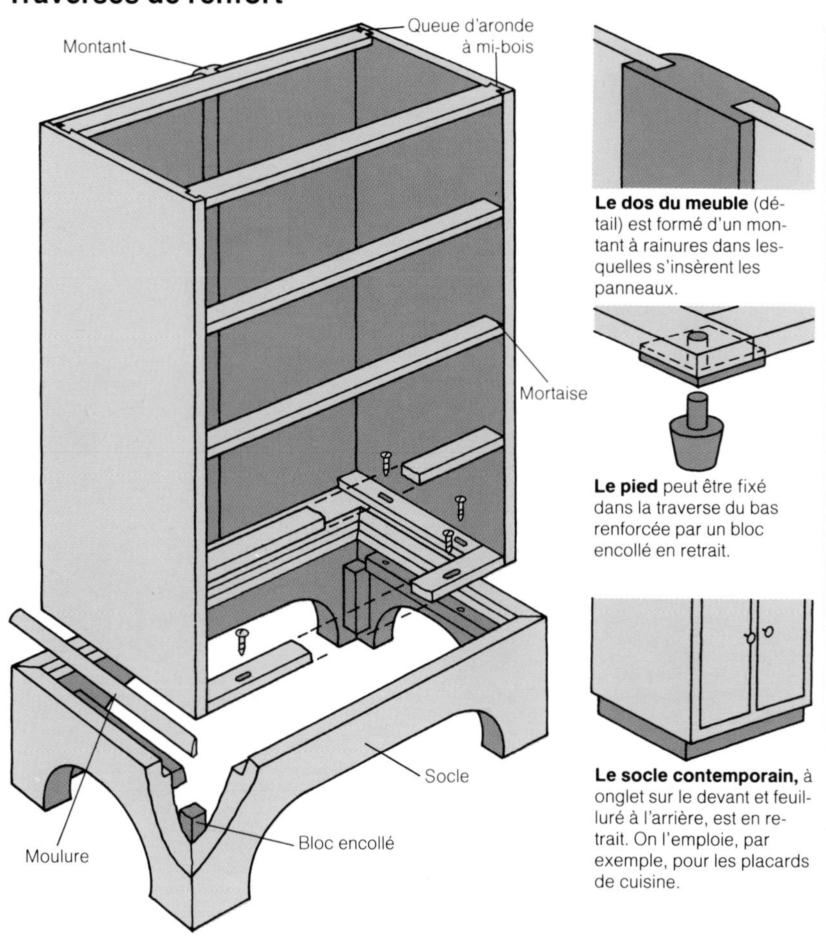

Le dos du meuble (détail) est formé d'un montant à rainures dans lesquelles s'insèrent les panneaux.

Le pied peut être fixé dans la traverse du bas renforcée par un bloc encollé en retrait.

Le socle contemporain, à onglet sur le devant et feuilluré à l'arrière, est en retrait. On l'emploie, par exemple, pour les placards de cuisine.

Cette commode aux côtés faits de bois massif monopièce a des traverses renforcées à queue d'aronde pour celles du dessus et mortaisées pour les autres. Elle repose sur un socle, ici de style traditionnel, construit à part et vissé ; les moulures masquent le joint. Des blocs encollés renforcent les joints à onglet aux quatre coins du socle. Les coulisseaux des tiroirs sont illustrés à la page 244.

Tables et chaises

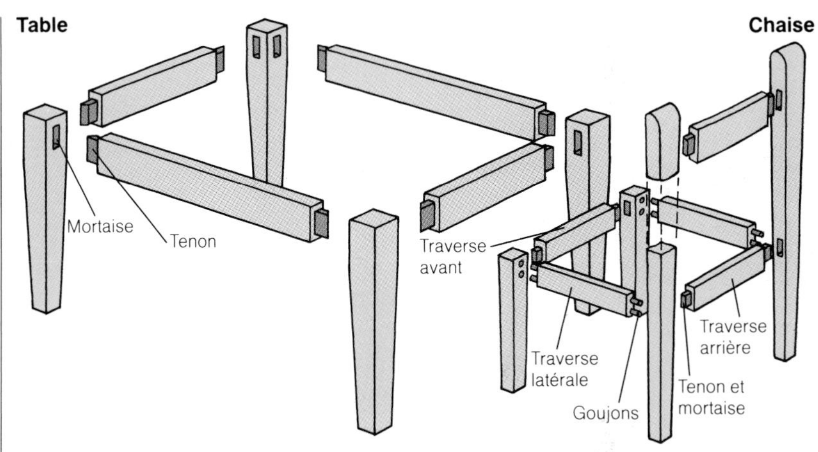

On peut mortaiser ou goujonner les pieds et les traverses des tables et des chaises (détails ci-dessous). Les traverses sont aussi épaisses que les pieds, ou moins. Quand une chaise est inclinée vers l'arrière, il vaut mieux fixer les traverses de côté aux pieds par deux goujons (ci-dessous) et mortaiser les autres. Des blocs encollés en retrait soutiennent le siège et renforcent les coins.

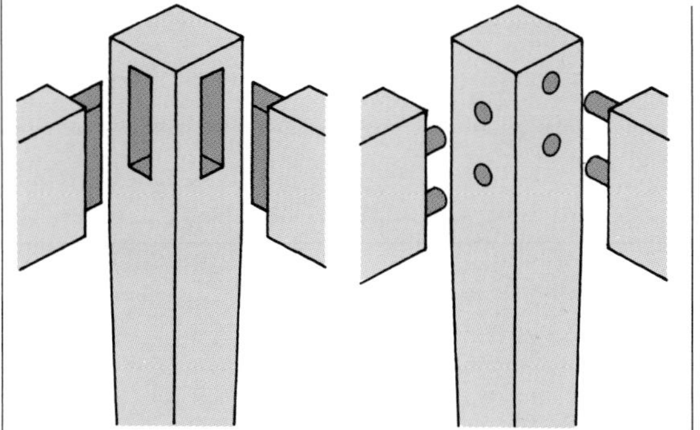

Les mortaises des pieds forment un L (à gauche). Les tenons sont à onglet, mais n'ont pas besoin de s'ajuster parfaitement. Les goujons (à droite) sont décalés pour ne pas se heurter. On peut aussi mortaiser une traverse et goujonner l'autre comme ci-dessus.

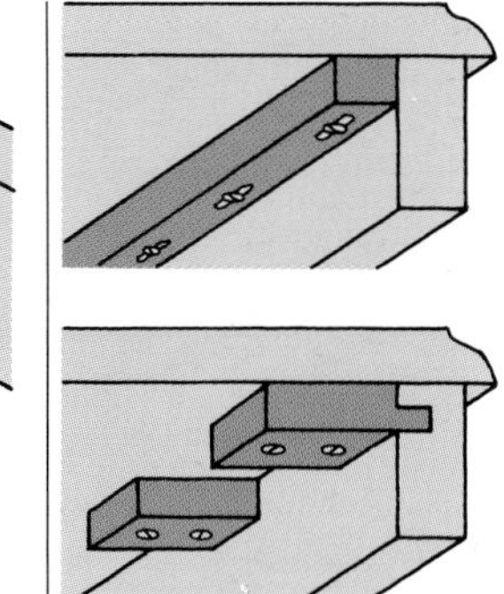

Le dessus de la table est vissé dans des entailles à un tasseau encollé (en haut) ou à des taquets rainurés (en bas).

Menuiserie et ébénisterie

Tiroirs, portes et couvercles

La construction d'un tiroir implique plusieurs choix. Tout d'abord, le devant : s'il est d'affleurement, l'ajustement devra être parfait, sans le moindre vide entre les côtés et la cavité ; s'il est à chevauchement, la précision de l'ajustement est moins importante.

Divers types de joints sont possibles (voir ci-dessous). Quant à l'épaisseur, elle devrait, selon les éléments du tiroir, varier comme suit : au moins 3/4 po pour le devant afin de pouvoir tailler les queues d'aronde ; de 5/16 à 1/2 po pour les côtés et le dos ; de 1/8 à 1/4 po pour le fond qui devrait être en contre-plaqué puisque celui-ci ne travaille pas comme le bois massif. S'il est en bois plein, le fil du bois doit être parallèle au devant du tiroir.

Le dos du tiroir repose souvent sur le fond, aussi devra-t-il être plus étroit que les côtés et le devant. Le fond sera légèrement plus petit, entre le devant et le dos, que le tiroir. Il est presque toujours rainuré dans le devant et les côtés. Mais il peut aussi être feuilluré si le tiroir est petit et peu profond. On ne colle un fond en bois plein et rainuré que sur le devant, jamais sur les côtés ; s'il est en contre-plaqué, on peut le coller tout autour. Si le fond du tiroir est feuilluré sur le devant et les côtés, il faudra renforcer les joints avec des vis.

Quand le tiroir est assemblé à queue d'aronde, il faut prendre garde de ne pas fendre les tenons d'angle avec la rainure du fond qui devra plutôt traverser la mortaise taillée au-dessus d'eux ainsi que les queues des côtés.

Renfort. Si un tiroir est long ou s'il est destiné à contenir des objets lourds, il faut renforcer le fond avec un tasseau joint au devant par une queue d'aronde et feuilluré à l'arrière pour le dos ; les deux panneaux du fond s'emboîtent alors dans les rives rainurées du tasseau. On renforce un fond en bois massif à l'aide de petits tasseaux rectangulaires,

Fabrication d'un tiroir

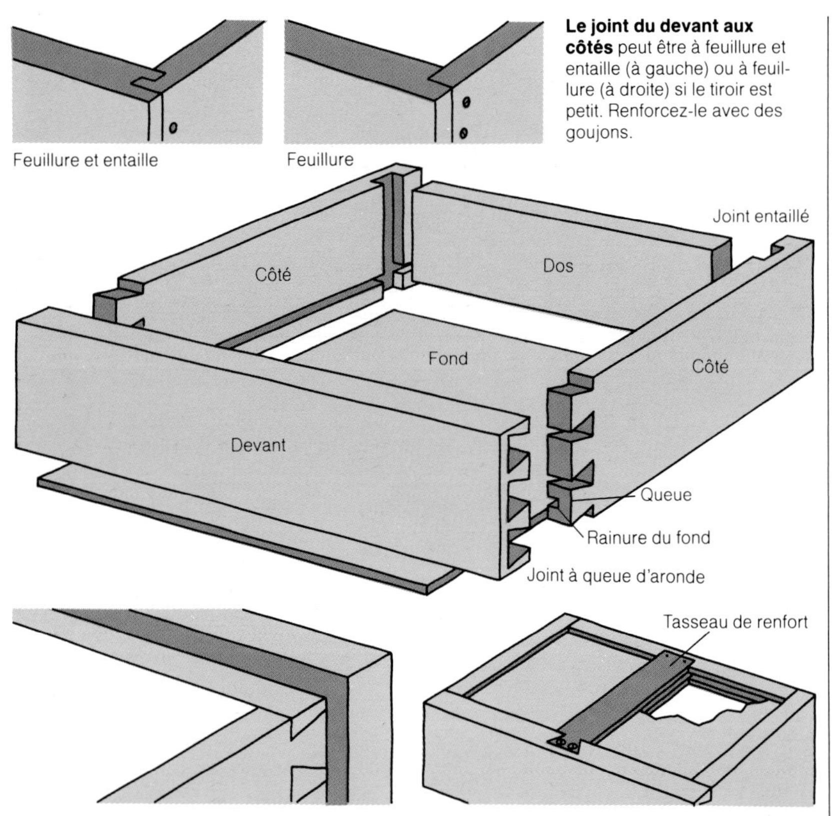

Le joint du devant aux côtés peut être à feuillure et entaille (à gauche) ou à feuillure (à droite) si le tiroir est petit. Renforcez-le avec des goujons.

Les joints se taillent dans cet ordre : le devant aux côtés, le fond au devant et aux côtés, et le dos aux côtés. Vérifiez chacun des joints à sec, ainsi que, avant de coller, l'insertion dans la cavité ; laissez un jeu de 1/16 po tout autour du tiroir. On peut feuillurer les joints du devant aux côtés d'un tiroir à chevauchement (en bas, à gauche) et entailler ou monter à queue d'aronde le dos aux côtés. Renforcez avec un tasseau le fond d'un tiroir large (en bas, à droite).

Guides et coulisseaux

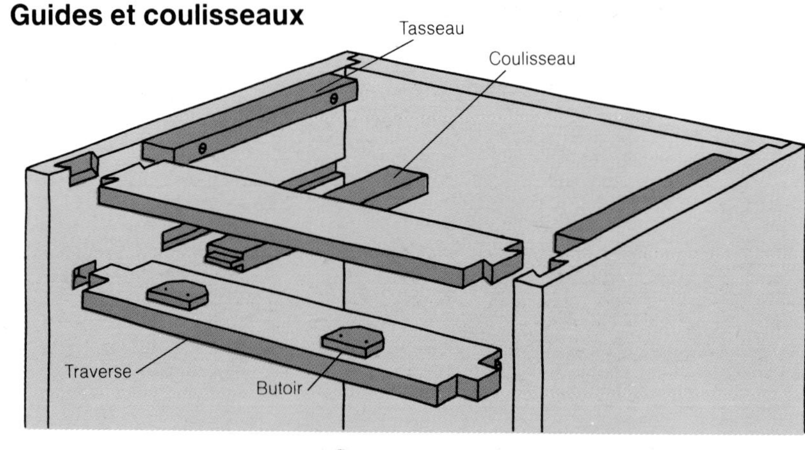

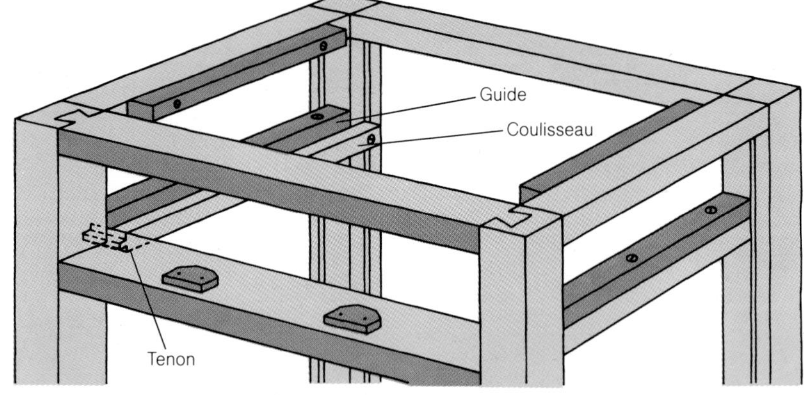

Le meuble du haut est en bois plein monopièce. Le tiroir repose sur des coulisseaux entaillés et sur une traverse mortaisée. Le tasseau empêche le tiroir de basculer quand on l'ouvre et les butoirs de heurter le fond du meuble quand on le referme. L'assemblage à cadre et panneau (en bas) nécessite des guides vissés aux coulisseaux pour éviter un déplacement latéral du tiroir ; les coulisseaux sont feuillurés et vissés à l'arrière et tenonnés sur le devant.

tous les 6 po, encollés et vissés aux côtés du tiroir et fixés au fond par un joint vissé à entaille (p. 241) — mais sans colle.

Assemblage du tiroir. Un petit tiroir installé sur une tablette robuste peut tout simplement glisser sur celle-ci. En général, cependant, un tiroir glisse sur des coulisseaux. Sauf quand les côtés du meuble affleurent ceux du tiroir, on fixe des guides sur les coulisseaux ou à même le tiroir pour prévenir tout déplacement latéral qui risquerait de coincer celui-ci. Un tasseau vissé au-dessus de chacun des côtés empêche le tiroir de basculer quand on l'ouvre, tandis que des butoirs fixés sur la traverse avant l'empêchent de heurter le fond du meuble quand on le referme.

Si on veut poser des glissières en métal sur un tiroir, il faudra se les procurer avant de fabriquer le meuble afin que celles-ci soient posées selon les directives du fabricant. En effet, on devra laisser suffisamment d'espace entre les tiroirs et les côtés du meuble pour pouvoir monter les glissières.

Quand le tiroir est monté, vérifiez l'ajustement. S'il se coince, repérez les points de friction : devant, derrière ou sur les côtés. Poncez ou rabotez les crêtes au besoin.

Charnières. Les portes, les couvercles et les abattants sont tous montés sur des charnières. Il en existe de nombreux modèles : décoratives, semi-dissimulées ou dissimulées ; en général, les charnières d'about conviennent pour la plupart des meubles. Elles sont formées de deux lames rectangulaires pivotant autour d'un axe amovible ou fixe. La partie des lames où s'insère l'axe (qu'on appelle également tige ou broche) porte le nom de charnon. On mesure les charnières d'après la largeur des deux lames grandes ouvertes. Quelques modèles ainsi que la façon de les assembler sont illustrés ci-dessous.

Guides et coulisseaux

Tiroir de modèle courant

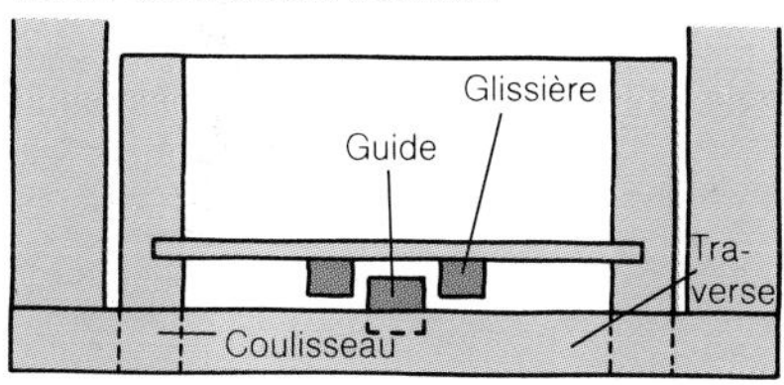

Tiroir suspendu latéralement

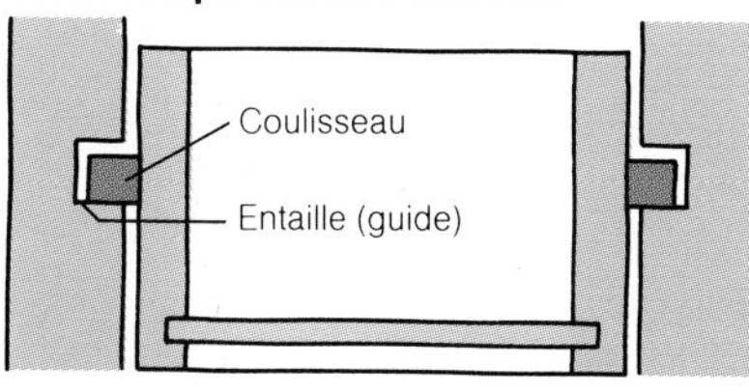

Tiroir suspendu au dessus de table

Le guide, feuilluré aux traverses avant et arrière du meuble, est centré sous le tiroir. Des glissières en bois sont vissées au fond du tiroir ; fixez-les par un vissage à entaille si le fond est en bois massif (p. 241). Les côtés du tiroir reposent sur des coulisseaux comme à la page 244 ; le guide empêche un déplacement latéral. Le tiroir suspendu (au centre) doit avoir des côtés très épais et solides. Les côtés du tiroir de la table (en bas) sont vissés et collés aux coulisseaux ; le tiroir est suspendu aux guides feuillurés, qui sont vissés et collés à la table.

Quincaillerie pour portes, couvercles et abattants

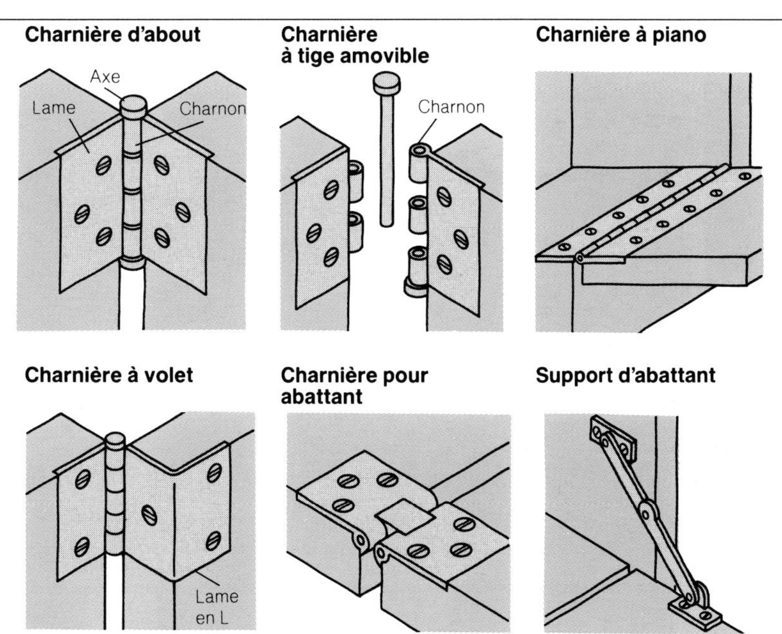

Le laiton est préférable pour les meubles élégants. La *charnière d'about,* qui ne se démonte pas, se fixe d'un côté ou de l'autre de la porte ou du couvercle. Mortaisez un logement soigneusement mesuré pour les lames sur la porte et sur le cadre. La *charnière à tige amovible* se démonte facilement. La tige s'insère par le haut. La *charnière à piano* s'emploie pour les abattants, les couvercles de coffre ou les portes. Dans ces deux derniers cas (non illustrés), montez-la comme une charnière d'about, les charnons sur le dessus. Pour un abattant, biseautez au rabot les arêtes des deux rives pour noyer les charnons et pour que les lames affleurent la surface. La *charnière à volet* convient mieux pour un couvercle de coffre parce que sa lame en forme de L se visse à l'intérieur et sur le bord du meuble. La *charnière pour abattant* maintient celui-ci de niveau quand il est ouvert ; mortaisez les logements des lames et du charnon sur les deux surfaces. L'un des bras du *support d'abattant* est vissé dans le meuble, l'autre sur l'abattant. On l'installe après les charnières ; vérifiez-en l'ajustement.

Installation des portes

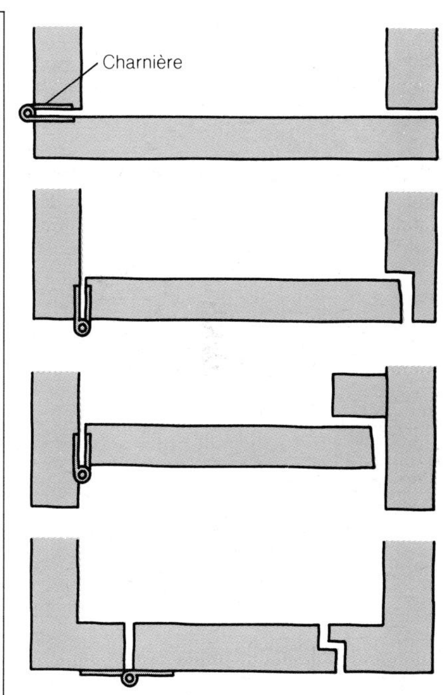

On voit ici quatre façons d'installer des portes à charnière d'about et leurs arrêts. Le biseau des trois portes du bas les empêche de se coincer. Mortaisez les logements des lames sur la porte et le cadre, sauf pour une charnière de surface (en bas). Posez la porte sur des cales et marquez l'emplacement des charnières — deux pour une porte de moins de 24 po, trois pour une plus grande —, puis ôtez la porte. Prenez les charnières comme gabarit, tracez leur contour sur les deux surfaces et mortaisez au ciseau. Vissez-les d'abord au cadre, vérifiez, puis aux portes.

Menuiserie et ébénisterie

Le contre-plaqué

Comparativement au bois dur, le contre-plaqué comporte plusieurs avantages. Comme le fil de ses feuilles alterne perpendiculairement, il ne travaille pas. Il peut couvrir de grandes surfaces et est plus résistant par le travers du fil que le bois plein. Dans un assemblage à cadre et panneau (voir le coffre, pp. 256-257), on peut coller des panneaux de contre-plaqué, mais non de bois dur.

On peut prendre du contre-plaqué de qualité aux faces en bois plein, comme de l'acajou ou du bouleau, pour un meuble dont les traverses seront en bois dur. Un contre-plaqué de sapin convient très bien pour le dos d'un meuble ou un fond de tiroir. En général, on ne mélange pas les deux matériaux dans un même meuble, par exemple en fixant un dessus en bois sur des côtés en contre-plaqué.

Avant de vous procurer le contre-plaqué, tracez un plan de coupe sur du papier quadrillé (à droite). Disposez les morceaux pour que le fil suive toujours la même direction, soit, en général, celle de la dimension la plus grande.

Traçage et coupe. Ces deux opérations se font sur la face parement pour éviter l'éclatement du bois, sauf quand on coupe avec une scie radiale, circulaire ou sauteuse. Placez du bois de rebut sous le contre-plaqué et sciez à travers pour éviter l'éclatement. Employez une scie à denture fine (lame de 10 à 15 dents au pouce) ou une lame pour contre-plaqué. La scie doit pénétrer dans le bois à la profondeur d'une dent. Inclinez-la très légèrement si c'est une scie manuelle. Soutenez le contre-plaqué pour l'empêcher de plier pendant le sciage.

Ponçage et planage. Si votre lame est bien affûtée, les rives ne demanderont qu'un léger ponçage. Ne poncez pas la surface pour ne pas abîmer le placage. Si vous devez raboter la rive, faites des passes très minces avec un fer tranchant ou, mieux, poncez-la.

Encollage. Les rives du contre-plaqué boivent énormément ; aussi, étendez une mince couche de colle et attendez qu'elle ait pénétré avant d'en appliquer une autre. Les joints doivent être renforcés avec des tasseaux et des blocs encollés ; les clous et les vis tiennent mal dans un contre-plaqué à noyau de placage. Celui à noyau de bois plein les retient mieux et convient mieux pour le montage des charnières. Plus solide et moins cher, le noyau de placage est préférable dans la plupart des cas.

Les joints doivent cacher au maximum les rives peu attrayantes. Le joint à onglet (p. 239) les dissimule, mais il faut le renforcer. Si on ne peut masquer les rives, on les recouvre d'une moulure ou d'un ruban de placage.

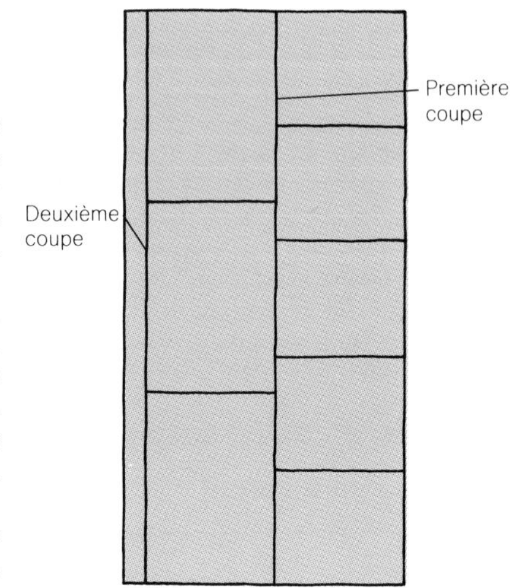

Plan de coupe. Disposez les morceaux pour que les premières coupes se fassent dans toute la longueur ou toute la largeur. Laissez ⅛ po pour le trait de scie. Revérifiez après chaque coupe.

Joints de contre-plaqué

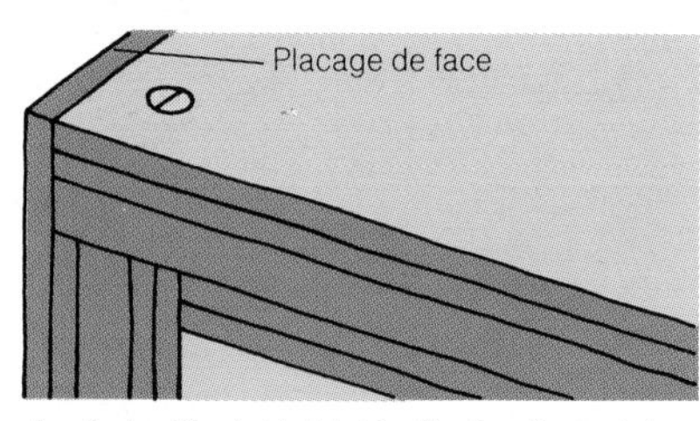

Angle feuilluré. Un joint feuilluré ordinaire laisse la rive exposée. Celle-ci est moins apparente si on évite de couper le placage de face. Renforcez le joint avec des vis ou des blocs encollés.

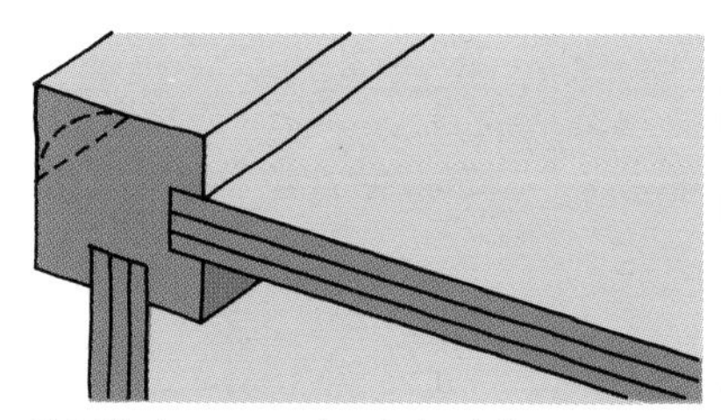

Entaille. Le contre-plaqué s'emboîte sur toute sa longueur dans une traverse en bois plein entaillée. Pour un poteau d'angle — comme un pied —, on arrondit ou biseaute l'angle extérieur (tirets).

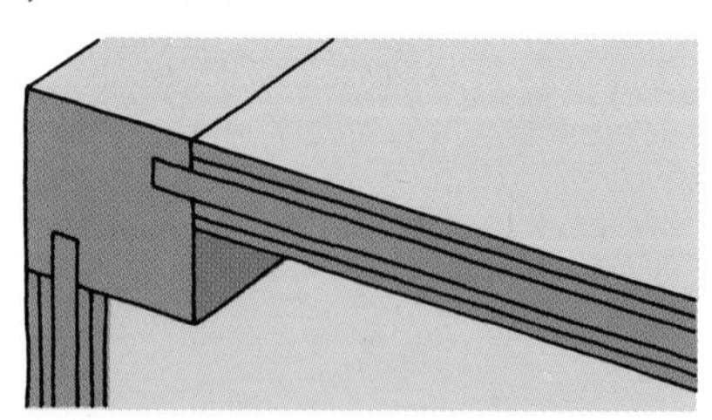

Rainure et languette. La largeur de la rainure, sciée ou toupillée, de la traverse en bois est de l'épaisseur du noyau. Les feuilles sont taillées pour dégager le noyau formant la languette.

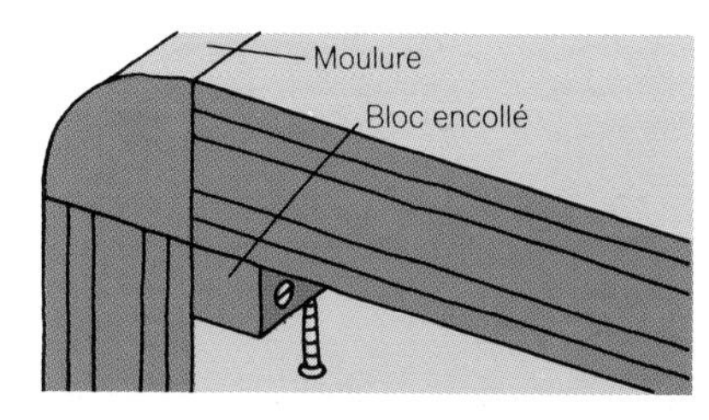

Moulure et bloc encollé. Le contre-plaqué est abouté à un quart-de-rond en bois plein qui masque son grain de bout. Le bloc encollé est vissé et collé pour renforcer l'intérieur du joint.

Finition des rives

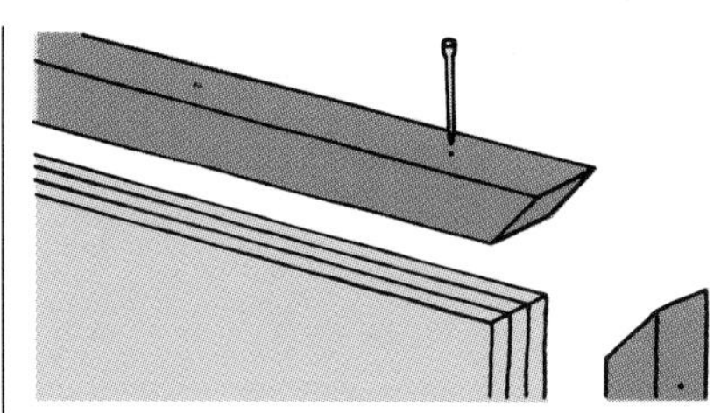

Moulure. Taillez des moulures en bois de ⅜ à ½ po d'épaisseur et un peu plus longues que les rives. Coupez-les en onglet. Collez ; enfoncez des clous à finir dans des avant-trous.

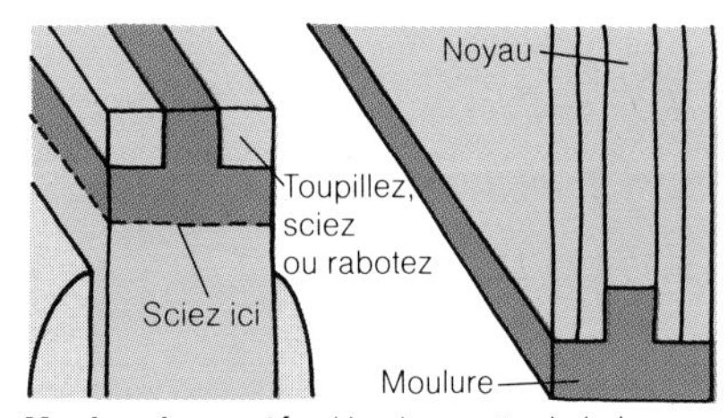

Moulure languetée. Une languette de la largeur du noyau adhère plus solidement. Pour tailler la moulure (à gauche), sciez la languette, puis le rebut. Evidez le noyau à la scie ou à la toupie.

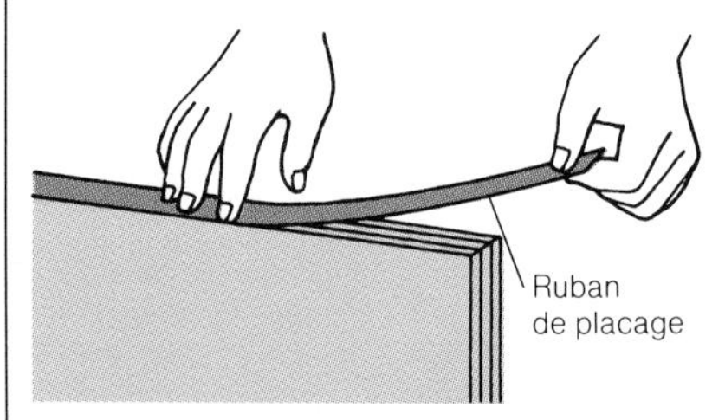

Ruban de placage. Se vend en rouleau. Passez un fer chaud sur le ruban encollé. Sinon, encollez les deux surfaces, laissez pénétrer, appliquez une seconde couche et posez le ruban.

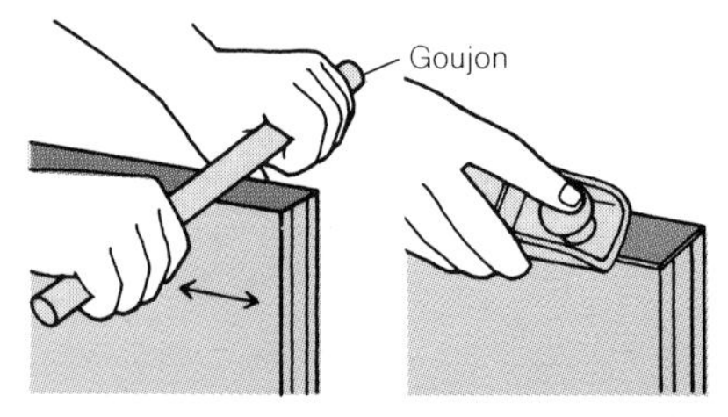

Nettoyage. Faites rouler plusieurs fois un goujon sur le ruban en passant sur les rives pour effacer les crêtes. Coupez le surplus avec un rabot de bout. Poncez légèrement les arêtes.

Menuiserie et ébénisterie

Tournage sur bois

L'art de tourner le bois est peut-être la partie de l'ébénisterie qui offre le plus de satisfaction. On en éprouve autant à faire naître des formes symétriques d'un bloc de bois qu'à tirer une poterie splendide d'une motte de glaise.

Il existe deux façons de tourner. Dans le tournage entre pointes, le carré de bois est retenu entre la poupée fixe et la poupée mobile; les pieds de chaise, de table ou de lampe, ou les colonnes de lit, se font de cette façon. Dans le tournage sur plateau (non traité ici), la plaque de bois est fixée à la poupée fixe par un plateau; les bols, les gobelets et les plateaux sont tournés ainsi.

Vitesse de rotation. Sur un tour équipé de deux paires de poulies actionnées par un moteur, on règle la vitesse en déplaçant une courroie d'une poulie à l'autre. Mais sur un tour à vitesse variable, il suffit de tourner un volant. Pour le dégrossissage et les pièces massives, on tourne à vitesse réduite (900 tr/min). Puis, on augmente jusqu'à 1 400 tr/min pour le façonnage et le lissage. On n'a généralement pas besoin d'une vitesse de rotation supérieure.

Sécurité. Avec le tour comme avec les autres outils électriques, il y a des précautions à prendre. Portez des manches étroites ou roulez-les; boutonnez votre col; portez des lunettes de protection ou un masque; concentrez-vous sur ce que vous faites. Ayez toujours des outils bien affûtés (p. 223) et utilisez souvent vos pierres à repasser et à gouges. Arrêtez le moteur pendant le réglage du porte-outil que vous rapprocherez du carré de bois à mesure que le dégrossissage progresse. Actionnez le tour à la main pour vérifier que le bois ne frotte pas contre le porte-outil. Tenez-vous de côté au moment de mettre en marche. Appuyez votre ciseau sur le porte-outil avant d'attaquer le bois et tenez-le fermement, mais sans creuser pour éviter que l'outil soit projeté. Déplacez toujours le ciseau d'un grand diamètre vers un diamètre plus petit.

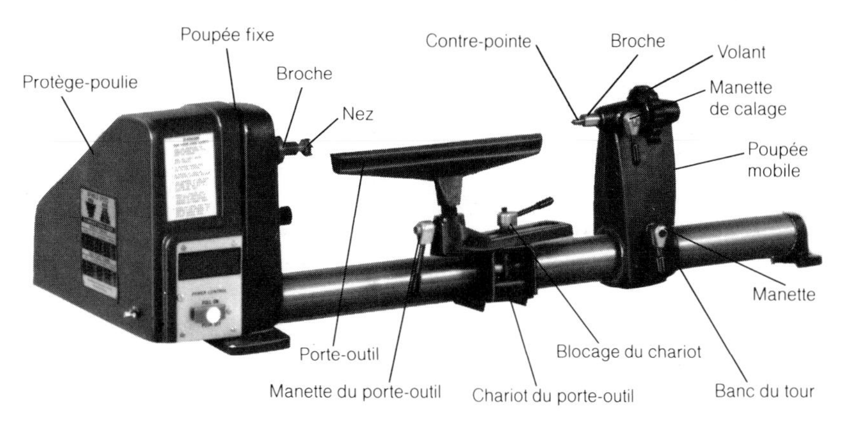

Le tour à bois. La poupée fixe est solidaire de la pointe vive, ou nez, actionnée par un moteur, et qui fait tourner le carré. La poupée mobile glisse sur le banc pour être fixée au point voulu et se serre à l'aide d'une manette. Elle comprend la contre-pointe, ou pointe fixe, qu'on enfonce dans le bois en tournant un volant et qu'on cale en place par une manette. Le chariot du porte-outil se règle de deux façons : le long du banc et parallèlement au carré. On l'immobilise par une manette, tout comme le porte-outil qui s'ajuste verticalement. Le « dégagement » du tour détermine le plus grand diamètre qu'on peut tourner, soit le double de la distance entre le banc et le nez. Il se vend des porte-outils de 24 po pour les pièces très longues. Ils sont soutenus par deux chariots.

Centrage et montage du carré

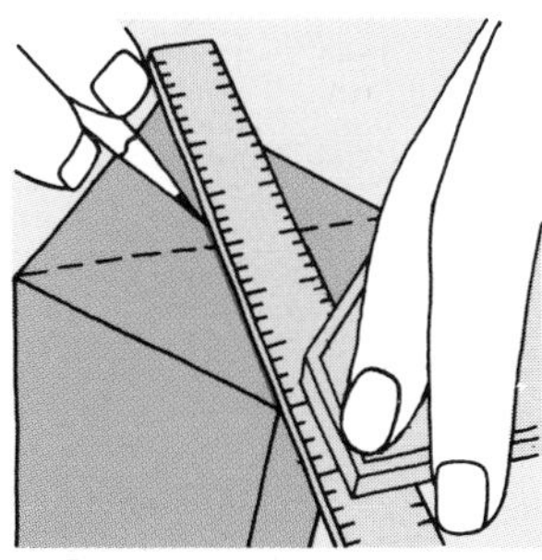

1. Pour centrer les extrémités du carré, tracez des diagonales d'un angle à l'autre avec une équerre à combinaison aboutée contre la rive de la pièce.

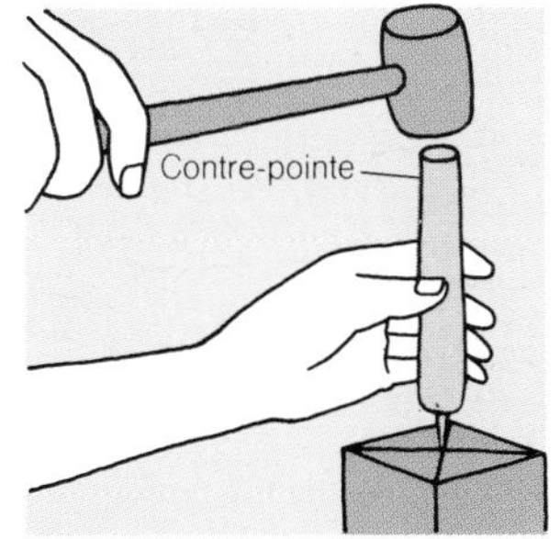

2. Percez un trou avec un poinçon au centre d'une des extrémités et enfoncez-y la contre-pointe avec un maillet. Dégagez-la et fixez-la sur la broche de la poupée mobile.

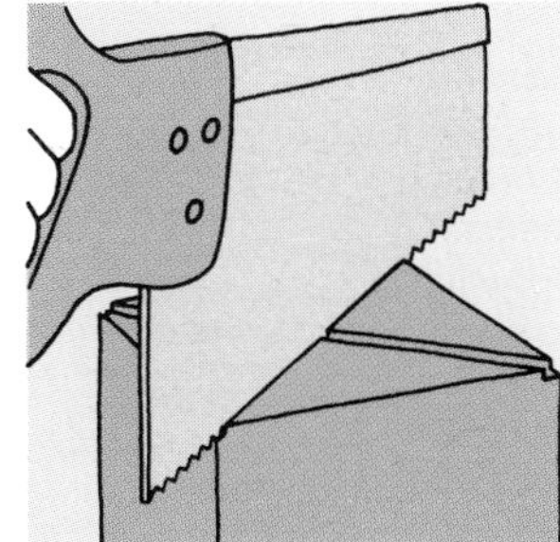

3. Avec une scie à dos, faites des traits de scie de 1/16 po de profondeur dans les diagonales de l'autre extrémité, tracées à l'étape 1, pour les griffes du nez.

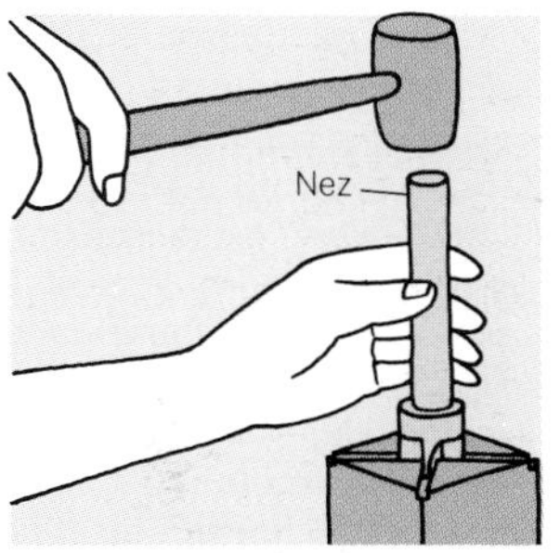

4. Placez le nez sur ces traits de scie et assurez-vous que ses griffes y pénètrent bien. Enfoncez le nez légèrement dans le bois avec un maillet, comme ci-dessus.

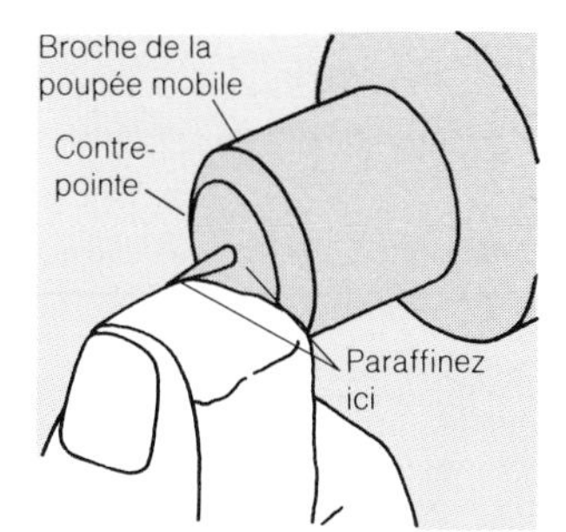

5. Retirez le porte-outil. Lubrifiez la contre-pointe avec de la paraffine ou une bougie. Fixez le nez sur la broche de la poupée fixe et tenez le carré dans cette position.

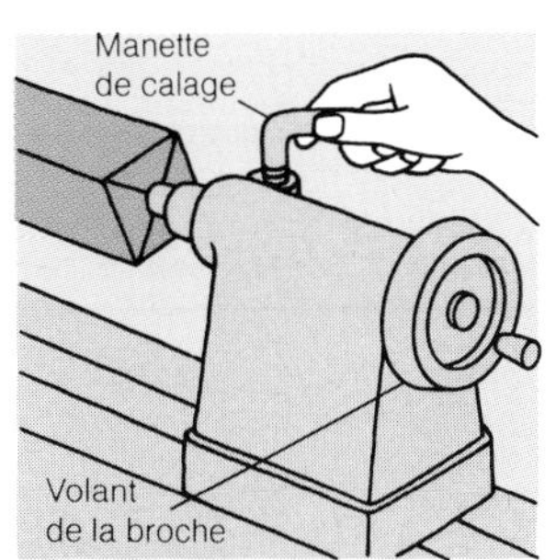

6. Déplacez la poupée mobile pour que la contre-pointe s'enfonce dans le trou ; bloquez la poupée, tournez le volant pour bien serrer la contre-pointe et calez-la.

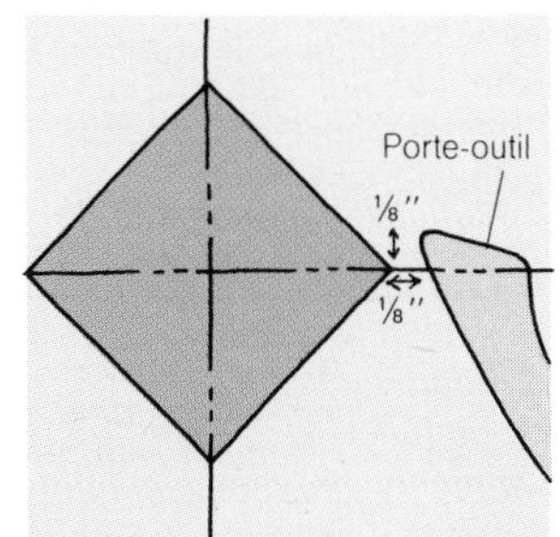

7. Remontez le porte-outil et réglez-le pour qu'il soit plus haut que l'axe du bois de 1/8 po et qu'il en soit éloigné des coins de 1/8 po. Vérifiez en tournant à la main.

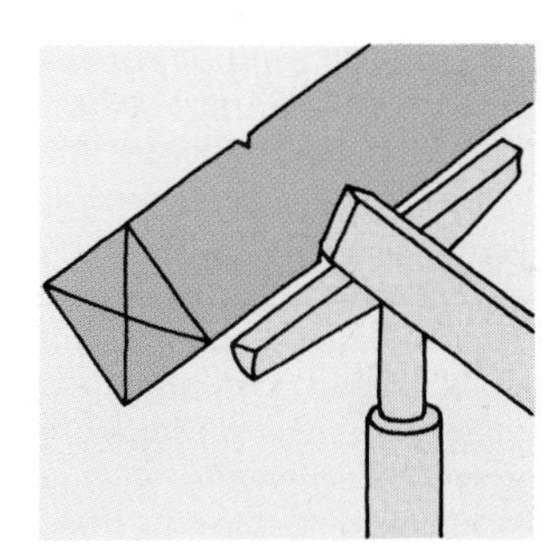

8. Mettez en marche. Entaillez les coins au ciseau à saigner. Arrêtez le moteur. Si toutes les entailles sont identiques, le bois est centré ; sinon, centrez-le avec un maillet.

Menuiserie et ébénisterie

Tournage d'une pièce

Le secret de la coupe — par opposition au raclage —, c'est d'appuyer le biseau de l'outil de telle sorte que le tranchant coupe comme une plane en soulevant une mince « pelure » de bois. Tenez le manche de la main droite et la lame de la main gauche. L'index de la main gauche prend appui contre le porte-outil. Le manche doit se trouver en dessous de la lame de coupe dont le biseau repose à plat contre le bois, le tranchant étant en prise. De cette façon, seule une petite section du tranchant — du milieu au talon pour un ciseau à épauler — coupe le bois. Les outils de tournage doivent être affûtés souvent (p. 223), mais sans micro-biseau et sans évidement laissé par la meule.

Coupe ou raclage. La coupe est la méthode la plus classique. Elle demande beaucoup d'habileté, mais laisse une surface lisse qui n'a à peu près pas besoin d'être poncée. Le raclage est plus lent ; on le maîtrise en général facilement, mais il émousse les outils rapidement, en exige une grande variété et laisse une surface raboteuse qui nécessite un ponçage considérable. A l'exception des saignées, les techniques de ces deux pages illustrent la méthode de coupe.

Les outils. Pour la méthode de coupe, on emploie cinq outils de base : une gouge carrée de ¾ po pour dégrossir ; une gouge à nez rond de ½ po pour profiler les courbes concaves ; des ciseaux à épauler de 1¼ po et de ½ po pour lisser et profiler les autres formes ; et un ciseau à saigner pour les saignées et les coupes de dégagement.

Matériaux. On peut se procurer du bois à tourner — carrés dont la longueur et la largeur varient — chez les marchands de bois d'ébénisterie. Le carré doit être légèrement plus gros que le diamètre définitif, sans nœuds et dressé (p. 232). Exercez-vous sur du bois tendre avant de passer au bois dur. On peut également tourner un carré de bois laminé (pp. 272-273).

Tournage

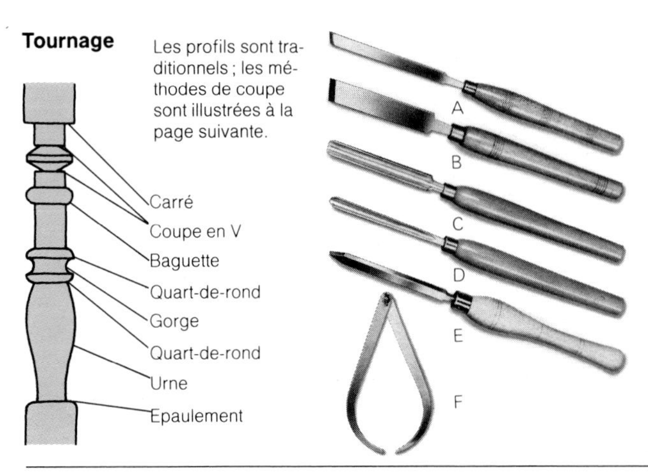

Les profils sont traditionnels ; les méthodes de coupe sont illustrées à la page suivante.

Outils. Les *ciseaux à épauler* (A et B) sont biseautés sur les deux faces et affûtés en onglet. La coupe se fait entre le milieu et le talon du tranchant. La *gouge carrée* (C) dégrossit et la *gouge à nez rond* (D) creuse les gorges ; leur dos est biseauté. Le *ciseau à saigner* (E) fait des coupes carrées. Le *compas d'épaisseur* (F) mesure les diamètres.

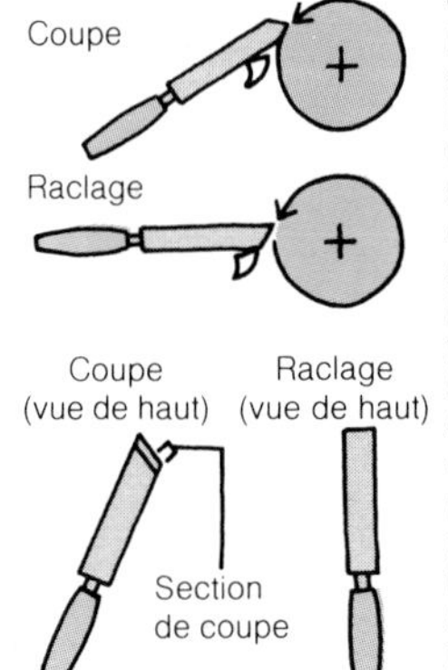

Coupe ou raclage. Pour la coupe, l'angle de la lame contre le carré est légèrement inférieur à 90 degrés. Tenez-la dressée, puis baissez-la jusqu'à ce que le biseau repose contre le bois. La flèche indique la rotation du carré. La lame ne coupe que sur une petite section. Pour le raclage, le ciseau attaque le bois sur tout son tranchant ou selon une faible inclinaison.

Tournage. Mettez le tour en marche à vitesse réduite et attaquez le carré avec une grosse gouge (voir le texte). **1.** Déplacez-la de gauche à droite, puis inversez. Elle forme un angle de 90 degrés avec le carré ; son tranchant est légèrement relevé et sa courbure est dans le sens du déplacement. La coupe se fait du milieu du tranchant au coin droit. **2.** Pour couper vers le nez du tour, inversez la courbure. La coupe se fait maintenant du milieu du tranchant au coin gauche. **3.** Lissez le carré cylindré, mais encore raboteux, avec un gros ciseau à épauler. Tenez le biseau légèrement de biais et amorcez la passe d'une extrémité à l'autre ; inversez-la ainsi que l'angle du ciseau. Arrêtez le moteur. Vérifiez la rectitude en aboutant la lame d'une équerre de menuisier contre le cylindre et en le tournant à la main. **4.** Tracez un plan pleine grandeur des profils, indiquez les principaux diamètres et pliez-le en deux dans le sens de la longueur. Tenez-le contre le cylindre que vous tournerez à la main pendant le report des détails au crayon. **5.** Dégrossissez au ciseau à épauler ou à saigner jusqu'à 1/16 po du diamètre définitif. **6.** Les saignées se font à un angle de 90 degrés et du côté de la partie à enlever à cause des stries qu'elles laissent. **7.** Mesurez-les avec le compas d'épaisseur, puis reportez les diamètres sur une règle. Façonnez les profils (voir page suivante). **8.** Découpez le gabarit et vérifiez le résultat final.

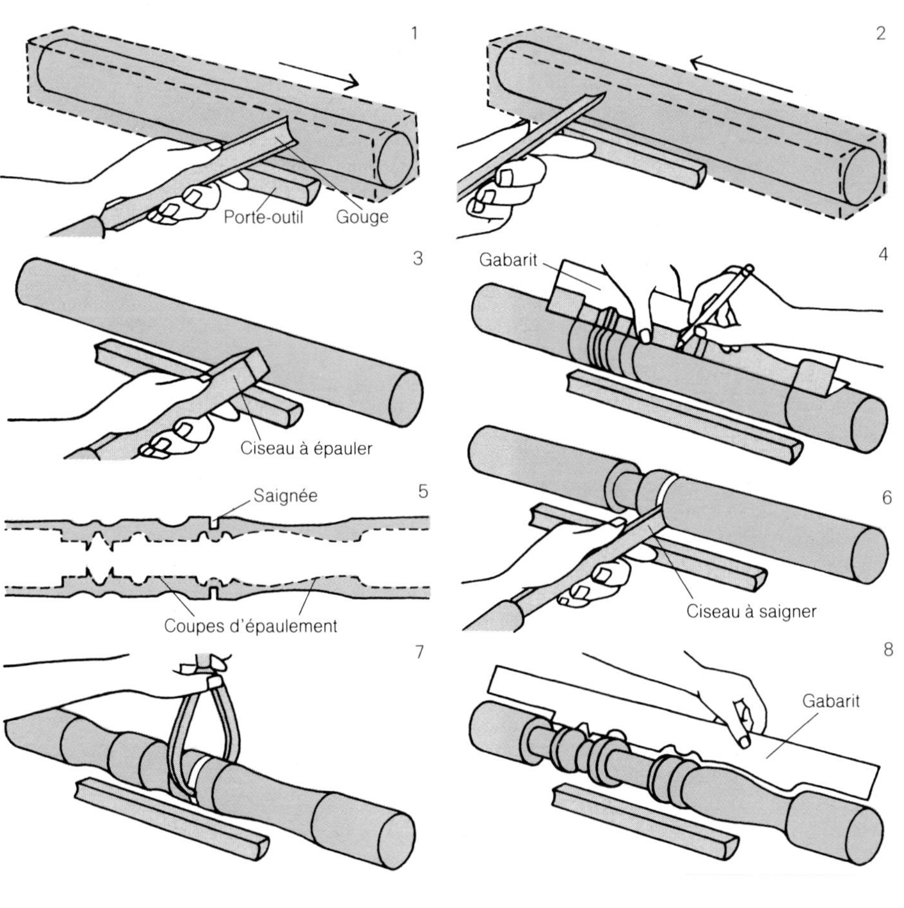

Epaulements, baguettes, coupes en V, gorges, courbes et cônes

Carré. L'angle de vue est celui du tourneur penché sur le tour. Les tirets indiquent les mises en forme. **1.** Amorcez la coupe de la pointe du ciseau, mais sans forcer pour ne pas brûler le métal. **2.** Faites une coupe de dégagement en appuyant du milieu du tranchant au talon. **3.** Lissez le plat du carré en coupant avec le talon, le biseau contre le bois. Recommencez jusqu'à la profondeur finale.

Epaulement. 1. Faites une saignée avec le talon à l'endroit du plus petit diamètre. **2.** Tenez le biseau à plat au niveau du profil supérieur ; abaissez le manche jusqu'à ce que le tranchant soit engagé près du talon. Déplacez le ciseau vers le fond. **3.** Continuez la coupe jusqu'à ce que le talon façonne le tarabiscot à la base de l'épaulement. Terminez avec le tranchant de la lame à la verticale.

Baguette. Chaque flanc d'une baguette s'exécute par une rapide torsion du poignet, contrairement à l'épaulement où tout le bras bougeait. **1.** Amorcez le tarabiscot avec la pointe du ciseau à épauler. **2.** Attaquez le profil supérieur avec le talon. **3.** Redescendez vers le fond et terminez verticalement. Vous obtenez un quart-de-rond. Pour terminer la baguette, recommencez en sens inverse, en coupant avec l'autre biseau.

Coupe en V. Le profil de deux coupes en V ressemble à la baguette. Marquez le centre et le fond de la coupe. **1.** Amorcez le tarabiscot avec la pointe. **2.** Attaquez le profil supérieur avec le talon, le biseau contre le bois. Inclinez l'arête à l'angle voulu et coupez vers le fond avec le talon. Un petit V se fait d'une seule passe ; il en faut plusieurs s'il est profond. **3.** Inversez le ciseau pour couper l'autre moitié.

Gorge. 1. Tenez la gouge à nez rond presque à plat au-dessus du cylindre ; attaquez avec l'arête en une légère passe pour avoir un plat où appuyer le biseau pour l'éviter de sauter. **2.** Arrondissez à la gouge, sans que le biseau quitte le bois et en coupant avec une section de l'arête, juste sous le milieu du tranchant. **3.** La gouge repose sur le dos dans le fond de la gorge. Inversez pour l'autre côté.

Courbes et cônes. Faites une coupe de dégagement au diamètre voulu (p. 248). Prenez un ciseau à épaulement pour les courbes. **1.** Coupez vers les fonds en tenant le ciseau dans le sens du déplacement. **2.** Dans un creux très étroit, faites une gorge d'un diamètre supérieur avec la gouge à nez rond. **3.** Pour le cône, profilez aux bouts et au milieu. Evidez entre les profils par des passes vers les fonds.

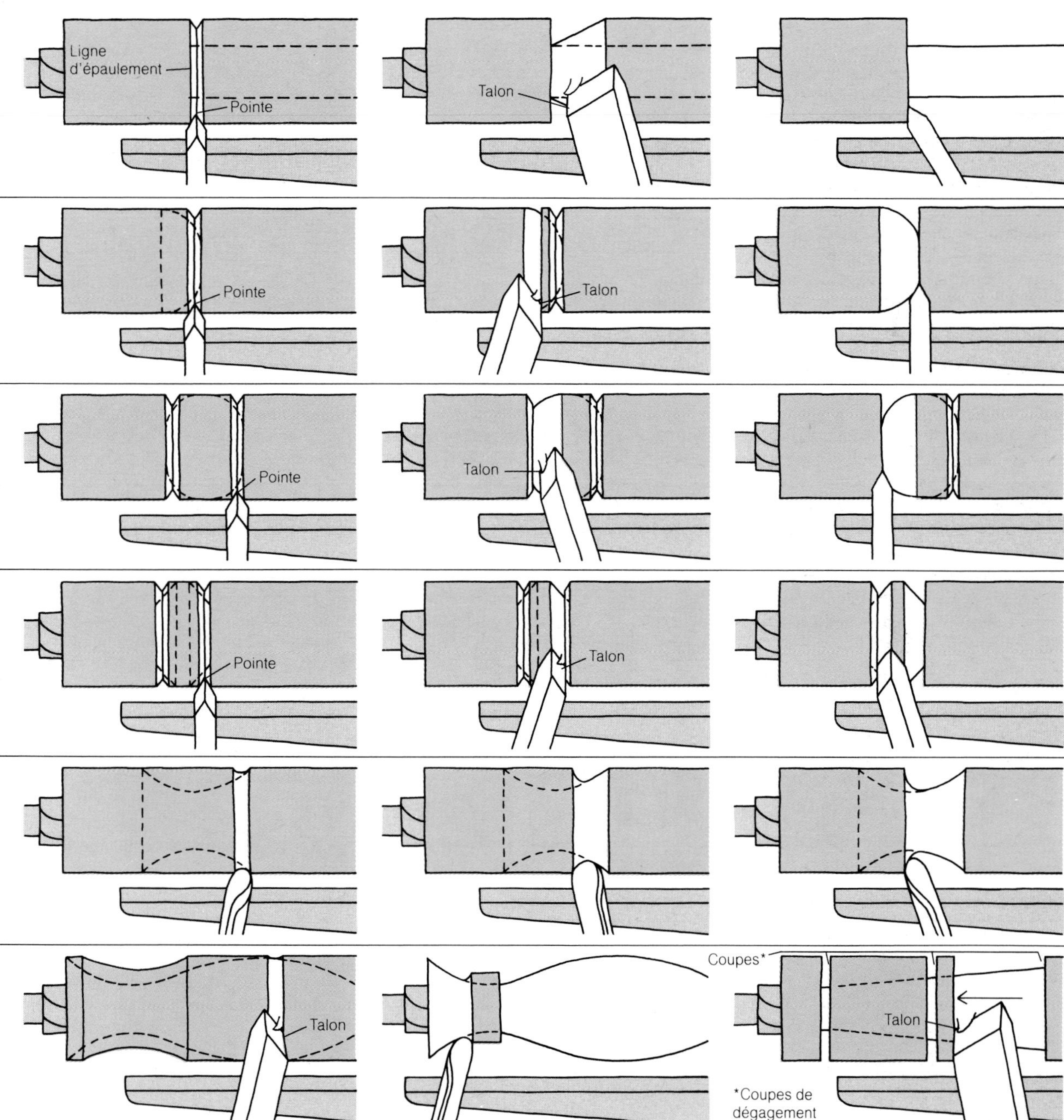

Menuiserie et ébénisterie

Finition du bois

Il existe deux grandes catégories de finis pour bois. Les produits de la première restent en surface et protègent le bois en bouchant les pores. Ce sont les trois premiers du tableau ci-dessous: le vernis, la gomme laque et la laque.

La seconde catégorie regroupe les finis pénétrants. Ceux-ci sont absorbés par le bois dont, dans certains cas, ils modifient la structure chimique. Ce sont, entre autres, l'huile de lin bouillie, l'huile d'abrasin et les vernis d'imprégnation. On les verra en détail plus loin et le tableau résume leurs propriétés.

Certaines règles s'appliquent pour toutes les opérations de finissage. Ainsi, la température de l'atelier doit être d'au moins 18°C. La pièce doit être propre et dépoussiérée. C'est surtout important pour le vernis qui met longtemps à sécher. Augmentez le temps de séchage si le temps est humide. Pour poncer ou appliquer une teinture et un fini, travaillez dans le sens du fil; pour les bouche-pores et la première couche de vernis, travaillez dans le sens et par le travers du fil. La surface à teindre ou à finir doit, si possible, être à l'horizontale.

Les étapes du finissage sont : ponçage, teinture (facultatif), application d'un bouche-pores (seulement sur un bois à grain ouvert, voir p. 226), scellement (pour les finis de surface), application du fini et frottage.

Ponçage. Le planage avec un rabot à repasser suivi d'un très léger ponçage constitue la meilleure façon de préparer une surface. Sur une surface lisse, commencez avec du papier n° 120 et enchaînez avec du 220 pour les bois tendres et du 280 pour les bois durs. Quand la surface est satinée, mouillez-la pour soulever le grain et laissez sécher avant de poncer encore avec un papier très fin.

Finis pour bois

FINI	BRILLANCE	COULEUR	SOLVANT/ DILUANT	COUCHES	INTERVALLES	APPLICATION	RÉSISTANCE À L'EAU
Vernis	Brillant; semi-brillant; satiné	Clair à brun foncé	Térébenthine	2-3	24 h (huile); 12 h (polyuréthane)	Pinceau ou aérosol	Assez bonne
Gomme laque	Semi-brillante	Clair; fonce un peu le bois	Alcool dénaturé	3-4	3 h après la première couche; 1 h de plus pour les autres	Pinceau (soies naturelles)	Médiocre
Laque	Mat à grand brillant	Clair; fonce peu le bois	Diluant à laque	2-3	5 h; 24 h avant la dernière couche	Pinceau (soies naturelles) ou aérosol	Très bonne
Vernis d'imprégnation	Le bois semble nu	Fonce beaucoup le bois	Térébenthine. Ne pas diluer	1-2	12 h	Versez; étalez au chiffon ou au pinceau	Assez bonne
Huile d'abrasin	Mat à semi-brillant	Fonce un peu le bois	Térébenthine	1-2	24 h ou plus	Frottez (chiffon, main ou feutre)	Bonne

Nettoyez la surface avec un aspirateur; essuyez-la avec un chiffon autocollant au fini « poisseux ».

Teintures. Les teintures s'emploient principalement dans deux cas : pour colorer un bois pâle comme le pin et le peuplier, ou pour souligner les veinures et accentuer la couleur des autres bois. Faites d'abord un essai sur un morceau de rebut de la même essence, puis appliquez une couche de fini pour voir ce que ça donnera. Les propriétés des teintures employées pour les meubles sont décrites plus bas.

Ne couvrez pas davantage qu'une section que vous pourrez teindre et essuyer (si c'est une teinture à essuyer) en 15 minutes. Commencez par le dos, les côtés, le devant et les faces des tiroirs, en gardant le dessus pour la fin. Passez une couche de gomme laque diluée sur le grain de bout avant de le teindre; sinon, il paraîtrait plus foncé que le reste parce qu'il boit davantage. Travaillez au pinceau dans le sens du fil en commençant à 1 po du bord et passez dans les deux sens pour ne pas faire de crêtes sur les bords.

Teintures à l'huile pénétrantes. Prêt à être employé, ce type de teinture s'applique facilement et pénètre profondément dans le bois, surtout si le grain est ouvert. Employez une teinture correspondant au bois indiqué par sa couleur — noyer sur du noyer — parce que le résultat serait différent sur un autre bois. Etalez-la avec un pinceau large et souple. Après un temps de pénétration uniforme pour toutes les parties, essuyez-la avec un chiffon. La société Minwax vend une teinture à l'huile pénétrante qui sert aussi de fini; ensuite, on la polit ou on l'enduit d'une couche de cire en pâte ou d'huile; on peut aussi la recouvrir d'un autre fini. La teinture à l'huile pénétrante saigne à travers le vernis, la laque ou le bouche-pores. Pour éviter cela, appliquez une couche de gomme laque après avoir laissé sécher la teinture pendant 24 heures.

Teintures à l'huile pigmentées. Ces teintures qui s'appliquent aussi au pinceau et qu'on doit essuyer diffèrent des teintures à l'huile pénétrantes parce que les pigments demeurent à la surface du bois au lieu de le pénétrer. Leur couleur pâlit au bout d'une assez longue période. Elles s'étalent facilement. Versez un peu plus d'une chopine de térébenthine dans un récipient en métal et ajoutez ½ lb de colorant, 6 oz d'huile de lin bouillie et ½ oz de siccatif, dans cet ordre. Mélangez après chaque addition et pendant l'application. Assurez-vous de poncer uniformément parce que toute partie qui n'est pas lisse ressortira plus tard. Laissez sécher pendant 24 heures. Appliquez une couche de gomme laque avant le bouche-pores. Cette teinture tient mieux sur les bois tendres.

Les teintures à l'eau. On les obtient en mélangeant de la teinture aniline avec de l'eau bouillante, mais qu'on a ramenée juste au point d'ébullition. Comme cette teinture soulève le grain, il faut d'abord mouiller le bois, laisser sécher, puis poncer avec un papier très fin. Quoiqu'elle s'applique moins bien que la teinture à l'huile, la teinture à l'eau donne un fini clair, permanent et en profondeur. Elle convient mieux aux bois durs à grain serré. Laissez sécher 4 heures. Appliquez au moins deux couches; chaque fois, le bois foncera un peu plus. N'employez pas sur du bois déjà fini.

Teintures à l'alcool. Elles ne soulèvent pas le grain, sèchent extrêmement vite — de quelques minutes à 3 heures, selon la marque — et s'appliquent difficilement sur de grandes surfaces, où elles laissent des crêtes. On les prépare en diluant une teinture en poudre soluble dans de l'alcool dénaturé — environ ½ oz de teinture par pinte d'alcool. Le résultat est meilleur sur du bois dur à grain serré. La teinture peut traverser un fini déjà appliqué et on l'emploie souvent pour des retouches. Elle pâlit avec le temps.

Bouche-pores. Ce produit s'emploie sur les bois à grain ouvert (p. 226) et est inutile sur les autres. Il est vendu en pâte et en liquide, mais on conseille surtout la pâte. Diluez-le avec de la térébenthine jusqu'à ce qu'il ait la consistance d'une peinture murale épaisse, puis appliquez-le au pinceau d'abord par le travers du fil, puis dans le sens du fil. Quand le bouche-pores est gris ou terne, après 10 à 15 minutes, essuyez-le avec un chiffon rugueux, comme du jute. Passez-le par le travers du fil, puis dans le sens du fil. Laissez sécher toute la nuit.

Produit de scellement. On l'applique par-dessus les précédents pour éviter tout saignement. C'est habituellement 2 volumes de gomme laque coupée à 5 lb (voir ci-dessous) diluée dans 1 volume d'alcool dénaturé. On peut aussi employer du vernis ou de la laque dilués à parties égales avec du diluant, mais jamais sur de la teinture à l'huile.

Fini définitif. Choisissez un fini en fonction du bois et de l'utilisation de la pièce. Le bois aura un aspect naturel avec un fini pénétrant et plus traditionnel avec un fini de surface.

Vernis. Plusieurs produits sont vendus sous le nom de « vernis ». Le polyuréthane, un vernis synthétique, est parfait pour les dessus de table qu'il protège contre les liquides et l'alcool. Ne diluez pas un vernis, sauf si c'est pour sceller (voir ci-dessus). Appliquez la première couche par le travers du fil avec un pinceau chargé pour le faire couler. Ensuite, repassez dans le sens du fil avec un pinceau sec, en allant d'une rive à l'autre en un mouvement continu pour chasser les bulles d'air. Poncez entre les couches avec de la laine d'acier 4/0 pour obtenir un fini brillant ou 3/0 pour un fini satiné ou mat.

Gomme laque. C'est le fini de surface le plus facile à employer. Comme la gomme laque sèche plus vite que le vernis, la poussière n'est pas un risque. Par ailleurs, étant donné que ce produit se détériore au bout de quatre à six mois, vérifiez-en la date de péremption. La gomme laque se vend « coupée » à 5 lb ou à 3 lb, ce qui représente la quantité de résine dissoute dans 1 gal d'alcool dénaturé. Trois ou quatre couches de gomme laque coupée à 3 lb sont suffisantes ; on ponce entre les couches avec un papier ou de la laine d'acier très fins. On obtient un fini plus lustré avec plus de couches et une coupe plus diluée. Ajoutez 1 chop d'alcool dénaturé à de la gomme coupée à 5 lb pour obtenir une coupe à 3 lb, ou ½ chop si elle est coupée à 4 lb. N'appliquez pas de gomme laque par temps humide. Lavez le pinceau à l'eau chaude et savonneuse et rincez-le après chaque couche. N'employez pas de pinceau en nylon, car l'alcool en abîmerait les soies.

Laque. Sauf pour ôter de la poussière ou des crêtes, la laque n'a pas besoin d'être poncée entre les couches. Elle peut donner un fini brillant comme du verre ou un fini mat. Dans les deux cas, elle sèche très rapidement. Elle se vend pour application au pinceau ou en aérosol. Cette dernière formule sèche plus vite que l'autre et ne devrait pas être étalée au pinceau ; par contre, l'inverse est possible. Les teintures, les bouche-pores, le palissandre et l'acajou saignent à travers la laque. Il faut donc les sceller avec de la gomme laque diluée (voir ci-dessus) et ne pas poncer celle-ci.

Vernis d'imprégnation. Souvent qualifié de fini « naturel » ou « danois », c'est le plus facile à appliquer de tous les finis. Il pénètre le bois, dont il renforce les fibres, et lui donne une patine couleur miel très résistante. Imbibez abondamment le bois et laissez pénétrer selon le temps prescrit par le fabricant ; ajoutez du produit si des taches ternes apparaissent. Essuyez le surplus au bout du délai d'imprégnation — 45 minutes environ. Laissez sécher pendant la nuit, passez un chiffon autocollant, appliquez une autre couche et essuyez au bout de 30 minutes. Frottez les éraflures avec de la laine d'acier et appliquez plus de vernis.

L'huile d'abrasin se vend sous deux formes : pure ou additionnée de vernis et d'autres substances. L'huile d'abrasin pure est pénétrante et donne un fini satiné ; le vernis d'huile d'abrasin pénètre aussi le bois et forme une pellicule semi-brillante en surface. Tout comme pour l'huile de lin, il faut frotter vigoureusement l'huile d'abrasin parce que c'est la chaleur qui la fait pénétrer.

Frottage. Cette dernière étape du finissage est inutile avec le vernis d'imprégnation ou l'huile d'abrasin. Il peut s'agir simplement de supprimer les imperfections et d'atténuer un grand brillant avec une laine d'acier 4/0. Ou encore on emploie un papier de verre mouillé/sec (p. 228) avant de polir avec une cire en pâte. Appliquez au moins trois couches du fini à frotter et laissez sécher la dernière pendant 48 heures.

Prenez un tampon de laine d'acier que vous retournerez à mesure qu'il s'use et frottez dans le sens du fil. Portez des gants de caoutchouc. Ne frottez que le temps nécessaire pour obtenir le fini voulu. Sur du bois à grain ouvert, employez du papier abrasif mouillé/sec très fin. Le papier abrasif mouillé/sec donne un fini satiné. Trempez-le dans de l'eau (dans de l'huile pour la gomme laque). Choisissez-le très fin (500 ou 600). Frottez-en la surface dans le sens du fil et sur une section à la fois sans trop appuyer. Gardez-le mouillé. Essuyez avec un chiffon propre trempé dans de l'eau, ou de la benzine si le lubrifiant était de l'huile. Ce procédé peut s'appliquer entre les couches de fini.

La plupart des spécialistes emploient, pour la dernière couche, une cire en pâte ou, pour la laque, un produit semblable à la cire pour automobile. Appliquez avec un chiffon mouillé, frottez vigoureusement et essuyez le surplus avec un chiffon propre.

Décapage d'un vieux fini

Pour refaire le fini d'un vieux meuble, on procède comme pour le fini d'un meuble neuf, mais après l'avoir décapé et réparé. Bien utilisés, les décapants chimiques sont le meilleur moyen d'enlever une vieille couche de finition sans endommager le bois. Ne poncez que pour nettoyer, car vous pourriez abîmer la patine qui s'est formée avec le temps.

Comme le décapant à peinture est très inflammable, travaillez dehors et à l'ombre ou dans une pièce très bien ventilée. Mettez des gants de caoutchouc et portez de vieux vêtements. Etalez des journaux par terre. Jetez sans attendre les chiffons, pinceaux et journaux utilisés.

Le décapant se vend en liquide ou en pâte. Le liquide est plus efficace, mais la pâte convient mieux pour les surfaces verticales quand on ne peut pas coucher le meuble. Certains liquides se grattent avec un couteau à mastic ou un grattoir ; d'autres se lavent à l'eau — dehors, vous pouvez utiliser un tuyau d'arrosage. Prévoyez environ 1 pte de décapant pour 100 pi². Décapez par section pour que le produit n'ait pas le temps de sécher avant que vous l'enleviez. Appliquez généreusement avec un vieux pinceau aux soies naturelles et suivez les directives du fabricant quant au temps de ramolissage. Faites attention de ne pas abîmer le bois avec le couteau à mastic ou le grattoir. Frottez les courbes avec du jute ou de la grosse laine d'acier. Utilisez de la ficelle pour les creux des parties tournées ou encore un morceau de jute entortillé. Si le fini est épais et résistant, recommencez.

Quand il ne reste plus rien du vieux fini, frottez la surface avec des chiffons enduits de térébenthine, de diluant à laque ou d'un nettoyeur à bois conçu spécialement à cette fin. Vous enlèverez ainsi toute trace de décapant qui pourrait empêcher le nouveau fini d'adhérer au bois.

Laissez sécher le meuble pendant la nuit, puis poncez-le. Le papier de silex n'est pas cher, mais il s'encrasse très rapidement. Faites les réparations qui s'imposent. Supprimez les entailles en passant un fer à vapeur très chaud sur un chiffon mouillé plié en deux. Collez les pièces qui ont du jeu, bouchez les fissures et les creux avec de la pâte à bois ou un bâton de gomme laque, ou encore un mélange fait de colle et de sciure. Poncez les réparations et teignez-les au besoin. Appliquez ensuite le nouveau fini.

Menuiserie et ébénisterie/projets

Coffret à bijoux aux joints à charnons

Ce joli coffret, en noyer foncé, de 9 po sur 18 sur 4⅜ se distingue par les joints à charnons de son double couvercle. C'est un projet parfait pour un apprenti ébéniste. On peut y garder des bijoux — les plus petits se rangeant dans les compartiments du plateau — ou l'utiliser pour l'argenterie après l'avoir garni d'un tissu antitaches ainsi que d'un croisillon encoché.

Matériaux et outils. Le bois est du noyer foncé. Le fond est en contreplaqué. Il vous faudra des goujons de 3⁄16 po pour les joints feuillurés, des vis pour les boutons, des pointes de ½ po pour le fond, une baguette d'acier de 1⁄16 po pour les joints à charnons et du velours pour le fond du coffret et les compartiments du plateau, ainsi que quatre serres d'un écartement de 2 pi.

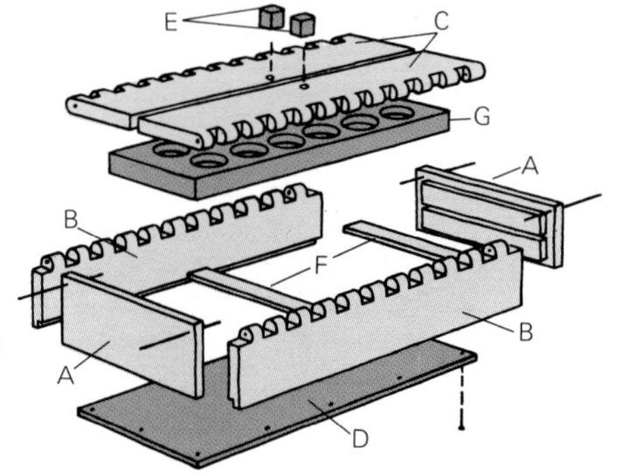

En s'ouvrant, le couvercle montre un plateau posé sur d'étroits tasseaux (F, à droite) collés dans les rainures des bouts. Le fond s'emboîte dans les bouts et les côtés. Le couvercle se ferme sur des feuillures de ¾ po sur 3⁄16 coupées sur la rive supérieure des bouts.

Pièces		Dimensions finies (pouces)	Quantité
A	Bout	⅝ × 4⅜ × 9	2
B	Côté	⅝ × 4⅜ × 17¼	2
C	Couvercle	¾ × 4½ × 17⅛	2
D	Fond (contre-plaqué)	⅛ × 8⅛ × 17¼	1
E	Bouton	⅜ × ⅝ × ⅝	2
F	Tasseau	⅛ × ¾ × 7⅝	2
G	Plateau	1 5⁄16 × 5 3⁄16 × 16½	1

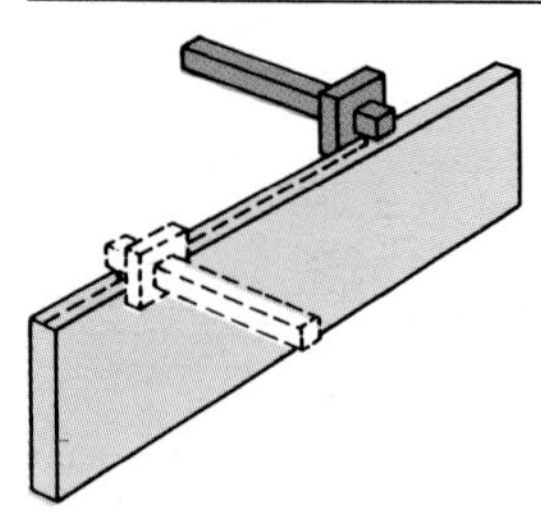

Joints à charnons. 1. Tracez la ligne médiane sur les rives des côtés et des couvercles en tenant le trusquin d'un côté, puis de l'autre, jusqu'à ce que les deux tracés se confondent.

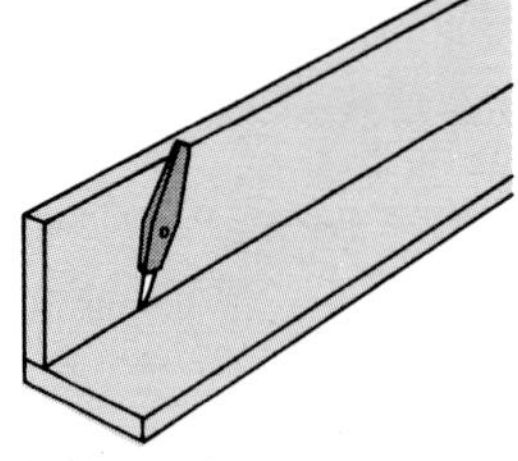

2. Tracez l'épaulement du joint en reportant l'épaisseur du couvercle sur le côté et celle du côté sur le couvercle. Le couvercle a ⅛ po d'épaisseur de plus que le côté.

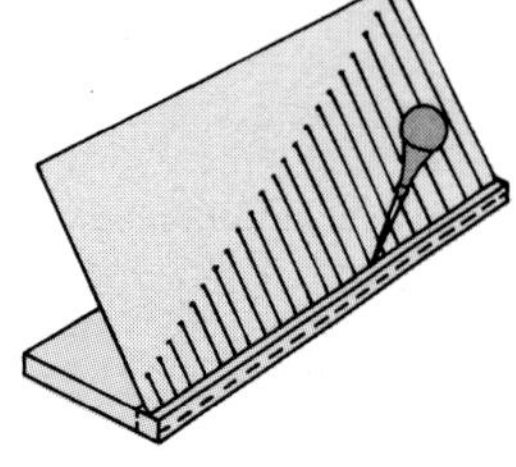

3. Divisez les rives du couvercle en 23 parties égales (voir la méthode à la page 230). Fixez par paires côtés et couvercle, face contre face, et reportez le tracé jusqu'à l'épaulement.

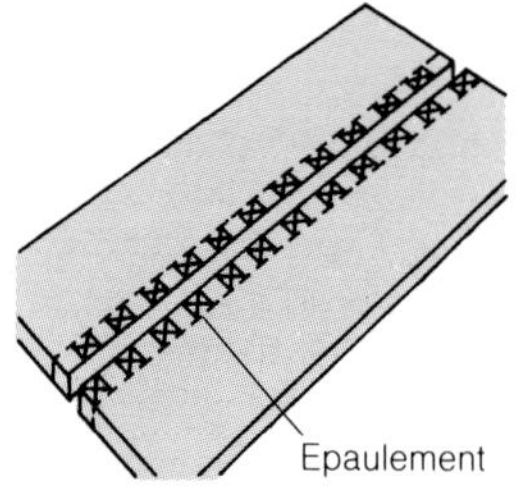

4. Tracez un X tous les deux espaces sur chaque rive pour le rebut et faites des traits de scie dans l'épaulement du côté du rebut. Répétez le processus sur les quatre morceaux.

5. Arrondissez les arêtes du joint à la râpe. Tenez-la à 45 degrés ; passez-la en un mouvement de va-et-vient, sur toute la longueur. Coupez les coins (voir l'illustration suivante).

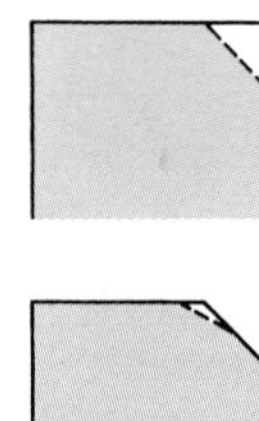

6. La première passe supprime l'angle, la seconde ceux laissés par la première. Continuez avec des passes à plat jusqu'à ce que l'arête soit arrondie. Rabotez de la même façon.

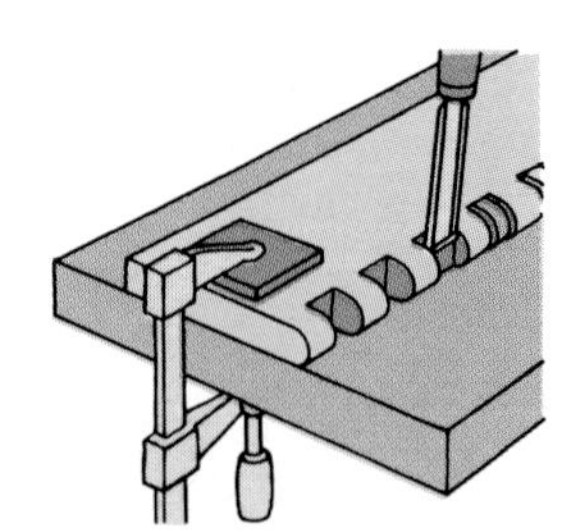

7. Sciez le rebut et mortaisez comme pour un joint à queue d'aronde (p. 238). Poncez avec du papier abrasif fixé sur un rebut avivé et taillé pour s'insérer dans les mortaises.

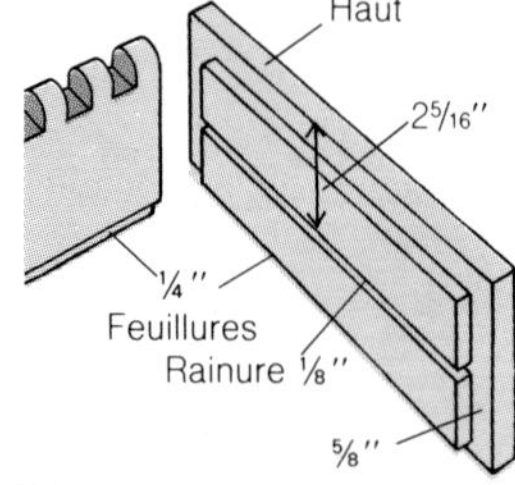

Joints. 8. Feuillurez (pp. 236-237) et rainurez les bouts sur ¼ po de profondeur et selon les largeurs indiquées. Rainurez les rives du bas des côtés de ¼ po sur ¼ po.

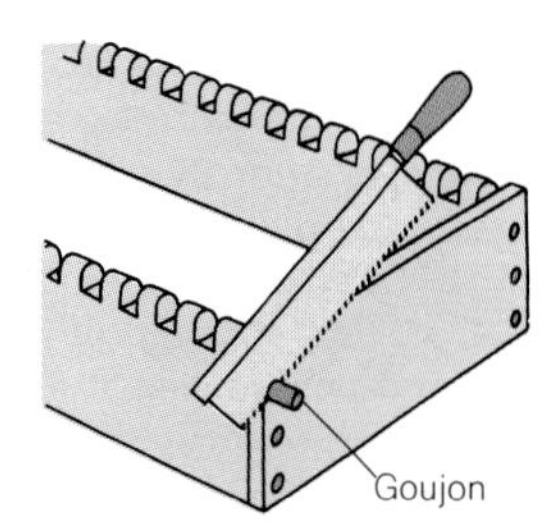

9. Collez les bouts aux côtés. Forez des trous pour les goujons de 3⁄16 po. Collez ceux-ci. Une fois secs, coupez-les et poncez-les. Collez les tasseaux dans les rainures.

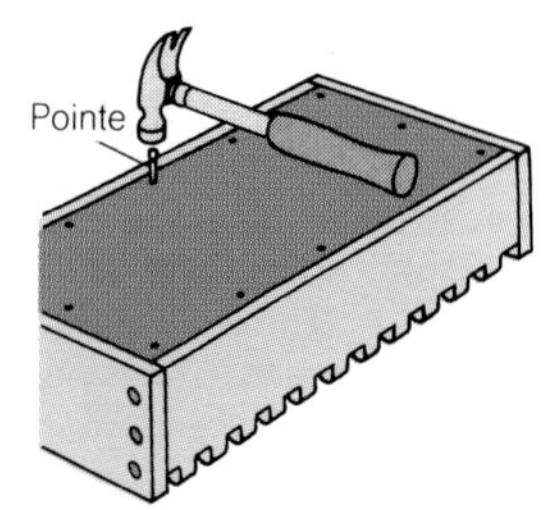

10. Collez le fond aux côtés et aux bouts feuillurés. Quand la colle est sèche, renforcez le joint avec des pointes de ½ po clouées à des intervalles d'environ 4 po.

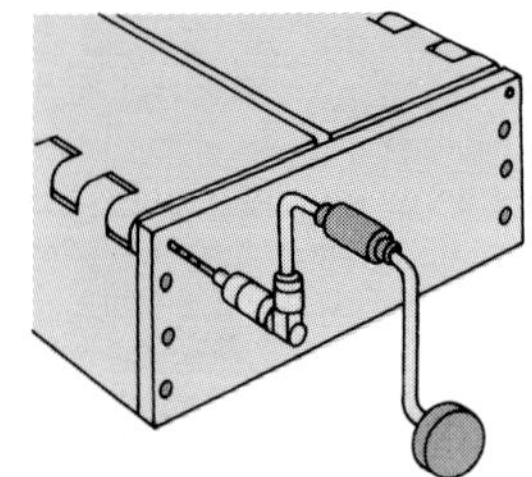

11. Percez des trous de 1⁄16 po dans les bouts. Clouez des pointes dans les deux premiers charnons et manœuvrez le couvercle. Remplacez les pointes par la tige d'acier.

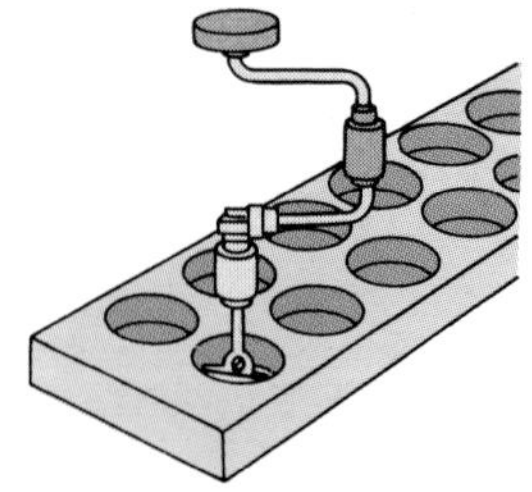

12. Dans le plateau, percez 12 trous de 2 po de diamètre et de ¾ po de profondeur avec une mèche à trois pointes ou à couronne dentée. Posez le velours et les boutons.

Une ravissante petite boîte

Un seul morceau de bois 5/4 (1¼ po) sur 6 po sur 27 suffit. Rabotez le bois à 1 po d'épaisseur avant de tracer les coupes (extrême droite, au centre). Les gabarits pour la toupie (extrême droite, en bas) sont en contre-plaqué de ¾ po vissé à du bois avivé de 1 po d'épaisseur. Leurs dimensions sont déterminées par l'écart entre la rive de la base de la toupie et la mèche.

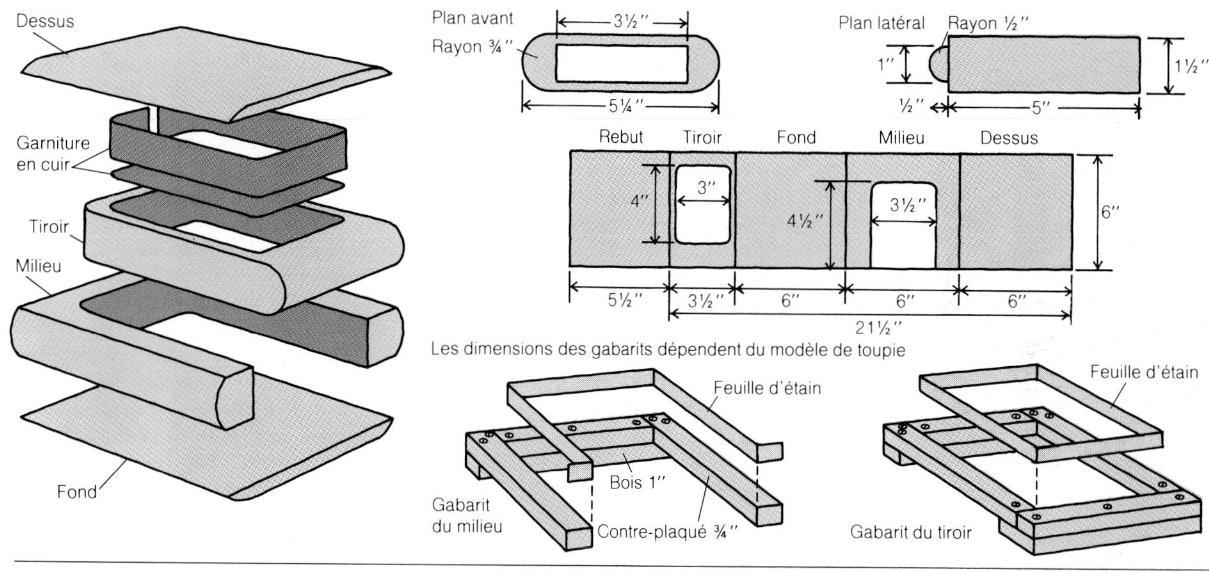

Cette ravissante boîte tapissée de cuir et mesurant 5¼ po sur 5½ sur 1½ est faite dans un seul morceau de bois d'amarante. On pourrait aussi employer un autre bois dur, comme l'acajou (plus facile à travailler). Le fil du bois doit être droit et régulier.

La boîte a été conçue pour être faite à la toupie (p. 224). La précision de celle-ci dépend des gabarits dont toutes les parties doivent être d'équerre (p. 232); vérifiez les gabarits avec des morceaux de rebut. Bordez chaque gabarit d'une mince feuille d'étain ou d'un carton. Toupillez le rebut avec une mèche cylindrique de 1 po; faites plusieurs passes, chacune toujours un peu plus profonde que la précédente. Enlevez l'étain et passez la toupie encore une fois.

Finition. Appliquez deux couches de vernis d'imprégnation (pp. 250, 251), puis une troisième après 24 heures, avec du papier abrasif mouillé/sec nº 400. Pour l'intérieur, employez des chiffons roulés sur des goujons et essuyez bien. Le chevreau qui garnit le tiroir est ciselé et teint, ainsi que les languettes des tiroirs, puis collé avec de la colle contact.

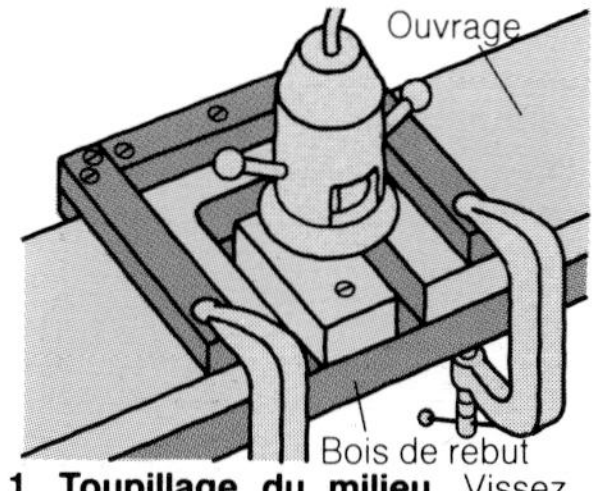

1. Toupillage du milieu. Vissez l'ouvrage à un rebut de même taille dans la partie à toupiller. Fixez le gabarit comme ici. Evidez; enlevez l'étain et passez une dernière fois.

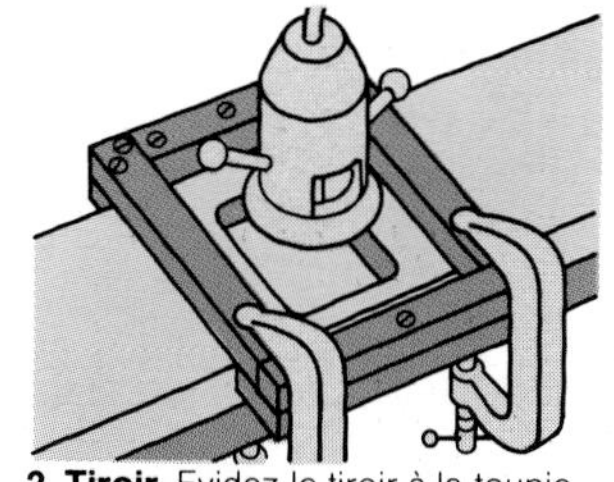

2. Tiroir. Evidez le tiroir à la toupie. La dernière passe sera à ¹¹⁄₁₆ po. Enlevez l'étain; passez encore une fois à la même profondeur pour lisser. Sciez les morceaux.

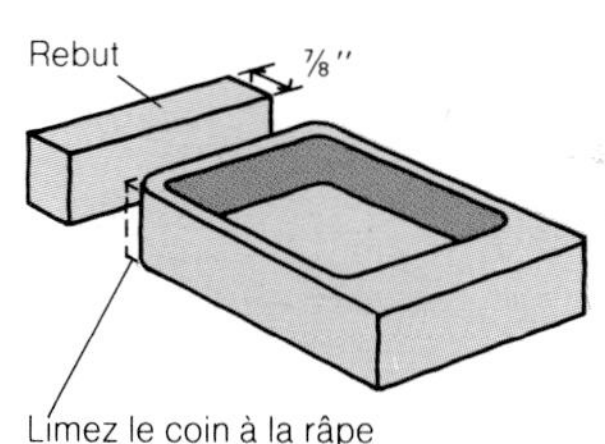

3. Façonnage du tiroir. Sciez le rebut. Reportez l'arc du milieu sur les coins arrière du tiroir. Façonnez à la râpe. Avant de coller la boîte, vérifiez le mouvement du tiroir.

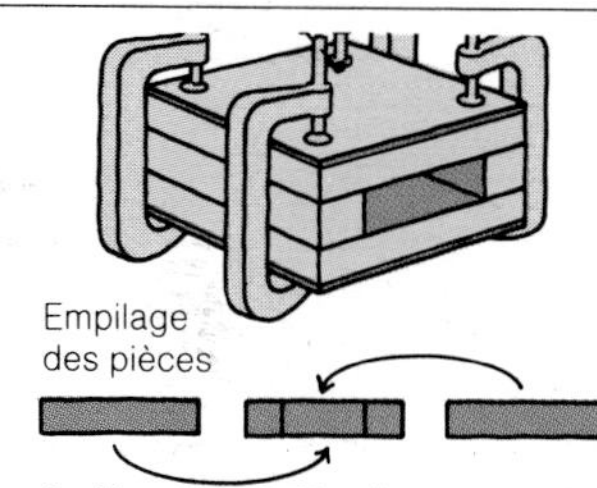

4. Encollage. Empilez les morceaux pour que le fil du bois se suive sur les joints. Poncez un peu l'intérieur. Collez à peine pour éviter les coulures. Fixez avec du rebut.

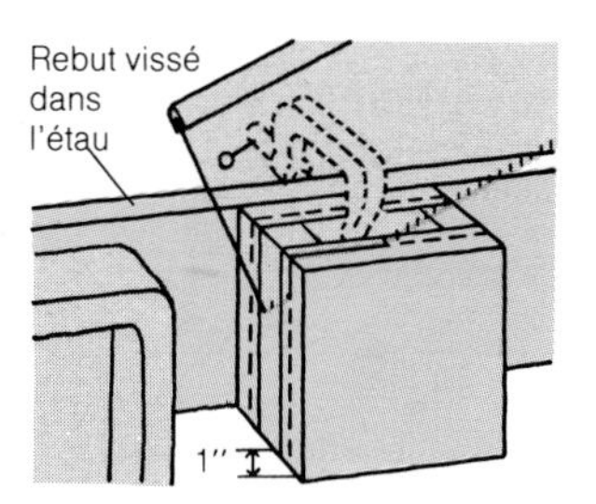

5. Découpe. Tracez l'épaisseur finale (voir le plan latéral ci-dessus). Coupez à la scie à araser ou circulaire en laissant ¹⁄₃₂ po pour le planage. Planez jusqu'au tracé.

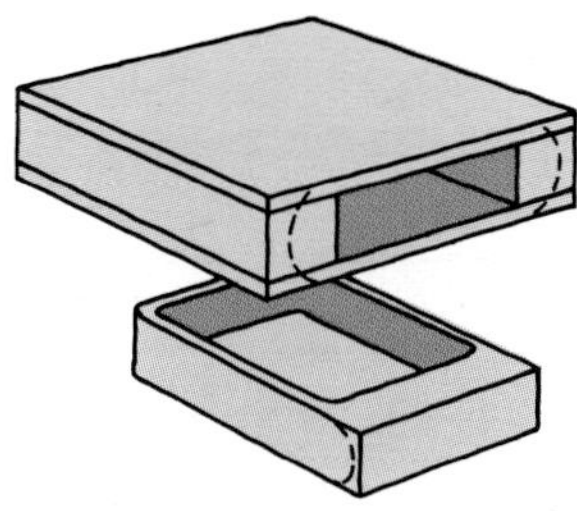

6. Courbes. Faites les gabarits des côtés et du devant du tiroir (voir les plans ci-dessus). Tracez les courbes sur le bois. Rabotez avec un fer très tranchant (étape 6, p. 252).

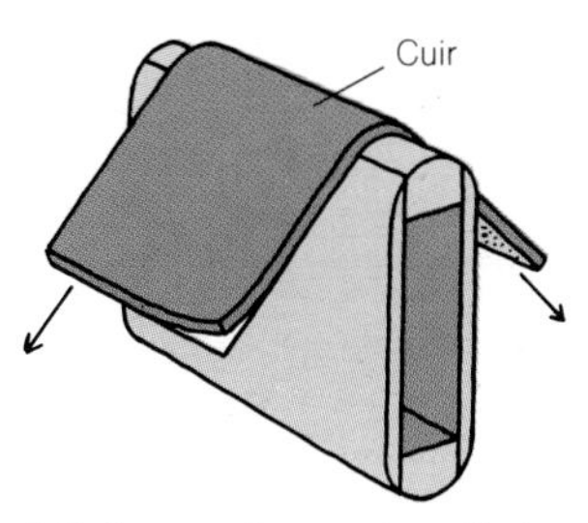

7. Polissage des courbes. Surfacez avec un racloir. Poncez les côtés et le devant du tiroir en doublant le papier avec du cuir. Poncez le tiroir pour qu'il s'ajuste bien.

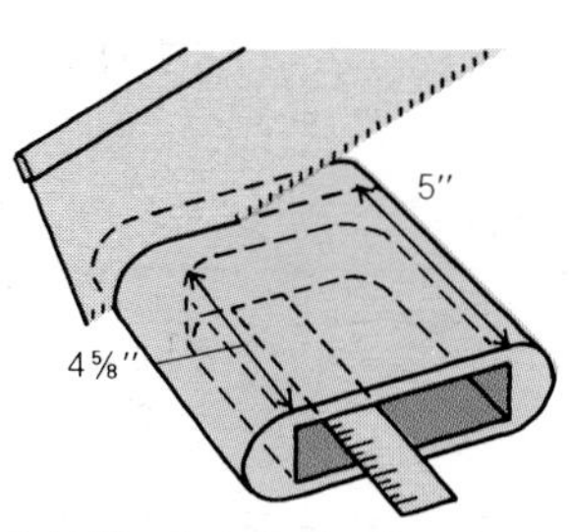

8. Taille de la boîte. Reportez la profondeur de l'ouverture du tiroir sur la boîte. Sciez en laissant ⅜ po à l'arrière et pour une profondeur totale de 5 po.

Menuiserie et ébénisterie/projet

Table de couture de style Shaker

Cette petite table de couture très fonctionnelle est un parfait exemple du style Shaker : ses lignes sont simples, ses proportions harmonieuses et sa menuiserie est classique.

Matériaux. La table est entièrement faite de cerisier, y compris le fond des tiroirs. Le dessus est formé de trois planches assemblées chant contre chant (p. 234). La liste, à droite, donne les dimensions finies pour chaque pièce. Pour l'achat du bois dur, voir pages 226-227. Pour la base fuselée, le bois blanchi mesurera 2¾ po de côté sur 22 po de long ; pour les poignées, utilisez un morceau de 1 po de côté sur 6 po de long. Si vous faites couper votre bois, ajoutez 1/32 po aux dimensions finies du dessus de la table et des devants des tiroirs pour pouvoir les planer. Il vous faudra 10 vis à bois de 1⅛ po pour les coulisseaux ainsi que 4 vis de ¾ po pour les butoirs.

Fabrication. Coupez toutes les pièces, si ce n'est déjà fait. Assurez-vous qu'elles sont bien d'équerre (p. 232) et planez-les au besoin. Sciez les pieds avec une scie à ruban, à guichet ou à découper ; façonnez-les à la râpe, à la vastringue et au grattoir d'ébéniste. Assemblez le dessus chant contre chant. Planez et poncez toutes les pièces. Tournez la base fuselée et les poignées des tiroirs, puis taillez à queue d'aronde les pieds et la base fuselée. (Ce genre de joint est illustré à la page 237.) Comme il est difficile de rainurer une surface circulaire, taillez d'abord la base, puis les pieds, que vous vernirez ensuite. Fabriquez les tiroirs (voir page ci-contre) et assemblez tous les morceaux.

Finition. Poncez avec du papier abrasif nº 280 ; humectez le bois pour soulever le grain. Laissez sécher et reponcez légèrement. Vernissez ou cirez au goût.

Pièces	Dimensions finies (pouces)	Quantité
A Dessus	9/16 × 6⅛ × 20	3
B Base fuselée	2⅝ diam. × 19⅜	1
C Pieds	11/16 × 12 × 12*	3
D Guide central	⅞ × 3 × 15	1
E Guides latéraux	⅞ × 1½ × 15	2
F Butoirs	⅜ × ⅜ × 2¾	2
Tiroirs		
G Devants	¾ × 3½ × 5	2
H Côtés	¼ × 3½ × 16¼	4
I Dos	5/16 × 3½ × 5	2
J Dessous	¼ × 4¾ × 15¾	2
K Coulisseaux	⅜ × ⅜ × 15	4
L Poignées	⅞ diam. × 1⅜	2

*Planche pour un pied ; voir le gabarit (ci-dessous) pour la forme.

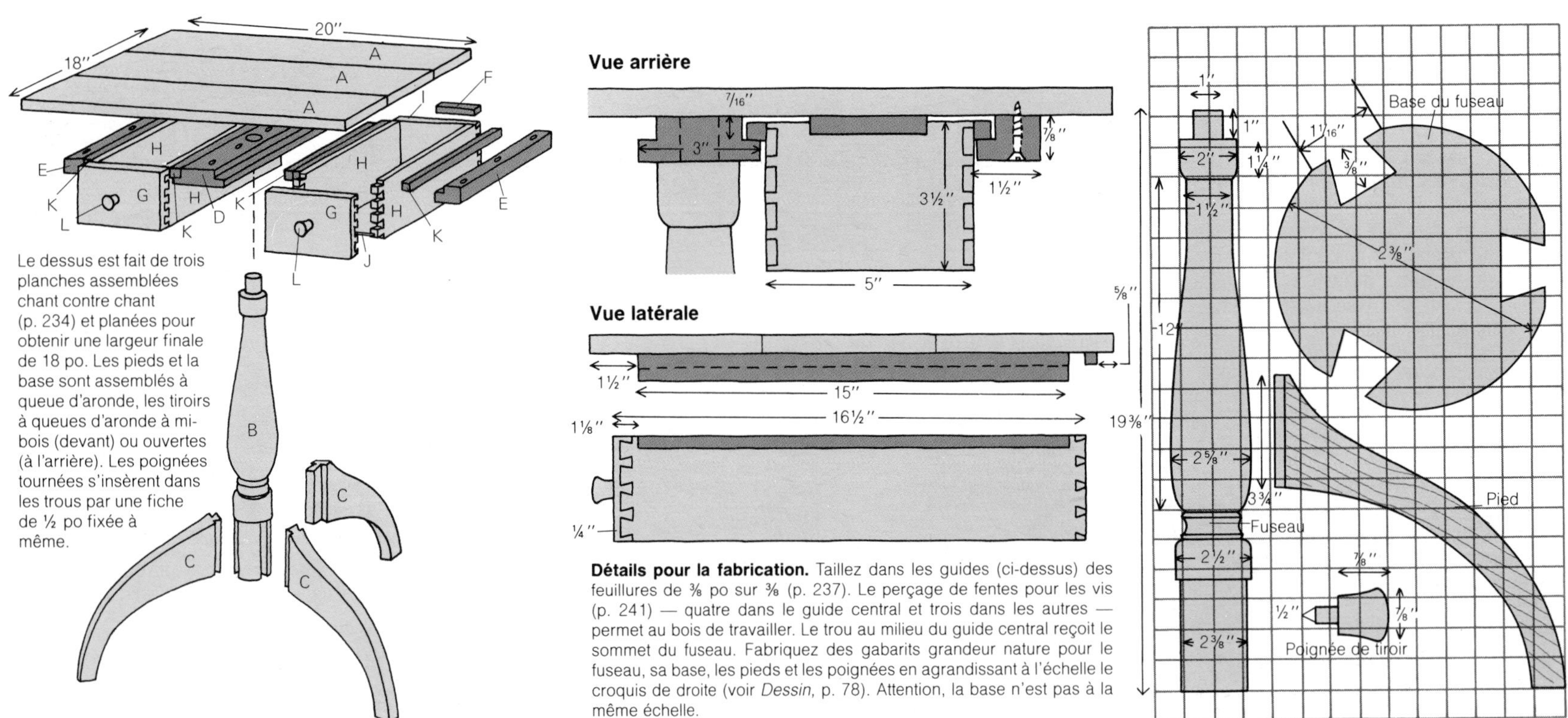

Le dessus est fait de trois planches assemblées chant contre chant (p. 234) et planées pour obtenir une largeur finale de 18 po. Les pieds et la base sont assemblés à queue d'aronde, les tiroirs à queues d'aronde à mi-bois (devant) ou ouvertes (à l'arrière). Les poignées tournées s'insèrent dans les trous par une fiche de ½ po fixée à même.

Détails pour la fabrication. Taillez dans les guides (ci-dessus) des feuillures de ⅜ po sur ⅜ (p. 237). Le perçage de fentes pour les vis (p. 241) — quatre dans le guide central et trois dans les autres — permet au bois de travailler. Le trou au milieu du guide central reçoit le sommet du fuseau. Fabriquez des gabarits grandeur nature pour le fuseau, sa base, les pieds et les poignées en agrandissant à l'échelle le croquis de droite (voir *Dessin*, p. 78). Attention, la base n'est pas à la même échelle.

Construction des tiroirs

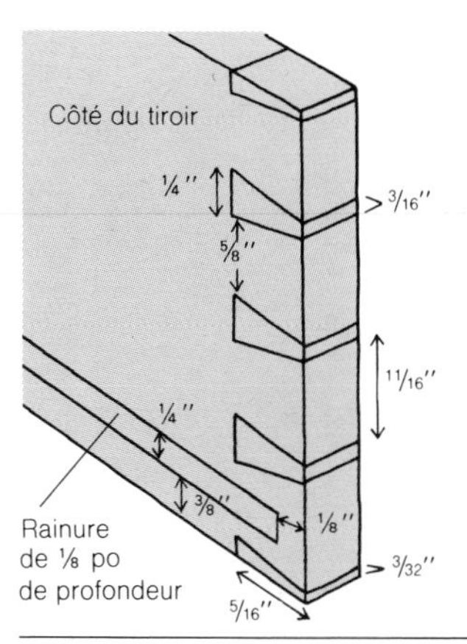

Queues d'aronde. Voir l'assemblage à queue d'aronde, pp. 238-239. Comme les demi-tenons des rives sont très minces, redoublez d'attention pour ne pas les fendre. Les queues illustrées ici sont celles du fond. Les mesures sont les mêmes pour celles du devant, mais les tenons ont ½ po de long. Percez des avant-trous pour les poignées avant d'assembler les tiroirs.

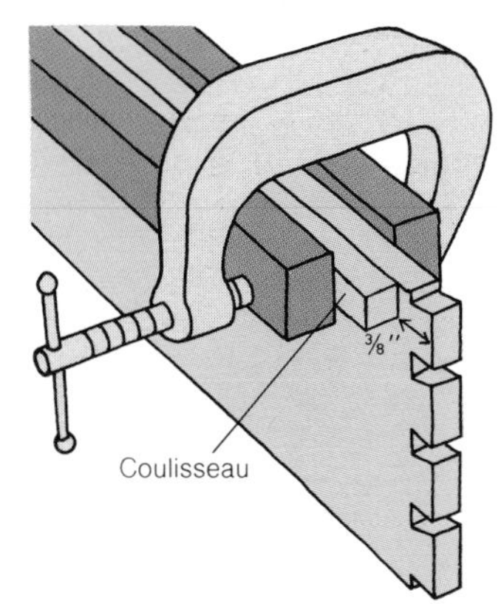

Coulisseaux. Préparez les coulisseaux et les côtés des tiroirs comme pour un joint de rive (p. 234). Placez les premiers à ⅜ po de l'extrémité arrière des seconds et collez. Utilisez trois serres en C et deux épais tasseaux par côté de tiroir afin que la pression des serres soit également répartie. Ni clous ni vis ne sont nécessaires.

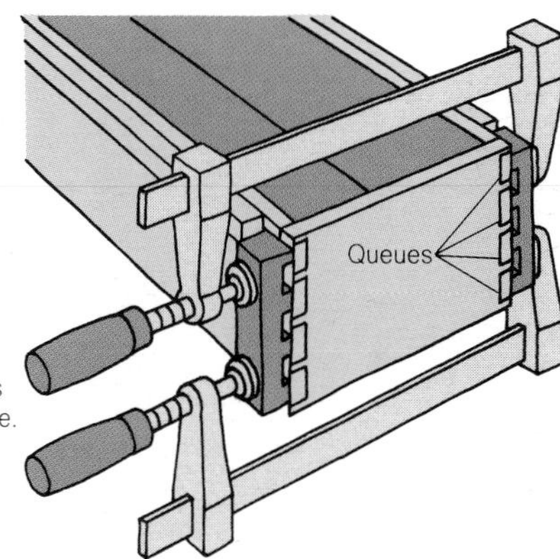

Assemblage. Fabriquez quatre gabarits dans du bois de rebut pour que la pression des serres ne s'applique que sur les queues. Encollez l'avant et l'arrière d'un côté du tiroir à la fois, l'autre côté et le fond étant en place pour maintenir la forme du tiroir. Si l'assemblage est trop lâche, utilisez des serres à coulisse. Posez les poignées des tiroirs après l'assemblage.

Découpage des queues d'aronde

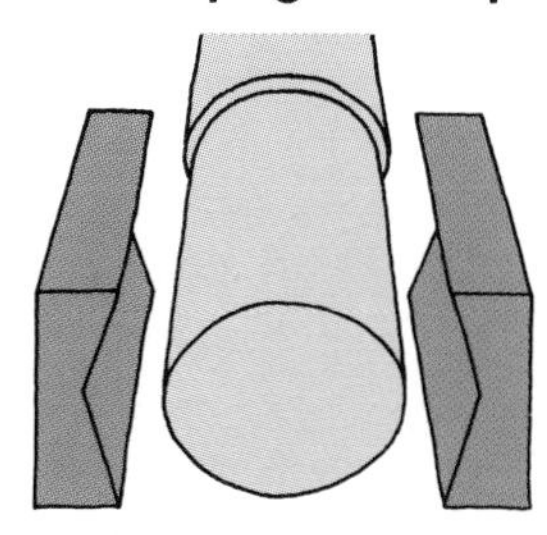

1. Taillez dans du bois tendre deux gabarits qui permettront de retenir le fuseau dans l'étau, en découpant en V l'une des faces à la scie électrique.

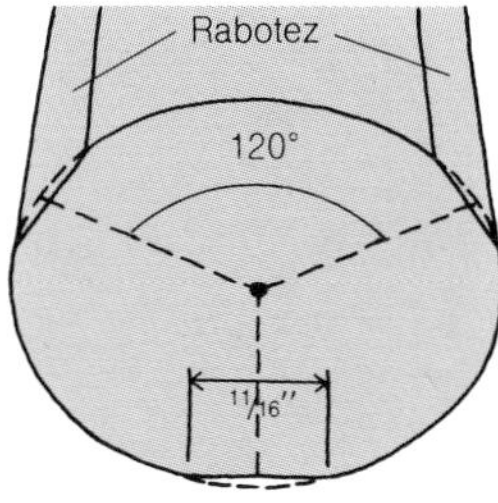

2. Marquez trois angles de 120 degrés avec l'équerre, au centre. Rabotez le fuseau en trois points sur une largeur de ¹¹⁄₁₆ po et une hauteur de 3¾ po.

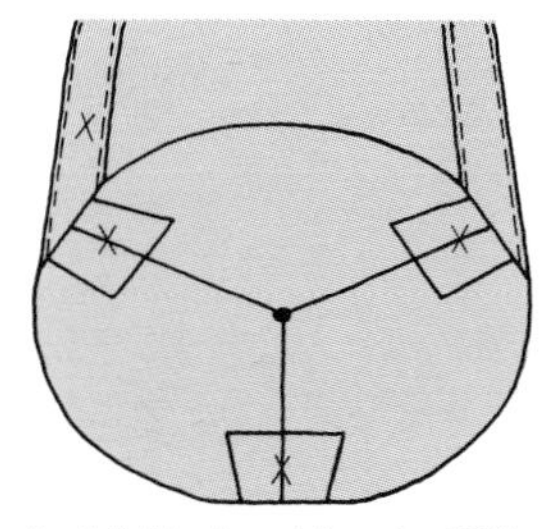

3. A l'aide du schéma (p. 254), faites un gabarit pour les rainures. Centrez-le sur chaque trait et marquez. Prolongez les traits avec une équerre d'onglet.

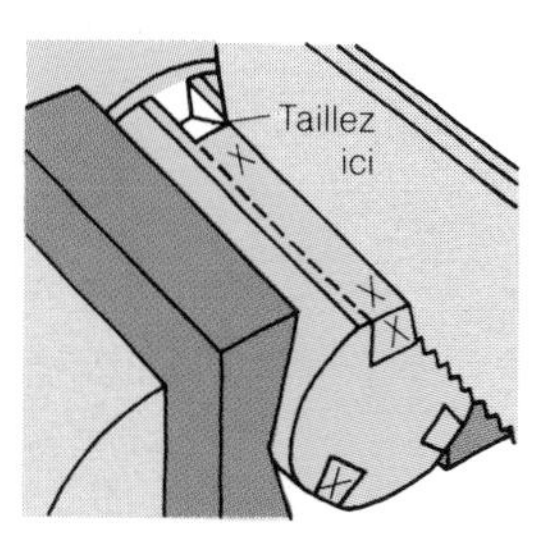

4. A l'extrémité, taillez au ciseau une mortaise de ¾ po pour pouvoir scier avec une scie à araser. Evidez à la toupie ou au ciseau (p. 237).

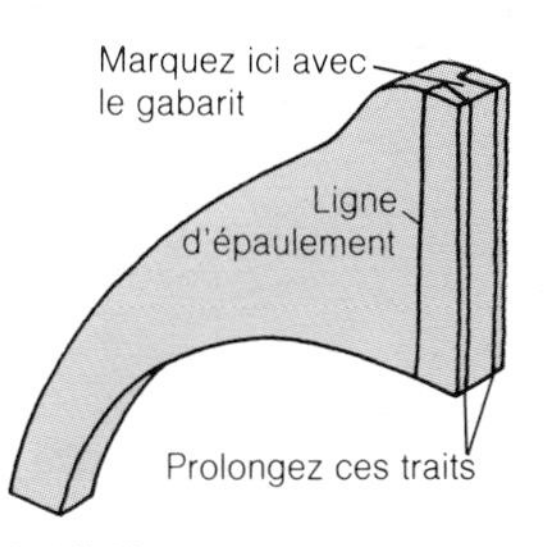

5. Vérifiez si les chants des pieds sont d'équerre. Centrez le gabarit sur les bouts; marquez et prolongez les lignes; tracez les lignes d'épaulement.

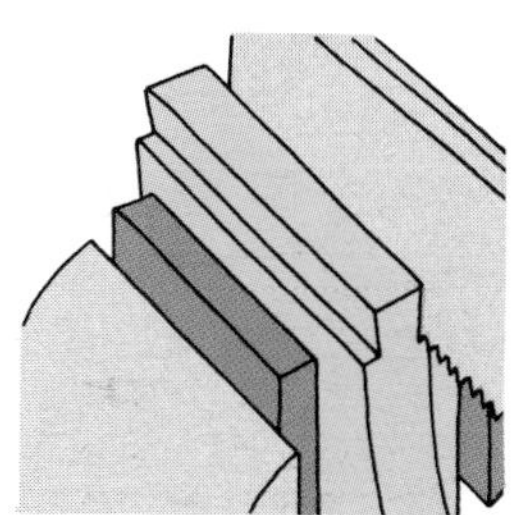

6. Dégagez le rebut avec la scie à araser. En tapant légèrement, la queue d'aronde devrait s'emboîter. Tenez le fuseau à l'aide des gabarits et encollez.

Assemblage

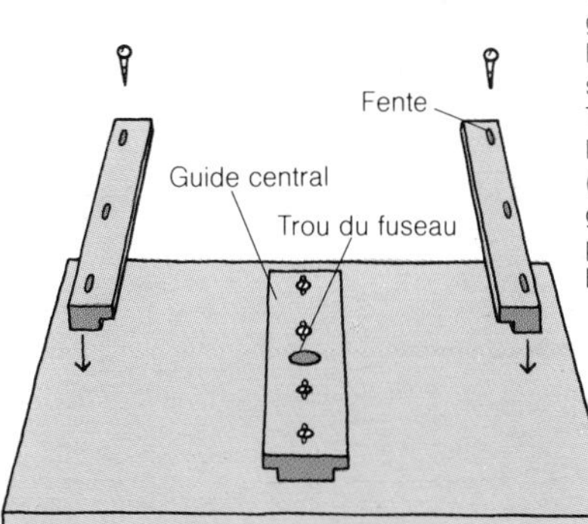

Percez un trou dans le guide central pour le haut du fuseau, qui doit s'ajuster exactement. Taillez les fentes pour les vis dans les guides (p. 241). Vissez le guide central sous le panneau, à 1½ po des bords.

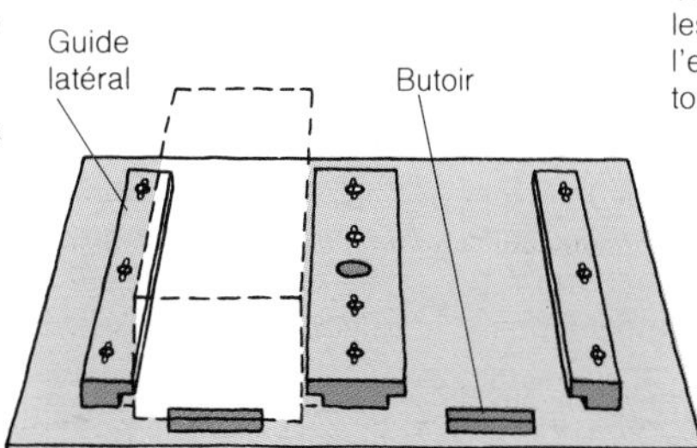

Glissez les tiroirs dans le guide central et marquez l'emplacement des guides latéraux. Vissez-les. Replacez les tiroirs, marquez l'emplacement des butoirs et vissez-les.

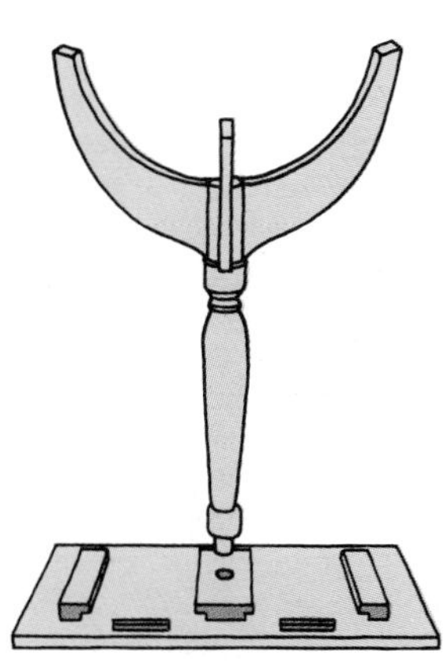

Poncez le haut du fuseau s'il n'entre pas. Vérifiez au niveau si les pieds sont d'équerre. Collez le fuseau avec un pied parallèle au guide central et tourné vers l'arrière. Poncez et appliquez un fini.

Menuiserie et ébénisterie/projet

Coffre à couvertures

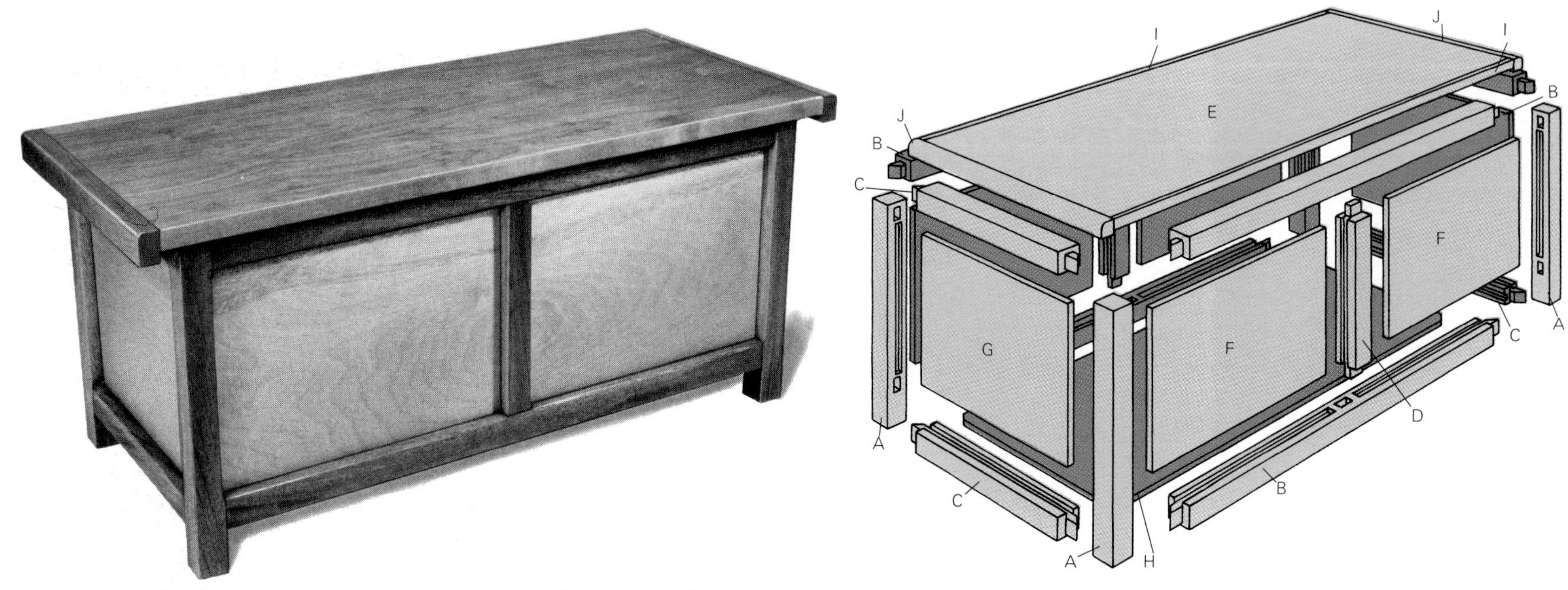

Les panneaux pâles de contre-plaqué de bouleau font ressortir la teinte foncée du cadre d'acajou.

Ce coffre, qui illustre l'assemblage à cadre et panneau (p. 242), est fait en contre-plaqué de bouleau encadré par une ossature en acajou. Le couvercle de contre-plaqué, assez solide pour qu'on puisse s'asseoir dessus, est bordé de languettes de bouleau massif. Il mesure 44¾ po de long sur 18¾ po de large et 19⅝ po de haut.

Matériaux. Les pieds, les traverses et les montants (voir le tableau) sont en acajou massif; les panneaux et le fond sont taillés dans une feuille de 4 pi sur 8 de contre-plaqué de bouleau de ½ po d'épaisseur, bon un côté; le couvercle est taillé dans du contre-plaqué de bouleau de 1⅛ po, bon deux côtés. Il faut des languettes de bouleau massif pour le border, deux charnières et deux supports d'abattement (p. 245) en laiton.

Outils. Outre les outils de traçage et de mortaisage des joints, il vous faudra au moins trois serres à coulisse (p. 221) avec un écartement de 4 pi, six serres en C, un rabot à repasser, un riflard et un rabot universel (p. 222). Le rainurage à la main des panneaux et du fond est très long; aussi, tâchez d'emprunter une toupie ou un plateau de sciage avec des lames à rainurer. Si vous avez accès à ce dernier, profitez-en pour tenonner les joints en employant un gabarit pour tenir l'ouvrage (voir page ci-contre).

Marche à suivre. Tracez et coupez tous les joints à tenons et mortaises. Si vous faites les joints à la main, suivez la méthode illustrée à la page 239. Avec un plateau de sciage, commencez par les tenons; les mortaises se font quand même à la main. Assemblez le cadre à sec et vérifiez si les mesures respectent le plan avant de couper les panneaux de contre-plaqué. Rabotez les faces internes des traverses qui seront rainurées.

Faites les rainures pour les panneaux (page suivante); effectuez des tests sur du rebut jusqu'à ce que vous trouviez une mèche ou un guide de sciage pour les évider à la largeur du contre-plaqué. Arrondissez les rives du cadre avec une râpe et un racloir (p. 222). Sciez ensuite les panneaux et le fond, en ayant soin que le fil du bois suive la longueur des panneaux. Poncez les rives et les faces avant de les couvrir d'un vernis d'imprégnation.

Voyez à la page suivante comment coller et fixer les serre-joints. Puis, terminez le couvercle tel qu'illustré, avec les charnières et les supports d'abattant. Arrondissez légèrement à la râpe les coins extérieurs des traverses en acajou. Poncez leurs faces ainsi que le couvercle, et appliquez un vernis d'imprégnation (pp. 250, 251). N'en remettez pas sur les panneaux.

Pièces	Dimensions finies (pouces)	Quantité
Acajou massif		
A Pied	1¾ × 1¾ × 18½	4
B Traverse	1¾ × 1¾ × 38¾	4
C Traverse	1¾ × 1¾ × 16¾	4
D Montant	1¾ × 1¾ × 14¾	2
Contre-plaqué de bouleau		
E Couvercle	1⅛* × 18⅜ × 42¼	1
F Panneau	½* × 13 × 18	4
G Panneau	½* × 13 × 15	2
H Fond	½* × 36 13/16 × 14 13/16	1
Bouleau massif		
I Bordures	3/16 × 1⅛ × 42¼	2
J Bordures	1¾ × 1⅛ × 18¾	2

*Ces chiffres représentent l'épaisseur nominale du contre-plaqué.

Joints à tenons et mortaises

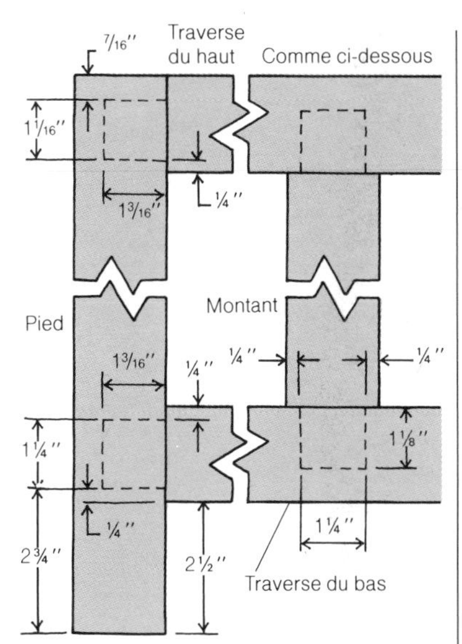

Les tenons ont 9/16 po d'épaisseur et sont centrés sur la largeur de l'ouvrage. Coupez à onglet (p. 243) les tenons qui s'insèrent dans les mortaises d'angle.

Gabarit pour plateau

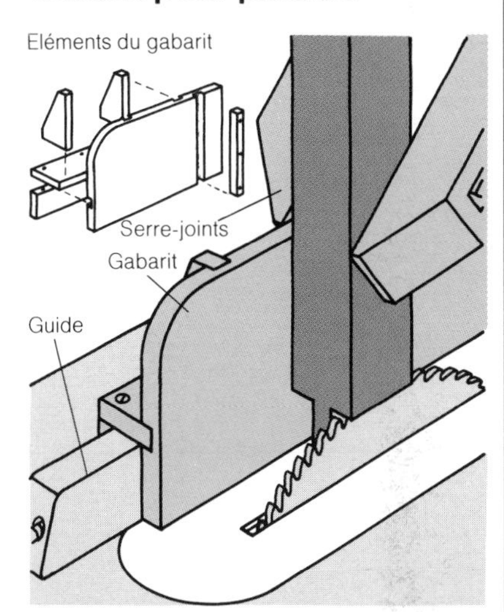

Le gabarit à tenons (en haut), en contre-plaqué de 3/4 po, s'adapte au guide. Il permet de tenonner vite et sans risque. Faites toutes les coupes identiques, puis réajustez pour les autres coupes.

Rainurage pour les panneaux et le fond

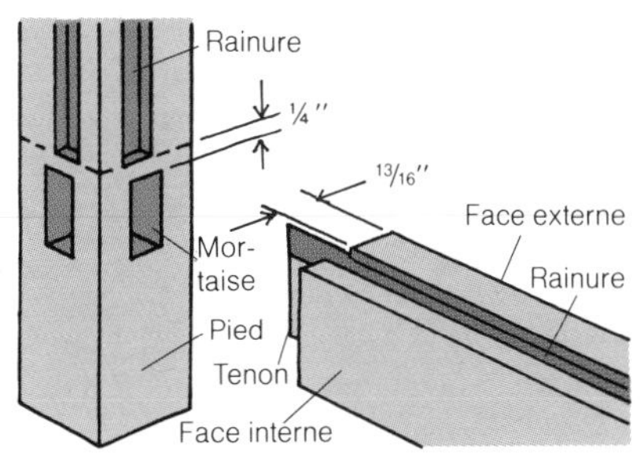

A la toupie ou avec le plateau de sciage, faites les rainures partielles (pp. 236-237) des traverses et des pieds et les rainures des montants. Elles ont la largeur du contreplaqué, 1/4 po de profondeur et sont à 13/16 po de la face externe des traverses et à 1/4 po des mortaises.

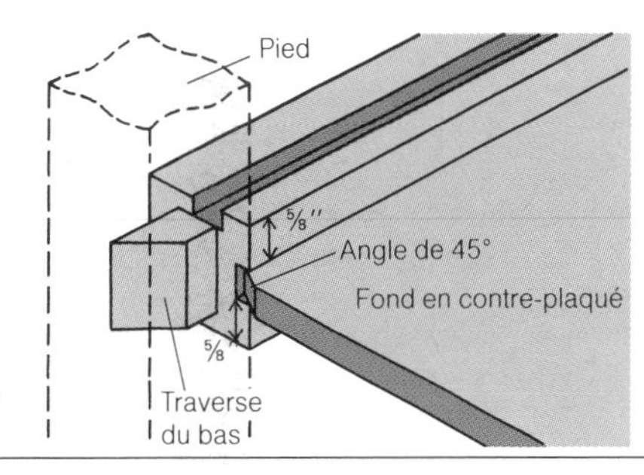

Rainurez les traverses du bas à la largeur du fond et sur 1/4 po de profondeur. Ne touchez pas aux pieds ; sciez les coins du fond de contre-plaqué à 45 degrés, à 1/2 po du coin. Arrondissez à la râpe les coins des traverses et des montants (étape 6, p. 252).

Assemblage du coffre

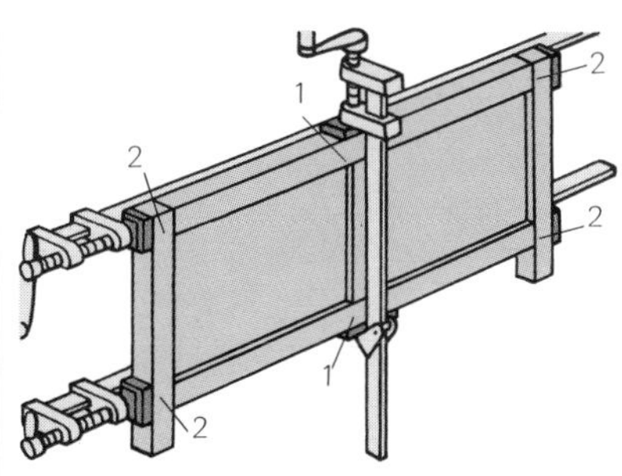

Le collage du devant et du dos se fait en deux étapes : **1.** Collez les montants aux traverses avec les pieds et les panneaux en place. Posez les serres.
2. Collez les traverses aux pieds ; fixez les serres aux joints. Ajoutez une goutte de colle aux panneaux pour la rigidité.

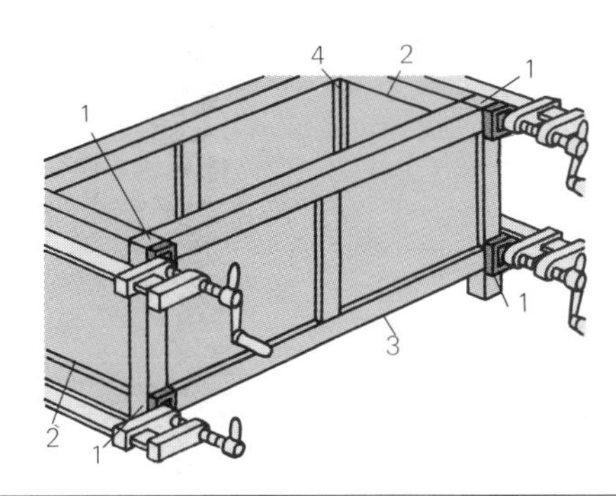

1. Collez les traverses latérales aux pieds avant. **2.** Otez les parties non collées, mettez de la colle dans les rainures des panneaux latéraux, collez-les, sauf le fond. **3.** Collez le fond aux traverses avant et arrière, le dos en place. **4.** Collez les traverses latérales et le fond au dos.

Bordures et charnières du couvercle

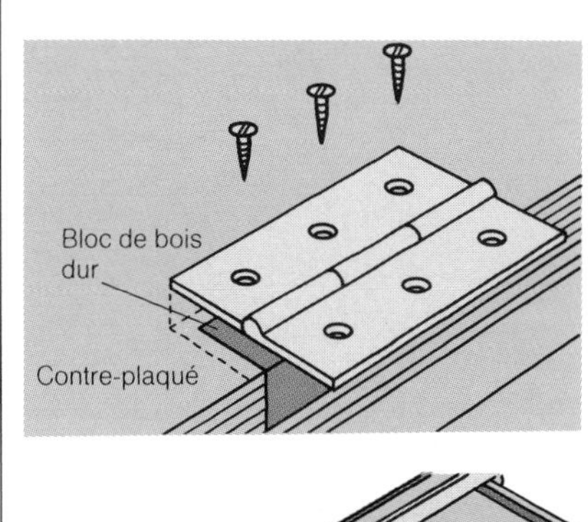

1. Pour que les charnières soient solides, noyez des blocs de bois dans la rive arrière du couvercle, à 7 po du bord et en deçà de l'emplacement de la bordure. Ils ont 1/16 po de moins que les charnières et s'enfoncent de 3/4 po dans le contre-plaqué. Mortaisez au ciseau.

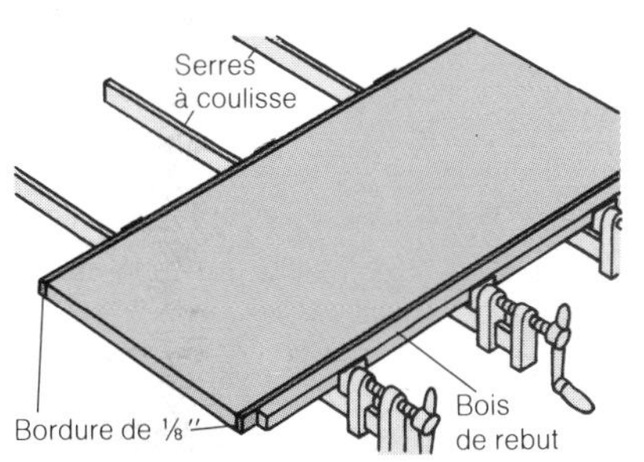

2. Collez les bordures en bouleau massif (pièces I) sur les rives avant et arrière du couvercle. Fixez-les avec de longs morceaux de bois de rebut. Quand la colle est sèche, affleurez les bordures avec le couvercle en rabotant ou en ponçant. Poncez légèrement leurs coins.

3. Collez les bordures latérales (pièces J) aux côtés du couvercle. Quand la colle est sèche, arrondissez leurs coins du haut et du bas tel qu'illustré à l'étape suivante. Râpez les endroits difficiles. Finissez avec le grattoir et poncez au papier abrasif.

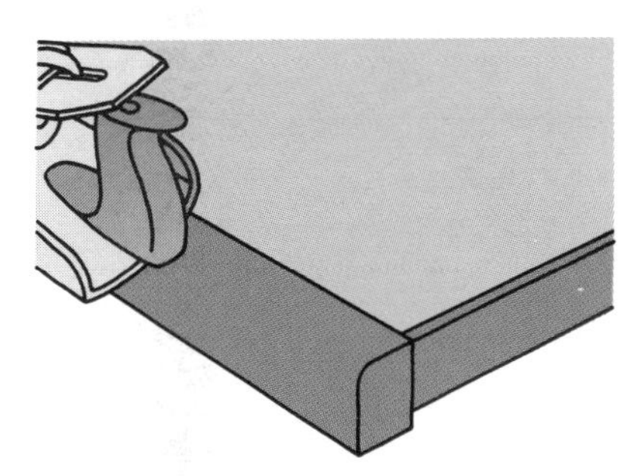

4. Arrondissez les bordures au rabot avec des passes plates, comme avec la râpe à l'étape 6, page 252. Polissez la courbe au grattoir ou avec du papier grenat nº 80. Fixez les charnières et les supports d'abattant (p. 245).

Menuiserie et ébénisterie/projet

Chaise à dossier de lattes

Voici une chaise d'un style unique et très confortable. Son dossier, conçu pour épouser la courbe de la colonne vertébrale, est fait de lattes tenonnées librement dans des rainures pour permettre au bois de travailler. Tous les joints sont à tenons et mortaises.

Matériaux. Le cadre est en cerisier et les lattes sont en noyer. Le siège en contre-plaqué est recouvert d'un cuir assorti au noyer. Le cerisier devra être assez pâle pour contraster avec la teinte foncée des lattes. Pour le siège, achetez du caoutchouc mousse de 1 po d'épaisseur, un morceau de cuir de 20 po sur 21, huit vis à tête ronde n° 10 de 1½ po et quatre vis à tête plate n° 8 de 1¾ po.

Outils. Cette chaise se fabrique essentiellement avec des outils manuels : scie à araser, ciseaux à mortaiser, rabots, râpes, grattoir d'ébéniste et outils pour tracer et mesurer. Toutefois, une scie à ruban ou sauteuse est recommandée pour tailler les éléments. Toupillez les rainures des montants arrière pour les lattes ainsi que les tenons de celles-ci. Cela ira plus vite avec un gabarit et un plateau de sciage (p. 257).

Fabrication. Tracez et coupez tous les joints avant les membres, à l'exception des montants arrière, que l'on taille d'abord. L'enchaînement est décrit page ci-contre et à la page 260.

Finition. Poncez bien toutes les pièces avant de les encoller. Poncez et finissez les lattes avant d'assembler la chaise. Employez un vernis d'imprégnation ou de l'huile d'abrasin (pp. 250-251).

Pièces	Dimensions finies (pouces)	Quantité
A Pied avant	1¼ × 2⅛ × 17⅛	2
B Montant arrière	1¼ × 5 3/16 × 45*	2
C Traverse latérale	⅞ × 3⅝ × 12⅝*	2
D Traverse avant	⅞ × 2½ × 14¼*	1
E Traverse arrière	⅞ × 3⅝ × 14¼*	1
F Cintre	1¼ × 4 × 14¼	1
G Traverse du dossier	⅞ × 2⅞ × 14¼*	1
H Entretoise	⅞ × 3⅛ × 14⅜*	2
I Barreau	⅞ × 2¼ × 14⅛*	1
J Latte	13/16 × 1 1/16 × 13¼	14
K Siège (contre-plaqué)	½ × 13½ × 14⅝	1
L Blocs d'angle	1⅛ × 1½ × 4½	4

*Dimension du bois coupé ; la pièce est taillée selon les schémas sur papier quadrillé (ci-dessous).

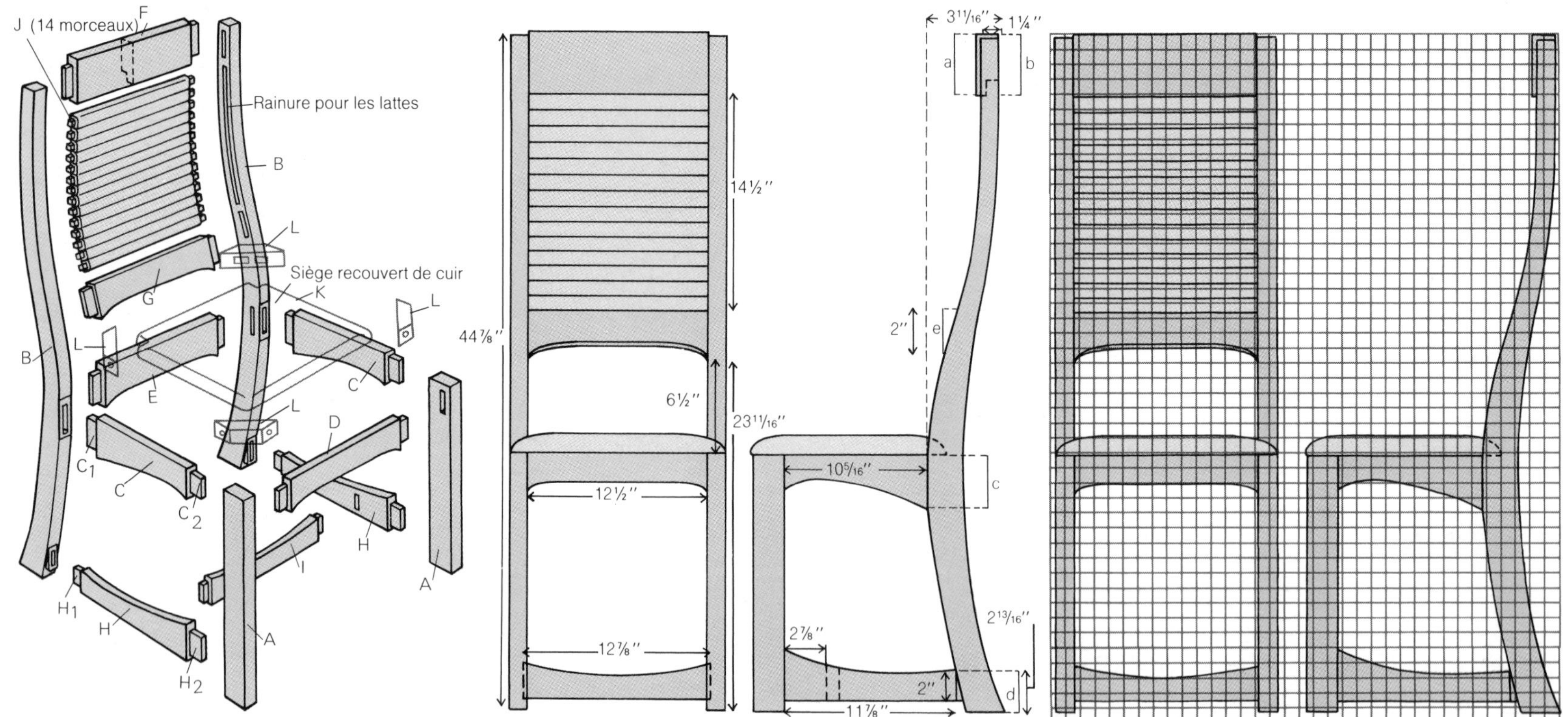

Chaque carreau représente 1 po² ; pour agrandir, voir *Dessin*, p. 78. Dessinez les gabarits des membres avant de tracer les joints.

Traçage et coupe des joints à tenons et mortaises

Joints. Les dimensions des joints sont données dans le tableau de droite. La coupe grossière des deux membres C et H (ci-dessous) facilite celle des tenons. Si vous taillez les joints à la main, commencez par les mortaises ; avec un plateau de sciage, c'est l'inverse. Tracez et coupez les joints avant les pièces (étape 10), à l'exception des montants arrière, qui sont taillés d'abord (étapes 5 et 6).

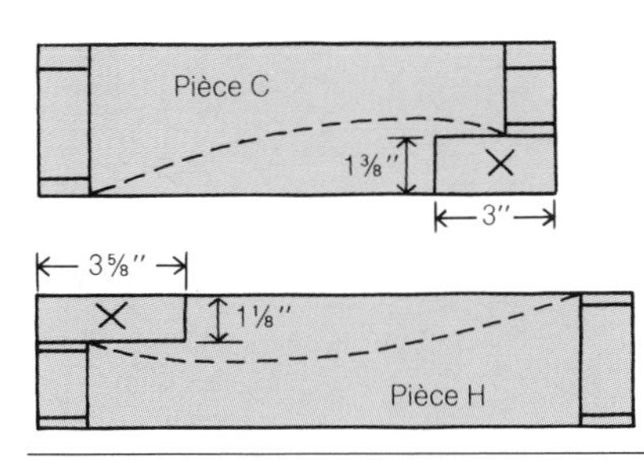

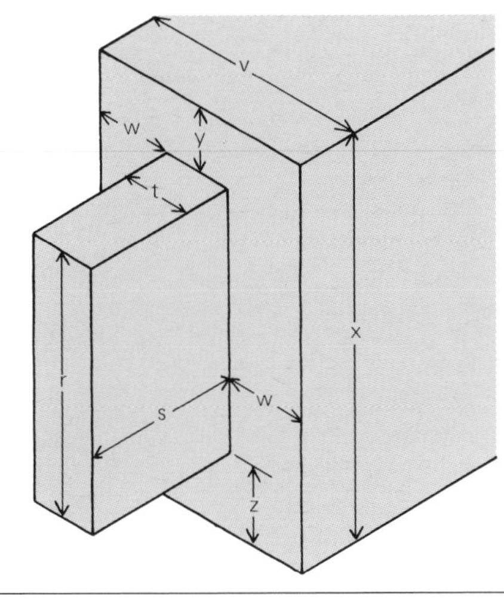

Pièces (en pouces)	r	s	t	v	w	x	y	z
C1	2¾	1¼	5/16	⅞	9/32	3⅝	½	⅜
C2	1⅜	1¼	5/16	⅞	9/32	3⅝	⅝	¼ *
D	1¾	⅞	5/16	⅞	9/32	2½	⅜	⅜
E	2⅞	⅞	5/16	⅞	9/32	3⅝	⅜	⅜
F	2⅝	⅞	7/16	1¼	13/32	4	1	⅜
G	2	⅞	5/16	⅞	9/32	2⅞	7/16	7/16
H1	1½	1¼	5/16	⅞	9/32	3⅛	¼ *	¼
H2	2½	1¼	5/16	⅞	9/32	3⅛	⅜	¼
I	1½	9/16	5/16	⅞	9/32	2¼	⅜	⅜

Code de la vue éclatée (page ci-contre).
1. Tenon du montant arrière.
2. Tenon du pied avant.
*Dimension de l'épaulement après la taille du rebut (voir schémas, à gauche).

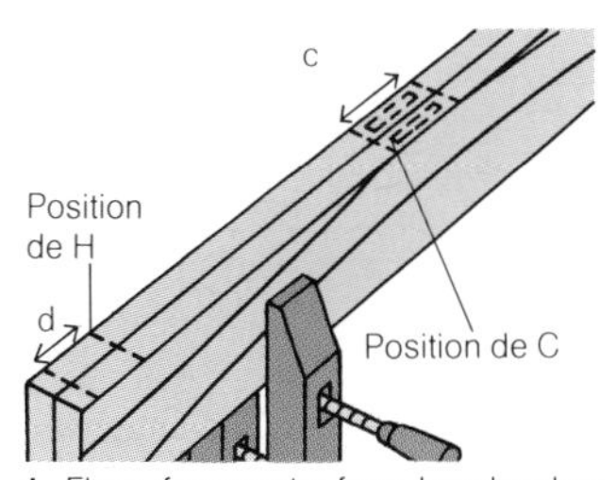

1. Fixez, face contre face, les planches des montants arrière (B). Trusquinez leurs rives pour la position des entretoises (H) et des traverses latérales (C). Tracez, sans les couper, les mortaises pour les tenons de C.

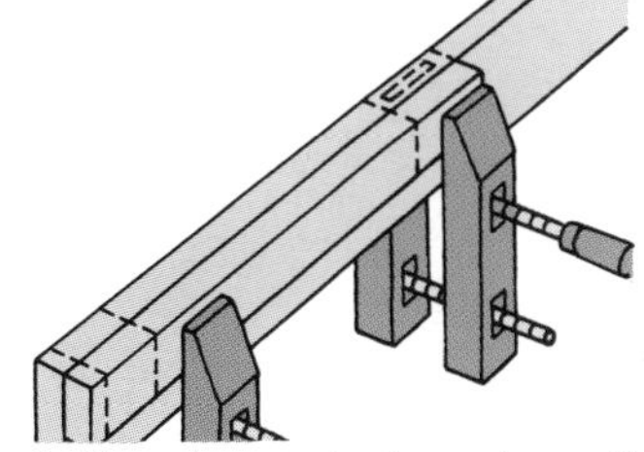

2. Fixez, face contre face, chaque B avec son pied avant (A) en alignant bien leurs rives ; reportez de B en A les tracés pour H et C. Prolongez-les (p. 230) ainsi que ceux de l'étape 1 sur tous les côtés de A et de B.

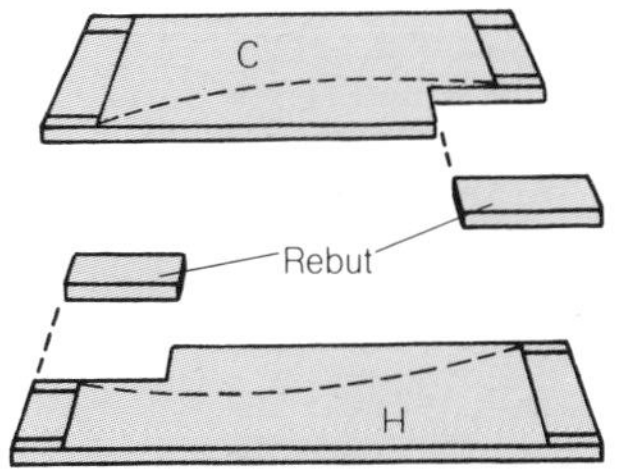

3. Tracez sur les pieds avant les mortaises pour C et H ; coupez-les ainsi que celles laissées à l'étape 1. Tracez les tenons sur C et H. Pour les tenonner plus facilement, découpez d'abord le rebut, tel qu'illustré.

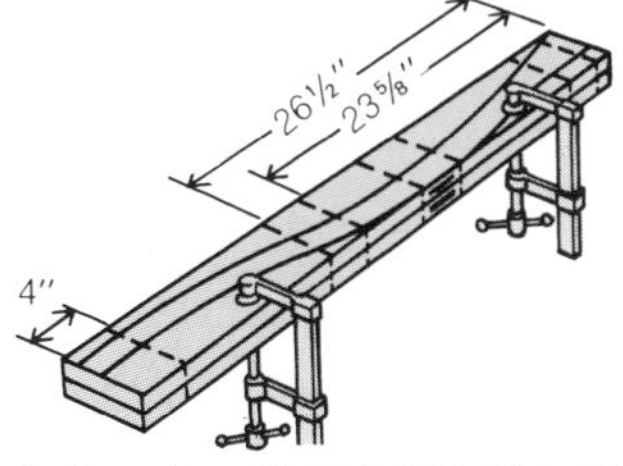

4. Fixez deux pièces B ensemble ; calculez 4 po depuis le haut de B pour la rive inférieure de F, et 23⅝ po et 26½ depuis le bas de B pour G. E coupe B à la hauteur de C. Reportez tous ces tracés sur les deux faces des pièces B.

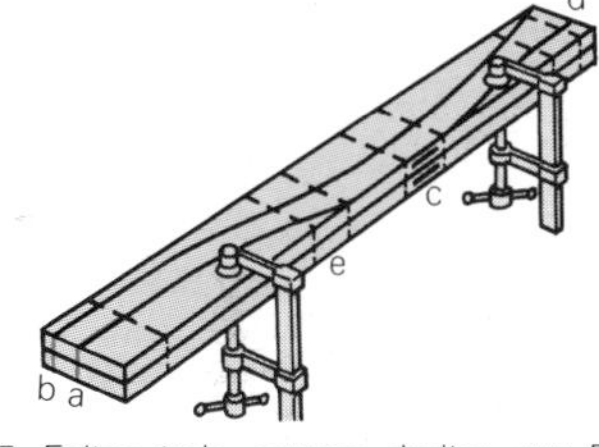

5. Faites trois coupes droites sur B avec le plateau de sciage ou l'égoïne : en *a*, en *b* et en *d*. La rive à *c* est déjà droite. Au besoin, redessinez les courbes pour qu'elles s'ajustent aux traits de scie.

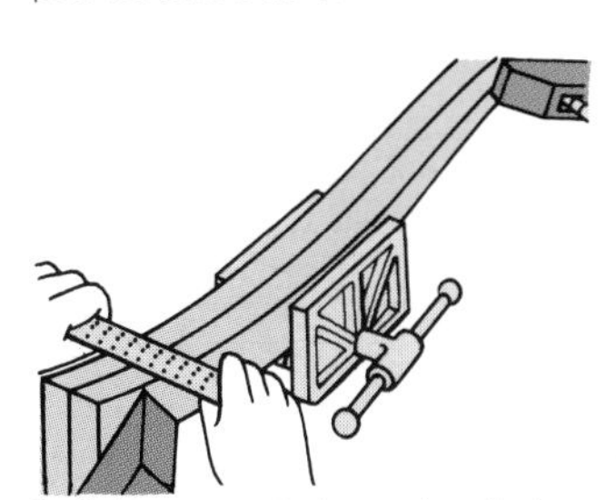

6. Sciez un montant avec la scie à ruban. Posez-le sur l'autre et corrigez le tracé au besoin. Sciez le second. Fixez-les ensemble et façonnez-les avec la râpe (p. 252) et le grattoir, sauf en *d*. Les rives doivent être droites en *c*.

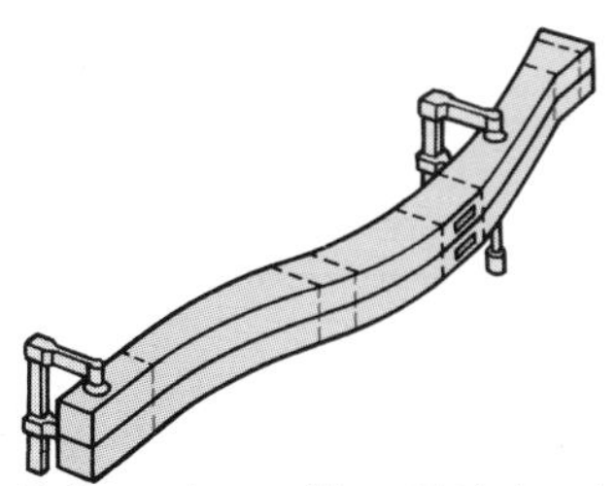

7. Posez chaque élément latéral sur le dessin à la cote pour vérifier l'alignement des joints. Fixez les montants face contre face ; prolongez le tracé pour F, G et H sur les rives sciées et râpées. Dégagez les montants.

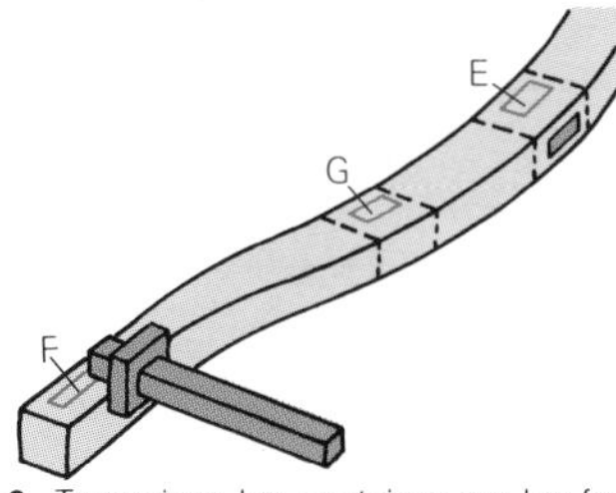

8. Trusquinez les mortaises sur les faces des pièces B comme suit : pour G, ½ po et 13/16 po ; pour F, ½ po et 15/16 po ; pour E, 17/32 po et 27/32 po. Taillez ensuite les tenons et les mortaises (voir ci-dessus).

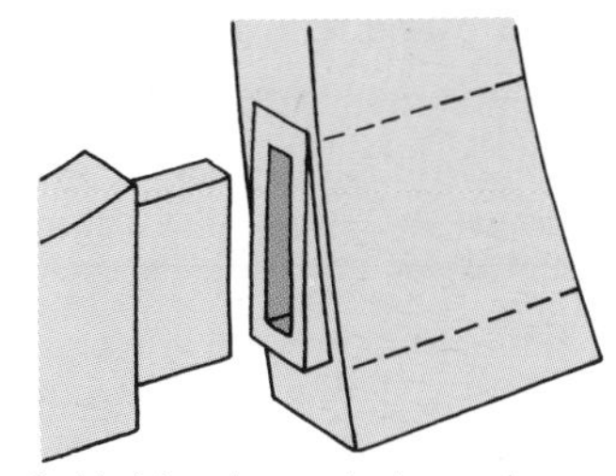

9. Mortaisez les montants pour les entretoises (H) ; tenonnez H. Sciez-le et taillez le montant au ciseau pour qu'il s'adapte aux rives extérieures de H. Mortaisez H pour le barreau (I) et tenonnez I.

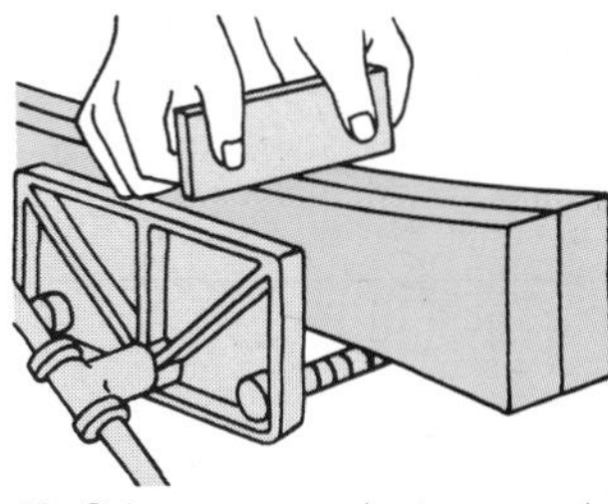

10. Sciez, un par un, les traverses, les entretoises, la traverse du dossier et le barreau. Fixez les paires ensemble et finissez de les façonner à la râpe et au grattoir d'ébéniste. Arrondissez les rives du cintre (F).

Chaise à dossier de lattes *(suite)*

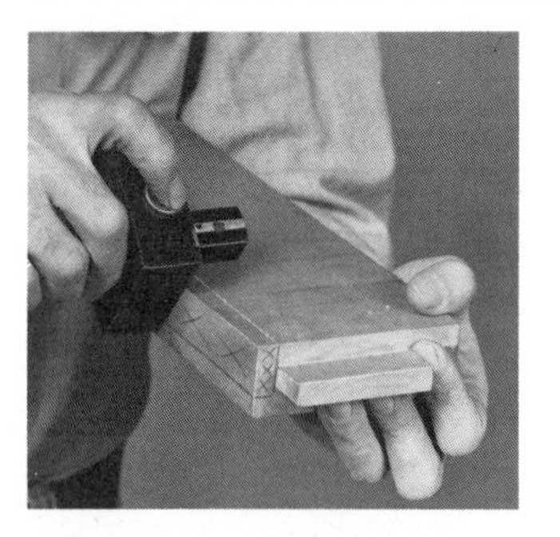

1. Feuillurez sur ⅞ po de profondeur et ⅜ po de large la rive inférieure du cintre. La feuillure permettra aux lattes de se dilater quand le temps est humide.

2. Rainurez les faces des montants sur 7/16 po de profondeur et ¼ po de large. Les rainures sont à 15/32 po des rives antérieures et vont du cintre à la traverse du dossier. Employez un guide de toupie pour courbes ; aboutez-le contre l'ouvrage. Prenez une mèche droite de ¼ po.

3. Trusquinez les tenons des lattes : ¼ po d'épaisseur et de profondeur, ⅜ po de long. Coupez-les avec une scie à araser ; avec un plateau de sciage, faites des coupes identiques aux extrémités des lattes en même temps. Numérotez-les dans l'ordre d'assemblage.

4. Montez la toupie sur une table de toupillage et prenez un quart-de-rond de ⅜ po de rayon pour façonner les rives des lattes. Poncez celles-ci avec du papier grenat nº 80 pour adoucir la transition entre leurs rives et leurs côtés.

Assemblage

1. Assemblez à sec avec les serres. Faites-vous aider ; employez une colle à séchage lent (p. 228). Prenez comme rebut le bois restant du découpage du montant et collez en place tous les éléments d'un même côté à la fois. Répétez pour l'autre côté.

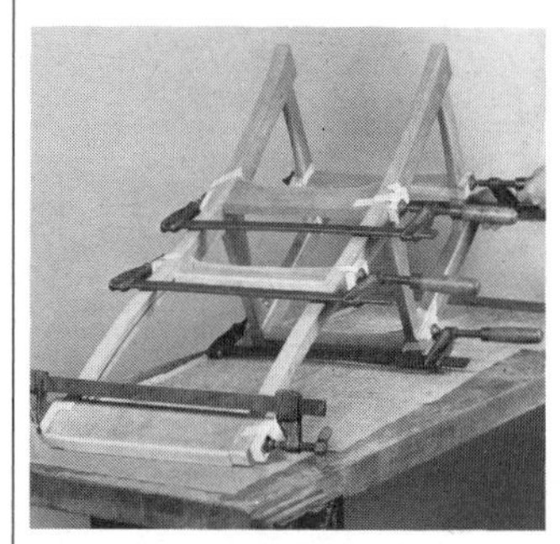

2. Collez les pièces latérales — D, E, F, G et I — d'un seul côté, mais assemblez l'autre pour tenir les joints d'équerre. Quand la colle est sèche, démontez le côté non collé.

3. Insérez les lattes dans la rainure du côté collé en suivant la numérotation. Si c'est serré, amincissez la première latte en laissant ¼ po de jeu pour la dilatation des lattes dans la feuillure du cintre.

4. Montez les membres supérieurs latéraux du second côté et insérez tels quels leurs tenons dans les mortaises. Etalez la colle sur les tenons, mais sans en mettre sur les lattes. Vissez les serre-joints.

Le siège

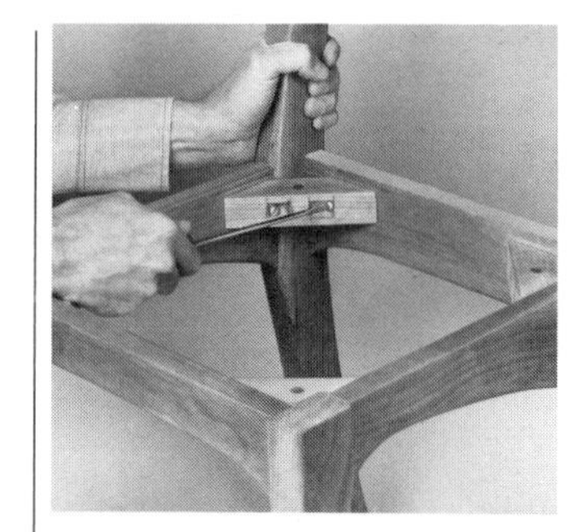

1. Coupez à onglet des blocs d'angle pour le châssis du siège. Taillez au ciseau dans le siège un logement pour deux vis à tête ronde nº 10 de 1½ po. Forez le centre des blocs pour des vis nº 8 de 1¾ po à visser dans le siège. Fixez les blocs à ¼ po sous le châssis. Marquez les trous de vis sous le siège.

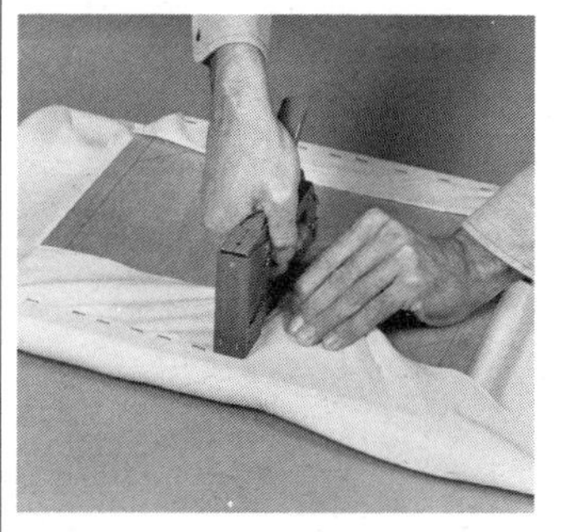

2. Taillez le caoutchouc mousse du siège : ½ po de plus que le contre-plaqué devant et sur les côtés, à ras à l'arrière et en L pour les emboîtements. Recouvrez-le de mousseline en tirant bien sur les côtés. Agrafez-la au contre-plaqué.

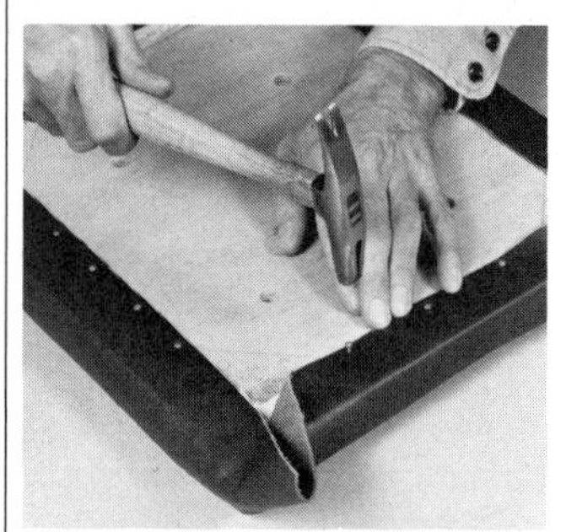

3. Taillez le cuir en ajoutant 3 po de tous les côtés. Etirez-le bien. Clouez-le sous le contre-plaqué avec des semences de tapissier de ⅜ po. Travaillez depuis le milieu des côtés vers les coins. Ne clouez pas dans les coins.

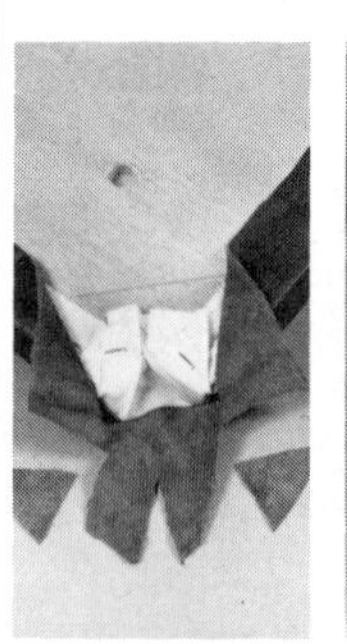

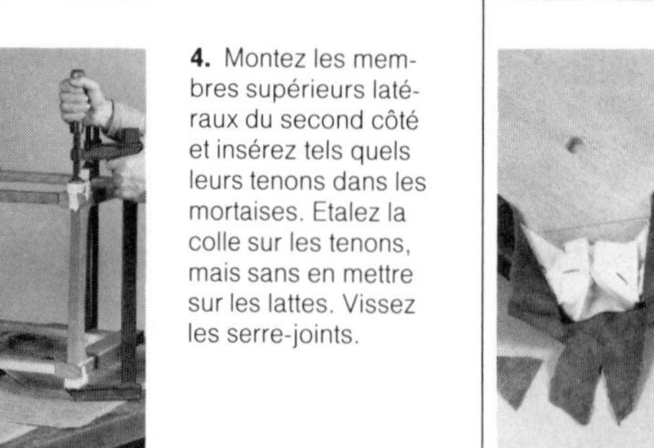

4. Coupez deux triangles dans le cuir, un de chaque côté de chaque coin. Dans les coins en L, coupez depuis l'angle du cuir jusqu'au bord du siège. Pliez les coins comme si vous emballiez un paquet. Clouez-les, sauf sur les marques faites à l'étape 1, ci-dessus. Vissez le siège aux blocs par-dessous.

Réparation de meubles

Les grandes lignes de la rénovation

La restauration des meubles anciens est un passe-temps qui se gagne de plus en plus d'adeptes. Avec un peu de pratique, elle permet de rendre toute leur valeur à des meubles qui ont été remisés pendant des années dans un grenier ou un entrepôt, quand ils n'ont pas été ensevelis sous la poussière et des débris dans une cave. On peut aussi trouver des pièces de choix dans les ventes aux enchères ou de garage, les marchés aux puces, les entrepôts de déménageurs ou les boutiques de meubles d'occasion.

De nombreuses réparations, comme la réfection de joints ou la rénovation d'un fini abîmé, sont relativement simples. Reportez-vous, à ce sujet, à la section *Menuiserie et ébénisterie,* pages 220-260. Quant au cannage des sièges, c'est l'un des types de réparation les plus populaires et les plus agréables ; il s'agit d'une technique groupant trois procédés, parmi lesquels il faut choisir en fonction du matériau utilisé : les éclisses de frêne, le jonc ou le rotin. Ces procédés seront décrits tour à tour dans les huit pages qui suivent.

Réparations. Avant de canner le fond ou le dossier d'une chaise, on doit remettre celle-ci en état, sans négliger les plus petites défectuosités qui, sans réparation, ne pourront que s'aggraver.

Les parties cassées ou fendues doivent être nettoyées, puis encollées à l'aide d'une couche de colle à bois blanche (PVA), avant d'être fixées en place avec des serre-joints. L'injection de colle dans des joints branlants suffit parfois à régler le problème. Mais on doit le plus souvent démonter, poncer, encoller et assembler les membres, tels que les barreaux, les pieds et les traverses. Si des goujons sont cassés, il faut les extraire et les remplacer par de nouveaux.

Il vaut mieux garder intacts les joints en bon état, même quand il faut démonter la chaise en partie. Dans un tel cas, il suffit de défaire les joints abîmés, sans oublier toutefois d'enlever les cornières et autres ferrures qui retiennent les parties ensemble. La façon d'encoller, de serrer et d'assembler une chaise est décrite et illustrée à la page 241.

On doit également enlever tous les vieux taquets, clous, agrafes et autres, et forer dans les anciens trous. Poncez les traverses et les bords du siège pour qu'ils ne risquent pas de couper le matériel de cannage.

Finition. Si le fini d'un meuble d'époque est intact, n'y touchez pas. Une rénovation excessive ne peut que diminuer la valeur du meuble.

On croit souvent que le fini d'un meuble est irrécupérable parce qu'il est très sale ; or, il n'en est rien et il suffit bien souvent de le nettoyer à fond avec l'un des nombreux produits commerciaux conçus à cet effet, comme la benzine ou un poli à meuble de bonne qualité. Renseignez-vous auprès d'un quincaillier ou d'un marchand de meubles. Par contre, si le fini ne peut être rattrapé, il faudra l'ôter complètement.

Choix du matériel de cannage. Pour savoir comment rempailler une vieille chaise, fiez-vous au fond qui est déjà en place. S'il est intact, conservez-le, il vous servira de guide. Mais même lorsqu'il ne reste rien de l'ancien fond, le choix du matériel ne pose aucun problème. Le fond d'une chaise qui présenterait quatre traverses rondes surmontées d'un dossier composé de barreaux, comme celles de la période coloniale américaine, peut être refait avec des éclisses de frêne (pp. 262-263) ou du jonc (pp. 264-266). Si le périmètre du siège est percé de trous, un tressage en rotin (pp. 267-269) s'impose ; par contre, s'il est rainuré, vous devrez choisir du rotin précanné (p. 267).

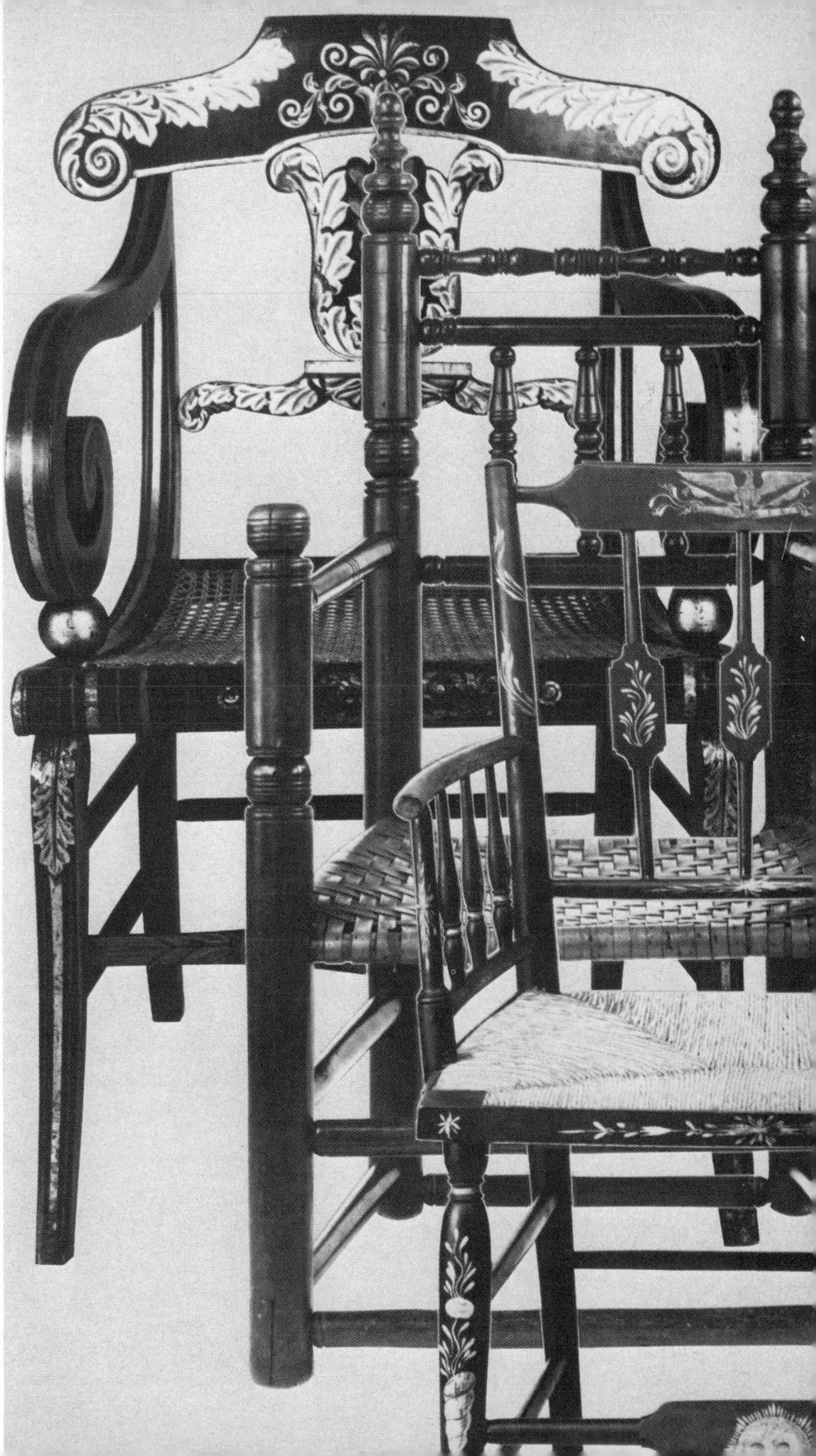

Le jonc, les éclisses et le rotin sont employés pour rempailler. Le fauteuil Sheraton (à l'avant-plan), vers 1815, est paillé avec du jonc ; le fauteuil de table (au centre), vers 1650, a un fond en éclisses ; et du rotin forme le siège du fauteuil de style colonial américain (à l'arrière-plan), vers 1835.

Réparation de meubles

Fonds en éclisses de frêne

Les fonds de siège en éclisses de frêne sont faits de fines languettes de bois (prélevées sur les cercles annuels de l'arbre) tressées régulièrement et en plein.

Outils et matériel. Les éclisses se vendent coupées en longueurs de 6 pi et en largeurs de ½, ⅝ et ¾ po. Il faut prévoir de 12 à 15 éclisses pour une chaise de modèle courant, 20 pour une plus grande et de 8 à 10 pour un tabouret ou une chaise d'enfant. L'éclisse de ⅝ po est la plus courante, mais si on ne craint pas le surcroît de travail, on obtiendra un tressage plus fin avec une largeur moindre. Les larges éclisses ne servent que pour les grands sièges et produisent un effet disgracieux sur les petites chaises. On trouve des éclisses dans les boutiques d'artisanat et de matériel de rempaillage. Pour en savoir davantage sur les produits naturels, reportez-vous à la section *Préparation du jonc et du frêne naturels,* page 269.

Outre le frêne, il vous faudra de la corde, de gros ciseaux, un couteau utilité et un bloc pour couper et nettoyer les éclisses, un seau pour les faire tremper, un pinceau et un produit de scellement contenant de l'huile d'abrasin, comme l'huile de lin bouillie.

On fait tremper trois ou quatre éclisses à la fois dans un seau d'eau chaude jusqu'à ce qu'on puisse les tresser, soit durant environ une dizaine de minutes. On en met de nouvelles à tremper chaque fois qu'on en retire une pour le tressage.

Tressage. Le tressage comporte deux étapes. Tout d'abord, on monte les éclisses d'avant en arrière sur tout le cadre (sauf dans les parties triangulaires d'une chaise évasée, plus large en avant qu'en arrière). Puis, on passe d'autres éclisses au travers des premières. Si le siège est évasé, on termine par les parties latérales (voir *Les motifs,* ci-dessous).

Les éclisses de frêne ont un côté rugueux et un autre lisse (voir les photos ci-dessous). Le côté lisse doit toujours se trouver à l'extérieur, sur et sous le siège. Quand on ajoute de nouvelles éclisses à celles déjà tressées (ci-dessous), on doit bien prendre soin de disposer leur face lisse à l'extérieur.

Comme les éclisses rétrécissent en séchant, il faut laisser suffisamment de mou pour que les languettes de chaîne s'enfoncent d'environ ½ po sur une petite chaise et de 1 po sur une grande.

Quand le tressage est fini, coupez les aspérités au ciseau. Le fond doit recevoir des deux côtés une couche d'un produit de scellement, mais on peut aussi le teindre avant d'appliquer celui-ci.

Comment repérer le côté lisse

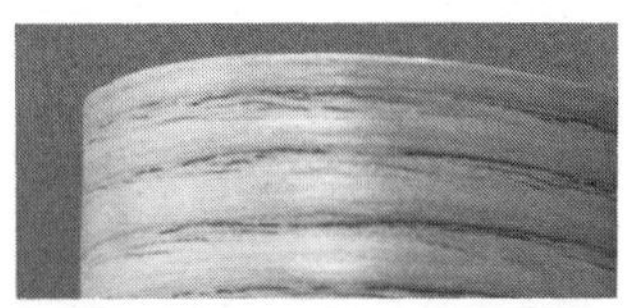

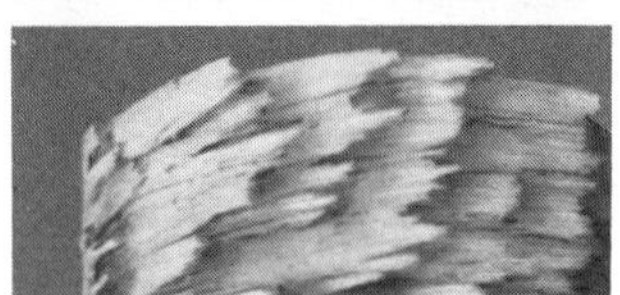

Les éclisses de frêne ont un côté lisse et un autre rugueux. Le premier doit toujours être à l'extérieur pendant le tressage. Pour le reconnaître, on plie l'éclisse détrempée : le côté rugueux présentera des aspérités (photo du bas), mais non le côté lisse (photo du haut).

Comment abouter des éclisses

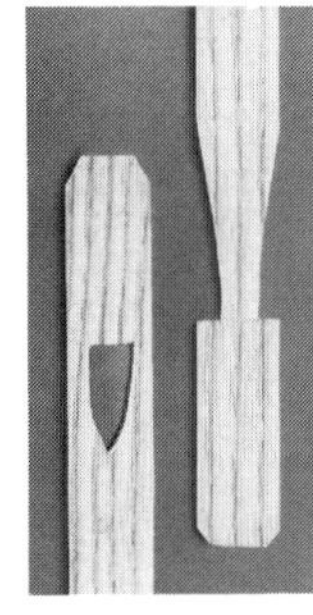

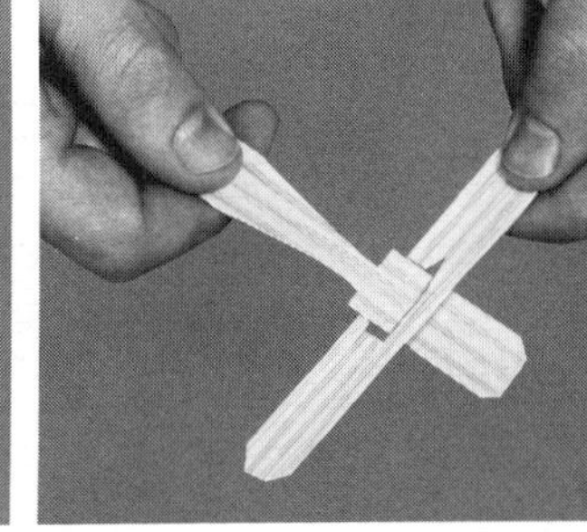

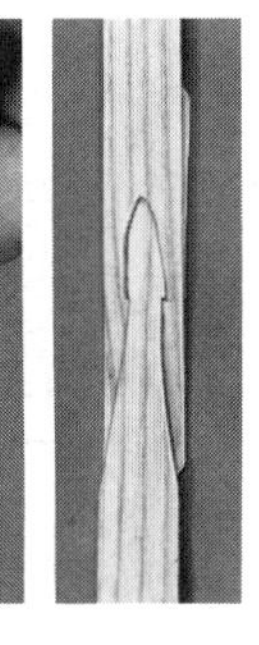

Pour abouter deux éclisses, coupez d'abord avec des ciseaux le bout venant du tressage en lui donnant la forme d'une pointe de flèche arrondie de 3 po de long, puis faites suivre cette pointe d'un col étroit (photo de gauche) ; entaillez la nouvelle éclisse à 3 po de son extrémité et sur une distance à peine supérieure à la largeur de la première. Insérez la pointe de flèche dans l'entaille (photo du centre) et faites-la pivoter pour que les deux morceaux soient dans le prolongement l'un de l'autre et que le col soit coincé dans la fente. Le joint se place sous le siège, la flèche vers l'intérieur.

Les motifs

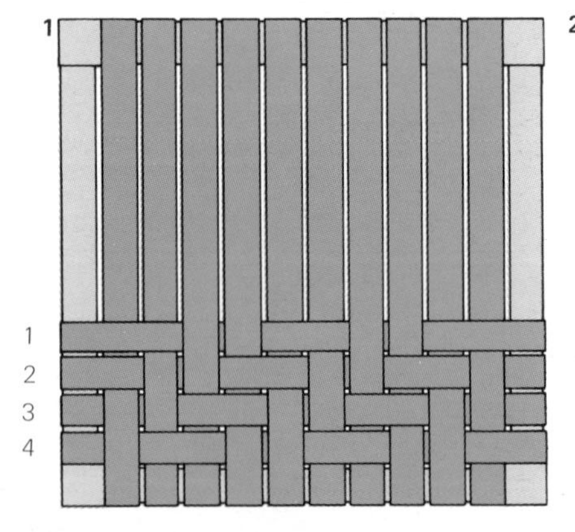

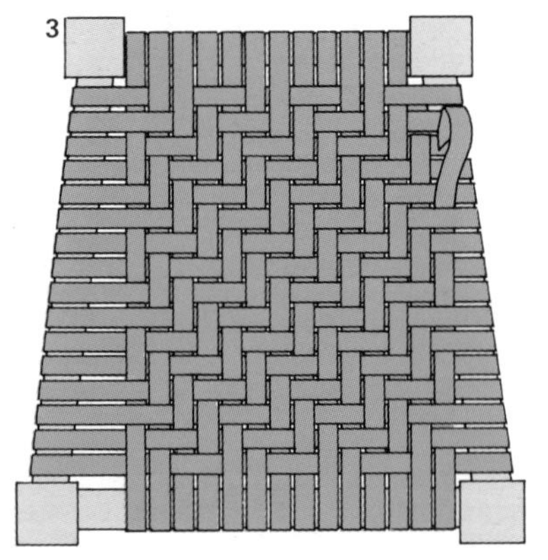

Une fois que les éclisses formant la chaîne sont en place, insérez la trame. Pour ce faire, passez les brins sous deux des premiers brins de chaîne, par-dessus les deux suivants, sous les deux autres, et ainsi de suite. L'effet de diagonale s'obtient en décalant l'amorce de chaque brin de trame. Ainsi, on en passe un sous le premier brin de chaîne (schéma 1), puis par-dessus les deux suivants et on continue de deux en deux. Le rang suivant commence sous les deux premiers brins de chaîne, puis les deux autres sont décalés tel qu'illustré. On reprend cette séquence de quatre tous les cinq rangs jusqu'à ce que le fond soit couvert (schéma 2). Pour un siège évasé (schéma 3), les parties triangulaires sont tressées en dernier avec des brins de chaîne qu'on ajoute un par un (voir les étapes 7 et 8, page suivante), en respectant le même décalage.

Cannage d'un fond de chaise avec des éclisses de frêne

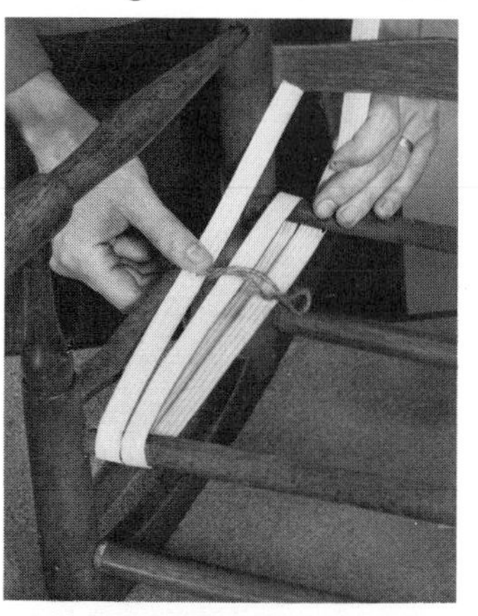

1. Sortez le premier brin du seau et passez-le autour des traverses avant et arrière. Liez l'extrémité libre à la traverse latérale avec une ficelle.

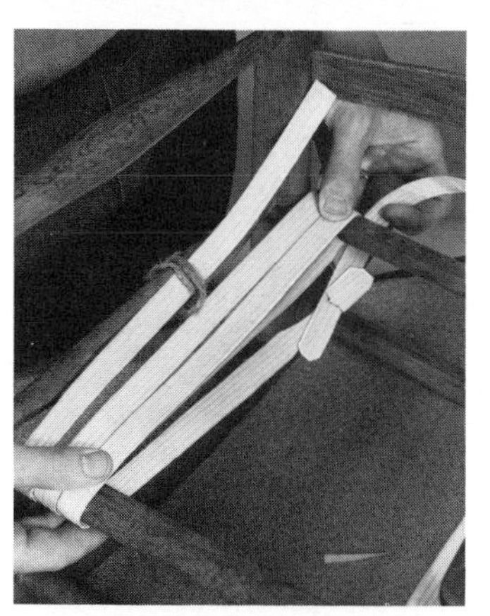

2. Continuez le montage de la chaîne autour des mêmes traverses. L'addition d'éclisses se fait de la façon décrite plus tôt ; les joints doivent se trouver sous le siège.

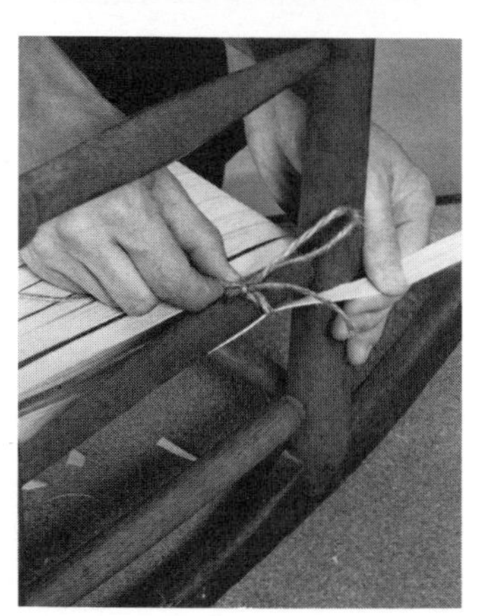

3. Poursuivez jusqu'à ce que le fond soit complété. Les brins doivent être parallèles et présenter une tension légère mais uniforme. Liez le bout de la dernière éclisse à la traverse latérale avec une ficelle.

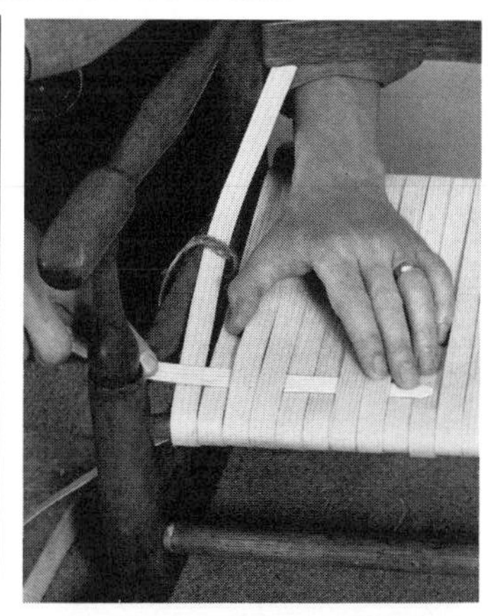

4. Tressez le premier brin de trame selon le patron illustré à la page précédente. Passez-le par-dessus la traverse et reprenez-le sous le siège. Ramenez le brin libre par-dessus l'autre traverse et repliez-le dans le tressage comme à l'étape 8. Utilisez une nouvelle éclisse pour chaque rangée.

5. Continuez le tressage de cette façon en vous servant d'un bout d'éclisse pour desserrer les brins de chaîne quand la tension commence à rendre le passage de la trame plus ardu.

6. Vous pouvez aussi glisser un morceau d'éclisse sous le brin de trame pour avoir une meilleure prise. Tenez celui-ci entre un doigt et la chute d'éclisse et poussez-le sous la chaîne.

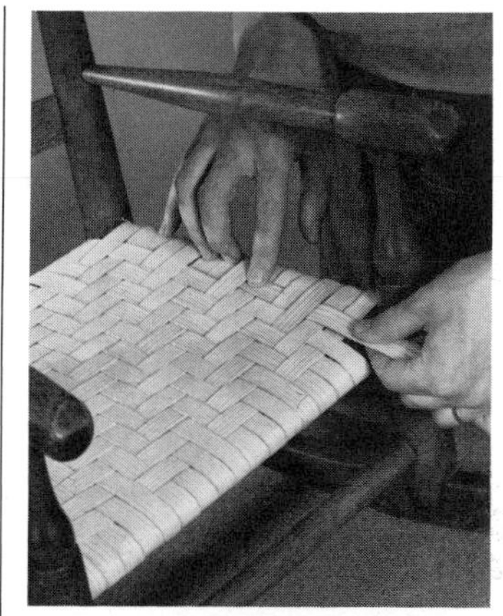

7. Quand le tressage est terminé, détachez les bouts liés lors des étapes 1 et 3 et repliez-les tel qu'expliqué à l'étape 8. Si le siège est évasé, remplissez les parties latérales tel qu'expliqué, en respectant le décalage.

8. Fixez en place les extrémités des éclisses supplémentaires en les repliant et en les glissant dans le tressage tel qu'illustré. Utilisez autant d'éclisses que nécessaire pour combler ces espaces.

9. Vous devrez parfois encocher les éclisses dans les coins pour obtenir un ajustement parfait contre les pieds. Supprimez ensuite toutes les aspérités avec des ciseaux. Teignez le fond si vous le désirez, puis appliquez une couche d'huile d'abrasin.

Réparation de meubles

Le rempaillage

Les fonds de siège en jonc sont faits de tiges de jonc ou de quenouille torsadées et tressées (voir *Préparation du jonc et du frêne naturels,* p. 269).

Outils et matériel. Le jonc artificiel — fabriqué de papier kraft torsadé en un brin de grosseur uniforme — se travaille mieux, coûte moins cher et se trouve plus facilement que le jonc naturel. On peut l'acheter dans les boutiques d'artisanat ou de matériel de rempaillage. Il faut environ 3 lb (1,3 kg) de jonc artificiel pour une chaise de salle à manger de grandeur normale, jusqu'à 5 lb (2,3 kg) pour un grand fauteuil ou une berceuse et environ 2 lb (1 kg) pour un tabouret ou une chaise de style Shaker. Ce type de jonc existe en plusieurs teintes et grosseurs. Quant au jonc naturel, il n'existe qu'en une seule couleur et il vous en faudra à peu près les mêmes quantités que celles qui sont indiquées ci-dessus.

Il vous faudra aussi un marteau et des semences, un coin en bois dur bien lisse, un produit de scellement contenant de l'huile d'abrasin (comme l'huile de lin bouillie) et du carton ondulé pour rembourrer le siège.

Le tressage. On tresse depuis les coins extérieurs vers le centre en passant sur et sous les traverses (voir les schémas ci-dessous). Les sièges étant rarement carrés, il reste généralement, après le tressage de base, un vide au milieu qu'on remplit en tressant en huit entre les traverses avant et arrière. Contrairement au tressage avec les éclisses de frêne (pp. 262-263), on commence, dans le cas d'un siège évasé, par les parties latérales. C'est seulement ensuite qu'on passe à la partie centrale (voir les schémas en bas de page), en revenant au tressage de base.

Comme, à l'inverse du rotin et du frêne, le jonc ne rétrécit pas en séchant à la fin du rempaillage, il faut maintenir constamment une tension maximale. On peut utiliser à cet effet un système de levier installé entre les traverses et les pieds pour qu'il en coûte moins d'efforts. Les brins doivent être rapprochés au maximum : serrez-les tous les cinq ou six rangs avec le coin en bois pour qu'ils soient parfaitement parallèles.

Le rempaillage d'une chaise évasée de modèle courant est illustré aux pages 265-266. Si le cadre du siège est carré ou rectangulaire, commencez à l'étape 7 de ces pages (voir le schéma ci-dessous).

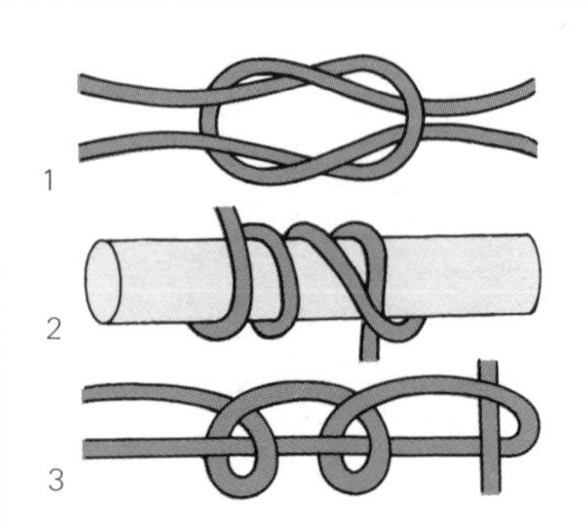

Le nœud plat (1) s'emploie pour raccorder deux brins à l'intérieur d'un siège. Le nœud de baguette (2) s'effectue en enroulant la corde autour d'un barreau, puis en la glissant sous la dernière boucle. Il sert à maintenir la tension pendant une pause. Le nœud de feston (3) sert à nouer la dernière corde à l'intérieur du tressage.

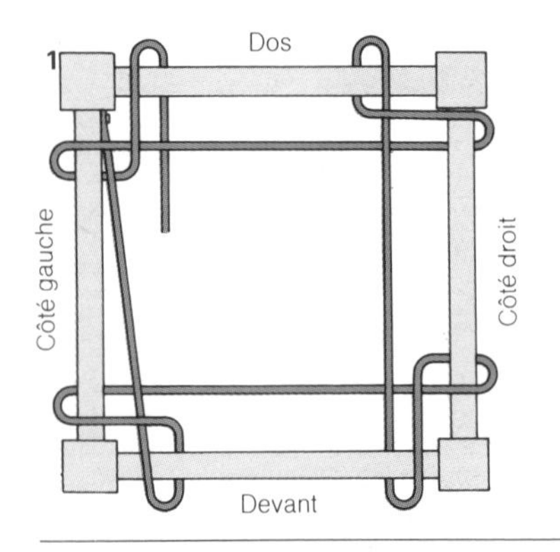

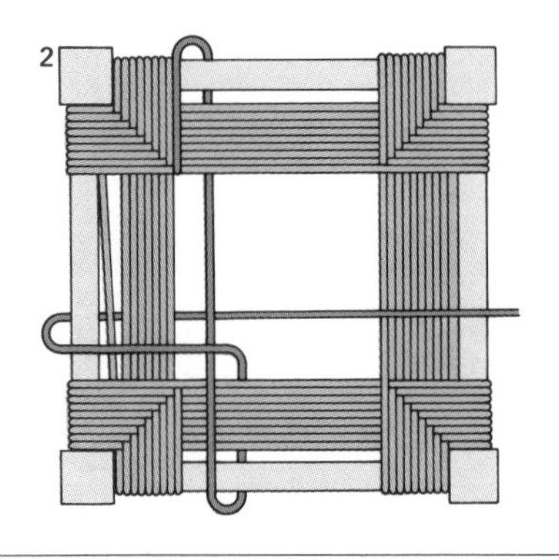

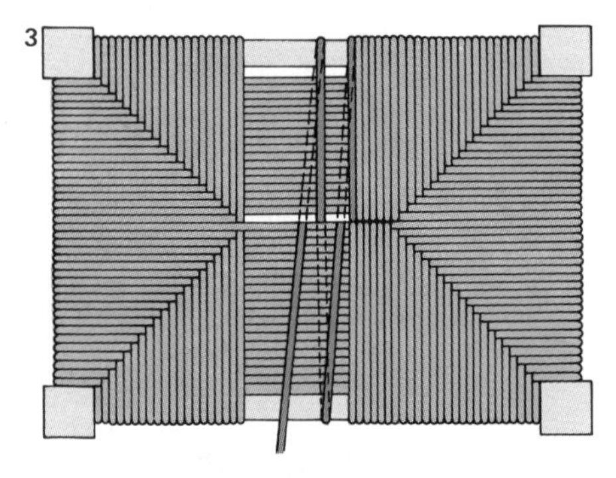

Technique de base pour le rempaillage avec du jonc (schéma 1). Clouez un brin dans le coin arrière gauche. Passez-le sur et sous la traverse avant, sur et sous la traverse latérale gauche, puis vers la traverse de droite. Dans le cas d'un siège carré, recommencez l'opération sur tout le périmètre jusqu'à ce que le fond ait été complètement rempaillé (schéma 2). Employez des brins de 15 à 20 pi de long ; raccordez-les avec un nœud plat, à l'intérieur du siège. Pour un siège rectangulaire (schéma 3), la partie centrale, qui reste vide après le rempaillage des traverses latérales, est comblée par des boucles en huit qui passent toutes par la même ouverture, dégagée entre les brins de trame du milieu.

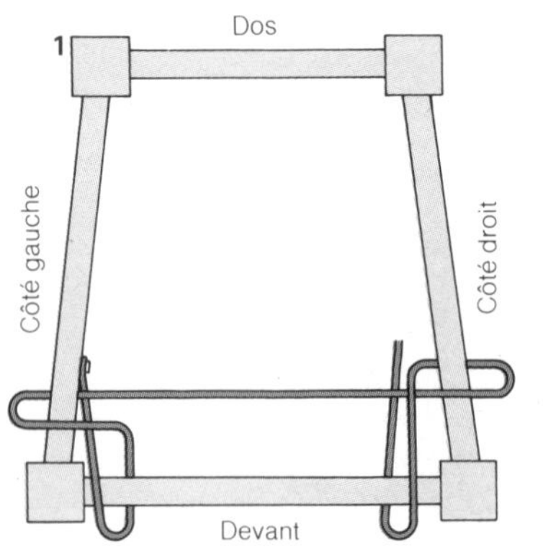

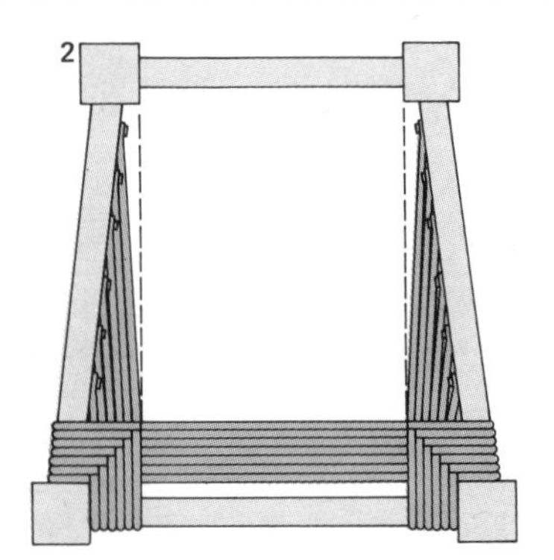

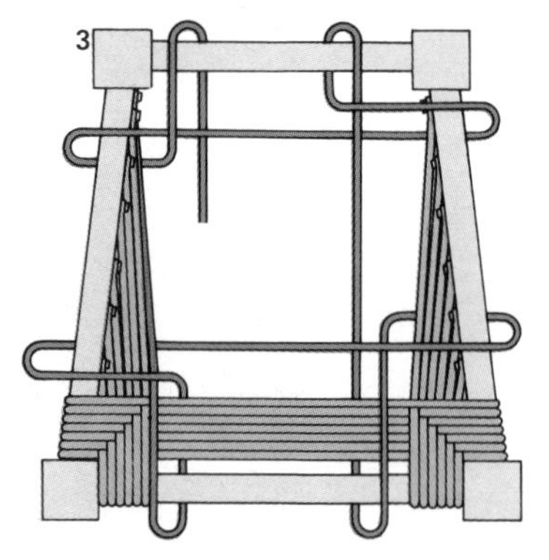

Dans le cas d'un siège évasé, on commence par les parties latérales triangulaires. Clouez un brin de 3 ou 4 pi de long à la traverse latérale gauche, près de la frontale, passez-le autour des deux coins antérieurs et clouez-le à la traverse de droite, en face de la première semence (schéma 1). Clouez un deuxième brin le plus près possible du premier et passez-le autour des traverses comme celui-ci. Répétez l'opération jusqu'à ce que vous atteigniez la traverse arrière (schéma 2). Il ne reste plus qu'à rempailler la partie carrée ou rectangulaire (schéma 3) selon la technique de base illustrée ci-dessus.

Rempaillage avec du jonc

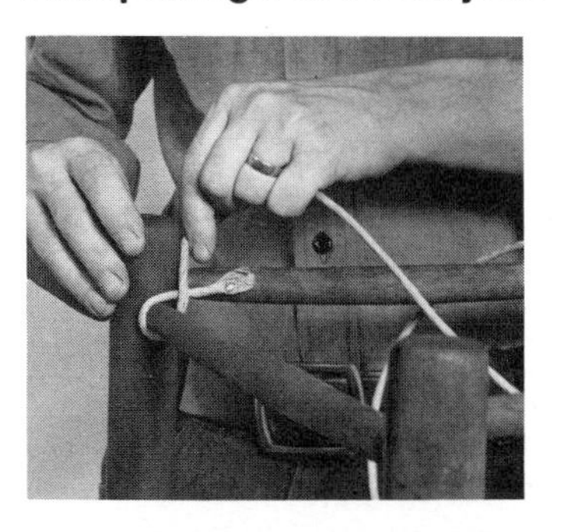

1. Coupez un brin de 3 ou 4 pi de long. Clouez-en un bout à la traverse gauche, passez-le autour de la traverse avant, près du pied, puis autour de la traverse droite (voir les schémas, page ci-contre).

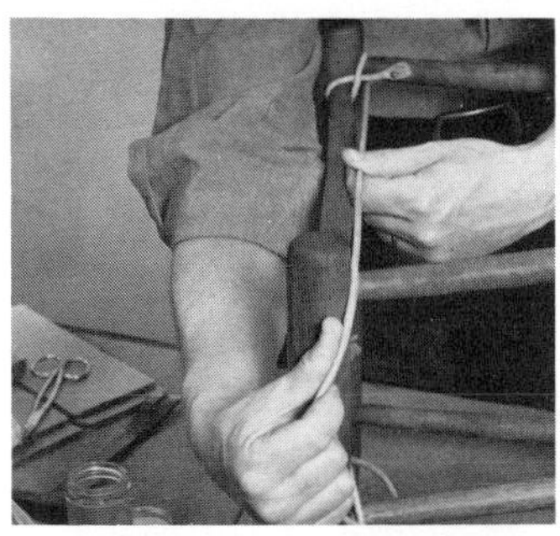

2. Ramenez le brin vers le coin antérieur droit. Passez-le autour de la traverse latérale puis de celle de devant. Maintenez une tension maximale.

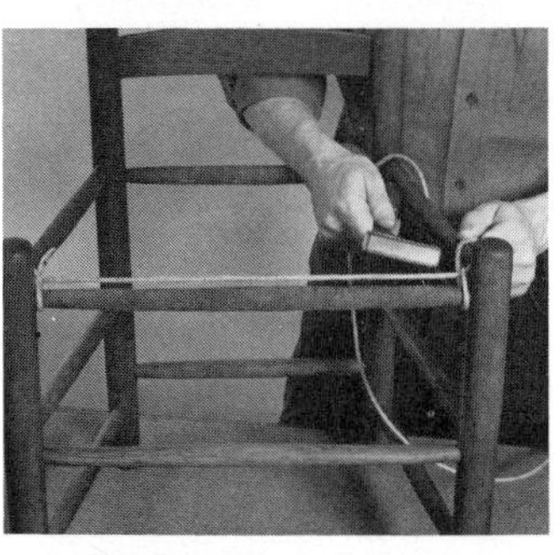

3. Clouez le brin à l'intérieur de la traverse droite, vis-à-vis du premier bout, le plus près possible du pied. Détordez un peu le jonc pour pouvoir le clouer. Coupez-le à ½ po de la semence.

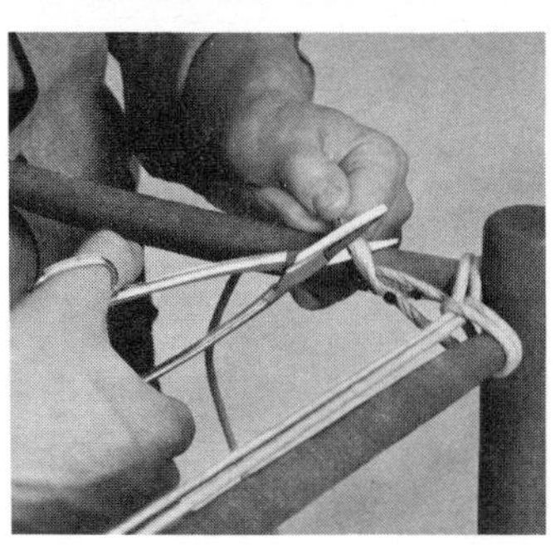

4. Clouez un deuxième brin derrière le premier et passez-le de la même façon autour des traverses avant et latérales ; clouez son autre extrémité derrière celle du premier brin et coupez-le.

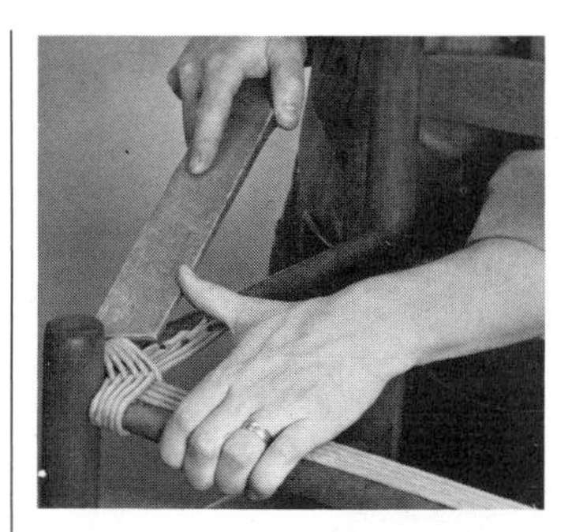

5. Procédez de cette façon jusqu'à ce que les coins soient remplis. Tassez les brins vers les coins avec le morceau de bois tous les cinq ou six rangs, afin qu'ils soient bien serrés et parfaitement parallèles.

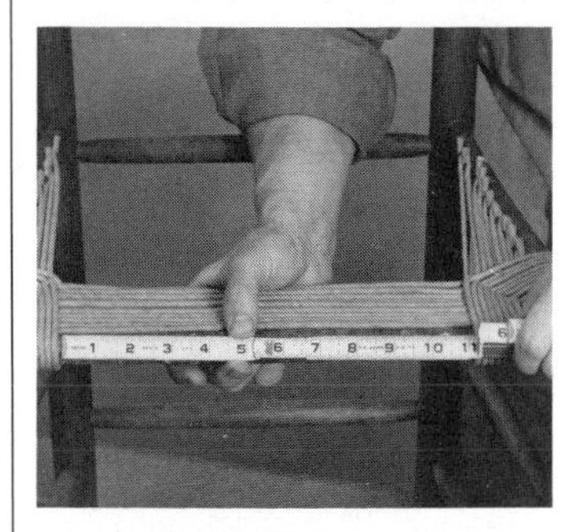

6. Mesurez l'écart entre les brins tressés sur la traverse avant. Dès qu'il correspond à la longueur de la traverse arrière, passez au tressage continu autour des quatre coins (voir page ci-contre).

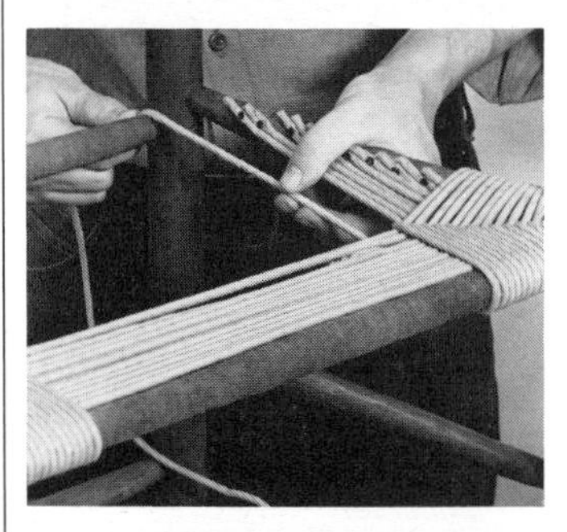

7. Coupez un brin de 15 à 20 pi de long. Clouez-en un bout à la traverse de gauche, près du pied arrière. Passez-le sur la traverse avant, autour de celle de gauche, par-dessus celle de droite, puis ramenez-le vers le coin arrière droit (voir les schémas, page ci-contre).

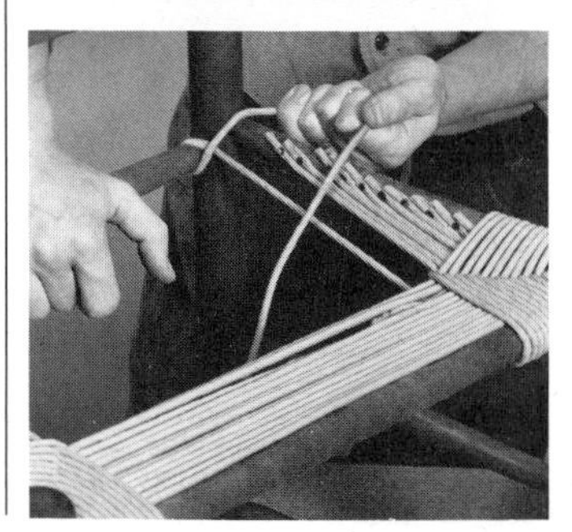

8. Passez le brin sur la traverse arrière, puis autour de celle de droite, comme vous l'aviez fait dans les coins antérieurs. Gardez-le très tendu et serrez-le le plus possible contre les pieds du siège.

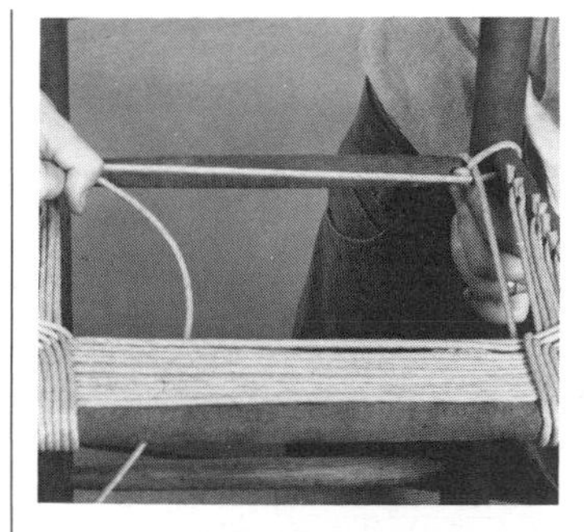

9. Tressez autour de la traverse de gauche, puis de celle du dos ; ceci complète le premier tour du tressage continu. Ramenez le brin vers le coin antérieur gauche et poursuivez le tressage.

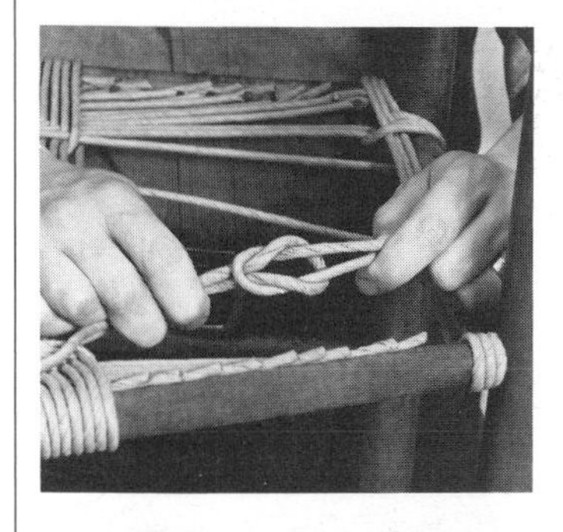

10. Un nouveau brin est raccordé au premier par un nœud plat (voir l'illustration, page ci-contre). Les nœuds ne doivent pas être faits dans les coins, mais vers le milieu afin que l'ouvrage, une fois terminé, les dissimule.

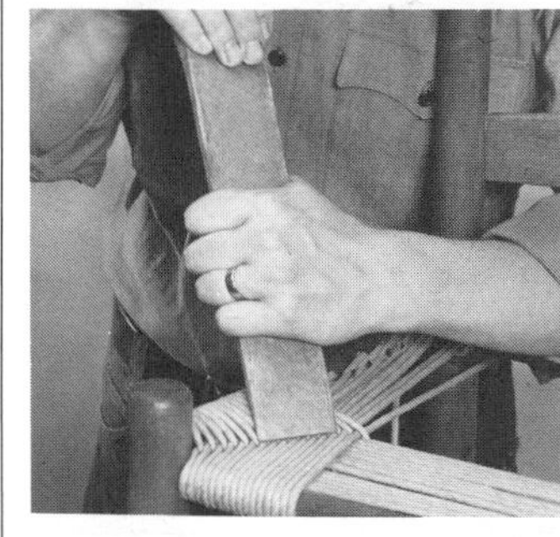

11. Tassez les brins avec le coin en bois dur pour les serrer au maximum et afin qu'ils soient perpendiculaires aux traverses. Répétez l'opération tous les cinq ou six rangs.

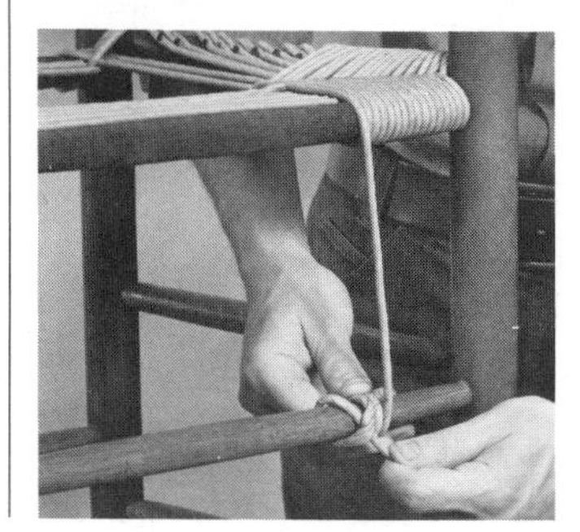

12. Si vous devez vous interrompre, nouez le brin autour d'un barreau avec un nœud de baguette (voir l'illustration, page ci-contre). Le brin doit être bien tendu et le nœud solide.

Réparation de meubles

Rempaillage avec du jonc *(suite)*

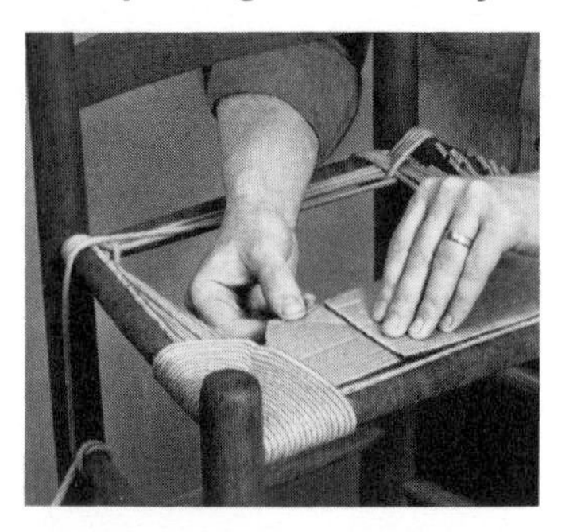

13. Après avoir tressé quelques rangs, découpez deux triangles en carton et insérez-les entre les brins contre la traverse avant. Ils doivent s'abouter, mais non se chevaucher.

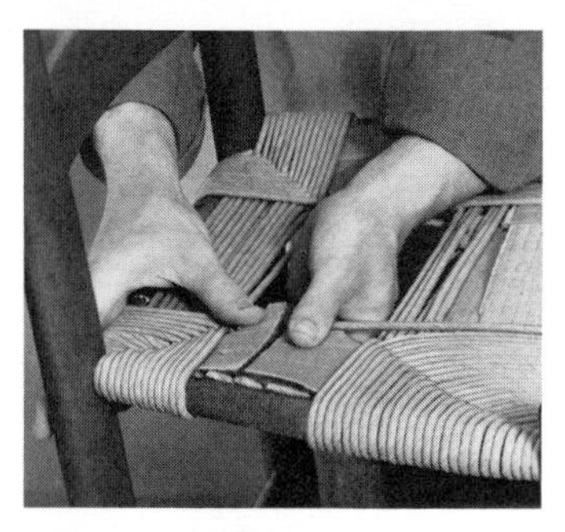

14. Exécutez encore quelques rangs en tressage continu, puis glissez d'autres morceaux de carton contre les côtés et les coins arrière du siège. Ils serviront de bourre et préviendront un frottement excessif entre le paillage et les traverses.

15. Vous pouvez aussi glisser du carton sous le tressage latéral. L'épaisseur du carton et des brins devrait dépasser légèrement le diamètre des traverses. Serrez les brins avec le coin en bois après avoir inséré le carton.

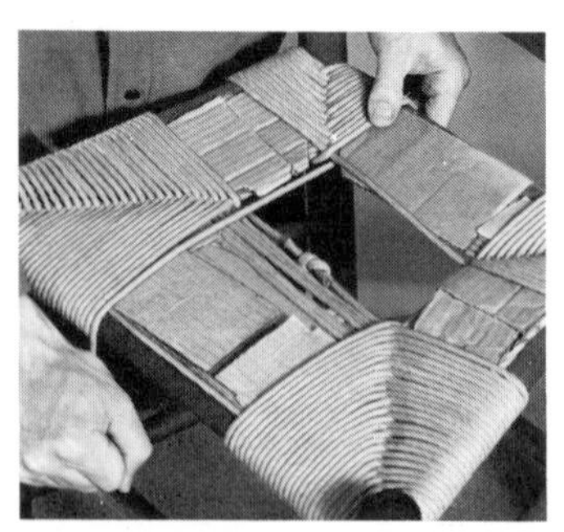

16. Le carton est masqué par le tressage. Il devrait être d'une teinte rappelant celle du jonc pour rester invisible si les brins s'écartaient les uns des autres.

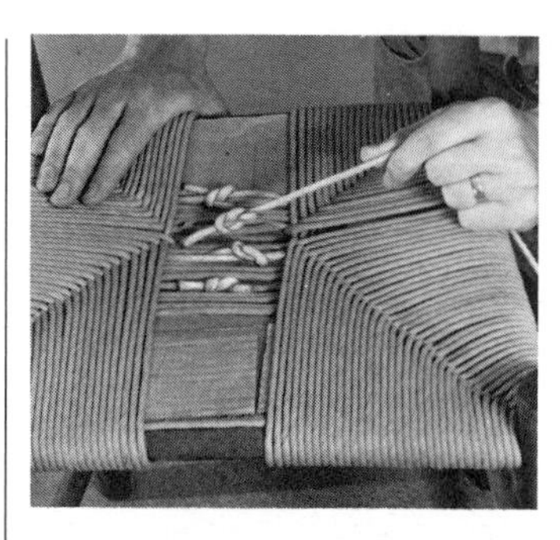

17. Pour compléter le dernier rang de trame, passez le brin autour de la traverse latérale, puis jusqu'à l'étroite ouverture du centre. Nouez un nouveau brin et terminez le rempaillage.

18. Finissez de rempailler le fond par des boucles en huit autour des traverses avant et arrière (voir le schéma, p. 264). Toutes les boucles passent par l'ouverture centrale. Maintenez-les serrées et parallèles avec le coin en bois.

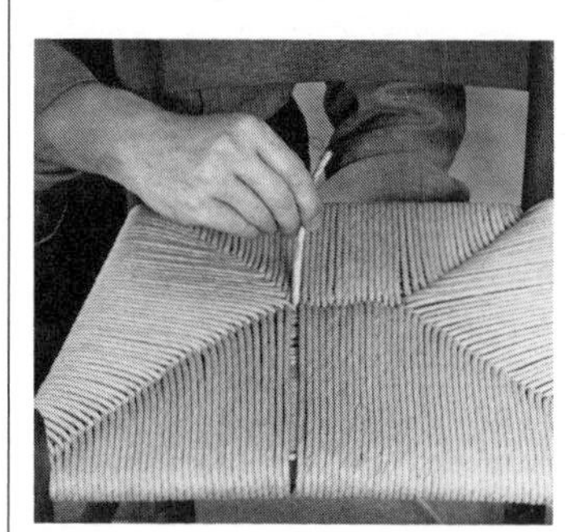

19. Après le dernier huit, ramenez le brin à travers l'ouverture centrale tel qu'illustré. Tendez-le pardessus la traverse frontale et passez-le sous le siège. Renversez celui-ci.

20. Nouez le dernier brin en exécutant plusieurs nœuds de feston (voir le schéma, p. 264). Pour ce faire, passez-le d'abord sous celui qui lui fait face.

21. Tirez le brin au maximum pour qu'il ne se détende pas pendant que vous le nouerez. Ensuite, faites une boucle et continuez selon l'explication de l'étape suivante.

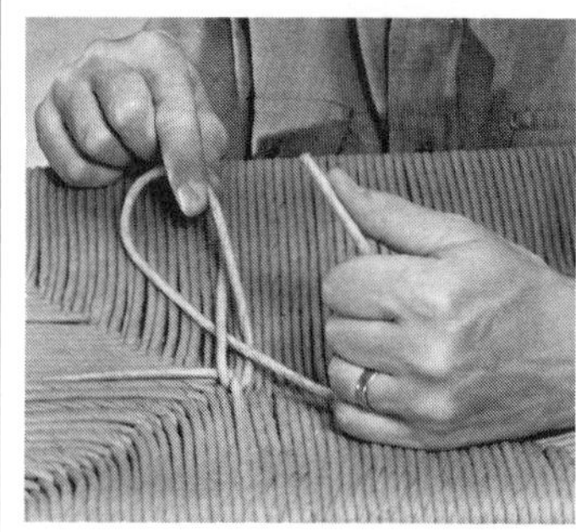

22. Passez le brin dans la boucle, tel qu'illustré. Faites deux ou trois autres nœuds de feston, puis coupez l'excédent. Insérez les nœuds dans le tressage pour qu'ils soient invisibles.

23. Serrez tout le fond avec le coin en bois pour que les brins forment des rangées égales et sans ajours. Passez le plat du coin sur les traverses pour aplatir tout brin qui dépasserait les autres.

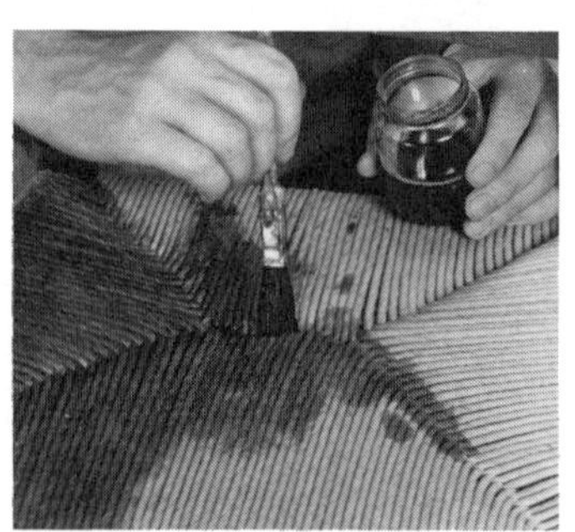

24. L'huile d'abrasin additionnée d'un produit de scellement fonce les brins et protège le fond. Enduisez-en d'abord le dessous du siège, puis le dessus. Laissez-la pénétrer pendant 15 min, puis essuyez le surplus. Laissez sécher toute la nuit.

Le cannage

Le cannage consiste à tresser des brins de bois longs et minces, afin d'obtenir un motif octogonal et ajouré (voir illustration, à droite). Le rotin précanné et vendu en feuilles convient pour certains types de chaises. Il s'agit alors de *cannage avec rainure,* et on exécute celui-ci selon le procédé décrit ci-dessous.

Le rotin provient de l'écorce d'un palmier, le rotang. Cette écorce peut atteindre des centaines de pieds de long, mais compte rarement plus de 1 po de diamètre. On trouve le rotin dans les boutiques d'artisanat et de vannerie ; il est vendu en paquets de 1 000 pi de long et en grosseurs variées. Le tableau ci-dessus vous aidera à déterminer la largeur des brins qui est appropriée pour votre chaise. Chaque paquet s'accompagne d'un brin plus gros, le *rotin de bordure,* qui sert pour la finition après le cannage. Prévoyez environ 250 pi de rotin pour une chaise de cuisine ou de salle à manger de modèle courant et en bois.

Diamètre du trou	Intervalle entre les trous	Largeur du rotin
1/8 po	3/8 po	Superfin
3/16 po	1/2 po	Fin-fin
3/16 po	5/8 po	Fin
1/4 po	3/4 po	Moyen
5/16 po	7/8 po	Ordinaire

Il existe aussi du rotin en plastique. Résistant, il se tresse mieux que le rotin naturel (pas besoin de trempage) et n'est pas cher. Il convient pour les chaises peintes, tandis que le rotin naturel est préférable pour les sièges d'époque.

Pour le cannage, il vous faudra des ciseaux, des chevilles ou des tees de golf pour maintenir les bouts des brins en place, un perçoir pour nettoyer les trous du siège, un seau pour le trempage, des pinces à linge et de l'huile de lin bouillie ou tout autre produit de scellement contenant de l'huile d'abrasin.

Pour assouplir le rotin, on le fait d'abord tremper. En séchant, il rétrécit et resserre le cannage. Séparez quelques brins du paquet en jetant tous ceux qui sont abîmés. Enroulez-les individuellement et fixez chaque spire avec une pince à linge, puis mettez-les à tremper pendant 15 minutes. Chaque fois que vous sortez un brin du seau, remplacez-le par un autre, afin d'en avoir toujours de prêts. Mouillez régulièrement le dessous du tressage avec une serviette imbibée d'eau chaude, pour empêcher le cannage de rétrécir prématurément.

Le rotin a un côté rugueux et plat, et un autre qui est lisse, luisant et arrondi ; c'est cette face qu'on doit toujours voir sur le dessus. On passe le rotin dans les trous du siège en en fixant les bouts en place avec des chevilles tant qu'ils ne sont pas raccordés à d'autres brins, ce qui se fait sous le siège et à une étape ultérieure (voir le schéma ci-dessous, à droite). Laissez toujours 4 po de plus aux bouts chevillés en prévision du nouage. Maintenez une tension uniforme, mais laissez assez de jeu pour obtenir, en appuyant légèrement sur le cannage, une dépression de ½ à ¾ po.

Pendant le tressage, gardez une main sous le cannage et l'autre par-dessus ; passez le rotin par-dessous un espace, puis par-dessus le suivant en un mouvement continu et en prenant soin qu'il ne se torde pas dans vos mains. Le cannage comporte six étapes (p. 268). Assurez-vous, à la fin de chacune, qu'aucun brin n'est tordu et que le tressage est parallèle et d'une parfaite régularité.

Le cannage d'un siège évasé ou de forme irrégulière comporte des particularités décrites dans la section *Cannage d'un siège évasé,* p. 269. Une fois que les six étapes sont terminées et que tous les bouts ont été raccordés, on pose le rotin de bordure (voir p. 268) autour du périmètre du siège, pour une finition impeccable. Ensuite, on passe une cheville dans chaque trou pour en uniformiser la circonférence. Il ne reste plus alors qu'à brûler les aspérités avec une allumette pendant que le cannage est encore humide, ou à les supprimer avec une lame de rasoir. La teinture du rotin est une question de goût, mais on doit toujours enduire les deux côtés du cannage (en commençant par-dessous) d'un produit de scellement. Dès que celui-ci est sec, la chaise est prête.

Le cannage avec rainure

On peut réparer un siège rainuré avec du rotin précanné. Le procédé est très simple : coupez d'abord la feuille de rotin aux dimensions voulues et faites-la tremper 10 min dans de l'eau chaude. Pressez de la colle blanche dans la rainure, positionnez la feuille de rotin et enfoncez-en les bords dans la rainure. Faites également tremper le rotin de bordure ; plus gros et fuselé, celui-ci doit s'ajuster parfaitement dans la rainure. Placez-le sur le rotin précanné et enfoncez-le dans la rainure de pourtour avec un maillet. Appliquez un produit de scellement.

Cannage

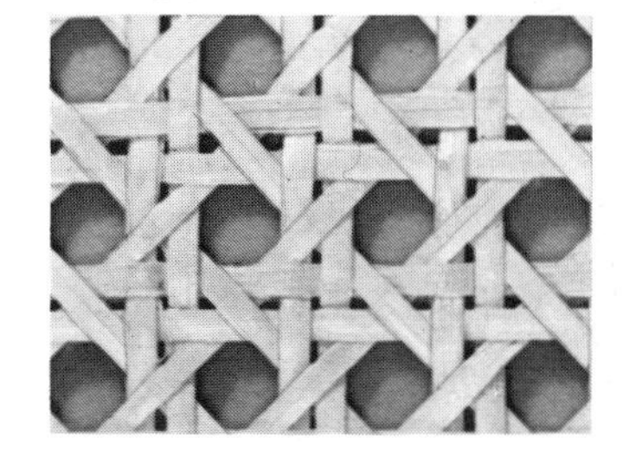

Tressage. Procédez vers la droite autour de chaque octogone en rotin, le brin de travail passant toujours sous le brin suivant.

Nouage des bouts libres

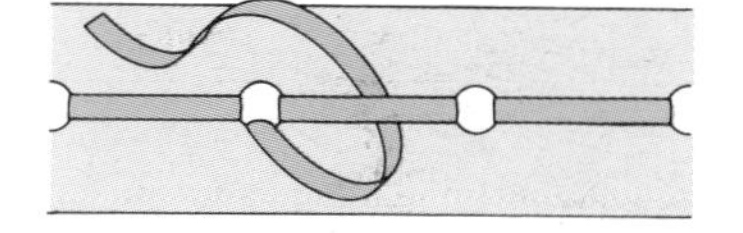

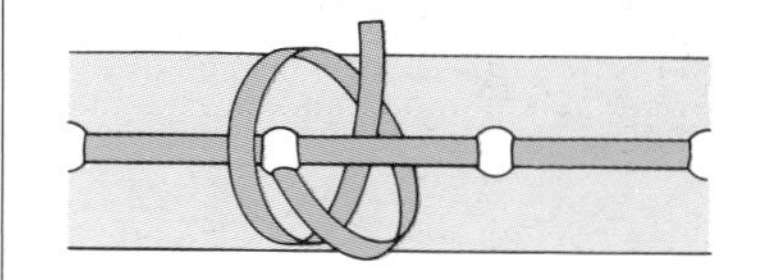

Durant le cannage, les bouts libres sont maintenus en place par des chevilles qui sont coincées dans les trous du siège. On noue ces bouts libres plus tard, sous le siège, quand d'autres brins passent par les mêmes trous que les bouts libres. Pour faire le nœud, enfilez d'abord le bout libre sous le cannage (illustration du haut). Faites une autre demi-clé, puis passez-la entre la première et le tressage (illustration du bas). Tirez alors sur le brin et coupez-le à 1 po du nœud. Les illustrations montrent le dessous du siège pendant le nouage.

Réparation de meubles

Etapes du cannage

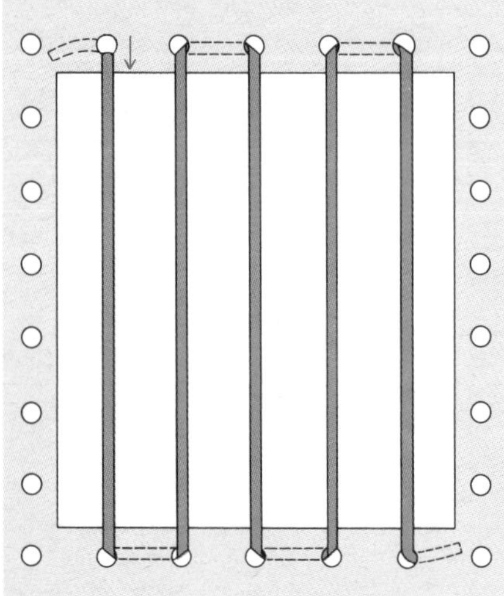

1. Montez d'abord la chaîne en passant le rotin de l'avant vers l'arrière dans tous les trous du devant et du dos de la chaise. (Pour plus de clarté, on n'a pas représenté les chevilles ici. On peut les remplacer par des tees.)

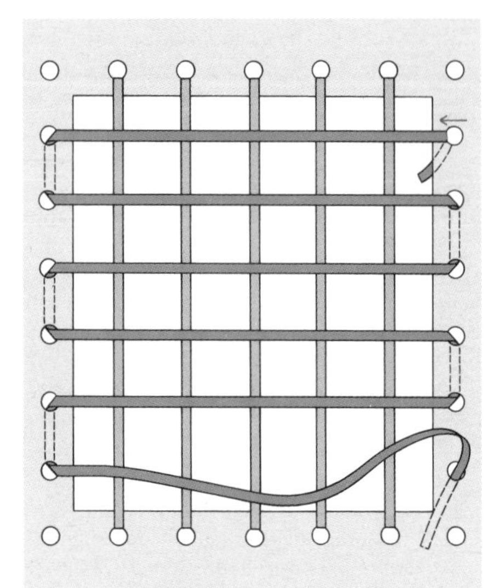

2. Passez ensuite à la trame qui se monte latéralement, par-dessus les brins de chaîne. Chaque brin passe sous le cadre de la chaise (lignes pointillées) et remonte par le trou immédiatement adjacent, le long de la traverse.

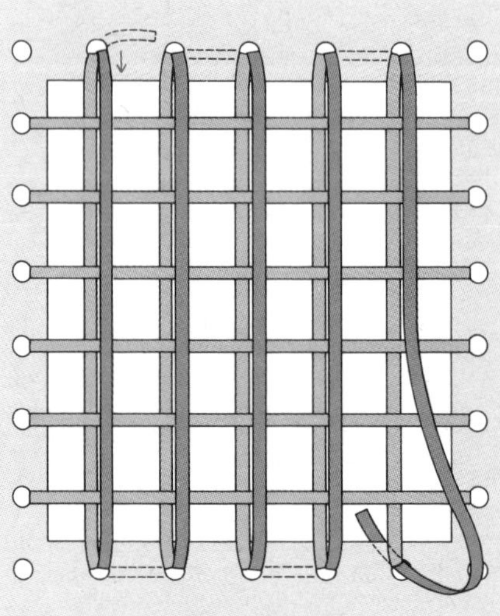

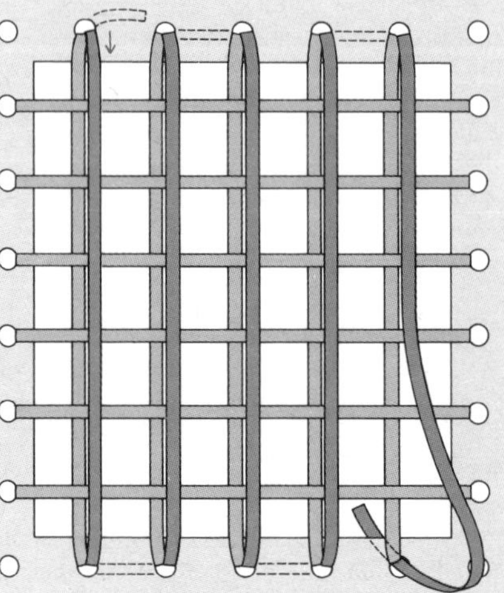

3. Remontez une nouvelle chaîne en passant par les mêmes trous qu'à l'étape 1. Procédez toujours dans le même sens que celui qui a été adopté au début (dans ce cas-ci, vers la droite) et par-dessus les brins de trame montés à l'étape 2.

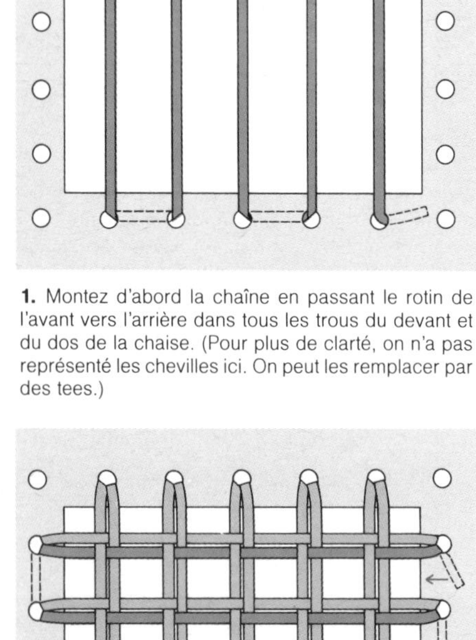

4. Le tressage commence à cette étape. Passez le rotin de trame sous la chaîne de l'étape 1, puis par-dessus celle de l'étape 3, en procédant toujours dans le même sens, soit de droite à gauche ou de gauche à droite.

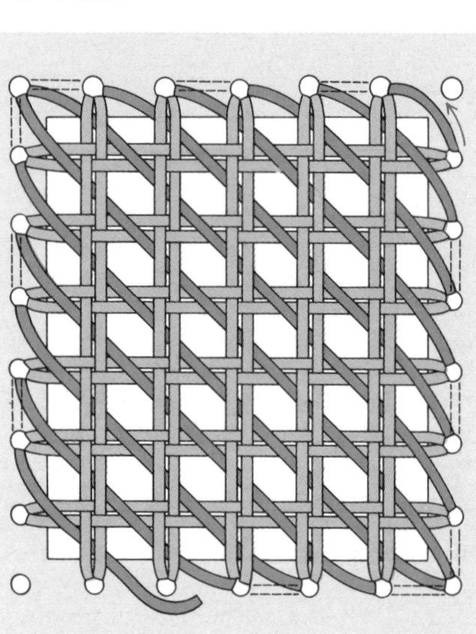

5. Passez les brins de la première diagonale sous les deux chaînes (étapes 1 et 3) et par-dessus les deux trames (étapes 2 et 4). Maintenez une tension uniforme. Mouillez le rotin à l'aide d'une serviette imbibée d'eau chaude.

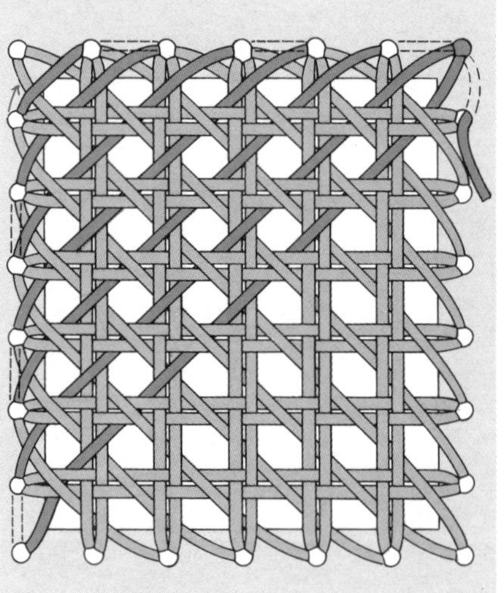

6. Montez la seconde diagonale perpendiculairement à la première. Passez-la par-dessus les rangs de chaîne et sous les rangs de trame. A la fin, vérifiez la régularité du cannage, nouez les bouts (p. 267) et posez le rotin de bordure.

Pose de la bordure

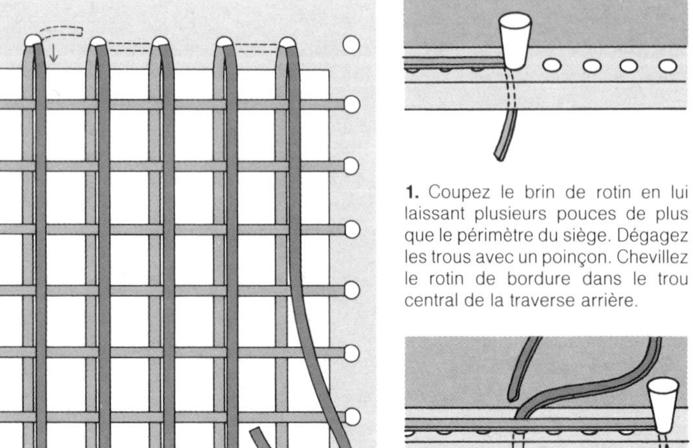

1. Coupez le brin de rotin en lui laissant plusieurs pouces de plus que le périmètre du siège. Dégagez les trous avec un poinçon. Chevillez le rotin de bordure dans le trou central de la traverse arrière.

2. Faites un nœud au bout d'un brin de rotin. Passez-le de bas en haut dans le quatrième trou à partir de la cheville, par-dessus le rotin de bordure, et revenez dans le même trou. Vous venez d'exécuter un point.

3. Passez le rotin dans le trou suivant, sous le siège, et exécutez un autre point de bordure en entourant le rotin chevillé. Continuez de « coudre » ainsi sur tout le périmètre du siège.

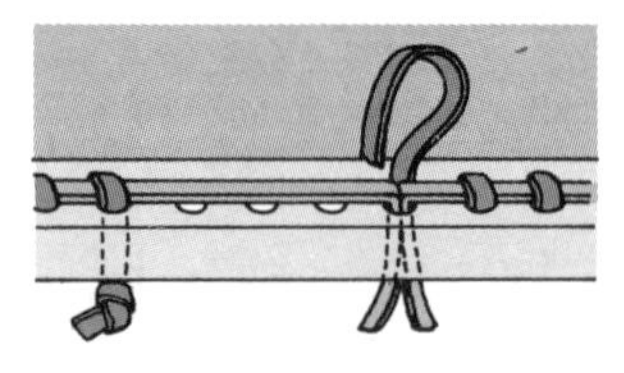

4. Otez la cheville et passez le bout libre du rotin de bordure dans le trou de départ ; nouez-le à son autre extrémité et terminez la couture de cette façon. Nouez puis coupez l'excédent.

Cannage d'un siège évasé

Quoique le principe, ici, soit essentiellement le même que pour un siège rectangulaire (on suit les six étapes décrites à la page précédente), il y a tout de même certaines différences. Ainsi, au lieu de commencer dans un coin, on passe le premier brin par les trous centraux de l'avant et de l'arrière qu'on repère en comptant depuis les coins. Enfilez le rotin, fixez-le avec une cheville et montez la chaîne d'avant en arrière sur la moitié du siège (schéma 1, à droite). Quand on atteint le côté, il devient nécessaire de sauter des trous (surtout vers l'arrière) pour que les rangs demeurent parallèles et équidistants. Il suffit, pour ce faire, de passer le rotin sous le siège au-delà des trous escamotés, à moins que cela ne les bouche, car on doit pouvoir les utiliser plus tard. Dans ce cas, coupez le brin de travail et faites le ou les derniers rangs avec des brins séparés. Si vous sautez des trous d'un côté, faites la même chose de l'autre pour respecter la symétrie de l'ouvrage.

Dans le cas de la trame, il sera nécessaire de sauter des trous près des traverses avant et arrière afin que le cannage demeure parallèle et équidistant (schéma 2). Tout comme pour la chaîne, veillez à ne pas bloquer de trous par-dessous et faites un travail symétrique. On saute les trous des extrémités pour éviter que le cannage ne passe par-dessus le cadre de la chaise.

Comme, dans le cas des diagonales, les rangs ne se trouveront pas toujours dans le prolongement direct des trous, choisissez ceux de ces derniers qui permettront de dévier le moins possible de la ligne droite. Cela implique qu'au moins un brin sortira par le trou où il était entré. Quand cela se produit, passez le brin dans le trou, faites-le sortir par le trou adjacent et tressez la diagonale suivante, en en sautant une que vous ferez lors du mouvement inverse. Reprenez ensuite l'enchaînement normal (schéma 3).

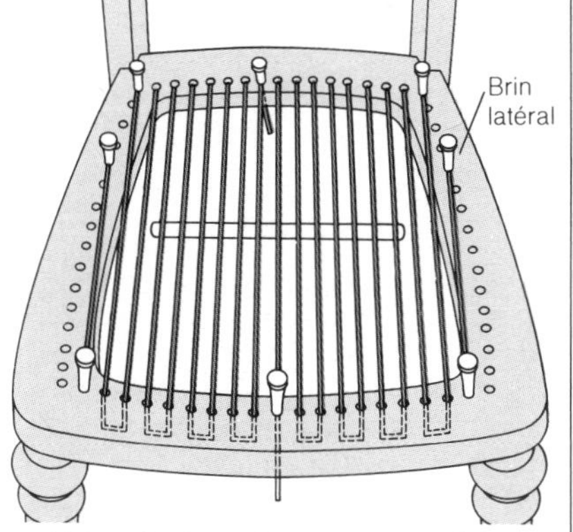

Utilisez des brins distincts pour les côtés.

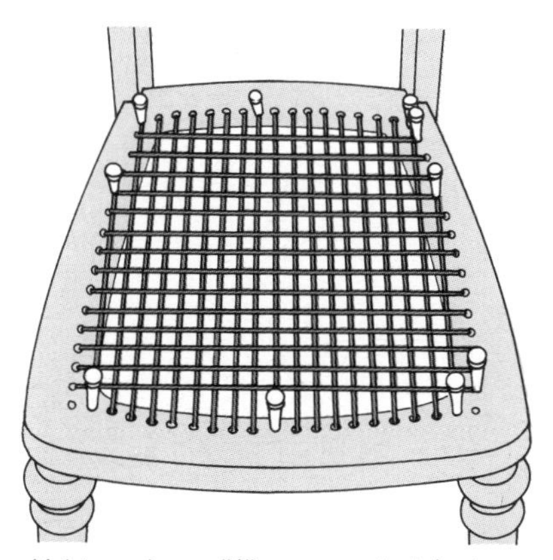

Maintenez le parallélisme en sautant des trous.

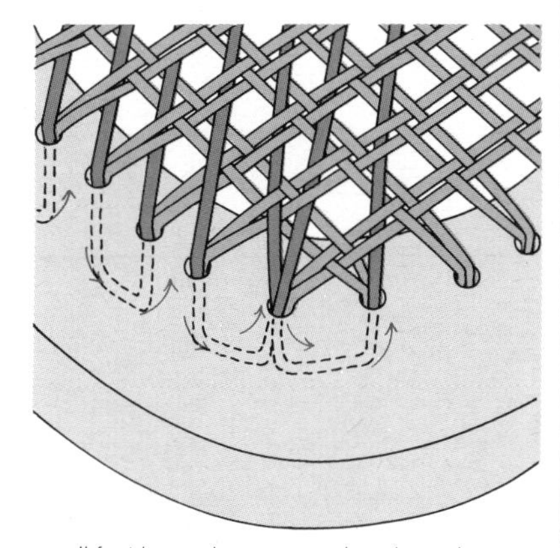

Il faut improviser un peu dans les coins.

Préparation du jonc et du frêne naturels

Les éclisses de frêne naturel devraient provenir du frêne noir (connu aussi sous les noms de frêne gras ou frêne de grève) qui pousse dans les endroits humides comme les sous-bois ou les marais. Les éclisses du frêne blanc (appelé aussi franc frêne ou frêne d'Amérique) conviennent également.

Les éclisses sont prélevées sur des arbres que l'on a fait tremper dans de l'eau après les avoir abattus. Choisissez un arbre ayant entre 7 et 9 po de diamètre, au tronc droit et sans défauts, nœuds ou branches sur une longueur d'au moins 6 pi. Coupez-le entre 8 et 10 po du sol, puis taillez dans le tronc une bille d'au moins 6 pi de long.

Immergez celle-ci dans un étang ou un lac pendant au moins un mois, quoiqu'il vaille mieux l'y laisser tout un hiver. Si toute la bille est immergée, les risques de pourriture sont nuls.

A la fin de ce délai, enlevez l'écorce avec une plane, ainsi que la couche fibreuse et moelleuse qui y adhère. Planez jusqu'à l'aubier, ou le cœur, cette partie tendre et blanchâtre qui se forme chaque année entre le bois dur et l'écorce. Conservez l'aubier intact.

Frappez la bille à l'aide d'une lourde masse en bois pour briser les fibres qui relient les cercles annuels. Commencez à une extrémité et continuez en ligne droite. Tout en frappant, vous devriez voir de minces lamelles se détacher de la bille. Arrachez-les sur toute la longueur en ne prenant que ce qu'il vous faut, puis remettez la bille à l'eau.

Taillez au couteau des éclisses de la largeur voulue. A ce stade, celles-ci présentent encore deux côtés rugueux. Pendant qu'elles sont humides, fendez-les en deux, comme un long sandwich plat, afin d'exposer leur face lisse que vous placerez sur le dessus pendant le tressage. Si l'autre côté est trop rugueux, vous pouvez l'améliorer ou le planer en passant une lame de canif perpendiculairement à l'éclisse.

Préparation du jonc naturel. Le jonc est fait avec les feuilles des quenouilles qui poussent dans les endroits humides et marécageux. Quand les quenouilles sont mûres, on les reconnaît aisément à leurs épis cylindriques et bruns.

Choisissez des feuilles longues (au moins 7 pi) et minces. Coupez les plantes à la hauteur de l'eau, à la toute fin de l'été, alors que les tiges sont encore vertes, mais que les épis commencent à brunir. Ne prenez que celles qui sont sans défauts et faites attention de ne pas les plier ou les casser.

Détachez les feuilles des tiges, puis classez-les en plusieurs groupes, selon leur grandeur. Ficelez-les en passant une grosse aiguille dans l'épaisseur de leur base et suspendez-les la tête en bas pour les faire sécher pendant au moins deux ou trois semaines dans une pièce sombre, sèche et aérée.

Contrairement au jonc artificiel (voir pp. 264-266), on doit faire tremper le jonc naturel de 8 à 12 heures dans une solution composée à parts égales d'eau et de glycérine. On passe ensuite les feuilles entre les mâchoires d'une pince lisse pour éliminer le surplus d'eau et crever les poches d'air.

On tresse le jonc naturel selon la méthode décrite aux pages 264-266, quoique le travail soit plus complexe. Alors que le jonc artificiel est vendu en un seul brin enroulé, les feuilles de quenouille sont plates et il faut en général les torsader tout en tressant. En outre, comme elles ont rarement plus de 7 pi de long, on doit les nouer souvent. Le fait de devoir simultanément tordre, nouer et tresser exige beaucoup plus de soin et d'expérience que ce n'est le cas avec le jonc fait de papier kraft.

Un siège canné en jonc naturel a beaucoup plus de charme que si son fond était en papier kraft. Toutefois, les complications inhérentes au tressage des feuilles font qu'il est préférable de s'exercer d'abord avec du jonc artificiel.

Sculpture sur bois

Depuis plus de 25 000 ans ?

Les plus anciennes des sculptures en pierre répertoriées datent de plus de 25 000 ans. Quoiqu'on ne possède aucun exemple de sculpture sur bois remontant à la préhistoire (le bois se décompose en quelques générations), on peut logiquement supposer, compte tenu de la nature des deux matériaux, que les premiers hommes ont dû commencer à travailler le bois en même temps que la pierre.

La sculpture sur bois la plus ancienne que nous connaissions provient de la Haute-Egypte, dont le climat aride et sec en a permis la conservation. C'est une petite statue, découverte à Karnak, en 1860, et qui a au moins 4 500 ans.

Même s'il n'en reste presque aucun vestige, on estime que la plupart des grandes civilisations d'autrefois devaient pratiquer la sculpture sur bois. A l'instar de la plupart des disciplines artistiques, elle déclina au Moyen Age, mais connut un nouvel essor durant la Renaissance, surtout en Espagne et en Italie. Michel-Ange et Donatello, plus connus pour leur maîtrise d'autres techniques, sculptaient aussi le bois. A cette époque, les sculpteurs collaboraient fréquemment avec les architectes à la réalisation d'œuvres profanes et religieuses.

La sculpture sur bois est devenue partie intégrante de la culture populaire nord-américaine au cours du XIXe siècle. Les figures de proue et les Indiens des débits de tabac (dont la valeur artistique est souvent méconnue) en sont un bon exemple. Même si, de nos jours, la sculpture sur bois a perdu de sa popularité, son importance demeure intacte. Et comme les techniques et les outils du sculpteur sont restés à peu près les mêmes au cours des âges, la pratique de cet art crée un lien artistique entre nous et nos ancêtres de la préhistoire.

Cette sculpture chinoise du xve siècle se trouve au Victoria and Albert Museum, à Londres.

Les outils

L'outil le plus utilisé en sculpture sur bois est la gouge, un type de ciseau au tranchant incurvé. Il en existe une quantité de formes et la largeur du tranchant va de ⅛ à 3½ po; la cambrure du tranchant peut être légère, moyenne ou prononcée; quant au manche, il peut être droit, cambré ou coudé; enfin, le tranchant adopte diverses formes: gouge cuiller, gouge spatule, gouge à ailes, etc.

Commencez avec quelques outils de base comme une gouge droite et large, une gouge moyenne (d'une largeur d'environ ¾ po), une gouge cuiller, un burin et un fermoir plat. A mesure que l'on prend de l'expérience, on se procure d'autres outils, d'emploi plus défini. Une masse ronde en bois, ou mailloche, est également indispensable pour frapper sur les manches des gouges.

Achetez toujours des outils d'excellente qualité pour ne pas avoir à les affûter sans arrêt, comme cela se produirait avec des gouges dont le tranchant s'émousserait facilement.

Les outils abrasifs s'emploient pour la finition. Ils comprennent les limes et les râpes à bois (vendues séparément ou sous la forme d'une râpe combinée, aux multiples faces) ainsi que les rifloirs, petits outils de finition aux dents plus fines que celles des râpes. Tous les outils de sculpteur se vendent dans les magasins de matériel d'artisanat.

Il vous faudra aussi une pierre à huile comprenant une face à gros grain et une autre à grain fin, pour l'affûtage.

La carde à lime et la brosse métallique s'emploient pour débourrer les dents des limes, des râpes et des rifloirs.

Des serre-joints sont nécessaires pour assujettir les blocs de bois laminé (voir p. 272) et pour empêcher le travail de se déplacer (un étau de menuisier convient également, mais n'est pas indispensable). Les dimensions et la forme du travail déterminent celles des serre-joints.

Enfin, il faut une scie à tronçonner pour l'épannelage et du papier abrasif pour la finition.

Gouge large

Gouge moyenne

Fermoir plat

Gouge cuiller

Burin

Rifloirs

Râpe combinée

Mailloche

Lime à bois

Affûtage des outils

Pour éviter l'éclatement du bois, les coupes maladroites et les marques en surface, les outils doivent avoir des tranchants qui coupent aussi net que des lames de rasoir. Pour les affûter, commencez par verser un peu d'huile légère pour machines sur la pierre à huile. Si l'outil est très émoussé, passez-le d'abord à plusieurs reprises sur la face à gros grain; sinon, utilisez l'autre côté.

Le passage de l'outil sur la pierre doit toujours se faire selon un angle de 25 degrés et d'un mouvement circulaire. Il faut appuyer sur la lame de l'outil pendant l'avancée, puis relâcher la pression en ramenant celui-ci vers l'arrière (voir étapes 1 et 2, ci-dessous). Quant aux gouges, on doit leur imprimer un mouvement de bascule pendant l'avancée pour que leur tranchant soit uniformément aiguisé (étape 3).

Enfin, si l'outil sert pour la finition et qu'il doive être extrêmement tranchant, on le morfile au cuir.

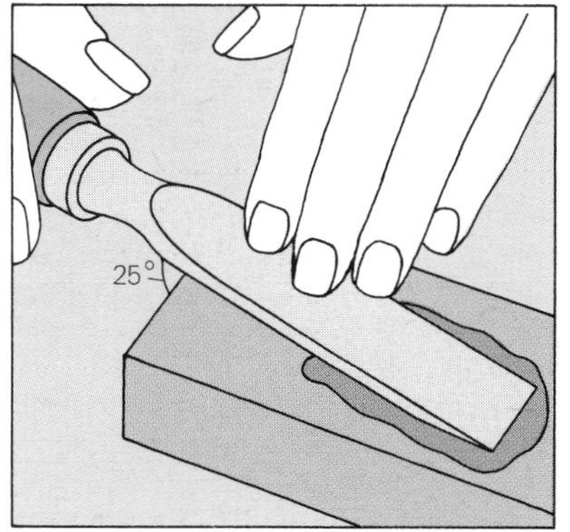

1. Versez l'huile sur la pierre et tenez l'outil pour que l'affûtage se fasse selon un angle de 25 degrés. Passez-le d'avant en arrière sur la pierre en appuyant sur la lame avec les doigts.

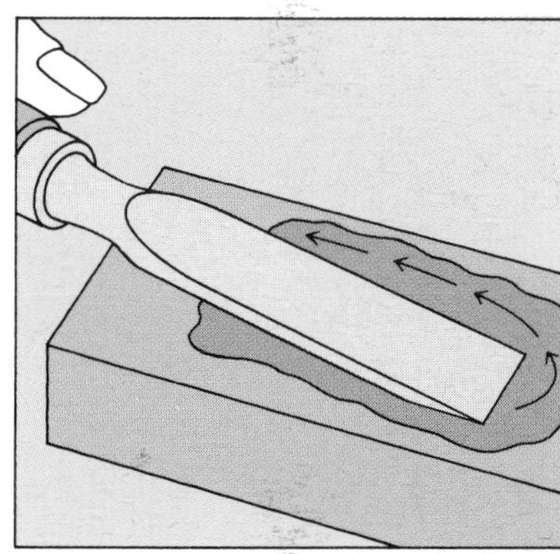

2. Relâchez légèrement la pression en revenant vers l'arrière. En même temps, imprimez à l'outil un mouvement circulaire tout en étalant l'huile sur la pierre.

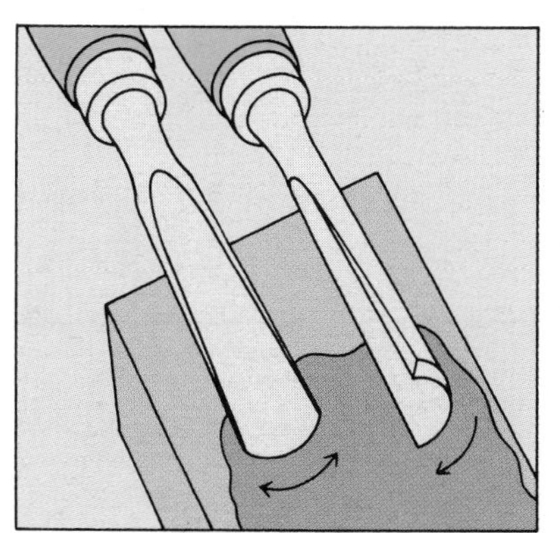

3. L'affûtage d'une gouge se fait selon un mouvement de bascule, en même temps qu'on passe l'outil sur la pierre d'avant en arrière. L'affûtage du tranchant doit être le plus uniforme possible.

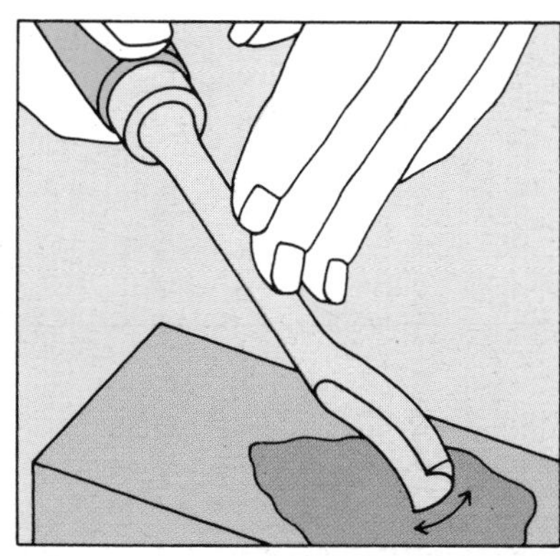

4. Pour que le passage se fasse toujours selon un angle de 25 degrés, il faut modifier la position des outils. Ainsi, le manche d'une gouge cuiller sera tenu plus haut que celui d'un fermoir.

Sculpture sur bois

Renforcement des manches

A force d'être continuellement frappés avec la mailloche, les manches des gouges, des fermoirs et des burins s'usent vite. Ils dureront plus longtemps si on les renforce avec du fil de laiton.

Pour ce faire, rainurez le manche à la scie de telle sorte que, une fois inséré, le fil, que vous choisirez en laiton de préférence, soit affleurant. Tordez-en bien les bouts, puis enfoncez-les dans la rainure. Ensuite, vous n'aurez plus qu'à souder la boucle.

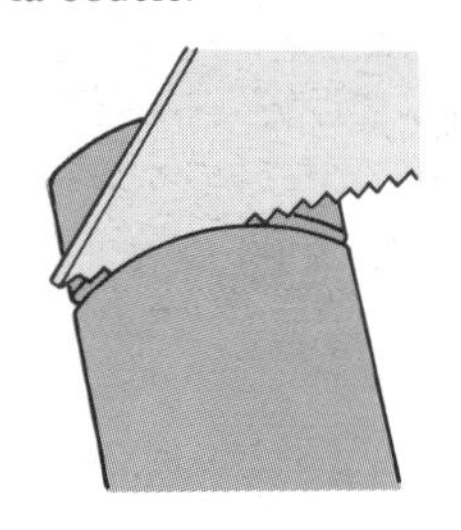

1. Rainurez le manche à la scie.

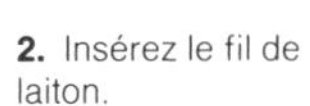

2. Insérez le fil de laiton.

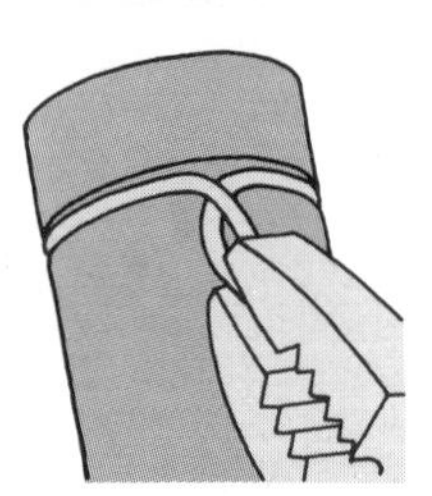

3. Tordez-en les bouts et enfoncez-les dans la rainure.

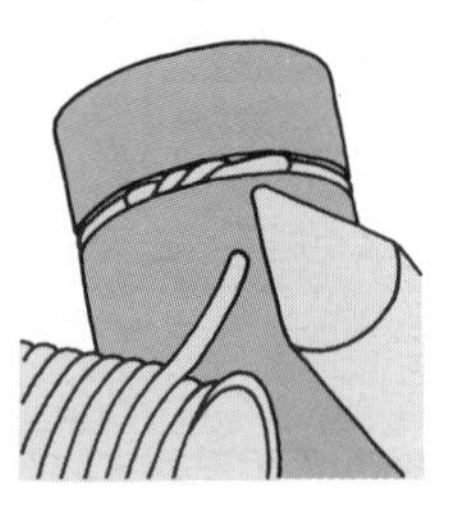

4. Soudez les extrémités du fil.

Choix du bois pour la sculpture

Toutes les essences d'arbre peuvent être utilisées en sculpture. Néanmoins, l'apparence du bois et la facilité avec laquelle on peut le travailler dépendent de sa constitution, de sa structure cellulaire et de ses veinures. Ainsi, un bois au grain ouvert et inégal est plus difficile à sculpter qu'un autre dont le grain est serré et régulier. Pour plus de précision sur le bois et l'ébénisterie, reportez-vous à la section *Menuiserie et ébénisterie,* pp. 220-260.

Tenez toujours compte de votre projet en choisissant un bois. Couleur, fil et texture sont des facteurs importants quant à l'apparence finale. Malheureusement, on est souvent tenu de prendre en considération le coût et la disponibilité du bois. Si vous ignorez les propriétés d'une essence, informez-vous avant plutôt que de gaspiller temps et argent. Les bois les plus populaires en sculpture sont l'acajou, le noyer, le cerisier, le chêne et le pin blanc.

Séchage du bois

Tout bois destiné à être sculpté doit être parfaitement sec si on veut éviter qu'il ne se fende. Les fissures et les crevasses sont souvent la conséquence d'une évaporation inégale de l'eau. Les billes que l'on trouve dans le commerce sont séchées au four, mais elles coûtent cher et sont difficiles à obtenir.

A moins que vous n'ayez accès à un four, vous n'aurez d'autre choix que de laisser sécher à l'air libre un arbre que vous aurez récupéré. Rien ne peut vous garantir que le bois ne se fendra pas au cours d'un tel séchage, mais voici à ce sujet quelques conseils utiles.

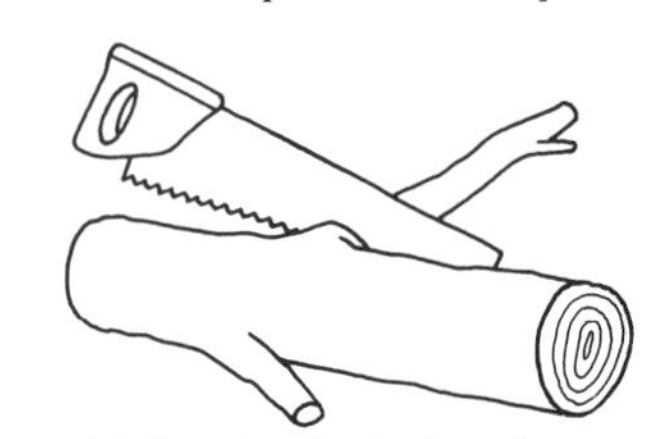

Coupez la bille, puis sciez les branches.

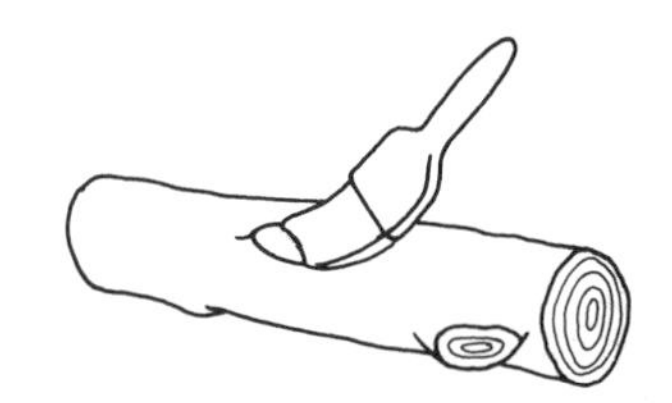

Bouchez les bouts ainsi que les moignons.

Le cœur, qui se trouve au centre de la bille, sèche toujours en dernier. Si vous le perforez de part en part à l'aide d'un vilebrequin ou d'une perceuse à main avant de sceller les extrémités, vous aurez davantage de chance d'avoir un bois sec et intact. Enduisez de laque ou d'un bouche-pores spécial (voir l'illustration, en bas, à gauche) les extrémités de la bille ainsi que tous les moignons. Cela empêchera les bouts de sécher plus vite que le centre et, par le fait même, préviendra l'apparition des fentes. Ensuite, empilez les billes de façon à laisser l'air circuler librement (voir l'illustration ci-dessus). L'endroit le plus adéquat doit être à la fois sec et à l'abri des brusques changements de température; un hangar, un sous-sol ou un grenier conviennent parfaitement. Evitez d'exposer le bois au soleil, à la pluie ou à une source de chaleur directe comme un radiateur. Il faut compter plusieurs années avant qu'une bille soit bien sèche.

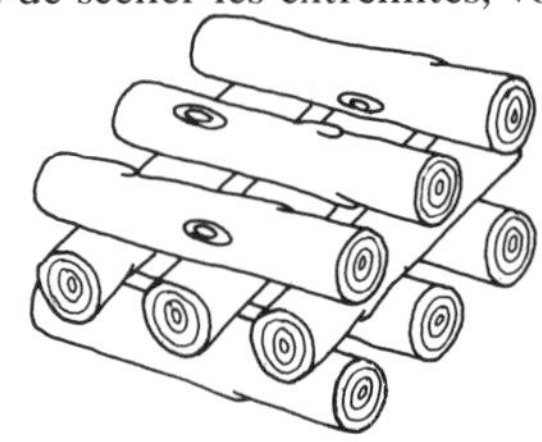

Empilage laissant l'air circuler librement.

Laminage d'un bloc de bois

Même quand une bille a séché correctement, les changements atmosphériques finissent toujours par provoquer des fentes une fois le bois sculpté. Les billes d'essences employées en sculpture coûtent cher et il est difficile de les obtenir; aussi, si vous connaissez un taux d'échec élevé après vous être chargé du séchage, risquez-vous de vous décourager.

Pour contourner ces difficultés, il suffit de fabriquer des blocs de bois en laminant des planches. Celles-ci s'obtiennent beaucoup plus aisément et coûtent infiniment moins cher que des billes ayant le même volume. On trouve du pin blanc dressé partout, mais pour du bois dur vous devrez vous adresser à des marchands spécialisés. Les planches sèchent très vite et un bloc de bois bien laminé résistera beaucoup mieux qu'une bille au gauchissement, aux fentes et aux crevasses. En outre, si le laminage a été

Fabrication d'un bloc laminé

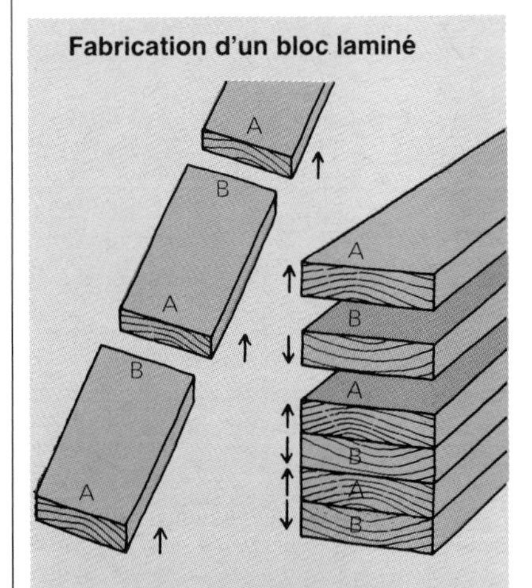

Chaque planche comporte un bout A et un bout B; empilez celles-ci en alternant le sens du fil. Etant donné que les planches ont souvent un côté convexe et un côté concave, il faut les disposer de manière à corriger leurs courbes et les empiler selon une double alternance, tel qu'indiqué par le sens des flèches de l'illustration ci-dessus.

bien fait, les marques en seront presque invisibles.

Les planches à laminer doivent avoir été dressées pour bien adhérer les unes aux autres. Comme le planage à la main est très difficile, il est préférable d'acheter du bois déjà blanchi. Si le bois n'est pas blanchi, le marchand vous laissera peut-être utiliser sa dégauchisseuse.

Une fois les planches coupées aux dimensions voulues, il faut les empiler en en faisant alterner le sens du fil (voir le texte et les illustrations, page précédente) pour éviter l'éclatement du bloc que les changements de température et d'humidité entraînent.

La constitution d'un bloc doit représenter la forme brute de la sculpture. Pour le torse des pages 273 à 277, le bloc sera donc rectangulaire, puisque c'est la forme du torse. Si le sujet comporte un membre allongé, on laminera, avec le reste du bloc, une autre pièce de bois où celui-ci sera sculpté. Cette forme de planification permet ainsi d'économiser bois, temps et efforts.

Les planches sont enduites de colle à bois blanche (PVA), puis empilées comme nous l'avons décrit plus haut. Durant le séchage de la colle, on maintient le bloc avec un maximum de serre-joints parce que plus la pression est grande et uniforme à cette étape, plus le laminé est réussi. Si vous n'avez pas de grandes presses semblables aux presses à coulisse illustrées à l'étape 4, page 275, vous pouvez fabriquer des serre-joints à l'aide de tasseaux et de tiges d'acier filetées (voir l'illustration ci-dessous).

Au bout d'une journée, vous pouvez retirer les serre-joints et passer à la sculpture du bloc. Les pages qui suivent sont destinées à faciliter vos premières expériences.

Pressage d'un bloc laminé

Ecrou

Rondelle

Tige d'acier filetée

Pour fabriquer des serre-joints, percez d'abord des trous de la longueur voulue dans des 2 × 4, puis insérez-y des tiges d'acier filetées de ½ po ou des tuyaux filetés. Enfilez des écrous par-dessus des rondelles et serrez les presses en vissant ceux-ci avec une clé anglaise. Vous aurez besoin de plusieurs de ces serre-joints (voir l'illustration ci-dessus).

Comment sculpter un torse

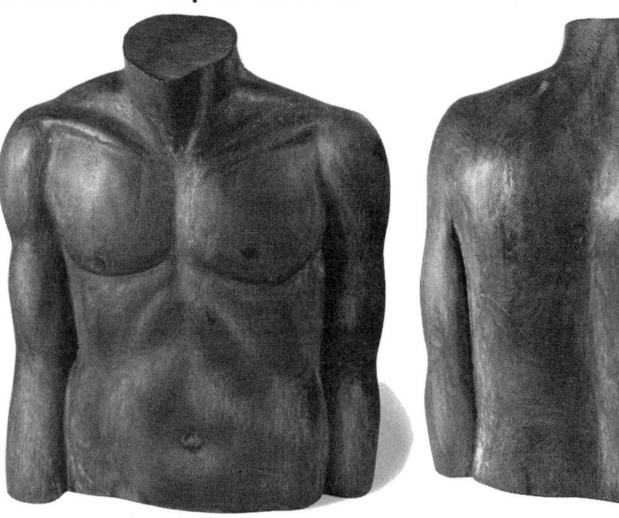

Ce torse a été sculpté dans un bloc d'acajou laminé, qu'on a ensuite teint puis ciré.

Nous allons maintenant voir comment procéder pour sculpter un torse. Il n'existe pas de recettes magiques en sculpture sur bois et les illustrations des pages 275 à 277 n'ont d'autre but que de décrire les grandes lignes de cet art. On peut tirer à peu près n'importe quelle forme du bois, mais les têtes, les bustes et les torses sont des sujets fréquemment choisis. (Pour une description des formes et des proportions d'une tête, reportez-vous à la section *Modelage, moulage et coulage,* p. 347.)

Le bois. Le torse des prochaines pages sera sculpté dans un bloc de bois laminé (voir page précédente, ainsi que les étapes 1 à 4, p. 275), fait de planches d'acajou de 1 po sur 6. Si vous préférez travailler avec une bille, assurez-vous qu'elle est suffisamment sèche avant de commencer (voir p. 272).

Le torse. L'illustration de la page 274 montre les proportions du torse par rapport à l'ensemble du corps. L'impression de mouvement découle du transfert du poids sur le pied droit. Il en résulte une asymétrie au niveau de la tête, des épaules et des hanches, asymétrie exprimée par une légère sinuosité au niveau de l'axe du corps. Cette position est dite « d'équilibre » ou *contraposto.* Le croquis a été exécuté d'après la célèbre statue du sculpteur grec Polyclète, le *Doryphore* (porteur de javelot), réalisée entre 450 et 440 av. J.-C. et considérée comme un canon de la beauté classique.

Lorsque le bois est laminé, la première étape réside dans la mise aux carreaux de la silhouette sur les quatre faces et le dessus du bloc. Vous pouvez vous inspirer du *Doryphore* ou opter pour des variations sur ce thème.

La sculpture doit correspondre au croquis. Cependant, beaucoup de néophytes n'osent pas enlever suffisamment de bois, ce qui fait que leurs œuvres manquent totalement de vie. La solution consiste à imaginer le torse selon ses volumes de base (voir la petite illustration, p. 274), au fur et à mesure que le travail progresse.

Epannelage. Après la mise aux carreaux, vous remarquerez qu'il y aura de grandes masses à supprimer avant d'atteindre ce qui sera la surface du torse. Sciez le plus possible de bois extérieur au contour; épanneler est beaucoup plus facile à faire avec une scie qu'à la gouge.

Sculpture sur bois

Comment sculpter un torse *(suite)*

Les étapes à suivre. Si vous vous proposez de sculpter un torse en ronde-bosse, vous ne devrez pas perdre de vue le fait que le tracé intérieur reproduit sur le bloc correspond aux intersections des surfaces convexes du torse. Il faut donc, tout d'abord, les dégager en ébauchant le tracé avec une gouge demi-creuse (étapes 11-18).

Les masses extérieures au tracé seront dégrossies avec une gouge large et plate (étape 19). Comme ce type de gouge laisse des arêtes moins prononcées que les gouges plates, on les utilise aussi pour le modelage des formes ébauchées par les premières coupes (étapes 20, 23 et 24).

Le burin s'emploie pour tailler le bois lorsqu'on veut un tracé extrêmement fin et précis (étapes 21 et 22).

La gouge cuiller permet d'aller facilement au fond des creux, ce qu'on ne peut faire avec les autres gouges (étape 25). On s'en sert aussi pour la plupart des évidements parce qu'elle ne laisse pas de crêtes (étape 26). Comme la coupe qu'elle permet d'obtenir est plus légère que celle résultant des autres gouges, c'est l'outil à employer chaque fois qu'il y a risque d'éclatement du bois à la sortie.

Pour bien manier une gouge, on tient le manche d'une main et on le frappe à petits coups avec la mailloche. La progression du travail vous indiquera s'il vous faut acquérir des outils destinés à des usages plus particuliers (voir *Les outils,* p. 271).

En général, donc, on utilise diverses gouges pour le défonçage des formes brutes, puis pour le modelage et, finalement, pour la recoupe de chaque forme, ce qui permet d'en préciser les proportions et les détails.

Fixation du travail. Il est indispensable que le bloc de bois demeure parfaitement stable durant tout le travail. A cet effet, on utilise habituellement des serre-joints jusqu'à l'épannelage du dernier plan supérieur. Quand le torse est posé à plat, on le cale contre un tasseau et on l'y assujettit à l'aide d'un serre-joints. Lorsque cette méthode ne vaut plus, on peut visser la sculpture sur une cale en bois qui sera elle-même retenue à l'établi ou à la selle par des serre-joints (étapes 31-32). En dépit de son prix, l'étau d'établi est le plus fonctionnel et le plus pratique des outils de fixation.

Coupes contraires. Les coupes se font mieux en travers du fil. Mais si vous devez tailler suivant le fil, il vous faudra prendre garde de ne pas arracher ou faire éclater le bois à la sortie. Pour réduire ce risque, faites vos premières tailles en travers du fil et perpendiculairement à la coupe sur toute la longueur voulue. C'est ce qu'on appelle des coupes contraires (voir ci-dessous et l'étape 27, p. 277).

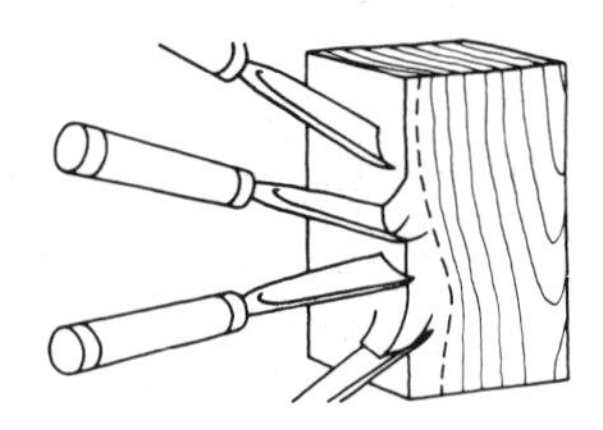

N'hésitez pas à faire des coupes contraires.

Finition. Il n'y a pas de règles en matière de finition ; tous les procédés sont valables, depuis les marques de gouge très apparentes jusqu'au fini lisse comme du satin. Pour supprimer les arêtes laissées par les gouges creuses, on se sert successivement de gouges plates, de gouges cuillers et de fermoirs plats (étape 29). Suivent les outils abrasifs — râpes, limes et rifloirs —, ainsi que le papier abrasif, pour obtenir une surface parfaitement lisse (étapes 33-35).

Le torse de la page 273 a reçu une couche de teinture à l'huile, puis a été généreusement enduit de cire en pâte. Tout fini utilisé en ébénisterie convient pour une sculpture sur bois (voir *Menuiserie et ébénisterie,* pp. 250-251).

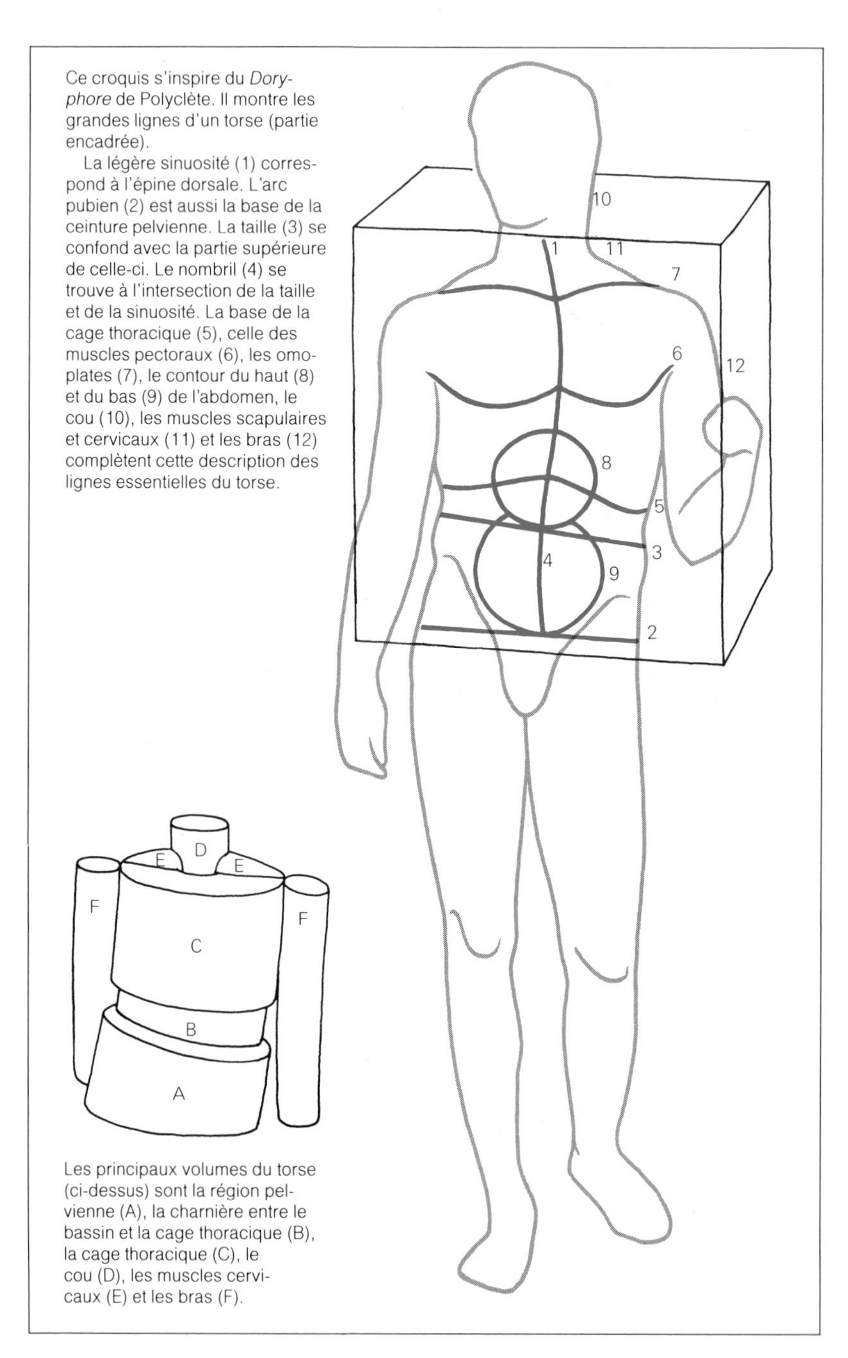

Ce croquis s'inspire du *Doryphore* de Polyclète. Il montre les grandes lignes d'un torse (partie encadrée).

La légère sinuosité (1) correspond à l'épine dorsale. L'arc pubien (2) est aussi la base de la ceinture pelvienne. La taille (3) se confond avec la partie supérieure de celle-ci. Le nombril (4) se trouve à l'intersection de la taille et de la sinuosité. La base de la cage thoracique (5), celle des muscles pectoraux (6), les omoplates (7), le contour du haut (8) et du bas (9) de l'abdomen, le cou (10), les muscles scapulaires et cervicaux (11) et les bras (12) complètent cette description des lignes essentielles du torse.

Les principaux volumes du torse (ci-dessus) sont la région pelvienne (A), la charnière entre le bassin et la cage thoracique (B), la cage thoracique (C), le cou (D), les muscles cervicaux (E) et les bras (F).

1. Pour laminer un bloc, coupez et collez les planches, tel qu'indiqué à la page 272. Etalez de la colle PVA sur les deux premières.

2. Pressez ensemble les faces encollées en les frottant pour chasser les poches d'air et assurer une adhésion totale.

3. Etalez de la colle sur la face extérieure de la seconde planche et sur la troisième. Procédez ensuite comme à l'étape 2.

4. Finissez d'assembler toutes les planches ; alignez-les et maintenez-les avec suffisamment de serre-joints pour avoir un laminé parfait.

5. Attendez une journée avant d'ôter les presses. Tracez une grille et faites une mise aux carreaux du devant du torse sur le bloc (voir p. 274).

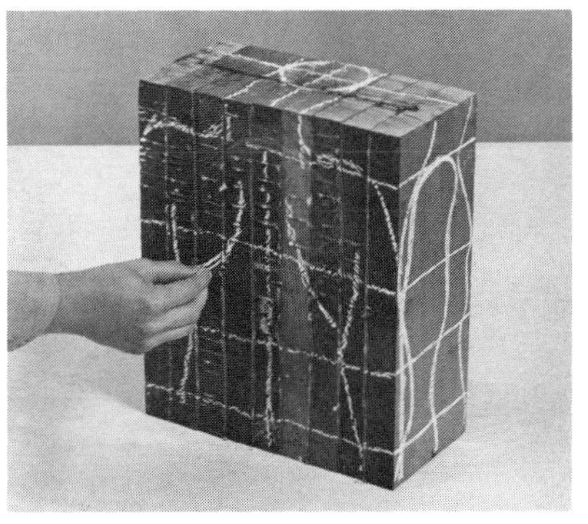

6. Poursuivez cette mise aux carreaux avec les côtés et le dos du torse, tel qu'illustré. Le cercle sur le dessus correspond au haut du cou.

7. Epannelez à la scie le bois extérieur au contour ; ôtez-en le plus possible pour réduire le dégrossissage à la gouge.

8. Cette photo montre le bloc épannelé en partie autour du cou et des.épaules. On est en train de dégager le bras.

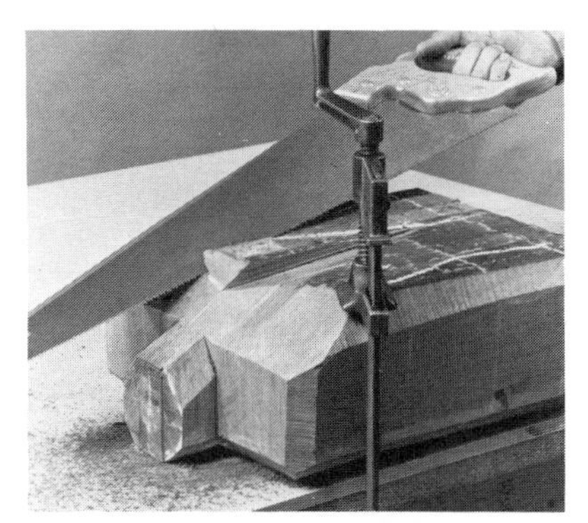

9. Des coupes biaises permettent d'épanneler les creux. Ici, on est en train de scier l'espace entre les omoplates.

10. On voit ici le bloc après l'épannelage. Remarquez la quantité de bois qu'on peut retirer ainsi, grâce à diverses coupes.

11. Utilisez une gouge demi-creuse pour le défonçage. Tenez-la d'une main et frappez-la à petits coups avec la mailloche.

12. Utilisez la même gouge pour la découpe du tracé. Les traits intérieurs correspondent aux intersections des volumes. *(à suivre)*

Sculpture sur bois

Comment sculpter un torse *(suite)*

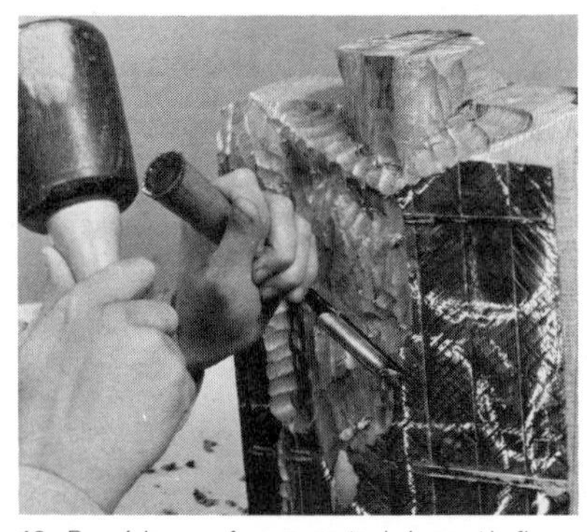

13. Procédez aux frappes entre le bras et le flanc, ainsi qu'autour des muscles pectoraux. Puis passez au pourtour des muscles stomacaux.

14. Descendez le fond de toute la région stomacale, puisque l'estomac est moins protubérant que la poitrine ou la cage thoracique.

15. Passez à la frappe de l'autre côté du torse pour l'ébauche des omoplates et de l'envers des muscles pectoraux.

16. Découpez le bas de la cage thoracique tel qu'illustré. Ceci amorce le modelage des muscles stomacaux.

17. Après l'ébauche du modelé, allongez le bloc pour faciliter la découpe. Ici, on est en train de travailler sur la cage thoracique.

18. Faites un sillon pour délimiter le contour des muscles stomacaux, tel qu'illustré. Revenez sur les omoplates pour en préciser les détails.

19. Redressez le bloc et fixez-le bien. Dégagez les côtés des bras avec une gouge large et plate, tel qu'illustré.

20. Utilisez la même gouge pour aplanir les parties où la gouge creuse a laissé des sillons et des rainures prononcés.

21. Le modelage des contours des différentes parties du torse se fait au burin, car cet outil permet d'obtenir des coupes précises.

22. Utilisez aussi le burin pour les endroits inaccessibles aux autres gouges, comme le sillon entre le bras et le corps.

23. Recoupez et raffinez les contours avec la gouge plate jusqu'au modelage exécuté au burin pendant les étapes 21 et 22.

24. Modelez le haut des épaules, les omoplates et les côtés du cou en travaillant par petites frappes avec la gouge plate.

25. Employez la gouge cuiller dans les endroits inaccessibles aux autres gouges, comme les creux entre le cou et les omoplates.

26. Contrairement aux autres gouges, la gouge cuiller ne laisse pas de sillon. Utilisez-la pour amorcer les détails des muscles stomacaux.

27. Procédez par coupes contraires chaque fois que vous vous trouvez dans le sens du fil, afin d'éviter l'éclatement du bois à la sortie.

28. La découpe des détails se fait à la gouge cuiller et au burin. Ici, on creuse le tracé des côtes à la gouge cuiller.

29. Utilisez le fermoir plat pour la finition. Procédez par très petites frappes pour éviter d'arracher le bois, au lieu de le couper.

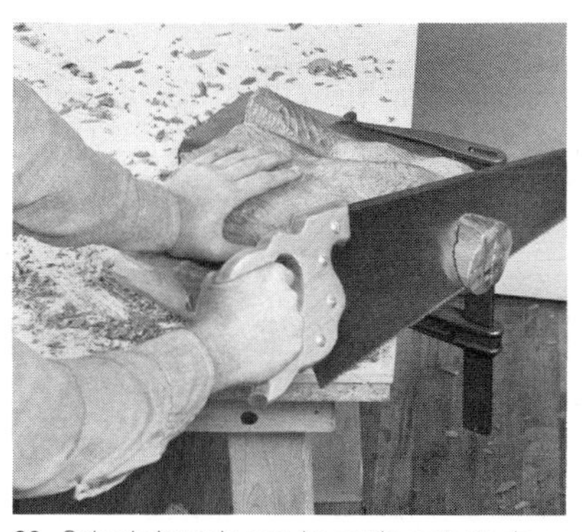

30. Sciez le haut du cou. La partie restante devra pencher vers l'avant, conformément au mouvement général du torse.

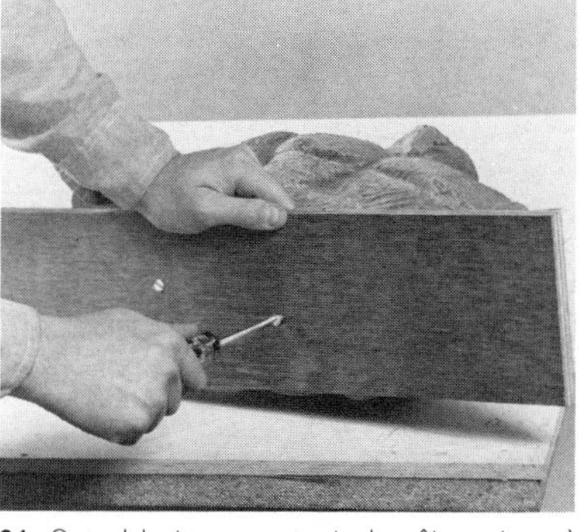

31. Quand le torse ne peut plus être retenu à l'établi à l'aide de serre-joints, vissez-le à une planche en bois.

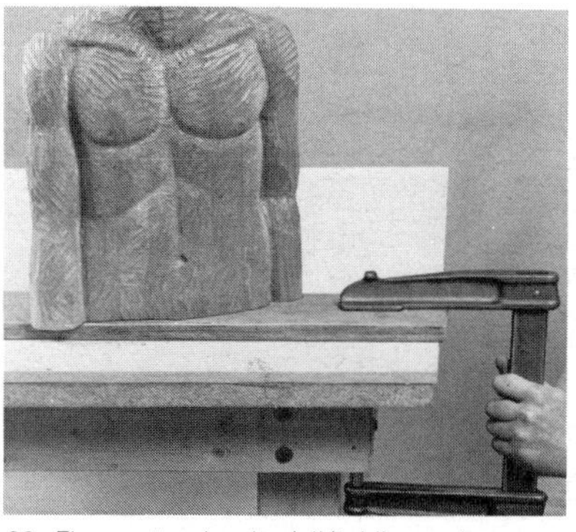

32. Fixez cette planche à l'établi avec les serre-joints. La pièce est presque aussi bien immobilisée que lorsqu'elle était fixée à l'établi.

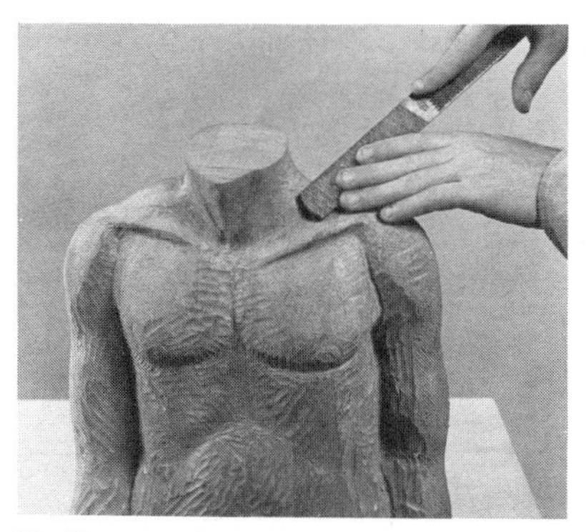

33. Si vous voulez arrondir les formes, travaillez d'abord avec un outil abrasif à face rugueuse, comme une râpe ou une lime à bois.

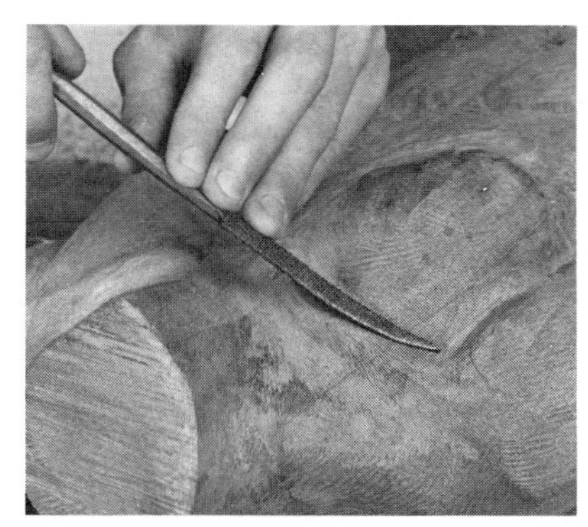

34. Employez divers rifloirs pour parfaire la finition amorcée à la râpe et à la lime, et pour atteindre les endroits autrement inaccessibles.

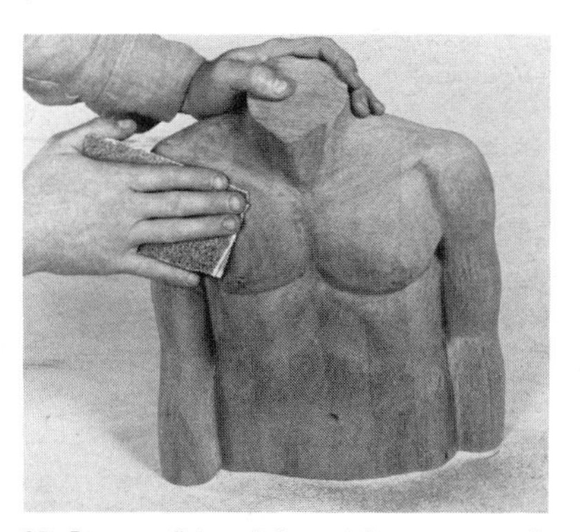

35. Pour un fini parfaitement lisse, passez du papier abrasif sur tous les volumes, en changeant de grosseur de grain au besoin.

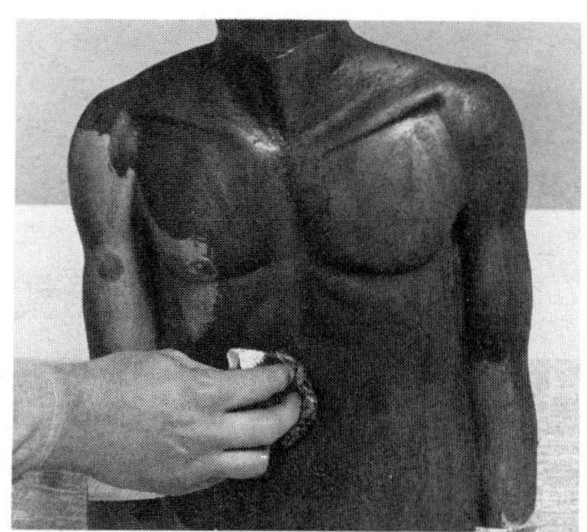

36. Vous pouvez aussi teindre le bois, tel qu'illustré, puis l'enduire de cire en pâte pour le protéger et le rendre plus luisant.

Encadrement

Un art qui met l'art en valeur

De tout temps, les artistes ont encadré leurs œuvres pour les embellir et pour qu'elles se détachent de leur environnement. Les anciennes mosaïques étaient souvent entourées de bordures géométriques aux couleurs contrastantes, tandis que des bordures dorées soulignaient souvent les enluminures des manuscrits médiévaux. Plus tard, avec l'avènement de la peinture sur toile, le cadre servit non seulement à mettre l'œuvre en valeur, mais également à dissuader les voleurs. A partir du XVIIe siècle, l'encadrement fut reconnu comme un type d'artisanat à part entière, un dérivé de l'ébénisterie. Peu à peu, les cadres de bois sculptés et dorés cédèrent le pas aux moulures en plâtre de Paris. Certains cadres étaient parfois si élaborés qu'ils surclassaient les œuvres. De nos jours, on penche plutôt pour la sobriété.

L'encadrement d'œuvres exécutées sur papier permet de les protéger contre la poussière et la saleté. Le passe-partout fait ressortir la peinture et empêche la vitre d'y adhérer.

Quiconque a déjà fait encadrer une œuvre sait combien ce procédé est coûteux. Grâce aux ateliers spécialisés où on peut tout se procurer taillé sur mesure, l'encadrement peut toutefois revenir un tiers moins cher. Mais on peut aussi se charger de toutes les opérations, comme on le verra dans ce chapitre.

Il est de règle qu'une moulure s'harmonise avec le style de l'œuvre et le décor. Le cadre et le passe-partout pourront faire écho à la peinture ou établir un léger contraste au niveau des teintes et des textures. En général, une moulure chanfreinée vers l'intérieur convient davantage pour un tableau perspectif parce qu'elle semble faire reculer l'horizon. Mais si la peinture paraît reposer sur un seul plan, ce qui est souvent le cas pour les œuvres modernes, il vaudrait mieux que la moulure semble la projeter vers l'avant.

Outils et matériel

L'encadrement s'apparente beaucoup à l'ébénisterie (pp. 220-260) et nécessite l'usage des outils illustrés à la page 221 : scie à dos, boîte à onglets, serres d'angle, équerre à combinaison, vilebrequin, marteau et chasse-clou. Un plateau de sciage est préférable pour la coupe à onglet, mais il est déconseillé d'employer une scie circulaire à main ; la coupe sera en effet plus précise avec une scie à dos et une boîte à onglets, surtout si celle-ci est munie de guides. Il existe des serre-joints spéciaux pour l'encollage des cadres, mais le dispositif inspiré du feuillard (pp. 240 et 280) convient tout autant.

Il vous faudra aussi un coupe-verre pour tailler la vitre, ainsi qu'une règle en acier pour le traçage et la coupe du passe-partout. On peut tailler le passe-partout avec un couteau utilité, mais pour la coupe en biseau il est préférable d'avoir un couteau pour passe-partout (p. 279).

Prévoyez, pour la finition (p. 282), des pinceaux, du papier abrasif et de la laine d'acier. La dorure à la feuille nécessite des outils spéciaux : couteau à dorer, coussin — morceau de cuir agrafé, côté rugueux vers le haut, sur une planche — et palette à dorer (pinceau de 4 po en poils de chameau).

Matériel. Vous pourrez tout trouver dans un atelier d'encadrement ou une boutique de matériel d'artiste. Achetez du verre de 16 oz pour encadrement et non pour fenêtre, celui-ci étant plus épais. Le verre antireflets dénature les couleurs.

Le papier, le carton et le passe-partout ordinaires contiennent de l'acide qui, avec le temps, finit par altérer le papier qui sert de support à l'œuvre d'art. On choisira donc du papier pur chiffon, car il ne contient pas d'acide. On ne devrait jamais contrecoller des œuvres de valeur parce que cela peut les détériorer en plus de les dévaloriser.

Autrefois, on utilisait pour les œuvres d'art des cadres sculptés et dorés à la feuille comme ceux-ci.

Passe-partout et montage

Avant d'enfoncer un outil dans un passe-partout ou une moulure, vous devez faire quelques calculs. Dans le cas d'un encadrement avec passe-partout, le point essentiel est ce que l'on verra par la fenêtre de cette surface ; c'est ce que l'on appelle l'*ouverture de la fenêtre,* laquelle détermine la dimension du passe-partout (voir ci-dessous).

Ces calculs étant faits, déterminez les dimensions du cadre et construisez-le (p. 280). Mesurez ensuite l'intérieur de la feuillure du cadre pour voir si elle correspond à vos calculs initiaux. Il est plus facile de rectifier le passe-partout, le carton de fond et la vitre que le cadre lui-même, une fois qu'il est coupé et assemblé.

Matériel. Le passe-partout en carton se vend dans une grande variété de couleurs et de textures, et celui en papier est disponible en quelque 80 teintes. La diversité existe également au niveau des passe-partout en tissu, puisqu'on en fabrique en soie, en lin, en ramie et en jute, ainsi que dans des textures rappelant le liège ou le suède. Choisissez des papiers pur chiffon ou utilisez une carte bulle sans acide. La fenêtre est généralement biseautée pour révéler l'épaisseur du passe-partout.

On emploie parfois un dépassant (non illustré), large de ⅛ à ¼ po, pour donner plus de relief à l'œuvre. On peut découper un passe-partout de couleur contrastante ou employer un dépassant spécial, plus mince, blanc, blanc cassé ou de couleur métallique. Les dimensions extérieures de celui-ci peuvent différer de celles du passe-partout.

Le montage. Divers procédés permettent de fixer l'œuvre au fond. Le contre-collage à sec, utilisé pour les photos, les affiches et les reproductions, crée une adhérence permanente. On insère un papier plastifié entre l'œuvre et le carton de fond, puis le tout est chauffé et pressé à l'aide d'une pièce spéciale fort coûteuse, disponible dans certains ateliers d'encadrement ouverts au public ou dans des laboratoires de photo. On peut aussi employer une pellicule adhésive, gommée des deux côtés et protégée par du papier ciré qu'il suffit d'ôter au moment du contre-collage.

Le montage sans acide. Le contre-collage peut se faire avec une colle végétale sans acide, comme de la fécule de riz ou de blé. La pâte de cellulose, à base de méthyle, un produit synthétique, ne contient pas d'acide et peut être décollée si on la dissout dans suffisamment d'eau. Néanmoins, le contre-collage est déconseillé dans le cas d'originaux sur papier et même de photos difficilement remplaçables. Il vaut mieux, dans ces cas, utiliser un ruban de toile gommé, tel qu'illustré ci-dessous.

Le fond. Le carton de fond et la carte bulle peuvent être blancs sur un ou deux côtés ; ils se vendent en plusieurs grandeurs et épaisseurs. Un matériel sans acide est préférable pour les œuvres de valeur. On emploie souvent pour le contre-collage à sec et l'encadrement avec passe-partout (p. 281) un carton de fond garni d'un centre en mousse (une mousse de polystyrène enfermée entre des feuilles de papier blanc), à cause de sa légèreté.

Eléments d'un cadre

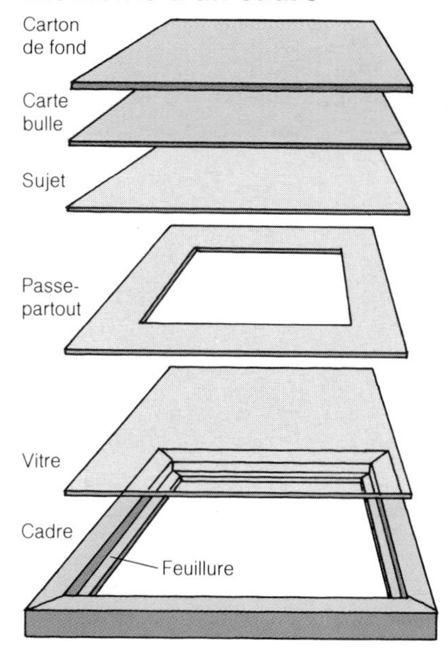

La moulure, taillée en onglet, supporte la vitre, le passe-partout, le sujet, la carte bulle et le carton de fond. Un ruban gommé les protège de la poussière. Des pointes de vitrier retiennent le tout contre la feuillure.

Mesures d'un passe-partout

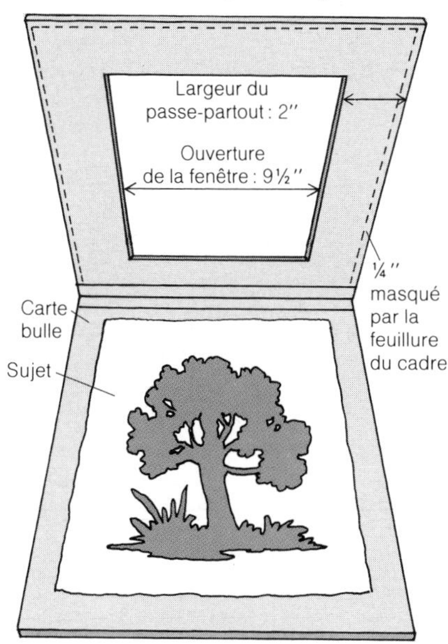

Additionnez l'ouverture, le double de la largeur exposée du passe-partout et de celle de la feuillure (ici, cela donne 9½ + 4 + ½ = 14). Recommencez pour la longueur. Le carton de fond et la vitre sont de la grandeur du passe-partout.

Coupe du passe-partout

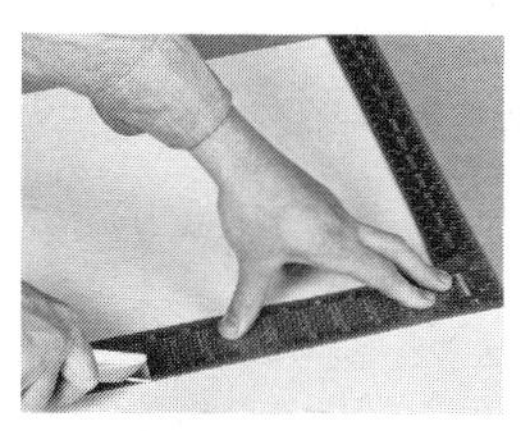

1. Bord extérieur. Le traçage se fait au dos du carton. Coupez vers vous et du côté de la chute, la lame appuyée sur une règle. Repassez plusieurs fois.

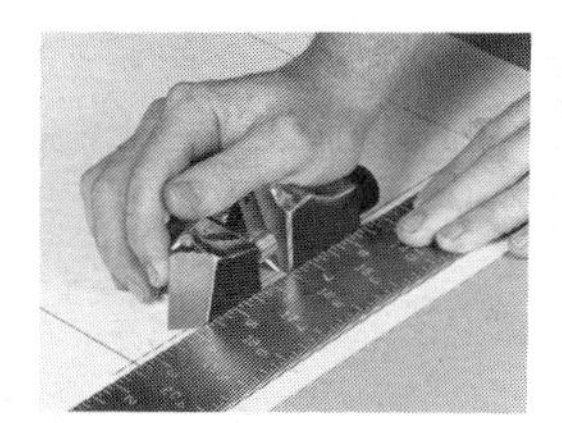

2. Ouverture. Tracez l'ouverture au dos. Réglez le biseau de la lame. Fixez la règle au ras de la lame. Commencez à ¹⁄₁₆ po du coin extérieur et coupez.

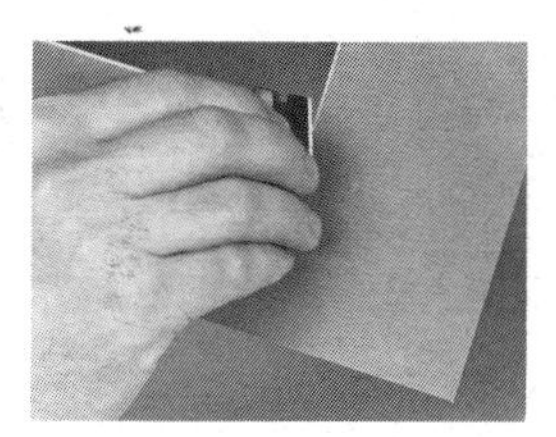

3. Coins. Si les coins n'ont pas été coupés, fendez-les avec une lame de rasoir. Supprimez les aspérités avec du papier émeri et gommez.

Emploi du ruban de toile gommé

1. Bords supérieurs. Alignez le carton de fond et le passe-partout. Humectez le ruban, puis centrez-le bien. Repliez le passe-partout contre le carton.

2. Collage de l'œuvre. Placez le sujet, protégé par un papier sous le passe-partout. Collez le ruban au dos de l'œuvre et sur son bord supérieur.

3. Encollage du ruban. Collez sur les bandes déjà posées un ruban encollé, face adhésive en dessous. Protégez par un papier propre et pressez fort.

Encadrement

Construction d'un cadre

Il existe tant de sortes de moulures qu'il est préférable d'aller chez le vendeur avec le tableau de son choix pour trouver la moulure qui mettra le mieux l'œuvre en valeur. Au début, employez des moulures coupées à angle droit entre la base et le talon extérieur : elles sont plus faciles à couper et à assembler.

Où acheter les moulures. Consultez les pages jaunes pour vous renseigner sur les ateliers d'encadrement et les boutiques de moulures (qui les vendent au pied linéaire). Si vous les achetez non finies d'un marchand de bois, vous devrez probablement façonner une feuillure en collant un tasseau sur chacune de leur base. Vous avez le choix, pour les finir, entre un fini classique pour bois (pp. 250-251) et l'une des techniques décrites à la page 282. Vous pouvez aussi prendre des baguettes et les toupiller pour les feuillurer et moulurer leur face.

Prise des mesures. Les dimensions internes du cadre sont déterminées par celles de la *feuillure* (ci-dessous, à gauche), qui correspond à la grandeur du passe-partout plus 1/16 po en longueur et en largeur, pour assurer un jeu de 1/32 po de chaque côté de celui-ci. Toutefois, pour pouvoir voir le tracé pendant la coupe en onglet (ci-dessous, à gauche), il vous faudra calculer une marge plus importante.

Calcul de la longueur des moulures. Additionnez la largeur et la longueur prévues pour le passe-partout (p. 279) et doublez le total, puis ajoutez-y huit fois la largeur de la moulure, ce qui comprend les quatre joints en onglet. Prévoyez une marge supplémentaire de quelques pouces, surtout si la moulure est sculptée.

L'encadrement-boîtage. Ce type de cadre s'emploie pour les objets tridimensionnels : coquillages, bas-reliefs, etc., et dans tous les cas où la vitre doit se trouver à bonne distance du fond. Le fond d'un encadrement-boîtage doit être très solide et peut même être en bois. Il est souvent recouvert d'un tissu, peint ou teint. Il faut aussi finir l'intérieur de la moulure, comme nous l'avons expliqué plus haut.

Encadrement d'une peinture à l'huile. Fixez la toile à un châssis en bois d'environ 3/4 po d'épaisseur. Choisissez une moulure dont la feuillure est suffisamment profonde. Bien souvent, une huile sur toile est décollée du cadre par ce qu'on appelle une marie-louise et qui

Moulures de cadre

Tracez la coupe en onglet à l'intérieur de la moulure pour la voir tout en sciant. Pour connaître la longueur de la rive intérieure, soustrayez le double de la largeur de la feuillure de celle du passe-partout et ajoutez 1/16 po pour l'ajustement. Quelques moulures classiques sont illustrées ici.

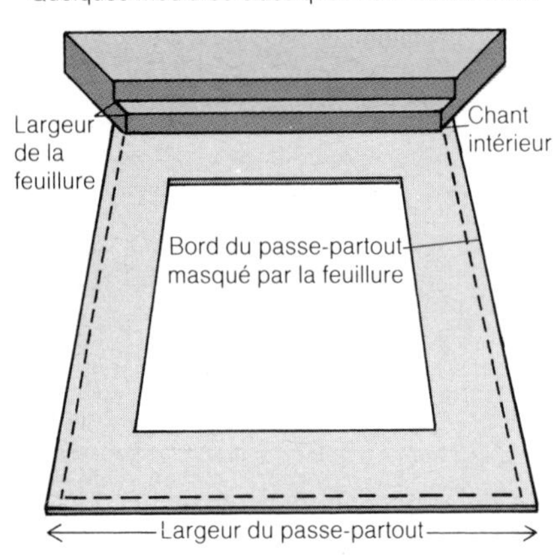

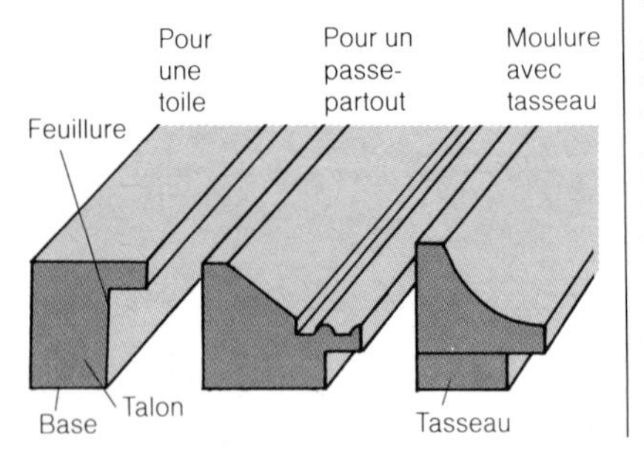

Encadrement d'un passe-partout

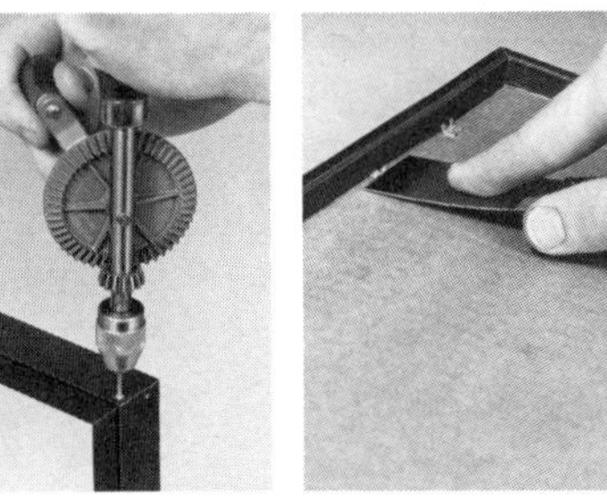

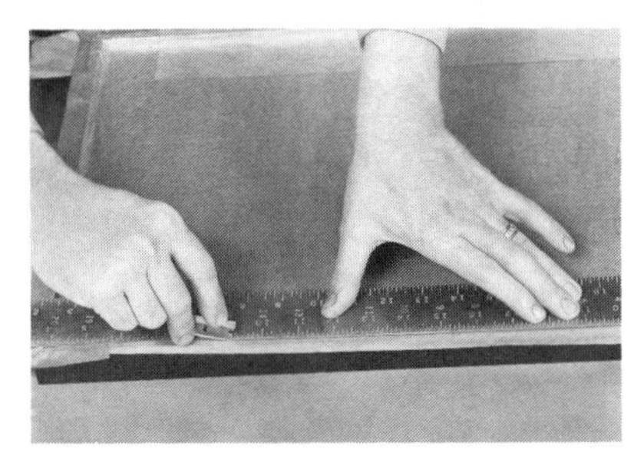

Pour découper les joints (en haut, à gauche), fixez la moulure dans la boîte à onglets en glissant une chute de balsa ou de tilleul sous la saillie. Sciez une extrémité (en traversant la chute) ; réajustez l'angle de la scie et sciez l'autre bout. Utilisez cette moulure comme gabarit pour les trois autres. Assemblez les joints encollés avec des blocs d'angle (parfaitement d'équerre) et une corde (en haut, à droite, et p. 240), ou employez des serres d'angle (p. 221). Clouez de deux à quatre pointes par angle, selon l'épaisseur de la moulure, pour renforcer les joints (en bas, à gauche) : percez des avant-trous d'un diamètre inférieur à celui des pointes ; assurez-vous que celles-ci ne se croiseront pas, noyez-les, puis masquez-les avec de la pâte à bois (p. 228). Peignez la pâte ou teignez-la avec de la laque ou un colorant en bâton. Nettoyez la vitre ; le passe-partout et le sujet doivent être immaculés. Placez tous les éléments à l'envers (au centre), puis enfoncez les pointes de vitrier dans le cadre tous les quelques pouces. Scellez le dos (en bas, à droite) avec du ruban gommé brun pressé contre le carton de fond et à l'intérieur et au dos de la moulure. Quand tous les côtés ont été scellés, coupez l'excédent de ruban avec une lame de rasoir et une règle.

Encadrement-boîtage

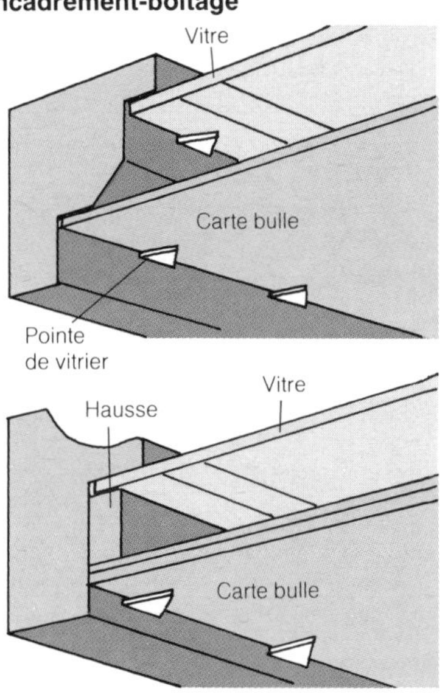

La moulure du haut est feuillurée à l'arrière pour retenir le carton de fond et à l'avant pour la vitre. Peignez ou teignez la carte bulle et l'intérieur de la moulure, ou tapissez la première. Utilisez la feuillure arrière comme repère pour la coupe en onglet. Assemblez ; fixez la vitre contre la feuillure avant avec des pointes de vitrier. La moulure avec une feuillure profonde (en bas) comporte des hausses en bois ou en carton épais. La vitre et la carte bulle ont des dimensions identiques. Après avoir monté la vitre, collez les hausses à la moulure. Déposez le sujet sur les hausses et maintenez-le avec des pointes de vitrier.

peut être dorée ou tapissée de lin. L'emploi de la marie-louise implique la fabrication de deux cadres aux dimensions distinctes. La feuillure de la marie-louise (ou du cadre) a les mêmes dimensions que le châssis plus ⅛ po. Pour le cadre extérieur, les dimensions de la feuillure correspondent aux dimensions extérieures de la marie-louise plus ⅛ po. S'il y a du jeu, insérez des languettes de bois ou de carton entre le châssis et le cadre.

Encadrement temporaire. Cette méthode simple et peu coûteuse consiste à utiliser un tissu de couleur ou du ruban plastifié pour entourer et retenir ensemble le fond, le sujet, le passe-partout et la vitre. A cause du poids de ces éléments, le ruban devra être solide et non élastique. Comme il finit souvent par s'abîmer, cette méthode vaut surtout pour les encadrements temporaires ou les petits tableaux.

Le dos doit être à la fois résistant et léger : un carton avec un cœur en mousse est un excellent choix. On peut remplacer la vitre par de l'acrylique, un matériau beaucoup moins lourd. On doit insérer un carton protecteur ou une carte bulle entre le fond et le sujet pour que les anneaux d'accrochage ne touchent pas ce dernier, surtout dans le cas d'une œuvre de valeur.

Les vieux cadres. Si vous voulez utiliser un vieux cadre déniché chez un brocanteur, vous devrez probablement ajuster le passe-partout au cadre en en élargissant l'un des côtés. Les cadres dorés à la feuille et qui semblent faits de bois sculpté sont souvent moulés avec du plâtre de Paris. Lavez les feuilles d'or avec de l'eau et un savon doux. Masquez les petites fissures avec du plâtre de Paris dilué et un pinceau. Si toute une partie de la moulure est abîmée, procédez comme illustré ci-dessous.

Les systèmes d'accrochage. On devrait toujours accrocher un tableau à la hauteur des yeux. Regroupez vos tableaux selon leurs dimensions. L'éclairage doit être suffisant, mais évitez la lumière solaire qui altère rapidement les couleurs. Si vous utilisez souvent votre foyer, n'accrochez pas une œuvre d'art au-dessus du linteau. Collez deux petits morceaux de ruban-cache en croix sur un mur en plâtre avant d'y enfoncer un clou. Si le mur est creux et le tableau lourd, vous devrez utiliser une vis avec une cheville ou un boulon à ailettes ou à segment basculant.

Encadrement d'une peinture à l'huile

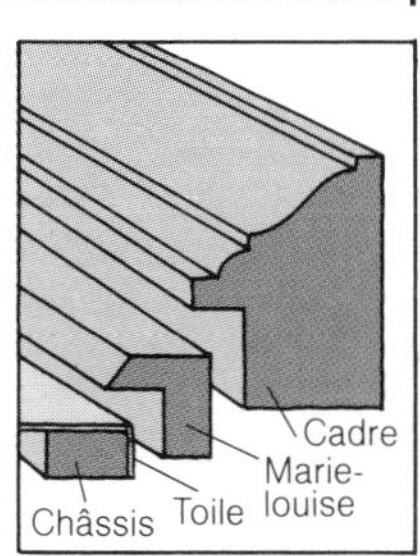

Huile sur toile. Le cadre coiffe la marie-louise qui s'adapte au châssis. Commencez par placer la marie-louise, puis passez au cadre (voir le texte). S'il y a du jeu, insérez des languettes entre les éléments.

Coupe de la toile de la marie-louise. Placez la marie-louise dans la boîte à onglets. Abaissez la scie jusqu'au tissu ; tracez le long de la lame avec un crayon pointu ; coupez le tissu au couteau, puis sciez.

Fixation du cadre. Si le dos du cadre et le châssis affleurent, fixez-les par une plaque métallique vissée. Sinon, vissez un œillet dans la partie saillante et reliez-la à l'autre partie par une vis passée dans l'œillet.

Encadrement temporaire

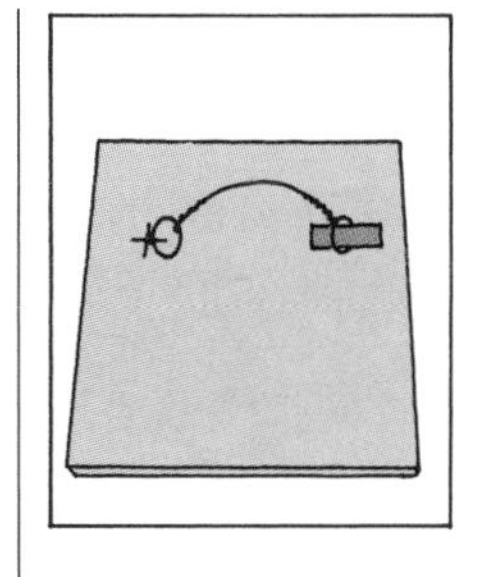

Fixation des attaches. Entaillez le dos en croix au tiers supérieur de sa hauteur. Insérez les attaches des anneaux après les avoir ouvertes. Passez le ruban dans les anneaux et pressez fortement.

Ruban. Collez trois côtés avec du ruban-cache. Pour le quatrième, prenez un ruban plastifié 1 po plus long que celui-ci et, avec une règle comme guide, posez-le sur la vitre. Lissez-le contre le chant et le dos.

Coins. Décollez le ruban-cache du côté opposé et répétez l'opération. Taillez les coins. Faites les deux autres côtés en faisant chevaucher le ruban dans les coins et coupez l'excédent.

Réparation d'un vieux cadre en plâtre

Partie abîmée. Sciez verticalement de chaque côté de cette partie avec une scie à métaux. Dégagez-la avec un couteau à mastic et grattez le plâtre collé au bois.

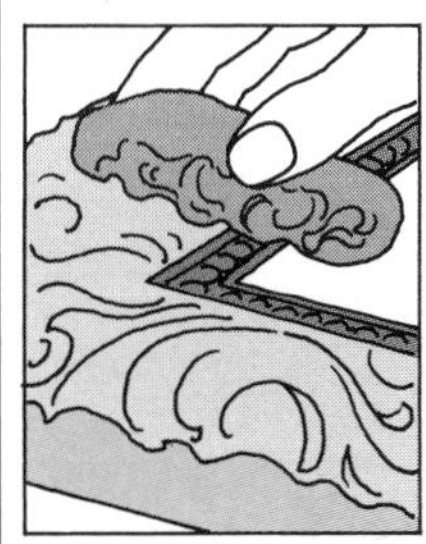

Remplacement. Pressez de l'argile sur une section identique, assez fermement pour obtenir un moule un peu plus profond. Versez-y du plâtre de Paris jusqu'à la hauteur du morceau abîmé. Laissez prendre.

Emboîtage. Limez les côtés des pièces et, au besoin, le fond. Etalez de la colle blanche et bouchez les fentes avec du plâtre de Paris. Passez le morceau à la laque, puis à la pâte d'or ; vieillissez au goût (p. 282).

Les systèmes d'accrochage

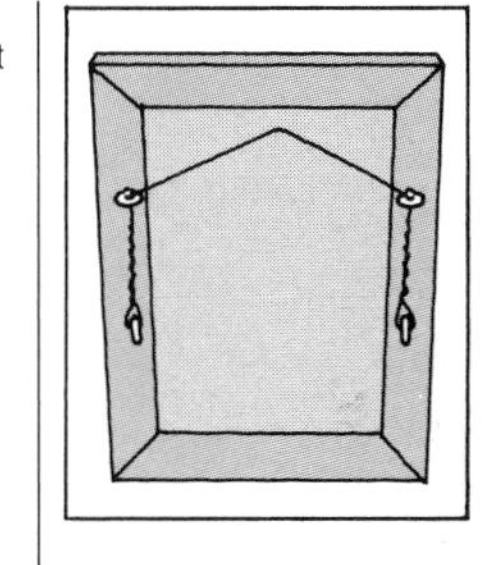

Les œillets. Leur tige doit être courte et juste assez grosse pour ne pas fendre le bois. Percez des avant-trous dans la moulure ou le fond au tiers supérieur. Utilisez quatre œillets pour les lourds tableaux.

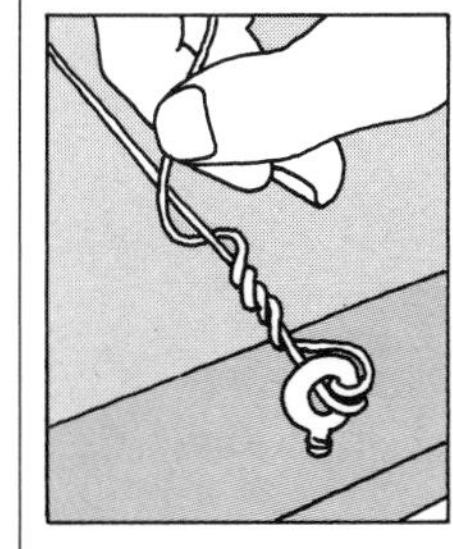

Fil métallique. Prenez un fil tressé de 8 po de plus que la largeur de l'œuvre. Passez-le deux fois dans chaque œillet en laissant dépasser 4 po et torsadez-le sur lui-même.

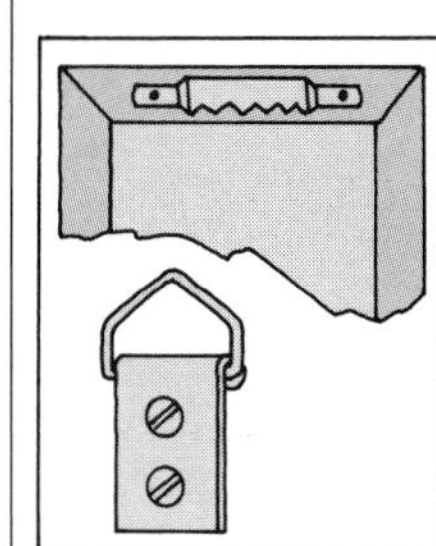

Autres attaches. L'attache crantée (en haut) sert pour les cadres légers et se cloue au milieu de la moulure ; on l'accroche à un clou. Pour les tableaux plus lourds, on utilise une attache vissée ou à miroir (en bas).

Encadrement

Finition des cadres

Pour la finition d'un cadre, on peut utiliser l'un des finis pour bois décrits aux pages 250-251 ou laisser libre cours à son imagination en prenant garde, toutefois, que le cadre n'écrase pas l'œuvre. Quand vous aurez maîtrisé les techniques expliquées ici, toutes les possibilités vous seront permises. Dans les magasins, recherchez les produits, nouveaux et anciens, qui peuvent vous convenir.

Tout vieux cadre a besoin d'être nettoyé. N'utilisez du décapant à vernis ou à peinture (p. 251) que si vous voulez mette le bois à nu. Pour ce faire, travaillez toujours dans une pièce bien aérée. Lavez un cadre doré à l'eau savonneuse et laissez sécher. Atténuez le brillant de la peinture avec un papier abrasif à grain fin ou de la laine d'acier avant de le repeindre ou de l'émailler.

L'antiquage. Pour donner à un cadre la patine engendrée habituellement par le temps, on applique sur la peinture ou l'émail une couche de glaçure de couleur contrastante qu'on essuie ensuite en partie. Si le bois est à nu, il faut d'abord le passer à la laque avant d'appliquer une sous-couche de peinture « antique » qui est du latex extrêmement épais. Deux couches seront peut être nécessaires. Dans ce cas, laissez la dernière sécher pendant au moins 24 heures avant d'appliquer la glaçure.

Achetez la glaçure ou fabriquez-la en mélangeant un colorant à l'huile, de l'huile de lin, de la térébenthine et un siccatif. En général, on antique les blancs, les ors et les couleurs pâles avec des tons de brun, comme de la terre d'ombre ou de Sienne; les teintes vives, l'argent et l'aluminium s'antiquent avec un colorant à l'huile et du noir de fumée. Quand la glaçure est sèche, vernissez-la, sauf si elle contient déjà du vernis.

Finis métalliques. Les peintures métalliques liquides ou en pâte conviennent pour les réparations, mais elles ne donnent pas le même fini qu'une surface recouverte de métal en feuille.

Avant d'appliquer le métal en feuille, enduisez d'abord la surface de trois couches de blanc d'Espagne mélangé avec de la colle. Poncez avec du papier grenat nº 220 jusqu'à ce que le fini soit parfaitement lisse. Si la couleur doit transparaître sous la feuille, appliquez une couche de peinture d'un rouge brun foncé, puis passez sur le blanc d'Espagne et cette peinture deux couches d'une laque peu épaisse en ponçant chaque fois. Appliquez ensuite de la colle à dorer, un adhésif jaune à séchage lent, ou de la colle du Japon transparente à séchage rapide, puis suivez les étapes décrites ci-dessous. Pour laisser paraître la peinture rouge, frottez légèrement la feuille de métal avec une laine d'acier fine et couvrez le tout d'une mince couche de laque. Vous pouvez antiquer un fini métallique ou le frotter avec de la pierre à chaux décomposée.

Une solution de rechange, simple et peu coûteuse, consiste à utiliser du papier à cadeau métallique argenté ou doré, ou un mélange des deux. Cela permet en général de masquer les défauts sans avoir à enlever l'ancien fini. Vous n'aurez besoin que d'une brosse à dents et de colle blanche diluée dans de l'eau à parts égales.

Antiquage d'un cadre

1. Après avoir préparé le cadre, appliquez-y une couche d'émail semi-brillant ou d'apprêt d'antiquage. Peignez uniformément dans le sens du fil. Prenez de la peinture en aérosol pour les cadres très travaillés. Appliquez une autre couche au besoin. Laissez sécher 24 h.

2. Etalez au pinceau la glaçure d'antiquage sur une section à la fois en couvrant bien toute la surface. Passez à l'étape suivante avant de couvrir les autres sections.

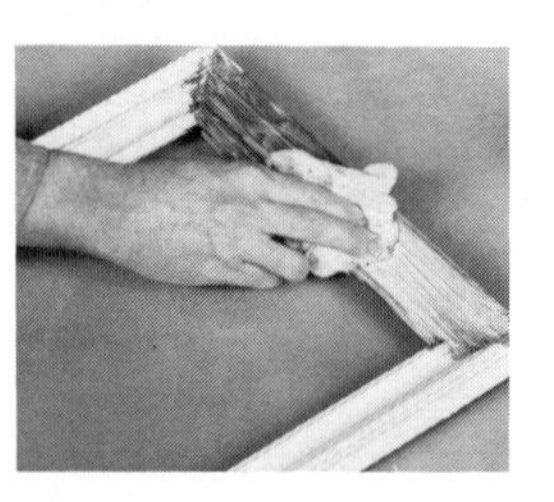

3. Essuyez la glaçure avec un linge doux et non pelucheux jusqu'à l'obtention du fini voulu. Nettoyez les creux avec un pinceau sec et propre, en l'essuyant souvent sur le linge. Frottez la glaçure des arêtes pour imiter l'usure. (Voir le texte pour le scellement du fini.)

Métal en feuille

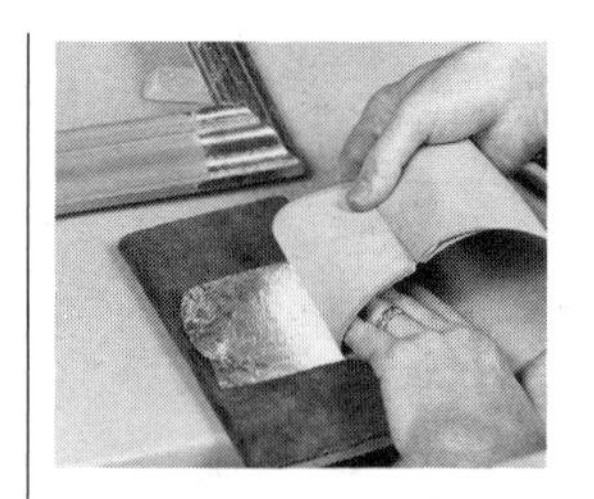

1. Quand la colle à dorer (voir le texte) est devenue poisseuse, posez un coussin en suède sur une feuille du carnet et retournez le tout. Déposez le coussin sur la table pour détacher la feuille avec soin : elle adhérera au coussin. Coupez-la si c'est nécessaire.

2. Etalez une fine couche de vaseline sur votre avant-bras et passez-y le bord de la palette ; prenez ensuite la feuille (photo) et positionnez-la délicatement. Une fois placée, elle ne s'enlève plus. Pour un meilleur résultat, travaillez avec des demi-feuilles.

3. Faites épouser les contours du cadre à la feuille en la tapotant avec un pinceau propre. Utilisez les miettes qui s'en détachent pour masquer les vides. Si le cadre est très élaboré, brunissez la feuille à la pierre d'agate après l'avoir recouverte d'un papier-mouchoir.

Papier métallique

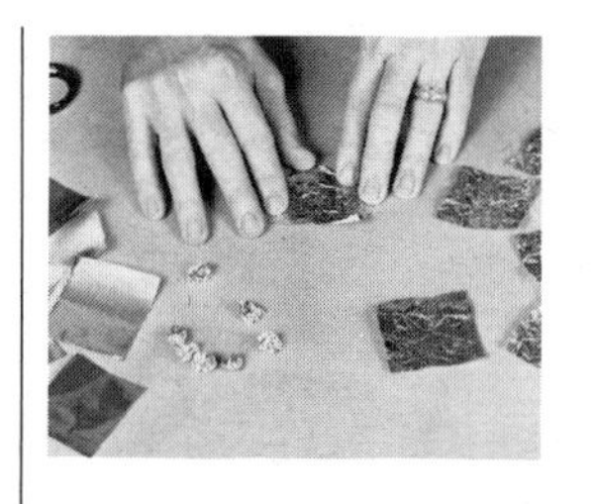

1. Découpez une feuille de papier métallique en carrés d'environ 1½ po. Froissez-les en boules, puis étalez-les à nouveau, sans toutefois les lisser. Cela leur donnera plus de relief.

2. Plongez la brosse à dents dans de la colle diluée (voir le texte) et encollez le cadre et le dos du papier. Etalez celui-ci sur le cadre. Faites-le pénétrer dans les contours avec la brosse chargée afin d'encoller aussi sa face. S'il se déchire, recouvrez-le d'un autre morceau.

3. En séchant, la colle devient transparente. Vous pouvez l'antiquer avec de la glaçure d'antiquage ou de la peinture à l'huile en tube. Terminez en appliquant de deux à quatre couches de vernis satiné ou grand-brillant.

Section 5

Artisanat d'argile et émail

Poterie

L'argile à travers les âges

De tous les métiers, la poterie est l'un des plus anciens et des plus universels. Son importance lui vient à la fois du rôle qu'elle a joué dans l'évolution des civilisations et du fait qu'elle constitue une source d'information inestimable, du point de vue archéologique.

Souvent, les premières poteries comportent un décor de cordelettes. Les spécialistes y voient l'indice qu'à l'origine les paniers étaient colmatés avec de l'argile pour retenir l'eau, les graines et les petits fruits ; puis, l'argile ayant cuit accidentellement au soleil, on aurait ainsi découvert comment fabriquer de la vaisselle solide et non poreuse.

La poterie a joué un rôle essentiel dans le développement des premières stations humaines parce que, grâce aux récipients en terre cuite, l'homme put enfin conserver l'eau et les aliments pendant de longues périodes. Comme, dans la plupart des civilisations anciennes, les morts étaient enterrés avec leur vaisselle, c'est surtout dans les tombes qu'on trouve le plus de pièces intactes. Néanmoins, la découverte de tessons sur presque tous les sites archéologiques nous a permis d'en apprendre beaucoup sur la chronologie et les caractéristiques des anciennes cultures.

Les premières poteries. Quoique ce soit en Mésopotamie qu'on ait trouvé les plus anciens tessons de terre cuite, c'est sur le plateau anatolien (la Turquie actuelle) qu'on a découvert les premiers récipients en terre (7000 av. J.-C.). Ils étaient faits en faïence crue, une sorte d'argile légèrement poreuse et cuite à une température relativement basse. Des pièces plus dures, cuites à une température plus élevée, firent leur apparition quelque 500 ans plus tard. Vers 5000, la poterie s'était répandue en Egypte et dans tout le Proche-Orient. Elle était décorée de motifs géométriques, incrustés ou passés à la barbotine.

Cette jarre chinoise en porcelaine date de l'époque Ming (xve siècle).

Pour écrire, les Babyloniens et les Assyriens se servaient de tablettes d'argile humide qu'ils faisaient ensuite cuire ou sécher.

Le tour du potier, un disque rotatif qui permet de façonner des formes parfaitement symétriques, a probablement été inventé au Proche-Orient, vers 4000, et était déjà d'un usage très répandu 1 000 ans plus tard. Dès ce moment, la poterie, qui était généralement réservée aux femmes, devint un métier d'homme.

On croit que la glaçure, une substance qui se vitrifie au feu, aurait été inventée par les Egyptiens vers 3500.

L'Extrême-Orient. Depuis l'Antiquité, la céramique chinoise jouit d'un prestige universel à cause de ses qualités techniques et artistiques. Les Chinois la découvrirent plus tard que dans l'ensemble du Proche-Orient, soit, croit-on, vers 3000. Par contre, ils connaissaient le grès blanc, une terre dure et non poreuse qui cuit à très haute température, dès 1400 av. J.-C., alors que l'Europe ne le découvrira qu'au XVIe siècle. Déjà au IIIe siècle avant notre ère, les Chinois connaissaient la glaçure et, au moment de la dynastie T'ang (618-906), ils disposaient d'une palette complète de couleurs. La véritable porcelaine date de cette époque. Les œuvres exécutées durant la dynastie Sung (960-1279) et qui, pour beaucoup, représentent un sommet dans la poterie orientale sont de simples pièces de grès aux glaçures raffinées.

Si, pendant la dynastie Ming (1368-1644), les potiers ne se souciaient guère de corriger les imperfections, cette pratique disparut durant la dynastie Ch'ing (1644-1912), les pièces passant dorénavant entre les mains de plusieurs artisans. Mais la perfection ainsi atteinte le fut au détriment de la spontanéité.

L'excellence de la céramique chinoise reflète l'importance de cet art dans la culture de ce pays. Ceci a été confirmé de façon spectaculaire, en 1975, avec la découverte d'une armée de 6 000 hommes en céramique, grandeur nature, avec leurs armures, leurs armes, des chevaux et des chariots ; cette armée datait de 200 ans avant notre ère et avait été enterrée près de la tombe d'un empereur, dans le nord-ouest de la Chine.

La céramique coréenne s'est fortement inspirée de l'art chinois et a, à son tour, grandement influencé la céramique japonaise. Ce sont les Coréens qui ont inventé le *mishima,* un style décoratif basé sur l'incrustation d'argiles colorées. Les Japonais ont, de tout temps, apprécié la céramique coréenne et on prétend même que, quand ils envahirent la Corée en 1592, les potiers constituèrent leur principale prise de guerre. Depuis le XVe siècle, la cérémonie du thé a été la grande source d'inspiration des potiers japonais qui créèrent, pour ce rituel, leurs pièces les plus célèbres faites en *raku,* une pâte spéciale cuite à une température relativement basse.

Les civilisations égéenne et hellénique. La grande poterie égéenne remonte à la civilisation minoenne, durant l'âge de bronze crétois (2800-1100). Elle se caractérisait par des motifs abstraits et réalistes, très colorés, inspirés de la flore et de la faune marines. On retrouve sur les premières poteries athéniennes des vestiges des motifs minoens. Un peu plus tard, les Grecs conçurent de merveilleuses barbotines d'un rouge orangé et d'un noir brillant pour leurs fameux vases aux figures noires et rouges, style qui se maintint de 1000 à 400 av. J.-C.

L'Islam. L'influence de la céramique arabe sur son équivalent européen fut très marquée, à cause de ses qualités techniques et artistiques. Au IXe siècle, les musulmans redécouvrirent l'engobe, probablement inventé par les Assyriens vers 1100 avant notre ère ; cette technique allait, plus tard, se révéler d'une grande importance pour la poterie européenne. C'est également aux musulmans qu'on doit l'introduction du lustre, un pigment métallique contenant du cuivre, de l'or ou de l'argent, et qu'on applique sur une glaçure déjà cuite. Les potiers arabes se préoccupaient beaucoup plus de l'ornementation, toujours très raffinée, que de la forme de leurs pièces.

L'Europe. Comme les chrétiens n'enterraient pas de poterie avec leurs morts, les spécimens intacts datant de l'introduction de cet art en Europe sont très rares. L'histoire de la poterie européenne n'est vraiment connue que depuis la fin du Moyen Age.

C'est vers le XIIIe siècle que l'usage de l'engobe gagna l'Italie, depuis l'Espagne mauresque. Employant une technique appelée majolique, les Italiens peignaient de superbes motifs, très complexes, par-dessus un engobe blanc et uni. Un peu plus tard, les Français et les Hollandais mirent au point des variantes de la majolique, soit la faïence au grand feu et celle de Delft. Le grès fit son apparition au XVe siècle en Allemagne, pays à qui l'on doit aussi la véritable porcelaine, découverte en 1710. Entretemps, l'Italie et la France avaient mis au point une sorte de porcelaine dite à pâte tendre. L'emploi de moules en plâtre de Paris, en Angleterre, à partir de 1745, permit de produire en série des pièces aux formes complexes. Vers la fin du XVIIIe siècle, un potier anglais, Josiah Wedgwood, inventa la faïence jaspée, d'un bleu pâle et généralement décorée de formes humaines réalisées en blanc.

L'Amérique. La poterie indigène des deux Amériques diffère totalement de ce qui se faisait en Europe et en Asie. Les Indiens ignoraient le tour et façonnaient la majorité de leurs pièces à partir de colombins. Les grandes civilisations, comme celles des Aztèques, des Mayas et des Incas, travaillaient l'argile avec un art consommé. Certains peuples d'Amérique centrale décoraient leurs pièces selon une technique rappelant le batik.

Hacilar, Anatolie
vers 6000

Egypte prédynastique
antérieur à 3200

Minos-Mycènes
1500-1425

Grèce, figures noires
vers 530 av. J.-C.

Chine, dynastie Sung
XIe-XIIe siècles

Islam
XVIe-XVIIe siècles

Angleterre, faïence jaspée
XVIIIe siècle

Poterie

Les origines géologiques de l'argile

Toutes les poteries sont faites d'argile: un matériau abondant, aux propriétés remarquables, et qui peut adopter n'importe quelle forme. Une fois cuite, l'argile devient dure comme de la pierre. Elle peut être colorée, blanche ou d'un noir de jais, mais elle peut également être d'une seule couleur, tachetée, striée ou marbrée, lisse comme l'ivoire ou rugueuse comme du papier de verre. Enfin, elle peut devenir translucide ou rester aussi opaque qu'une pierre.

Une certaine connaissance des origines de l'argile et de ses propriétés physiques et chimiques peut s'avérer un atout précieux dans son utilisation.

Au début de notre ère géologique, la terre n'était qu'une masse de matières en fusion. Celles-ci finirent, au cours d'une longue période, par se déposer en couches: les éléments les plus lourds, comme les métaux, se déposant au fond, les éléments les plus légers remontant à la surface.

A la suite de cette sédimentation, la couche de surface révéla un matériau relativement léger et d'une composition presque uniforme.

Tandis que la surface de la terre se refroidissait en une masse solide, les éléments fondus se combinaient pour former des minéraux. De tous ceux-ci, les feldspaths sont les plus courants et composent presque 60 p. 100 de l'écorce terrestre. L'argile résulte essentiellement de la décomposition du feldspath.

Il y a environ 3,5 milliards d'années, la surface de la terre avait suffisamment refroidi pour permettre la condensation de la vapeur d'eau contenue dans l'atmosphère. Le déluge qui en résulta amorça l'érosion de la croûte terrestre, phénomène qui se poursuit toujours. Au cours des âges, l'eau, le vent et les glaciers érodèrent une quantité incalculable de roches et réduisirent des montagnes à l'état de limon. L'un des produits de cette désagrégation est l'argile.

Les propriétés chimiques et physiques de l'argile

Comme l'argile résulte de l'érosion de l'écorce terrestre, elle a à peu près la même composition chimique que celle-ci. On trouvera ci-dessous un tableau comparatif des pourcentages d'oxydes contenus dans la croûte terrestre et dans l'argile rouge commune. Comme on le verra, ce sont le silicium et l'aluminium qui sont les constituants essentiels de l'une comme de l'autre. Les oxydes de ces substances, la silice et l'alumine, forment, avec l'eau, les principaux éléments de l'argile.

Les concentrations en alumine, silice et autres éléments varient d'une argile à l'autre. Par exemple, on trouve dans les argiles qui cuisent à haute température davantage d'alumine et moins d'oxyde de fer (Fe_2O_3) que dans celles qui cuisent à des températures moindres.

Le feldspath, qu'on considère comme la base minérale de la plupart des argiles, est un nom générique. Tous les feldspaths contiennent de l'alumine, de la silice et un ou plusieurs autres oxydes alcalins. Quand un feldspath se décompose sous l'effet de l'érosion, ses éléments alcalins se dissolvent dans l'eau et sont emportés. Au cours d'une lente et longue réaction, l'alumine et la silice se combinent chimiquement à l'eau.

Une fois hydratées, l'alumine et la silice donnent un minéral argileux, la kaolinite (Al_2O_3 $2SiO_2$ $2H_2O$). Dans la nature, l'argile ne se trouve jamais à l'état de kaolinite pure. Elle contient toujours des impuretés. Cependant, l'alumine, la silice et l'eau sont les seuls composants présents en quantités significatives dans *toutes* les argiles.

Argiles primaires et secondaires. Les argiles se divisent en deux grandes catégories: les argiles primaires ou résiduelles et les argiles secondaires ou sédimentaires. Les premières sont faites de particules désagrégées dont la composition est restée presque intacte parce qu'elles n'ont pas été transportées par l'eau, le vent ou les glaciers. Ces particules sont donc assez grosses et à peu près exemptes d'impuretés.

Les argiles secondaires ou sédimentaires ont été emportées loin de leur lit par des agents érosifs. Durant ce transport, surtout en eau vive, une partie des particules les plus grosses se dépose, tandis que la partie restante est emportée encore plus loin et continue d'être broyée par l'eau. C'est pourquoi les particules des argiles secondaires sont plus petites que celles des argiles primaires. En outre, pendant le transport, les terres argileuses sédimentaires se mélangent à d'autres substances minérales et organiques.

Plasticité. La dimension et la surface des particules argileuses sont deux facteurs dont le potier doit tenir compte parce qu'ils déterminent la plasticité de l'argile, c'est-à-dire cette propriété qui permet à la terre d'être moulée et de conserver une forme donnée sans se fendre ou craquer (voir page ci-contre).

Les particules argileuses sont microscopiques. Quand on les examine avec un puissant microscope, on constate qu'elles sont minces et plates (voir la photomicrographie, page ci-contre). Même dans le cas des argiles primaires dont les particules sont relativement grosses, la majorité de celles-ci mesure moins de 1 micron de diamètre. Quand elles sont mouillées, elles s'agglutinent les unes aux autres. Plus les particules sont petites, plus l'argile retient l'eau et plus elle est plastique. A cause de la taille de leurs particules, les argiles sédimentaires sont donc plus plastiques que les argiles résiduelles.

L'attraction électrique entre les particules argileuses ainsi que la présence des diverses impuretés influent également sur la plasticité; celle-ci s'accroît en outre avec le vieillissement.

ÉLÉMENTS CHIMIQUES	CROÛTE TERRESTRE	ARGILE ROUGE COMMUNE
Bioxyde de silicium (silice) — SiO_2	59,14%	57,64%
Oxyde d'aluminium (alumine) — Al_2O_3	15,34	18,66
Oxyde ferrique — Fe_2O_3	6,88	6,20
Oxyde de magnésium (magnésie) — MgO	3,49	2,68
Oxyde de calcium (chaux) — CaO	5,08	5,78
Oxyde de sodium — Na_2O	3,84	2,35
Oxyde de potassium — K_2O	3,13	2,10
Eau — H_2O	1,15	3,45
Bioxyde de titanium (titane) — TiO_2	1,05	0,94

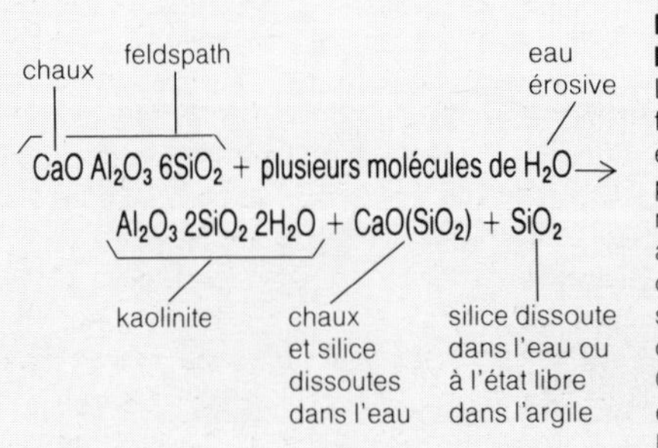

Décomposition géologique du feldspath. La désagrégation du feldspath résulte de son exposition à l'eau depuis des millions d'années. Son composant alcalin (ici, la chaux) se dissout en laissant une solution de kaolinite et d'autres substances. Cette réaction ne peut être reproduite en laboratoire.

Séchage et retrait de l'argile

Quand l'argile sèche, l'eau retenue entre ses particules s'évapore et celles-ci se tassent. C'est pourquoi le retrait d'une pièce d'argile est important, surtout lorsque celle-ci est fraîche, alors qu'il atteint environ 8 p. 100. Le retrait est encore plus prononcé quand l'argile est cuite, comme le prouvent les photos de cinq plaques d'argile, à droite.

Plus l'argile contient d'eau et plus elle rétrécit en séchant. Or, comme les argiles aux particules fines et bien plastiques retiennent beaucoup d'eau, leur retrait, au séchage, est relativement important. C'est là un point capital parce qu'une pièce peut se craqueler à la suite d'un séchage excessif.

Pour prévenir ce phénomène, le potier ajoute des matériaux non plastiques à l'argile. Ceux-ci absorbent peu d'eau et accélèrent le séchage en provoquant la formation de pores dans l'argile, ce qui permet à l'humidité de remonter plus rapidement à la surface. Le silex, le feldspath et la chamotte sont souvent utilisés à cette fin.

Les photos de droite montrent comment l'argile voit son humidité diminuer par évaporation au cours de cinq phases distinctes de séchage et de cuisson.

Petits anneaux

Gros anneaux

Pour juger de la plasticité d'une argile, on en fait de petits anneaux. Les trois argiles de gauche ont été roulées en des colombins gros comme un crayon. Elles peuvent toutes être façonnées en de gros anneaux. Toutefois, en voyant comment les petits anneaux se sont effrités et ont craquelé, on constate que la première argile est la plus plastique et que la troisième l'est très peu.

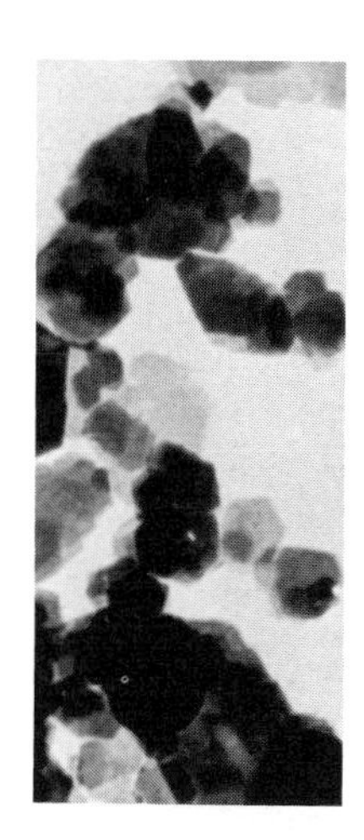

Cette photomicrographie montre des particules de kaolin grossies 40 000 fois. Elles sont minces, plates et hexagonales. Une fois mouillées, elles se collent ensemble, un peu comme des cartes à jouer plongées dans de l'eau. C'est ce qui est, essentiellement, à l'origine de leur grande plasticité. La plupart des argiles ont des particules encore plus petites que celles du kaolin.

Ces photographies montrent le degré de retrait de l'argile au cours de cinq phases de séchage et de cuisson. La première plaque est en argile fraîche et plastique. Après avoir séché une douzaine d'heures, elle se solidifie mais demeure encore humide. On dit qu'elle est à l'état du cuir (deuxième plaque). Quelques jours plus tard, presque toute l'eau s'est évaporée et l'argile est dite sèche à l'absolu (troisième plaque). La quatrième plaque a déjà subi une première cuisson. La cinquième a atteint sa température de maturation. Le taux de retrait varie selon l'argile.

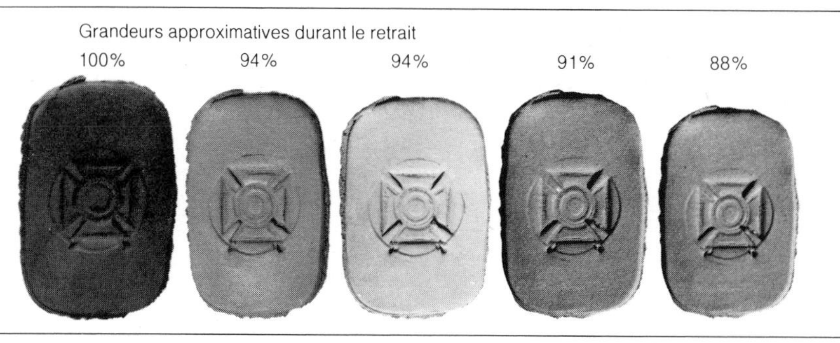

Les types d'argile

Les argiles ont des origines géologiques différentes et se distinguent aussi par la désagrégation de leurs particules. Au cours de l'érosion, elles se mélangent entre elles ainsi qu'avec des impuretés. Toutes ces variables empêchent donc de les classifier avec précision, quoiqu'on les ait divisées en grandes catégories :

Le kaolin. Le kaolin est une argile primaire blanche et très pure. A cause de ses grosses particules, il n'est pas très plastique et rétrécit assez peu. Il est très réfractaire — ce qui signifie que sa température de maturation est très élevée (1 800°C). Tous ces facteurs font qu'on le mélange en général à d'autres substances pour augmenter sa malléabilité et réduire sa température de maturation.

Les argiles figulines. Ce sont des argiles secondaires aux particules fines et très plastiques. Elles contiennent très peu d'impuretés et leur température de maturation est élevée (1 300°C). L'importance de leur retrait — jusqu'à 20 p. 100 pendant la cuisson — fait qu'on ne peut les utiliser seules. On les mélange souvent avec du kaolin.

Les argiles réfractaires. Ces argiles supportent une température très élevée (1 500°C). Certaines sont relativement plastiques, d'autres non. On ajoute parfois au grès une argile réfractaire à grosses particules pour lui donner plus de tenue, c'est-à-dire pour le rendre plus rugueux, afin qu'il conserve mieux sa forme quand il est humide.

Les grès. Ce sont des argiles plastiques qui cuisent à haute température (1 200-1 300°C). On les utilise parfois tels qu'ils ont été extraits, mais, en général, on les mélange à d'autres argiles et substances.

Les faïences. Ce sont là les plus communes des argiles naturelles. Elles contiennent d'importantes quantités de fer et d'autres impuretés qui agissent comme fondants, en réduisant leur température de maturation (950-1 100°C). Contrairement au grès et aux autres argiles qui cuisent à des températures élevées, la faïence est douce et poreuse après la cuisson. Sa plasticité et sa couleur varient en fonction des impuretés qu'elle contient.

La porcelaine. La porcelaine est faite de kaolin, d'argile figuline, de feldspath et de silex (une sorte de silice). Cette argile malléable a une température de maturation relativement élevée (1 300°C) et devient, en cuisant, d'un blanc translucide. Sa faible plasticité en limite les emplois.

La bentonite. On l'ajoute aux autres argiles pour en augmenter la plasticité.

Poterie

Les pâtes

On emploie rarement l'argile telle qu'elle a été extraite. En général, le potier utilise un mélange d'argiles et d'autres matériaux pour obtenir des propriétés correspondant à ses besoins. Un tel mélange s'appelle une *pâte.*

Les mélanges visent principalement trois objectifs : modifier la plasticité et le degré de retrait ; modifier la température de maturation ; modifier la couleur et la texture. Pour arriver à ces résultats, on choisira, dans le premier cas, des argiles et d'autres substances qui n'ont pas la même plasticité et dont les particules sont de grosseurs différentes ; dans le deuxième, des terres dont les températures de maturation et de fusion varient ; et, dans le troisième cas, des argiles de couleurs et de textures différentes.

Vous trouverez, à droite, les formules de composition de sept pâtes différentes qui conviennent tout particulièrement au façonnage manuel et au travail au tour.

En poterie, on évalue les températures de cuisson selon des unités appelées montres ; les plus utilisées vont de montre 020 à montre 14. Un tableau des montres et des températures équivalentes pour le four est fourni à la page 321.

La faïence. Les pâtes pour faïence cuisent à une température peu élevée, habituellement inférieure à montre 1, mais qui peut tout de même atteindre montre 5. Ces pâtes, qui sont poreuses après la cuisson, donnent une palette de couleurs superbes et caractéristiques.

La plupart des argiles naturelles sont des faïences et on les utilise parfois sans presque aucune modification (voir *Comment extraire et préparer votre argile,* page ci-contre). La faïence ou argile rouge commune se trouve aussi chez les fournisseurs spécialisés.

Dans la liste des éléments pour la pâte de faïence 1, à droite, l'argile réfractaire et la chamotte augmentent la tenue de la terre. Cela réduit son retrait, la rend plus rugueuse et l'aide à conserver sa forme quand elle est fraîche. L'argile figuline accroît sa plasticité.

Pour la pâte 2, l'argile figuline est nécessaire parce que l'argile réfractaire est relativement peu plastique. Comme elle est aussi très réfractaire, on ajoute comme fondants du feldspath de soude et du talc, ce qui abaisse sa température de maturation. Le silex prévient la déformation de la terre.

Les faïences qui cuisent entre montre 1 et montre 5 se rapprochent du grès, mais conservent leurs propriétés chromatiques et restent poreuses.

Dans le cas de la pâte 3, l'argile gréseuse et l'argile réfractaire élèvent la température de maturation de l'argile rouge commune.

Les grès. Ces pâtes deviennent dures et non poreuses après avoir cuit entre montre 6 et montre 14. Les formules pour les grès sont plus simples que celles des faïences parce qu'elles comprennent moins de fondant, ces terres étant plus réfractaires.

Lors d'une cuisson à haute température, l'atmosphère du four peut modifier la couleur et la texture d'une glaçure. Une atmosphère de réduction élimine l'oxygène contenu dans la glaçure ; une atmosphère d'oxydation en ajoute (voir pp. 321-322). Le changement d'atmosphère agit sur la couleur de l'argile aussi bien que sur celle de la glaçure. Les pâtes gréseuses 4, 5 et 6 peuvent cuire dans l'une ou l'autre atmosphère, mais on obtiendra un meilleur résultat en suivant les directives.

Les terres porcelaines. Ces pâtes cuisent au-dessus de montre 9. On ajoute de la bentonite à la pâte 7 pour la rendre plus plastique.

Toutes les argiles et les substances chimiques énumérées ici peuvent être achetées chez les fournisseurs spécialisés. Après avoir bien travaillé avec les formules ci-contre, vous pourrez leur apporter quelques changements mineurs, selon vos exigences.

PÂTES POUR FAÏENCE	FORMULES (parties en pourcentage)
1. Devient rougeâtre en cuisant ; température de maturation entre montre 08 et montre 1	59 argile rouge commune 23 argile réfractaire rouge 9 argile figuline 9 chamotte
2. Devient blanche en cuisant ; température de maturation entre montre 08 et montre 1	50 argile réfractaire 26 argile figuline 8 silex 8 feldspath de soude 8 talc
3. Devient rouge en cuisant ; température de maturation entre montre 1 et montre 5	45 argile réfractaire 30 argile rouge commune 15 argile gréseuse 10 feldspath
PÂTES GRÉSEUSES	
4. Devient brun foncé en cuisant dans une atmosphère de réduction ; température de maturation entre montre 6 et montre 9	45 argile réfractaire 23 argile gréseuse 23 argile rouge commune 9 feldspath de soude
5. Devient orange foncé dans une atmosphère de réduction ; température de maturation à montre 9 ou 10	35 argile gréseuse 35 argile réfractaire 10 argile rouge commune 10 silex 10 chamotte
6. Devient blanche en cuisant dans une atmosphère d'oxydation ; température de maturation à montre 6	38 kaolin 21 feldspath de potasse 20 silex 9 sable siliceux 9 syénite néphélinique 3 bentonite
PÂTE POUR PORCELAINE	
7. Devient d'un blanc crémeux en cuisant dans une atmosphère d'oxydation, d'un blanc bleuté dans une atmosphère de réduction ; température de maturation à montre 9 ou à montre 10	54 kaolin (terre de Chine) 22 feldspath de potasse 22 silex 2 bentonite

Faïence

Grès

Porcelaine

Couleurs et textures de l'argile

En général, une argile cuite dans une atmosphère de réduction prendra des tons plus froids que dans une atmosphère d'oxydation. L'addition de substances chimiques modifie aussi la couleur de la pâte.

Une argile pâle deviendra brune ou d'un rouge flamme si on lui ajoute de 2 à 4 p. 100 d'oxyde d'hématite rouge. Une quantité similaire d'oxyde de fer plus 2 parties de bioxyde de manganèse la rendront d'un brun gris. Les fabricants préparent des teintures qui permettent de colorer les pâtes de couleur pâle.

Pour obtenir un effet moucheté, on ajoute à l'argile des granules de bioxyde de manganèse, de la chamotte colorée ou de la limaille de fer ou de rouille.

En mélangeant deux argiles de couleurs différentes, on obtiendra un effet marbré. Assurez-vous que les deux terres ont un taux de retrait similaire pour éviter que la pièce ne se craquelle en séchant. Par ailleurs, on peut rendre une argile plus rugueuse en lui ajoutant jusqu'à 40 p. 100 de chamotte grossière ou d'argile réfractaire.

Seuls des essais permettent de trouver le pourcentage correct des additifs en fonction d'un effet donné. En préparant vos mélanges, n'oubliez pas que certaines substances peuvent avoir plus d'un effet. Par exemple, l'oxyde de fer est à la fois un colorant et un fondant puissant, et la chamotte réduit la plasticité d'une pâte tout en en améliorant la tenue.

Achat, préparation et entreposage de l'argile

L'argile s'achète sèche ou humide. Dans ce dernier cas, elle est généralement vendue en paquets de 25 lb (11,30 kg) ou plus. Certaines compagnies préparent des pâtes sur demande.

En achetant de l'argile sèche, il vous sera plus facile de la transporter, mais sa préparation exigera plus de travail. Pesez les ingrédients secs de la pâte (p. 288) et mélangez-les bien dans un grand récipient. Ajoutez de l'eau peu à peu, tout en remuant, jusqu'à ce que la pâte soit malléable. Laissez-la reposer quelques jours, enveloppée dans du plastique.

Si vous préparez une pâte avec de l'argile humide, ajoutez d'abord beaucoup d'eau pour éliminer les grumeaux. Vous obtiendrez ainsi une solution appelée *barbotine*. Mélangez-la à fond, à la main ou dans un malaxeur, jusqu'à ce que les grumeaux aient disparu. Laissez reposer la barbotine plusieurs jours en siphonnant l'eau qui remonte à la surface. Ensuite, étalez-la sur une surface poreuse, en bois ou en plâtre (comme le bloc de battage, voir p. 294), jusqu'à ce qu'elle soit suffisamment ferme.

L'argile se garde dans n'importe quel récipient étanche. Recouvrez toujours celui-ci d'une serviette humide pour que la terre ne sèche pas.

Si l'argile durcit trop, tranchez-la, arrosez-la d'eau et remettez-la dans le récipient. Si un morceau devenait vraiment très dur, plongez-le dans un seau d'eau et laissez-le se changer en barbotine. Tant qu'elle n'a pas été cuite, l'argile peut se réutiliser indéfiniment et être séchée ou arrosée.

Vous trouverez peut-être que l'argile fraîche se travaille difficilement. Elle deviendra plus malléable en vieillissant. Vous pouvez accélérer le processus en y ajoutant un acide doux comme du vinaigre ou une boisson gazéifiée, à raison de 8 oz pour 100 lb (environ 225 ml pour 45 kg). Au bout d'un mois ou deux, elle sera beaucoup plus plastique.

Comment extraire et préparer votre argile

En extrayant votre propre terre, vous économiserez sur le prix d'achat, mais cela vous prendra beaucoup de temps. Néanmoins, on éprouve un plaisir particulier à tourner une pièce dans de l'argile qu'on a soi-même extraite.

Comme l'argile se trouve généralement à plusieurs pieds de profondeur, on y aura plus facilement accès là où la terre a déjà été creusée, comme à proximité d'une maison en construction. Habituellement, elle sera sèche et friable. Si vous n'êtes pas sûr que la terre est bien de l'argile, prenez-en une poignée et mouillez-la. Si elle devient malléable, c'est de l'argile.

Ne ramassez pas de l'argile recouverte d'une écume blanche ou teintée, ou qui est noire et très collante : elle contient trop d'impuretés. S'il vous en faut beaucoup, recherchez un endroit où elle sera d'une couleur uniforme.

Etalez votre terre sur des planches pour la laisser durcir au soleil pendant plusieurs jours. Recouvrez-la en cas de pluie. Une fois qu'elle est sèche, écrasez-la à coups de maillet et ne ramassez que l'argile que vous mélangerez à de l'eau pour obtenir de la barbotine. Au bout de quelques heures, passez-la dans un tamis n° 40 et faites-la sécher à l'intérieur sur une surface poreuse.

En général, on a besoin d'ajouter à l'argile des substances qui renforcent ou modifient ses qualités. C'est en procédant à des tests qu'on établit quels additifs sont nécessaires.

Pour tester la plasticité de votre terre, préparez-la comme si vous deviez la tourner. Si elle se fissure, elle n'est pas assez plastique. Si elle est trop collante, il faut en réduire la plasticité.

Pour les tests sur la température de maturation, préparez quatre plaques de 6 po sur 2 sur ½ et déposez-les dans le four sur des pattes de coq. Faites-les cuire chacune à montres 08, 04, 1 et 4. Plus l'argile cuira à haute température, plus elle deviendra dense et dure, jusqu'à ce qu'elle ait atteint son point de maturation. Ensuite, elle va s'affaisser et fondre. Comme il est fort probable que l'argile que vous aurez extraite soit de la faïence, elle se déformera sans doute au-dessus de montre 1. Le tableau ci-contre explique comment augmenter ou réduire la température de maturation ou comment changer la densité obtenue à une température donnée.

Pour tester le retrait, gravez deux marques espacées de 4 po sur une plaque d'argile humide et faites-la cuire jusqu'à sa température de maturation. Le retrait se calcule ainsi : (4 − nombre de pouces entre les marques après la cuisson) × 25 = pourcentage de retrait. Si le retrait dépasse 16 p. 100, vos pièces peuvent se déformer ou craquer. Déterminez les additifs nécessaires d'après ce tableau.

POUR OBTENIR	AJOUTEZ
Une plus grande plasticité	Argile figuline (jusqu'à 25%) Bentonite (jusqu'à 3%)
Une plasticité ou un retrait moindres	Chamotte (jusqu'à 20%) Silex (jusqu'à 15%) Argile réfractaire (jusqu'à 25%)
Une température de maturation moindre ou une densité accrue	Oxyde de fer (jusqu'à 25%) Talc (jusqu'à 40%) Fritte (jusqu'à 15%)
Une plus haute température de maturation	Kaolin (jusqu'à 25%) Argile réfractaire (jusqu'à 25%) Argile gréseuse (jusqu'à 50%) Argile figuline (jusqu'à 25%) Silex (jusqu'à 15%)

Poterie

L'outillage

Quoiqu'on puisse façonner manuellement à peu près n'importe quelle pièce, il existe des outils souvent jugés indispensables ou simplement utiles. Ils coûtent trois fois rien et sont vendus dans les magasins spécialisés. On peut aussi les fabriquer soi-même.

Le couteau de potier, qu'on peut remplacer par un couteau de cuisine ou un paroir, a de nombreux emplois.

On se sert d'une aiguille ou d'une alêne montée sur une poignée pour guillocher ou couper l'argile.

Les mirettes, aux dimensions et aux formes variées, s'emploient pour couper et tournasser les pièces.

Les ébauchoirs sont de formes, de tailles et de textures diverses. On s'en sert pour lisser, façonner et texturer les pièces, à l'extérieur comme à l'intérieur.

Les éponges s'emploient pour mouiller et lisser les pièces façonnées au tour, ainsi que pour en éliminer les surplus d'eau. Les éponges naturelles, dites oreilles d'éléphant, durent plus longtemps que les éponges synthétiques. En les fixant au bout d'une baguette, on peut atteindre le fond des longs vases au goulot étroit.

Un fil de fer ou de nylon fixé à deux petites poignées permet de détacher du tour une pièce finie.

Les estèques en bois ou en caoutchouc s'emploient pour le façonnage au tour.

Les compas servent à mesurer les pièces afin de les reproduire ou pour obtenir un emboîtement parfait.

On emploie un goujon ou un rouleau à pâtisserie pour façonner des plaques d'argile d'épaisseur uniforme.

Les barbotines et les glaçures s'appliquent souvent au pinceau. On emploie les pinceaux japonais très fins pour les décors délicats, et d'autres, plats et larges, pour les grandes surfaces. Pour obtenir par extrusion des boudins d'argile aux formes variées, on utilise une boudineuse aux buses interchangeables.

En plaçant sur la girelle du tour des rondeaux en plâtre, il est plus facile d'en retirer les pièces finies.

Une règle peut servir de batte pour changer la texture des pièces humides.

Le faux plateau tournant est une petite table de modelage qu'on fait tourner à la main. On s'en sert pour le façonnage manuel ainsi que pour l'application des glaçures et des barbotines.

L'application des décors en glaçure ou en barbotine peut également se faire à l'aide d'une seringue.

Des tamis aux mailles de grosseurs diverses servent à tamiser les glaçures et les barbotines.

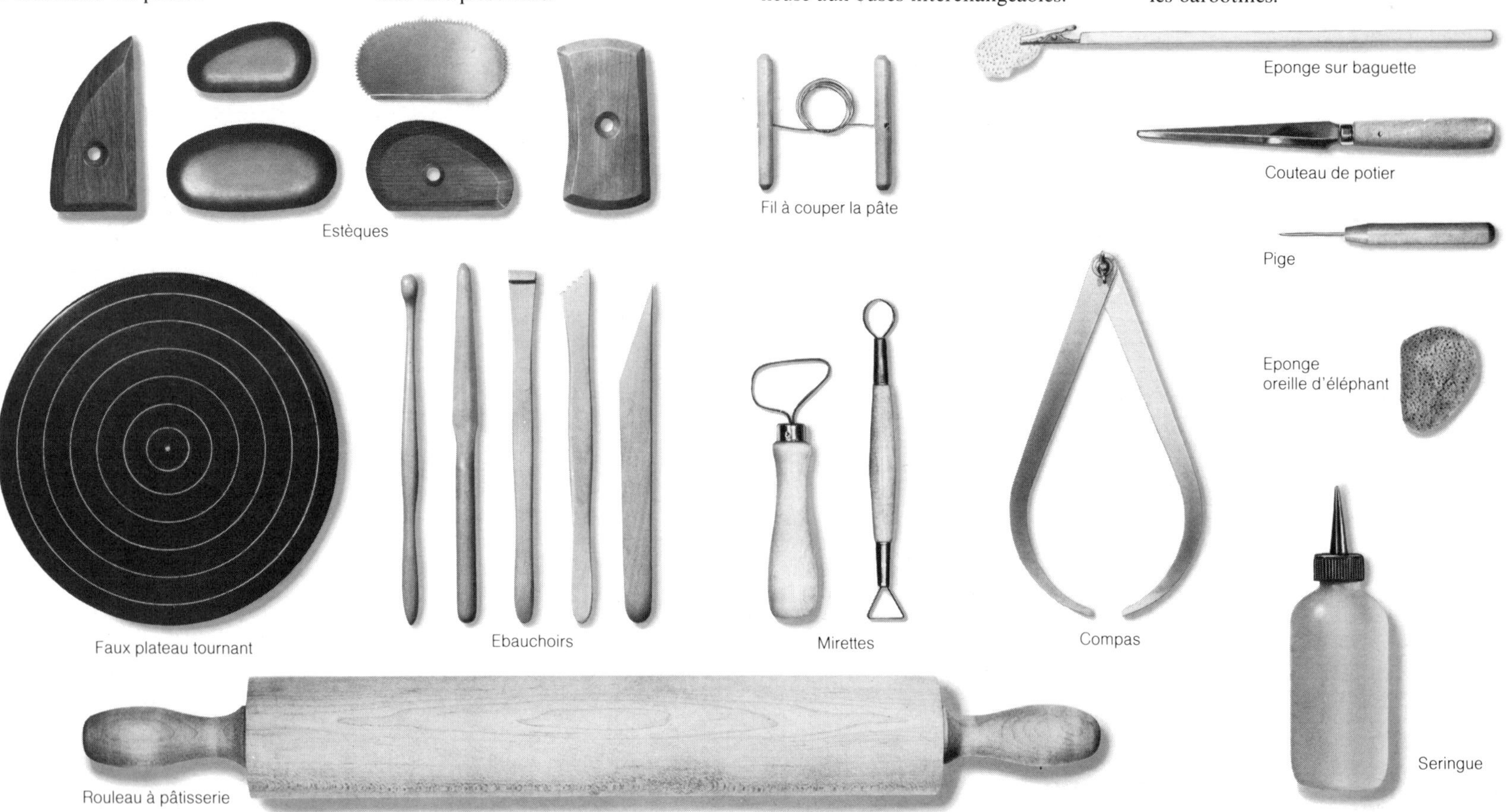

Le tour de potier

Le façonnage au tour, ou tournage, est la plus populaire et la plus difficile des méthodes employées en poterie. Pour avoir une idée de la variété d'objets que l'on peut fabriquer avec un tour, reportez-vous aux pages 300-315.

Il existe deux types de tours. Le premier est le tour au pied ou à taper que le potier entraîne en lançant avec son pied un lourd volant relié à la girelle. Le second est le tour électrique, propulsé par un moteur à vitesse réglable.

Le tour au pied. La conception de ce tour n'a guère changé depuis son invention, il y a quelque 6 000 ans. Certains potiers préfèrent ce type de tour par attachement à la tradition. Ils le trouvent également plus sensible que le tour électrique parce qu'ils peuvent mieux en contrôler la rotation. Le grand avantage de ce tour réside peut-être dans son prix qui est infiniment moindre que celui d'un tour électrique.

Vous pouvez voir ci-contre les plans de fabrication d'un tour au pied. Le volant de ce modèle est un disque lourd et assez mince. Celui-ci doit être parfaitement équilibré et peser au moins 100 lb (45 kg). Vous pouvez soit utiliser un couvercle de trou d'homme ou un disque en fonte du même type, soit opter pour un couvercle de puits en béton qu'un fournisseur de matériaux de maçonnerie vous vendra pour trois fois rien. Une autre solution peu coûteuse consiste à enfermer des briques ou des blocs de scories entre deux disques en contreplaqué.

Les coussinets s'achètent chez les marchands spécialisés. Quant aux brides, vous les trouverez chez un vendeur de matériaux de construction ou vous pourrez les faire à partir de morceaux en fer ou en acier obtenus chez un fournisseur en plomberie ou un marchand de ferraille. L'axe peut être fait d'un tuyau acheté chez un plombier ou un quincaillier ; le bois s'achète chez n'importe quel marchand de bois.

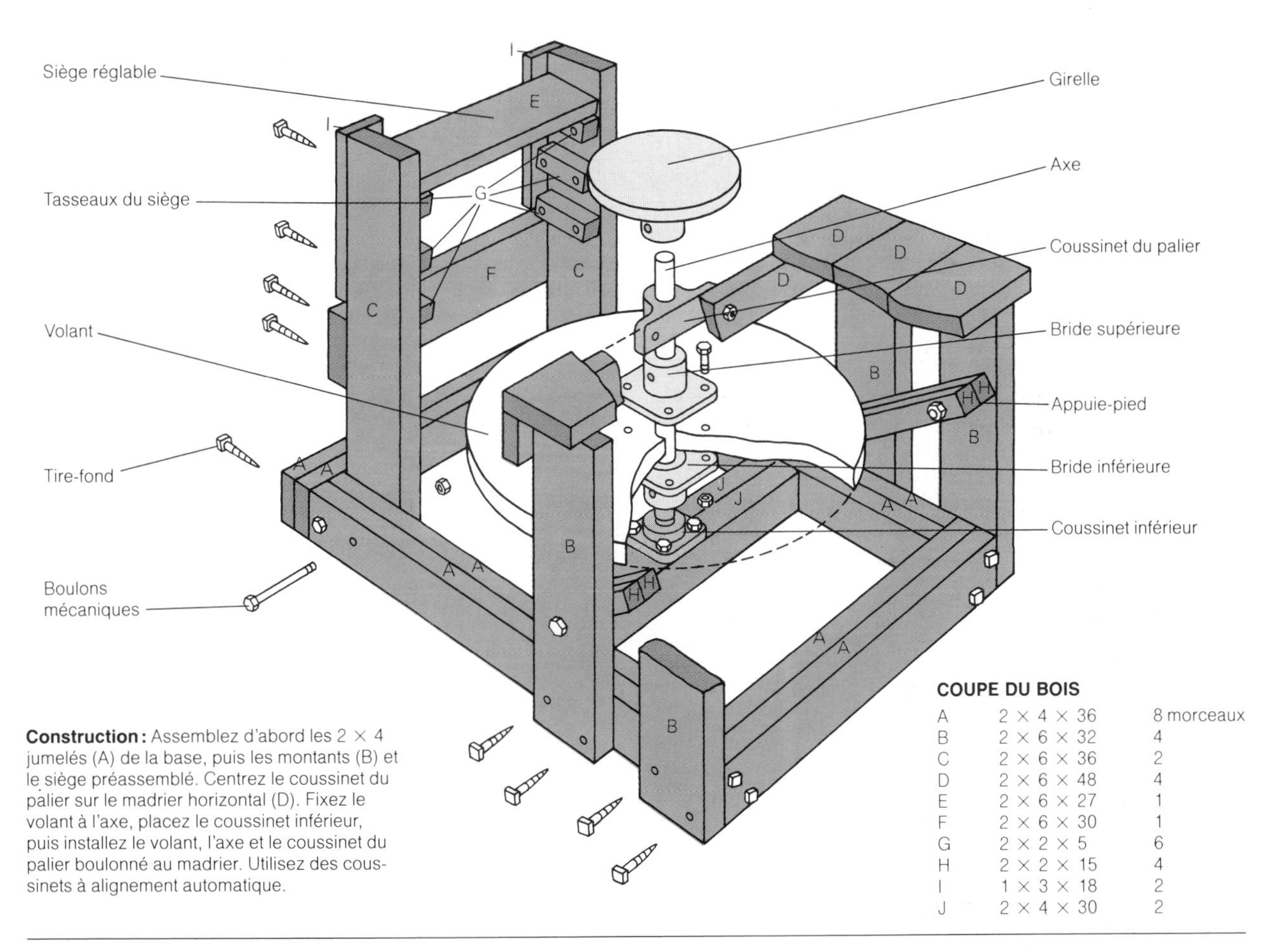

Construction : Assemblez d'abord les 2 × 4 jumelés (A) de la base, puis les montants (B) et le siège préassemblé. Centrez le coussinet du palier sur le madrier horizontal (D). Fixez le volant à l'axe, placez le coussinet inférieur, puis installez le volant, l'axe et le coussinet du palier boulonné au madrier. Utilisez des coussinets à alignement automatique.

COUPE DU BOIS

A	2 × 4 × 36	8 morceaux
B	2 × 6 × 32	4
C	2 × 6 × 36	2
D	2 × 6 × 48	4
E	2 × 6 × 27	1
F	2 × 6 × 30	1
G	2 × 2 × 5	6
H	2 × 2 × 15	4
I	1 × 3 × 18	2
J	2 × 4 × 30	2

Fixation du volant à l'axe

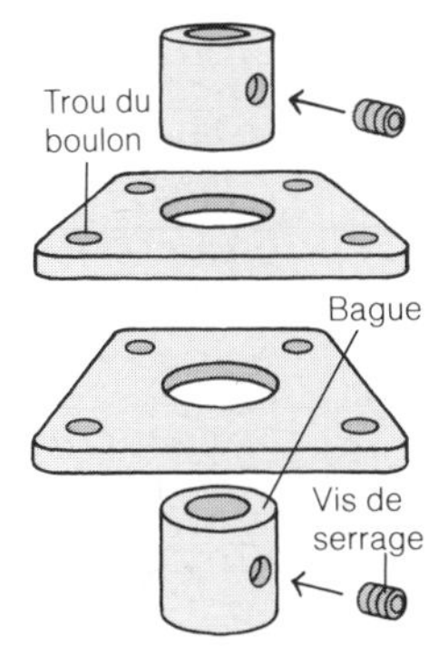

Le volant est retenu par deux brides dont l'une repose sur le coussinet du bas. Elles sont taillées dans une plaque d'acier percée d'un trou pour recevoir une bague qu'on soude en place. D'autres trous sont percés dans les bagues et les plaques pour les vis et les boulons.

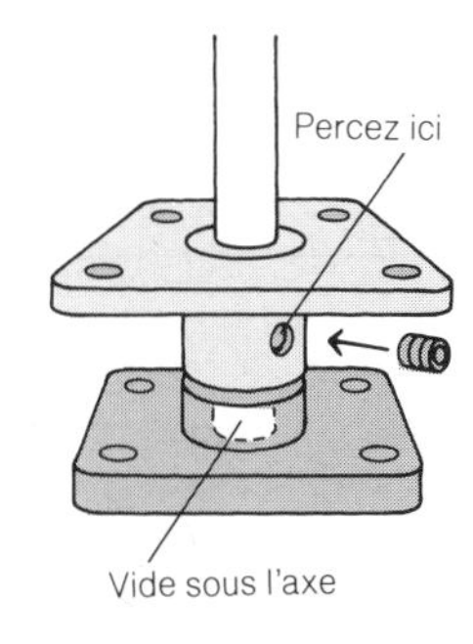

Insérez l'axe dans la bride du bas et le coussinet, mais sans aller jusqu'au fond. Percez, sur une profondeur de 3/16 po, un trou dans la bague et l'axe pour la vis de serrage. Vissez celle-ci pour fixer la bride à l'axe et l'empêcher de glisser au fond du coussinet.

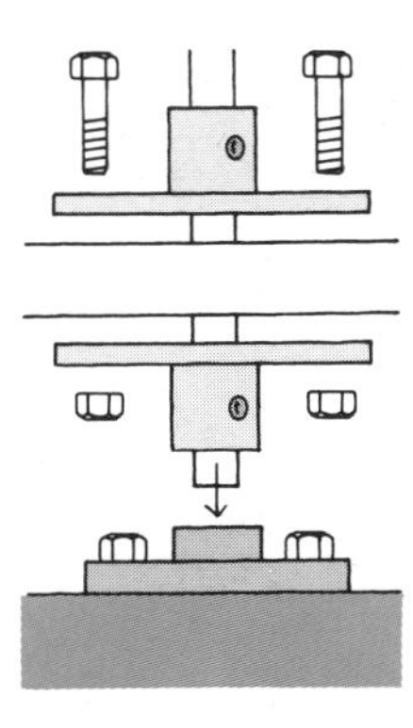

Fixez le coussinet du bas au cadre. Insérez-y l'axe déjà muni de la bride inférieure. Placez le volant sur l'axe, puis la bride supérieure. Boulonnez les brides au volant. Percez l'axe pour les vis de serrage de la bride supérieure et vissez celles-ci.

Poterie

Le tour de potier *(suite)*

Vous pouvez aussi fabriquer un volant en béton installé directement sur le tour, avec un moule rond en contreplaqué, reposant sur le cadre de bois et soutenu par quelques tiges de fer, dans lequel vous coulerez le béton. Vous pouvez aussi improviser les brides et les coussinets. En fouillant chez un marchand de ferraille, vous trouverez sûrement tout ce qu'il vous faut pour une somme modique.

Comme les morceaux que vous utiliserez ne correspondront pas forcément à ceux du plan, il vous faudra peut-être adapter les dimensions du cadre en conséquence. Néanmoins, souvenez-vous que la distance entre le centre de la girelle et celui du siège devrait être d'environ 18 po ; il devrait y avoir à peu près 25 po entre la girelle et la partie supérieure du volant ; et le siège devrait être à la même hauteur que la girelle (voir ci-dessous).

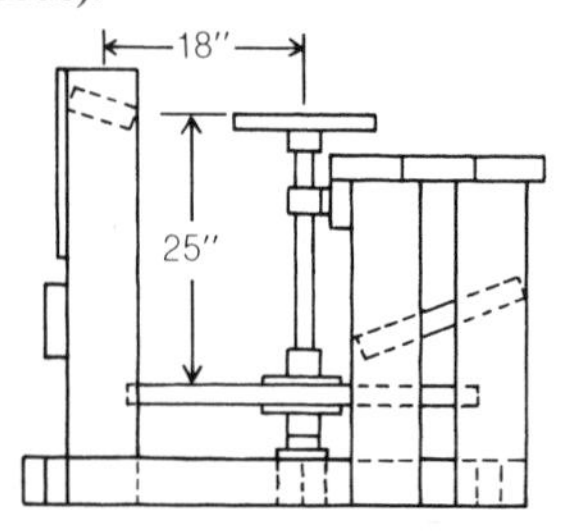

Les tours à pied se vendent aussi sous forme de kit. Si vous en achetez un, prévoyez une dépense d'environ 200 $, plus les frais de livraison. Certains ne contiennent que les parties en métal et comportent des plans pour le cadre de bois, d'autres comprennent aussi le bois. La construction du tour en sera facilitée, mais son prix sera tout de même plus élevé que si vous l'aviez construit avec des matériaux de récupération.

Le tour électrique. Le tour électrique est plus léger et plus maniable que le tour à pied. Il est aussi plus petit et exige donc moins d'espace. Comme il est actionné par un moteur, cela épargne au potier la fatigue d'avoir à propulser un lourd volant avec son pied. Sa puissance permet de tourner de plus grandes pièces. En outre, le potier est en mesure de se concentrer uniquement sur le travail de ses mains. C'est pourquoi il est plus facile d'apprendre à ébaucher avec un tour électrique qu'avec un tour à pied.

Le grand problème, toutefois, réside dans le coût de cette machine-outil ; ainsi, pour un tour de bonne qualité, il faut prévoir entre 500 et 800 $. Si vous décidez d'investir une telle somme dans l'achat d'un tour, renseignez-vous le plus possible avant de faire votre choix. Il y a de nombreux modèles sur le marché qui ne sont pas tous aussi bons. Parmi les facteurs dont vous devriez tenir compte, notez ceux-ci :

— Le tour devrait pouvoir tourner de 0 à 200 tr/min. La pédale devrait vous permettre de changer de vitesse sans heurts et à n'importe quel moment.

— Le changement de vitesse devrait s'effectuer graduellement. Cela signifie que le tour ne devrait pas passer brusquement de 0 à 200 tr/min lorsque vous déplacez la pédale de ¼ po, puis conserver cette vitesse alors que la pédale continue de se déplacer inutilement.

— Le moteur et le volant doivent tourner en souplesse, sans jamais produire de vibrations.

— Le volant doit être fait d'un métal parfaitement lisse.

— Le tour doit pouvoir se nettoyer facilement et avoir été traité avec un produit anticorrosion.

— Informez-vous sur la qualité du service après-vente et la possibilité d'obtenir rapidement des pièces de rechange.

Il existe également un type de tour qui réunit les caractéristiques des deux premiers : il s'agit d'un tour à pied muni d'un moteur qui actionne le volant par l'intermédiaire d'une roue à friction en caoutchouc, mais on peut débrayer le moteur à son gré pour propulser le volant avec le pied.

Le four

Une fois qu'une pièce est sèche, on la fait cuire dans un four (en général à plus de 1 100°C). Le four est fait d'un matériau réfractaire (de la brique, le plus souvent) qui retient la chaleur dans une chambre de cuisson dont le volume peut varier de ½ pi³ à 15 000 pi³. La plupart des fours sont alimentés à l'électricité, au gaz, au charbon ou au bois.

Fours électriques. Un four électrique se compose d'une chambre de cuisson en briques réfractaires tapissée d'éléments chauffants disposés en serpentins. Ceux-ci cuisent les pièces par radiation, contrairement aux fours alimentés par un combustible dont la chaleur provient de la convection de l'air chaud et des gaz retenus dans la chambre.

Les fours électriques sont préférables aux fours à combustible pour plusieurs raisons. Ils ne s'encrassent pas, sont sûrs, peuvent être déplacés facilement et se branchent souvent sur le courant domestique, ce qui permet de les utiliser à peu près n'importe où. Leur fonctionnement est simple ; la répartition uniforme de la chaleur permet de prévoir les résultats de la cuisson et ils sont d'un prix relativement abordable — un petit four d'occasion coûtant environ 250 $.

Mais les fours électriques ont également des défauts. Leurs éléments brûlent et doivent être remplacés régulièrement. Par ailleurs, la largeur de ces fours ne peut guère dépasser 24 po, autrement les serpentins ne pourraient chauffer le centre de la chambre de cuisson. La température maximale est ordinairement de montre 10 (voir p. 321), à moins que l'on n'achète des éléments spéciaux et que le four ne soit isolé en conséquence. Il est impossible de cuire en réduction dans les fours électriques sans endommager les éléments.

Si vous décidez d'acheter un four électrique, rappelez-vous que :

— Les éléments chauffants doivent provenir d'un manufacturier fiable.

— Les éléments doivent être installés dans des rainures profondes pratiquées

Le four électrique

Ce four électrique, peu coûteux, est dit sectionnel parce qu'on peut en modifier la hauteur en ajoutant ou en supprimant des rangées de briques réfractaires. Les éléments sont encastrés dans les parois pour les protéger. D'autres modèles ont des éléments supplémentaires dans le haut et le fond. Le coupe-circuit est inséré dans la paroi du four.

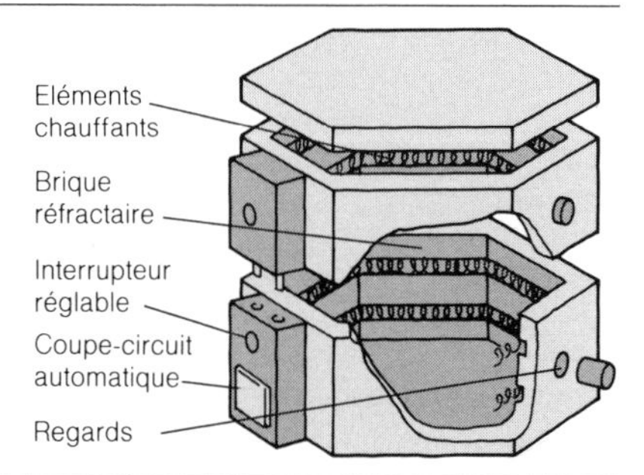

Four à tirage supérieur et four à tirage inférieur

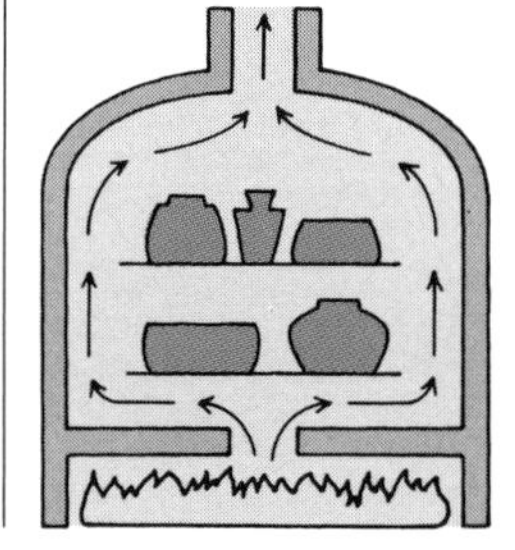

Dans un four à tirage supérieur, la chaleur monte du foyer vers la chambre et sort par un conduit au haut du four. Dans le four artisanal (p. 293), le foyer est à l'intérieur de la chambre en briques.

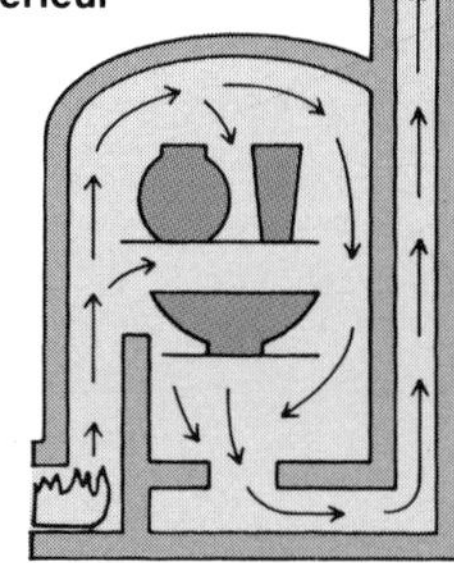

Le four à tirage inférieur est très efficace. Il comporte une cheminée créant un courant qui aspire les gaz chauds depuis le foyer vers la chambre et les évacue par des conduits passant sous celle-ci.

dans les parois du four ; ces rainures doivent être assez larges pour qu'on puisse remplacer les éléments aisément.
— Les interrupteurs devraient pouvoir se régler aux trois niveaux de chaleur (basse, modérée et élevée) et ne pas être reliés à plus de deux rangées d'éléments.
— Un coupe-circuit automatique, activé quand le four atteint un degré de chaleur donnée, évite d'avoir à surveiller l'appareil. Une minuterie qui remplace le coupe-circuit en cas de panne est essentielle. Elle empêchera le four de surchauffer et les éléments de griller.
— La prise de courant prévue pour le four doit correspondre à son voltage et à son ampérage.
— Vous devriez acheter votre four chez un marchand qui pourra vous fournir un bon service après-vente et remplacer les pièces sans difficulté.

Fours alimentés par un combustible. Ce type de four existe en plusieurs modèles et dimensions. La classification se fait selon le type de combustible ainsi que selon la convection des gaz chauds à l'intérieur de la chambre de cuisson.

On peut choisir à peu près n'importe quel genre de combustible pour chauffer un four, mais certains sont peu pratiques tandis que d'autres abîment les pièces. En ville, on utilise surtout le gaz naturel qui brûle proprement sans faire de fumée, alors que dans les régions rurales les potiers chauffent aussi au charbon ou au bois, ce dernier étant particulièrement apprécié à cause des effets de ses résidus sur les pièces.

On allume le feu dans le foyer, au bas du four. Les gaz chauds pénètrent dans la chambre de cuisson par le bas et sortent par le haut, ou ils pénètrent par le bas, circulent dans tout le four et sont aspirés par un conduit d'évacuation. Dans le premier cas, il s'agit de tirage supérieur ; ce système coûte moins cher et s'installe plus facilement que le second, dit à tirage inférieur. Cependant, en dépit de sa complexité, le système à tirage inférieur est préférable, car la répartition de la chaleur dans la chambre de cuisson est plus uniforme.

Ce genre de four a généralement des dimensions imposantes parce que près de la moitié de l'espace intérieur est occupée par le foyer et par l'espace réservé à la circulation des gaz. Il est construit avec de lourdes briques réfractaires, dont le prix élevé augmente d'autant celui du four, même si on le fabrique soi-même. On peut aussi utiliser des briques non réfractaires (ci-dessous), mais celles-ci sont d'un emploi limité. Si vous hésitez devant un tel achat, vous pourrez toujours louer pour un montant minime un four à gaz dans une école ou un centre d'artisanat.

La popularité des fours alimentés par combustion découle du fait qu'ils permettent le choix entre une atmosphère de réduction ou d'oxydation, d'où la possibilité, pour le potier, d'obtenir une plus grande gamme de textures et de couleurs pour ses glaçures. En outre, comme ils atteignent des températures plus élevées que les fours électriques, ils permettent l'utilisation d'un plus grand éventail de terres argileuses.

Certains potiers préfèrent ce genre de four à cause d'un attrait pour une tradition qui remonte à des milliers d'années. Les directives ci-dessous expliquent comment construire un four avec des briques rouges ordinaires. Il s'agit d'un four à tirage supérieur qui atteint des températures suffisamment élevées pour la cuisson de la faïence ou du raku. Les nombreux appels d'air font que le combustible (bois ou charbon) brûle efficacement et avec un minimum de fumée, mais il faut en consumer beaucoup avant d'atteindre la chaleur voulue, le four n'étant pas fermé dans le haut.

Les pièces ne sont pas placées directement à l'intérieur d'un four de ce type ; on les emmoufle plutôt dans un récipient spécial, appelé moufle ou casette, afin de les protéger du feu et de la calamine. La fabrication d'un moufle et la cuisson sont expliquées aux pages 321-322.

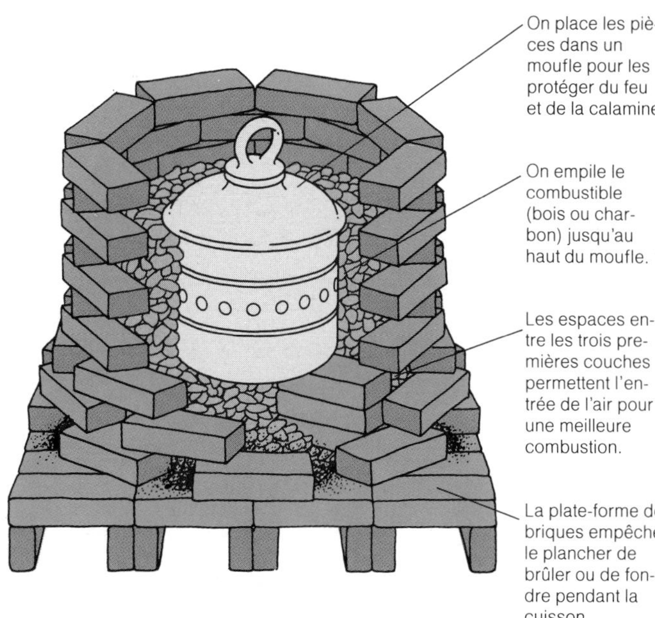

1. La base se compose de huit rangées de quatre briques placées sur le côté et recouvertes de briques de 4 po sur 9 posées à plat, tel qu'illustré. Cette base empêche le sol de brûler ou de fondre lorsque le four est allumé.

2. Disposez sur cette base huit briques formant un octogone, en laissant un espace de 2 po entre les briques pour l'appel d'air. Placez au milieu deux piles de trois briques chacune pour soutenir le moufle.

3. Placez une seconde couche de huit briques sur la première en les décalant tel qu'illustré et en les espaçant de 1½ po. Poursuivez avec une troisième couche en laissant un espace de 1 po toutes les deux briques.

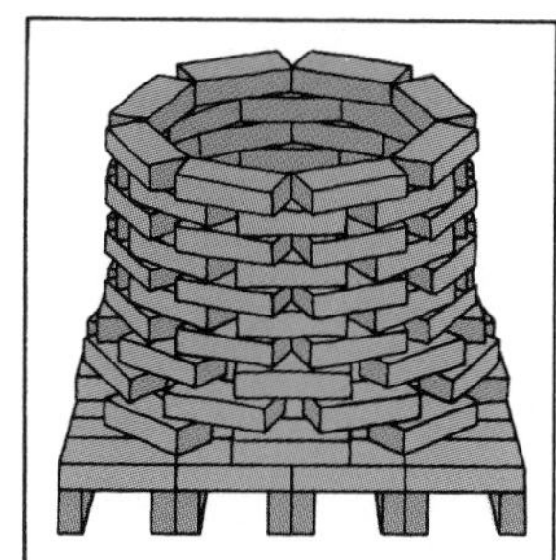

4. Ajoutez maintenant sept autres couches de briques sans laisser le moindre espace entre elles. La chambre du four a donc une hauteur de 10 briques. Le four a été construit avec un total de 154 briques.

Poterie

Le battage

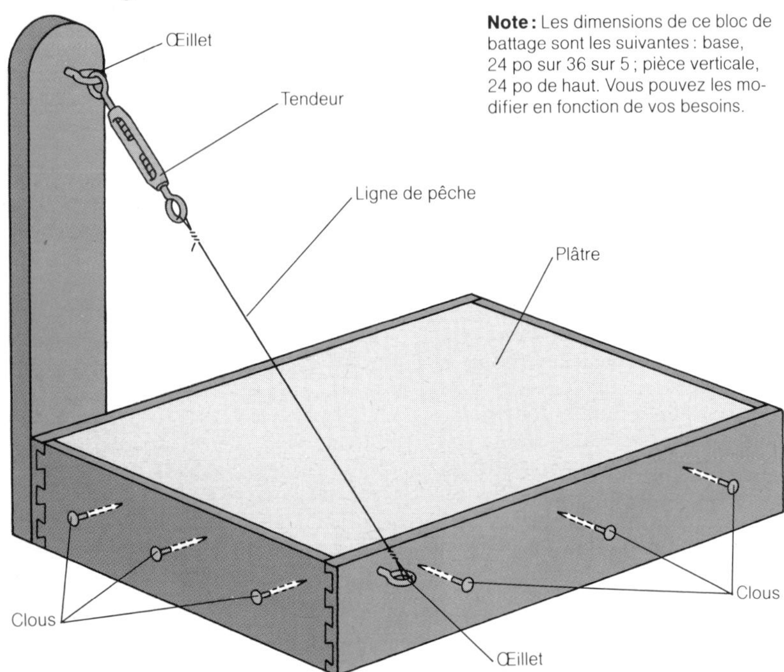

Note : Les dimensions de ce bloc de battage sont les suivantes : base, 24 po sur 36 sur 5 ; pièce verticale, 24 po de haut. Vous pouvez les modifier en fonction de vos besoins.

Avant de commencer à façonner l'argile, il faut la pétrir jusqu'à l'obtention d'une masse homogène, selon un procédé appelé *battage.* Il est préférable d'exécuter cette étape sur un bloc spécial, rempli de plâtre, dont le plan est fourni ci-dessus.

Après avoir construit le cadre de bois, vernissez-le pour le protéger de l'eau contenue dans le plâtre. Délayez celui-ci dans de l'eau, selon les directives du manufacturier, puis versez-le dans l'armature (voir les étapes 1 à 6, ci-contre). Les clous qui dépassent du cadre aident à retenir le plâtre. Vous pouvez également utiliser un bloc de bois ou une dalle de ciment au lieu du plâtre.

Le battage permet une répartition uniforme de l'humidité dans la motte d'argile. Il supprime les grumeaux et les irrégularités, élimine les poches d'air, et, enfin, resserre et aligne les particules d'argile. La motte se travaille ensuite plus aisément et risque moins de se déformer, de craquer ou d'éclater durant la cuisson.

Il y a plusieurs façons de pétrir de l'argile. Vous pouvez employer l'une des méthodes décrites aux étapes 1 à 10 ou en inventer une. Mais, quelle que soit celle que vous choisirez, prenez garde de ne pas laisser d'empreintes de doigts trop profondes dans l'argile ou d'y emprisonner de l'air en la repliant. Comme le plâtre absorbe l'eau, plus vous battrez l'argile longtemps, plus elle deviendra sèche et dure. Aussi n'exagérez pas ; un pétrissage de quelques minutes est généralement suffisant.

On ajoute parfois des oxydes et des teintures à l'argile pour en modifier la couleur (voir *Couleurs et textures de l'argile,* p. 289). On les y incorpore durant le battage, tel qu'illustré aux étapes 11 et 12.

Fabrication du bloc de battage

1. Saupoudrez lentement le plâtre dans un seau d'eau. Vous en avez assez quand il n'est plus absorbé par l'eau, mais flotte à la surface.

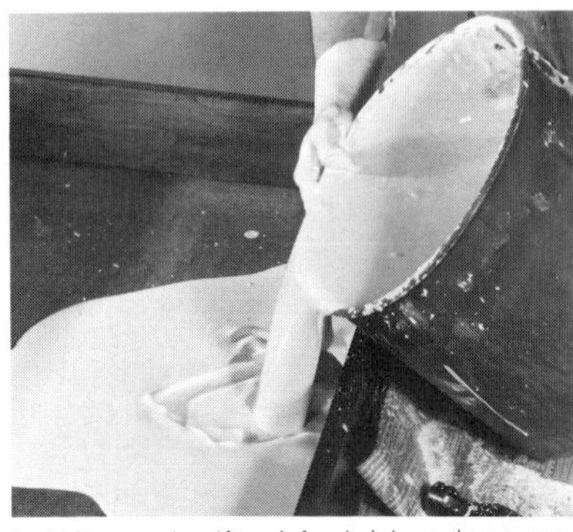

2. Mélangez le plâtre à fond, à la main ou avec une spatule. Laissez-le reposer quelques minutes avant de le verser dans le cadre en bois.

3. Une fois que le cadre est rempli un peu plus qu'à ras bords, frappez-en les côtés avec un marteau pour éliminer les bulles d'air.

4. Lissez la surface en y passant une raclette en bois. Vous devriez sentir de la chaleur se dégager du plâtre quand il commencera à prendre.

5. Comblez les moindres dépressions avec du plâtre, puis lissez-les. Travaillez vite parce que le plâtre prend en quelques minutes.

6. Fixez un tendeur et un œillet, tel qu'illustré, puis attachez-y un morceau de fil de pêche. Attendez quelques semaines avant d'utiliser le bloc.

Utilisation du bloc de battage

1. Prenez une motte d'argile de la grosseur d'un pamplemousse. Elle devra être ferme et humide, plutôt que molle et collante ou dure et sèche.

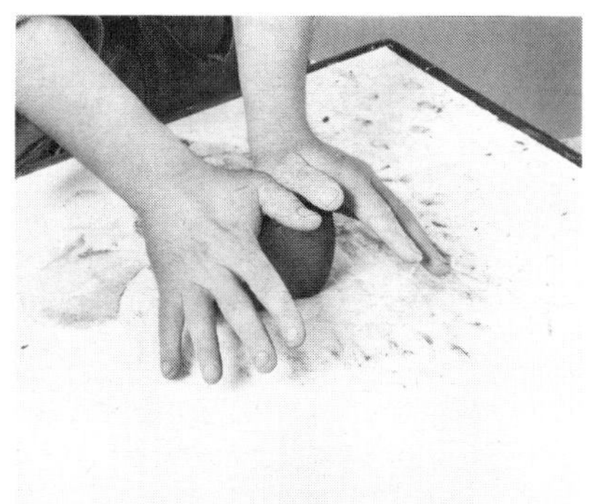

2. Placez-la sur le bloc et pressez-la fermement vers l'avant avec les éminences thénars, tel qu'illustré ci-dessus.

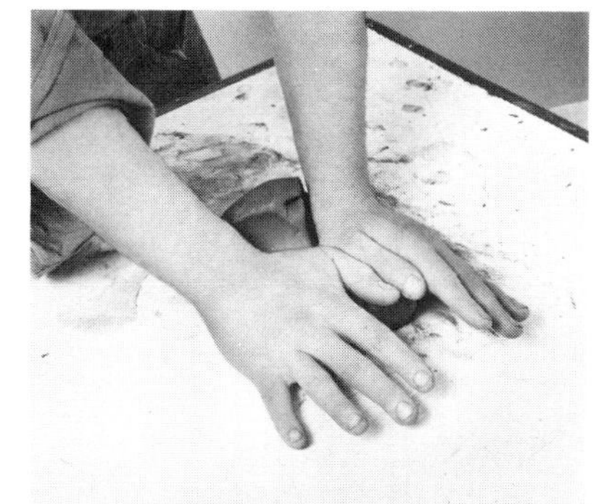

3. Continuez de presser jusqu'à ce que la motte s'étale sur le bloc. Si vous leviez les mains, elle devrait ressembler à une « tête de bœuf ».

4. Redressez cette galette en la prenant par l'extrémité qui vous est opposée. Recommencez à presser comme aux étapes 2 et 3.

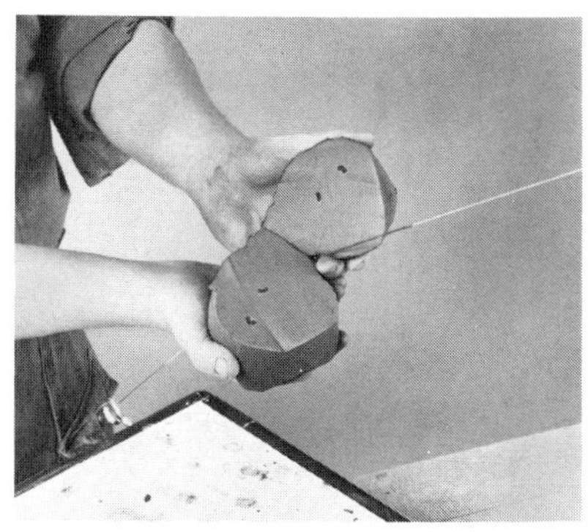

5. Répétez les étapes 2 à 4 quelques minutes. Coupez l'argile contre le fil. S'il y a des poches d'air (comme ci-dessus), battez-la encore.

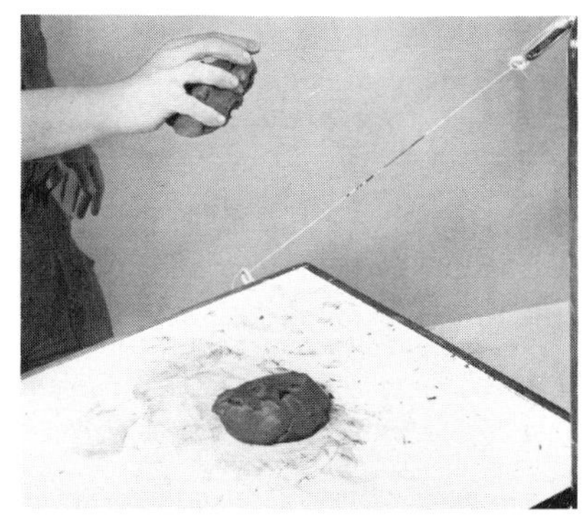

6. Projetez fortement les deux moitiés de la motte sur le bloc, l'une par-dessus l'autre pour éliminer les poches d'air.

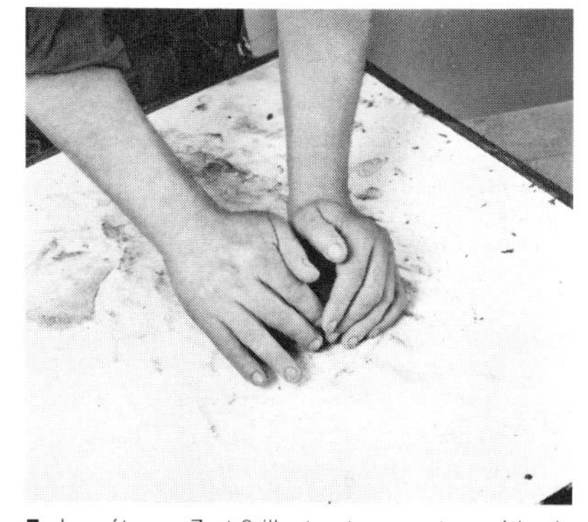

7. Les étapes 7 et 8 illustrent une autre méthode de battage. Pressez d'abord l'argile des deux mains, comme à l'étape 2.

8. Relevez la motte en la faisant pivoter vers vous, pressez-la de nouveau, puis recommencez à la pétrir.

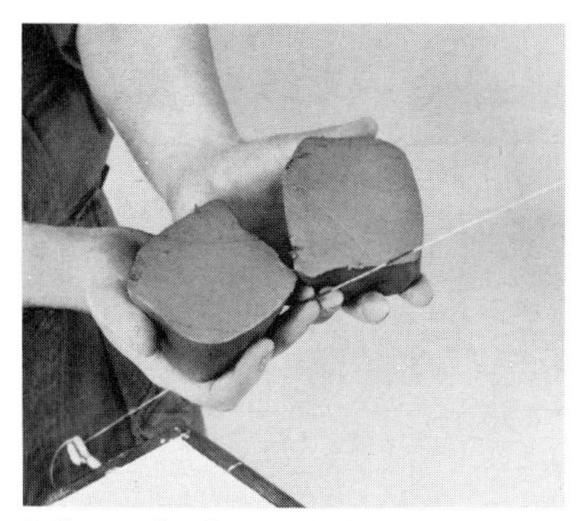

9. Coupez l'argile avec le fil pour en vérifier l'homogénéité. Si elle ne comporte plus de poches d'air, elle est prête pour le façonnage.

10. Quand la motte est bien pétrie, faites-en une boule. Cette forme est la plus adéquate pour l'amorce de la plupart des projets.

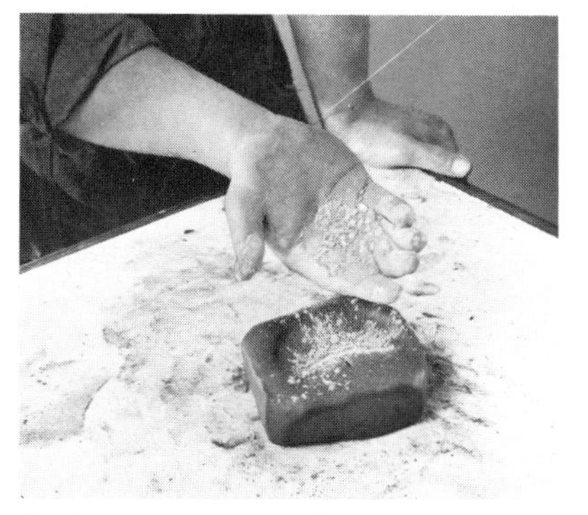

11. Pour ajouter des oxydes colorants ou des teintures, fendez l'argile et saupoudrez-y la quantité voulue.

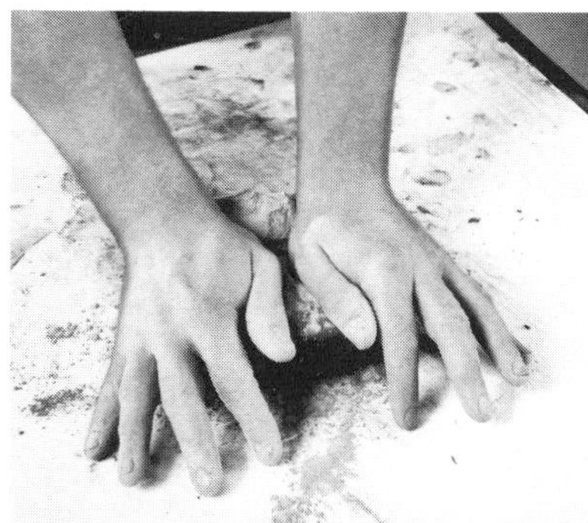

12. Après l'addition des colorants, battez l'argile à fond comme précédemment. Le colorant devrait se répandre uniformément dans l'argile.

Poterie

Façonnage manuel : la méthode du pincement

Il y a plusieurs moyens pour façonner un objet à partir d'une motte d'argile. Contrairement à l'ébauche au tour, le façonnage manuel n'exige aucun équipement spécial, ce qui le rend beaucoup plus facile à maîtriser et entraîne des frais infiniment moindres. On peut aisément combiner ces diverses méthodes, qui laissent également le champ libre à l'improvisation.

Il existe trois méthodes de base : le pincement, où l'on obtient le profil désiré en pressant simplement l'argile entre les doigts (ci-contre) ; la méthode au colombin (à droite et page ci-contre), où la terre est roulée en boudins qu'on assemble ensuite ; le travail à la plaque, où l'argile est d'abord aplatie en galettes (p. 298). Trois projets réalisés selon ces méthodes sont présentés à la page 299.

La méthode du pincement. C'est la plus simple des trois puisqu'on ne se sert que de ses doigts. Battez une balle de pâte de la grosseur d'une orange, puis donnez-lui le profil voulu, tel qu'expliqué à droite. Evitez de trop amincir le marli, sinon il risquerait de sécher et de s'effriter. Si des fissures apparaissent, effacez-les en mouillant légèrement la pâte.

Comme toutes les pièces façonnées à la main, celles qui sont pincées peuvent être texturées, décorées et glacées.

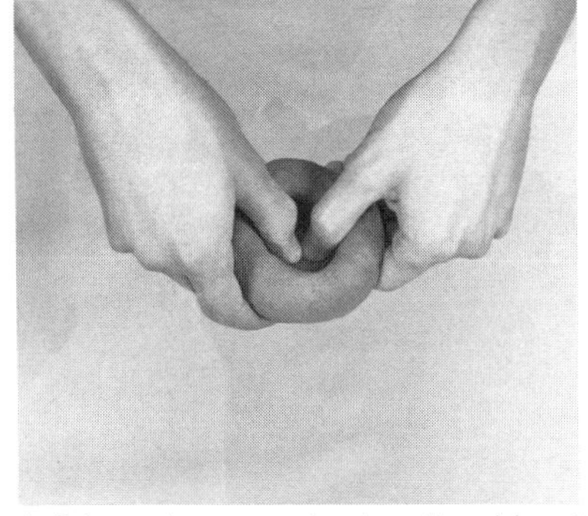

1. Enfoncez les pouces dans la motte en laissant une base de ¼ à ½ po. Ouvrez la couronne en pressant légèrement la pâte de l'intérieur.

2. Montez lentement les parois tout en tournant l'ébauche entre vos doigts. Les parois doivent être d'une épaisseur uniforme et suffisante.

3. Le marli sera un peu plus épais que les parois. Lissez soigneusement celles-ci, puis aplatissez la base contre une surface unie.

Façonnage manuel : la méthode au colombin

Cette méthode consiste à rouler des balles d'argile en boudins longs et minces (étape 1). En en préparant plusieurs à l'avance, vous n'aurez pas à interrompre l'ébauche pour en rouler d'autres. Gardez les colombins sous un linge humide pour les empêcher de sécher pendant le façonnage.

L'assemblage des colombins se fait plus facilement sur un faux plateau tournant (étapes 2 à 10) parce qu'on peut ainsi faire pivoter l'ébauche à mesure qu'elle progresse.

Pour assembler les colombins de façon définitive, vous devez les guillocher et les passer à la barbotine (étape 3). Préparez celle-ci à l'avance en pressant à intervalles réguliers une balle de pâte plongée dans un peu d'eau.

Si vous avez entrepris une pièce importante, comme celle de l'encadré gauche de la page ci-contre, laissez-la durcir régulièrement pendant quelques minutes, pour éviter qu'elle ne s'affaisse sous son poids. L'illustration de gauche montre comment donner une texture rugueuse à une pièce ; l'encadré suivant présente, au contraire, une ébauche au colombin parfaitement lissée.

Lorsque votre pièce est terminée, enveloppez-la dans du plastique pendant une semaine pour ralentir le séchage et empêcher les joints de se défaire.

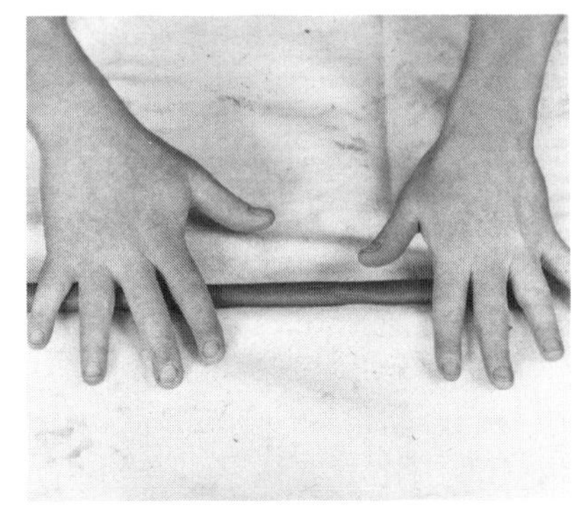

1. Roulez doucement une balle de pâte avec les paumes, les mains légèrement écartées, jusqu'à ce que le colombin soit d'une grosseur uniforme.

6. Guillochez et passez à la barbotine le haut de chaque colombin avant de poser le suivant. Poursuivez l'assemblage pour monter la pièce.

Trois pièces au colombin

2. Aplatissez la balle d'argile sur le faux plateau avec les mains, puis guillochez-en le pourtour avec un outil pointu.

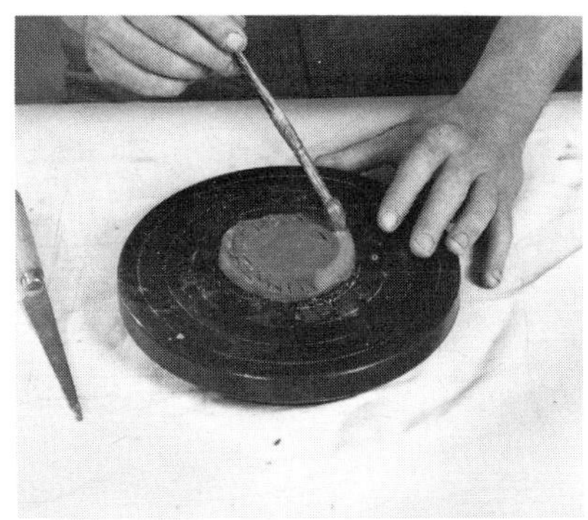

3. Préparez un peu de barbotine épaisse en mélangeant bien de l'argile à un peu d'eau. Etalez la barbotine sur les stries avec un pinceau.

4. Pressez fortement un colombin sur les stries. Enroulez-le autour du périmètre en soudant bien chaque tour au précédent.

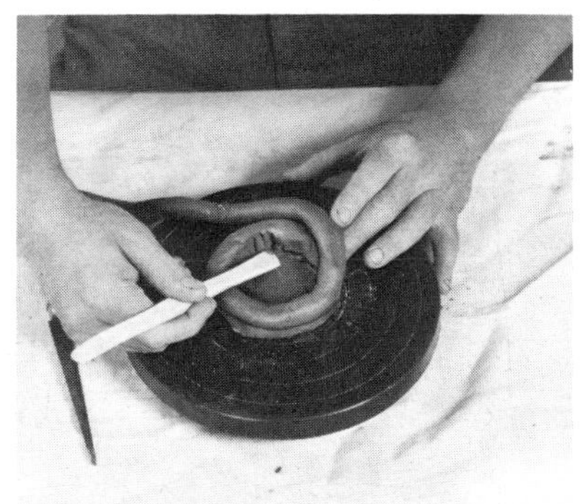

5. Lissez le colombin avec un ébauchoir pour qu'il adhère parfaitement à la base. Répétez l'opération avec chaque colombin.

7. Pour modifier la forme de la pièce, repoussez-la de l'intérieur avec le manche d'un outil. Soutenez la pièce de l'autre main.

8. Terminez par deux colombins légèrement plus longs que les précédents. Pincez l'une des extrémités pour obtenir un bec.

9. Pour fixer l'anse, guillochez le pot près du bord, à l'opposé du bec. Pressez un bout du colombin pour le faire adhérer solidement.

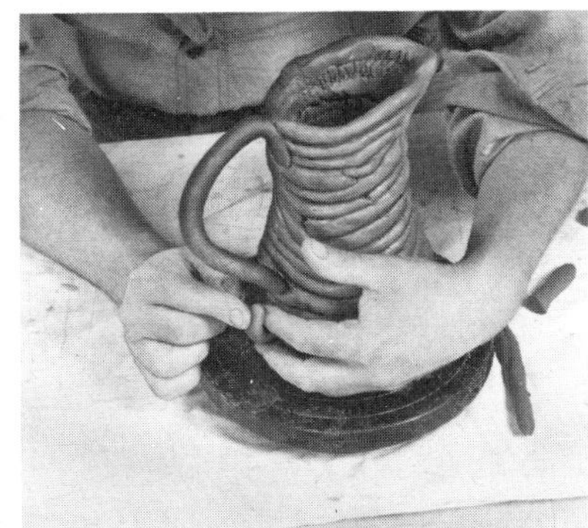

10. Faites la même chose pour l'autre bout de l'anse. D'autres types de poignée sont illustrés à la page 316.

Grand vase en colombin à texture rugueuse

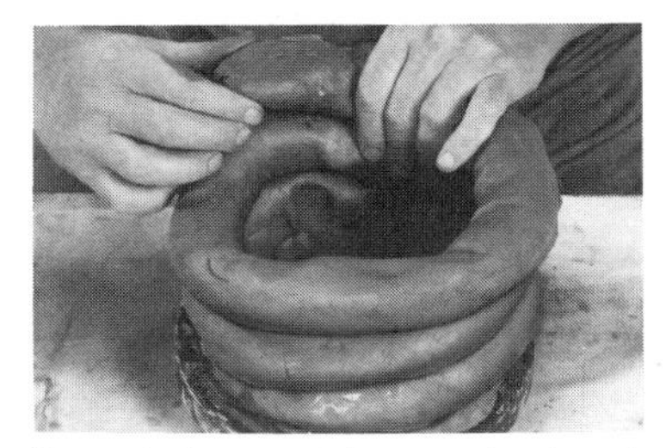

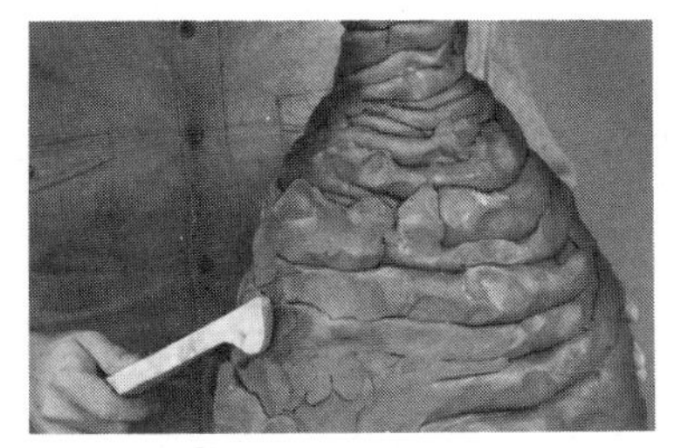

Pour exécuter un grand vase, roulez des colombins plus épais que pour un petit pot. Après le façonnage, vous pouvez le texturer à votre goût. Pour ce grand vase, on utilise un ébauchoir pour lui donner une texture rugueuse.

Pot en colombin à texture lisse

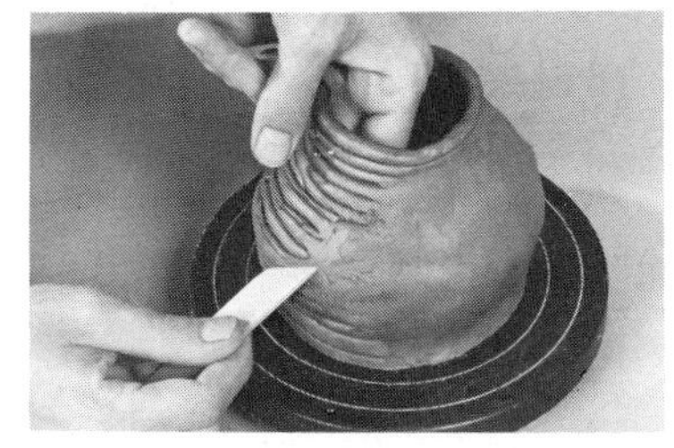

Pour qu'un pot en colombin soit aussi lisse que s'il avait été façonné au tour, roulez, tout en montant le pot, de très fins boudins que vous fixerez entre les coutures des gros colombins (à gauche). Lissez ensuite l'argile avec les mains et un ébauchoir (à droite).

Poterie

Façonnage manuel : la poterie à la plaque

Selon ce procédé, l'argile est aplatie en galettes uniformes qui sont ensuite découpées et assemblées. Pour ce faire, on commence par projeter latéralement une motte sur la table (étape 1, ci-dessous). Il est ensuite plus facile de l'étaler au rouleau jusqu'à l'épaisseur voulue. Des tasseaux de bois servent de guide au rouleau et permettent d'obtenir une plaque dont l'épaisseur est uniforme.

Les joints d'une pièce à la plaque doivent être parfaitement soudés pour éviter le désassemblage pendant le séchage ou la cuisson. Evitez les joints superflus. Pour le séchage, déposez la pièce sous un morceau de plastique et attendez au moins une semaine; cela empêchera une évaporation inégale et trop rapide. Les plaques qu'on laisse reposer un moment se solidifient, ce qui en facilite l'assemblage.

Comme leur surface est plate, les plaques sont plus faciles à décorer et à texturer que les colombins. Diverses méthodes de décoration sont décrites aux pages 317-320.

Les illustrations ci-dessous montrent comment façonner la boîte qu'on peut voir dans le coin gauche. La chope est très simple à réaliser. Il suffit de rouler une plaque et d'y attacher une base et une anse.

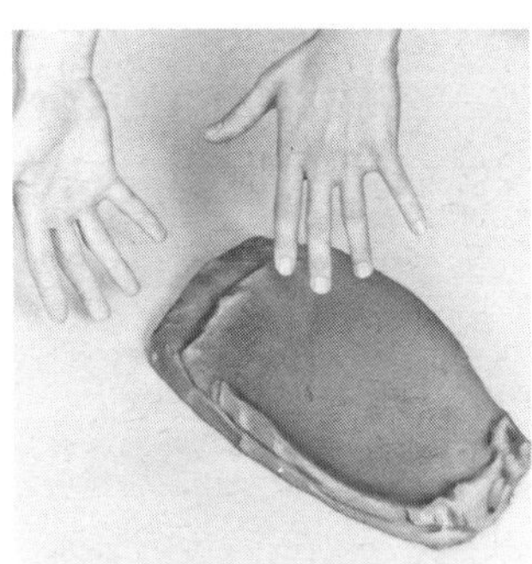

1. Projetez la motte sur la table pour qu'elle s'aplatisse. Répétez l'opération jusqu'à ce que l'argile soit d'une épaisseur presque uniforme.

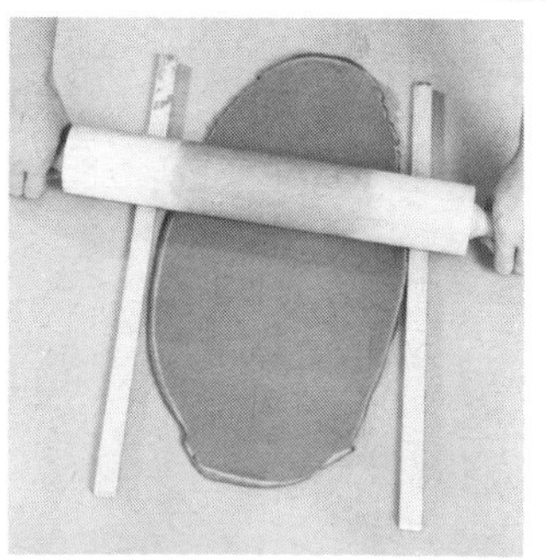

2. Encadrez l'argile à l'aide de deux tasseaux de ¼ à ½ po d'épaisseur. Egalisez la plaque avec un rouleau, les tasseaux servant de guide.

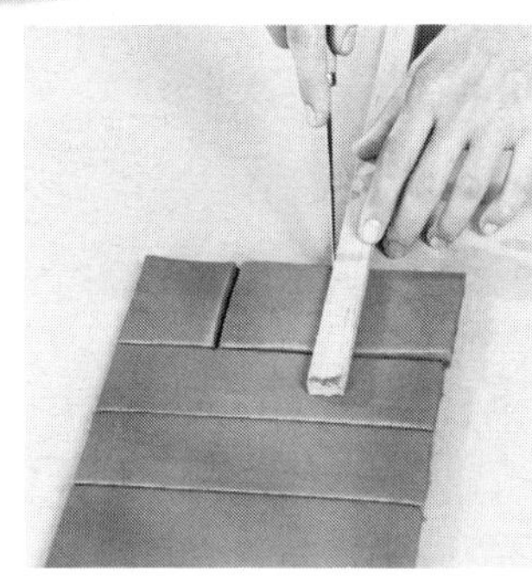

3. Avec un couteau, découpez cinq morceaux en vous aidant d'un petit tasseau. Ces pièces constitueront les parois et le fond d'une boîte.

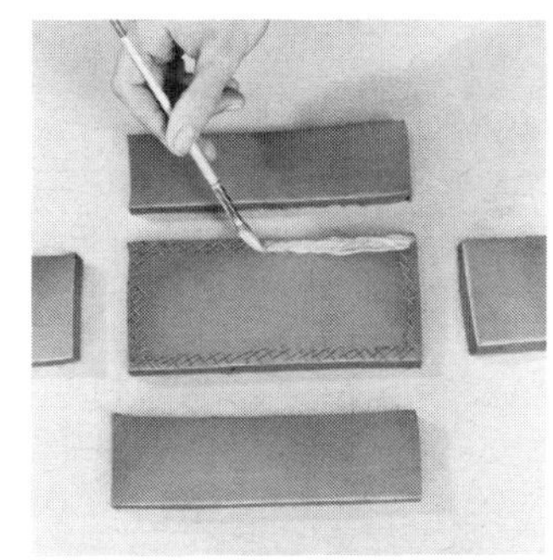

4. Guillochez le périmètre de la base et enduisez-le de barbotine avec un pinceau. La barbotine se prépare à l'avance (voir p. 296).

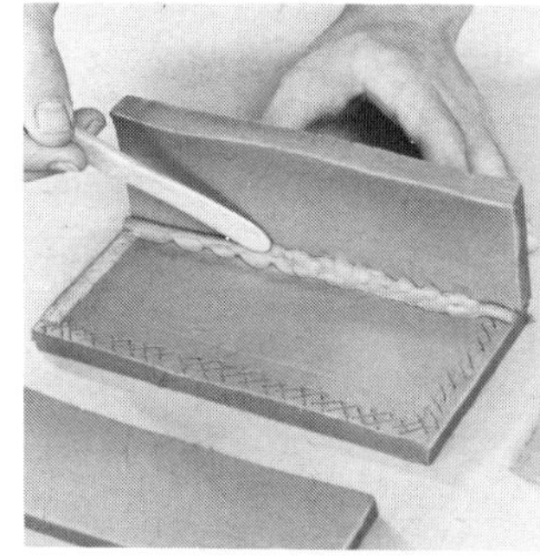

5. Roulez un colombin (p. 296). Placez une paroi sur la base guillochée et pressez le colombin contre les deux parties avec un ébauchoir.

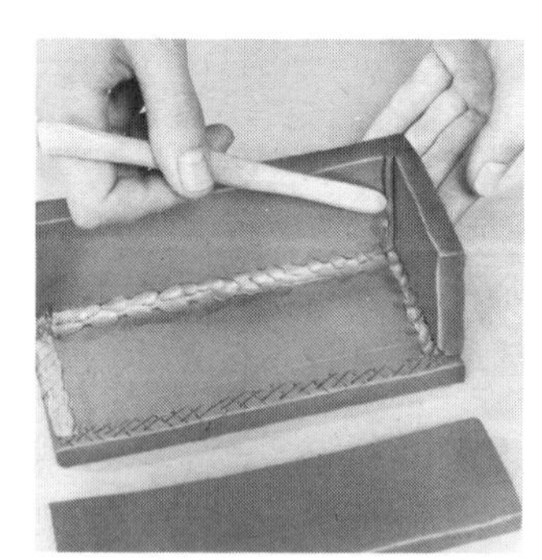

6. Recommencez avec une autre paroi. Fixez-la à la première et à la base avec des colombins lissés contre les joints pour bien les souder.

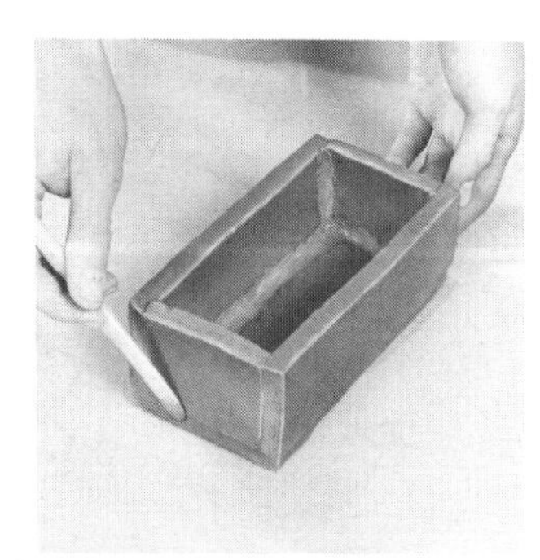

7. Fixez les deux autres parois de la même façon qu'à l'étape 6. Lissez tous les joints extérieurs en vous servant d'un ébauchoir en bois.

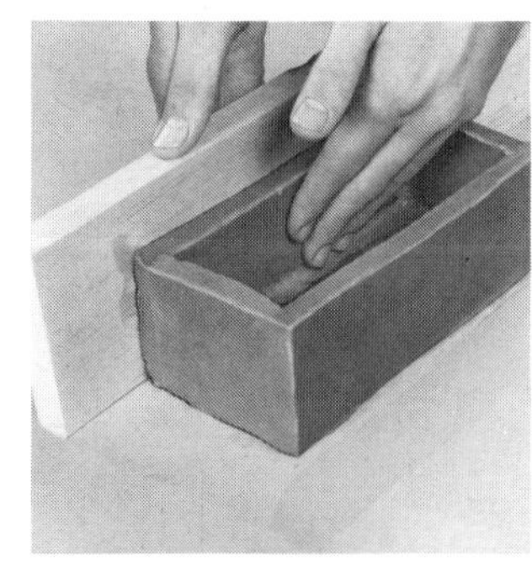

8. Pressez un morceau de bois contre la boîte pour que les côtés soient droits et les angles d'équerre. Nivelez aussi les rebords de la boîte.

9. Découpez une autre plaque pour le couvercle. Fixez-y, à ½ po du bord, deux plaques étroites qui feront office de bourrelets.

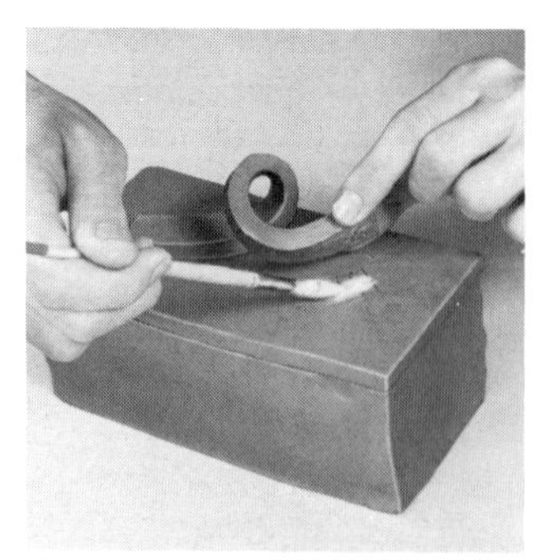

10. Retournez le couvercle. Taillez une plaque étroite pour l'anse, puis fixez-la tel qu'illustré. D'autres modèles sont proposés à la page 316.

Façonnage manuel : trois formes

Cylindre fait de colombins enroulés

1. Enroulez 15 ou 20 colombins (p. 296). Serrez-les les uns contre les autres sur un morceau de tissu, de façon à obtenir un rectangle plus ou moins régulier, tel qu'illustré.

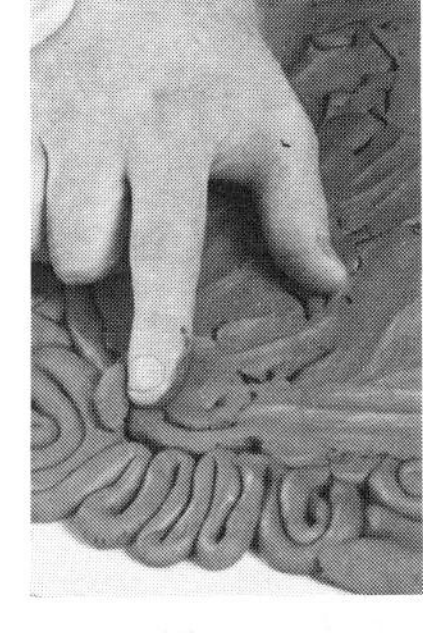

2. Ecrasez-les du doigt pour qu'ils forment une seule plaque. Au besoin, ajoutez de l'argile entre les colombins, ainsi que pour épaissir la plaque. Lissez celle-ci à l'aide d'un rouleau à pâtisserie.

3. Egalisez les bords de la plaque avec une règle en bois et un couteau de potier. Rappelez-vous que le diamètre du cylindre correspondra environ au tiers de la longueur de la plaque.

4. Détachez la plaque du tissu avec précaution. Si elle semble vouloir se rompre, laissez-la sécher une quinzaine de minutes avant de recommencer. Redressez la plaque et formez le cylindre.

5. Guillochez les bords verticaux et enduisez-les de barbotine. Pressez-les fermement l'un contre l'autre et lissez la couture à l'intérieur et à l'extérieur avec le doigt pour que la soudure soit sans faille.

6. Préparez une plaque d'argile et déposez le cylindre dessus. Découpez-la tel qu'illustré. Fixez-la en suivant l'étape 5, page ci-contre. Enveloppez le cylindre dans du plastique et mettez-le à sécher très lentement pendant environ un mois.

Panier tressé

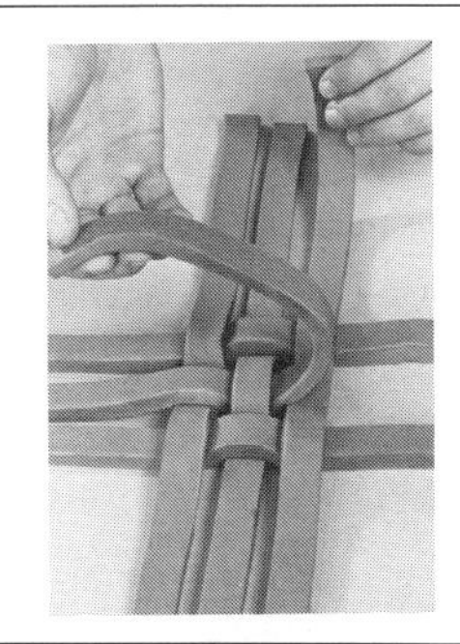

1. Aplatissez une plaque d'argile sur un morceau de jute pour que la texture s'y imprime. Découpez dans la plaque des bandes de 10 po de long et tressez-les, tel qu'illustré, en gardant le côté texturé à l'extérieur.

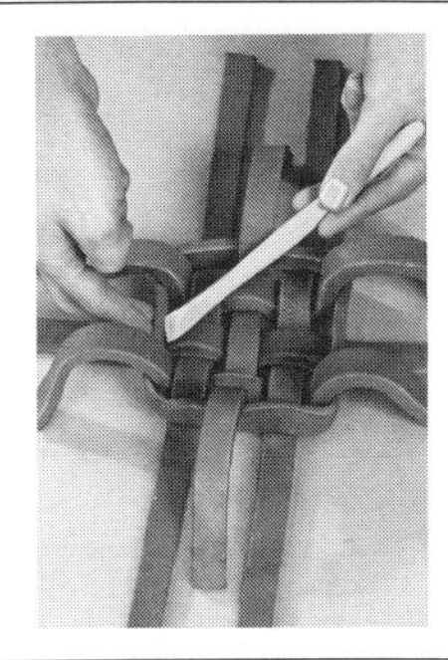

2. Soulevez l'extrémité des brins tressés et passez une autre bande entre eux pour amorcer les côtés du panier. Soudez les brins par pression contre cette bande latérale. La jointure des bouts de celle-ci sera masquée par l'un des brins.

3. Continuez de tresser les côtés ; enroulez la dernière bande par-dessus les extrémités des brins. Répétez l'opération à l'intérieur du panier pour que les bouts des brins soient pris en sandwich, tel qu'illustré. Soudez-les par pression.

Bol

1. Préparez un moule en versant du plâtre dans un bol. Laissez durcir, puis placez le moule à l'envers. Découpez de petites bandes dans une plaque d'argile et disposez-les sur le moule sans laisser de jours. Couvrez ainsi toute la surface du moule.

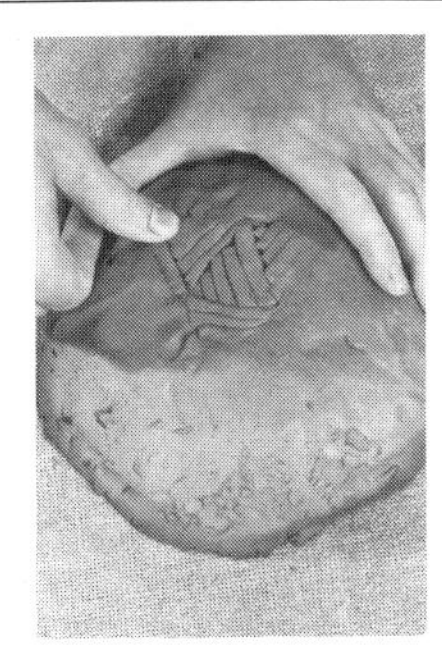

2. Avec le pouce, écrasez d'autre argile sur tout le montage. Lissez bien la surface, tel qu'illustré, jusqu'à ce qu'on ne voie plus les petits morceaux d'argile.

3. Un léger retrait se produira au bout de quelques heures ; ceci permettra de démouler le bol. Retirez-le doucement et déposez-le dans un autre bol, tel qu'illustré. Enveloppez-le de plastique pour le laisser sécher lentement.

Poterie

Le tournage

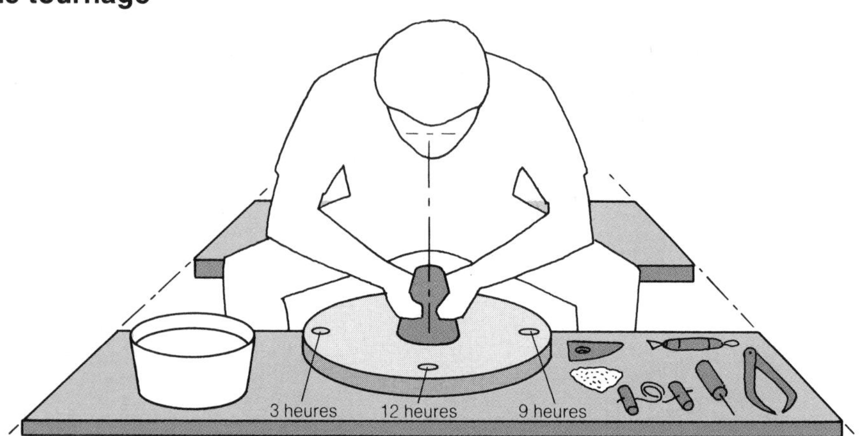

Cette illustration montre un potier correctement installé devant son tour, avec tous ses outils à portée de la main. Le siège est à la hauteur de la girelle et le potier, confortablement assis, se penche de telle sorte que son nez se trouve au-dessus du centre de l'ébauche. Tous les outils — un seau d'eau, deux éponges, dont une au bout d'une baguette, des ébauchoirs et des mirettes, des estèques, une pige et un fil à couper la pâte — sont présentés à la page 290. Les heures représentent les diverses positions sur la girelle.

Nous aborderons, durant les 15 prochaines pages, le tournage ou l'ébauche au tour. En dépit de sa difficulté, elle est devenue, grâce aux satisfactions qu'elle procure, la plus populaire de toutes les techniques parmi les potiers du monde entier.

La rotation du tour permet au potier d'exercer une pression en un seul point afin de façonner une pièce tout en lui conservant une parfaite symétrie. Cette symétrie n'est possible que si le point de pression ne change pas. Pour ce faire, le potier s'installe de façon à pouvoir garder ses mains immobiles : son siège est à la même hauteur que la girelle, ses bras sont calés contre son corps et il se penche vers l'avant de telle sorte que son nez se trouve juste au-dessus du milieu de la girelle (voir l'illustration ci-dessus). Apprendre à tourner consiste essentiellement à apprendre à exercer une pression constante, mais pas trop forte, compte tenu de la motte : si celle-ci est très grosse, le tournage demandera passablement d'efforts, tandis qu'une touche légère sera suffisante pour façonner des parois minces. Afin d'assurer la symétrie de l'ébauche, tous les mouvements, durant le tournage, doivent être progressifs, même lorsqu'on retire ses mains de la balle.

Pour que l'argile ne risque pas de sécher et de se fendre sous l'effet de cette pression, il faut la lubrifier constamment avec de l'eau, mais sans exagérer, sinon les parois s'effondreraient. C'est ce qui explique qu'on ne puisse travailler une pièce indéfiniment ; un façonnage rapide et sans hésitation est le meilleur gage de réussite.

Comme le tournage est une forme de maîtrise du toucher, il n'existe pas à cet égard de recette unique. C'est pourquoi nous proposons plusieurs façons de s'y prendre pour la plupart des étapes abordées durant ces 15 pages. Essayez-les toutes afin de pouvoir déterminer celle qui vous convient le mieux ou pour les réunir en une technique personnelle. D'ailleurs, l'expérience aidant, vous finirez par improviser spontanément vos propres méthodes.

Comme le toucher et la pression sont d'une importance primordiale, vous apprendrez plus facilement à tourner si quelqu'un guide vos mains au début. Dans un tel cas, vous n'aurez besoin de vous reporter à cette section que pour y glaner davantage d'informations, étudier d'autres techniques et réaliser les projets présentés. Sinon, vous apprendrez à tourner en vous exerçant jusqu'à ce que les résultats correspondent aux illustrations de ces pages. La première fois que vous aurez découvert le degré de pression nécessaire en fonction du centrage sera sûrement due au hasard. Ensuite, les choses iront de mieux en mieux. Le tournage est un processus difficile et délicat ; aussi, ne vous laissez pas décourager par vos échecs du début. D'ailleurs, pour vos premières armes, il est préférable de ne tourner qu'un ou deux pots par séance ; l'accumulation de la fatigue physique et mentale rendrait inutile tout effort supplémentaire.

La plupart des directives des prochaines pages visent à vous familiariser avec le tour et il est probable qu'il vous suffira de les lire une seule fois. Pour mesurer la rotation de la girelle, qui est donnée en tours par minute (tr/min), collez un morceau d'adhésif sur le bord de celle-ci et comptez les révolutions. Nos indications à cet égard ne sont qu'approximatives ; ce sera à vous de les adapter. Pour situer les diverses positions sur la girelle, imaginez-vous que celle-ci est un cadran où 6 heures se trouve exactement contre vous et 12 heures du côté opposé (voir ci-dessus). Les vues en coupe présentées dans cette section permettent de mieux suivre le processus. En coupant de temps en temps vos ébauches en deux, vous pourrez plus facilement vérifier votre progression. Ayez toujours tous vos outils à portée de la main pendant que vous tournez.

Si vous avez un tour à pied, lancez le volant à pleine vitesse avant de vous mettre au travail. Otez toujours vos mains de l'argile quand vous avez à relancer le tour et ne le propulsez jamais pendant que vous êtes en train de façonner l'ébauche.

Sommaire. Le centrage, soit le procédé qui permet de centrer une ébauche et de la tourner symétriquement, est expliqué aux pages 301-302. Suit le tournage, qui consiste à modeler le profil définitif d'une pièce issue d'un cylindre (pp. 302-306) ou d'une forme ouverte et basse (pp. 307-308). On peut tourner plusieurs petites pièces dans une seule motte, selon un procédé dit tournage à la quille (p. 309). Après avoir retiré la pièce de la girelle (p. 310), on en ébarbe la base (pp. 310-311). Les couvercles peuvent, eux aussi, être ébauchés sur le tour (pp. 312-313). Des ébauches plus difficiles sont décrites aux pages 314-315.

Le centrage. Première des étapes du tournage, le centrage est aussi la plus importante et la plus difficile. Il s'agit de modeler, par une pression ferme et constante des mains, une motte irrégulière en un épi parfaitement symétrique d'où émergera la pièce choisie. Il est indispensable de toujours bien caler les bras contre le corps et de ne jamais laisser les mains dévier sur les protubérances de la pâte. C'est l'argile qui doit épouser la forme des mains et non l'inverse. Recommencez jusqu'à ce que la balle soit parfaitement centrée, car il est très difficile de tourner une ébauche symétrique à partir d'une motte excentrée. Dès que vous aurez acquis la maîtrise du centrage, toutes les autres opérations en seront facilitées.

D'autres modes de centrage, en particulier pour les grosses balles, de même que les difficultés qui s'y rattachent, sont expliqués à la page 302.

Le centrage

1. Battez une balle d'argile de la grosseur d'un pamplemousse. En vous fiant aux cercles de la girelle, projetez la balle sur celle-ci le plus près possible du centre. Si l'argile s'en écarte trop, reprenez-la et recommencez.

2. Frappez fortement la balle de la main pour la coller à la girelle. Si elle se déplace, recentrez-la. Lancez le volant et gardez le pied sur la pédale jusqu'à ce que le tour ait presque atteint sa vitesse maximale.

3. Imbibez l'éponge et pressez-la au-dessus de l'argile. Maintenez celle-ci toujours mouillée, de même que vos mains. Humectez-les quand vous sentez que l'argile est sèche ou cesse d'être malléable.

4. Grattez le creux de vos paumes avec les doigts de l'autre main, comme ci-dessus. C'est cette partie des paumes qui restera en contact avec l'argile pendant le dressage décrit aux trois prochaines étapes.

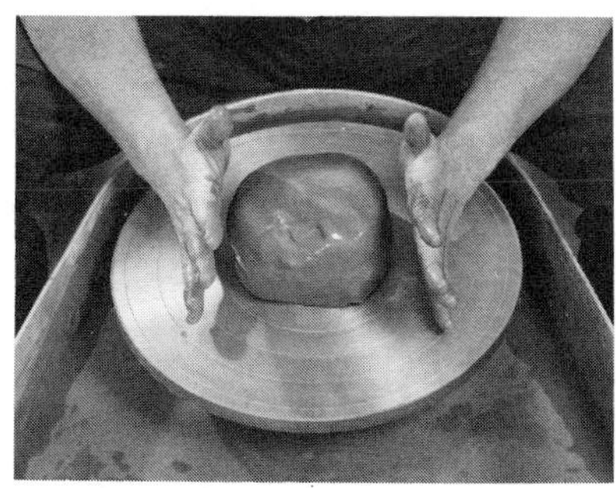

5. Penchez-vous pour avoir le nez exactement au-dessus du milieu de la balle. Placez vos mains aux positions 3 h et 9 h, à ¼ po de la girelle. Appuyez solidement vos bras sur vos cuisses. L'étape 1, page 302, montre une autre position.

6. Pressez l'argile entre vos paumes comme si vous tapiez des mains, en déterminant le diamètre qu'elle devra épouser. La pression doit être stable : ne laissez pas vos mains dévier sur les protubérances de l'argile.

7. Tout en maintenant la même pression, amorcez lentement la montée, puis rapprochez un peu les mains pour façonner un cône. N'oubliez pas de mouiller l'argile ; dégagez vos mains lentement pour ne pas décentrer l'ébauche.

8. Les deux mains ont des fonctions différentes pendant la mise au carré. L'extérieur de l'éminence thénar droite repose fermement sur le sommet de l'épi (voir ci-dessus) et exerce une pression vers le bas.

9. La paume gauche recueille l'argile abaissée par la droite et maintient le diamètre. Elle doit toujours exercer une forte pression sans suivre les irrégularités de l'argile. Ce point est particulièrement important.

10. Placez les mains comme sur la photo, en les réunissant par les pouces, le droit enserrant le gauche. Appuyez le coude gauche contre les côtes. Pressez lentement vers le bas, de la main droite, et poussez vers 12 h de la gauche.

11. Abaissez l'épi de 1 ou 2 po à la fois. Gardez l'argile humide. Vous allez la sentir se loger dans la paume gauche. Cessez d'appuyer lorsque l'ébauche est aussi haute que large. Une autre méthode est décrite à l'étape 3, page 302.

12. Si l'argile contient encore des grumeaux, répétez les étapes 6 à 11 jusqu'à ce qu'elle soit parfaitement lisse et symétrique. Pressez le pouce contre la base pour détacher tout excédent d'argile de la girelle, comme ci-dessus.

Poterie

Centrage d'une grosse motte d'argile

1. Pour dresser une grosse motte d'argile, appuyez les coudes contre les côtes. Au lieu de placer les mains comme aux étapes 5 à 7, illustrées à la page 301, gardez-les à 6 h et montez lentement l'argile avec les paumes et les muscles thénars.

2. Une autre façon de monter l'épi consiste à exercer la pression avec le poignet. Mouillez votre poignet droit et calez le coude contre votre cuisse. Pressez l'argile de la main gauche contre le poignet droit et montez les deux bras lentement. Gardez toujours l'argile humide.

3. Cette façon de mettre au carré permet d'exercer plus de pression que la méthode illustrée aux étapes 8 à 11, page 301. Placez la main gauche comme à l'étape 9, mais faites pivoter la droite de façon à pouvoir abaisser l'argile de la paume et du muscle thénar.

Problèmes courants de centrage

Si, après avoir ôté les mains, vous voyez que l'ébauche est déformée et décentrée, c'est que votre mouvement a été trop rapide. Durant l'ébauche, tous les gestes doivent être faits avec douceur et graduellement.

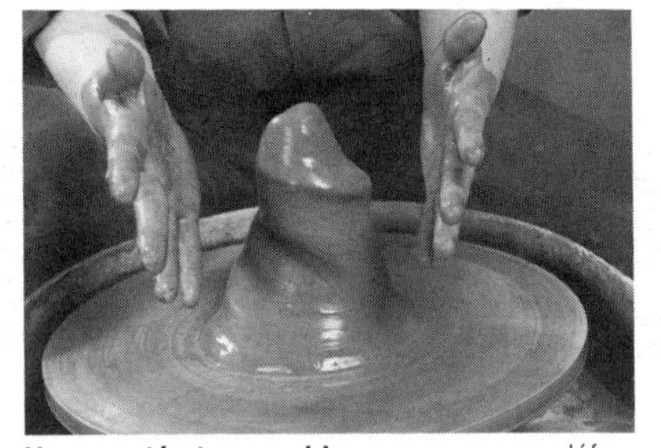

Une montée trop rapide provoquera une déformation en spirale de l'ébauche, défaut que vos mains auront tendance à accentuer. Exercez toujours une traction verticale très lente, sans dévier sur les bosses de la pâte.

Si une partie de l'argile, à la base de l'ébauche, est décentrée, vos mains prendront appui dessus et se décentreront à leur tour. Otez tout surplus de pâte sur la girelle par une forte pression du pouce, tel qu'illustré à l'étape 12, page 301.

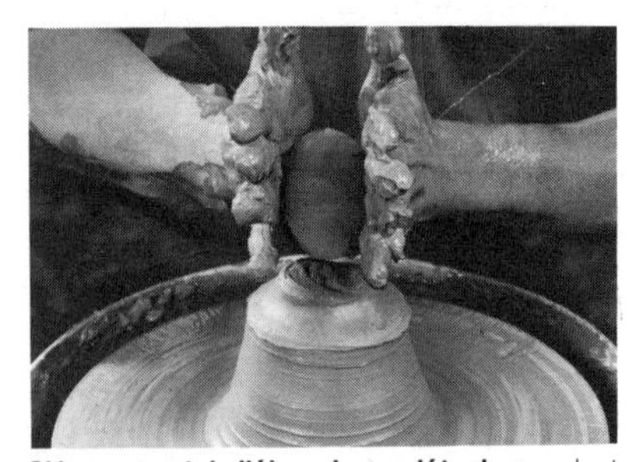

Si le sommet de l'ébauche se détache pendant la montée, c'est soit que vous pressez trop fort, soit que la pâte s'assèche, soit encore que vous l'avez trop battue et qu'elle s'est ramollie. Remédiez au problème suivant sa cause.

Si vous laissez vos mains se séparer ou si la pression de la main gauche est insuffisante pendant la mise au carré, l'ébauche s'affaissera en forme de champignon. Ceci pourrait vous causer des problèmes pendant l'élévation des parois.

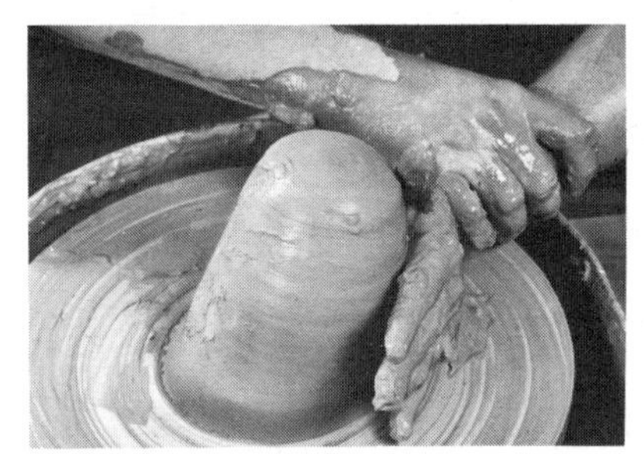

Si toute l'ébauche est considérablement décentrée, calez le coude gauche contre votre cuisse, soutenez votre main gauche de la droite et pressez fortement à 7 ou 8 h vers le centre de l'ébauche pour la recentrer.

Réalisation d'un cylindre

Une fois centrée, la balle de pâte n'a pas encore sa forme définitive. Il va falloir d'abord lui donner une forme de base intermédiaire, qui sera ensuite tournassée jusqu'à l'obtention du résultat voulu. Cette forme intermédiaire est le cylindre, décrit et illustré dans les deux prochaines pages. L'autre forme de base est l'ébauche ouverte ; on s'en sert pour les assiettes plates ou creuses et elle est décrite aux pages 307-308.

Pour obtenir un cylindre, on creuse d'abord la balle de pâte en couronne pour obtenir une base plate, puis on élève les parois en les amincissant.

Le creusage. Réduisez légèrement la vitesse du tour. Posez vos mains sur la pâte et enfoncez-y les pouces, comme aux étapes 1 à 3, page 303. Vérifiez l'épaisseur du fond avec la pige. S'il est trop mince, ne rajoutez pas d'argile. Recommencez plutôt avec une nouvelle motte après avoir nettoyé la girelle.

Une fois que la couronne est formée, élargissez-la jusqu'à sa circonférence définitive. Maintenez les doigts parfaitement droit pour éviter que la base ne s'incurve (étapes 5 à 7, p. 303). Certains potiers préfèrent inverser les mains pour les étapes 5 à 9, la gauche travaillant à l'extérieur et la droite à l'intérieur.

Elévation des parois. Pour tourner les parois, on monte la couronne en pressant ses côtés. On doit garder les mains (la gauche à l'intérieur et la droite à l'extérieur) en un point fixe de l'ébauche et les élever lentement, de façon à repousser au-dessus de celles-ci un bourrelet de terre. Les mouvements des mains depuis la base jusqu'au sommet de l'ébauche s'appellent des passages ou passes. Le tournage des parois s'effectue habituellement en trois passages.

Sous l'action de la force centrifuge créée par le tour, le haut du cylindre a tendance à s'évaser, alors qu'il devrait avoir une forme fuselée. A l'étape 21 de la page 304, on explique comment rétablir la conicité d'un cylindre. Il est tout aussi important de garder le rebord du cylindre constamment centré. Les étapes 10 et 18 de la page 304 expliquent comment y parvenir.

Pour la première passe, réduisez la vitesse du tour à environ 100 tr/min. Pendant cette passe, où la montée est faible, on doit redresser et régulariser les parois tout en amorçant le fuseau (étapes 11 à 13, p. 304). La majeure partie de l'élévation s'effectue surtout durant la deuxième passe (étapes 15 à 17, p. 304). Pressez l'argile entre vos mains réunies à la base de l'ébauche jusqu'à ce que vous sentiez qu'un large bourrelet commence à s'élever. Le fait de laisser beaucoup trop d'argile à la base est une erreur fréquente. La troisième passe (étapes 19 et 20) permet d'éliminer les irrégularités des parois et de donner au cylindre sa forme définitive.

Le tournage des parois exige une grande dextérité et une aptitude à « sentir » l'argile. Si vous n'exercez pas une pression suffisante, les parois ne monteront pas; mais si elle est trop forte, l'ébauche s'effondrera. L'argile doit toujours se soumettre à l'action de vos mains; ne laissez jamais celles-ci dévier sur les irrégularités de la pâte. Pour ce faire, appuyez les mains l'une sur l'autre chaque fois que c'est possible et calez les bras contre le corps. Retirez toujours vos mains lentement pour ne pas décentrer l'ébauche et gardez l'argile mouillée (étape 14).

C'est une bonne idée que de couper de temps à autre un cylindre en deux pour en examiner les parois. Si la montée a été trop rapide ou la pression irrégulière, les parois seront inégales. Si elles sont courtes et épaisses, cela signifie que vous ne pressez pas suffisamment fort sur la pâte. Un rebord déformé indique que vous n'avez pas diminué la pression en approchant du sommet de l'ébauche. Enfin, si le cylindre s'évase, c'est que vous poussez trop fort avec la main gauche et pas assez avec la droite.

1. Placez vos mains comme ci-dessus : les doigts reposent sur l'argile, sans exercer de pression, et les pouces sont réunis au centre. Enfoncez-les lentement dans la pâte.

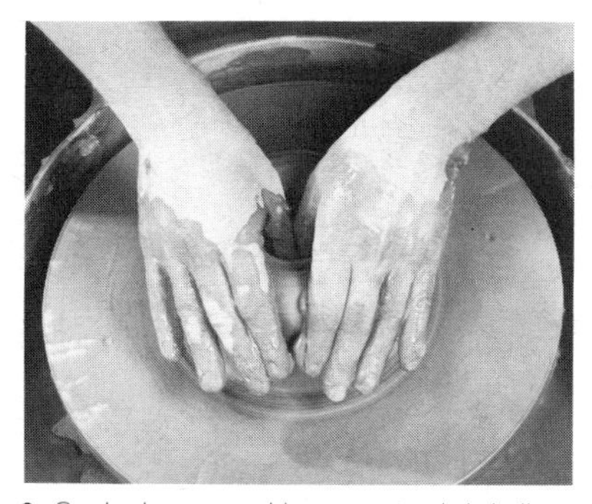
2. Gardez les pouces bien au centre de la balle et enfoncez-les graduellement, les coudes serrés contre le corps. Si l'argile devient trop sèche, dégagez vos mains et mouillez-la.

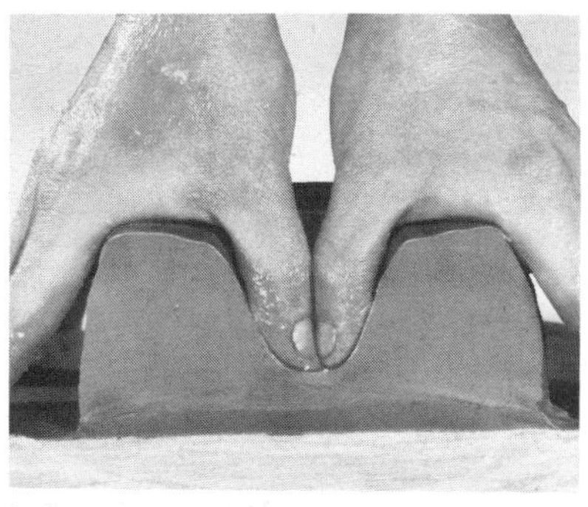
3. Cette vue en coupe montre la position des mains et des pouces. Interrompez la pression qu'exercent les pouces quand ils sont à ½ po ou ¼ po de la girelle.

4. Arrêtez le tour. Mesurez l'épaisseur du fond avec la pige. Si elle est supérieure à ½ po, continuez de creuser; si elle est inférieure à ⅛ po, recommencez avec une nouvelle balle.

5. Une fois que le creux est fait, placez la main droite contre la paroi extérieure de l'ébauche. Couvrez-la du pouce gauche et ouvrez la couronne en repoussant l'argile de la main gauche.

6. Pressez les doigts de la main gauche contre le muscle thénar de la main droite. Assurez-vous qu'ils touchent toujours le fond du cylindre. S'ils s'élevaient, la base se déformerait.

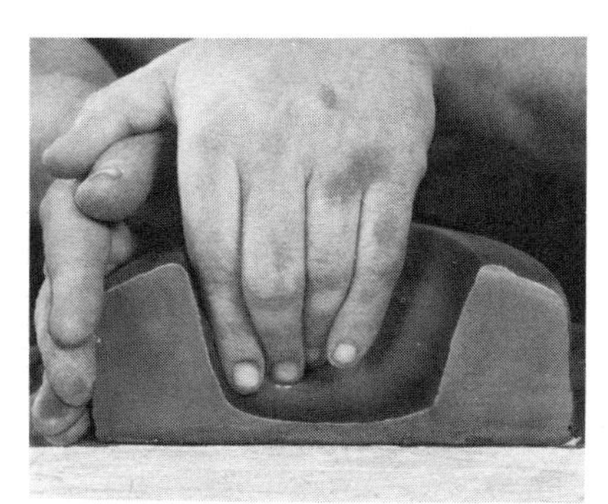
7. Cette vue en coupe montre comment les doigts de la main gauche élargissent le creux. Pendant cette étape, le fond du cylindre est mis à sa largeur définitive.

8. Une fois que la couronne est façonnée, redressez l'index gauche et pressez-le latéralement contre la paroi intérieure, en direction du muscle thénar de la main droite.

9. Cette vue en coupe montre la position de l'index gauche par rapport à la main droite pendant le dressage de la paroi. Remarquez que la base du cylindre est parfaitement plate.

Réalisation d'un cylindre *(suite)*

10. Pour supprimer les irrégularités du rebord, placez la main gauche à 6 h sur l'argile, qui devra glisser entre le pouce et l'index. Posez la main droite sur la gauche et pressez sur l'argile du dos de la main jusqu'à ce que le rebord s'épaississe et soit centré.

11. Pour la première passe, appuyez la paume droite sur l'argile à 3 h. Mettez la main gauche dans la forme, le pouce retenant la main droite. Pressez du bout des doigts de la main gauche contre la base des parois jusqu'à ce que vous sentiez qu'elles commencent à monter.

12. Cette vue en coupe montre le cylindre à mi-chemin à peu près de la première passe. Les doigts de la main gauche sont repliés pour que leurs extrémités prennent appui contre la paume droite. Les parois, épaisses et uniformes, sont légèrement inclinées vers l'intérieur.

13. Le pouce gauche retenant toujours la main droite, amorcez un lent mouvement ascendant en appuyant sur l'argile jusqu'à mi-hauteur de l'ouvrage ; continuez en augmentant la pression de la main droite pour commencer le rétrécissement du cylindre.

14. Pour empêcher que l'argile ne se fende, aspergez sans cesse l'intérieur et l'extérieur des parois pendant la montée. Placez votre main tel qu'illustré et faites couler l'eau sur celle-ci pour mouiller les deux côtés. Epongez l'eau pour l'empêcher de s'accumuler dans le cylindre.

15. Pour la deuxième passe, placez le pouce droit et les trois premiers doigts réunis à la base du cylindre. L'autre main reprend la position des étapes 11 à 13. Pressez fermement du bout des doigts contre la main droite jusqu'à ce qu'un bourrelet se forme et commence à monter.

16. Etirez l'argile entre vos mains d'un lent mouvement ascendant, en augmentant peu à peu la pression de la main droite et en réduisant celle de la main gauche. Déplacez-les doucement de 3 h à 5 ou 6 h pour resserrer le col. Les parois devraient s'élever rapidement.

17. Réduisez la pression des mains au haut du cylindre pour que les parois ne soient pas trop minces. Cette vue en coupe montre qu'elles sont d'égale épaisseur. L'inverse résulterait d'une pression irrégulière. Si le cylindre ne monte pas, c'est que vous ne pressez pas assez fort.

18. Recentrez le rebord du cylindre après chaque passe. Lorsque le cylindre vient d'être monté, tenez fermement le rebord entre le pouce et l'index gauche et pressez avec l'index droit jusqu'à ce que le rebord s'épaississe et soit parfaitement uniforme et centré.

19. Pour la troisième et dernière passe, les mains sont placées comme pour la deuxième. Il faut maintenant supprimer les irrégularités des parois et façonner le cylindre. Comme les parois sont minces, la pression des mains devra être assez légère.

20. Essayez de toujours garder les mains reliées par le pouce gauche. Si le cylindre est trop haut pour cela, appuyez légèrement le pouce contre la paroi et maintenez le bras contre le corps. Rétablissez le contact entre les mains dès qu'elles se rapprochent du rebord.

21. Si le haut du cylindre s'évase, il faut le refaçonner en l'entourant de vos mains, comme sur l'illustration. Pour le rétrécir, faites-le monter lentement par pression et étirement constants des deux mains sur toute la circonférence jusqu'à ce qu'il ait la forme voulue.

Façonnage du cylindre

Une fois que les parois sont montées, il faut donner au cylindre sa forme définitive. Le façonnage consiste à élargir ou à rétrécir les parois à différents niveaux, sans que la hauteur du cylindre et le diamètre de la base en soient modifiés.

Pour la plupart des façonnages, la position des mains est celle que l'on voit sur les deux premières illustrations ci-contre. Commencez à la base du cylindre, d'un mouvement ascendant, en pressant du bout des doigts de la main gauche pour élargir les parois et de ceux de la main droite pour les rétrécir. Appuyez légèrement sans déplacer les mains. Décidez rapidement de la forme que vous voulez obtenir sans trop travailler l'argile, sinon elle s'effondrerait. Surveillez constamment la forme que prend le vase. Il est parfois plus facile de donner une jolie forme au renflement et au col en déplaçant les mains du rebord vers la base, une fois que celle-ci est façonnée.

Les parois s'amincissent à mesure que le vase s'élargit. Veillez à ne pas trop l'élargir car les parois risquent de s'affaisser. On ne peut pas prélever d'argile sur d'autres parties des parois pendant le façonnage. Si vous voulez donner une forme très évasée, gardez des parois très épaisses pendant la première passe du cylindre (pp. 303-304).

Ne laissez jamais une arête se déjeter sur le côté : elle risquerait de s'affaisser. Evitez aussi les brusques changements de forme. Veillez à ce que les parois s'élèvent toujours selon une ligne courbe et régulière.

Les illustrations à droite montrent comment rétrécir le col. On peut voir, à la page suivante, un vase doté d'un col étroit et évasé.

Un bord devenu irrégulier pendant le façonnage doit être supprimé, tel qu'illustré à l'extrême droite. On pourra voir à la page suivante trois exemples de formes dérivées du cylindre : la chope, le pichet et le vase.

Pour façonner le cylindre, gardez les doigts de la main droite à l'extérieur des parois, tel qu'illustré ici, et ceux de la main gauche à l'intérieur, comme sur la photo ci-dessous. Les deux mains doivent rester opposées. Gardez, si possible, le pouce gauche contre la main droite.

Pour évaser le cylindre, pressez du bout des doigts de la main gauche. La main droite soutient la gauche ainsi que l'argile, mais très légèrement. Pour rétrécir le cylindre, inversez le mouvement et travaillez du bout des doigts. Gardez toujours les doigts mouillés.

Pour former le col du cylindre, façonnez d'abord le haut comme à l'étape 21, page 304. Puis, appuyez contre l'argile le bout du pouce, celui de l'index et la première phalange du majeur de chaque main. On peut voir ici la position exacte qui doit être conservée.

Le rétrécissement du col se fait en pressant le cylindre aux six points de contact et en élevant lentement les mains. N'appuyez pas trop fort pour éviter que l'argile ne se ride. Comme elle s'épaissit pendant cette opération, il faut l'amincir fréquemment (étape 5, p. 306).

Pour supprimer un bord irrégulier, réduisez la vitesse du tour à environ 60 tr/min. Tenez la pige dans la main droite et maintenez-la avec le pouce gauche. Gardez les bras serrés contre le corps et enfoncez lentement la pointe de l'outil dans l'argile.

Continuez d'appuyer sur la pige jusqu'à ce qu'elle ait traversé le cylindre et enlevez délicatement l'anneau d'argile qui s'est séparé. Epaississez le rebord tel qu'illustré à l'étape 18, page 304. Il est important que le rebord soit toujours régulier et bien centré.

Poterie

Trois formes tirées d'un cylindre

La chope

1. Pour façonner une chope, ébauchez un cylindre en lui donnant presque ses dimensions définitives dès la première passe. Montez les parois tout en les façonnant, tel qu'expliqué à la page 305.

2. En arrivant au sommet, épaississez le rebord, tel qu'illustré à l'étape 18, page 304. Ne l'évasez pas, sinon il serait difficile de boire dans la chope.

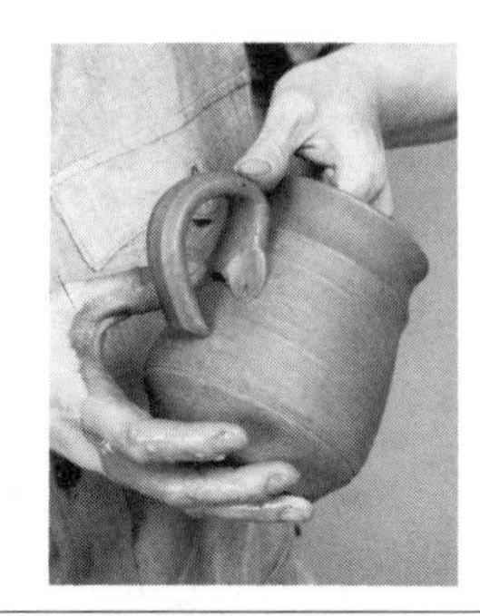

3. Après avoir détaché la chope du tour (voir p. 310), tournassez la base (voir p. 311) et fixez l'anse (voir p. 316).

Le pichet

1. Pour le pichet, ébauchez un cylindre que vous resserrerez juste avant d'arriver au rebord ; celui-ci devra être légèrement évasé.

2. Placez deux doigts contre le rebord du cylindre ; mouillez un doigt de l'autre main et étirez doucement la partie ainsi encadrée pour former le bec verseur.

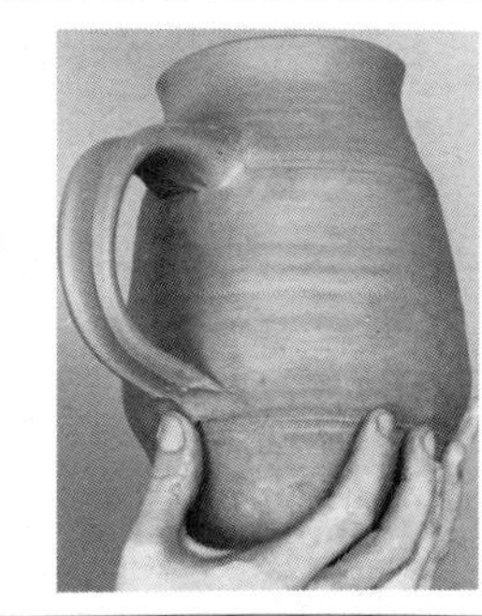

3. Détachez le pichet du tour, tournassez-le et fixez-y l'anse.

Le vase

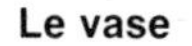

1. Ebauchez un cylindre et façonnez-en la base selon le profil désiré. Après l'étranglement du haut, vous ne pourrez plus retravailler la base.

2. Fuselez le haut du cylindre pour amorcer le resserrement. Ne pressez jamais vers le bas sur l'épaulement, sinon l'ébauche s'effondrerait.

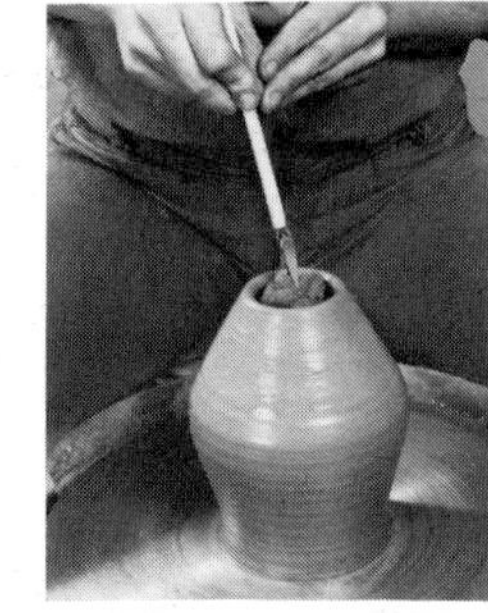

3. Il faut éliminer l'eau utilisée pour lubrifier l'intérieur des parois. Après l'étranglement, utilisez, pour ce faire, une éponge fixée à une baguette.

4. Pour resserrer le goulot, placez les mains de la façon indiquée à la page précédente. Exercez une traction verticale et une pression tout en rapprochant vos mains. L'argile devrait épaissir.

5. Pour amincir le col, placez les mains tel qu'illustré et procédez comme pour la montée des parois d'un cylindre (p. 304). Le goulot doit rester aussi épais que les parois.

6. Alternez entre l'étranglement et l'amincissement du goulot jusqu'à l'obtention de la hauteur et de l'épaisseur voulues. Puis, modelez délicatement le profil du bord.

Ces trois objets illustrent trois des formes courantes dérivées d'un cylindre. Le tournage d'un cylindre est expliqué aux pages 303-304 et le façonnage à la page 305.

Ebauche de formes ouvertes

La façon d'ébaucher des formes ouvertes, comme des assiettes plates ou creuses et des cocottes, diffère de méthodes employées pour les pièces dérivées du cylindre (pp. 302-306). En résumé, la pâte est centrée et aplatie en une ébauche grossière de la forme définitive. Après l'avoir creusée, il ne restera plus qu'à élever les parois.

Les formes ouvertes sont rarement ébauchées directement à même la girelle parce qu'il serait presque impossible de les en détacher alors qu'elles sont encore humides. On les façonne plutôt sur un rondeau, un disque amovible généralement en plâtre ou en bois qu'on fixe sur la girelle. Une fois la pièce terminée, on sépare le rondeau du tour et on y laisse sécher l'ouvrage suffisamment pour pouvoir l'en détacher sans risque. Le rondeau devrait adhérer si solidement au tour que vous ne devriez pas pouvoir le déplacer avec les mains.

La balle est d'abord centrée et aplatie en galette (étapes 2 et 3). Après le creusage (étape 4), la base doit être presque deux fois plus épaisse que celle d'un cylindre, afin d'éviter l'affaissement des parois. La majeure partie de ce surplus sera tournassée plus tard, lorsque l'argile aura un peu durci.

La position des mains pour le creusage de la couronne (étapes 4 à 6) est à peu près la même que dans le cas d'un cylindre, à cette différence près que l'ouverture sera plus large. Les doigts se redressent pendant le lissage du fond, en créant une faible courbe (étape 7), ce qui détermine le profil définitif de la base.

Le tournage et la montée des parois varient selon le genre de la pièce. Pour une assiette creuse, les parois seront d'abord dressées, puis évasées. Si l'assiette est plate, l'évasement se fait en même temps que la montée afin que le marli ne soit pas trop haut. Le tournage de ces deux types d'assiettes est décrit à la page 308, de même que celui des bols façonnés à partir d'un cylindre.

1. Pour fixer le rondeau, enduisez la girelle de barbotine épaisse. Déposez-y le rondeau, puis imprimez-lui un mouvement de va-et-vient tout en appuyant fortement pour qu'il colle bien. Laissez prendre quelques minutes.

2. Centrez la pâte (voir p. 301), puis aplatissez-la en galette de la main droite tout en exerçant une pression vers l'intérieur de la gauche pour la maintenir centrée. Procédez graduellement tout en gardant l'argile mouillée.

3. La galette de terre devra être aussi large et plate que l'exige la pièce choisie. Pour rectifier le diamètre et les irrégularités, pressez l'ébauche des doigts de la main droite, en soutenant le poignet de la main gauche.

4. Creusez un trou en enfonçant graduellement les pouces au milieu. Les autres doigts doivent reposer légèrement sur l'argile. La base doit être presque deux fois plus épaisse que celle d'un cylindre ; on l'amincira pour former le pied.

5. Pour former la couronne, repoussez l'argile avec les doigts de la main gauche vers le pouce gauche, qui est placé à l'extérieur de l'ébauche. La main droite appuie sur la gauche pour empêcher la montée de l'argile.

6. Tout en déplaçant vos doigts vers l'extérieur de l'ébauche, redressez-les légèrement pour incurver la base. Appuyez les doigts de la main droite sur ceux de la gauche pour faciliter l'ouverture de la couronne.

7. Ensuite, lissez lentement le fond du bout des doigts de la main droite soutenue par la main gauche. Procédez du centre vers l'extérieur, tout en pressant fortement pour tasser l'argile et bien niveler l'ébauche.

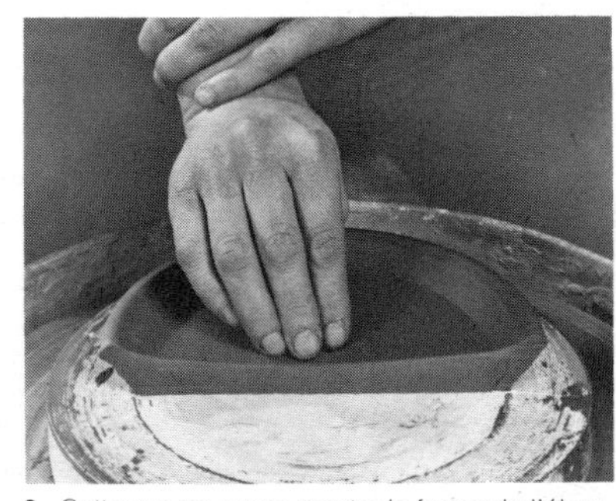

8. Cette vue en coupe montre la forme de l'ébauche après le creusage et le lissage. Remarquez la faible courbe du fond ainsi que les parois courtes et épaisses qui s'inclinent à peine vers l'extérieur. Ne touchez plus à la base.

9. Otez le surplus de terre du rondeau (étape 12, p. 301). La position des mains pour le tournage des parois (voir ci-dessus) est à peu près la même que pour celui d'un cylindre. Ne modifiez pas le galbe de la base pendant la montée.

Poterie

Trois formes ouvertes

L'assiette creuse

L'élévation des parois d'une assiette creuse se fait en plusieurs passages (voir p. 304). Maintenez le tour en rotation lente pour empêcher l'évasement des parois.

Modelez le profil du marli, puis revenez sur les parois avec la main gauche, la main droite soutenant l'ouvrage de l'extérieur (p. 305). Travaillez rapidement, mais sans fatiguer la terre.

Sur un rondeau, le façonnage et le lissage se font souvent avec une estèque. Passez doucement celle-ci contre les parois de l'assiette, sans trop appuyer pour éviter l'affaissement.

L'assiette plate

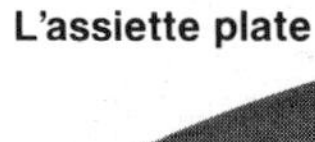

Pour une assiette plate, augmentez la pression de la main gauche afin de provoquer l'évasement des côtés. Travaillez à vitesse réduite pour prévenir l'effondrement des parois.

L'assiette peut être façonnée ou lissée avec une éponge solidement tenue entre les doigts, comme ci-dessus. Soutenez toujours l'extérieur de la pièce de la main droite en façonnant de l'autre.

Dans le cas d'une ébauche sur rondeau, passez une pige sous la base de la pièce après le tournage, tel qu'illustré. Ceci la détache du rondeau et accélère même le séchage.

Bol tiré d'un cylindre

Pour façonner un bol à partir d'un cylindre, élevez d'abord celui-ci à la hauteur voulue. Incurvez la base et fuselez légèrement le haut des parois, tel qu'illustré.

Donnez son diamètre définitif au marli. Le premier façonnage se fait avec les mains afin d'imposer le profil voulu et pour tasser l'argile. Travaillez rapidement et avec délicatesse.

Le tournassage peut se faire à l'estèque. Comme l'argile s'amincit pendant l'élévation, ce qui affaiblit la pièce, ne la montez pas trop et évitez les changements brusques dans le façonnage.

Tournage à la quille

Pour accélérer le façonnage de plusieurs petites pièces, on peut les tourner à partir d'une seule motte de terre, selon un procédé appelé tournage à la quille. On centre le haut de cette motte, on tourne l'ébauche, on détache la pièce du reste de la quille, puis on recommence l'opération jusqu'à ce que toute l'argile ait été utilisée.

Avec le tournage à la quille, le potier n'a pas à nettoyer le tour après chaque ébauche et le centrage se fait plus rapidement puisque la quille est déjà à peu près centrée. En outre, les petites pièces se détachent beaucoup plus facilement ainsi que si elles avaient été ébauchées directement sur le tour.

Puisque, avec le tournage à la quille, seul le haut de celle-ci est centré, vous ne pouvez appuyer vos mains sur la girelle pour vous guider comme dans le cas d'un tournage à la pièce. Vous devez donc apprendre à juger si le centrage est bon avant de commencer l'ébauche.

Après le centrage (étapes 2 et 3), on entame l'argile avec les doigts pour déterminer la base de l'ébauche et pouvoir évaluer l'épaisseur du fond après le creusage (étape 4); celui-ci ne devra pas avoir moins de ¼ po ni plus de ½ po d'épaisseur. Reconstituez cette amorce chaque fois qu'elle s'efface pendant le tournage.

Le creusage, la montée des parois ainsi que le façonnage s'effectuent comme si vous travailliez directement sur la girelle. Etant donné la petite taille des pièces, vous aurez probablement besoin de moins de trois passes. La seule difficulté engendrée par le format des ébauches consiste à pouvoir les séparer de la quille (étape 7) sans les déformer. A cet égard, vous devrez vous servir d'une estèque et travailler en souplesse.

1. Projetez vivement une grosse balle de terre sur la girelle. Dressez-la en un cône épais ; pour ce faire, lancez le tour et montez la quille en la centrant approximativement.

2. Centrez le haut de la quille par une pression descendante de la main droite et latérale de la gauche (étapes 9 et 10, p. 301). Ne centrez que la quantité nécessaire pour l'ébauche.

3. Entamez l'argile avec vos mains à la base de l'ébauche pour parfaire le centrage et bien distinguer la pièce du reste de la quille. Accentuez cette séparation avec les doigts.

4. Pour la couronne, enfoncez les pouces dans l'argile en vous guidant sur l'amorce faite à l'étape 3 pour savoir quand arrêter, soit entre ¼ et ½ po au-dessus de la marque.

5. Le creusage, la montée des parois et le façonnage s'effectuent tel que décrit aux pages 303-305. La pièce doit être assez petite pour que vous puissiez la détacher sans la déformer.

6. Tracez une fine marque avec une estèque à la hauteur de la coupe. Insérez un morceau de fil de fer ou de pêche dans cette rainure et faites-le glisser complètement sous l'ébauche.

7. Assurez-vous que la coupe est bien horizontale. Prenez l'ébauche entre les pouces et les index, soutenez bien la base de la pièce, faites-la pivoter délicatement et soulevez le tout.

8. Remettez le reste de l'argile au carré, puis en cône, et reprenez les étapes 2 à 7 pour chacune des autres pièces jusqu'à ce que vous ayez la quantité voulue ou qu'il n'y ait plus d'argile.

Poterie

Comment retirer une ébauche du tour

Une fois qu'une pièce est ébauchée, elle est détachée du tour avec un fil de fer et déposée sur un bloc de séchage en bois. En général, si une pièce est bien ébauchée avec des parois minces et régulières, cette opération s'effectue sans aucune difficulté. Par contre, si les parois sont très épaisses, très fines ou inégales ou encore si la pièce a été travaillée au point que ses parois sont molles et humides, il faut la laisser durcir un moment sur le tour avant de la détacher.

Deux façons de retirer une ébauche sont illustrées ci-dessous. Dans les deux cas, le tour peut être en rotation nulle ou très lente pendant le passage du fil de fer. La force de rotation facilite la coupe et exige donc moins d'effort. Dans un cas comme dans l'autre, il est indispensable de maintenir fermement le fil contre la girelle pour ne pas entailler la base de la pièce. Pendant la séparation, ne touchez que la base et jamais le rebord d'une pièce humide. Si jamais l'ébauche se déforme pendant que vous la détachez, corrigez le défaut en exerçant une pression à la base du côté excentrique après avoir placé la pièce sur le bloc de séchage. Laissez ensuite durcir jusqu'au moment de tournasser.

Tendez le fil en encadrant la pièce de vos pouces, comme ci-dessus. Faites glisser le fil de fer sous l'ébauche en appuyant fortement pour l'empêcher de remonter.

Soutenez solidement la base du bout des doigts. Faites légèrement pivoter la pièce, détachez-la du tour et déposez-la sur un bloc de séchage. Nettoyez soigneusement la girelle.

Tenez le fil tel qu'illustré ci-dessus. Mouillez abondamment la girelle et passez le fil sous la pièce. Recommencez l'opération en faisant glisser le fil dans plusieurs sens.

Poussez doucement l'ébauche sur la girelle mouillée et faites-la glisser sur un bloc de séchage placé au niveau de la tête du tour. Mettez ensuite la pièce en réserve pour qu'elle sèche.

Le tournassage

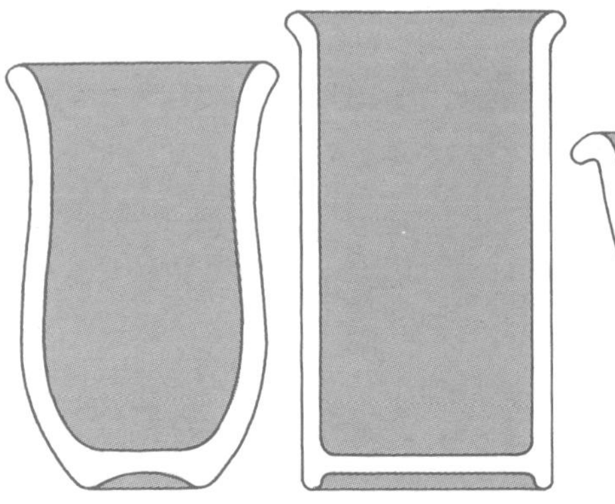

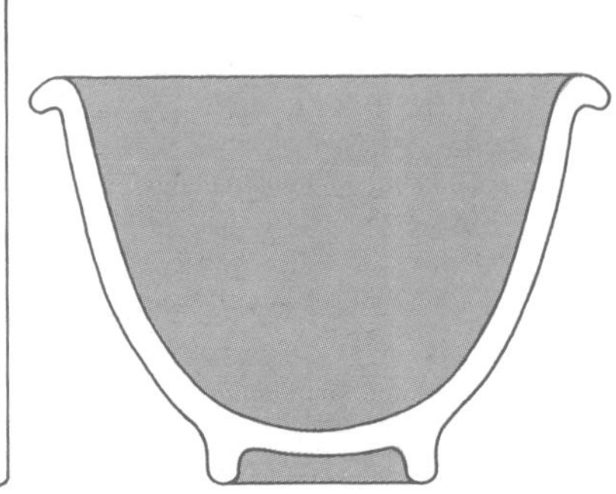

L'élimination de l'excès d'argile à la base d'une pièce permet de donner à celle-ci sa forme définitive. Même si, dans certains cas, on se contente d'égaliser cette base, dans d'autres, on l'incurve pour former un pied. Une base bien façonnée assure la stabilité de la pièce et en améliore l'apparence.

Exception faite du tournassage en frais (voir plus loin), on tournasse habituellement une pièce lorsqu'elle a la dureté du cuir. Une pièce acquiert la consistance du cuir (on dit que l'argile est encore verte) lorsque, quoique humide, elle est suffisamment durcie pour qu'on puisse la manipuler sans la déformer, ce qui survient généralement après toute une nuit de séchage. Une pièce trop humide gauchirait pendant le tournassage; trop sèche, elle s'effriterait ou serait impossible à travailler.

Les mirettes, utilisées pour le tournassage, sont illustrées à la page 290. Leur tranchant doit être rigide et non flexible. Il est bon d'en avoir de tailles et de formes différentes.

Avant de commencer à tournasser, décidez de la forme de la base. Tout comme la qualité d'une ébauche se reconnaît à l'épaisseur régulière des parois, un tournassage est réussi quand l'épaisseur de la base correspond à celle des parois. Marquez l'extérieur de la pièce à la hauteur du fond; cette marque vous indiquera où arrêter de tournasser. Vous pouvez aussi en faire une autre comme indice du diamètre définitif.

On peut donner n'importe quelle base à une pièce. En général, les formes ouvertes ont un pied surélevé et plus démarqué que les formes cylindriques (voir l'illustration). C'est l'une des raisons qui font que la base est plus épaisse pour une forme ouverte que pour un cylindre.

On ne peut réaliser une base allongée et très prononcée qu'en tournassant la pièce le fond en haut. On peut aussi procéder de cette façon pour des bases plus simples, bien qu'on les tournasse souvent avec le fond en bas. Les pièces au sommet fuselé ou au bord fragile sont terminées soit avec le fond en bas, soit dans un mandrin de tournassage. Pour avoir un mandrin, ébauchez un cylindre, coupez-en la base, après une nuit de séchage, et faites-lui subir une monocuisson (pp. 321-322).

Le tournassage débute quand la pièce est centrée et solidement fixée sur le tour. On peut tournasser des pièces à l'endroit immédiatement après l'ébauche si l'argile est encore mouillée. Ce procédé, dit tournassage en frais, s'emploie habituellement pour façonner une base simple sur un cylindre.

1. Pour tournasser une pièce le fond en haut, mettez le tour en rotation lente et maintenez la pointe d'une pige contre un point précis de la pièce centrée. Arrêtez le tour et bougez la pièce dans le sens opposé au tournassage.

2. Répétez l'étape 1 jusqu'à ce que la pige ait marqué le pourtour de la pièce uniformément. Pressez fortement trois petites mottes d'argile sur la girelle, autour de la pièce, et faites-les glisser vers l'ébauche centrée pour l'immobiliser.

3. Tenez la mirette de la main droite. Maintenez cette main avec la main gauche, celle-ci reposant sur la pièce. Avec le tour en rotation moyenne, ébarbez les côtés avec la mirette appuyée contre la pièce. Inclinez-la pour galber la panse.

4. Marquez le diamètre intérieur du pied avec le tranchant de l'outil. Evidez cette partie en déplaçant la mirette depuis le centre vers la marque. Vous pouvez donner diverses formes à la base (voir page ci-contre).

5. Donnez sa forme définitive à la base en tournassant les parois, tel qu'illustré, mais prenez garde de faire le pied trop étroit. Nivelez-le en stabilisant la mirette sur la base et en l'ébarbant régulièrement sur toute sa surface.

6. Si votre pâte contient de la chamotte, celle-ci laissera des marques qui abîmeront la glaçure. Corrigez ceci en lissant la pâte avec un ébauchoir, tel qu'illustré. Le lissage peut aussi se faire avec les doigts mouillés.

1. Pour tournasser une pièce à l'endroit, mouillez la girelle et centrez-y la pièce comme à l'étape 1, ci-dessus. Avec le tour en rotation très lente, passez un ébauchoir contre la base pour la coller à la girelle.

2. Façonnez la base de la pièce avec la mirette. Vous pouvez l'entailler avec la pointe de l'outil. Arrêtez le façonnage à ⅛ po de la girelle, sinon vous risqueriez de couper complètement le rebord en arrivant au tour.

3. Détachez le pot du tour en coupant la soudure faite à l'étape 1 avec un couteau, tout en maintenant une rotation très lente. Lissez la base avec les doigts et fuselez-la pour former l'anneau sur lequel reposera la pièce.

Pour tournasser dans un mandrin, centrez celui-ci et fixez-le au tour, tel qu'illustré. Placez-y la pièce, le fond en haut, et maintenez-la avec des tournassures. Quand le pot est centré et de niveau, tournassez-le comme aux étapes 3 à 6.

Le tournassage en frais se fait immédiatement après l'ébauche, avec un ébauchoir maintenu à un angle de 45 degrés. Otez l'excédent d'argile à la base des parois en pressant vers le bas pendant que le tour tourne à 100 tr/min environ.

Une fois l'opération terminée, passez une pige sous l'argile ébarbée et enlevez-la. Retirez la pièce du tour (p. 310). Cette méthode est très proche du tournassage à l'endroit (ci-dessus, étapes 1 à 3).

Poterie

Les couvercles

Les couvercles peuvent être ébauchés directement sur le tour. A cause de la variation du retrait, la plus grande difficulté réside dans l'ajustage.

Il y a plusieurs façons de résoudre ce problème. Tout d'abord, le pot et son couvercle peuvent être ébauchés dans une même balle, de sorte que le retrait sera uniforme. Vous pouvez aussi préparer plusieurs couvercles pour un même pot — l'un d'eux s'emboîtera. Troisièmement, mesurez le diamètre du pot tout de suite après l'ébauche, avant le séchage et le retrait, puis tournez le couvercle selon ces dimensions. Le séchage et la cuisson se font avec le couvercle en place.

Le couvercle peut reposer directement sur le pot (schémas 2, 3, 5, 6, 8, 9) ou sur une emboîture façonnée à l'intérieur de celui-ci (schémas 1, 4, 7). Cette emboîture (étapes 1 et 2) améliore la tenue du couvercle.

L'ébauche d'un couvercle sur le tour peut se faire à l'endroit — la pièce reposant sur le tour comme si elle était sur le pot — ou le fond en haut. Le modèle le plus simple, pour une ébauche à l'endroit, est le couvercle plat, auquel on peut ajouter un bourrelet (étapes 6 et 7). Bien que l'ébauche se fasse habituellement sur la girelle ou à partir d'une quille (étapes 8 et 9), on travaillera sur un rondeau si le couvercle est très grand.

Le type de couvercle le plus simple pour une ébauche le fond en haut est dit « oriental » et a la forme d'un bol plus ou moins profond (étape 10). S'il est petit, il n'aura besoin ni de poignée ni de bouton. Dans le cas contraire, on fixera la poignée quand la pâte aura atteint la dureté du cuir (étapes 11 à 13). L'autre modèle courant ainsi ébauché est le traditionnel couvercle pour théière muni d'un bourrelet intérieur (étapes 14 et 15). Un couvercle ébauché le fond en haut est généralement tournassé, soit sur la girelle, soit dans le pot qui fait alors office de mandrin (voir p. 311).

1. Pour façonner un pot avec emboîture, le haut des parois doit être plus épais que celui d'une pièce ordinaire. Placez vos mains tel qu'illustré pour faire l'emboîture.

6. Pour faire un couvercle plat avec bourrelet (schémas 2, 3, 4), aplatissez l'argile en laissant une paroi à laquelle vous donnerez le diamètre exact du pot.

11. Il y a deux façons de tourner un bouton sur un couvercle ébauché le fond en haut. Si vous avez laissé assez de terre, façonnez-le avec la mirette quand la pâte a la dureté du cuir (schéma 6).

2. Avec un ébauchoir à bout carré, aplatissez l'emboîture et faites-la perpendiculaire au rebord du pot. Elle sera plus stable et plus facile à mesurer pour faire le couvercle.

3. Pour faire un couvercle plat, centrez une galette en laissant une petite masse de pâte pour le bouton. Pressez sur l'ébauche qui sera un peu plus large et épaisse que sa forme définitive.

4. Le bouton peut être tourné en plein, ou la petite masse peut être creusée, montée et façonnée comme un pot, tel qu'illustré. Finissez le couvercle avec une estèque ou une éponge.

5. Réglez le compas à pointes retournées selon le diamètre intérieur du pot, au-dessus du rebord. Reportez la mesure sur le couvercle, coupez-le avec une pige, puis détachez-le délicatement.

7. Façonnez la paroi pour obtenir un bourrelet du diamètre voulu. Tournez le bouton (étape 4). Détachez très délicatement le couvercle du tour en essayant de ne pas toucher au bourrelet.

8. Pour le tournage à la quille d'un couvercle plat, centrez le haut, entaillez-le avec les doigts pour le séparer de la quille et pressez sur la pâte (étape 3). Soutenez le couvercle par-dessous.

9. Ebauchez le bouton (étape 4). Vous pouvez finir à l'éponge le dessus du couvercle et une partie du dessous. Vous pouvez aussi façonner un bourrelet tout autour.

10. Pour faire un couvercle oriental (schéma 5), ébauchez un bol aux parois régulières et du diamètre voulu. S'il est petit, le couvercle n'aura besoin ni de poignée ni de bouton.

12. L'autre façon consiste à ébaucher le bouton avec de l'argile humide fixée au couvercle à l'état de cuir. Centrez celui-ci sur la girelle et déposez une petite motte de terre en son milieu.

13. Pressez sur l'argile humide pour qu'elle colle au couvercle et façonnez-la (schéma 7). Cette méthode vaut aussi pour un couvercle ébauché fond en haut.

14. Pour un couvercle avec bourrelet, aplatissez une galette au diamètre voulu, puis montez une courte paroi pour le bourrelet, qui devra s'adapter exactement au pot (schéma 8).

15. Le bouton peut être tournassé (étape 11) ou ébauché (étapes 12 et 13) quand le couvercle a la dureté du cuir. On peut aussi tirer un couvercle avec bourrelet incurvé d'un bol au bord épais.

Poterie

Ebauches successives

Le verre à pied

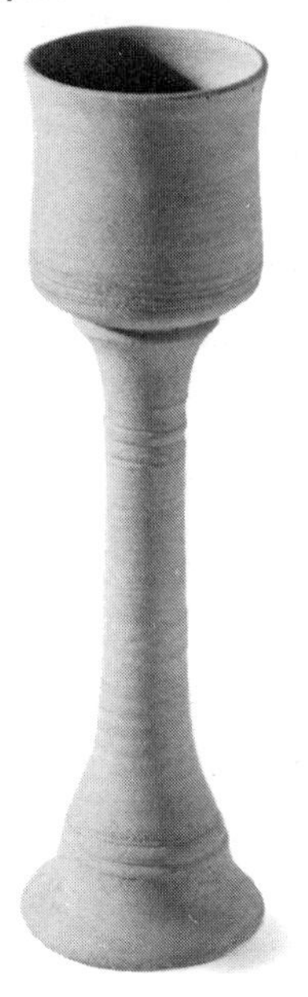

1. Pour le pied, tournez à la quille un cylindre long et mince, fuselé graduellement depuis la base et légèrement évasé au sommet. On peut ajouter des anneaux et divers traits comme décor.

2. Pressez une estèque contre la base du pied pour l'élargir et l'aplatir. Tournassez le pied et détachez-le de la quille.

3. Ebauchez un verre au diamètre semblable à celui de la base du pied. Tournassez-le en frais pour en amincir considérablement la base. Détachez-le de la quille.

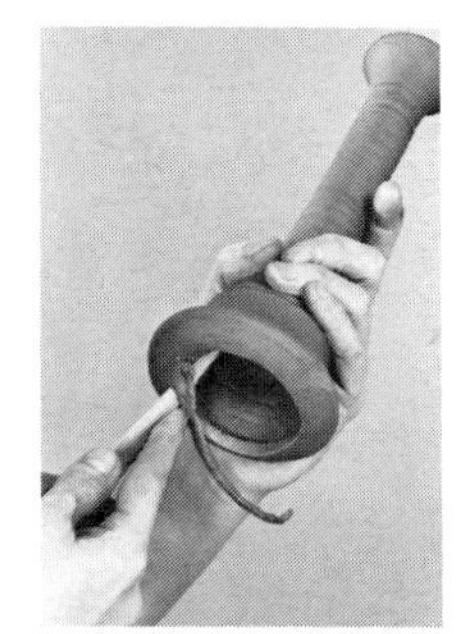

4. Quand le pied a la dureté du cuir, évidez le dessous avec un couteau de potier. Lissez la base avec les doigts pour qu'elle soit parfaitement de niveau sur une surface plate.

5. Quand le verre est à l'état de cuir, ébarbez son fond avec un couteau de potier. Puis, guillochez-le et enduisez-le de barbotine, tout comme le haut du pied.

6. Placez le verre sur le pied et pressez fermement. Soudez les deux parties en lissant l'argile au point de contact avec le doigt. Laissez sécher lentement.

La théière

Les composants du verre à pied et de la théière montrés ici sont façonnés et assemblés selon les techniques décrites dans les 14 pages précédentes. L'ébauche du cylindre, la forme de base de ces deux pièces, est expliquée aux pages 302-305. L'anse (pour la théière) est décrite à la page 316 et le couvercle (toujours pour la théière) aux pages 312-313.

1. Ebauchez d'abord un cylindre légèrement rétréci au sommet. Pour le couvercle traditionnel avec bourrelet intérieur, reportez-vous aux directives de la page 313.

2. Pour le bec, ébauchez un petit cylindre au sommet étranglé. Cette forme permettra de verser le thé sans encombre.

3. Quand le bec a la dureté du cuir, coupez-le en biais, tel qu'illustré. Placez-le contre la panse de la théière, de telle sorte que le haut du bec dépasse le haut du pot. Tracez son contour sur la panse avec une pige.

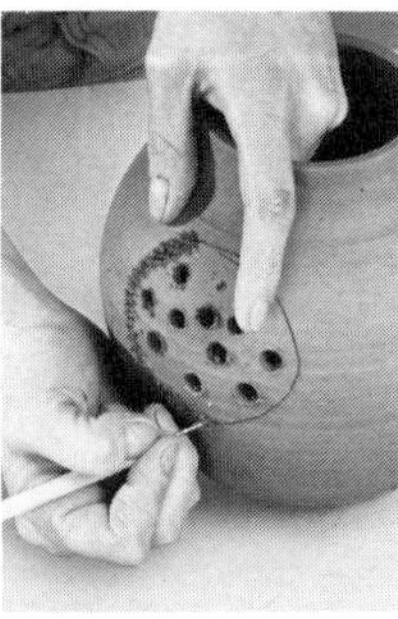

4. Percez de 7 à 10 petits trous avec un couteau de potier à l'intérieur du contour tracé à l'étape 3, puis guillochez ce tracé avec une pige.

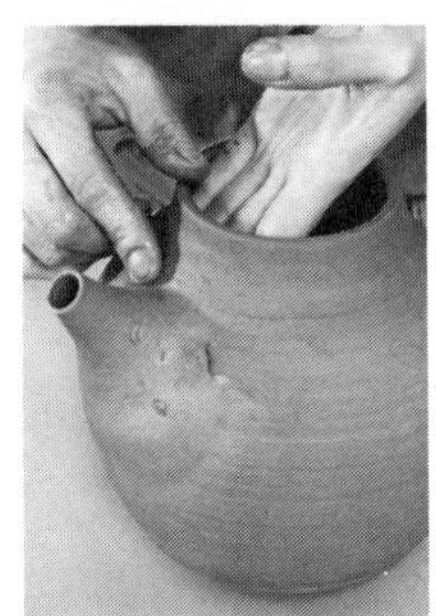

5. Enduisez les stries de barbotine et pressez fortement le bec contre la panse. Soudez solidement le joint en étalant bien l'argile au point de contact.

6. Fixez une anse du côté opposé au bec. On emploie habituellement une anse étirée pour une théière. (Voir les types d'anses à la page 316.) Faites sécher la théière lentement.

Cornet pour filtre à café

1. Ebauchez d'abord une chope qui servira de support au cornet. Mesurez son diamètre intérieur au sommet quand elle est encore fraîche ; le bas du cornet devra avoir un diamètre légèrement inférieur.

2. Ebauchez le cornet à la quille, centrez-le et entaillez-le pour le séparer du reste de la quille. Creusez-le complètement sans laisser de fond.

3. Montez les parois et évasez-les en plusieurs passages. Le cornet devra être suffisamment large pour bien recevoir le filtre.

4. Pressez la quille du doigt, juste au-dessous des parois montées à l'étape 3, jusqu'à ce qu'un bourrelet déborde sur votre doigt. Ne détachez pas encore le cornet de la quille.

5. Ecrasez délicatement entre les doigts le bourrelet formé à l'étape 4 pour obtenir un disque large et mince. Façonnez celui-ci jusqu'à ce qu'il soit assez large pour asseoir le cornet dans la chope.

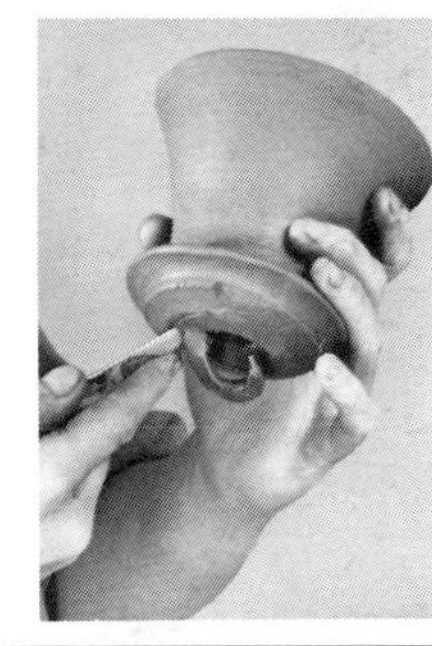

6. Quand le cornet a durci, dégagez-en le fond sous le disque et ébarbez-le pour qu'il s'emboîte dans la chope. Si le fond s'est refermé, évidez-le avec une mirette ou un crayon.

Bol avec un pied rapporté

Ce cornet pour filtre à café et ce bol avec un pied rapporté sont, eux aussi, façonnés selon les techniques expliquées dans les 14 pages précédentes. Le cornet est tourné à la quille, méthode décrite à la page 309. Les deux parties du bol sont tournées selon les directives des pages 307-308. Toutes les pièces comportant plus d'une partie doivent sécher très lentement pour éviter qu'elles ne se fendent ou ne se désassemblent.

1. Ebauchez d'abord un bol assez bas en lui donnant la forme de votre choix. Le marli devra être assez épais pour ne pas risquer de s'effriter par la suite. Mettez le bol à sécher.

2. Ebauchez un cylindre aux parois épaisses dont le diamètre supérieur sera égal à celui de la base du bol tourné à l'étape 1. Détachez le cylindre avec une pige.

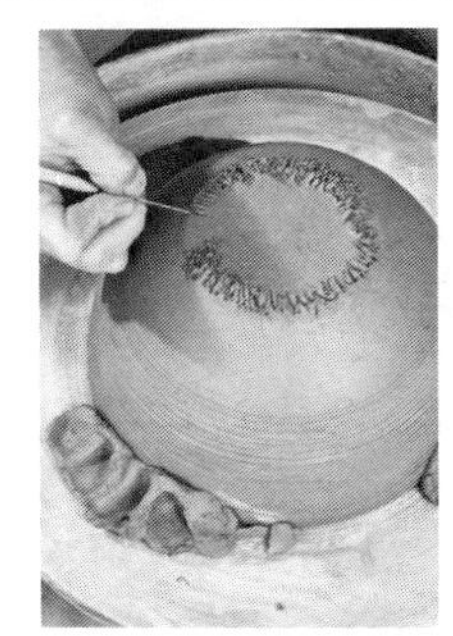

3. Dès que le bol a la dureté du cuir, centrez-le sur le tour, fond en haut, et immobilisez-le avec des tournassures. Otez l'excédent d'argile à la base, puis guillochez le pourtour.

4. Prenez l'anneau d'argile humide détaché du cylindre et centrez-le sur les stries. Pressez-le, mais pas trop fort pour ne pas écraser le bol.

5. Soudez l'extérieur de l'anneau et la base du bol en en pressant les bords du bout des doigts. Répétez l'opération à l'intérieur de l'anneau.

6. Montez les parois de l'anneau pour obtenir un pied, en procédant comme pour une assiette creuse. Le pied devra être suffisamment épais pour supporter le poids du bol.

Poterie

Les poignées et les anses

Qu'une pièce ait été tournée ou façonnée à la main, on peut y ajouter une anse ou des poignées aussi esthétiques que fonctionnelles; quelques modèles faits au colombin, à la plaque ou à partir d'un cylindre sont illustrés ici. Le type d'anse le plus courant est étiré en plusieurs passages dans une balle de terre. L'anse est ensuite façonnée, coupée et fixée au pot (étapes 1 à 5). On peut aussi la souder à ce dernier avant de l'étirer (étapes 6 à 9).

Dans l'étirage d'une anse ou d'une poignée, le principal mouvement consiste en une traction délicate de la main mouillée, un peu comme dans la traite d'une vache. Après avoir fixé l'anse ou les poignées, on enveloppe la pièce dans un morceau de plastique et on la met à sécher très lentement.

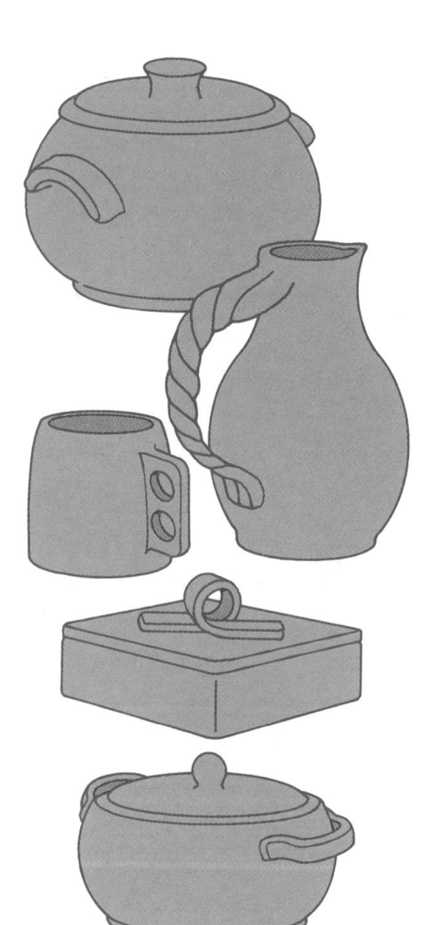

On peut façonner divers types de poignées et d'anses à partir de colombins et de plaques, tel qu'illustré ci-dessus. Les colombins peuvent aussi être torsadés ou tressés. On peut découper dans un cylindre aux parois épaisses des poignées arrondies pour une cocotte ou une soupière. Le mode de fixation, pour tous ces types d'anses et de poignées, est le même que pour l'anse étirée (étapes 4 et 5, ci-contre).

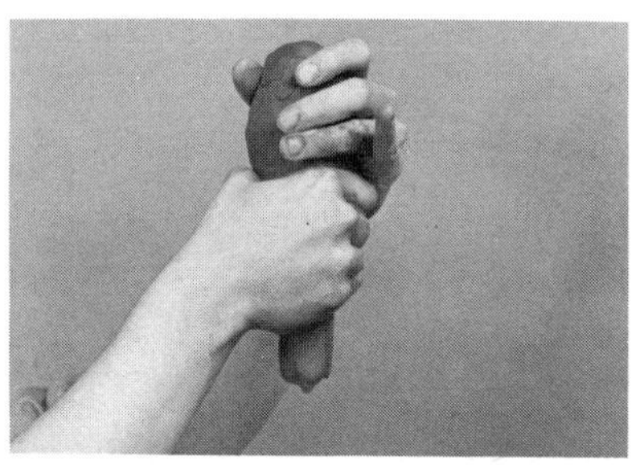

1. Battez une balle de pâte un peu plus dure que pour une ébauche et donnez-lui la forme d'une poire allongée et renversée. Tenez-la dans la main gauche et étirez-la doucement de la droite.

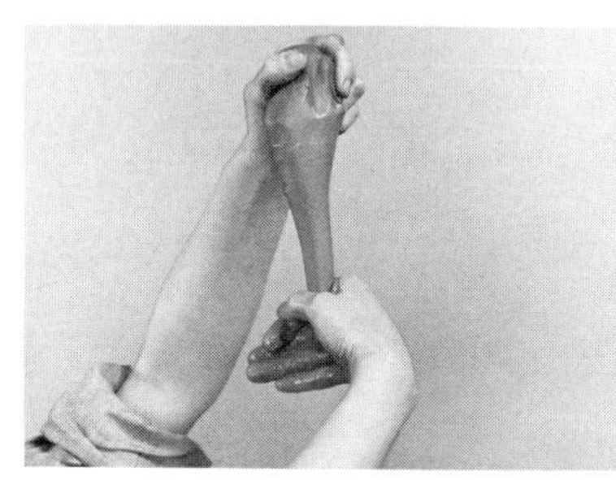

2. Poursuivez la traction à petits coups réguliers; gardez la main toujours mouillée. Allongez l'argile à chaque coup, jusqu'à ce qu'elle soit de la longueur et de l'épaisseur voulues.

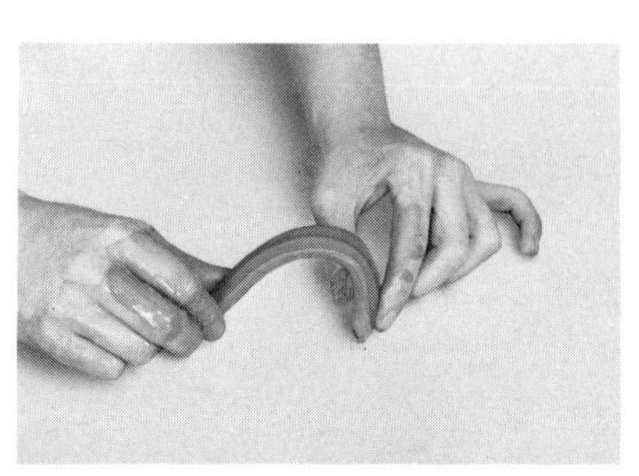

3. Coupez l'argile et donnez-lui la forme voulue. Déposez-la sur une table en l'appuyant sur ses extrémités, comme ci-dessus, pour qu'elle conserve sa forme. Laissez-la durcir un moment.

4. Dès que le pot a atteint la dureté du cuir, guillochez-le avec une pige aux points d'attache de l'anse, du côté opposé au bec. Recouvrez les stries d'eau ou de barbotine.

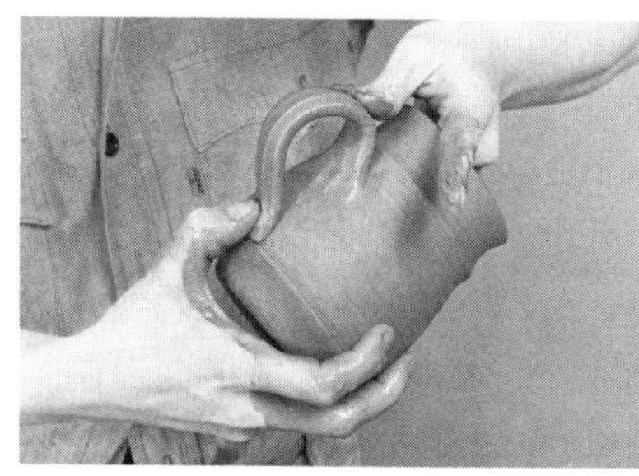

5. Fixez le haut de l'anse sur le guillochis et lissez l'argile pour qu'elle adhère parfaitement. Donnez à l'anse sa forme définitive et soudez l'autre extrémité au pot.

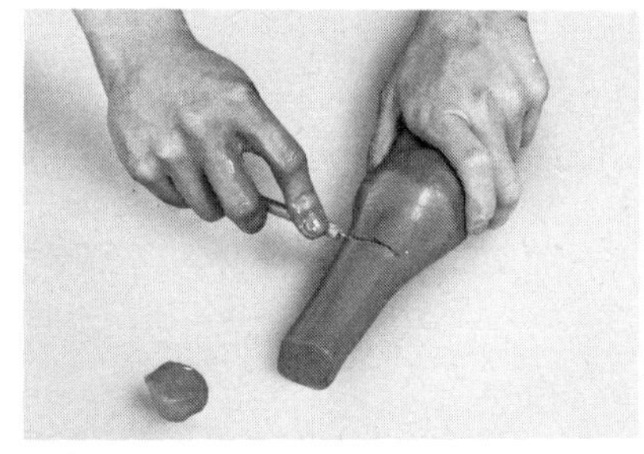

6. Pour une apparence plus naturelle, prenez une motte d'argile (étapes 1 et 2), mais ne l'étirez que trois ou quatre fois pour qu'elle soit encore ronde et épaisse. Coupez-en un morceau de 3 ou 4 po.

7. Ecrasez le gros bout de l'anse pour l'épaissir davantage. Guillochez et enduisez de barbotine la panse du pot, puis pressez fortement l'anse en place; lissez l'argile avec les doigts.

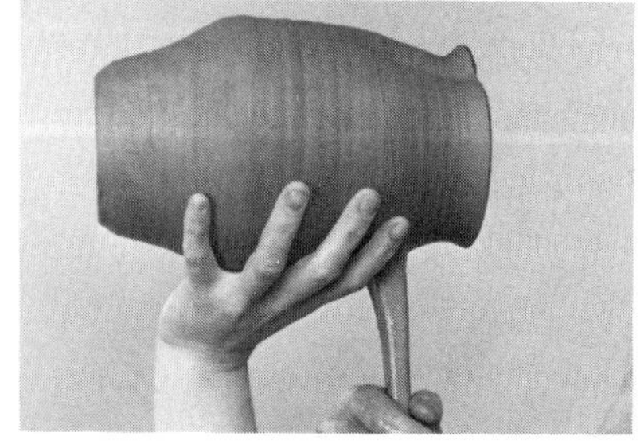

8. Tenez le pot dans la main gauche et tirez doucement sur l'anse avec la main droite, comme à l'étape 2, jusqu'à ce qu'elle soit assez longue et épaisse. Gardez la main droite mouillée.

9. Donnez à l'anse sa forme définitive. Fixez l'autre extrémité et lissez-la contre la paroi du pot. Au besoin, ajoutez un peu d'argile pour consolider la soudure.

Les décors

Quoique le glaçage des dégourdis soit le plus populaire de tous les types de décors (p. 322), il existe d'autres façons tout aussi intéressantes d'orner des pièces non cuites.

Modification de la forme d'une pièce en frais. Il est possible de modifier avec les mains la forme d'une pièce qui vient tout juste d'être ébauchée ou façonnée parce qu'elle est encore humide. On peut tracer des crêtes du bout du doigt, le long des parois, ou encore créer de cette façon des lobes plus ou moins prononcés. On peut aussi donner une forme carrée à un marli ou modifier du tout au tout le galbe d'une pièce en en pressant les parois entre les paumes.

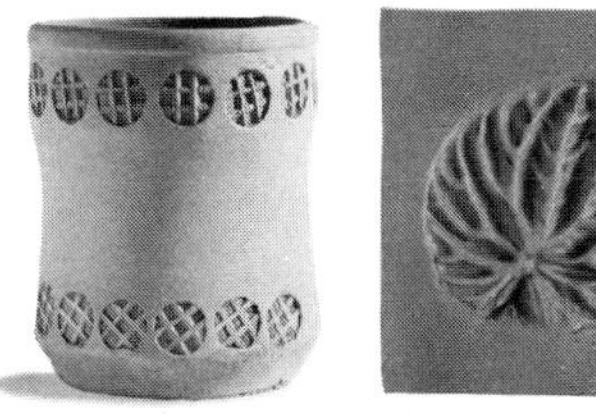

Imprimé

Décors imprimés et texturés. Quand l'argile a suffisamment durci pour qu'on puisse manipuler la pièce, mais qu'elle est encore trop molle pour le tournassage, on dit qu'elle est à l'état de cuir tendre. C'est le meilleur moment pour imprimer des décors. Le choix des objets qui peuvent être utilisés pour l'impression est illimité. On peut fabriquer des timbres d'impression en argile, en plâtre ou avec du linoléum; des objets domestiques, comme des roulettes de meuble, permettent de répéter un même motif. On peut aussi faire des étampes rotatives avec du plâtre ou de l'argile. Enfin, on peut varier les textures en frappant la pâte avec un tasseau en bois.

L'impression de décors est si facile que les débutants ont fréquemment tendance à surcharger leurs pièces, alors qu'ils obtiendraient de meilleurs résultats en faisant preuve de modération.

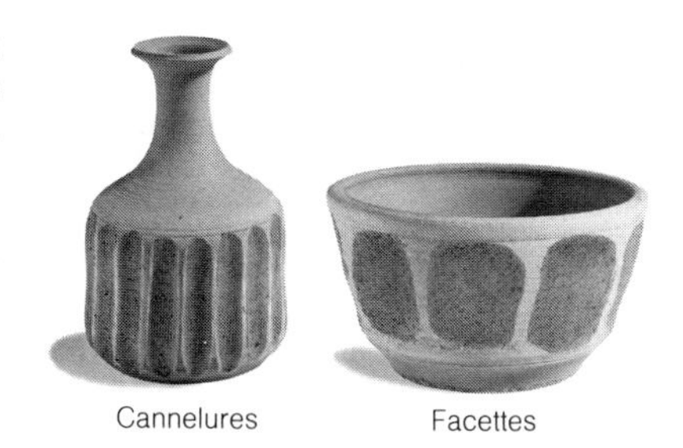

Cannelures Facettes

Modification d'une pièce à l'état de cuir. On peut modifier la forme d'une pièce ayant la dureté du cuir en prélevant des sections le long des parois. Pour la canneler, on utilise un outil spécial appelé canneloir, tandis qu'on lui donnera une forme polygonale en y taillant des facettes, c'est-à-dire en multipliant les côtés plats. Les pièces qu'on veut décorer ainsi devront avoir des parois épaisses.

Gravure d'une pièce à l'état de cuir. On peut inciser une pièce à l'état de cuir ou à l'état de cuir tendre selon le motif de son choix. Pour faire ressortir ces incisions, à peine visibles quand la pièce est crue, on les enduit d'une glaçure qui change radicalement de couleur après avoir coulé et épaissi dans les dépressions (pp. 324-325). On obtient aussi des effets remarquables avec des solutions à base d'oxydes (p. 330). Il est possible d'ajourer une pièce lorsque la terre a suffisamment durci pour que les coupures soient nettes, mais avant qu'elle ne soit trop sèche, car elle risque alors de se fissurer. De plus, il ne faut pas percer les parois au point de les faire s'effondrer.

Gravé Ajouré

Addition de décors d'argile. On peut décorer une pièce avec des morceaux d'argile, appelés lacis ou rubans, faits de la même pâte que l'ébauche. Pour les colorer, il suffit d'ajouter des oxydes à la pâte au moment de la battre (p. 295). On mouille les points de contact avec l'ébauche en frais avant d'appliquer les lacis. Pour des motifs plus fluides, on prépare des rubans de barbotine épaisse qu'on laisse sécher sur un journal avant de les presser contre l'ébauche.

Barbotine

Lacis

La barbotine. La barbotine peut s'appliquer directement sur une pièce crue ou un dégourdi. Comme le retrait, pendant la cuisson, est plus important dans le premier cas, il faudra tenir compte de ce facteur dans la préparation de la barbotine. Celle-ci devra présenter un coefficient de retrait plus élevé pour le décor d'une pièce en frais. Les formules pour la barbotine destinée aux pièces en frais sont données à la page 320, pour les dégourdis à la page 329.

Tous les ingrédients de la barbotine doivent être soigneusement mélangés et passés dans un tamis n° 80, avant l'application. Celle-ci est plus aisée si la barbotine a la consistance d'une crème épaisse, mais cela peut varier quelque peu selon la nature du décor. Procédez à des essais avec plusieurs types de barbotines avant de décorer une pièce.

L'application de la barbotine peut se faire à l'aide d'une seringue ou d'un sac de plastique percé d'un petit trou dans le fond. Si l'on veut que les motifs soient concentriques, le décor pourra se faire sur le tour en rotation.

Marbrage

Plumage et marbrage. Deux techniques permettent d'obtenir des résultats intéressants avec des barbotines de couleurs contrastantes qu'on fond plus ou moins, selon l'effet désiré. Il s'agit du plumage et du marbrage. Dans le premier cas, on procède au mélange des couleurs à l'aide d'une pointe souple comme une plume, un mince fil de fer ou la paille d'un balai; dans le second, on incline la plaque dans tous les sens. Pour les deux techniques, il est important que la barbotine soit de la bonne consistance. Exercez-vous d'abord sur une plaque dont vous n'avez pas besoin ou sur du papier journal.

Le sgraffite. Faire un sgraffite consiste à enduire une pièce d'une couche de barbotine colorée, relativement ferme, puis de l'inciser afin de dégager l'argile qu'elle recouvre. La pièce doit, pour ce faire, être à l'état de cuir.

Sgraffite

Mishima

Le mishima est l'art d'incruster de la barbotine colorée dans des motifs gravés (pour la pièce illustrée à la page 320, le décor a été réalisé en aplatissant au rouleau une plante sur une plaque d'argile tendre). On peut multiplier les couleurs sur une même pièce.

Poterie

Remaniement d'une pièce fraîche

Pour remanier une pièce fraîche de l'extérieur, pressez l'index de la main droite contre la paroi et soutenez l'argile de l'intérieur avec le pouce et l'index gauches. Montez les deux mains le long de la pièce en pressant pour l'entamer.

Pour remanier une pièce de l'intérieur, exercez une pression verticale avec votre doigt, sans soutenir la pâte de l'extérieur. Comme celle-ci est humide, elle s'étirera sous la pression. Prenez garde de ne pas traverser l'argile.

Pour donner une forme carrée au bord d'une pièce, poussez du doigt, de l'intérieur, sur deux points opposés. Procédez de la même façon pour les deux autres coins. Pressez fermement, mais sans fendre l'argile.

On peut déformer une pièce à son gré en pressant simplement sur les parois. L'ovalisation, illustrée ci-dessus, est un choix fréquent. On l'exécute en pressant sur deux côtés d'une pièce avec les paumes.

Décors imprimés et estampés

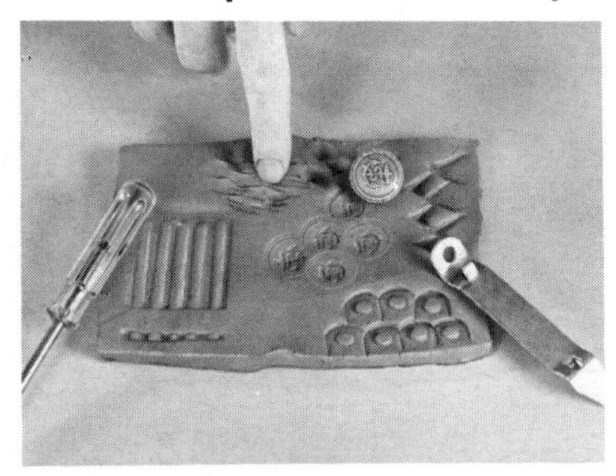

La façon la plus simple d'imprimer un décor dans l'argile consiste à y presser divers objets quand elle est à l'état de cuir. On peut produire des effets très intéressants avec ses doigts ou des accessoires de cuisine.

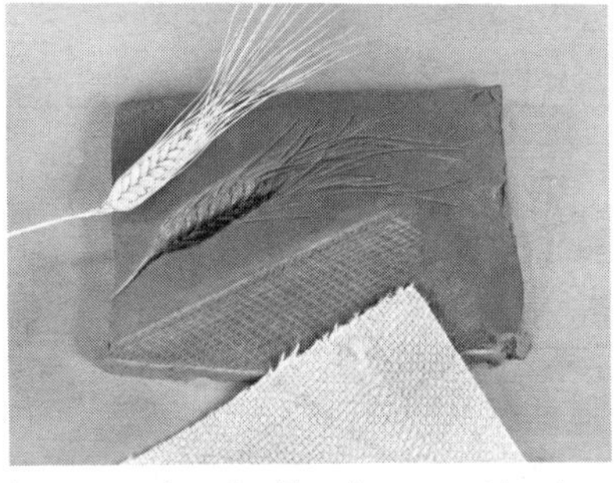

Avec un rouleau à pâtisserie, on peut imprimer sur une plaque la texture d'objets aussi minces qu'une étoffe rugueuse ou des feuilles de végétaux. Pour strier un pot, on pressera délicatement contre sa panse une corde assez grosse.

Une galette d'argile peut servir de matrice pour l'impression de décors, une fois qu'elle est à l'état de cuir. Il vaut mieux la dégourdir d'abord pour qu'elle ne colle pas ou ne se déforme pas pendant l'impression.

Les timbres peuvent être faits de bois, de linoléum ou de plâtre. Celui-ci se grave mieux quand on l'a laissé prendre quelques heures. Les briques réfractaires gravées donnent, elles aussi, des motifs très intéressants.

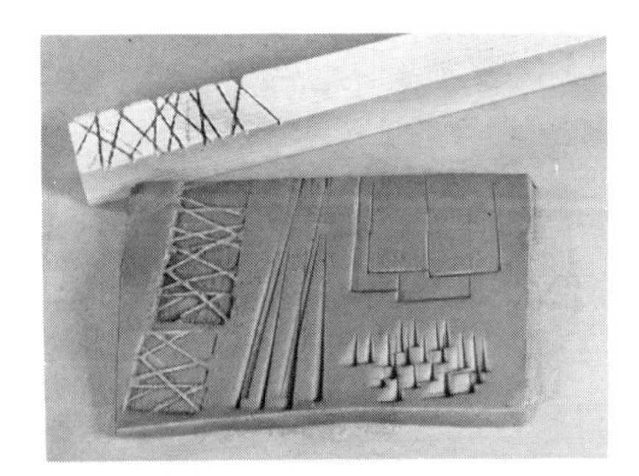

Il est possible de multiplier les décors en tapotant la terre avec un tasseau et en variant l'angle, la fréquence et l'ampleur des coups. On peut aussi entailler le tasseau à la scie ou à la lime pour obtenir divers motifs.

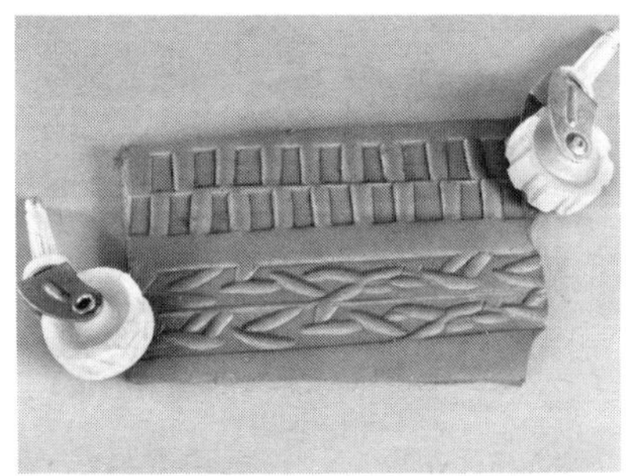

Les roulettes de toutes sortes, y compris celles de certains meubles, permettent de répéter un même décor. On peut les orner de motifs au relief prononcé, réalisés à l'aide d'un couteau, d'une scie ou d'une lime.

On peut fabriquer une roulette en plâtre (comme ci-dessus et à droite). Tracez le motif choisi sur une plaque d'argile étroite, façonnez-la ensuite en un cercle avec le motif à l'intérieur, puis soudez-en les rebords.

Versez le plâtre dans l'anneau et plantez-y une paille pour former le trou destiné au pivot du timbre. Quand le plâtre est pris, démoulez la matrice et enfilez dans le trou un fil de fer ou un clou rattaché à une poignée.

Remaniement d'une pièce à l'état de cuir

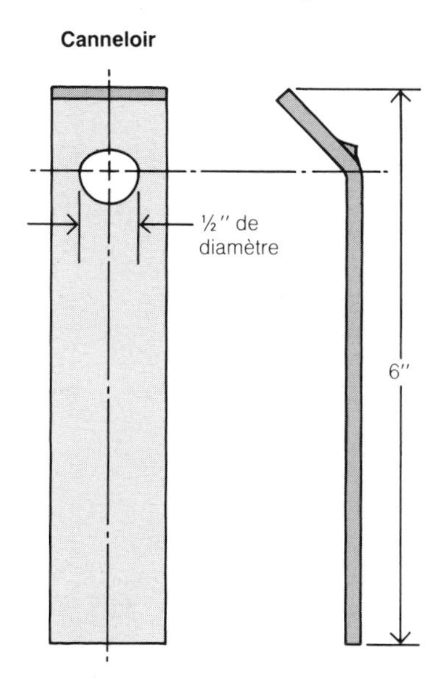

D'origine orientale, le canneloir a été introduit en Amérique par le potier américain Bernard Leach. Vous pourrez aisément vous en fabriquer un dans un morceau de métal tendre (fer ou aluminium) d'environ 6 po de long sur 1 po de large. Percez un trou de ½ po de diamètre à 1 po du haut. Aplatissez le rebord du trou avec un marteau à panne sphérique pour obtenir un tranchant saillant de l'autre côté. Serrez le canneloir dans un étau et pliez-le à un angle de 45 degrés, à mi-hauteur du trou et avec le tranchant à l'extérieur.

Pour canneler une pièce, passez le canneloir de haut en bas, le long des parois, l'extrémité relevée s'enfonçant dans l'argile. Faites le tour du vase avec des gestes longs et réguliers.

Pour facetter une pièce, passez un fil de fer le long des parois pour en prélever des languettes. Vous pouvez tendre le fil entre vos mains ou utiliser un coupe-fromage, tel qu'illustré.

Gravure à l'état de cuir

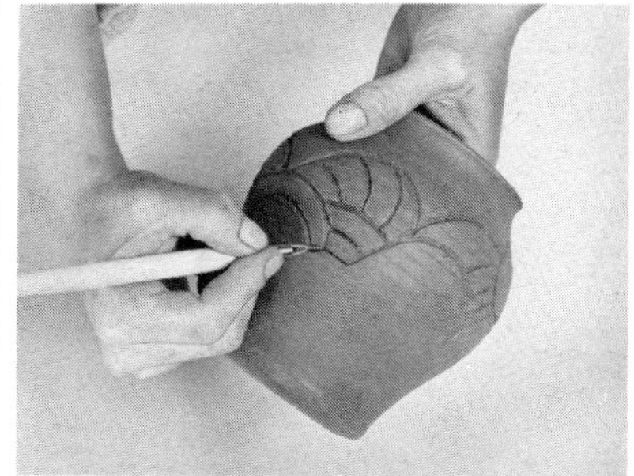

Pour inciser la pièce, grattez-en les parois avec une pige. Pour un décor en relief, vous pouvez utiliser des outils à sgraffite (p. 320) ou des tournassins. Rehaussez le motif par une glaçure.

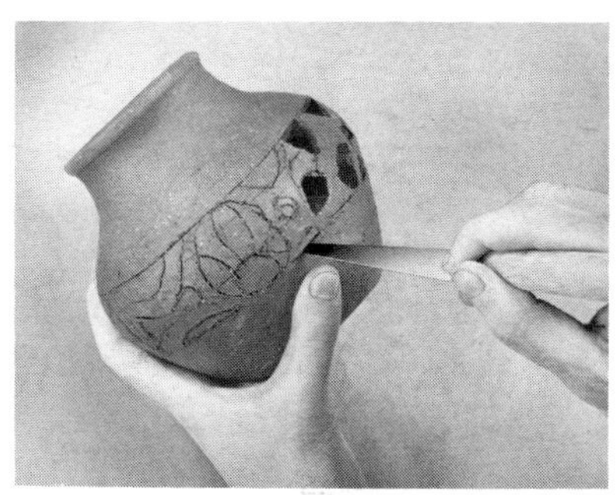

Pour un décor ajouré, gravez d'abord légèrement le motif, puis évidez-le avec un couteau de potier ou une pige s'il s'agit de détails délicats. Laissez sécher la pièce très lentement.

Lutage

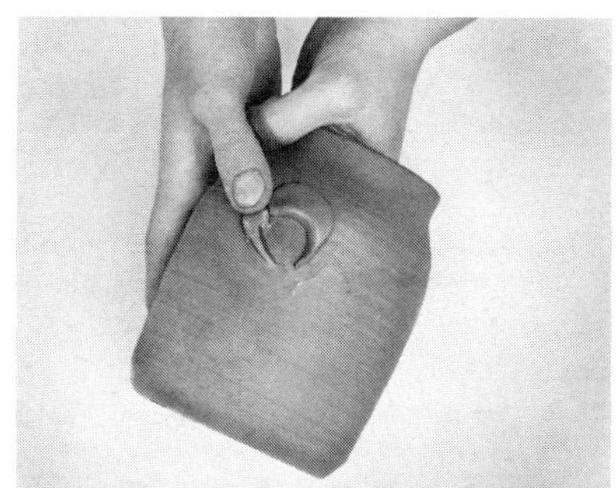

Pour poser un ruban d'argile sur un pot, façonnez d'abord le ruban, puis fixez-le par pression ou tapotement à la pièce à l'état de cuir que vous aurez mouillée aux points de contact.

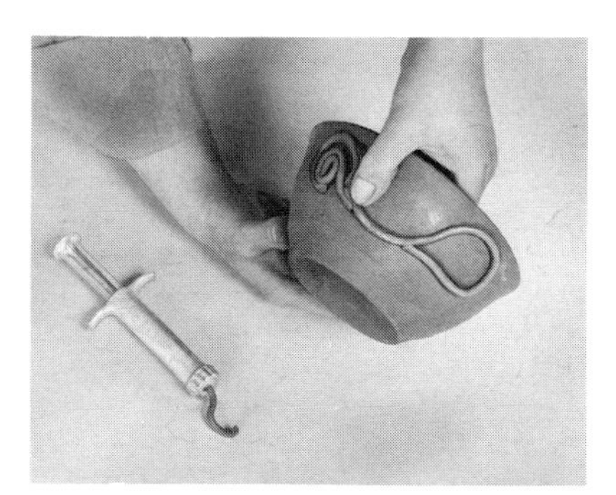

Avec une boudineuse aux buses interchangeables, vous obtiendrez des boudins de pâte de formes diverses. Utilisez-les pour dessiner des lacis intéressants.

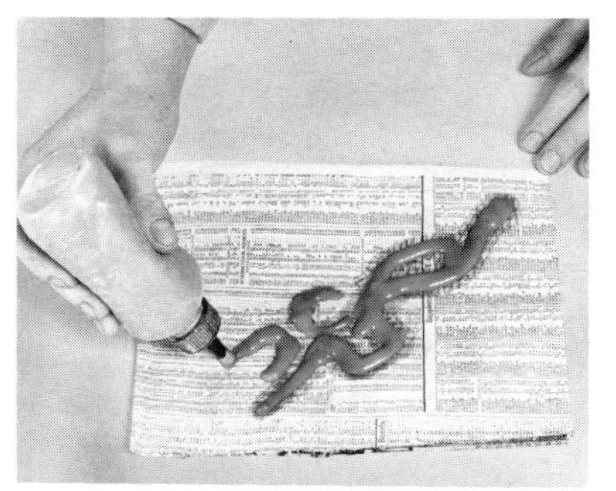

Pour transférer de la barbotine sur une pièce, préparez-la d'abord avec l'argile employée pour l'ébauche, puis formez un lacis sur un journal en utilisant une seringue.

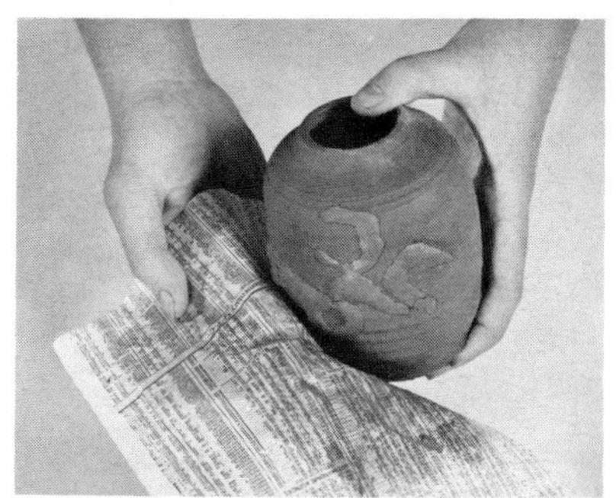

Laissez la barbotine durcir un peu, mouillez la pièce aux points de contact, puis appuyez le journal contre celle-ci jusqu'à ce que la barbotine y adhère. Détachez le journal délicatement.

Poterie

Décors à la barbotine

Pour un décor sur le tour, imprimez une rotation très lente à celui-ci et tracez avec une seringue des filets réguliers de barbotine.

Vous pouvez laisser les filets tels quels ou dessiner un motif étoilé en laissant courir légèrement votre doigt sur la barbotine.

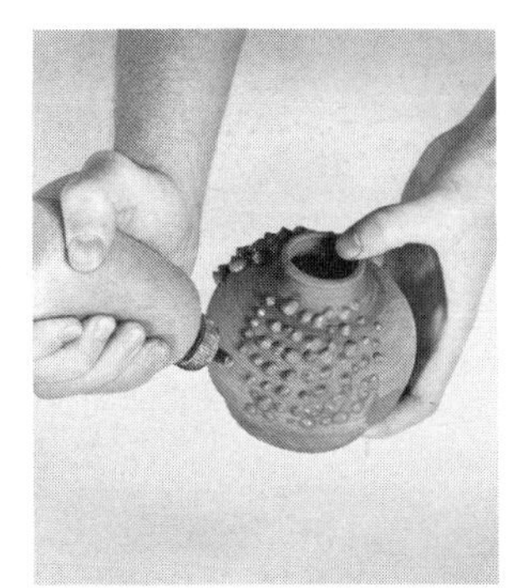

Pour une texture rugueuse, couvrez la pièce de petits cônes de barbotine très serrés. Celle-ci doit être relativement épaisse.

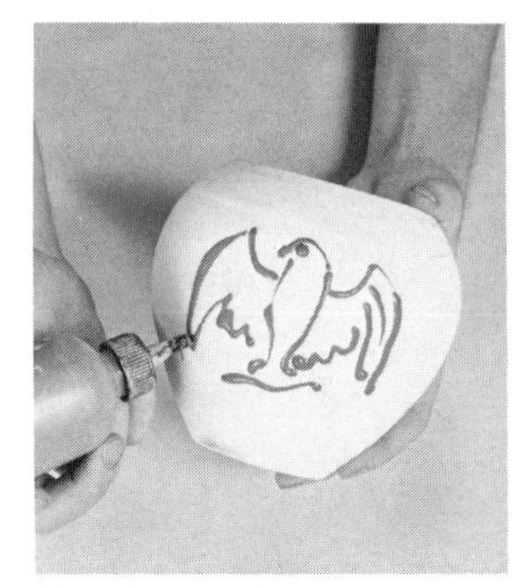

Avec de la pratique, vous pourrez dessiner de jolis motifs en barbotine ; évitez les pâtés, toute rectification étant malaisée.

Formules de barbotines

Barbotine blanche (parties)		Couleur désirée	Ajouter (parties)	
Argile figuline	20	Bleu	Carbonate de cobalt	5
Kaolin	20		Ocre jaune	2
Syénite néphélinique	10		Bioxyde de manganèse	1
Borax	5	Vert	Carbonate de cuivre	10
Blanc de Meudon	5	Jaune	Teinture au vanadium	10
Silex	25	Noir	Bioxyde de manganèse	10
Feldspath de soude	15		Oxyde d'hématite rouge	8
			Carbonate de cobalt	5
		Jaune perle	Rutile	10
		Bleu-vert	Oxyde de chrome	4
			Carbonate de cobalt	3

Décors à la plume et marbrage

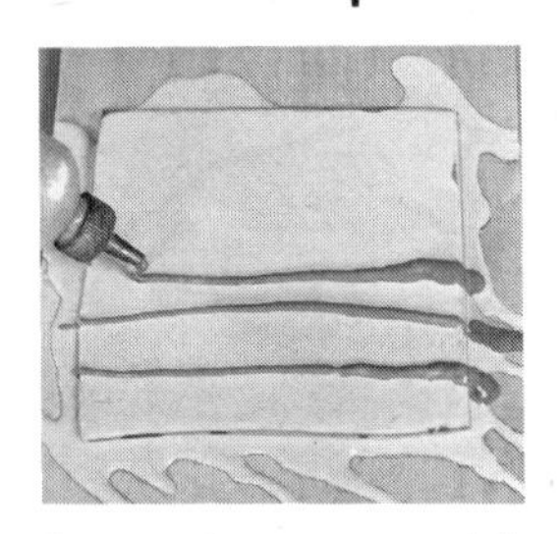

Pour un plumage, versez de la barbotine épaisse sur une plaque fraîche. Faites des lignes d'une couleur contrastante.

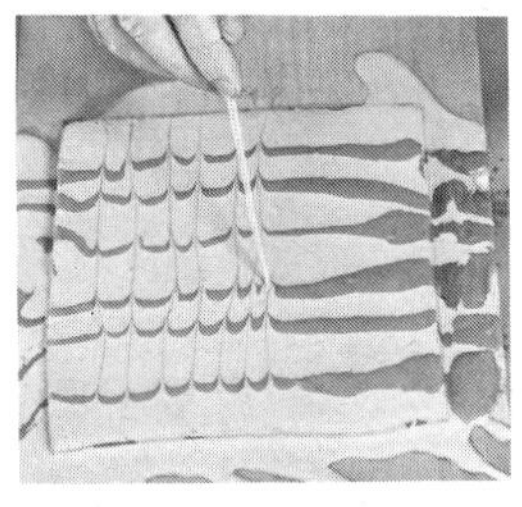

Heurtez la pièce du doigt pour égaliser la barbotine. Passez une pointe souple dans le tracé pour mélanger les couleurs.

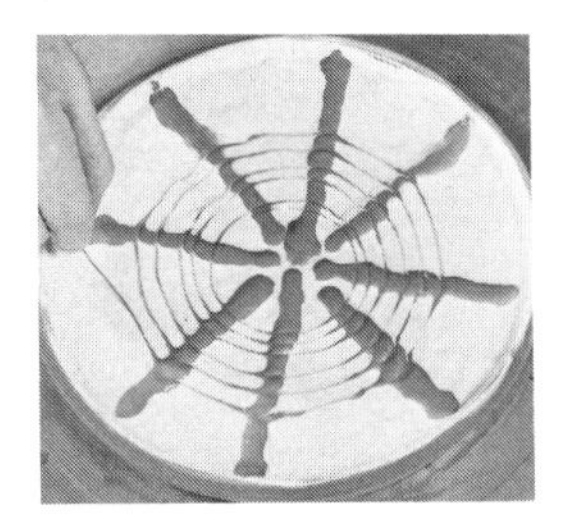

Pour obtenir d'intéressants motifs concentriques, faites un plumage à la barbotine tout en faisant tourner le tour lentement.

Pour un marbrage, appliquez de la barbotine, puis inclinez la plaque dans tous les sens pour mêler les couleurs.

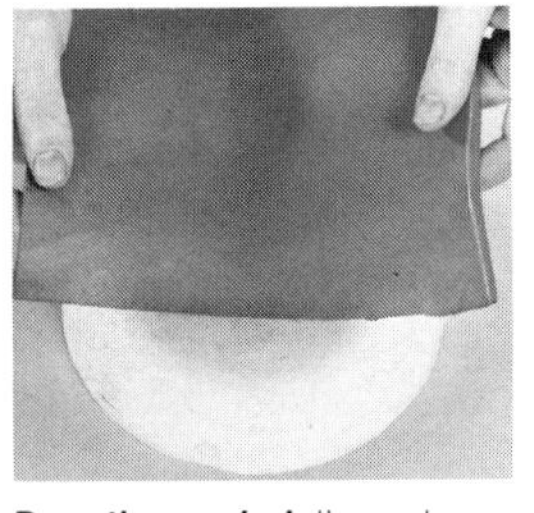

Pour tirer un bol d'une plaque ornée, posez-la sur un moule en plâtre quand elle est presque à l'état de cuir.

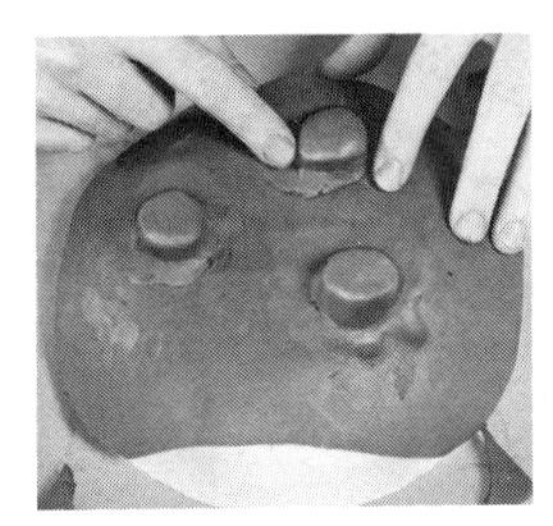

Otez le surplus d'argile, fixez plusieurs petites boules de terre en guise de pieds et laissez sécher le bol lentement.

Sgraffite

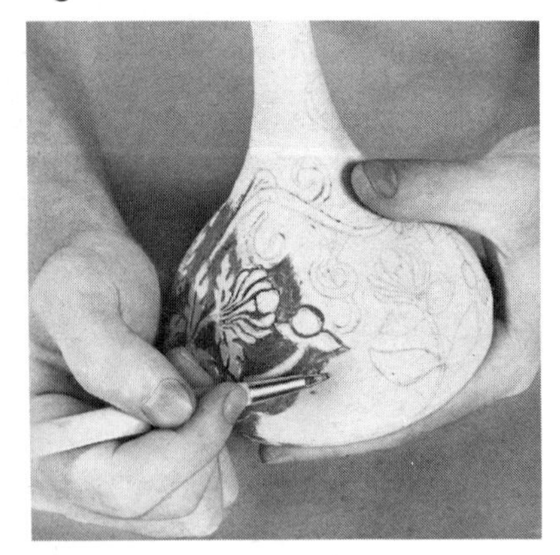

Pour un décor au sgraffite, enduisez de barbotine la pièce à l'état de cuir à l'aide d'un pinceau. Quand la barbotine est suffisamment sèche, gravez le motif avec une pige ou un outil à sgraffite (semblable à une mirette, voir ci-contre). Vous pouvez aussi enlever des sections de barbotine avec les mêmes outils ou avec une mirette.

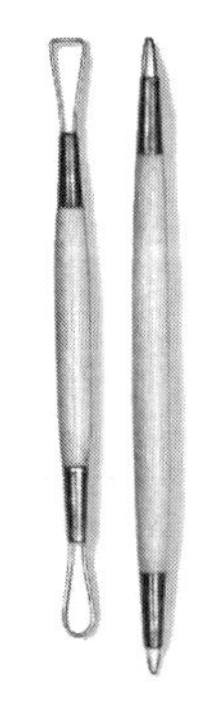

Outils à sgraffite

Mishima

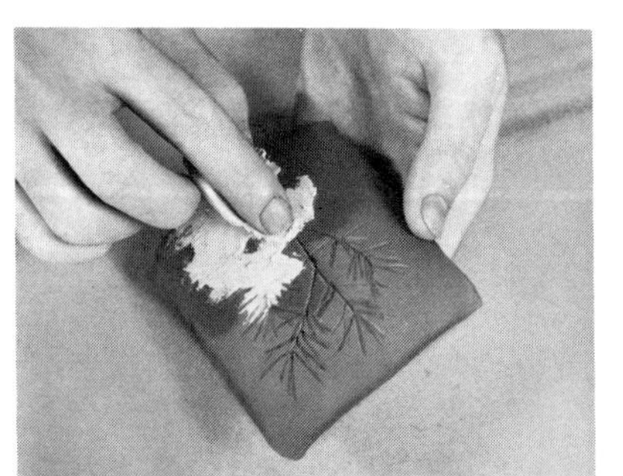

Pour un décor au mishima, incisez ou appliquez au rouleau un motif en creux sur une pièce d'argile. Couvrez la surface et comblez le motif d'une barbotine épaisse de couleur contrastante.

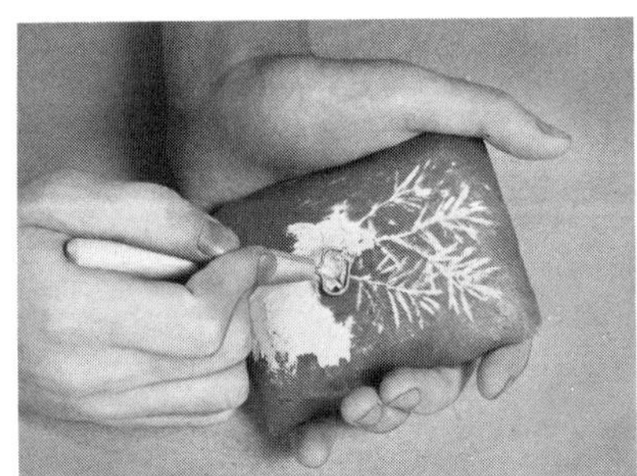

Quand la barbotine a la dureté du cuir, grattez-la sur toute la surface de la pièce avec une mirette, mais sans toucher au motif. Laissez l'argile sécher lentement.

La cuisson

Une ébauche est encore fragile et pourrait se changer en barbotine si on la trempait dans de l'eau. Pour qu'elle devienne une substance dure comme la pierre, inerte et durable, il faut la faire cuire à plusieurs centaines de degrés Celsius.

La cuisson se fait habituellement en deux étapes distinctes. La première, qui donne un dégourdi, s'effectue à une température relativement basse qui durcit l'argile, mais la laisse poreuse. La manipulation s'en trouve ainsi facilitée pour le glaçage (p. 323) et la porosité du dégourdi assure une bonne imprégnation de la glaçure. Lors de la seconde étape, la pièce est remise au four, ou recuite, jusqu'à ce qu'elle atteigne sa température de maturation.

L'alchimie du feu. L'argile doit sa plasticité à la présence d'eau entre ses particules (p. 286). Quand cette eau, dite de plasticité, s'évapore, les particules se resserrent et on assiste à un retrait de l'argile. Après avoir reposé une semaine ou deux, celle-ci ne contient à peu près plus d'eau de plasticité et devient dure et cassante. Cet état est dit sec à l'absolu. A ce stade, l'argile n'a encore subi aucune transformation chimique.

Au début de la cuisson, la température doit s'élever lentement pour permettre l'évaporation de l'eau de plasticité. Si elle montait trop brusquement, les petites poches d'eau encore contenues dans l'argile se changeraient en vapeur à 100°C et feraient éclater la pièce.

Le premier changement dans la composition chimique de l'argile survient vers 350°C, au moment où l'eau, mélangée à la silice et à l'alumine (p. 286), commence à s'évaporer. Cette déshydratation prend fin vers 600°C, alors que la composition de l'argile est définitivement modifiée; un pot cuit à 600°C et qu'on plongerait dans de l'eau ne bougerait pas, en dépit de sa grande fragilité.

Quand le four atteint 573°C, la modification des cristaux de quartz (présents dans toute terre argileuse) augmente le volume total de l'argile d'environ 2 p. 100. Après une cuite à la température de maturation et un refroidissement jusqu'à 573°C, les cristaux retrouvent leur structure originale et, par conséquent, le volume de l'argile diminue de 2 p. 100. A ce stade, il est essentiel, pour ne pas abîmer les pièces, que l'élévation et la baisse de température soient graduelles et uniformes.

Le carbone et les impuretés contenues dans l'argile et qui ne sont pas encore réduits à l'état d'oxydes finissent soit par s'oxyder, soit par se décomposer lorsque la température du four atteint 900°C. Toutefois, si la cuisson est trop rapide ou s'il y a une carence en oxygène dans le four, il restera du carbone dans l'argile, ce qui en fera noircir la surface.

La vitrification. La hausse de température provoque la fusion de certaines impuretés contenues dans l'argile; une fois fondues, ces impuretés collent entre elles les particules argileuses, tout en stimulant la fusion et la combinaison d'autres éléments. Ce processus, qui se produit à de très hautes températures, s'appelle vitrification et a comme résultat de durcir l'argile et de la rendre non poreuse.

Les températures de vitrification des terres argileuses varient selon la nature de celles-ci. La faïence, qui contient beaucoup d'impuretés, durcit à des températures relativement basses; en fait, elle commence à se vitrifier à des degrés de chaleur où d'autres terres, comme le kaolin, sont à peine dégourdies. Il est important de cuire une argile à la température où elle acquiert une solidité et une densité optimales. C'est ce qu'on appelle la *température de maturation.*

La fusion et la liquéfaction partielles des particules s'accompagnent d'un autre phénomène: le durcissement provoqué par la croissance des cristaux de mullite ($3Al_2O_3\ 2SiO_2$), qui s'amorce à 955°C et entraîne la formation d'une structure en treillis, d'une très grande solidité.

Tous ces changements subis par l'argile en accentuent le retrait, qui peut alors atteindre 10 p. 100 (voir p. 287).

Les montres fusibles. La température à l'intérieur du four se calcule en unités appelées montres fusibles ou encore cônes pyrométriques ou de Seger, à cause des petits cônes faits d'argile et de fondant qu'on utilise pour la mesurer. Ces cônes sont préparés de façon à ramollir et à s'affaisser à des températures données; on les place dans le four, vis-à-vis du regard, pour que le potier puisse en observer la transformation.

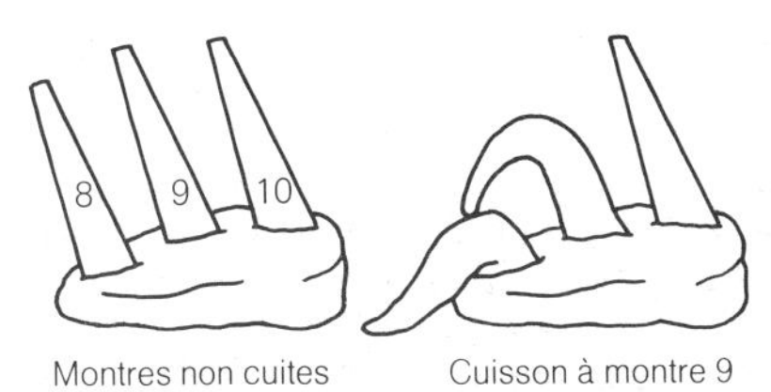

Montres non cuites — Cuisson à montre 9

MONTRE	TEMPÉRATURE (hausse de 150°C/h) °C
020	635
019	683
018	717
017	747
016	792
015	804
014	838
013	852
012	884
011	894
010	905
09	923
08	955
07	984
06	999
05	1 046
04	1 060
03	1 101
02	1 120
01	1 137
1	1 154
2	1 162
3	1 168
4	1 186
5	1 196
6	1 222
7	1 240
8	1 263
9	1 280
10	1 305
11	1 315
12	1 326

En fait, ces montres mesurent davantage l'effet de la chaleur que la température: si celle-ci augmente très lentement, les pièces absorberont davantage de chaleur et les réactions chimiques surviendront à des températures plus basses que si on avait chauffé le four très rapidement. Et comme les montres ont besoin d'un certain temps pour absorber suffisamment de chaleur pour s'affaisser, leur précision, comme instruments de mesure, est supérieure à celle des thermomètres puisque ceux-ci ne réagissent qu'à la température.

Les montres sont déposées par trois sur une galette d'argile additionnée de vermiculite, et leurs numéros sont consécutifs. Pour cuire à montre 9, par exemple, on prépare une plaque avec des montres 8, 9 et 10. En fléchissant, montre 8 indique qu'on approche de la température voulue, ce qui est confirmé quand le sommet de montre 9 touche la plaque. Si montre 10 commence à s'affaisser, le four est trop chaud.

On utilise une version réduite des montres fusibles dans les fours munis d'un coupe-circuit automatique. En s'affaissant, la montre fait tomber un morceau de métal qu'on avait déposé sur sa pointe, ce qui éteint le four.

L'enfournement. Il est préférable de laisser sécher les pièces pendant au moins une semaine avant de les cuire. Si vous hésitez sur le degré de séchage, pressez la pièce contre votre joue: la moindre sensation de froid signifie que l'humidité est encore trop grande pour pouvoir procéder à la cuisson. Pour accélérer le séchage d'une ébauche qui est presque prête, placez-la sur le four pendant la cuite d'une fournée. Elle finira de durcir grâce à la chaleur réduite dégagée par le four.

Poterie

La cuisson *(suite)*

Enfournement

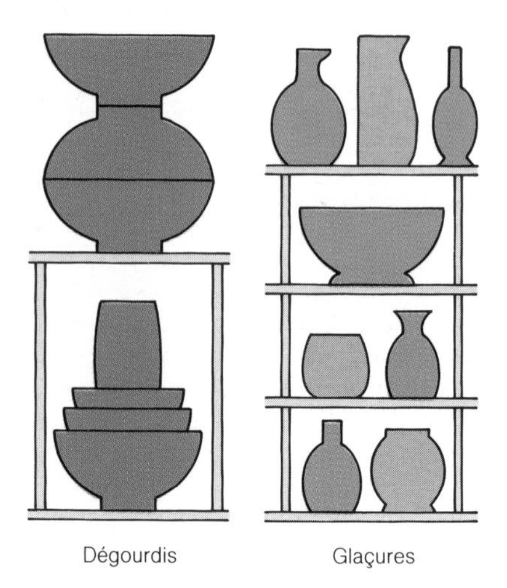

Pour la cuisson de dégourdis, on peut empiler les pièces les unes dans les autres, bord contre bord ou base contre base. Comme l'argile ramollit en cuisant, n'empilez pas trop haut et ne mettez pas les pièces fragiles au bas de la pile. Pour recuire des pièces glacées, laissez ¼ po entre elles. Les plaques réfractaires permettent un enfournage équilibré.

Les piliers et les plaques d'enfournement sont faits d'un matériau réfractaire, et on les utilise pour enfourner sur plusieurs hauteurs (voir l'illustration ci-dessus). En plaçant à l'extrémité des piliers des boulettes d'argile réfractaire mais malléable, on peut mettre les plaques de niveau. L'enfournement doit être calculé de manière que les plaques ne s'écroulent pas et que la cuisson soit uniforme. Dans un four électrique, les ébauches doivent se trouver à au moins 1 po des éléments chauffants. Il faut également laisser un espace entre les pièces et les parois, dans un four alimenté par un combustible, pour permettre la convection des gaz chauds.

Selon qu'il s'agit d'une première cuisson ou d'un recuit de pièces glacées, l'enfournement se fait différemment. Dans le premier cas, on peut empiler les pièces, alors que, dans le second, il faut laisser au moins ¼ po entre elles.

Enduit pour le four. Avant d'enfourner des dégourdis glacés, il faut enduire le fond du four et les plaques de plusieurs couches d'une préparation faite d'une part de kaolin et d'une autre de silex, qu'on délaie dans de l'eau jusqu'à la consistance d'une crème. Cela empêche les pièces de coller au four lorsque la glaçure coule durant la cuite.

Dans certains fours alimentés par un combustible, il faut protéger les pièces des flammes et de la calamine; pour ce faire, on les emmoufle, c'est-à-dire qu'on les place dans un moufle ou casette. On peut voir à droite un modèle de moufle.

L'allumage du four. Une fois que l'enfournage est terminé et que les montres ont été placées en face du regard, on allume le four. Il est capital de procéder lentement. Une chauffe trop rapide pourrait provoquer des explosions, faire boursoufler et noircir l'argile ou endommager les glaçures. Pour chauffer un four électrique afin de cuire des dégourdis, on procède ainsi: après avoir laissé le four tiède et entrouvert pendant 1 heure ou 2, on le ferme et on le laisse 1 heure de plus à basse température; on le règle ensuite à une température modérée et on attend 1 heure avant d'augmenter encore la chaleur jusqu'à ce que l'on obtienne la température voulue.

Pour cuire des pièces glacées, on augmente rapidement la chaleur au début, mais on procède plus lentement à mesure qu'on se rapproche de la température de maturation; il devrait s'écouler au moins une demi-heure entre l'affaissement des deux dernières montres; sinon, on maintiendra une température constante dans le four pendant au moins 30 minutes après la fusion de la dernière montre. En général, la température pour la cuite des dégourdis est atteinte entre 4 et 10 heures; il faut compter plus longtemps pour les pièces glacées. La chauffe des fours à combustible dépend de leur dimension, de leur forme et du combustible employé.

Les moufles

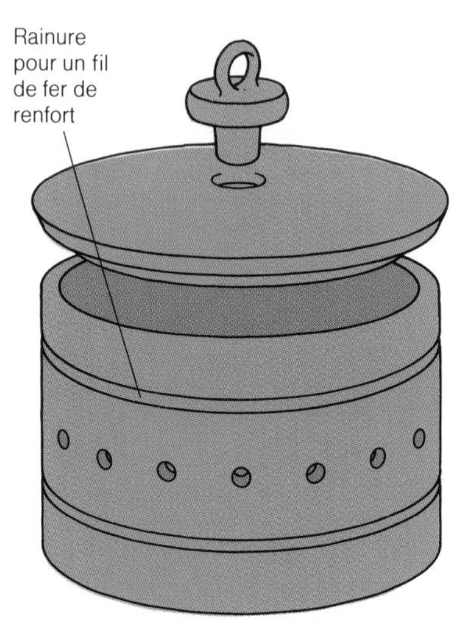

On utilise des moufles pour protéger les pièces des flammes et de la calamine. Leur forme dépend de celle du four. Pour celui de la page 293, on emploiera un moufle rond. Celui-ci comporte trois parties : le corps, le couvercle et un bouchon qu'on peut retirer avec un tisonnier pour voir à l'intérieur pendant la cuite. On peut façonner son propre moufle avec de l'argile réfractaire.

Quand la cuisson dans un four électrique est terminée, il suffit de l'éteindre. Avec un four à combustible, il faut aussi fermer le registre et boucher toutes les ouvertures afin d'empêcher l'air froid d'y pénétrer. Attendez 10 heures avant d'entrouvrir le four; n'en retirez les pièces que lorsqu'il est suffisamment froid pour pouvoir défourner les mains nues.

Règles de sécurité. Avant d'allumer un four, assurez-vous qu'il n'y a pas d'éléments combustibles à proximité de l'appareil et que la ventilation est suffisante pour disperser la chaleur et les vapeurs; les fours électriques doivent être mis à la terre. Ne laissez jamais un four sans surveillance pendant une cuite.

Cuisson en réduction. Dans les fours à combustible, on peut remplir de fumée la chambre de cuisson afin de modifier chimiquement l'argile et la glaçure des pièces. Pour ce faire, on coupe l'arrivée d'air et on ferme le registre à moitié; la combustion est alors incomplète et le carbone contenu dans le combustible devient de l'oxyde de carbone (CO) au lieu de se transformer en bioxyde de carbone (CO_2). L'oxyde de carbone est un composé instable qui absorbe l'oxygène des oxydes contenus dans l'argile et les glaçures et, ce faisant, en modifie la couleur et la texture. Ainsi, la majorité de l'oxyde de fer que contient une terre argileuse est de l'hématite rouge (Fe_2O_3). Dans une atmosphère de réduction, il se change en oxyde de fer noir (FeO). C'est pourquoi toute argile rouge qui n'a pas été glacée noircit dans une atmosphère de réduction.

Dans un four au gaz, on provoque une atmosphère de réduction en fermant le registre à moitié et en réduisant environ des trois quarts la principale entrée d'air, pour que la flamme prenne une couleur orange foncé. Vous saurez que vous avez atteint le résultat souhaité si, en jetant un coup d'œil par le regard, vous voyez que l'air est poussiéreux et brouillé. Un épais nuage de fumée indiquerait une réduction excessive. Certains fours donnent spontanément une flamme orange, ce qui facilite la réduction de l'atmosphère.

Un horaire typique de cuisson en réduction à montre 9 ou 10 serait le suivant : cuisez en atmosphère d'oxydation jusqu'à montre 08; réduisez l'atmosphère pendant 30 à 60 minutes pour favoriser le retrait de la pâte; cuisez ensuite dans une atmosphère neutre (la flamme aura des reflets verts) jusqu'à montre 7 ou 8; enfin, réduisez la température pendant 30 à 60 minutes pour amener lentement le four au degré de maturation. Il arrive parfois qu'on cuise ensuite en oxydation pendant un bref moment, avant de fermer le four pour le laisser refroidir.

Le glaçage

Une glaçure est un enduit qui se vitrifie sur une poterie, durant la cuisson. Elle renforce la pièce, en augmente la beauté et la rend généralement non poreuse.

La silice. Trois principaux ingrédients entrent dans la composition d'une glaçure. Le plus important est la silice qui pourrait servir seule de glaçure si son point de fusion n'était pas beaucoup plus élevé que celui de l'argile. Plus une glaçure est riche en silice, plus elle est dure; ainsi, les glaçures de grand feu, qui contiennent beaucoup de silice, sont plus durables que celles dites de petit feu.

Les fondants. Pour réduire le point de fusion de la silice, on ajoute des fondants aux glaçures. Ceux-ci deviennent actifs à des températures diverses (voir p. 326).

L'alumine. Il s'agit du troisième ingrédient des glaçures. Elle en augmente la viscosité, ce qui les empêche de couler durant la cuite. L'alumine renforce également les glaçures et prévient la cristallisation des autres substances chimiques, phénomène qui aurait pour effet d'altérer l'homogénéité des glaçures et de les rendre plus rugueuses.

Les glaçures de petit feu. Ces glaçures contiennent plus de fondants et moins d'alumine et de silice que celles de grand feu. C'est pourquoi elles sont plus fragiles que celles-ci, s'égratignent plus facilement et peuvent se dissoudre dans des acides moyens (comme ceux contenus dans les jus de fruits). Elles existent dans une grande variété de couleurs dont certaines ne supportent pas une température élevée. Le plomb est le plus polyvalent des fondants de petit feu. Mais il est très dangereux, car sa toxicité est grande. Même si on peut neutraliser celle-ci, il vaut mieux éviter complètement les glaçures au plomb; d'ailleurs, on peut aisément remplacer cette substance par d'autres fondants, employés seuls ou combinés.

Les glaçures de grand feu. Tout comme les argiles du même type, les glaçures de grand feu sont plus faciles à préparer parce qu'elles ont moins besoin de fondant. Pour la cuisson des terres grèseuses, par exemple, le feldspath — qui contient de la silice, de l'alumine et au moins un oxyde alcalin agissant comme fondant — peut être utilisé comme glaçure, seul ou avec quelques autres substances. A montres 9 à 10, les teintes s'atténuent, mais les glaçures deviennent dures comme de la pierre.

Les couleurs. Pour colorer les glaçures, on y ajoute des oxydes métalliques (voir le tableau, p. 326). D'autres ingrédients agissent sur l'opacité et la texture des glaçures (p. 327).

Les magasins spécialisés offrent des glaçures dans à peu près toutes les couleurs et pour tous les types de terres. Si vous achetez une glaçure de petit feu pour de la vaisselle, assurez-vous qu'elle ne contient pas de plomb.

Préparation des glaçures. Si les glaçures commerciales ne vous conviennent pas, vous voudrez sûrement préparer les vôtres. Toutefois, n'oubliez pas que les résultats d'un glaçage dépendent autant de la pâte, de l'atmosphère de cuisson et du programme de cuite que de la glaçure elle-même; c'est pourquoi il y a toujours une certaine différence entre les illustrations d'un ouvrage et les résultats qu'on obtient. Les deux pages qui suivent proposent diverses glaçures parmi les plus populaires; aux pages 326-328, vous trouverez comment les modifier ou en créer d'autres.

Les ingrédients secs. Pour préparer une glaçure, pesez soigneusement tous les ingrédients secs et mélangez-les à fond avant d'y ajouter de l'eau jusqu'à l'obtention d'une crème épaisse. Pour pouvoir refaire la même glaçure, notez la quantité d'eau ajoutée. L'épaisseur d'une glaçure peut en modifier l'apparence du tout au tout (voir p. 328). Passez ensuite le mélange dans un tamis nº 80 et remuez bien de nouveau avant de passer à l'application.

Glaçage. Manipulez le dégourdi le moins possible et tenez-le à l'abri des saletés et de la poussière. Avant de le glacer, essuyez-le comme il faut avec une éponge humide. Vous avez ensuite le choix entre l'application au pinceau, par immersion ou par coulage. Les deux derniers procédés donnent un glaçage plus uniforme, mais requièrent plus de glaçure. Vous pouvez également vaporiser celle-ci en vous servant d'un accessoire spécial.

Pour éviter que la glaçure ne coule et n'adhère au four durant la cuisson, évitez d'en mettre sous les pièces ou à plus de ¼ po de la base. Il suffit, pour cela, de tremper le bas des pièces dans de la cire fondue avant de les glacer.

Une fois la glaçure appliquée, n'y touchez plus tant qu'elle n'aura pas séché. Les pièces glacées devront avoir durci avant d'être mises à cuire.

Utilisez un pinceau large pour appliquer la glaçure uniformément. Mettez-en généreusement. Trois couches au pinceau donnent à peu près la même épaisseur qu'un bain.

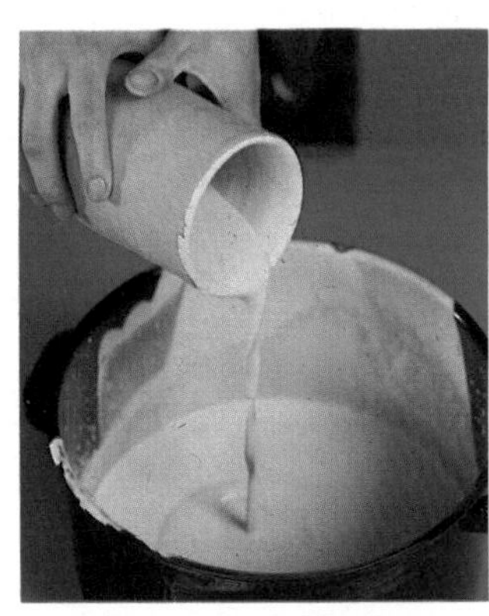

Pour l'application par coulage, versez la glaçure dans la pièce et faites tourner celle-ci. Versez ensuite le surplus et faites tomber les gouttelettes du rebord.

On peut procéder de la même façon pour glacer le dessous des pièces, surtout les assiettes. Déposez-les sur des baguettes placées sur les bords d'un grand bol et versez la glaçure.

Pour le glaçage par immersion, tenez la pièce par sa base et plongez-la dans la glaçure. Retirez la pièce, secouez tout surplus et retouchez les marques de doigt avec un pinceau.

L'immersion permet des effets intéressants, comme une glaçure appliquée latéralement. Quand elle est sèche, on peut replonger la pièce selon un autre angle.

Poterie

Les glaçures et leurs formules

Il existe 28 types de glaçures et leurs formules sont décrites dans ces deux pages. Les proportions des composants sont données en pourcentages approximatifs (certaines quantités sont si petites que le total ne donne pas toujours 100). Les ingrédients sont mélangés et appliqués selon le procédé décrit à la page 323.

Les numéros des pâtes d'argile, indiquant leur composition avant le glaçage, correspondent aux formules de la page 288.

Les glaçures doivent cuire à la température indiquée par le numéro des montres. A moins d'indication contraire, la cuisson se fait en oxydation. Le mode de cuisson est décrit aux pages 321-322.

1. Transparente
Pâte 1, montre 04

Fritte #3195	75
Argile figuline	24
Carbonate de magnésium	1

2. Vert moucheté
Pâte 1, montre 04

Fritte #3195	69,0
Argile figuline	23,0
Oxyde d'étain	7,0
Carbonate de magnésium	1,0
Oxyde de chrome	0,5

3. Bleu
Pâte 1, montre 04

Fritte #3195	69
Argile figuline	23
Oxyde d'étain	7
Carbonate de magnésium	1
Carbonate de cobalt	1

4. Rouge
Pâte 1, montre 04

Fritte #3195	75
Argile figuline	25
Teinture rouge	10

5. Bleu mat moucheté
Pâte 4, montre 6

Feldspath de soude	34,0
Syénite néphélinique	17,0
Blanc de Meudon	12,6
Carbonate de baryum	1,6
Oxyde de zinc	6,0
Gerstleyite	3,3
Dolomite	2,6
Talc	3,3
Kaolin	12,3
Silex	7,3
Oxyde d'étain	1,3
Carbonate de cobalt	0,6
Bioxyde de manganèse	2,0
Carbonate de cuivre	1,3
Ilménite	1,3

6. Rouge
Pâte 4, montre 6

Silex	30
Kaolin	5
Feldspath de soude	20
Talc	14
Gerstleyite	32
Oxyde d'hématite rouge	15

7. Barbotine « Albany »
Pâte 4, montre 6

Argile d'Albany	90
Carbonate de lithium	10

8. Noir
Pâte 4, montre 6

Argile d'Albany	75
Syénite néphélinique	15
Carbonate de baryum	10
Carbonate de cobalt	5
Bioxyde de manganèse	1
Bentonite	1

9. Lavande
Pâte 4, montre 6

Syénite néphélinique	30
Gerstleyite	15
Carbonate de baryum	10
Blanc de Meudon	10
Silex	20
Kaolin	5
Carbonate de lithium	5
Talc	5

10. Beige moucheté
Pâte 4, montre 6

Gerstleyite	14
Spodumène	30
Kaolin	3
Dolomite	7
Talc	13
Silex	28
Rutile	5
Bioxyde de manganèse	1

11. Pourpre opalescent
Pâte 4, montre 6

Gerstleyite	14
Spodumène	30
Kaolin	5
Dolomite	7
Talc	13
Silex	20
Rutile	6
Bioxyde de manganèse granulé	1

12. Blanc mat moucheté
Pâte 4, montre 6

Syénite néphélinique	5,0
Blanc de Meudon	12,0
Oxyde de zinc	10,0
Kaolin	18,0
Silex	1,5
Carbonate de lithium	5,0
Argile Barnard	1,2
Bentonite	2,0

13. Rouge coupé de crème
Pâte 4, montre 6

Gerstleyite	35
Feldspath de soude	15
Blanc de Meudon	10
Carbonate de baryum	5
Silex	10
Oxyde d'étain	13
Oxyde d'hématite rouge	2

14. Pourpre opalescent
Pâte 6, montre 6
Même formule que pour la glaçure 11

15. Bleu-gris
Pâte 6, montre 6

Feldspath de potasse	32,0
Silex	24,0
Kaolin	12,0
Oxyde de zinc	8,0
Blanc de Meudon	24,0
Rutile	7,0
Carbonate de cobalt	0,5
Oxyde d'étain	7,5

16. Transparente
Pâte 6, montre 6

Gerstleyite	49
Kaolin	17
Silex	34

17. Perle
Pâte 6, montre 6

Dolomite	15,4
Syénite néphélinique	15,4
Fritte #3195	30,8
Oxyde de zinc	9,2
Argile figuline	15,4
Oxyde d'étain	3,5
Rutile	9,6
Borax	4,8
Oxyde d'hématite rouge	2,0

18. Céladon bleu-gris pâle
Pâte 6, montre 6

Spodumène	50,000
Silex	25,000
Gerstleyite	25,000
Oxyde de chrome	0,009
Oxyde de cobalt	0,038
Oxyde d'hématite rouge	0,046
Bioxyde de manganèse	0,015
Oxyde de nickel	0,016

19. Rouge-vert
Pâte 5, montres 9-10, réduction

Feldspath de soude	49
Talc	4
Kaolin	23
Cendres d'os	4
Blanc de Meudon	20
Oxyde d'hématite rouge	4

20. Crème
Pâte 5, montres 9-10, réduction

Feldspath de soude	26
Dolomite	30
Blanc de Meudon	5
Kaolin	33
Silex	6

21. Jaune-brun
Pâte 5, montres 9-10, réduction

Dolomite	31,0
Blanc de Meudon	4,0
Feldspath de potasse	25,0
Kaolin	32,0
Silex	7,0
Oxyde d'hématite rouge	1,0
Carbonate de cobalt	0,5

22. Céladon vert olive
Pâte 5, montres 9-10, réduction

Argile figuline	11,0
Blanc de Meudon	16,5
Silex	30,5
Feldspath de soude	41,0
Oxyde d'hématite rouge	1,0

23. Temmoku
Pâte 7, montres 9-10, réduction

Argile d'Albany	59
Silex	13
Blanc de Meudon	10
Feldspath de soude	12
Oxyde d'étain	2
Oxyde d'hématite rouge	5

24. Bleu marbré
Pâte 7, montres 9-10, réduction

Feldspath de soude	42,0
Kaolin	3,3
Silex	26,0
Blanc de Meudon	2,6
Gerstleyite	9,0
Dolomite	9,0
Oxyde de zinc	1,7
Carbonate de baryum	4,3
Oxyde d'étain	2,6
Rutile	5,9
Carbonate de cuivre	0,5

25. Vert lung chun
Pâte 7, montres 9-10, réduction

Feldspath de soude	35
Dolomite	15
Blanc de Meudon	5
Kaolin	9
Silex	35
Oxyde d'hématite rouge	2

26. Transparente
Pâte 7, montres 9-10, réduction

Feldspath de soude	44
Blanc de Meudon	18
Silex	28
Kaolin	10

27. Vert céladon
Pâte 7, montres 9-10, réduction

Feldspath de soude	44,0
Blanc de Meudon	18,0
Silex	28,0
Kaolin	10,0
Oxyde de fer noir	1,5

28. Bleu céladon
Pâte 7, montres 9-10, réduction

Feldspath de potasse	50,6
Blanc de Meudon	6,2
Kaolin	4,0
Silex	20,5
Carbonate de baryum	16,5
Oxyde d'hématite rouge	2,1

Poterie

Les glaçures : formules complexes et effets spéciaux

La création de glaçures est une opération complexe, car on peut rarement ajouter un élément afin d'obtenir un effet donné, sans en obtenir d'autres en même temps. Non seulement chacun des composants d'une glaçure a-t-il ses particularités, mais il en va de même de chaque combinaison d'éléments. Le défi consiste donc à maîtriser certains phénomènes chimiques.

Cela ne devrait pas vous détourner de l'idée de fabriquer vos propres glaçures ; mais ne croyez pas que vous pourrez prévoir avec exactitude l'effet d'une glaçure en mélangeant au hasard n'importe quels types de silice, d'alumine, de fondant et de colorant.

La façon la plus simple de préparer de nouvelles glaçures consiste à ajouter des colorants à une glaçure transparente, telles les glaçures 1, 16 et 26 des pages 324-325. Les oxydes métalliques employés couramment comme colorants sont énumérés ici, dans le tableau 3.

Pour modifier en profondeur les glaçures des pages 324-325 ou pour en improviser d'autres, il faut bien connaître les fondants et les agents chimiques. Le tableau 2 (à droite) précise les températures de cuisson des fondants.

Les composants crus. A cause de leur coût élevé et de la difficulté de s'en procurer, on emploie rarement les fondants et les autres composants des glaçures à l'état pur. On utilise plutôt d'autres éléments moins coûteux et qui, sous l'action du feu, donnent le résultat souhaité ; par exemple, le blanc de Meudon ($CaCO_3$) devient, à haute température, de l'oxyde de calcium (CaO).

Le tableau 1, ci-contre, présente les éléments crus des glaçures communes ainsi que leurs dérivés de cuisson. Il est très utile pour la création de glaçures parce qu'il indique quels résultats on obtient à partir de tel ou tel autre ingrédient cru. D'autre part, les formules chimiques précisent les proportions des agents chimiques constituants.

TABLEAU 1 : LES COMPOSANTS DES GLAÇURES ET LEURS DÉRIVÉS

Composants crus	Formule	Résultat après cuisson
Feldspath de soude	$Na_2O\ Al_2O_3\ 6SiO_2$	Na_2O, Al_2O_3, SiO_2
Feldspath de potasse	$K_2O\ Al_2O_3\ 6SiO_2$	K_2O, Al_2O_3, SiO_2
Spodumène	$Li_2O\ Al_2O_3\ 4SiO_2$	Li_2O, Al_2O_3, SiO_2
Syénite néphélinique	$K_2O\ 3Na_2O\ 4Al_2O_3\ 8SiO_2$	K_2O, Na_2O, Al_2O_3, SiO_2
Argile	$Al_2O_3\ 2SiO_2\ 2H_2O$	Al_2O_3, SiO_2
Talc	$3MgO\ 4SiO_2\ H_2O$	MgO, SiO_2
Silex	SiO_2	SiO_2
Wollastonite	CaO SiO_2	CaO, SiO_2
Carbonate de magnésium	$MgCO_3$	MgO
Carbonate de lithium	Li_2CO_3	Li_2O
Carbonate de baryum	$BaCO_3$	BaO
Oxyde de zinc	ZnO	ZnO
Dolomite	$CaCO_3\ MgCO_3$	MgO, CaO
Gerstleyite	$2CaO\ 3B_2O_3\ 5H_2O$	CaO, B_2O_3
Blanc de Meudon	$CaCO_3$	CaO
Cendres de soude	Na_2CO_3	Na_2O
Kaolin	$Al_2O_3\ 2SiO_2\ 2H_2O$	Al_2O_3, SiO_2
Fritte #3195		Na_2O (0,311 partie)
		CaO (0,689 partie)
		Al_2O_3 (0,405 partie)
		B_2O_3 (1,100 partie)
		SiO_2 (2,760 parties)
Fritte #P25		Na_2O (0,311 partie)
		ZnO (0,035 partie)
		Al_2O_3 (0,364 partie)
		B_2O_3 (0,695 partie)
		SiO_2 (2,330 parties)
Borax	$Na_2O\ B_2O_3\ 10H_2O$	Na_2O, B_2O_3
Cendres d'os	$4Ca_3(PO_4)\ 2CaCO_3$	4CaO, 2CaO

TABLEAU 2 : LES FONDANTS

Fondant	Formule	Température
Oxyde de sodium (soude)	Na_2O	Toutes les températures
Oxyde de potassium (potasse)	K_2O	Toutes les températures
Oxyde borique	B_2O_3	Toutes les températures
Oxyde de lithium	Li_2O	Toutes les températures
Oxyde de zinc	ZnO	Montre 03 et plus
Oxyde de calcium	CaO	Montre 03 et plus
Oxyde de baryum	BaO	Montre 3 et plus
Oxyde de magnésium	MgO	Montre 3 et plus

TABLEAU 3 : LES COLORANTS

Pour colorer	Ajouter	Pourcentage
Bleu clair à bleu-noir	Carbonate de cobalt	¼-1½
Vert pâle métallique	Carbonate de cuivre	1-5
Tan à brun-noir	Oxyde d'hématite rouge	1
Pourpre clair à foncé	Carbonate de manganèse	4-6
Vert	Oxyde de chrome	½-3
Tan	Rutile	5
Gris à brun	Oxyde de nickel	1-2
Gris	Chromate de fer	2
Jaune	Teinture au vanadium	10
Gris-bleu	Carbonate de cobalt	¼
	Oxyde d'hématite rouge	2
Bleu-vert	Carbonate de cobalt	¼
	Carbonate de cuivre	2
Vert-jaune	Carbonate de cuivre	3
	Teinture au vanadium	3
Bleu royal	Carbonate de cobalt	¼
	Rutile	5
Ocre vif	Teinture au vanadium	8
	Rutile	5

Pour une cuisson en réduction

Pour colorer	Ajouter	Pourcentage
Bleu pâle à bleu foncé	Carbonate de cobalt	⅛-1
Turquoise	Carbonate de cobalt	¼
	Oxyde de chrome	1
Bleu royal	Carbonate de cobalt	¼
	Rutile	5
Bleu-gris	Carbonate de cobalt	¼
	Oxyde de nickel	1
Brun	Carbonate de manganèse	4
Brun texturé	Carbonate de manganèse	4
	Rutile	5
Brun moucheté	Ilménite	2
Céladon	Oxyde d'hématite rouge	1
Céladon olive foncé	Oxyde d'hématite rouge	3
Vert ou brun moucheté	Oxyde d'hématite rouge	4
Rouge cuivre	Carbonate de cuivre	¼-½
Noir	Carbonate de cobalt	1
	Oxyde d'hématite rouge	8
	Carbonate de manganèse	3

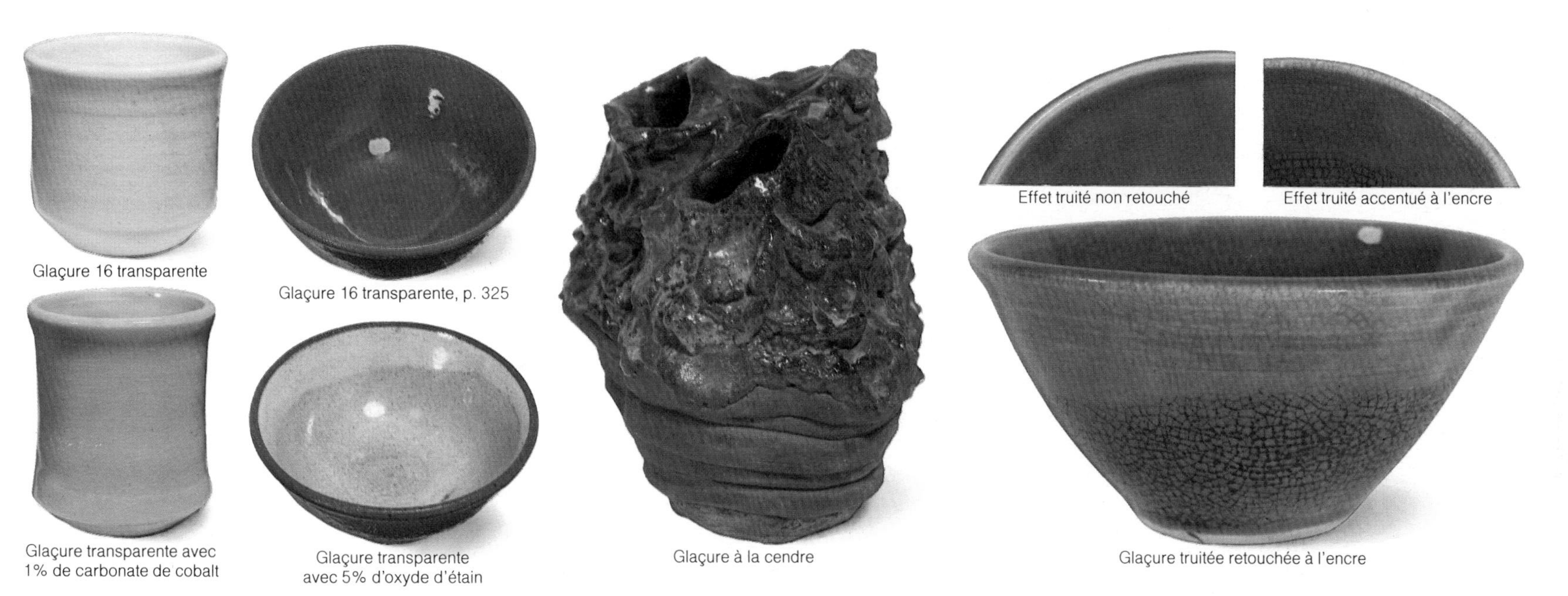

Glaçure 16 transparente

Glaçure 16 transparente, p. 325

Effet truité non retouché

Effet truité accentué à l'encre

Glaçure transparente avec 1% de carbonate de cobalt

Glaçure transparente avec 5% d'oxyde d'étain

Glaçure à la cendre

Glaçure truitée retouchée à l'encre

Si, par exemple, vous voulez inventer une glaçure qui se vitrifiera à la même température que les faïences, il faudra y ajouter une bonne quantité de fondant par rapport à la silice. (Les proportions de base pour l'alumine, la silice et les fondants, selon les températures de cuisson, sont données aux pages 324-325.) Si vous utilisez de la soude ou de la potasse comme fondant, vous aurez le choix entre plusieurs substances chimiques. Le feldspath contient ces fondants, mais il vous donnera également six molécules de silice par molécule de fondant. C'est pourquoi la température de maturation d'une glaçure contenant du feldspath sera différente de celle de la faïence.

Les frittes. Une fritte est un mélange de substances chimiques qu'on fait cuire à haute température, puis qu'on broie après l'avoir laissé refroidir afin de neutraliser la solubilité, la toxicité ou toute autre propriété indésirable d'un ou de plusieurs de ses composants, avant de l'ajouter à la glaçure. Au tableau 1, on remarque que, dans les frittes, la proportion de fondant par rapport à la silice est beaucoup plus importante que dans le cas du feldspath. C'est pourquoi les frittes conviennent mieux pour les glaçures employées sur de la faïence. Les proportions des composants des deux frittes les plus courantes sont indiquées dans le même tableau.

La science et l'intuition. On peut calculer avec une extrême précision les composants chimiques d'une glaçure en tenant compte de leur poids moléculaire ; toutefois, on ne devrait pas négliger pour autant les glaçures inventées de façon empirique, car elles peuvent donner des résultats étonnants.

Les glaçures opaques et transparentes. Une glaçure qui a atteint son point de maturation est généralement transparente. C'est un effet qui est souvent recherché, surtout si l'argile a été recouverte d'un décor (voir pp. 329-330). L'opacité s'obtient par une interruption de la cuisson ou par l'addition d'agents opacifiants. Une glaçure deviendra laiteuse avec l'addition de 1 à 3 p. 100 d'oxyde d'étain, et opaque avec 5 p. 100. Ce dernier résultat s'obtient également avec 7 p. 100 d'oxyde de zirconium (voir les illustrations ci-dessus).

Les glaçures mates. Les glaçures transparentes sont également brillantes. Pour les rendre mates, on en interrompt la cuisson ou on en modifie la formule pour qu'elles n'atteignent pas leur maturation à la température prévue. Pour ce faire, on ajoute davantage de silice ou d'alumine, ou des deux, à la préparation. Les oxydes de calcium et de magnésium ont un effet similaire.

Les glaçures à la cendre. On peut utiliser les cendres de matières organiques pour obtenir des glaçures aux surfaces lisses et mouchetées (voir ci-dessus). Les cendres contiennent des fondants alcalins, ce qui permet de les utiliser à la place d'autres fondants dans une glaçure pour le grès, ou encore d'en ajouter à un mélange jusqu'à ce qu'on obtienne l'effet souhaité. On doit toujours les passer dans un tamis n° 60 avant de s'en servir.

Les glaçures à la barbotine. Etant donné que leur température de maturation est passablement basse, les faïences se liquéfient quand on les cuit à la température du grès. Ce facteur permet de les utiliser comme base de glaçures destinées aux pâtes gréseuses et auxquelles on veut donner des teintes de terre. La plus populaire de ces glaçures à la barbotine est celle d'Albany (glaçure 7, pp. 324-325).

Les glaçures truitées. Un décor est dit truité lorsque, à la cuisson, une glaçure se couvre d'un réseau de petites lignes. (Quand cet effet est involontaire, on appelle ces lignes des craquelures.) On parvient à ce résultat en ajoutant à la glaçure des fondants qui ont un haut taux de dilatation, soit du feldspath pour les glaçures de grand feu, et de la soude ou de la potasse pour celles de petit feu. On pourra accentuer cet effet en passant de l'encre sur la pièce (voir les illustrations ci-dessus). Les fentes peuvent continuer d'apparaître, plusieurs mois après la cuisson.

Poterie

Les glaçures : formules complexes et effets spéciaux *(suite)*

Les glaçures cristallines. La présence d'alumine dans une glaçure empêche la formation de cristaux pendant le refroidissement de celle-ci. Si elle ne contient pas d'alumine, on peut provoquer la cristallisation à l'aide de substances chimiques, du moment qu'on laisse le four refroidir très lentement. Les glaçures cristallines sont difficiles à réaliser et, pour y parvenir, il faut procéder à de nombreux essais.

Les glaçures au sel. Pour obtenir une glaçure ayant la texture d'une « pelure d'orange », on jette du sel dans le four lorsque l'argile a atteint sa température de maturation. Le sel (NaCl) se décompose en sodium et en chlore ; le sodium réagit à la silice contenue dans l'argile, ce qui permet la formation de la glaçure, tandis que les vapeurs létales du chlore sont expulsées du four.

Etant donné la toxicité des vapeurs de chlore, on ne doit réaliser une glaçure au sel que si la ventilation est adéquate. Le sel attaque les parois du four et peut finir par les endommager. En outre, il les couvre d'un résidu qui est réactivé chaque fois qu'on chauffe le four. Aussi, si on fait de la glaçure au sel, vaut-il mieux lui réserver un four. C'est pour toutes ces raisons qu'on déconseille aux débutants de faire ce type de glaçure.

Glaçure cristalline

Glaçure au sel avec décor en barbotine

Glaçure 9, application épaisse

Glaçure 9, application mince

Pièce plongée dans la glaçure 6, puis dans la 5

Pièce plongée dans la glaçure 7, puis dans la 11

Pièce plongée dans la glaçure 14, puis dans la 15

Pièce plongée dans la glaçure 8, puis dans la 11

Défauts des glaçures

Certains défauts, passablement fréquents, peuvent altérer l'apparence d'une glaçure (voir les illustrations, à droite). Les corrections suggérées ici ne sont pas efficaces dans tous les cas et peuvent même modifier la couleur ou la texture de la glaçure.

Les craquelures. Celles-ci surviennent pendant le refroidissement, lorsque la glaçure se contracte davantage que la pâte. Non seulement elles nuisent à l'apparence des pièces, mais, lorsqu'il s'agit de vaisselle, celles-ci ne peuvent plus servir parce que la nourriture s'infiltrerait dans les fentes et serait absorbée par l'argile. Pour les supprimer, il faut faire le contraire de ce qui est indiqué pour un effet truité (voir p. 327) ou ajouter simplement du silex à la glaçure.

L'éclatement. L'éclatement se produit lorsque, en refroidissant, la pâte se contracte davantage que la glaçure. Le remède consiste alors à réduire la quantité de silex dans la glaçure ou à procéder, dans des proportions moindres, comme si l'on voulait obtenir un effet truité.

L'écaillement. Si, pendant le refroidissement, la glaçure s'écaille en laissant l'argile à nu, cela veut dire que le glaçage a été fait sur une pièce sale ou poussiéreuse, ou encore que la glaçure contient beaucoup d'argile. Pour y remédier, on fait dégourdir l'argile pulvérisée avant de l'ajouter au mélange pour le glaçage.

Les piqûres et trous d'épingle. Ce problème survient fréquemment lorsqu'on interrompt la cuisson de la glaçure pour qu'elle soit mate. On peut le supprimer en préparant une glaçure plus fluide qui remplira les trous après leur apparition. Pour ce faire, on ralentira le cycle de cuisson, on cuira à une température légèrement plus haute ou encore on ajoutera plus de fondant. L'application d'une couche plus mince et la réduction de l'oxyde de zinc et du rutile dans la glaçure donnent également de bons résultats.

Craquelures

Des fentes peu esthétiques déparent la glaçure de cette coupe.

Eclatement

La glaçure du marli a éclaté et, ce qui arrive souvent, s'est décollée.

Ecaillement

La glaçure de ce vase est très écaillée et met à nu l'argile blanche.

Piqûres et trous d'épingle

La base de cette pièce comporte de nombreux trous parce que la glaçure était très épaisse.

Les décors sous et sur couverte

L'épaisseur des glaçures donne une dimension supplémentaire au décor. On peut jouer avec les couleurs et les textures en appliquant diverses couches de glaçure, soit directement sur la pâte pour un décor sous couverte, soit à même la glaçure, soit par-dessus celle-ci pour une peinture sur couverte.

Les décors sous couverte. De la barbotine, au taux de retrait assez bas pour qu'elle ne s'écaille pas pendant la cuisson, peut être appliquée sur un dégourdi humecté. La formule ci-dessous donne une bonne barbotine à cet égard.

BARBOTINE BLANCHE	
Syénite néphélinique	20
Kaolin	25
Argile figuline	20
Silex	30
Borax	5
Bentonite	3

Pour un recuit à montre 04-9 (pour les colorants, voir le tableau, p. 320)

On emploie des lavis à base d'oxydes pour faire ressortir un décor gravé ou texturé; on les prépare en délayant dans de l'eau des colorants d'oxydes métalliques (par exemple, 2 cuillerées à thé d'hématite rouge par tasse d'eau).

Les magasins spécialisés vendent des pigments spéciaux pour les décors sous couverte. Ceux-ci sont plus puissants que les oxydes et existent dans toutes les couleurs. Ils sont habituellement vendus sous forme de poudre qu'on délaie avant de l'appliquer au pinceau. La préparation sera plus lisse et plus visqueuse si on y ajoute de la glycérine. La couleur des pigments varie avec l'épaisseur des applications, mais, dans tous les cas, un décor sous couverte doit être suffisamment mince pour ne pas provoquer le craquelage ou le boursouflage de la glaçure de surface. Certains pigments sont affectés par la cuisson en réduction (voir l'illustration, p. 330).

Les décors sur couverte. Ce procédé consiste en l'application d'un décor par-dessus une glaçure fraîche (on l'appelle alors majolique), ou par-dessus une glaçure déjà cuite à l'aide de lustres ou de colorants conçus à cette fin.

La majolique s'obtient en général en appliquant au pinceau une glaçure colorée par-dessus une autre, crue et blanche ou à peine teintée. Cette première couche devrait être opaque — l'engobe est d'ailleurs préférable à cette fin — et aura été appliquée uniformément par immersion ou par coulage. Si le deuxième décor est appliqué alors que sa base est encore humide, celle-ci ne risquera pas de s'écailler pendant l'opération. Les deux décors se liquéfieront et se mélangeront sous l'action du feu (voir l'illustration, p. 330).

Les couleurs sur couverte s'appliquent sur une glaçure qui a déjà été cuite. On procède ensuite à un recuit à une température beaucoup plus basse, généralement entre montre 018 et montre 014. Le grand avantage de ce procédé, c'est que la cuisson à petit feu permet de choisir n'importe quelle couleur. Ce type de cuisson modifie d'ailleurs très peu les coloris. La porcelaine est souvent utilisée comme support pour un décor sur couverte parce qu'elle fait ressortir l'éclat des couleurs; ce procédé constitue ce que l'on appelle de la *peinture sur porcelaine.*

Parce qu'ils cuisent à une température très basse, les colorants sur couverte sont peu résistants. Des lavages répétés atténueront les couleurs ou pourront même les effacer complètement.

Les lustres. Les lustres sont des décors sur couverte métalliques et brillants qu'on fait cuire entre montres 021 et 015. Ils se composent généralement de sels métalliques additionnés d'un agent qui disparaît pendant la cuite. Jusqu'à récemment, on devait toujours cuire les

Poterie

Décors sous et sur couverte *(suite)*

lustres en réduction, de manière à obtenir le fini métallique brillant qui les caractérise. Aujourd'hui, on trouve dans le commerce des lustres contenant des produits chimiques qui provoquent une réduction localisée, ce qui permet de faire cuire la pièce dans une atmosphère d'oxydation ou une atmosphère neutre.

En général, on applique les lustres au pinceau sur une surface glacée. Si on en met trop, le résultat risque d'être criard ; on obtient un meilleur effet en appliquant un lustre par-dessus un décor sous ou sur couverte (voir ci-dessous).

Fixatif (ou réserve) à la cire. Si on enduit de cire certaines parties d'une pièce, les glaçures, les barbotines et les colorants appliqués ensuite n'adhéreront qu'aux autres endroits. La cire brûle complètement durant la cuisson.

Le fixatif à la cire peut s'employer sur une pièce fraîche ou un dégourdi avec presque tous les types de colorants. On peut aussi recouvrir de cire une couche de colorant afin de fixer le motif avant l'application de la couche suivante.

Quoiqu'on puisse employer de la paraffine chauffée, les cires émulsionnées vendues dans les boutiques spécialisées sont plus commodes, car on n'a pas besoin de les faire chauffer et elles dégagent moins de fumée pendant la cuisson.

Peinture enduite d'une glaçure transparente

Majolique

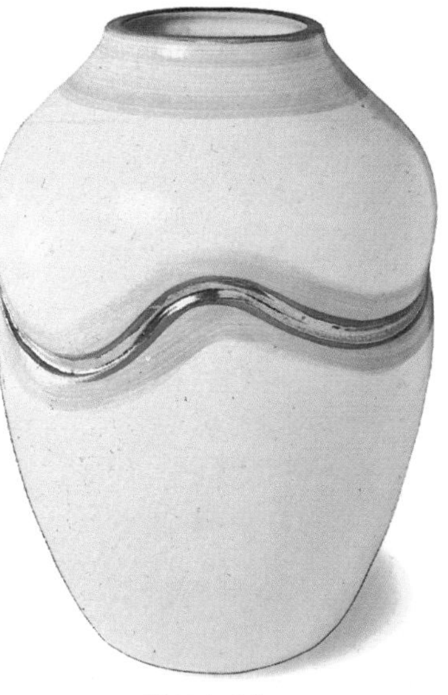

Décor lustré

Peinture sur porcelaine

Décor avec une solution d'oxyde. Pour souligner un décor incrusté, diluez de l'oxyde ou un pigment pour glaçure sous couverte dans de l'eau (voir le texte). Trempez ensuite une éponge dans la solution et frottez-la sur le décor incrusté.

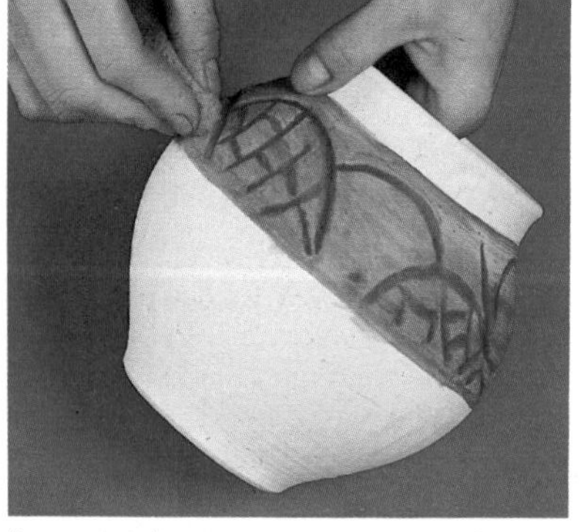

Passez une éponge propre sur toute la pièce pour ôter l'oxyde des parties en relief, mais ne touchez pas aux creux. Une couche sous couverte trop épaisse risque de faire cloquer la glaçure appliquée par-dessus.

Réserve à la cire. Pour réserver un décor à la cire sur un dégourdi ou une pièce fraîche, peignez d'abord le motif à la cire, puis appliquez la glaçure ou la barbotine sur toute la pièce, y compris aux endroits enduits de cire.

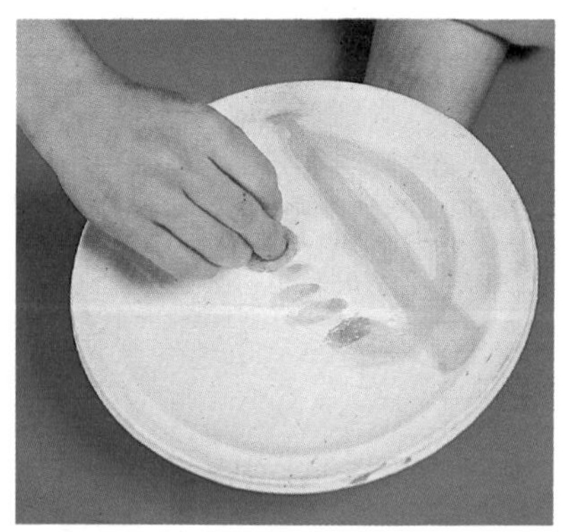

Une fois que la glaçure ou la barbotine est sèche, en général après quelques minutes, mouillez une éponge, puis nettoyez les parties enduites de cire, sans toucher aux autres. La cire brûlera durant la cuisson.

Le raku

Inventé au XVIe siècle par les Japonais, le raku est une méthode de glaçage et de cuisson rapide. Le terme, qui signifie « félicité », a été choisi par le souverain qui régnait à l'époque où ce procédé fut mis au point.

Dans la cuisson du raku, on glace le dégourdi, puis on le place dans un four porté au rouge; on l'en sort lorsqu'il devient rouge à son tour et que la glaçure commence à fondre. Pour que la pièce puisse supporter le choc thermique causé par une cuisson et un refroidissement aussi rapides, la pâte doit contenir beaucoup d'argile réfractaire ou de terre gréseuse, ou des deux, ainsi qu'au moins 20 p. 100 de chamotte ou de silice.

Les premières pièces de raku étaient de petits gobelets aux formes irrégulières et façonnés à la main, qu'on utilisait pour la cérémonie du thé. De nos jours, les potiers emploient ce procédé pour des pièces aux formes variées.

Les glaçures pour raku sont conçues pour fondre à des températures assez basses. Si les couleurs traditionnelles étaient douces, tous les coloris sont employés de nos jours, y compris des lustres métalliques. Quatre formules de glaçures au raku sont données à droite.

Cuisson du raku. Glacez les dégourdis, puis laissez-les sécher. Portez le four au rouge (on n'emploie pas de montres fusibles pour ce procédé parce que le fait d'ouvrir et de fermer constamment la porte du four entraînerait une déperdition de chaleur et que les glaçures pour raku fondent à des températures différentes). Enfournez les pièces en en plaçant quelques-unes devant le regard.

Mise en garde: Si vous avez un four électrique, ne travaillez pas avec des pinces métalliques à l'intérieur de celui-ci pendant qu'il est allumé.

Les pièces commencent généralement à rougeoyer au bout de 10 à 15 minutes. La glaçure se met à fondre, puis à bouillonner et, finalement, devient lisse et brillante. Dès que cela se produit, sortez les pièces du four avec des pincettes. Laissez-les refroidir à l'air ou plongez-les dans un seau d'eau.

Réduction du raku. Nombre de potiers contemporains réduisent leurs pièces après la cuisson. Cela consiste à les placer dans un récipient rempli de substances combustibles comme de la sciure de bois. La chaleur de la pièce met le feu à ces substances; lorsque le couvercle est posé sur le récipient, cela produit une fumée âcre et épaisse. Habituellement, on attend au moins 2 minutes avant de retirer la pièce du récipient. La réduction a pour effet de foncer ou de noircir toutes les surfaces non glacées, tout en produisant divers coloris sur les glaçures, dont des lustres. Si on sort la pièce du récipient alors qu'elle est encore chauffée à blanc, elle se réoxydera partiellement. On empêchera cette réaction en plongeant sur-le-champ la pièce dans un seau d'eau. Une fois qu'elle aura refroidi, on pourra la frotter avec de la laine d'acier pour faire ressortir les coloris et les lustres.

L'apparence finale d'un raku dépend de plusieurs facteurs, dont la forme de la pièce, la glaçure, le taux de réduction, la nature de l'agent de réduction, le taux de réoxydation, ainsi que le moment et la vitesse du refroidissement. C'est pourquoi cette technique permet de donner libre cours à sa spontanéité.

On retire la pièce du four avec des pincettes lorsqu'elle est devenue rouge et que la glaçure a fondu et commence à devenir lisse et brillante.

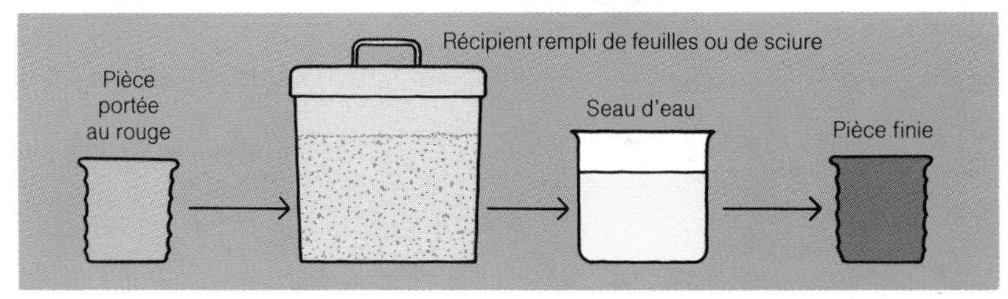

La pièce est soit refroidie, soit placée dans un récipient couvert, rempli de matières combustibles. On l'en sort au bout de quelques minutes et on peut la plonger immédiatement dans de l'eau ou la laisser d'abord se réoxyder. En la frottant avec de la laine d'acier, on fera ressortir les couleurs et les lustres.

GLAÇURES POUR RAKU

1. Transparente	Gerstleyite	80
	Syénite néphélinique	20
2. Blanc truité	Gerstleyite	80
	Feldspath de potasse	20
3. Cuivre	Gerstleyite	80
	Feldspath de potasse	20
	Ocre jaune	7
	Carbonate de cuivre	2
	Carbonate de cobalt	1
4. Bleu	Gerstleyite	87
	Carbonate de cuivre	9
	Carbonate de cobalt	4

Poterie / projets

Neuf projets

Pour exécuter les pièces illustrées ici et à la page suivante, on emploiera les méthodes décrites dans cette section, où divers procédés sont expliqués en détail, depuis le façonnage manuel et le travail à la plaque jusqu'à l'ébauche sur le tour et l'application de plusieurs glaçures. En les exécutant, vous comprendrez mieux comment les différentes pâtes et glaçures réagissent entre elles, et vous pourrez utiliser les modèles ci-dessous comme source d'inspiration.

Les numéros des pâtes indiquent leur composition avant le glaçage et correspondent aux formules de la page 288. Ceux des glaçures correspondent aux formules et à leurs composants décrits aux pages 324-325.

Les pièces devront cuire à la température indiquée par le numéro des montres (pp. 321-322). L'atmosphère de cuisson (réduction ou oxydation) est déterminée par le type de glaçure (voir les directives aux pages 321-322, 324-325).

Après avoir été ébauchée, cette urne imposante a été décorée avec plusieurs anses étirées faites en pâte 7. La cuisson s'est faite en oxydation, à montre 9. Après l'application d'un lustre nacré, l'urne a été recuite à montre 018. Ensuite, on a ajouté des rehauts avec un lustre platiné, puis procédé à une troisième cuisson à montre 019.

Cette assiette et ces boîtes à épices, ébauchées au tour, sont en pâte 4. Les couvercles avec bourrelets s'adaptent parfaitement aux boîtes. Les pièces ont été immergées dans les glaçures 7 et 8 ; le mélange des deux a donné la troisième couleur. La cuisson s'est faite à montre 6.

Ce classique vase chinois (ci-dessous) a été ébauché dans de la pâte 7, puis incisé quand il a eu la consistance du cuir. La glaçure 27 au céladon a coulé dans les creux pendant la cuisson faite à montre 9.

Ce bol ébauché et ses lacis élaborés (p. 317) sont en pâte 5. De la glaçure 27 recouvre toute la pièce, à l'exception des lacis réservés à la cire (p. 330). On a cuit à montre 9.

Ce service à thé (p. 314) a été ébauché avec de la pâte 6. Le décor sous couverte, à base d'oxydes de cuivre et de cobalt, est couvert de glaçure 18. La cuisson a été faite à montre 6.

Ce service à soupe a été ébauché avec de la pâte 4. Le piètement et le bol de la soupière ont été ébauchés séparément (p. 315). Le bol comporte une emboîture pour le couvercle. La poignée étirée a été torsadée avant d'être fixée. La louche est faite d'une petite boule ébauchée en creux et fixée à un long manche étiré et incurvé. On a employé les glaçures 5 et 6 et on a cuit à montre 6.

Cette maison en céramique au toit amovible peut servir de jarre à biscuits. Elle est faite de plaques en pâte 5. Le toit a été enduit d'une solution au bioxyde de manganèse et à l'oxyde d'hématite rouge, puis recouvert de glaçure 26. Le reste de la maison a été verni avec de la glaçure 20. On a cuit à montre 9.

Ces poupées ont été façonnées à partir de plaques de pâte 6. On les a recouvertes de glaçure 16 et on a appliqué des rehauts en lustre doré. La cuisson s'est faite à montre 6.

Ce vase a été façonné avec des plaques de différentes largeurs découpées dans de la pâte 5. L'effet versicolore a été obtenu en variant l'épaisseur de la glaçure 20 appliquée par-dessus un décor au bioxyde de manganèse et à l'oxyde d'hématite rouge. On a cuit à montre 9.

Email

Le mariage du verre et du métal

L'émail est une forme de décoration ou de peinture qui résulte de la fusion du verre et du métal. L'or, l'argent et le cuivre sont les supports les plus courants, mais on peut employer d'autres métaux. Le verre utilisé est un émail vitrifiable qu'on ne doit pas confondre avec la peinture du même nom, ainsi appelée, tout comme la substance lisse qui recouvre les dents, justement à cause de sa surface unie et brillante.

L'émailleur pose le verre broyé, ou émail, sur du métal et fait cuire le tout dans un four jusqu'à la fusion totale des deux éléments. En appliquant d'autres couches et en jouant avec les lignes, on obtient des œuvres d'une beauté remarquable, aux couleurs éclatantes et d'une durabilité presque permanente.

En émaillerie, on ne peut utiliser qu'un seul type de verre, car le verre ordinaire et le métal se dilatent et se contractent à des températures différentes; quand on les cuit ensemble, ils sont donc soumis à des pressions causées par l'écart entre leur coefficient de dilatation respectif, pressions qui feraient craquer la plupart des verres. Pour prévenir ce phénomène, les émaux doivent être préparés selon une formule spéciale, de façon à obtenir un verre qui peut se liquéfier et fusionner avec le métal à des températures inférieures à la normale.

Le fondant, qui est un cristal incolore, résulte d'un mélange, dans des proportions adéquates, de silex, de sable ou silice, de borax et de plomb, de soude ou de potasse; une fois le mélange bien dosé, on le porte à son point de fusion, puis on le laisse refroidir. L'addition d'oxydes métalliques au fondant en fusion permet d'obtenir des émaux colorés. Quand le verre est complètement refroidi, on le broie jusqu'à l'obtention de grenailles ou d'une poudre.

Historique de l'émail. Le cloisonné est la forme d'émaillerie la plus ancienne; c'est une technique qui consiste à tracer un motif avec de minces fils métalliques délimitant des alvéoles que l'on remplit ensuite d'émail. Les premières pièces cloisonnées qui nous sont parvenues ont été créées en Grèce, en Crète et à Chypre, et remontent jusqu'au XIIIe siècle av. J.-C. Après le XIe siècle, l'émail tomba dans l'oubli jusqu'au VIe siècle de la même ère, alors que les Grecs recommencèrent à utiliser le cloisonné en bijouterie. C'est seulement quelques siècles plus tard que cet art se répandit dans le reste de l'Europe.

Vers le IIIe siècle av. J.-C., les artisans celtes des Iles britanniques mirent au point une nouvelle forme d'émaillage en remplaçant les incrustations de corail par des émaux sertis dans des moules de bronze, ce qui donna naissance à la technique du champlevé.

Evolution ultérieure. A partir du Moyen Age, l'émail devint de plus en plus populaire et gagna même l'Empire byzantin, la Chine et le Japon. En dépit de son peu de valeur intrinsèque, il était apprécié pour la richesse de ses innombrables coloris qui, contrairement à la peinture, conservent leur éclat pendant des siècles.

Entre le XIVe et le XVIe siècle, quatre nouvelles techniques se développèrent en Europe: la basse-taille, le plique-à-jour et ces types de peinture sur émail que sont la limoges et la grisaille (voir ci-contre). Dès le XVIe siècle, la ville de Limoges, en France, devint célèbre dans le monde entier pour la qualité de ses émaux peints. En Asie, ce sont les Chinois qui apportèrent le plus à cet art en produisant, sous les dynasties Ming et Ch'ing (1368-1911), des vases merveilleusement émaillés.

Aujourd'hui, l'émail n'a rien perdu de sa popularité et, si on continue d'améliorer les six techniques traditionnelles, on en crée aussi de nouvelles.

Ce vase en cloisonné orné de dragons, de 27 po de haut et datant du XVIIIe siècle, illustre parfaitement la qualité de l'émaillerie chinoise durant la dynastie Ch'ing (1644-1911).

Techniques d'émaillage

L'art de l'émail comporte six techniques; chacune d'elles est déterminée par la façon dont le métal est traité avant l'émaillage ainsi que par les diverses méthodes d'application de l'émail lui-même. A cause de l'éclatante renommée acquise par les émailleurs de Limoges et d'autres villes de France au Moyen Age, on connaît ces techniques sous leur appellation française. L'exécution d'une même œuvre peut faire appel à plusieurs de ces procédés.

Le cloisonné. Selon cette technique, les éléments du décor sont délimités soigneusement par de fines cloisons métalliques (alvéoles) que l'on fixe au support. Les alvéoles sont ensuite remplies de plusieurs couches d'émail jusqu'à ce que l'émail affleure le haut des cloisons.

Le champlevé. En champlevé, le motif est formé de cavités creusées à l'acide dans le métal; ces cavités sont ensuite remplies d'émail jusqu'au ras des zones laissées intactes (en champs hauts).

La basse-taille. Après avoir creusé le métal à l'acide ou l'avoir repoussé, gravé, martelé, ciselé ou estampé pour établir le décor, on le couvre, selon cette technique, de plusieurs couches d'émail transparent. La texture inégale du support qu'on obtient en travaillant le motif entraîne une diversité dans l'épaisseur de l'émail et fait ressortir le décor dans un jeu d'ombres et de lumières.

Le plique-à-jour. Toutes les parties du décor sont d'abord découpées dans le métal, puis ces jours sont recouverts d'émaux transparents. En assurant le passage de la lumière à travers les émaux, le plique-à-jour permet d'obtenir un effet semblable à celui des vitraux.

La limoges. En limoges, le décor résulte de l'application de plusieurs couches d'émail, selon un procédé pictural.

La grisaille. Après avoir recouvert le métal d'émail noir, on y applique plusieurs couches de blanc pour obtenir un camaïeu gris, dit grisaille.

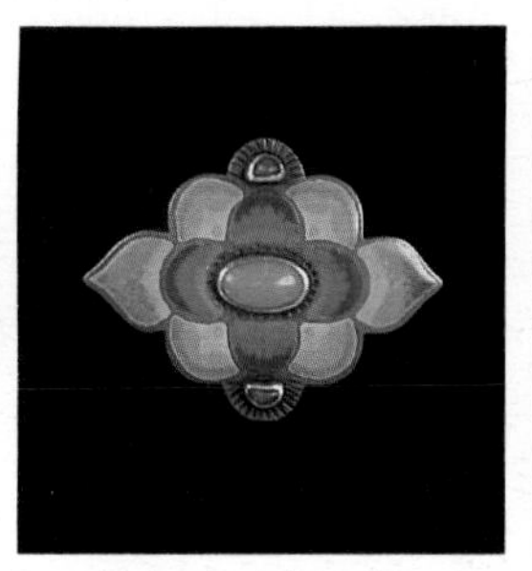

Ces émaux illustrent les six techniques traditionnelles. Ce sont, de gauche à droite, le plique-à-jour, la limoges, la basse-taille, la grisaille, le champlevé et le cloisonné.

Outils et matériaux

Pour travailler, vous aurez besoin de métal, d'émaux, d'un four et de plusieurs accessoires et outils manuels, décrits sur cette page et à la page suivante. Vous devriez pouvoir vous procurer tout ce qu'il vous faut chez les fournisseurs spécialisés et vous pourrez compléter votre équipement avec quelques articles ménagers.

Les émaux. Les émaux se vendent en poudre ou en grenailles (celles-ci doivent être broyées dans un mortier). Le fondant est un émail incolore et transparent. Les émaux colorés sont soit opaques, soit transparents, soit opalins ou opalescents.

Les émaux blanc et noir et le fondant se vendent en poudres dites tendres, moyennes ou dures, selon leur point de fusion. Il existe un émail blanc et dur qu'on emploie à la fois pour les fonds et comme apprêt pour les émaux transparents, ainsi qu'un fondant conçu spécialement pour être utilisé avec l'argent. On conserve les émaux dans de petits flacons en plastique munis d'un couvercle étanche.

Les métaux. Le cuivre et l'argent fin (pur) sont les métaux le plus souvent utilisés en émaillerie. Le calibre 18 est l'épaisseur idéale. Il vaut mieux n'employer que du cuivre électrolytique qui est pur à 90 p. 100; les cuivres pour toiture et pour gravure contiennent des alliages qui peuvent faire cloquer ou craquer l'émail. Il existe, sur le marché, des coupes en cuivre et des flans de bijouterie préfaçonnés. Avant la cuisson, on peut couvrir les parties nues du métal d'un enduit protecteur pour empêcher la formation de calamine due à l'oxydation.

L'or à 24 carats (pur) est un support parfait pour les émaux transparents; toutefois, on peut aussi se procurer un or spécial à 18 carats qui ne ternit pas. Pour obtenir un métal particulièrement résistant, on peut utiliser de l'argent sterling (composé d'argent à 92,5 p. 100 et de cuivre à 7,5 p. 100), mais il rend plus difficile la fusion des émaux rouges et jaunes. L'acier, l'aluminium et le fer sont d'autres supports courants. Notons enfin qu'on peut appliquer de l'or ou de l'argent en feuille (paillons) sur une surface émaillée, puis les couvrir d'émaux transparents.

Le four et ses accessoires. Quoiqu'on puisse cuire certains émaux sur un trépied avec un chalumeau au propane, un four s'avérera nécessaire pour la plupart des pièces. Procurez-vous-en un muni d'un pyromètre qui permet d'en mesurer la température intérieure. En outre, il devra s'ouvrir vers l'avant et non sur le dessus. Avant de l'utiliser pour la première fois, badigeonnez-en l'intérieur avec de la poudre de kaolin délayée dans de l'eau pour empêcher les émaux d'y coller en cas de chute.

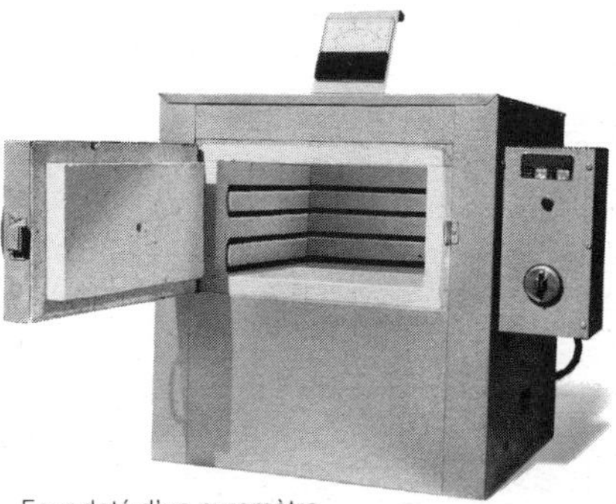

Four doté d'un pyromètre.

Email

Outils et matériaux *(suite)*

Pendant la cuisson, les pièces émaillées doivent reposer sur un support. Les modèles les plus courants en sont la grille de cuisson en acier inoxydable, le support à ailettes réglables et le support en fer. Choisissez celui qui convient à la pièce que vous allez cuire. Il vous faudra aussi des couteaux à palette de diverses grandeurs pour déplacer les pièces et une fourche d'enfournement. Portez toujours des gants d'amiante pour protéger vos mains de la chaleur du four. Après avoir défourné une pièce, laissez-la refroidir sur une plaque d'amiante.

Les outils d'émaillage. Procurez-vous des tamis de grandeurs variées pour séparer et poser les émaux. Les tamis d'émailleur sont généralement de simples cylindres en plastique au fond perforé. On les classe d'après le nombre de mailles ou de trous qu'ils comptent au pouce linéaire. Plus ce nombre est élevé et plus l'émail tamisé sera fin. Si vous n'en trouvez pas de la grosseur voulue, vous pouvez en fabriquer un en coupant avec une scie de bijoutier le capuchon en plastique d'un gros vaporisateur. Taillez ensuite un morceau de grillage un peu plus large que le capuchon et dont les mailles sont de la grosseur de votre choix ; faites-le chauffer, puis pressez-le fortement contre le capuchon où il s'incrustera en le faisant fondre partiellement. Coupez le grillage en trop.

Pour que l'émail reste fixé sur le métal jusqu'au moment de la cuisson, il faut enduire ce dernier d'un adhésif comme la gomme adragante ou l'huile d'œillette. Il vous faudra aussi un grand choix de pinceaux, depuis les plus fins jusqu'à ceux de 2 ou 3 po de large, une cuiller à émailler longue et étroite, ainsi qu'un petit bol, des spatules et une palette pour la pose humide ou « à la spatule » des émaux.

Procurez-vous ou fabriquez-vous un appui-main que vous utiliserez au moment de tracer à la pointe un décor sur l'émail ou le métal. Il peut s'agir simplement d'un morceau de métal aux extrémités pliées à angle droit.

Autres outils et accessoires. Avant d'émailler une plaque, il est indispensable de la nettoyer soigneusement. Il vous faudra donc de la pierre ponce pulvérisée et un tampon abrasif en nylon. Un gratte-bosse de bijoutier (un faisceau de fibres de verre enserrées dans un cylindre) permet de polir le métal. En général, on « lapide » les pièces émaillées avec une pierre carborundum, pour qu'elles soient bien lisses ; pour faire un travail bien fini, vous aurez besoin de trois types de pierre : une à gros grains, une à grains moyens et une autre à grains fins.

Pour le champlevé et la basse-taille, on doit creuser le métal à l'acide. Il vous faudra donc du vernis d'asphalte (ou bitume de Judée), que l'acide n'attaque pas, et du chlorure ferrique (pour le cuivre plat) ou de l'acide nitrique (pour les coupelles en cuivre ou l'argent). Pour le cloisonné, procurez-vous un mince fil de cuivre, d'or ou d'argent conçu spécialement pour le façonnage des cloisons. Si vous préférez le plique-à-jour, vous aurez besoin d'une plaque de maranite (un matériau fibreux et incombustible) ou d'une brique réfractaire et d'un morceau de mica transparent. Pour cuire un email plique-à-jour, on le dépose sur la maranite qu'on prend soin de protéger par un mica pour éviter que l'émail n'y adhère en coulant. Enfin, on fixe les pièces en place avec des épingles en T.

Pour varier les effets, on peut dessiner sur l'émail avec des crayons céramiques — qui existent dans plusieurs teintes —, ou encore concevoir des collages avec des décalcomanies céramiques ; on se procure ces deux types d'accessoires, comme les autres, dans les boutiques spécialisées dans le matériel céramique. Il se vend aussi des fils et des perles en verre de petit feu qu'on peut faire cuire directement sur la pièce.

En dernier lieu, vous aurez besoin de divers outils et accessoires de bijoutier, dont une scie à chantourner, un étau-table de découpe, une drille et des forets, une lime plate à main, un jeu de limes-aiguilles, un brunissoir, des pinces à bec lisse, des brucelles, un étau d'établi, de la poudre décapante, des pinces en cuivre, une pointe à tracer et du matériel de soudure. Seule la soudure de type IT s'emploie avec du métal émaillé, à cause de son point de fusion élevé (793°C). Les autres types de soudure habituellement utilisés pour la bijouterie risqueraient de fondre à la chaleur du four.

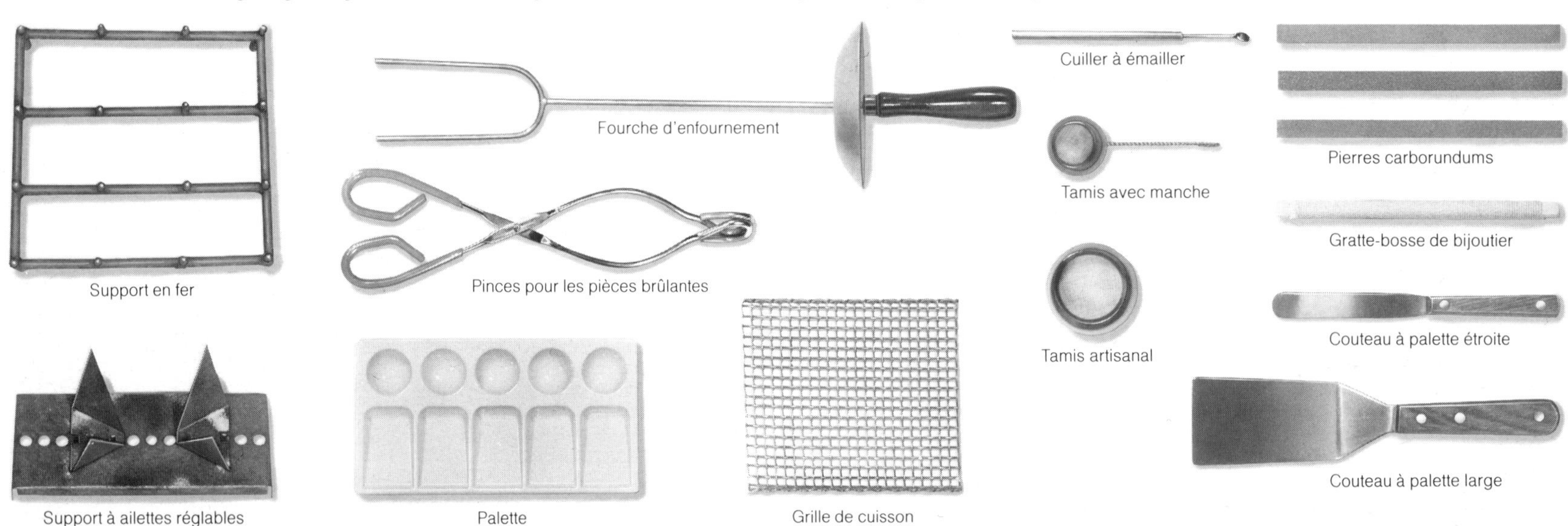
Support en fer
Fourche d'enfournement
Pinces pour les pièces brûlantes
Cuiller à émailler
Tamis avec manche
Tamis artisanal
Pierres carborundums
Gratte-bosse de bijoutier
Couteau à palette étroite
Couteau à palette large
Support à ailettes réglables
Palette
Grille de cuisson

Préparation du métal

La première phase de l'émaillage consiste à préparer le métal. Après l'avoir choisi, taillez-le selon la grandeur et la forme voulues. Si le décor doit comporter des jours, forez d'abord des trous dans lesquels vous pourrez passer la lame de la scie à chantourner pour scier les découpes. Travaillez toujours avec grande précision.

Une fois la forme de base définie, il faut recuire le métal, c'est-à-dire le chauffer au rouge vif pour l'assouplir. Pour éliminer la calamine accumulée durant le recuit, plongez la plaque dans une solution décapante chauffée. (Certaines solutions s'emploient à froid; suivez toujours le mode d'emploi.) S'il s'agit d'un bijou auquel il faudra fixer un fermoir ou d'une plaque qui sera munie d'un crochet, soudez ces accessoires.

Il est indispensable de bien nettoyer le métal avant de l'émailler. Dans le cas d'une pièce en basse-taille, c'est à cette étape que vous devrez la creuser, la repousser, la marteler, la ciseler, la poinçonner ou la graver à l'acide.

La différence entre le coefficient de dilatation de l'émail et celui du métal provoque, durant la cuisson, une pression susceptible de gauchir ce dernier. Pour équilibrer la pression et réduire le gauchissement, il faut contre-émailler le métal, ce qui consiste à appliquer une couche de fondant sur l'envers de la pièce. Après avoir fait cuire celle-ci, on la laisse refroidir, puis on la nettoie et, le cas échéant, on la creuse à l'acide. Après quoi, on n'a plus qu'à en émailler l'endroit selon les méthodes décrites aux pages 339-341.

Quand la pièce est terminée et qu'on a laissé certaines parties du métal à nu, on veut parfois les polir. Si vous n'avez pas de touret à polir, enroulez un morceau de feutre sur une baguette, enduisez-le de tripoli et frottez-en énergiquement le métal. Lavez-le ensuite à l'eau chaude savonneuse et polissez-le de nouveau avec un feutre propre et du rouge à polir.

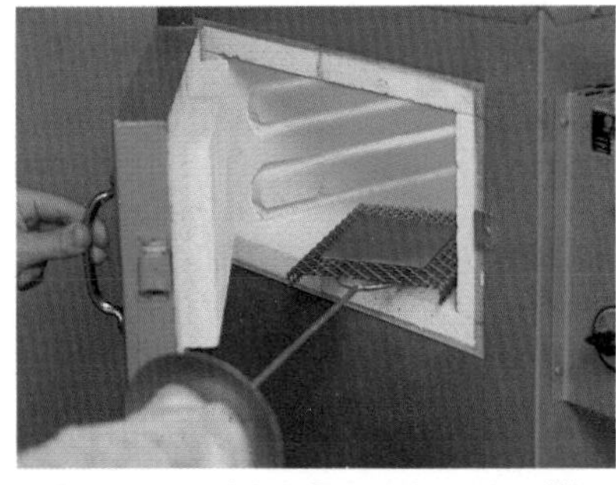

1. Portez le four à 815°C et, après avoir enfilé un gant d'amiante, enfournez la pièce posée sur son support. Défournez-la quand elle est incandescente, puis, avec des pinces, plongez-la dans de l'eau froide.

2. Dans une casserole en verre apyre, mélangez de la poudre décapante et de l'eau, selon le mode d'emploi, et chauffez la solution. Déposez-y le métal avec des pinces en cuivre ; une fois qu'il a rosi, retirez-le, toujours avec les mêmes pinces.

3. Frottez énergiquement la pièce avec de la pierre ponce et un tampon abrasif en nylon, soit dans un plat d'eau ou sous un jet d'eau (ne touchez pas aux émaux si vous utilisez une laine d'acier). Rincez la pièce quand elle est propre.

4. Si vous devez employer des émaux transparents, faites briller le métal en le frottant avec un gratte-bosse. Trempez-le dans de l'ammoniaque pour l'alcaliniser et rincez-le jusqu'à ce que l'eau s'étale en nappe sur sa surface.

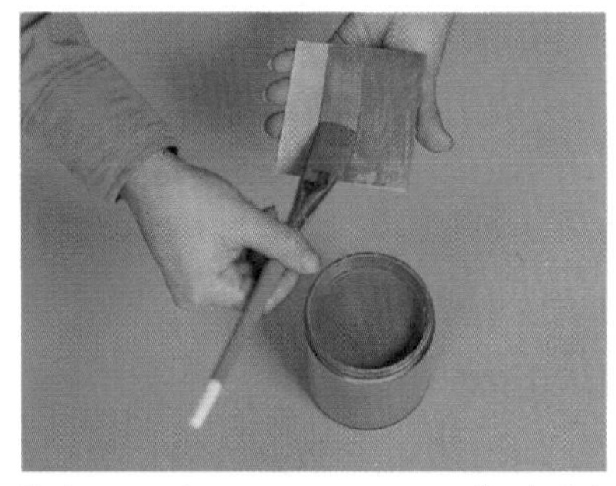

5. Avec un pinceau propre, couvrez l'endroit de la pièce d'un enduit anticalamine pour protéger le métal pendant la cuisson du contre-émaillage. Laissez sécher la pièce sur le dessus du four préalablement chauffé.

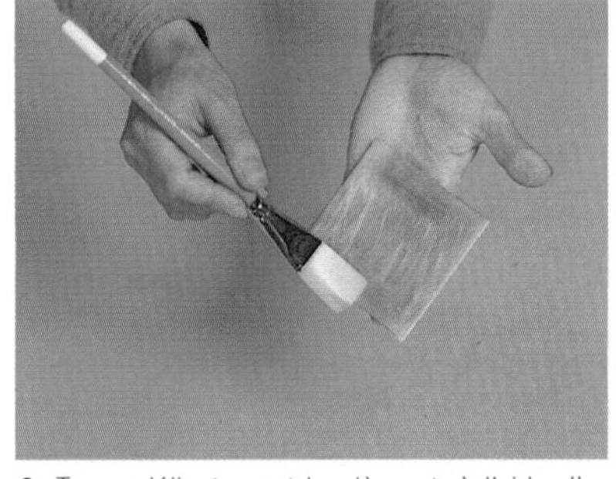

6. Tenez délicatement la pièce et, à l'aide d'un pinceau propre, enduisez-en l'envers d'une couche d'adhésif en commençant par les bords. L'adhésif retiendra l'émail en place jusqu'au moment de la cuisson.

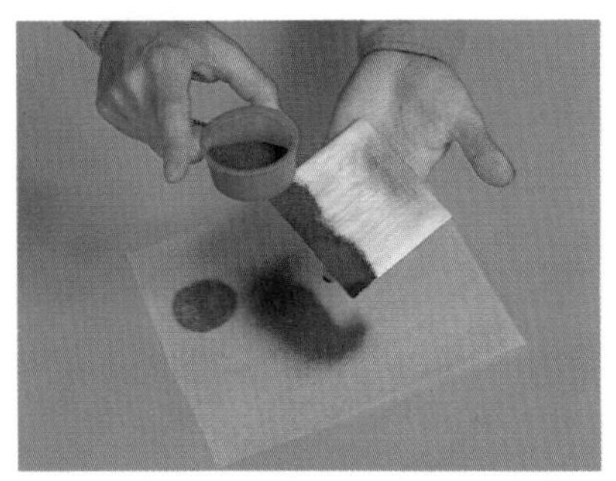

7. Travaillez au-dessus d'une feuille de papier ; versez un peu d'émail dur noir dans un tamis de 60 et couvrez-en la pièce d'une épaisse couche en commençant par les bords. Enlevez l'excédent en soufflant doucement sur la pièce.

8. Faites sécher la pièce sur le dessus du four, puis déposez-la sur son support et enfournez-la avec la fourche. Cuisez jusqu'à ce que l'émail soit brillant (p. 339). Transférez la pièce avec son support sur une plaque d'amiante.

9. Quand la pièce est froide, débarrassez-la à la lime de la calamine déposée sur les bords et ôtez l'enduit protecteur (il se soulève comme une pelure d'oignon). Passez-la à la pierre ponce sous l'eau, alcalinisez-la et rincez-la.

Email

Préparation des émaux

Les émaux se présentent sous plusieurs formes, depuis les cristaux jusqu'aux poudres les plus fines, ce qui permet de varier les effets à la cuisson et multiplie les possibilités offertes à l'émailleur.

On classe les émaux d'après la grosseur des mailles de tamis, ce qui va de 60, le plus gros calibre, à 600; la pose des émaux de 600 est semblable à celle de la peinture a tempera, mais on peut aussi les appliquer à l'aide d'un vaporisateur. En général, on emploie les émaux de 60 pour le contre-émaillage et la couche de fond. Les couches subséquentes peuvent être exécutées aussi bien avec des émaux en cristaux qu'avec des émaux en poudre, selon l'effet recherché; ainsi, il faut se souvenir que plus l'émail est gros, plus il deviendra transparent à la cuisson.

Habituellement, les émaux sont vendus en poudres de 60. Il en existe de plus fines, mais comme celles de 60 contiennent à la fois des grains minuscules et d'autres plus gros, il suffit, pour les séparer, de choisir un tamis de la grosseur voulue; les gros grains s'emploient pour les décors de bijoux, les poudres très fines servent surtout pour la peinture sur émail.

Quand on doit tamiser une grande quantité d'émail, il vaut mieux porter un masque pour se protéger de la poussière. Pour déloger les grains coincés dans le tamis, il suffit de le frapper légèrement contre le rebord de l'établi.

Les fabricants pulvérisent les émaux dans des broyeurs tubulaires. Les émaux contiennent donc des résidus qu'on éliminera, surtout dans le cas d'émaux transparents destinés à la bijouterie, en les lavant soigneusement. Sinon, ils perdraient leur transparence à la cuisson.

Gardez toujours vos émaux dans des flacons propres et couverts, dotés d'une étiquette sur laquelle vous noterez le numéro attribué au produit par le fabricant, par exemple: Bleu royal transparent de 60 (n° 122).

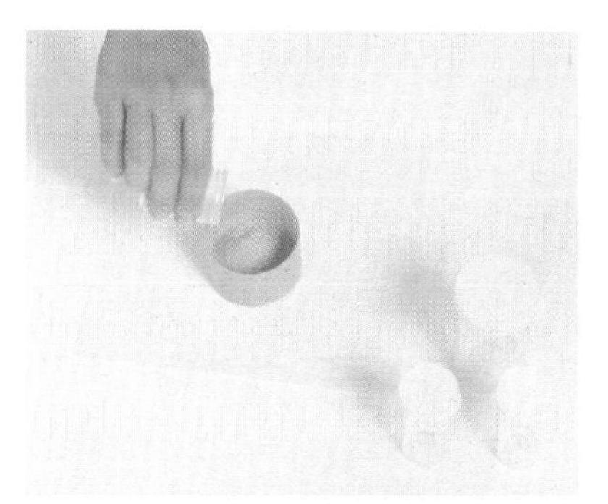

1. Videz un sachet ou un flacon d'émail de 60 dans un tamis de 200 posé sur une feuille de papier propre. Gardez quelques contenants propres à portée de la main.

2. Secouez latéralement le tamis au-dessus de la feuille. Les grains les plus fins tomberont sur le papier et ceux qui sont plus gros que 200 resteront dans le tamis.

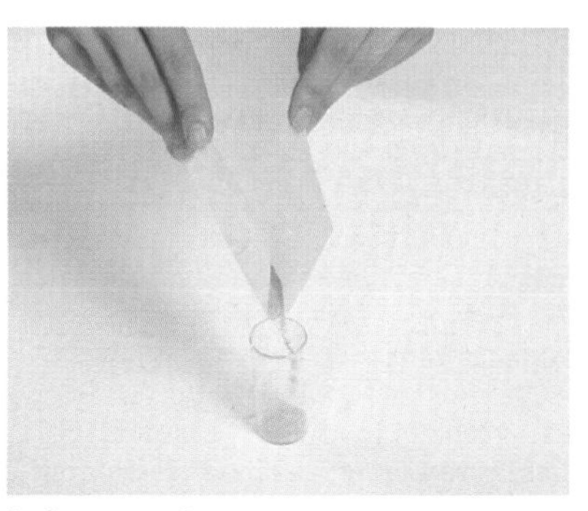

3. Ouvrez un flacon, pliez la feuille en deux et versez l'émail dans le récipient. Fermez-le et préparez une étiquette indiquant la couleur, son numéro et la grosseur du grain.

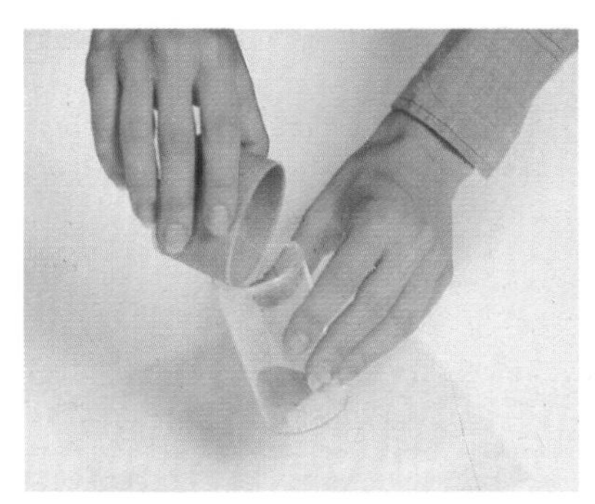

4. Versez dans un autre flacon l'émail qui est resté dans le tamis; récupérez sur une feuille ce qui en tombe. Nettoyez ensuite le tamis en le frappant doucement contre la table.

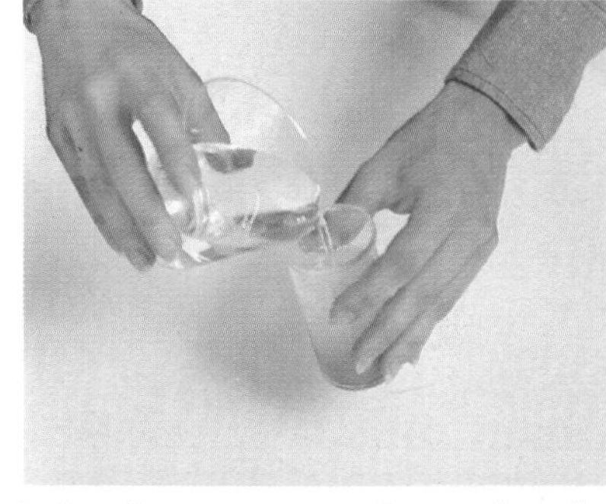

5. Remplissez presque complètement d'eau distillée le flacon d'émail de 60. Ne prenez pas l'eau du robinet: elle contient des minéraux qui pourraient altérer l'émail.

6. Fermez le flacon et secouez-le vigoureusement pendant quelques secondes. Le résidu découlant du broyage restera en suspension, tandis que l'émail propre se déposera dans le fond.

7. Videz l'eau trouble avant que le résidu ne se mélange de nouveau à l'émail. Répétez l'opération jusqu'à ce que l'eau distillée reste claire quand vous secouez le flacon.

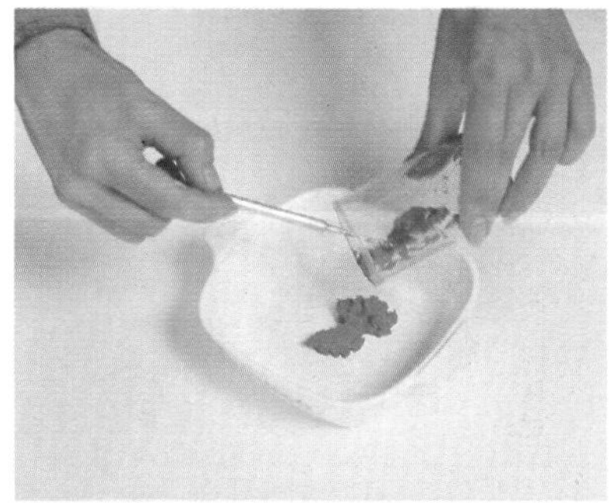

8. Avec une cuiller à émailler, déposez l'émail humide dans un plat en verre apyre propre. Couvrez-le et mettez-le dans un four tiède jusqu'à ce que l'émail soit complètement sec.

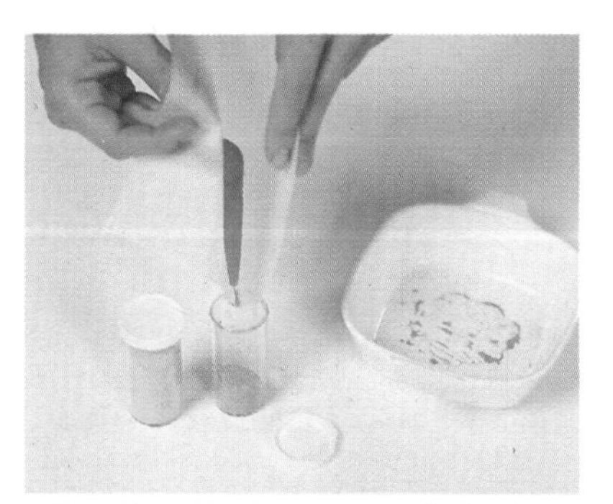

9. Transférez l'émail sec sur une feuille de papier, puis versez-le dans un flacon propre que vous étiquèterez. Un émail de 60 est toujours d'une teinte plus foncée qu'un émail de 200.

L'émaillage

L'émaillerie est l'art de dessiner un décor sur un support en métal en superposant des couches d'émail. La première, ou couche de fond, s'applique sur toutes les parties du métal qui seront émaillées ; on emploie généralement de l'émail de 60 pour cette première étape. Si le métal doit transparaître par endroits, posez d'abord un fondant ; sinon, vous avez le choix entre des émaux noirs, blancs ou colorés, transparents ou opaques, et vous pouvez travailler avec une ou plusieurs couleurs.

Les couches subséquentes recouvrent la première en tout ou en partie. Plusieurs applications minces sont préférables à une très épaisse, car plus une couche est mince et plus gros sont les grains, plus l'émail sera lumineux après la cuisson.

Les techniques d'émaillage sont décrites ci-dessous. D'autres méthodes, plus spécifiques, sont expliquées et illustrées dans les deux pages qui suivent.

Les poses au poudré et à la spatule. L'émail en poudre peut être tamisé sur le métal enduit d'un adhésif ou être mélangé à ce dernier avec de l'eau. On peut n'utiliser qu'une de ces deux méthodes ou les combiner, au choix.

La pose à sec ou « au poudré » s'emploie habituellement lorsqu'on veut établir le décor au pochoir ou au sgraffite, ce qui consiste à dessiner dans l'émail cru avec une pointe sèche. Cette méthode offre de multiples possibilités, car elle permet de couvrir de grandes plages ou de préciser les détails d'un dessin très élaboré.

Dans la pose humide ou « à la spatule », on pose l'émail au pinceau ou à la spatule. A cet effet, on peut soit employer des poudres très fines, soit mélanger les teintes ou, pour obtenir une plus grande luminosité, superposer plusieurs couches.

La cuisson. Chaque fois qu'on a posé une couche d'émail, il faut la laisser sécher avant de la cuire. Les émaux cuisent tous à des températures différentes qui sont fonction de la couleur, de l'épaisseur de la couche et du poids du métal. Portez d'abord le four à 815°C, puis réglez la température selon ces variables.

Cuisez chaque couche d'émail séparément. Déposez la plaque sur un support et enfournez-la avec une fourche. Fermez la porte du four. Suivez l'évolution de la cuisson : au bout d'environ 90 secondes, entrouvrez la porte le temps de jeter un coup d'œil, puis vérifiez ensuite environ toutes les 30 secondes.

Au cours de la cuisson, l'émail passe par trois étapes. Il devient d'abord sableux, puis il prend l'aspect d'une écorce d'orange et, enfin, il « glace », c'est-à-dire qu'il rougeoie légèrement et devient lisse et brillant. Il est alors cuit à maturité. Défournez la plaque avec son support et mettez-les à refroidir sur une plaque d'amiante. Les couleurs paraîtront d'abord floues, mais se préciseront par la suite. Si vous préférez une surface un peu inégale, défournez lorsque l'émail est entre le stade de l'écorce d'orange et le point de maturité.

Si vous n'avez pas de four, vous pouvez cuire une pièce sur une grille placée sur un trépied, en passant sous elle, en un mouvement de va-et-vient, la flamme d'une lampe à souder. Mais cette méthode est moins précise que la cuisson au four.

Nettoyage. Après chaque cuisson, limez les bords de la pièce pour la décalaminer, sauf si le support est en argent fin ou en or puisque ces métaux ne se calaminent pas.

Il faut également laver la pièce soigneusement à l'eau et au savon après chaque cuisson, puis la rincer et la plonger dans de l'ammoniaque pour l'alcaliniser. Autrement, toute graisse déposée sur la surface pourrait entraîner des complications en provoquant une réaction avec les émaux. Rincez la pièce alcalinisée et laissez-la sécher. Ensuite, touchez-la le moins possible, car les doigts y laisseraient un dépôt huileux.

Finition. Après la dernière cuisson, la surface émaillée est légèrement inégale. Sauf si c'est là ce que vous voulez, vous pouvez la lisser en la lapidant avec une pierre carborundum. Comme cette opération amatit l'émail, vous pourrez lui rendre son éclat soit en passant la pièce au touret à polir dont vous aurez enduit le disque de feutre d'oxyde de cérium, soit en la frottant à la main avec un buffle de feutre humide et de l'oxyde de cérium. Vous pouvez également la remettre quelques instants dans un four très chaud jusqu'à ce que l'émail redevienne brillant.

Les palettes-échantillons. Il est impossible de prévoir la couleur exacte qu'aura un émail après la cuisson, d'autant plus qu'on ne peut se fier aux couleurs des échantillons ou des émaux crus. La seule façon d'être certain de l'aspect que prendra un émail une fois cuit consiste à préparer des palettes-échantillons.

Pour ce faire, taillez un rectangle de cuivre de 2 po de long. Percez-le à une extrémité pour pouvoir y passer un anneau ou un crochet et contre-émaillez-le. Pour tester un émail transparent, posez à la spatule un émail blanc au haut du rectangle sur une hauteur de ¼ po, du fondant sur 1½ po et l'émail à tester sur le dernier ¼ po. Cuisez, laissez refroidir et nettoyez la plaque, puis posez des bandes de ¼ po de paillon or et argent dans la partie supérieure de la plage de fondant et cuisez (voir p. 340). Saupoudrez ensuite toute la plaque de l'émail à tester, puis peignez le numéro de la couleur au bas du rectangle avec de l'émail noir à tracer. Cuisez et nettoyez. Vous saurez ainsi l'aspect que prendra l'émail cuit selon la nature des fonds.

S'il s'agit d'un émail opaque, tamisez-le sur toute la plaque contre-émaillée et cuisez-le ; peignez ensuite le numéro de la couleur au noir à tracer, cuisez, laissez refroidir et nettoyez.

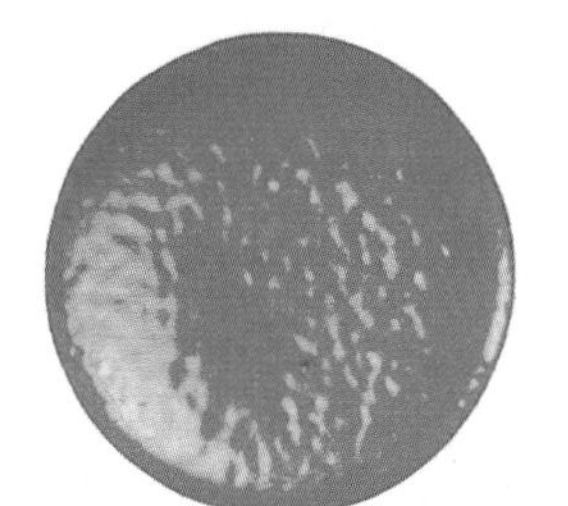

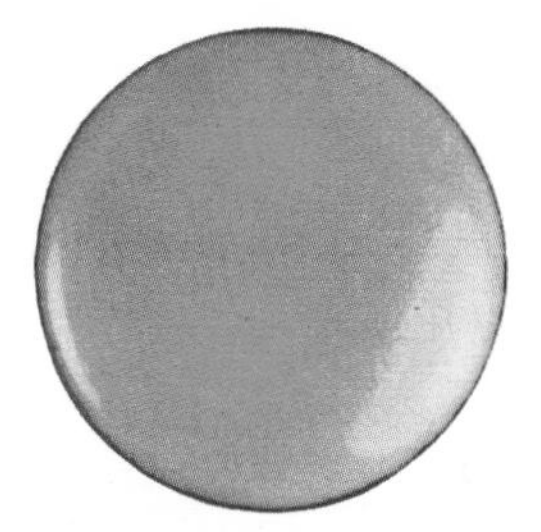

Ces cercles de cuivre couverts de fondant illustrent les trois étapes de la cuisson : le stade de l'écorce d'orange (à gauche) ; l'incuit (au centre) ; la cuisson à maturité (à droite).

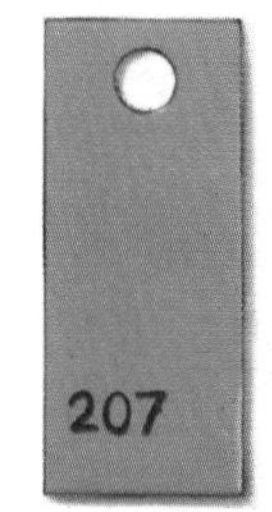

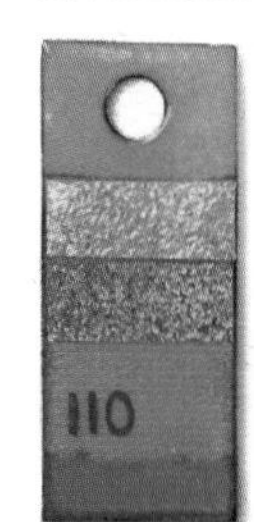

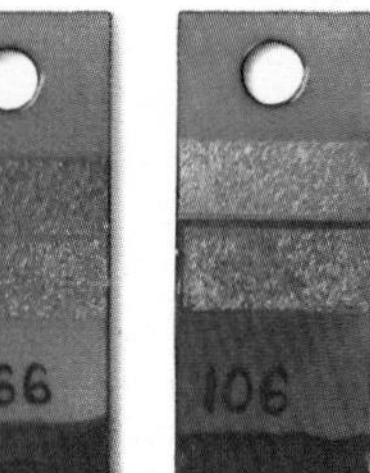

Les trois palettes de gauche sont celles d'émaux opaques. Les trois autres sont couvertes d'émaux transparents cuits sur de l'émail blanc, des paillons or et argent, du fondant, puis à même le cuivre.

Email

L'émaillage *(suite)*

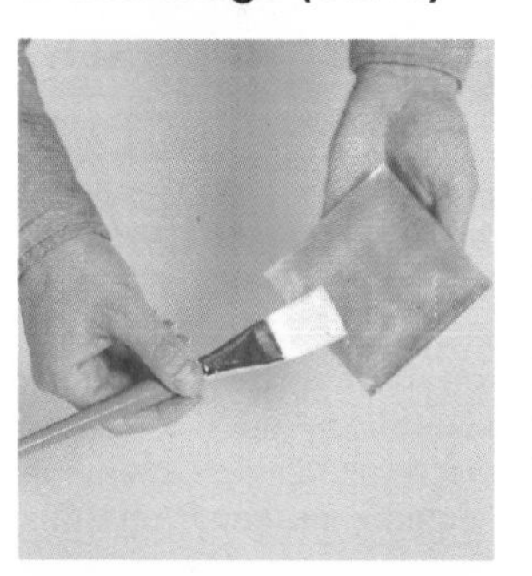

La pose au poudré. Avant d'émailler une pièce, nettoyez-la soigneusement et contre-émaillez-la, tel que décrit à la page 337. Puis, couvrez-la au pinceau d'une épaisse couche d'adhésif en faisant bien attention d'enduire abondamment toutes les parties de la plaque qui seront émaillées.

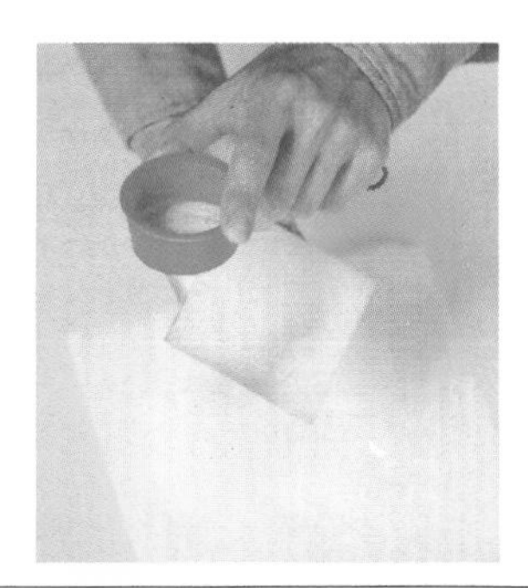

Versez l'émail de la couche de fond dans un tamis de 60 et saupoudrez-le doucement sur la plaque en une couche épaisse, en commençant par les bords. L'adhésif retiendra la majeure partie de l'émail. En vous servant d'un couteau à palette, mettez la plaque à sécher sur le dessus du four chaud. Une fois qu'elle est sèche, déposez-la sur le support approprié.

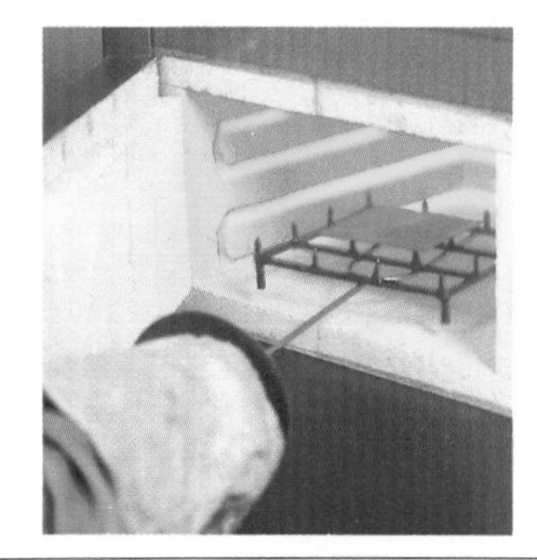

Enfilez un gant d'amiante et enfournez la plaque sur son support. Cuisez-la jusqu'à ce que l'émail soit glacé (voir p. 339), puis défournez-la et mettez-la à refroidir sur une plaque d'amiante. Décalaminez-en les bords à la lime, puis lavez-la, alcalinisez-la dans de l'ammoniaque et rincez-la dans de l'eau. Répétez le processus pour les autres couches.

Le pochoir. En se servant d'un pochoir, on peut saupoudrer n'importe quel décor sur une couche de fond. Pour ce faire, découpez dans un carton la forme des plages qui ne seront pas émaillées et positionnez le pochoir sur la plaque. On peut aussi couvrir celle-ci de ruban-cache et dégager avec un couteau utilité les zones à émailler, tel qu'illustré.

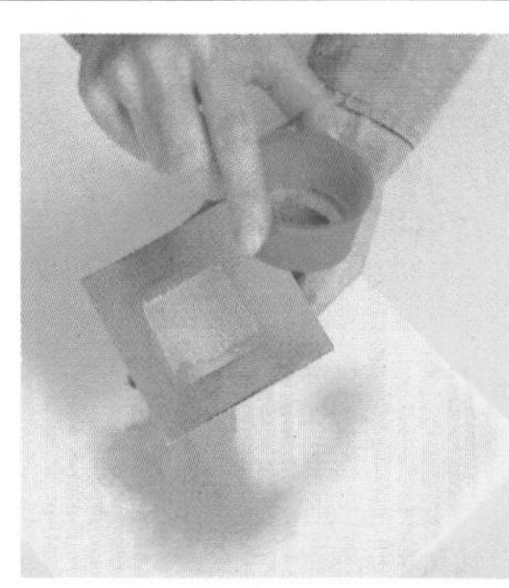

Enduisez d'adhésif les parties à nu et tamisez l'émail sur toute la plaque. Soufflez sur l'excédent. (Vous pouvez aussi poser l'émail à la spatule.) Faites sécher la plaque, mais pas sur le four chaud si vous avez utilisé du ruban adhésif, car celui-ci pourrait se ramollir et laisser un résidu sur l'émail.

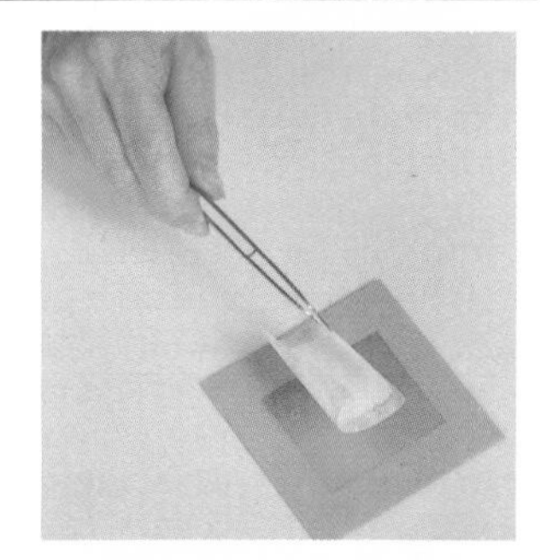

Quand la pièce est sèche, ôtez délicatement le pochoir ; s'il s'agit de ruban-cache, soulevez-en un coin avec des brucelles et tirez lentement. Cuisez la pièce. Décalaminez-en les bords quand elle aura refroidi (sauf si le support est en argent) ; nettoyez-la et alcalinisez-la avec de l'ammoniaque. Posez la couche suivante.

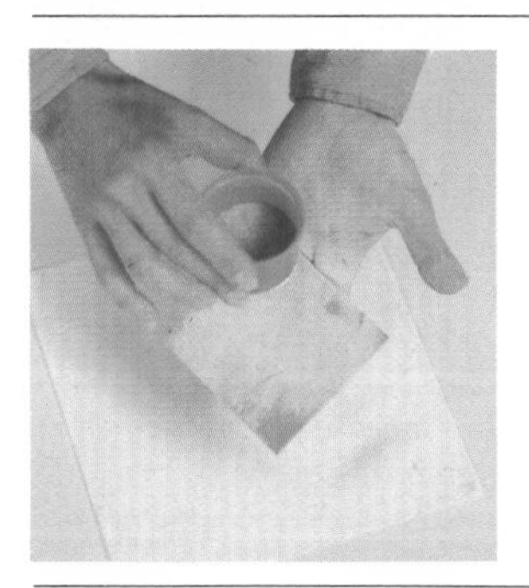

Le sgraffite. Le sgraffite est une technique qui accompagne souvent la pose au poudré : elle consiste à dessiner le décor dans les émaux encore crus. Une fois que la couche de fond aura été cuite, enduisez la plaque d'adhésif, puis couvrez-la d'émail avec un tamis de 100, une poudre très fine se travaillant plus facilement.

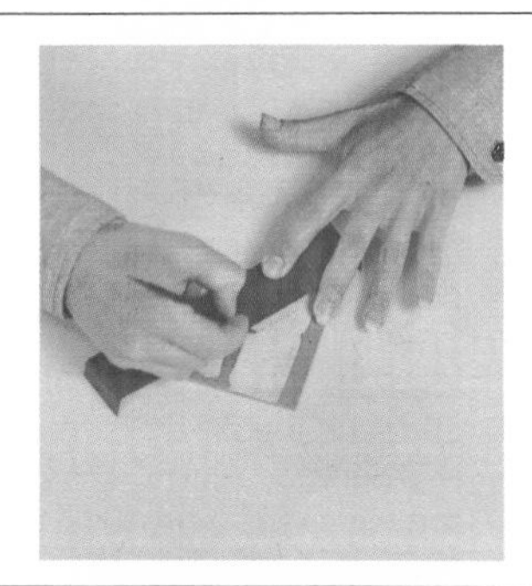

Soufflez sur le surplus d'émail et laissez sécher. Tracez le décor avec une pointe sèche ou tout autre accessoire qui donnera l'effet recherché. Pour dessiner au centre de la plaque, utilisez un appui-main afin de ne pas risquer de toucher la couche d'émail et de l'endommager.

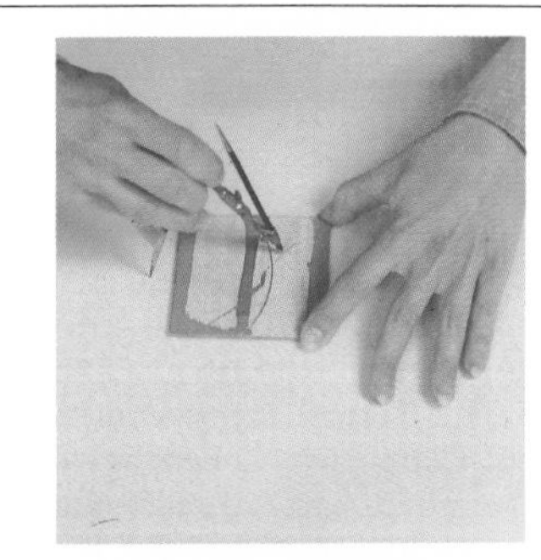

Employez un compas avec une pointe en métal pour tracer les courbes. Finissez d'établir votre décor, puis soufflez sur l'excédent d'émail et mettez la pièce à sécher sur le four chaud (si vous n'avez pas utilisé de ruban-cache). Continuez en suivant les étapes habituelles.

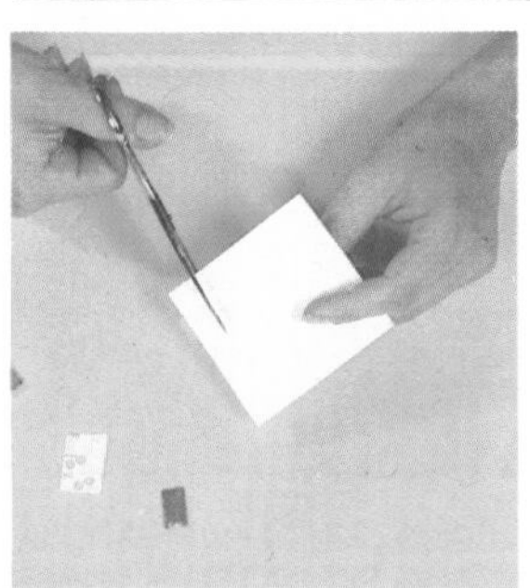

Les paillons. De l'or ou de l'argent en feuille recouverts d'une ou de plusieurs couches d'émail transparent donnent encore plus d'éclat à une pièce. Pour découper une feuille de métal, glissez-la entre deux morceaux de papier et, avec des ciseaux ou un perçoir, exécutez les formes de votre choix. Faites ensuite glisser les paillons hors du papier.

Enduisez d'adhésif la zone qui recevra les paillons. (La plaque aura déjà été émaillée au moins une fois.) Ramassez les paillons avec un pinceau passé dans l'adhésif et déposez-les sur la plaque. Lissez-les avec un pinceau pour les faire adhérer et mettez la plaque à sécher sur un four chaud.

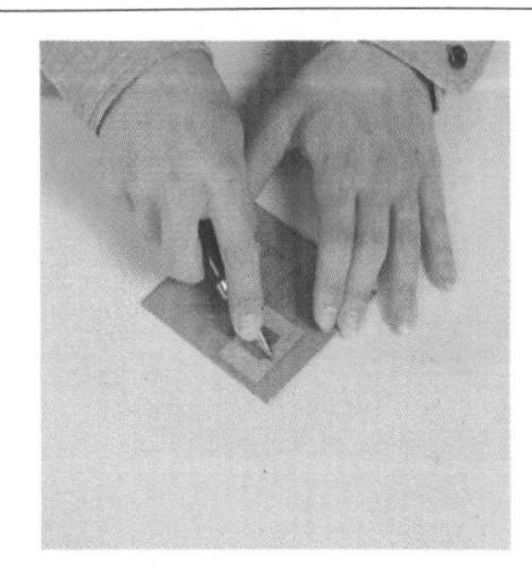

Percez avec une aiguille de nombreux trous dans les plus gros paillons pour empêcher la formation de bulles d'air. Défournez quand les paillons adhèrent au métal, mais avant qu'ils ne s'y fondent. Laissez refroidir la pièce, limez-en les bords, puis lustrez les paillons avec un brunissoir. Nettoyez, puis recouvrez d'une fine couche d'émail transparent.

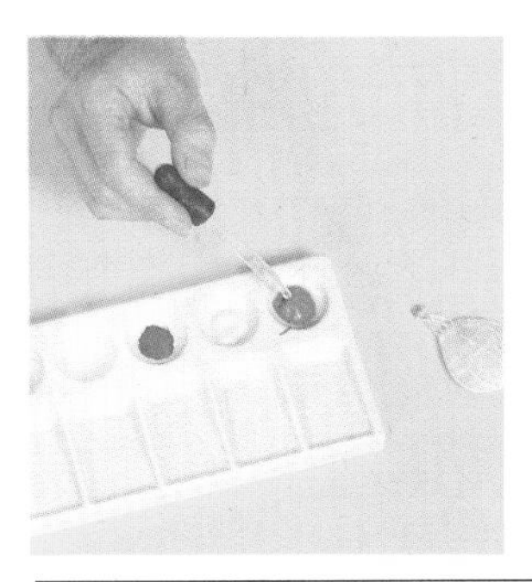

Pose à la spatule. Déposez de petites quantités d'émaux sur une palette et ajoutez-y quelques gouttes d'adhésif avec un compte-gouttes, ainsi que suffisamment d'eau pour que le mélange soit à peine moins épais que de la crème sure.

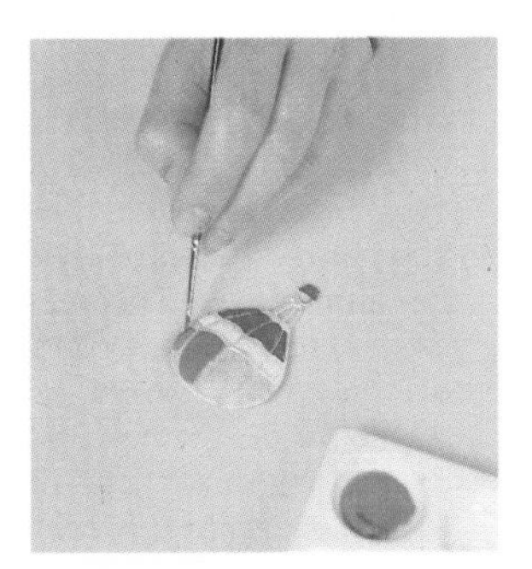

Posez l'émail au pinceau ou à la spatule sur la plaque préparée et lissez-le. Dans le cas du cloisonné ou du champlevé (illustré ici), évitez de mettre de l'émail sur les cloisons ou les champs hauts. Quand l'émaillage est fini, déposez la plaque avec un couteau à palette sur le dessus du four chaud pour la faire sécher.

Placez la plaque sur un support (à ailettes, dans ce cas-ci) et enfournez-la. Faites-la refroidir sur de l'amiante, puis nettoyez-la. (Il est inutile de décalaminer un support en argent.) Continuez l'émaillage en cuisant, puis en nettoyant chaque couche comme d'habitude.

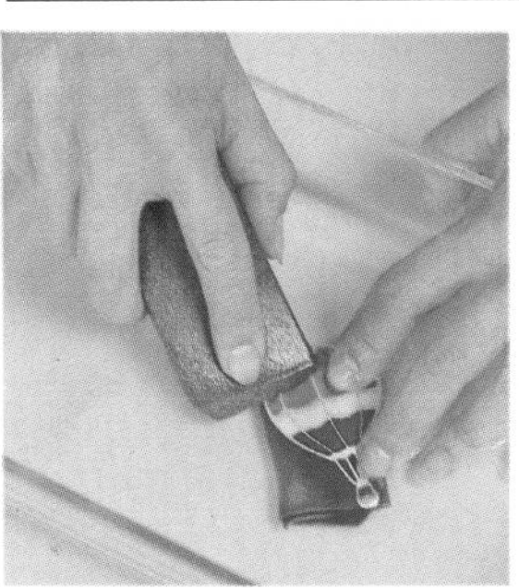

Le lapidage. Les pièces finies sont en général lapidées. Déposez la plaque sur du cuir ou du balsa. Plongez-la dans de l'eau ou travaillez sous le robinet pour éliminer les ébarbures au fur et à mesure. Frottez-la vivement avec une pierre carborundum à gros grains, puis à grains fins, jusqu'à ce qu'elle soit lisse. Polissez-la ou cuisez-la quelques instants à feu vif.

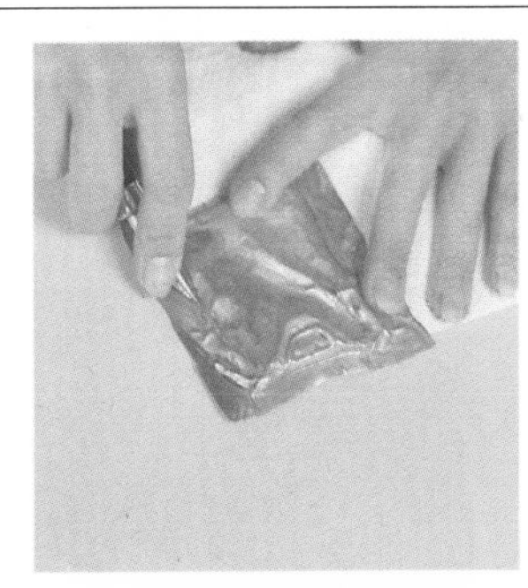

Bas-relief. Déposez une mince plaque de cuivre (calibre 36) sur une pile de papier essuie-tout ou de chiffons et repoussez le métal avec vos doigts et un brunissoir. Couvrez l'envers d'enduit anticalamine et laissez sécher ou, si le bas-relief doit s'intégrer à une pièce émaillée, contre-émaillez-le.

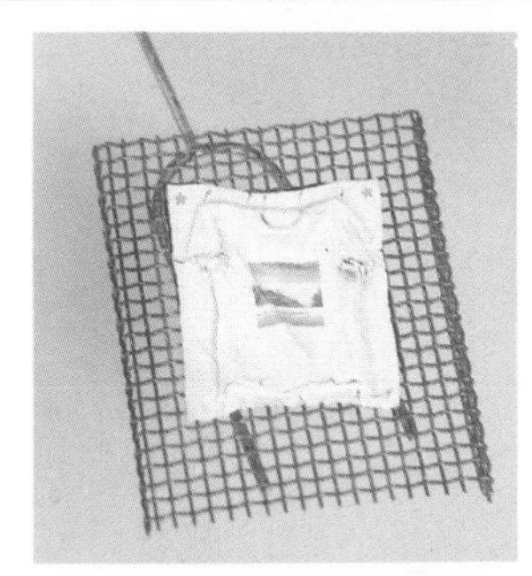

Enduisez d'adhésif l'endroit du bas-relief et couvrez-le au poudré d'émail de 100. Cuisez, puis nettoyez. Ensuite, émaillez la pièce ou collez-y des décalcomanies et remettez-la à cuire. Pour intégrer un élément en cuivre émaillé à une autre pièce également émaillée, positionnez le premier sur la seconde et cuisez jusqu'à ce qu'ils adhèrent l'un à l'autre.

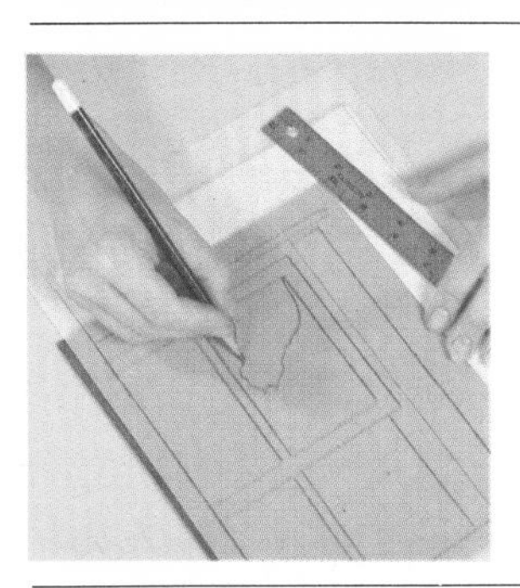

Transfert d'un dessin. Pour transférer un dessin sur une couche de fond, couvrez la plaque d'un carbone ou d'un papier-calque, puis du motif à reporter. Tracez le décor, ôtez le motif et le papier-calque, puis repassez sur les traits avec une pointe sèche. Lavez la plaque pour éliminer toutes les traces de carbone.

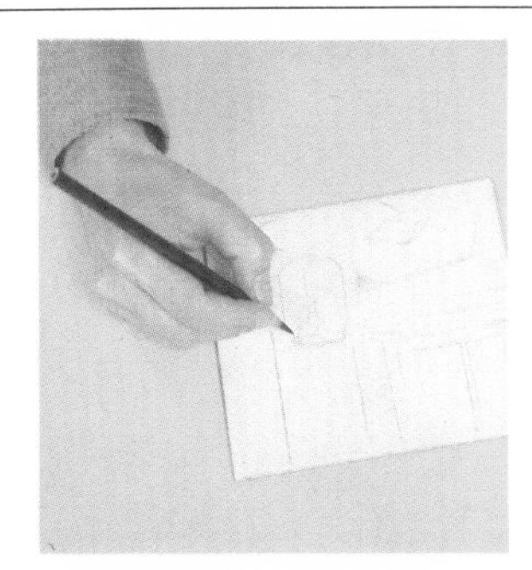

Crayons céramiques. Pour établir un décor avec des crayons céramiques, lapidez d'abord la pièce émaillée pour l'amatir, puis dessinez directement dessus avec les crayons. Cuisez jusqu'à ce que le tracé soit glacé. Vous pourrez émailler par-dessus le décor si vous le désirez.

Peinture sur émail. Pour peindre sur une plaque émaillée, mélangez des émaux finement broyés (200-600) avec quelques gouttes d'adhésif et un peu d'eau jusqu'à ce que le tout soit un peu plus fluide que pour la pose à la spatule. Peignez ensuite à main levée ou en remplissant les contours tracés à la pointe sèche ou avec des crayons céramiques.

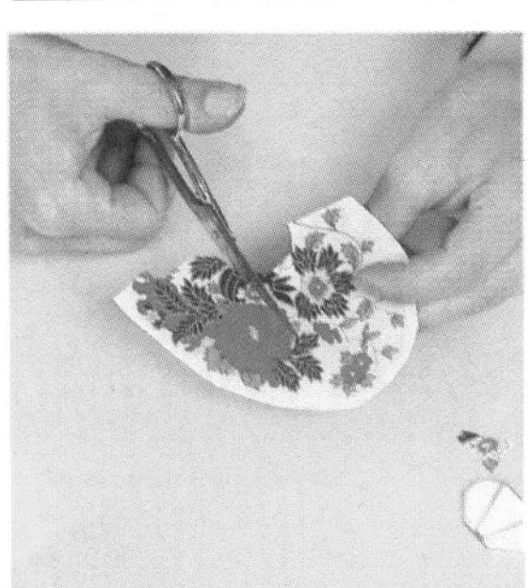

Décalcomanies. On peut décorer une plaque émaillée avec des décalcomanies céramiques, en procédant comme pour un collage. Posez d'abord une couche de fond, puis découpez les décalcomanies avec des ciseaux.

Faites-les tremper dans de l'eau jusqu'à ce que le papier protecteur se détache. Prenez-les avec des brucelles et disposez-les sur l'émail. Tapotez-les délicatement avec un papier essuie-tout pour absorber l'eau et chasser les bulles d'air.

Laissez la pièce sécher 24 h avant de la cuire. Après l'avoir fait refroidir, puis l'avoir nettoyée, vous pouvez la laisser telle quelle ou couvrir les décalcomanies d'émaux transparents. Vous pouvez aussi décorer une pièce avec des perles ou des fils de verre de petit feu. Faites quelques tests pour vérifier s'ils fusionnent bien avec l'émail.

Email/projets

Pendentif en cloisonné

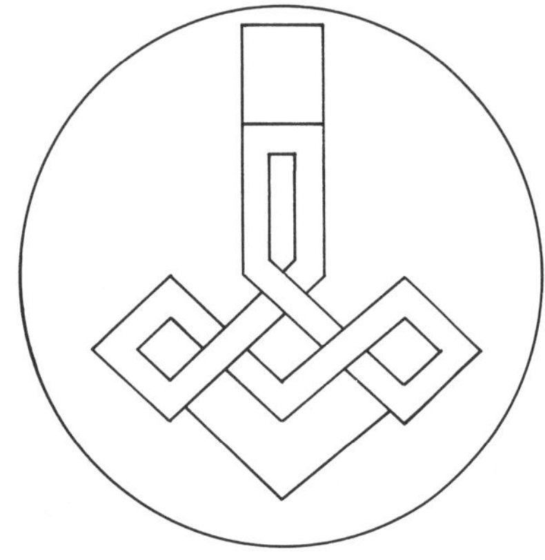

Le pendentif de gauche a été réalisé d'après le motif de droite, dessiné aux dimensions réelles.

De toutes les techniques d'émaillage, le cloisonné est à la fois la plus ancienne et la mieux connue. Pour réaliser le pendentif en cloisonné illustré à gauche, vous aurez besoin d'un rond de cuivre de calibre 18, d'environ 2 pi de cloisonné en argent et des émaux énumérés ci-dessous. Vous pouvez acheter un cercle de cuivre du diamètre voulu ou en découper un vous-même dans une feuille avec des cisailles ou une scie. Comme émaux, il vous faudra du noir dur pour le contre-émaillage; du fondant dur pour la couche de fond; du noir moyen, du grenat transparent et du crème opaque pour le décor.

Avant d'émailler, découpez un carré près du bord de la pièce. Quand le pendentif sera fini, vous pourrez y passer un ruban en satin en guise de chaîne.

Coupez le cloisonné en sections et façonnez-le, puis posez-le en place sur la couche de fond; pour l'y faire tenir, vous n'aurez besoin que d'un peu d'adhésif puisque le pendentif est plat. (Quand la pièce est arrondie, il faut parfois souder le cloisonné au cuivre.)

Si, après deux cuissons ou plus, le grenat devient trop foncé, remplacez-le par du fondant pour les cuissons subséquentes. Cela donnera plus de profondeur à l'émail et protégera les plages.

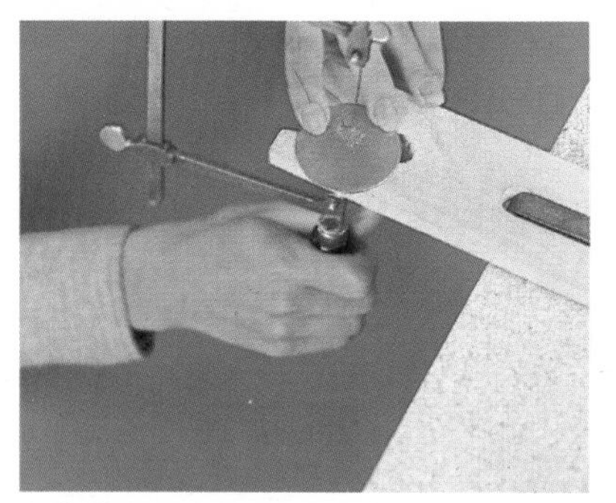

1. Percez un petit trou carré près du bord du rond. Contre-émaillez la pièce et émaillez-la au poudré avec un fondant dur. Cuisez, laissez refroidir et limez les bords, y compris ceux du trou.

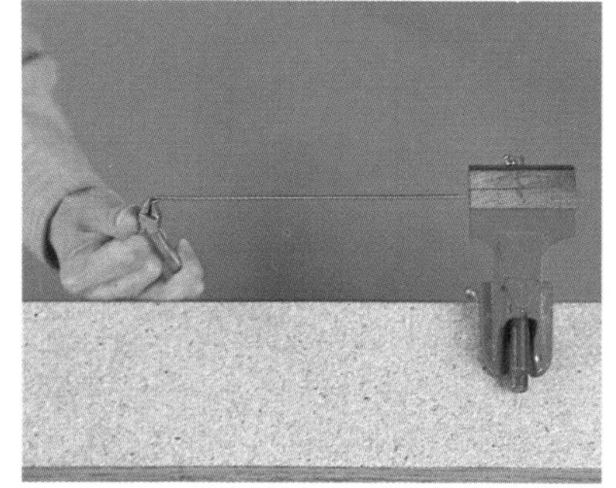

2. Passez un bout du cloisonné dans la filière et saisissez-en l'autre avec la pince à tirer. Etirez-le légèrement. Ceci va à la fois le renforcer, l'allonger et l'amincir.

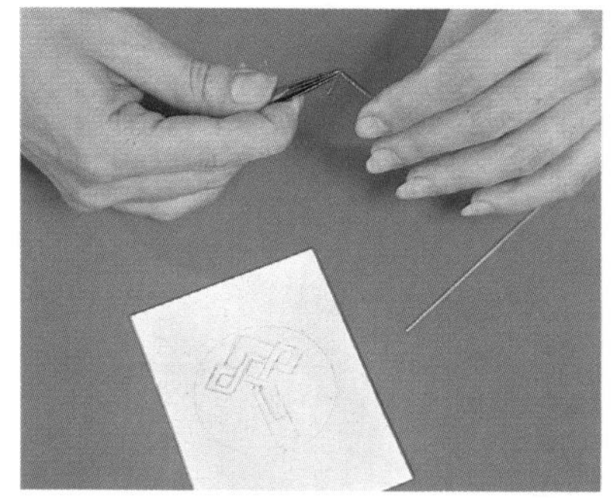

3. Recopiez le motif sur un papier et couvrez-le d'un ruban transparent, encollé sur ses deux faces. Courbez les morceaux de cloisonné avec les pinces et placez-les sur le motif.

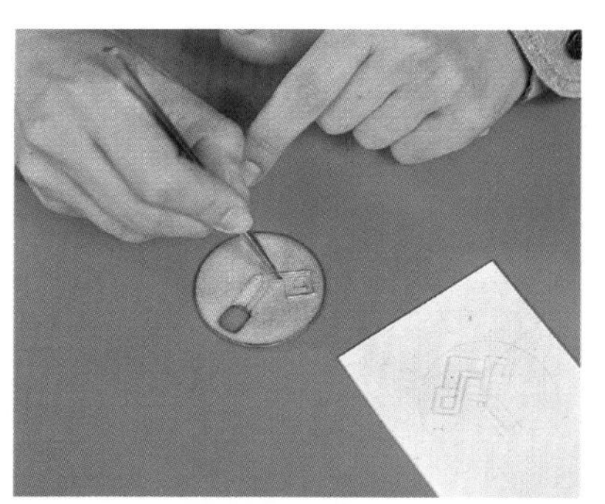

4. Lorsque tous les morceaux de cloisonné sont en place, décollez-les, trempez-les dans un adhésif liquide et positionnez-les sur le pendentif. Faites sécher celui-ci sur le dessus du four.

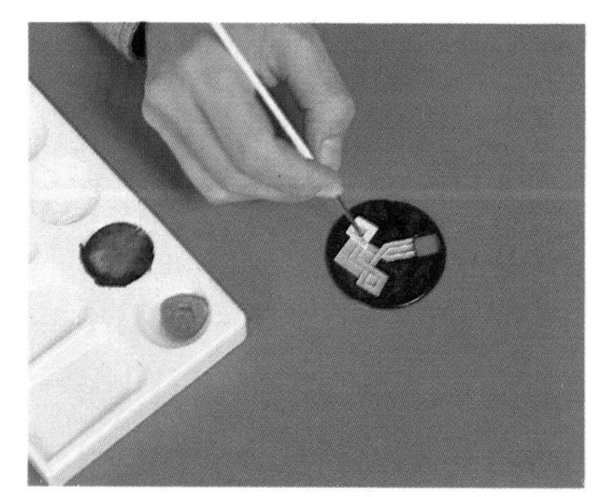

5. Cuisez le pendentif jusqu'à ce que le cloisonné s'enfonce dans le fondant. Défournez-le, puis laissez-le refroidir sur une plaque d'amiante. Limez-en les bords et nettoyez-le.

6. Couvrez les grandes plages à la spatule avec de l'émail noir. Remplissez les alvéoles de grenat et de crème avec un pinceau très fin. Evitez de mettre de l'émail sur le cloisonné.

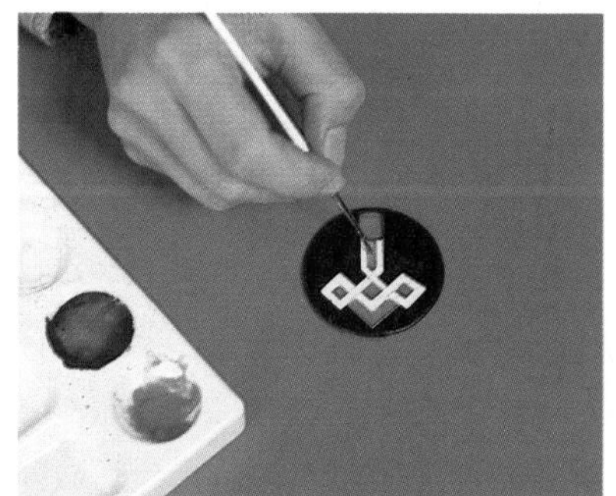

7. Faites sécher et cuisez. Laissez refroidir, décalaminez, nettoyez et alcalinisez la pièce. Emaillez de nouveau et remettez au feu. Continuez jusqu'à ce que l'émail arrive au ras des cloisons.

8. Lapidez le pendentif pour le lisser et aplatir légèrement le cloisonné. Polissez celui-ci avec une pierre à grains fins, puis passez rapidement la pièce à feu vif.

Pendants d'oreilles en plique-à-jour

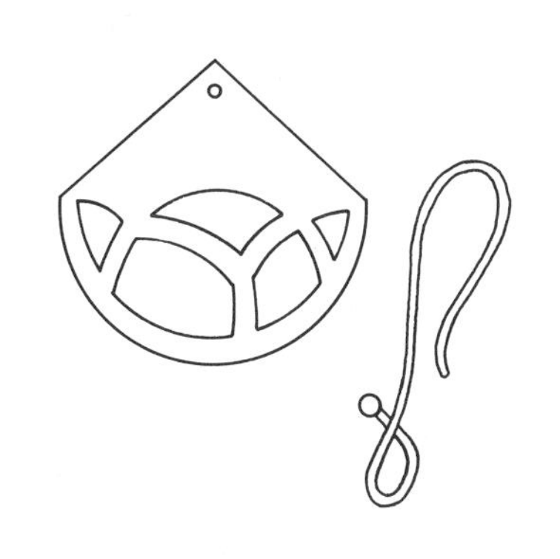

Ces pendants d'oreilles ont été réalisés d'après le motif de droite, dessiné aux dimensions réelles.

La luminosité des émaux plique-à-jour convient particulièrement bien pour des pendants d'oreilles. Pour exécuter la paire de pendants illustrée ici, vous aurez besoin de deux carrés de 1½ po en argent fin de calibre 18 et de quelques cristaux d'émail. Fixez les pendants à des boucles de bijouterie pour oreilles percées ou façonnez-en avec des fils d'argent de calibre 20 et d'une longueur d'environ 4 po, tel qu'illustré.

Durant la cuisson, les émaux plique-à-jour doivent reposer sur du mica. L'argent doit adhérer étroitement à cette base, sinon l'émail en fusion pourrait couler sous le métal et s'y incruster.

Comme le motif des pendants est asymétrique, il faut le reproduire sur l'un d'eux en inversion par rapport à l'autre afin que le parallélisme soit parfait lorsqu'on les porte. Au moment de limer les jours en biseau, tel que décrit à l'étape 2, ci-dessous, faites-le de telle sorte que leur partie la plus large soit située sur les côtés opposés des deux pendants.

Si vous ne voulez pas employer des cristaux, vous pouvez poser à la spatule de l'émail de 60 que vous aurez d'abord soigneusement lavé, puis mouillé uniquement avec de l'eau distillée. N'y ajoutez pas d'adhésif parce qu'il pourrait voiler les émaux cuits.

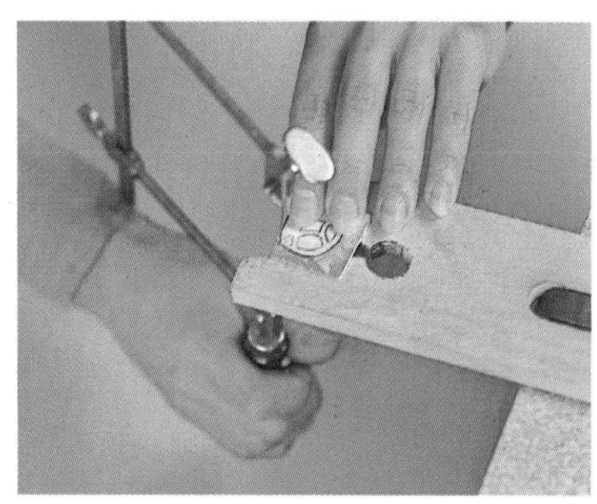

1. Préparez et découpez deux tracés du motif. Fixez-les à l'argent avec de la colle blanche soluble. Découpez le métal à la scie et nettoyez-le après avoir décollé les tracés.

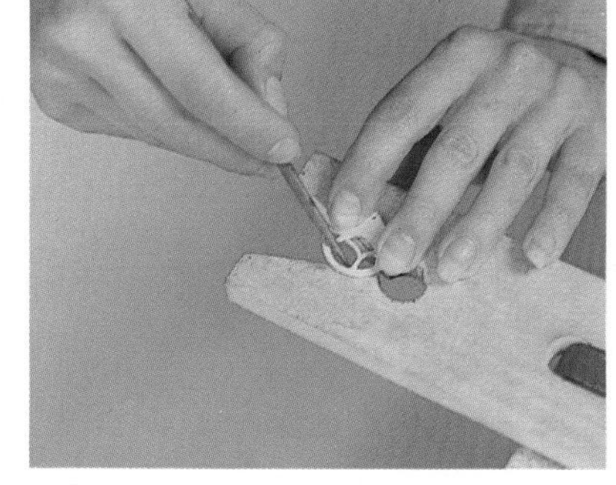

2. Placez les flans dans un étau-table et limez-en les bords. Avec une lime-aiguille, limez légèrement l'intérieur des jours en biseau pour fournir une base aux émaux. Recuisez l'argent.

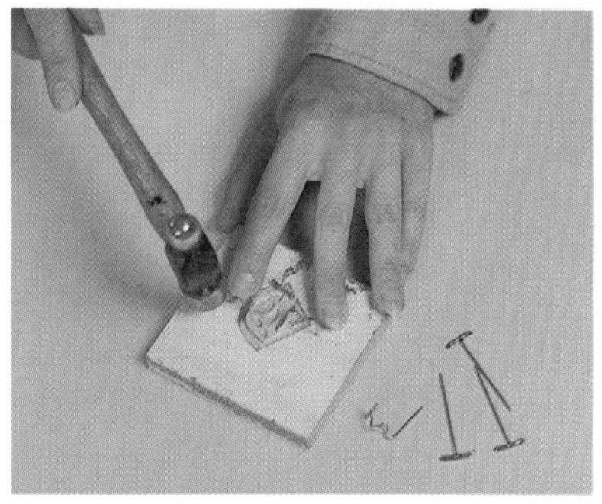

3. Placez un mica sur la maranite et les flans sur celui-ci, la partie la plus large des jours étant sur le dessus. Courbez des épingles en T, puis enfoncez-les dans la maranite autour des flans.

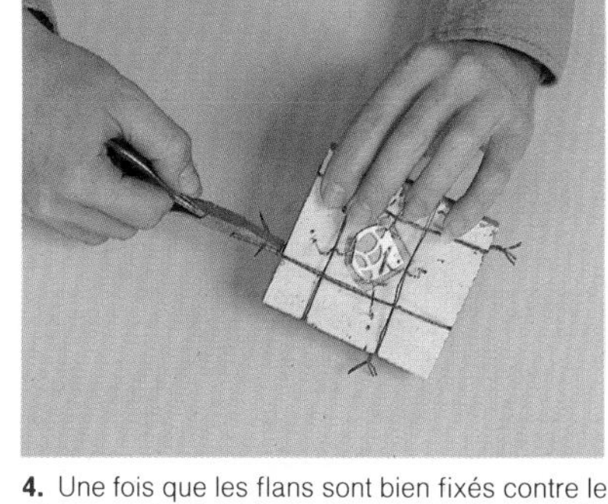

4. Une fois que les flans sont bien fixés contre le mica avec les épingles en T, entourez la maranite d'un fil de fer en immobilisant celles-ci. Tordez les extrémités du fil avec des pinces.

5. Mettez des cristaux d'émaux d'une seule couleur dans un mortier et broyez-les en grenailles. **Attention: Portez des lunettes de sécurité pour protéger vos yeux des éclats.**

6. Remplissez les jours de grenailles en utilisant des brucelles et cuisez à feu vif. Laissez refroidir, ajoutez de l'émail (tel qu'illustré), cuisez et recommencez jusqu'à ce que les jours soient pleins.

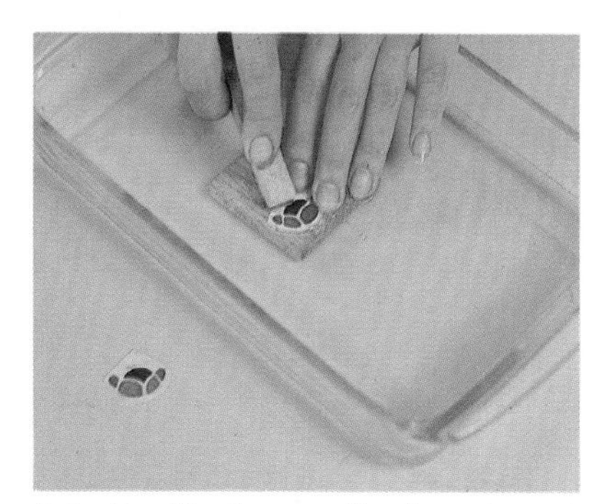

7. Lapidez l'émail pour qu'il soit au niveau de l'argent. Poncez avec du papier émeri nº 500, puis 600. Polissez l'émail et le métal avec un tampon de feutre et de l'oxyde de cérium.

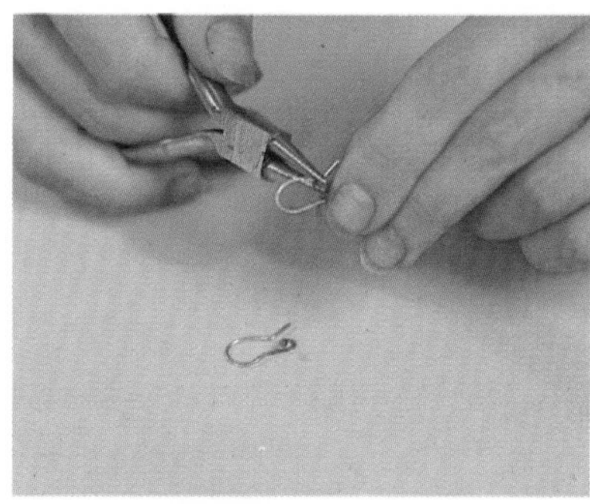

8. Pour les boucles, passez un chalumeau contre chacun des bouts de fil d'argent de 2 po jusqu'à ce que le métal forme une boulette. Courbez les fils et fixez-les aux pendants.

Email/projets

Bol en champlevé

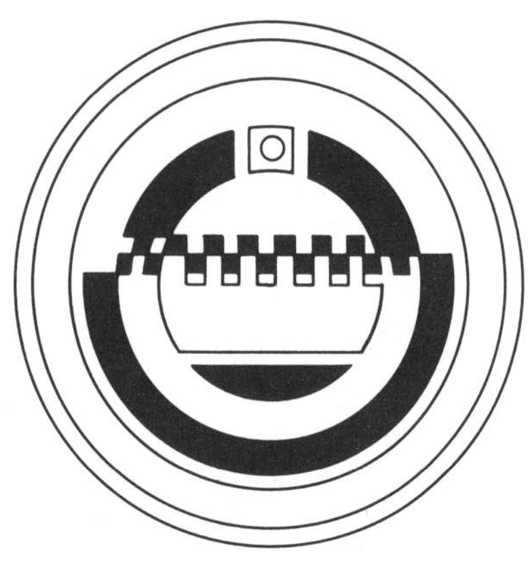

Le bol en champlevé, à gauche, a été exécuté selon le motif de droite.

On peut donner beaucoup de cachet à un bol en cuivre quelconque en attaquant le métal à certains endroits et en émaillant les alvéoles. Pour obtenir un bol semblable à celui qui est illustré ci-contre, vous pouvez utiliser un bol en cuivre de n'importe quelle grandeur. Vous aurez besoin d'émail opaque vert sapin pour l'extérieur et de divers émaux opaques pour l'intérieur. Il vous faudra aussi du vernis d'asphalte, de la cire d'abeille ainsi que de l'acide nitrique pour attaquer le métal. (On emploie habituellement du perchlorure de fer pour attaquer le cuivre, mais, sur une surface courbe, son utilisation donne un résultat inégal.)

Couvrez de vernis d'asphalte les parties qui resteront intactes et protégez le bord du bol en y appliquant une couche de cire d'abeille. Remplissez le bol d'eau pour obtenir sa capacité, puis versez-en les trois quarts dans un grand récipient de verre. En prenant bien garde de ne pas faire d'éclaboussures, ajoutez-y de l'acide nitrique correspondant au quart de la capacité du bol et remuez doucement avec des pinces en cuivre. Versez lentement le mélange dans le bol jusqu'à ce qu'il atteigne le niveau de la cire. Laissez reposer jusqu'à ce que le cuivre soit rongé. Otez avec une plume les bulles qui remontent à la surface, car

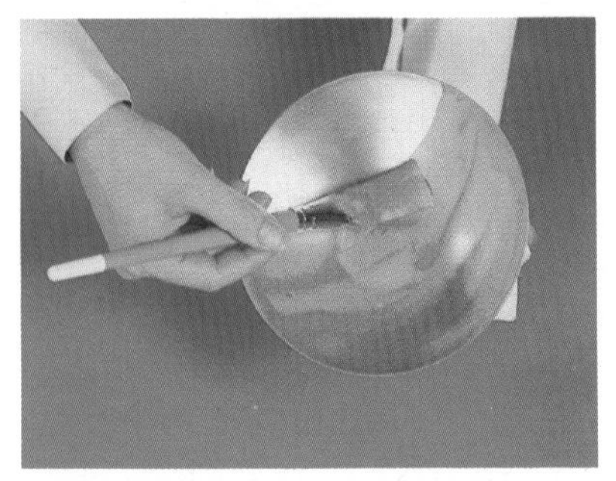

1. Recuisez le bol en cuivre et laissez-le refroidir. Nettoyez-le à fond avec de la pierre ponce et un gratte-bosse (voir p. 337). Alcalinisez-le ensuite avec de l'ammoniaque et rincez. Enduisez l'intérieur d'une épaisse couche d'anticalamine.

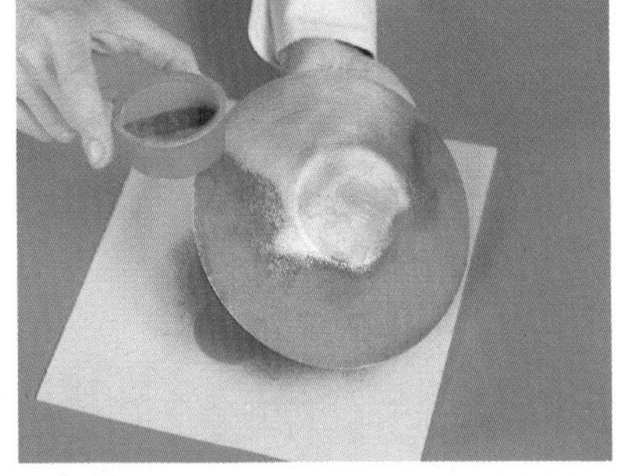

2. Renversez le bol en prenant garde de ne pas y laisser de marques de doigts et enduisez tout l'extérieur d'un fondant. Saupoudrez une épaisse couche d'émail opaque vert sapin avec un tamis de 60. Mettez le bol à sécher sur le four.

3. Faites cuire le bol quand il est sec, laissez-le ensuite refroidir sur une plaque d'amiante. Nettoyez-le des deux côtés en enlevant tout l'anticalamine et la calamine. Alcalinisez-le de nouveau avec de l'ammoniaque, puis rincez-le.

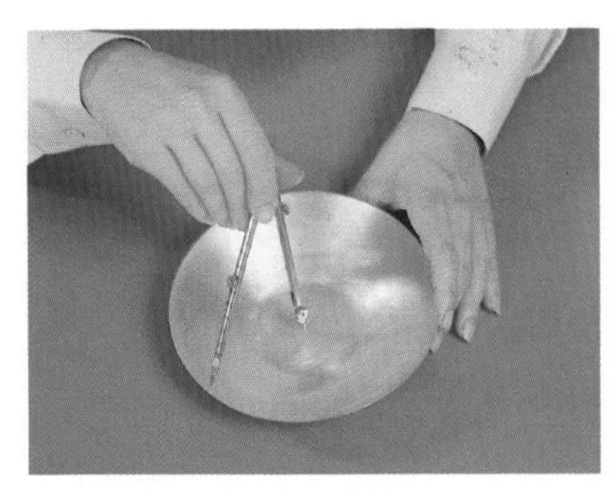

4. Reproduisez le motif ci-dessus à l'intérieur du bol en traçant les cercles avec un compas muni d'une pointe à tracer. N'utilisez que la pointe pour les autres motifs et employez une règle flexible pour tracer les lignes.

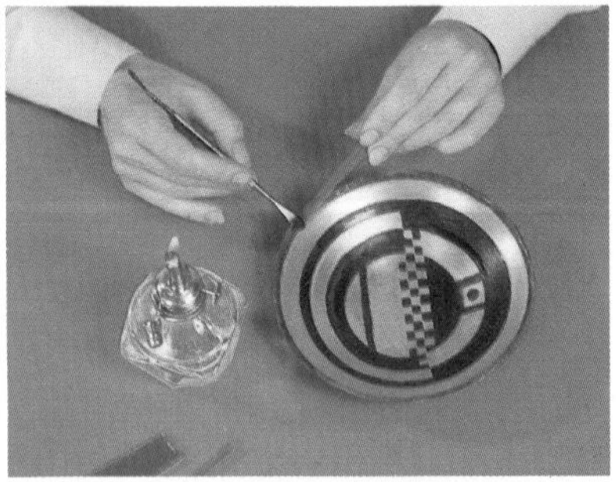

6. Faites fondre la cire sur une lampe à alcool et couvrez-en tout le bord du bol avec une spatule étroite. Préparez la solution d'acide dans un récipient de verre, remplissez-en le bol jusqu'à la hauteur de la cire et remuez doucement.

7. Vérifiez les alvéoles toutes les 15 min et crevez les bulles d'air avec une plume. Si certaines parties sont rongées plus vite, videz la solution, enduisez-les d'asphalte et reversez l'acide jusqu'à ce que toutes les alvéoles soient creusées.

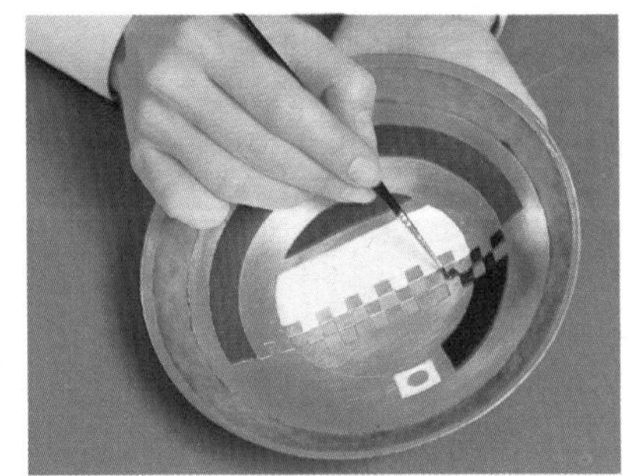

8. Versez la solution dans un récipient de verre avec du bicarbonate de soude et de l'eau avant de la jeter. Nettoyez l'asphalte avec du dissolvant à peinture et de la laine d'acier et appliquez à la spatule les premières couches d'émail.

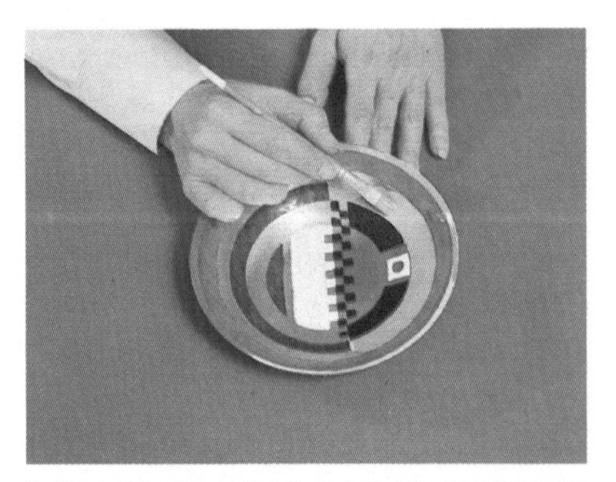

9. Enduisez le métal à nu d'anticalamine pour empêcher l'accumulation de résidu pendant la cuisson, mais n'en mettez pas sur l'émail. Laissez sécher, puis mettez le bol à cuire à l'envers. Nettoyez-le bien quand il aura refroidi.

celles-ci atténuent la morsure de l'acide. Tous les quarts d'heure environ, vérifiez la profondeur des alvéoles à l'aide du manche d'un pinceau.

Attention: Ajoutez toujours l'acide nitrique à l'eau, et non l'eau à l'acide nitrique, pour ne pas risquer d'être brûlé par des éclaboussures. Pendant la gravure, placez le bol dans un plat en verre, comme celui illustré à l'étape 10 (ci-dessous), au cas où l'acide giclerait hors du bol. Portez toujours des gants en caoutchouc pour manipuler ce type de produit et pour nettoyer le métal gravé. Avant de jeter la solution, neutralisez-la avec du bicarbonate de soude et de l'eau.

5. Nettoyez de nouveau le bol à fond. Appliquez une couche d'asphalte sur l'extérieur ainsi que sur les parties qui resteront intactes. Plusieurs couches minces valent mieux qu'une application épaisse. Laissez sécher toute la nuit.

10. Continuez d'émailler jusqu'à ce que les alvéoles soient comblées. Couvrez toujours le métal nu d'anticalamine avant de mettre au four. Poncez l'émail pour qu'il soit lisse et faites cuire rapidement à feu vif. Polissez le métal exposé.

Plaque en grisaille

La grisaille s'apparente à la peinture et, à ce titre, est un art hautement individualiste. En travaillant à la grisaille, vous aurez tout le loisir de créer vos propres motifs. Toutefois, si vous préférez faire vos premières armes avec un projet précis, vous pouvez vous inspirer du modèle illustré à droite et l'exécuter selon la méthode décrite à l'étape 2, en y ajoutant des détails de votre choix et en jouant avec les ombres. Pour cette plaque, vous aurez besoin d'un morceau de cuivre de calibre 18 de 4 po de côté, d'émail noir opaque de 60 et d'émail blanc à grisaille de 100 et de 300 ou 400. On peut voir, à gauche, une photo de la plaque après la dernière cuisson.

La grisaille est une technique parfaite pour le portrait et les natures mortes. Le mélange de blanc, de noir et des tons de gris que cette technique permet rappelle la photographie en noir et blanc. On peut modifier la méthode classique en grisaille en ajoutant sur la pièce finie, ici et là, des touches de couleur avant de la faire cuire.

La façon de réaliser la plaque ci-contre est expliquée ci-dessous. Reprenez les grandes lignes du motif, puis ajoutez-y des détails de votre cru.

Si vous avez l'intention d'exposer votre œuvre, faites une boucle avec un gros fil de cuivre. Soudez-la ensuite au dos de la plaque, à même le cuivre et avant de l'émailler, avec de la soudure à l'argent à haute température. Vous pouvez aussi la monter, une fois finie, sur une feuille de plexiglas et l'encadrer.

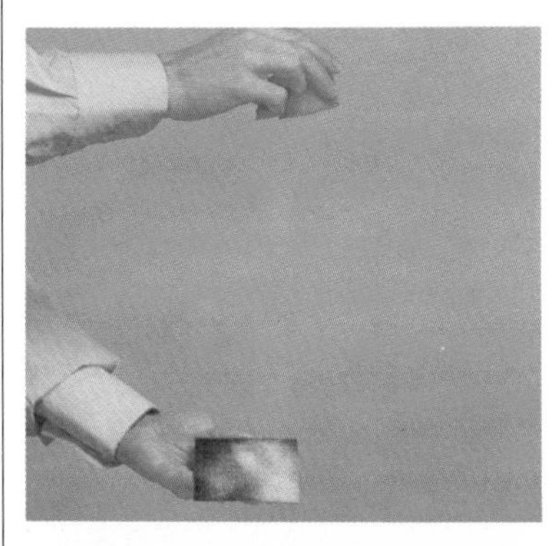

1. Nettoyez le cuivre et contre-émaillez-le avec de l'émail noir dur de 60. Appliquez-en aussi comme couche de fond, puis saupoudrez-le d'une fine couche d'émail blanc à grisaille avec un tamis de 100 tenu à bonne hauteur au-dessus de la plaque. Laissez l'émail sécher.

2. Tracez les contours du motif dans l'émail blanc avec un stylet; les détails viendront plus tard. Soufflez pour enlever le surplus; faites cuire la plaque et laissez-la refroidir.

3. Mélangez un peu d'émail blanc de 300 ou 400 pour l'application à la spatule et couvrez-en les zones prévues comme si vous peigniez. Faites cuire, puis appliquez de l'émail blanc quatre ou cinq fois pour créer les effets d'ombre. L'émail humide a les mêmes nuances qu'après cuisson, mais non l'émail en poudre.

4. Nettoyez la plaque et ajoutez des rehauts avec l'émail blanc. Faites cuire, laissez refroidir et nettoyez les bords de la plaque.

Modelage, moulage et coulage

De l'argile au bronze

Le modelage, le moulage et le coulage sont les trois phases d'une des formes les plus populaires de la sculpture. Dans la première phase, on modèle une épreuve dans une matière malléable et transitoire comme l'argile (l'argile est dite transitoire parce qu'on ne la cuit pas et qu'on s'en sert uniquement lors de cette étape préliminaire). Ensuite, on confectionne un moule en enrobant le modèle d'un matériau (habituellement du plâtre) qui en reproduira fidèlement le moindre détail. Après avoir dépouillé l'épreuve, on coule dans le moule une substance qui, en durcissant, deviendra l'exacte réplique du modèle original.

Le modelage offre davantage de possibilités que la sculpture en taille directe, tout aussi populaire (voir *Sculpture sur bois,* pp. 270-277). Dans cette seconde forme de sculpture, l'œuvre est extraite d'une matière dure comme la pierre ou le bois. En modelage, par contre, le sculpteur jouit d'une plus grande latitude à cause de la plasticité de la matière employée. Outre la possibilité, par exemple, de procéder à des additions ou à des retouches au fur et à mesure que l'ébauche se précise, cette malléabilité du matériau lui permet d'obtenir des effets irréalisables avec la sculpture en taille directe.

Le coulage, une tradition millénaire. Depuis toujours, le bronze est le métal préféré des sculpteurs. On a trouvé, au Moyen-Orient, des statuettes de bronze qui remontent à environ 4000 av. J.-C. En Chine, on a découvert dans des tombes des statues qui ont été coulées vers 3000 av. J.-C., tandis qu'en Inde et en Afghanistan on a mis au jour des fragments datant de 2000 av. J.-C.

Au cours des Vᵉ et IVᵉ siècles avant notre ère, les Grecs exprimèrent, par leurs sculptures en bronze, comment ils concevaient la beauté. Malheureusement, très peu de ces œuvres nous sont parvenues parce que le bronze peut être fondu plus d'une fois et réutilisé à diverses fins, ce qui n'est pas le cas avec la pierre. Les Romains poursuivirent la tradition grecque et perfectionnèrent l'art du moulage en bronze.

Tombé en disgrâce pendant environ 1 000 ans, cet art connut un regain de popularité pendant la Renaissance italienne. Lorenzo Ghiberti, Filippo Brunelleschi, Donatello et Benvenuto Cellini ne sont que quelques-uns des grands sculpteurs de l'époque qui coulaient leurs œuvres en bronze. Ce renouveau de la statuaire en bronze, amorcé sous la Renaissance, s'est maintenu jusqu'à nos jours. Il suffit de penser à Edgar Degas, Auguste Rodin, Frederic Remington, Pablo Picasso, Alberto Giacometti et Henry Moore qui, dans ce domaine artistique, ont marqué notre siècle et le précédent. Aujourd'hui, les sculpteurs emploient, pour couler leurs pièces, de nouveaux matériaux comme l'aluminium et des composés de résine-polyester.

Présentation. Les outils utilisés en modelage et en moulage sont décrits à la page 347. Le modelage d'une tête avec de l'argile est illustré aux pages 347-351, tandis que celui d'une figure en plâtre l'est à la page 351. Aux pages 352-355, nous verrons comment on confectionne un moule en plâtre. Les pages 356-359 sont consacrées au coulage avec de la cire, de l'argile, des composés de résine-polyester et du béton. Enfin, l'étain et le moulage de petits articles en étain font l'objet des pages 360-361.

Comme, en général, les œuvres en bronze sont coulées dans des fonderies, le débutant ne devrait pas s'attaquer au moulage en bronze. La cire, l'argile, le polyester, le plâtre et le béton conviennent beaucoup mieux et la façon de travailler avec ces matériaux est expliquée en détail dans les pages qui suivent.

La riche patine verte qui recouvre ce bronze grec témoigne du passage des siècles. Cette œuvre, vieille d'environ 2 300 ans, fait partie de la collection du musée des Beaux-Arts de Boston.

Les outils

Les outils utilisés pour le modelage, le moulage et le coulage sont peu nombreux et d'un prix très abordable. On peut soit se les procurer chez un fournisseur de matériel d'artisanat, soit les fabriquer soi-même.

Les mirettes sont constituées de boucles en fil de fer dentelé fixées à un manche en bois. Il est bon d'en avoir une grande et une petite. Pour les faire vous-même, il vous suffira de façonner une boucle avec un fil de fer épais et de l'attacher à un manche, soit avec un autre morceau de fil de fer, soit avec une corde.

Pour le moulage, on emploie un couteau spécial dit couteau à plâtre, mais tout bon couteau de cuisine fera parfaitement l'affaire.

Les spatules servent à étaler le plâtre et à fignoler certains détails. Comme dans le cas des mirettes, il est très utile d'en avoir une grande et une petite.

Le gâchage du plâtre se fait dans un seau en plastique à fond plat. Choisissez-en un très bon marché parce qu'il sera alors plus souple, ce qui facilitera le démoulage du plâtre durci.

Enfin, on utilise une râpe combinée pour le modelage au plâtre.

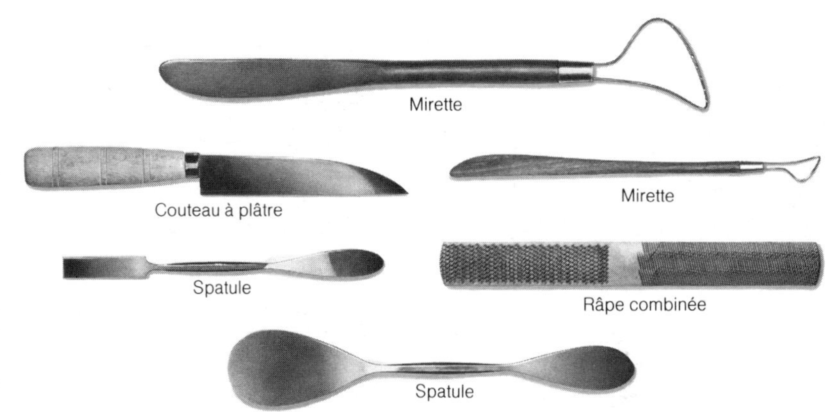

Modelage d'une tête en argile

Le modelage d'une forme en argile est la première étape du procédé qui permettra ultérieurement de reproduire cette forme dans un matériau permanent.

En modelage, on peut employer n'importe quel type d'argile malléable à base d'eau (voir *Poterie,* pp. 287-289). Les argiles qui ne contiennent pas de chamotte ou d'autres substances non plastiques sont celles avec lesquelles il est le plus agréable de travailler. L'argile oléagineuse, qui ne sèche jamais, est également tout indiquée pour le modelage, mais elle coûte beaucoup plus cher que l'argile ordinaire.

Comme une importante masse d'argile finirait par s'affaisser sous son propre poids, il faut prévoir un support qui empêchera la pièce de se déformer. A cet effet, on se sert d'un squelette très rudimentaire, appelé armature. Sa taille, sa forme et le matériau dont il sera fait dépendent des dimensions, de la forme et du matériau de modelage. On peut voir à droite l'armature en bois conçue pour la tête d'argile qui fait l'objet des quatre prochaines pages.

Le modelage consiste essentiellement à recouvrir une armature de mottes d'argile. Les plus grosses permettent d'ébaucher la forme, tandis que les détails sont façonnés à l'aide de balles plus petites. La finition se fait avec une mirette.

Il est important d'observer le modèle sous des angles différents pendant le travail, afin que sa représentation en ronde-bosse soit la plus exacte possible. Si la pièce est petite, placez-la sur une sellette que vous ferez pivoter. Pour une œuvre plus importante, il sera plus simple de tourner autour du modèle.

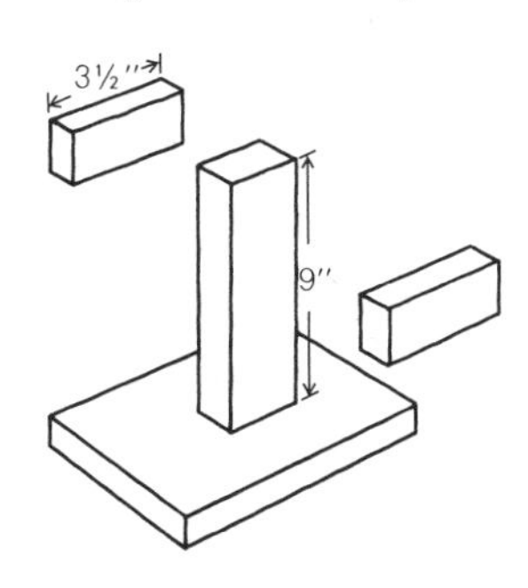

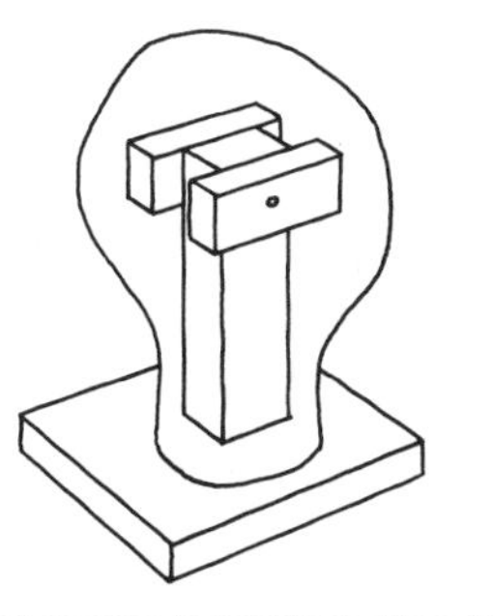

Armature pour le modelage d'une tête.

L'argile doit rester constamment humide, sinon elle perdrait sa plasticité et pourrait rétrécir et se fendre. Pendant les pauses, couvrez l'ébauche d'une serviette humide et enveloppez le tout d'un sac en plastique.

Le modelage d'une tête. Les illustrations des quatre prochaines pages expliquent en détail comment modeler une tête de femme avec de l'argile. La tête se compose de trois formes principales (voir l'encadré, p. 348) auxquelles on greffe, pour les traits du visage, de petits morceaux de terre qu'on façonne ensuite avec une mirette. Les proportions normales d'un visage sont illustrées à droite, dans une reproduction d'un dessin de Léonard de Vinci.

Si vous en êtes à vos débuts, vous pourrez, en suivant toutes ces étapes, vous familiariser avec l'argile et les proportions d'une tête. Dès que vous aurez acquis un peu d'expérience, il vous sera beaucoup plus facile de vous livrer à toutes sortes d'improvisations.

Les traits du visage

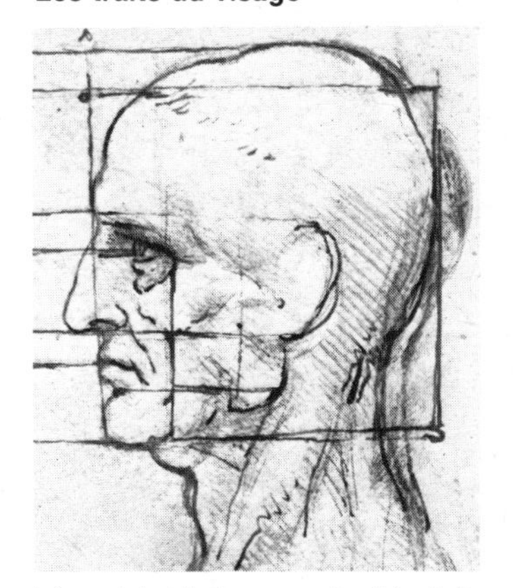

Léonard de Vinci, ce grand artiste de la Renaissance italienne, est célèbre pour son application des mathématiques à l'étude de l'anatomie humaine. Ses recherches marquèrent l'avènement d'une nouvelle ère réaliste dans l'art figuratif. Le croquis reproduit ici détermine les proportions du visage. En gros, la ligne des yeux est équidistante du haut et du bas du visage. La pointe du nez est à mi-hauteur entre les yeux et le menton. La bouche se trouve à mi-distance entre la base du nez et celle du visage. Ce sont ces proportions qu'on a reportées sur l'ébauche, à l'étape 7 de la page 348.

Modelage, moulage et coulage

Modelage d'une tête en argile *(suite)*

Les trois formes de la tête

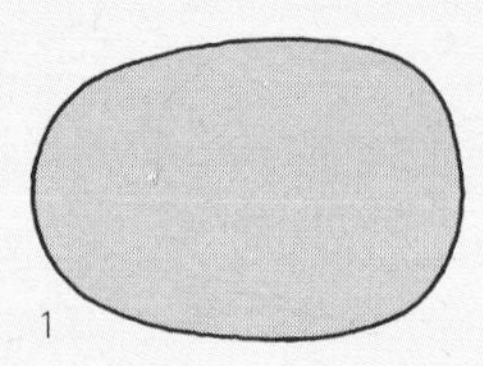

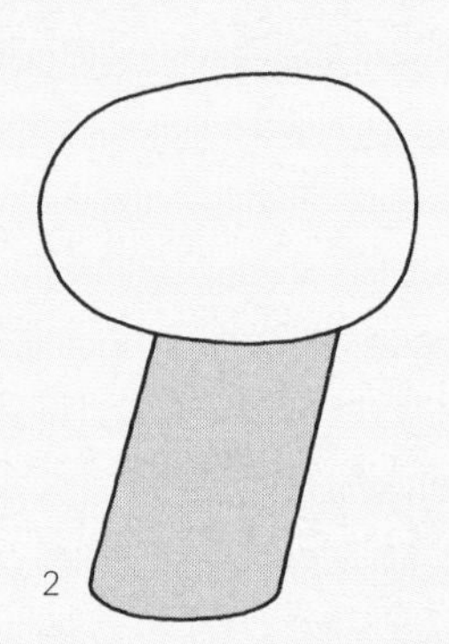

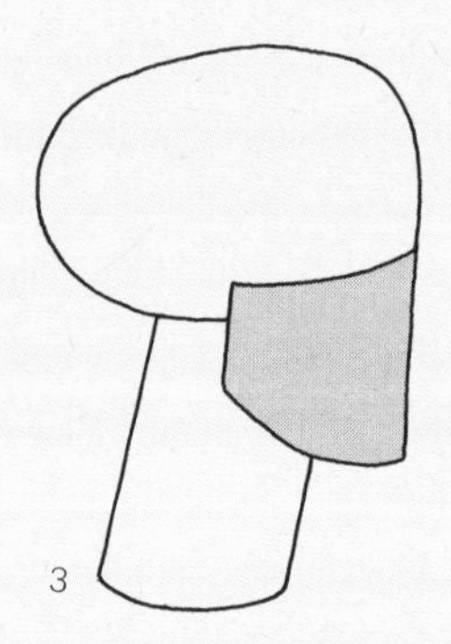

La tête se compose de trois grandes formes. La première, qui est un œuf tronqué, constitue le crâne. Elle s'appuie sur la seconde, un cylindre placé légèrement de biais, qui compose le cou. La troisième forme, qui est un large triangle renversé, correspond au visage.

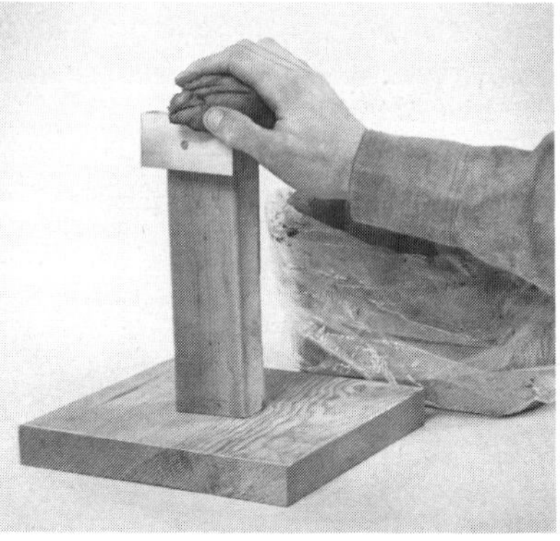

1. Amorcez la tête en accumulant sur le haut de l'armature des mottes d'argile très serrées.

2. Continuez d'ajouter de l'argile en ébauchant un œuf tronqué aux deux extrémités.

3. Formez le cou en recouvrant d'argile le montant de l'armature.

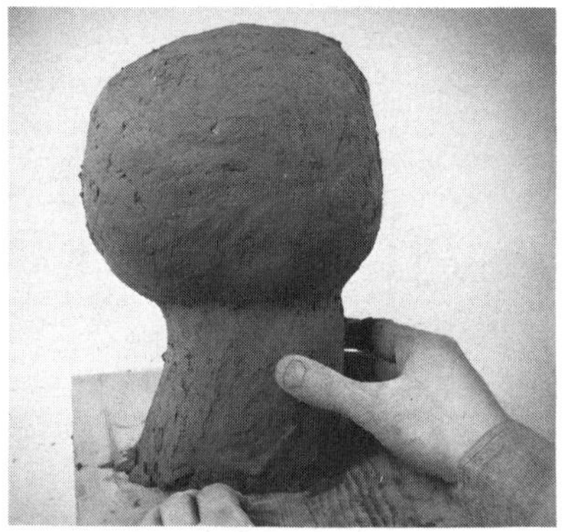

4. Epaississez-le, tel qu'illustré. Il devrait être légèrement de biais par rapport au crâne.

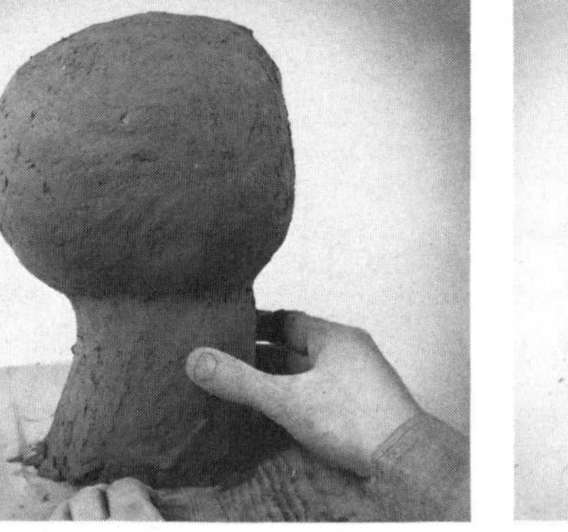

5. Pour la troisième forme (voir l'encadré, à gauche), ajoutez de l'argile sur le devant de la tête.

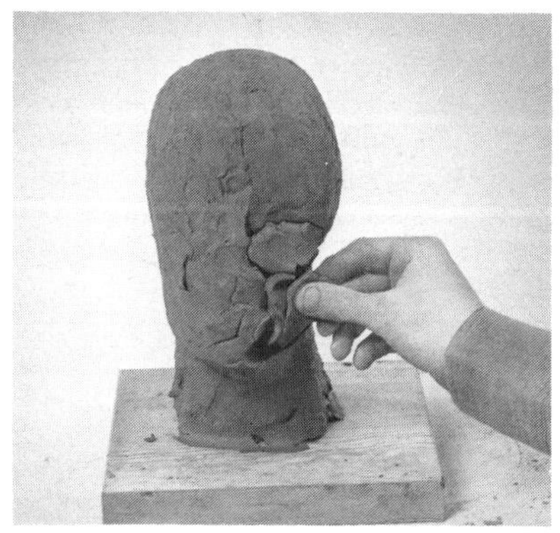

6. Continuez jusqu'à ce que l'ensemble du visage et le menton commencent à se préciser.

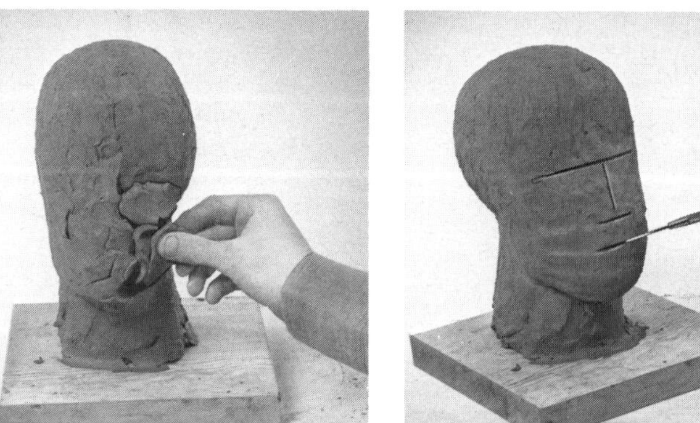

7. Tracez les lignes des yeux, du nez et de la bouche (voir le croquis, p. 347).

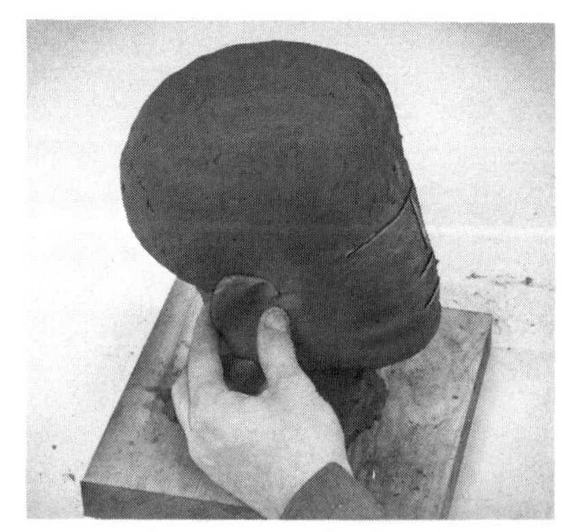

8. Pour les oreilles, soudez de petites plaques d'argile de part et d'autre de la tête.

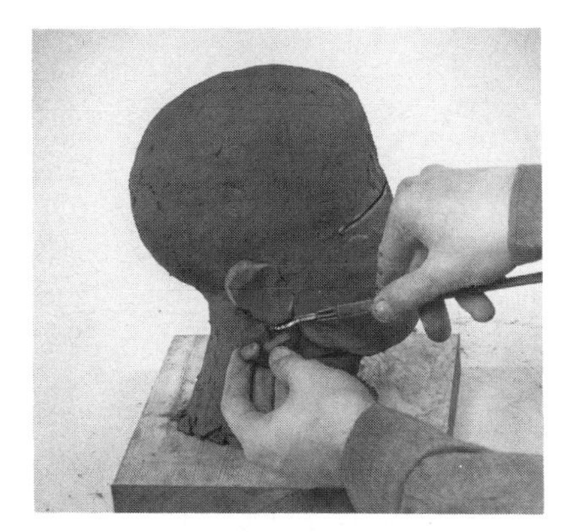

9. Avec la mirette, dégagez les oreilles dont le haut devrait être à peu près au niveau des yeux.

10. Pour le nez, façonnez un petit triangle d'argile et fixez-le en place, tel qu'illustré.

11. Rognez-le au niveau du trait tracé à l'étape 7 et lissez les joints avec la mirette.

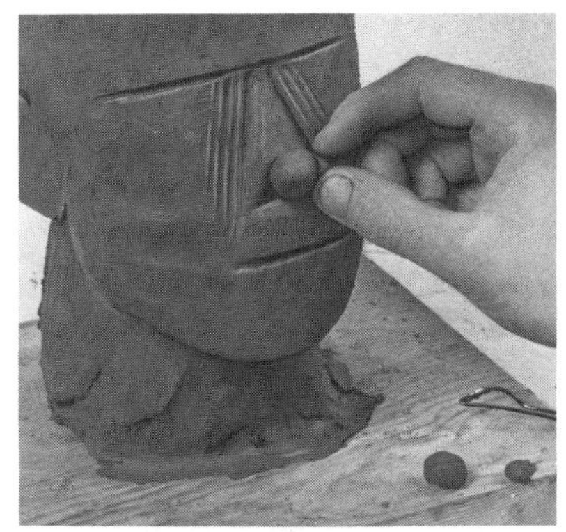

12. Roulez une boulette presque aussi large que le triangle et fixez-la à la base du nez.

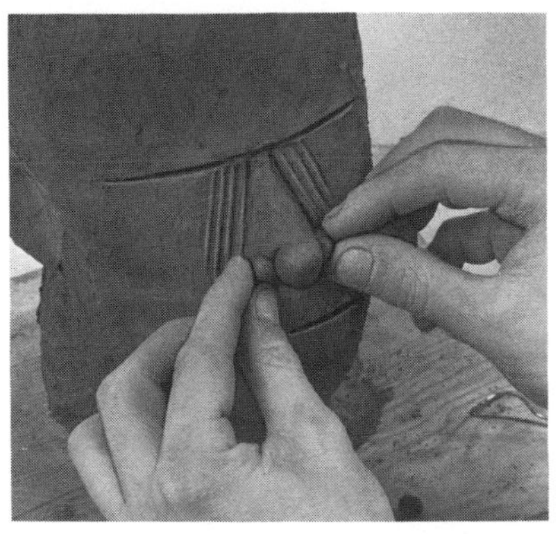

13. Roulez-en deux autres plus petites et soudez-les de part et d'autre de la première.

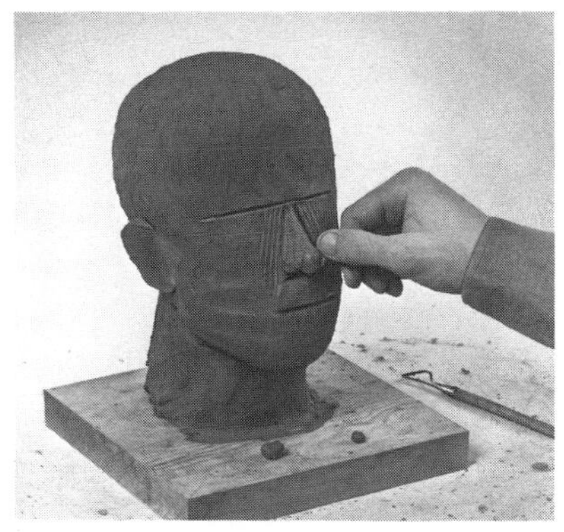

14. Avec le pouce, lissez le triangle et ces trois boulettes pour façonner la pointe du nez.

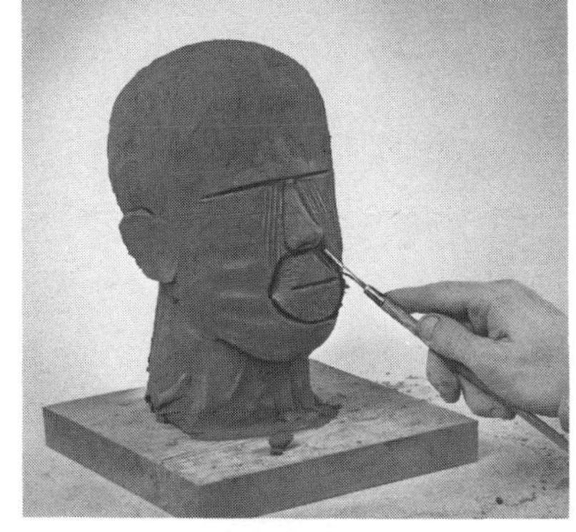

15. Dessinez avec la mirette un cercle autour de la fente de la bouche, tel qu'illustré.

16. Ajoutez de l'argile à l'intérieur de ce cercle de manière à former un petit cône aplati.

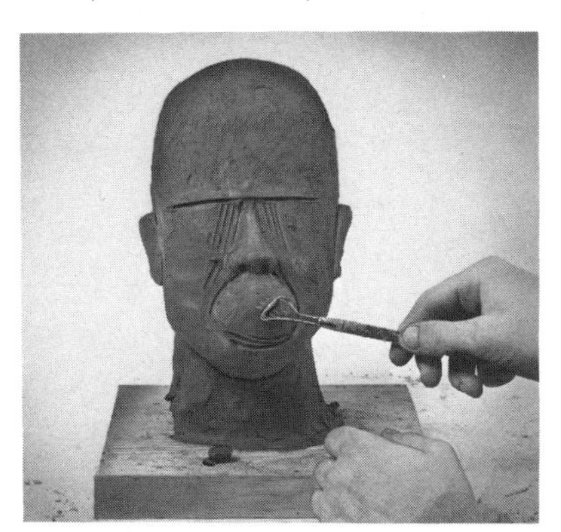

17. Elargissez ce cône et lissez-le avec la mirette, tel qu'illustré ici.

18. Tracez, avec la mirette, un « M » très affaissé au centre du cône.

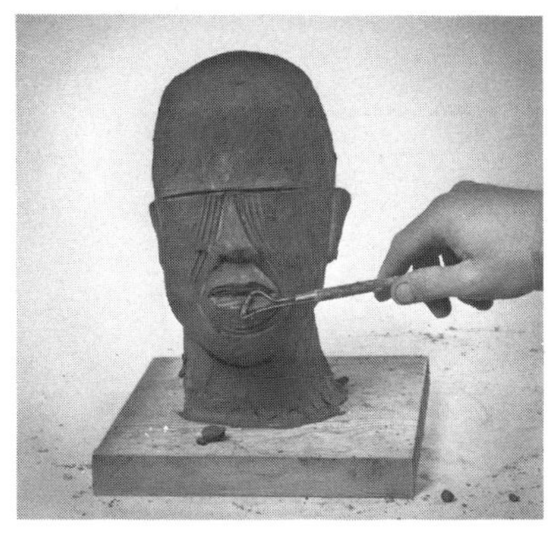

19. Façonnez les lèvres en élargissant à la mirette le trait tracé à l'étape 18.

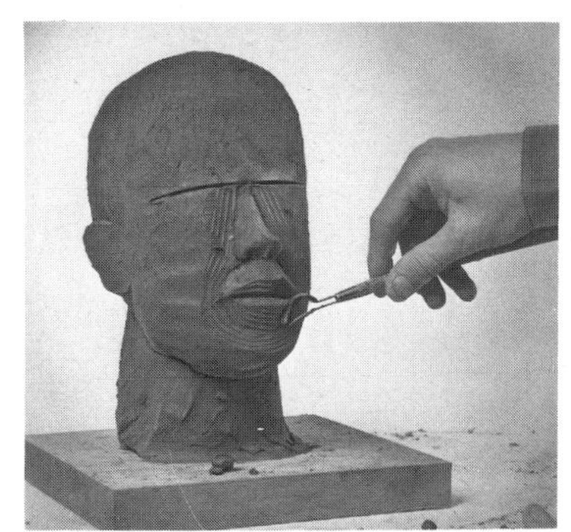

20. Continuez de travailler sur les lèvres. Celle du haut doit être légèrement plus large que l'autre.

Modelage, moulage et coulage

Modelage d'une tête en argile *(suite)*

21. Dessinez, avec la mirette, un petit sillon au-dessus du centre de la lèvre supérieure.

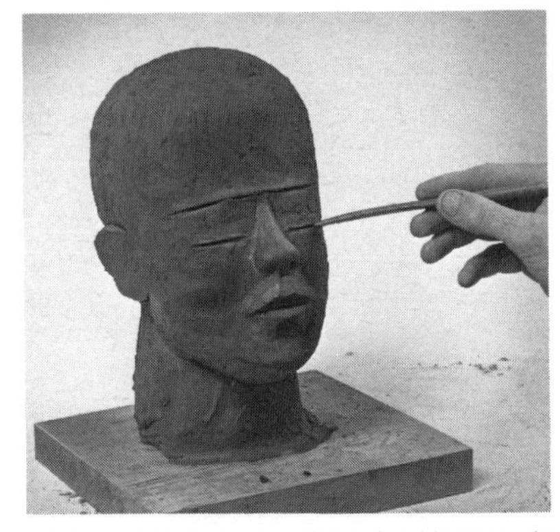

22. Tracez le bas des orbites à mi-hauteur du nez, tel qu'illustré.

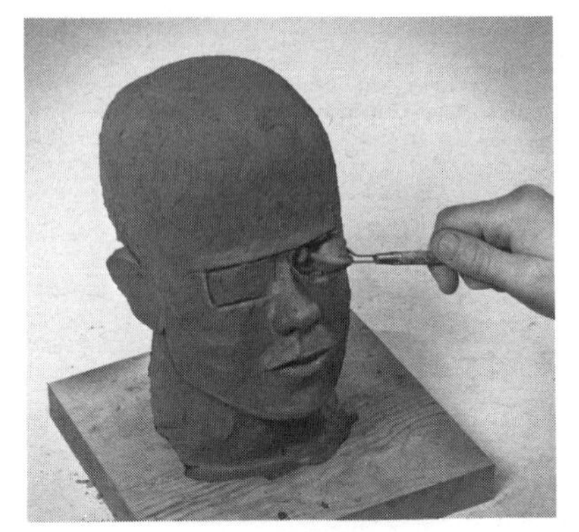

23. Avec la mirette, dégagez deux rectangles assez profonds pour amorcer les orbites.

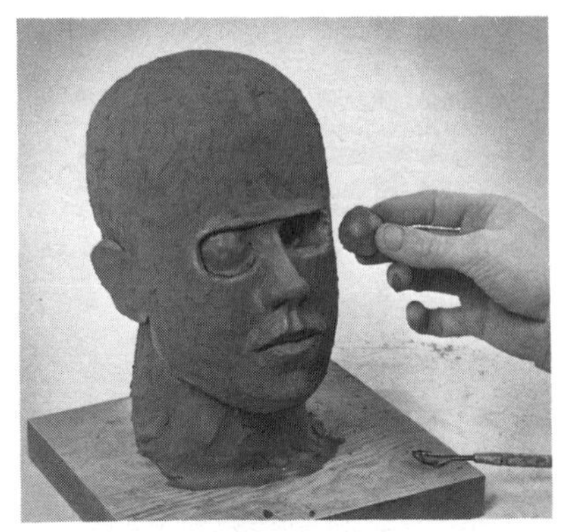

24. Faites deux boulettes d'argile du même diamètre que les orbites et fixez-les en place.

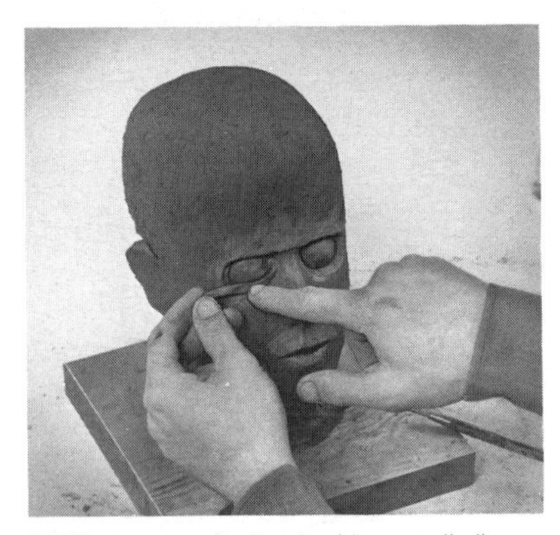

25. Pressez un étroit colombin sous l'œil pour former la paupière inférieure.

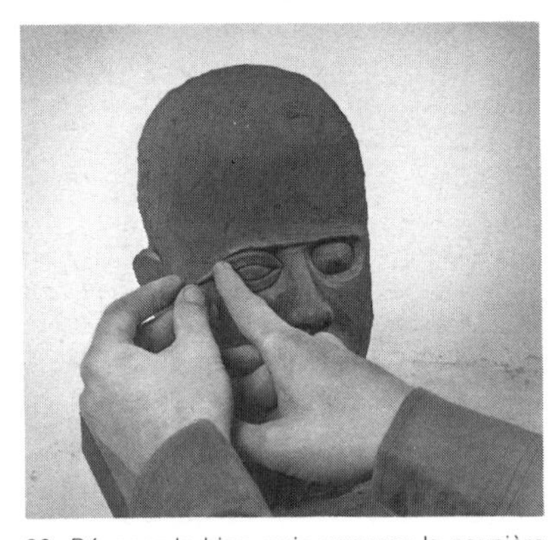

26. Dégagez-la bien, puis amorcez la paupière supérieure avec un autre colombin.

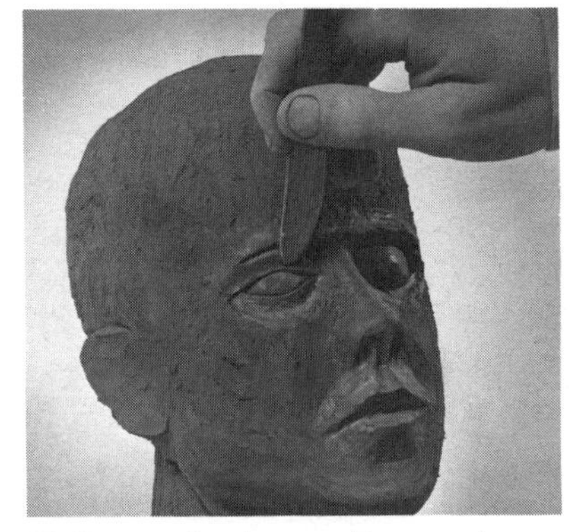

27. Façonnez les deux paupières avec le manche de la mirette, puis passez à l'autre œil.

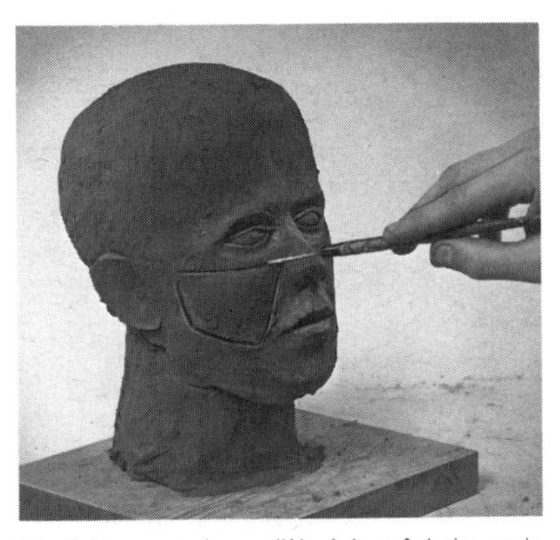

28. Faites un trait parallèle à la mâchoire, puis remontez pour rejoindre la base de l'orbite.

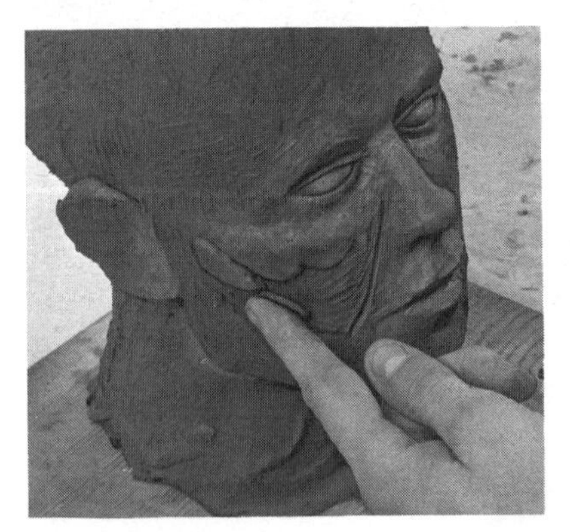

29. Ajoutez de l'argile à l'intérieur de ce tracé pour amorcer les pommettes.

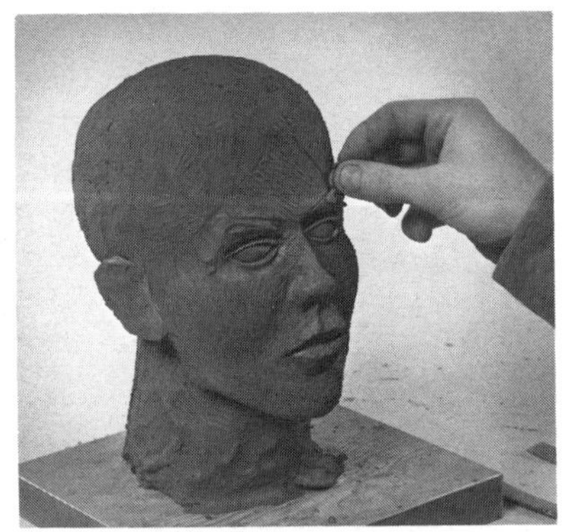

30. Finissez de modeler les sourcils et le front avec des boulettes d'argile.

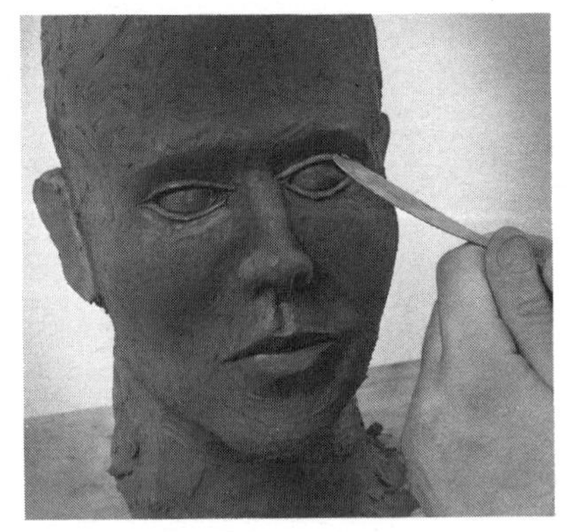

31. Retouchez les yeux et les paupières avec l'extrémité arrondie d'une petite spatule.

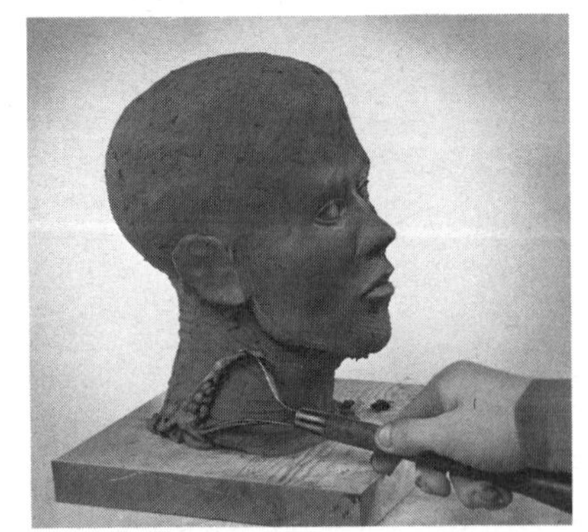

32. Dégrossissez et façonnez le cou avec une mirette large.

33. Ajoutez de l'argile pour les cheveux, conçus comme une masse et non en mèches distinctes.

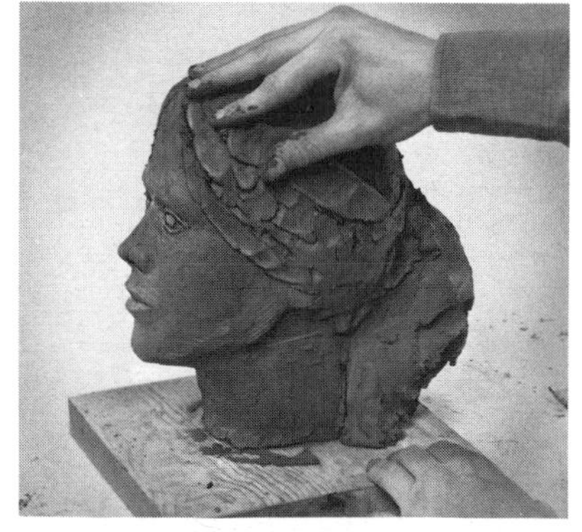

34. Fixez, derrière la tête, une bonne motte d'argile pour la queue de cheval.

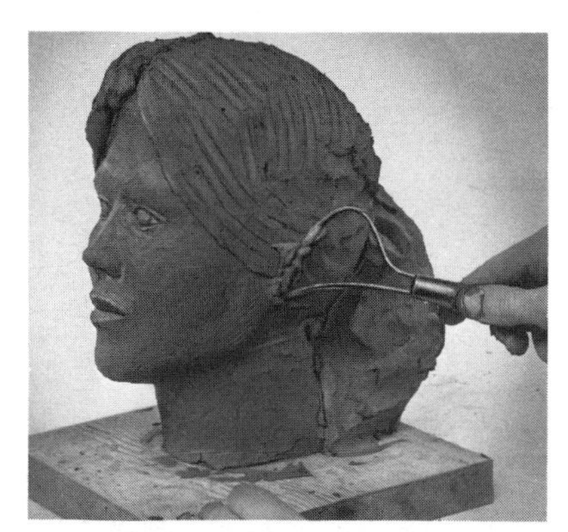

35. Lissez les cheveux ou donnez-leur du relief avec la mirette, tel qu'illustré.

36. Faites la raie avec le manche en bois de la mirette.

37. Procédez aux dernières retouches du visage avec la spatule.

38. Pour donner plus de profondeur au regard, percez les yeux avec un crayon.

Modelage d'une statuette en plâtre

Le plâtre peut s'employer comme matériau de modelage. La pièce pourra ensuite être considérée comme finie ou servir d'épreuve pour la confection d'un moule en prévision d'un coulage.

Tout comme pour le modelage d'une pièce en argile, il faut prévoir une armature. Celle de la statuette ci-dessous est faite d'un fil électrique de gros calibre. Pour les bras, on a fixé deux autres morceaux de fil à la forme de base.

Ensuite, des bandelettes de jute ont été imbibées de plâtre (voir p. 352) et on en a entouré l'armature pour amorcer la silhouette. Quand le plâtre a commencé à prendre dans le seau (voir l'étape 10, p. 354), on l'a étalé à la spatule sur le jute. Il ne faut jamais gâcher trop de plâtre à la fois, car il ne garde une consistance épaisse et malléable que très peu de temps.

La silhouette se précise avec l'addition de plâtre sur le jute. Pour la finition et la texture, on travaille le plâtre avec un couteau, une spatule et une râpe.

Les proportions du corps humain sont illustrées dans la section *Sculpture sur bois,* p. 274.

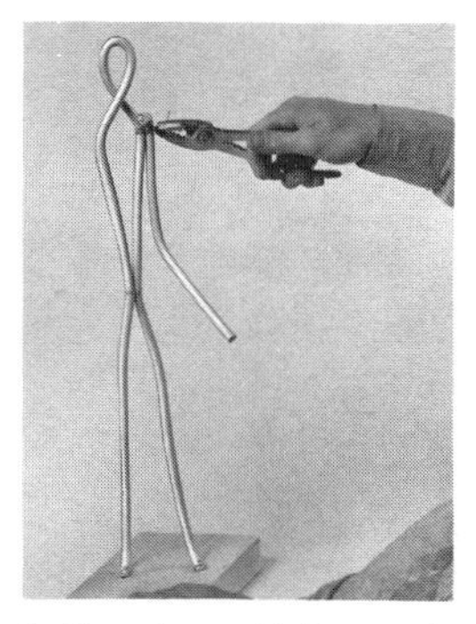

1. L'armature est faite avec du fil électrique mis en forme et cloué à une base en bois. Les bras sont fixés en place avec du fil de fer.

2. Taillez des bandes de jute de 1 po d'épaisseur et trempez-les dans le plâtre. Enveloppez-en l'armature pour amorcer la silhouette.

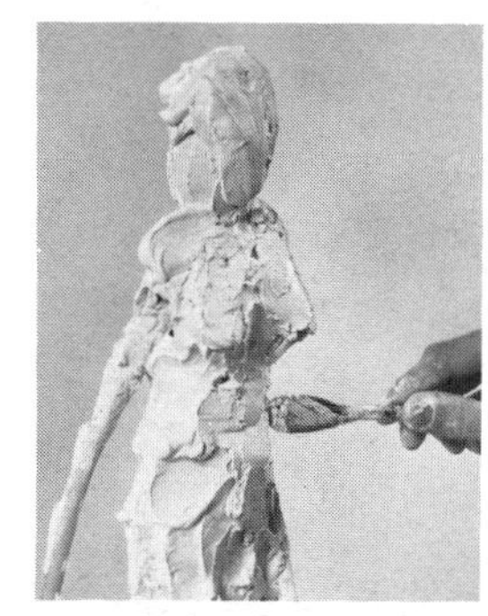

3. Une fois que l'armature est enrobée, recouvrez les bandelettes de jute de plâtre épaissi que vous étalerez avec la spatule, tel qu'illustré.

4. La mise en forme et le lissage du plâtre se font avec des outils. Les diverses tailles de la râpe combinée permettent de varier les formes et les textures.

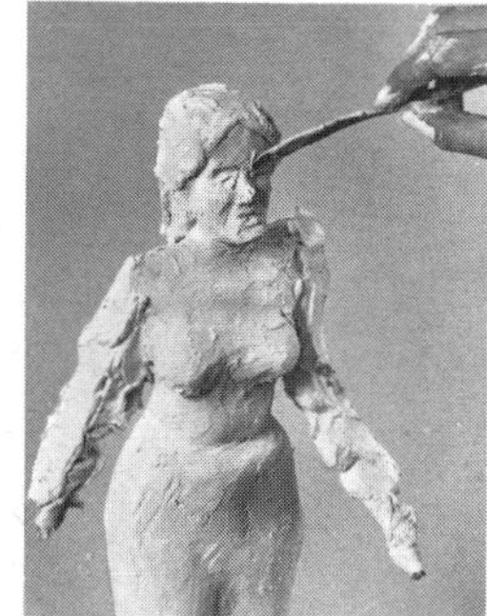

5. La spatule sert aussi bien à préciser les petits détails, comme les traits du visage (tel qu'illustré ici), qu'à étaler du plâtre sur toute la statuette.

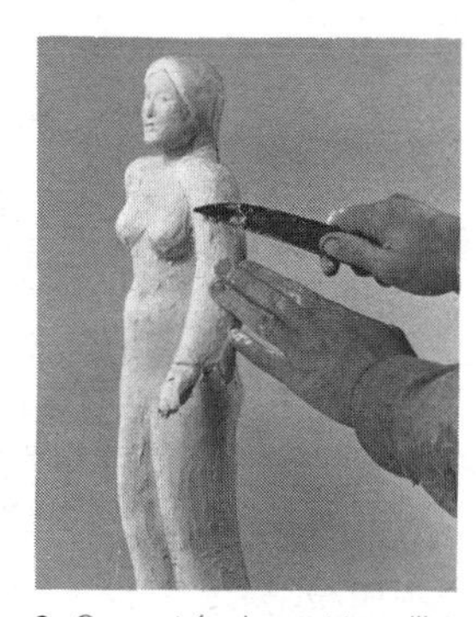

6. On peut également travailler le plâtre humide avec le couteau à plâtre. Ici, on l'utilise pour lisser la pièce et en parfaire les formes.

Modelage, moulage et coulage

Le moulage

Une fois que l'épreuve est terminée, on la recouvre d'une matière plastique qui en reproduira fidèlement tous les détails. Ensuite, on dépouille l'épreuve et on remplit le moule d'une substance propre au coulage afin d'obtenir une réplique exacte et permanente de l'original.

Le moule à creux perdu. En général, le moule employé pour une épreuve en argile est fait en plâtre. Il y a deux types de moules en plâtre: le moule à creux perdu et le moule à pièces nombreuses. Le premier est façonné sur le modèle, puis retiré en deux morceaux, ce qui entraîne en général la destruction de l'épreuve. Une fois que la substance coulée dans le moule a durci, on la dégage en brisant celui-ci en petits morceaux, d'où ce nom de « moule à creux perdu ». Cela signifie également qu'on ne peut utiliser le moule qu'une seule fois; notons aussi que, avec cette méthode, il est très difficile de dépouiller une pièce coulée avec une matière fragile comme la cire.

Le moule à pièces nombreuses. Ce moule est le plus polyvalent des moules en plâtre. Il est conçu de façon à permettre un démoulage par sections sans que l'épreuve ou la pièce finale soient endommagées. Cela permet donc de l'utiliser à plusieurs reprises, aussi bien avec des substances délicates qu'avec d'autres très résistantes. En outre, le moulage peut être exécuté sur des objets rigides, comme une sculpture en plâtre; ceci n'est pas le cas avec le moule à creux perdu.

Les contre-dépouilles. Le nombre et la forme des sections d'un moule à pièces nombreuses sont déterminés par la possibilité de démouler celui-ci sans le briser ni endommager l'épreuve ou la pièce coulée. On appelle *contre-dépouille* la partie d'un moule dont la forme empêche le démoulage, sous peine de bris. Le moule à pièces nombreuses doit donc être réalisé en dépouille, c'est-à-dire sans creux dont on ne pourrait déloger la pièce ou l'épreuve.

Etant donné qu'il faut un certain temps avant de savoir reconnaître les contre-dépouilles, il est préférable de s'exercer au moulage sur des formes simples avant de s'attaquer à une pièce complexe. Au moment de procéder à ce type de moulage, observez l'épreuve pour déterminer avec le maximum de précision les divisions qui éviteront d'avoir des contre-dépouilles. Ainsi, dans le cas du moule qui nous sert d'exemple, il fallait dégager le haut de la tête, sinon le relief de la chevelure sur les côtés aurait empêché le démoulage. En outre, si la section frontale du moule avait été dégagée un peu plus vers l'arrière, on aurait eu des contre-dépouilles sur les côtés, au niveau des yeux et derrière les pommettes.

Le moulage à la bande. Une fois que vous avez décidé du nombre et de la division des sections ou chapes, vous pouvez commencer le moulage. La première étape consiste à préparer des bandes d'argile qui serviront de séparations temporaires pendant le plâtrage. Pres-

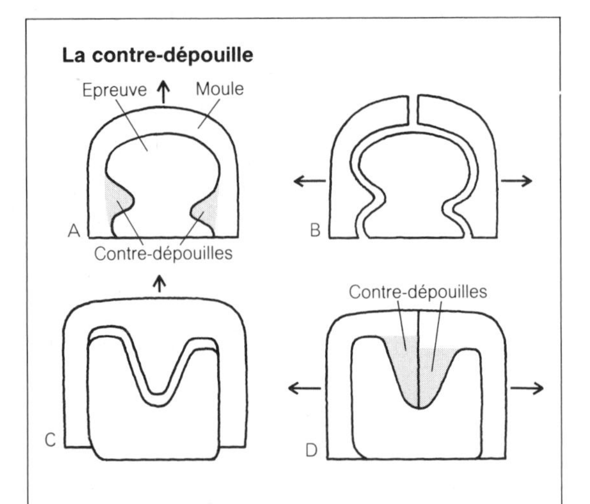

Une contre-dépouille est un creux qui empêche de dépouiller l'épreuve sans abîmer soit celle-ci, soit le moule. Dans le croquis A, le démoulage ne peut se faire sans abîmer les parties ombrées, qui sont les contre-dépouilles. On peut contourner cette difficulté avec un moule à dépouille en deux parties (croquis B) qui se défait latéralement.

Multiplier les chapes ne résout pas nécessairement le problème, il faut aussi les concevoir correctement. Ainsi, aucune contre-dépouille ne nuit au démoulage vertical dans le cas du croquis C, ce qui n'est pas le cas pour le croquis D où le démoulage devra se faire horizontalement.

Le moule à pièces nombreuses. Le moule de droite a été conçu de façon à ne comporter aucune contre-dépouille. Les chapes résultent de l'application de plâtre sur l'épreuve selon des zones déterminées par des bandes d'argile (croquis 1, à droite). Quand le plâtre de la première section est pris, on ôte la bande la délimitant et on enduit de vaseline les champs de la chape (croquis 2). Il est inutile d'insérer une bande entre la première chape et la suivante (croquis 3) puisque la vaseline empêchera les deux sections de coller ensemble. Une fois que le moule est terminé, on l'ouvre le long des joints. Les chapes seront assemblées de nouveau pour le coulage.

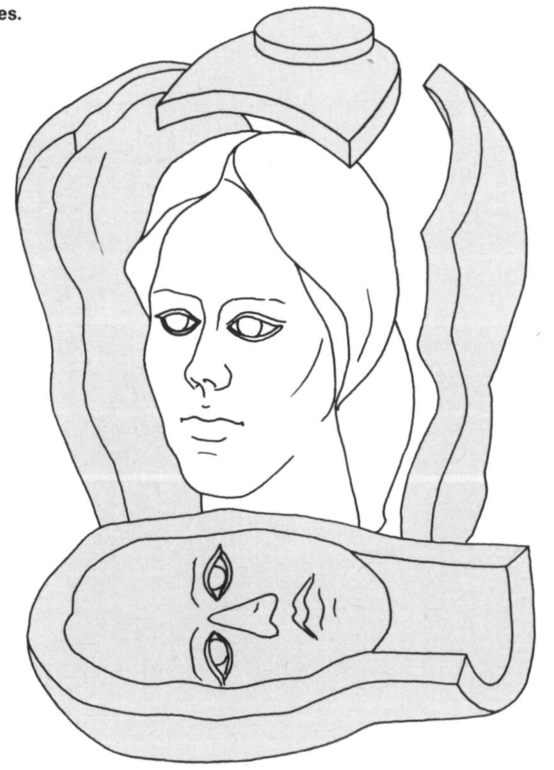

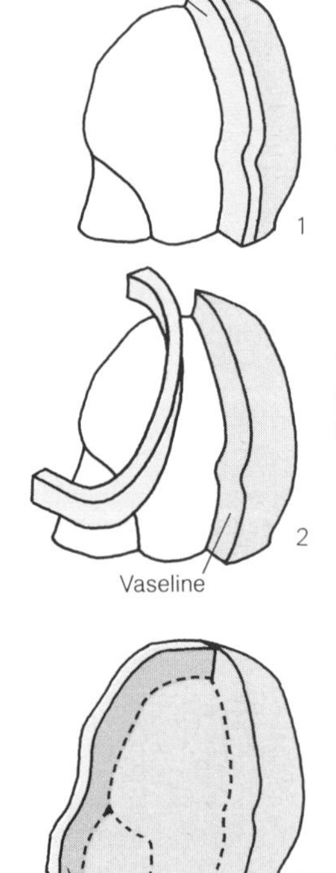

sées contre l'épreuve, ces bandes sont lissées et façonnées de façon à épouser les contours du moule. Les côtés lisses des bandes (ceux qui ont été pressés contre une surface plate pendant le battage) doivent faire face à la partie du moule qu'on remplit de plâtre. On est toujours tenté de lisser à la mirette les interstices entre les bandes et l'épreuve. N'en faites rien: la moindre marque laisserait sur le moule une empreinte qui se répéterait sur la pièce coulée.

Le plâtrage. N'employez pour le moulage que du plâtre à modeler, vendu dans les boutiques spécialisées. Gâchez-le selon les indications du fabricant (habituellement des volumes à peu près égaux d'eau et de plâtre). Ajoutez toujours le plâtre à l'eau et non l'inverse. Etalez-en une couche au pinceau sur l'épreuve et à l'intérieur de la bande pendant qu'il est encore très fluide. Cette première couche assurera la reproduction des plus petits détails en pénétrant les moindres creux. Elle vous permettra aussi de repérer et de chasser les bulles contenues dans le plâtre et qui pourraient altérer la surface du moule.

Quand le plâtre dans le seau a quelque peu épaissi, appliquez-le à la spatule sur l'épreuve jusqu'à ce que vous obteniez une couche d'environ 1 po d'épaisseur. Travaillez en vous conformant le plus possible à la forme de l'épreuve. Un moule d'une épaisseur uniforme est plus solide qu'un moule qui serait inégal.

Laissez prendre le plâtre de la première chape, ôtez la bande d'argile et posez-en une autre pour délimiter la deuxième chape. Il est inutile d'en mettre contre la section déjà durcie, mais il faudra enduire celle-ci de vaseline pour empêcher que la chape suivante n'y adhère en durcissant.

Continuez de la même façon pour les sections suivantes, jusqu'à ce que le moule soit complété. Laissez-le prendre, puis ouvrez-le en enfonçant dans les joints des coins taillés dans des chutes de bois et mesurant environ 2 po de long, 2 po de large et ½ po d'épaisseur. Préparez un autre coin qui sera plusieurs pouces plus long et dont vous vous servirez pour séparer les sections.

Après avoir dépouillé l'épreuve, nettoyez le moule de toutes les miettes d'argile et enlevez la pellicule qui y adhère avec de l'eau. Bouchez les poches que les bulles pourraient avoir laissées dans le plâtre, mais sans exagérer les retouches pour ne pas effacer les détails.

Pour conserver le moule, gardez-le assemblé et maintenu en forme avec une corde ou un élastique; cela empêchera les sections de gauchir dans une atmosphère humide.

Dans le cas du moule étudié aux trois prochaines pages, nous avons ajouté une base à la section supérieure, afin qu'il reste stable quand on l'aura renversé pour le coulage.

Moules en caoutchouc. Les fonderies industrielles fabriquent maintenant d'excellents moules en caoutchouc. On peut en confectionner soi-même, mais à un coût très élevé.

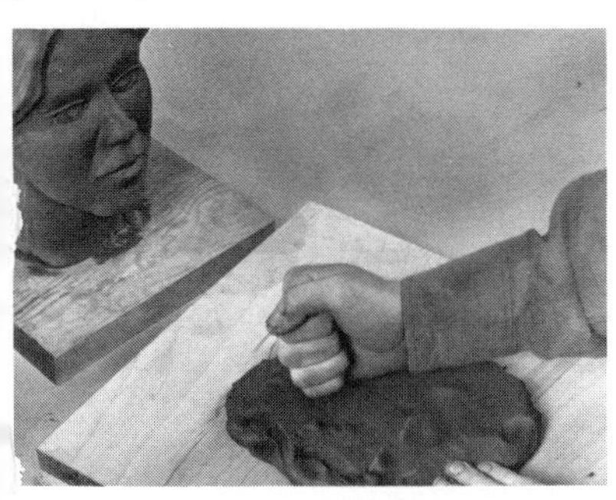
1. Pour préparer les bandes, battez une motte d'argile sur une surface plate jusqu'à ce que vous ayez une plaque de ½ po d'épaisseur.

2. Coupez la plaque en rubans de 1 po de large. Il est préférable de préparer toutes les bandes avant de passer au moulage.

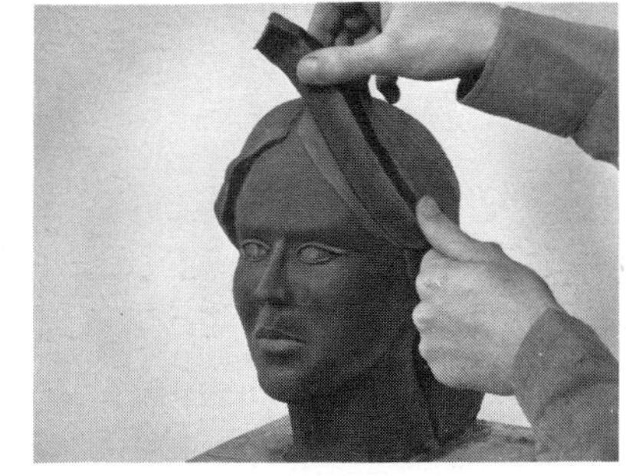
3. Après avoir divisé le moule en sections (voir le texte), placez la première bande sur l'épreuve et faites-la adhérer en appuyant fortement.

4. Complétez la pose des rubans. Leurs côtés unis doivent être tournés vers l'avant et leurs joints doivent être bien lisses.

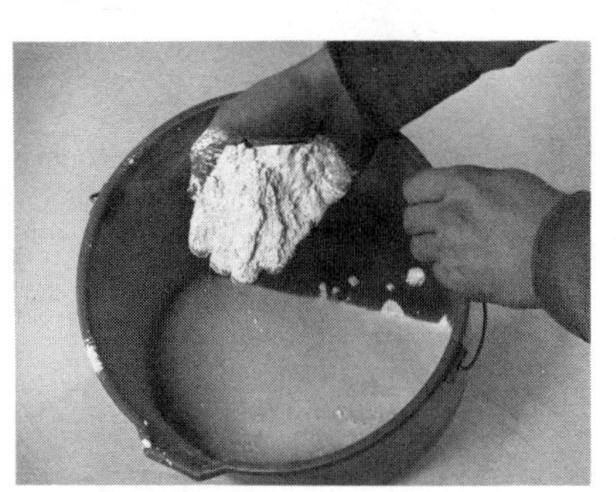
5. Pour le gâchage du plâtre, versez environ 1 po d'eau dans un seau. Saupoudrez lentement le plâtre tout en remuant le seau.

6. Continuez à saupoudrer jusqu'à ce que le plâtre ne tombe plus au fond du seau, mais flotte à la surface, tel qu'illustré.

7. Gâchez soigneusement le plâtre à la main en éliminant les grumeaux. Votre main devrait se couvrir d'une pellicule opaque.

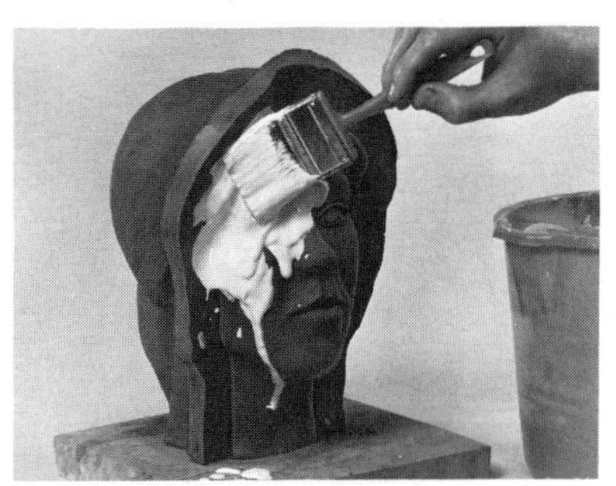
8. Etalez le plâtre au pinceau sur la section enserrée par la bande. Faites-le pénétrer au fond des moindres cavités.

(à suivre)

Modelage, moulage et coulage

Le moulage *(suite)*

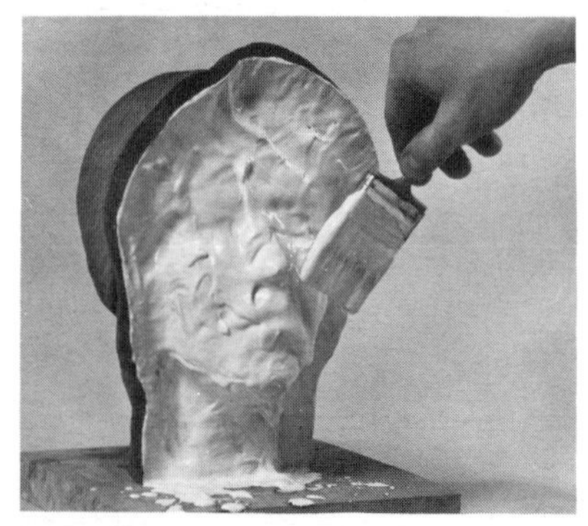

9. Couvrez complètement la chape et l'intérieur de la bande. S'il y a des bulles d'air dans le plâtre, crevez-les avec le pinceau.

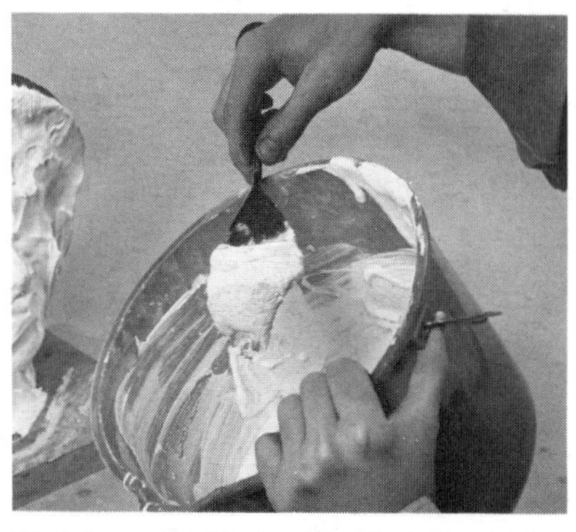

10. Laissez prendre le plâtre dans le seau jusqu'à ce que vous puissiez le travailler à la spatule, soit environ une dizaine de minutes.

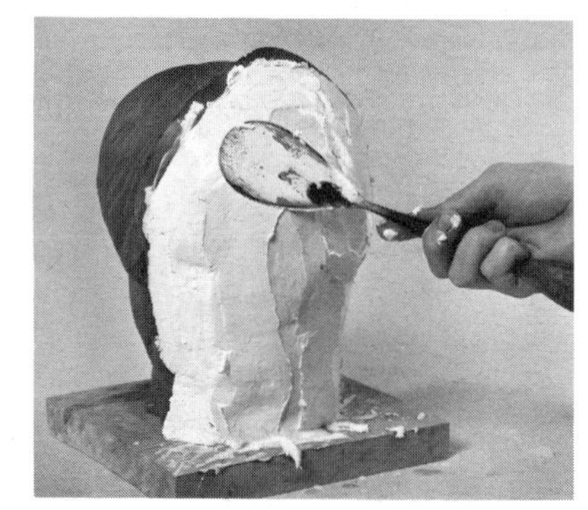

11. Etalez du plâtre sur l'épreuve jusqu'à ce que la couche ait environ 1 po d'épaisseur. Suivez le plus possible la forme du modèle.

12. Lissez le plâtre avec le couteau quand il a suffisamment durci ; s'il y en a sur le champ extérieur de la bande d'argile, enlevez-le.

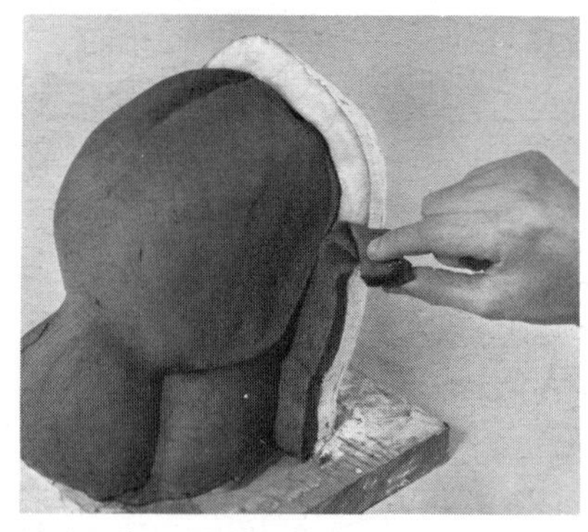

13. Le plâtre chauffe en durcissant. Quand de la chaleur s'en dégage, au bout d'une vingtaine de minutes, ôtez doucement les bandes.

14. Posez la seconde bande sur l'épreuve (étapes 3 et 4), mais ne la continuez pas le long de la chape de plâtre pris.

15. Enduisez le bord de la première chape de vaseline ou de graisse pour l'empêcher de coller à la section suivante.

16. Gâchez encore du plâtre. Appliquez-en une couche au pinceau, puis façonnez la chape à la spatule, comme aux étapes 8 à 11.

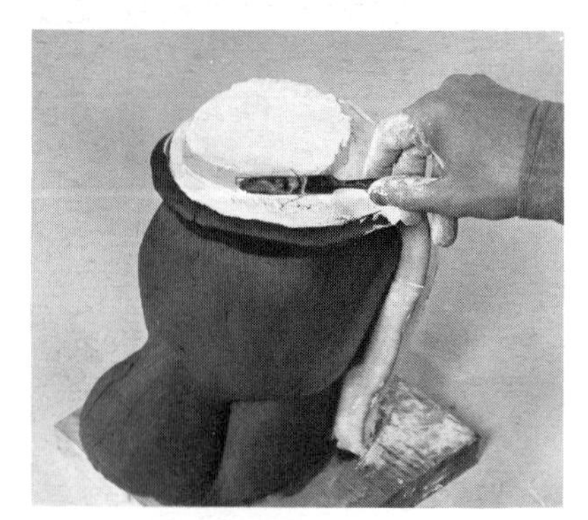

17. Ajoutez une base à la section du haut pour que le moule reste stable quand vous le renverserez pour la coulée.

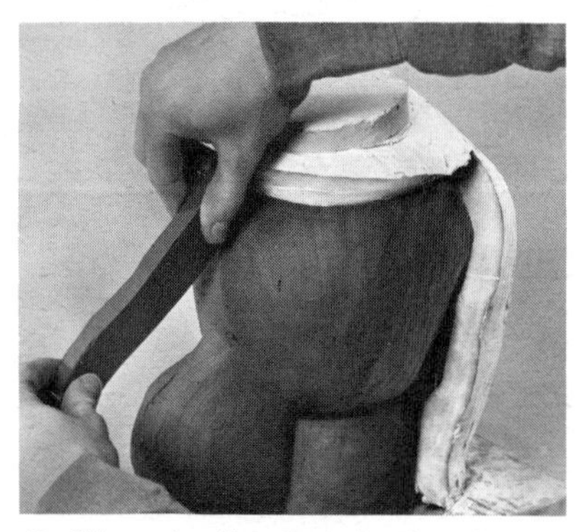

18. S'il y a du plâtre sur la bande, enlevez-le. Attendez que le moule chauffe, puis ôtez délicatement la bande d'argile, tel qu'illustré.

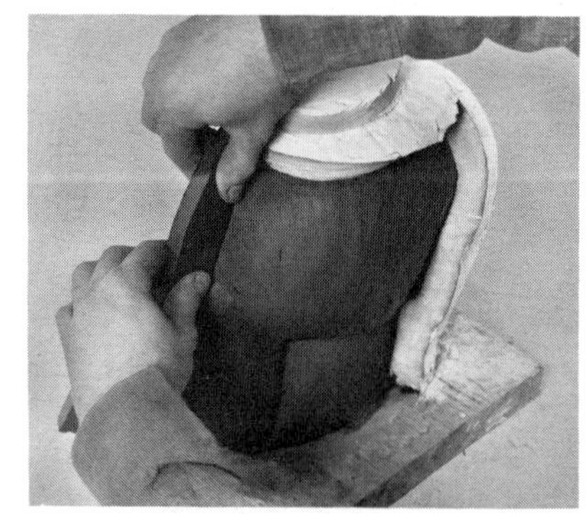

19. Pressez fermement en place les rubans formant la bande d'argile destinée à la troisième section du moule.

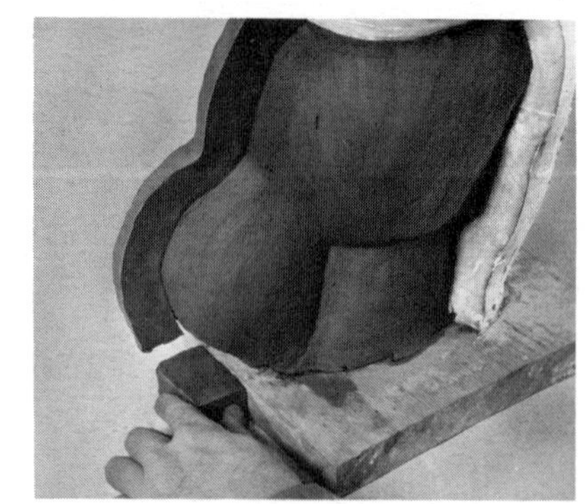

20. Il est nécessaire, pour cette tête, de placer une petite plaque d'argile sous la bande de derrière afin que le moule soit bien façonné.

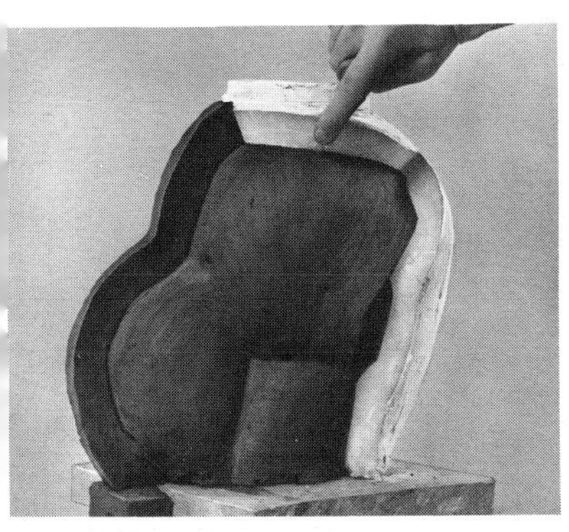

21. Enduisez les champs des deux premières chapes du moule d'un séparateur comme de la vaseline ou de la graisse végétale (étape 15).

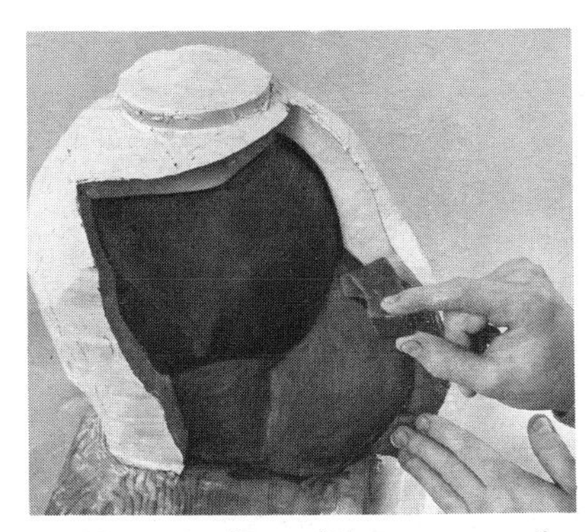

22. Gâchez du plâtre et étalez-en une première couche au pinceau. Poursuivez à la spatule. Otez la bande après en avoir gratté le plâtre.

23. Appliquez un séparateur sur les champs des chapes durcies (étape 21) et recouvrez de plâtre la dernière section.

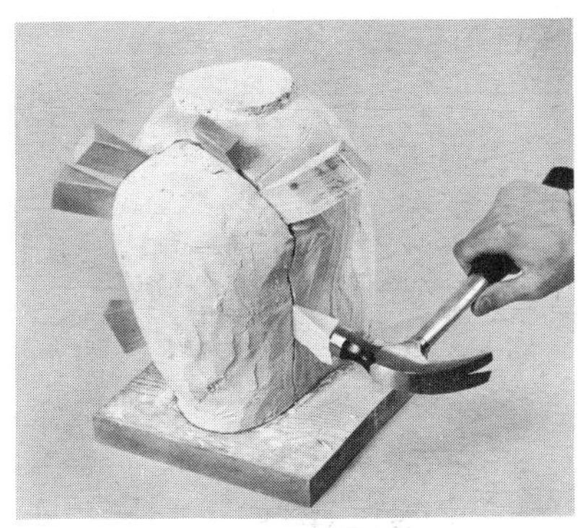

24. Quand la dernière chape a refroidi, ouvrez le moule en enfonçant six coins en bois (voir le texte) dans les joints.

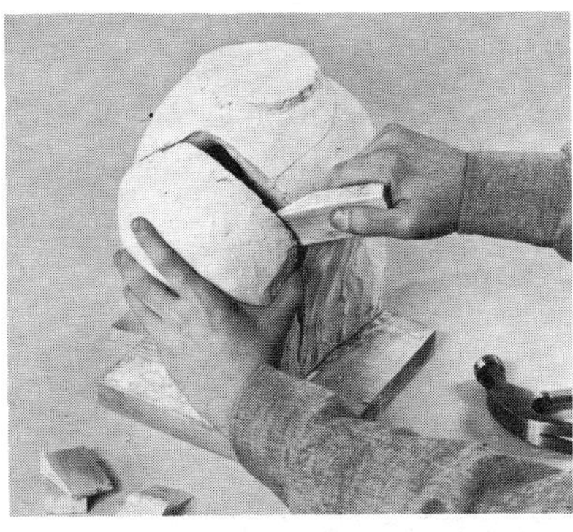

25. Une fois que le moule est entrouvert, servez-vous d'un coin plus long pour séparer délicatement la première section.

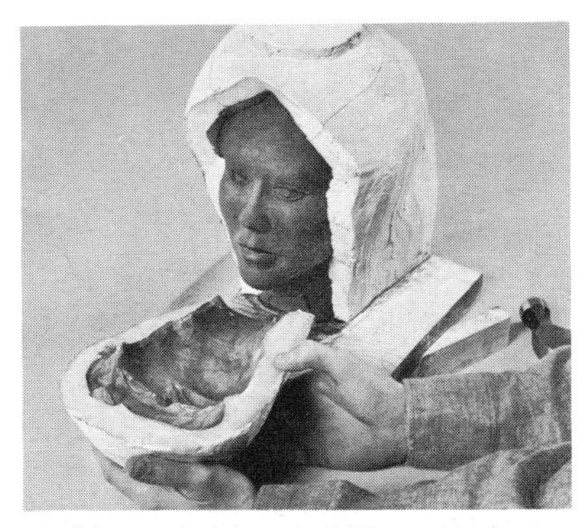

26. Dégagez-la avec soin et déposez-la dans un endroit sûr. On voit ici que l'épreuve est restée pratiquement intacte.

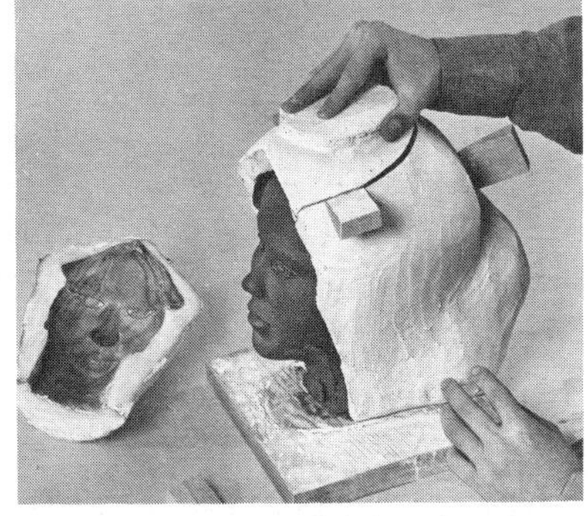

27. Après avoir ôté la partie frontale, enfoncez deux coins dans le joint de la pièce du haut et ôtez-la délicatement.

28. Enfoncez plusieurs coins dans le joint des deux dernières sections, puis dégagez-les délicatement avec les mains.

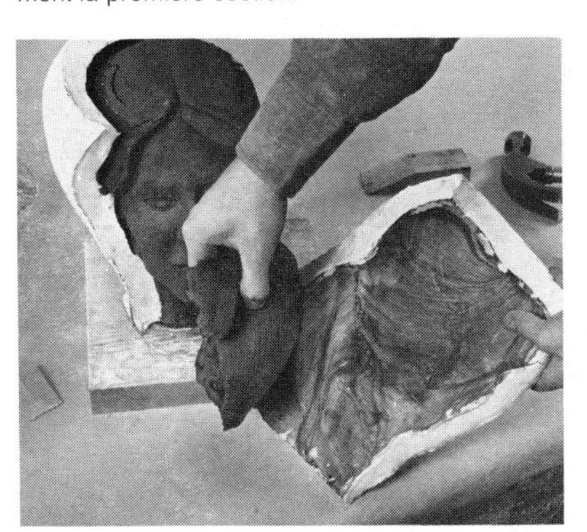

29. S'il reste de l'argile dans le moule, ôtez-la avec précaution. Servez-vous de boulettes de terre fraîche pour décoller les petites miettes.

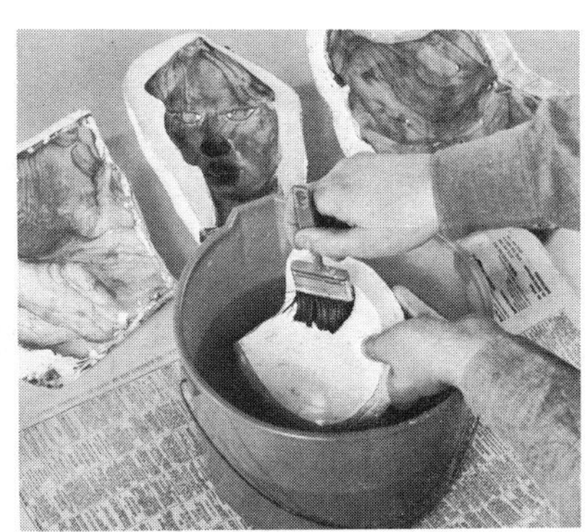

30. Immergez une à une les sections dans de l'eau et ôtez la pellicule d'argile qui y adhère avec un pinceau.

31. Bouchez les poches d'air à la surface du moule avec du plâtre frais que vous appliquerez en petite quantité avec la spatule.

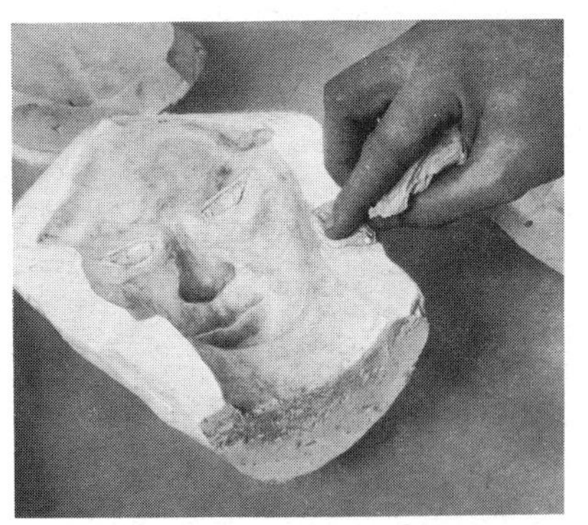

32. Laissez prendre le plâtre pendant quelques minutes, puis étalez-en sur les marges avec un papier essuie-tout.

Modelage, moulage et coulage

Coulage à la cire et à l'argile

Le coulage est le procédé qui consiste à remplir un moule d'une substance généralement liquéfiée afin d'obtenir une reproduction de l'épreuve dans une matière durable.

Le moulage peut se faire en creux ou en plein. Dans le premier cas, on applique la substance sur les diverses sections du moule, puis on reforme celui-ci et on en scelle les joints. On utilise cette méthode pour le coulage à la cire (voir ci-dessous), pour le moulage par pression à l'argile (page ci-contre), ainsi que pour le coulage avec un composé de résine-polyester (pp. 358-359).

Pour le moulage en plein, on assemble d'abord le moule, puis on le remplit de la substance liquéfiée, du béton par exemple (p. 358).

Coulage à la cire. Il constitue habituellement une étape intermédiaire dans le coulage d'un métal comme le bronze. La pièce en bronze ainsi obtenue sera l'exacte réplique du moule en cire utilisé pour sa préparation.

Avant de passer au coulage proprement dit, il faut d'abord faire tremper le moule dans de l'eau froide, l'essuyer, puis l'enduire au pinceau d'une première pellicule de cire.

La cire qu'on utilise pour cette opération est habituellement de la cire microcristalline (offerte dans les boutiques de matériel d'artisanat). Elle se vend en plaquettes qu'il faut casser et faire fondre. (Pour qu'elle se brise facilement avec un marteau, mettez-la au congélateur.) Faites-la fondre dans un creuset à très petit feu ou sur une plaque chauffante. Ne la laissez pas brûler.

Etalez soigneusement la cire fondue au pinceau sur toutes les sections du moule, sans oublier le moindre détail; procédez comme pour la première couche de plâtre dans la confection du moule (p. 353). Accumulez une épaisseur de cire de ¼ po, puis reformez le moule et attachez-le. Versez-y la cire fondue et inclinez-le dans tous les sens afin de bien recouvrir chacun des joints. Lorsque la couche est uniformément étalée sur une épaisseur d'environ ¼ po, videz le surplus. Ne dépassez pas cette épaisseur, sinon vous devrez faire couler davantage de bronze; or, les fonderies établissent leurs tarifs selon le poids de la coulée.

Quand la cire a durci (vous pouvez le sentir avec vos doigts), défaites délicatement le moule en vous aidant, au besoin, du couteau à plâtre.

Le moulage par pression à l'argile. Selon cette technique, on presse des plaques d'argile à l'intérieur des sections du moule qu'on reforme ensuite. On peut aussi couler dans le moule une argile liquéfiée (on parle alors de coulage à la barbotine), mais à cause de la fragilité de cette matière, le démoulage subséquent est particulièrement difficile.

Quand l'épreuve est prête, on la fait cuire au four pour la durcir. Il faut donc utiliser une argile qui cuira bien (voir *Poterie,* pp. 288-289). Elle devrait contenir environ 30 p. 100 de chamotte et avoir été battue avant le coulage. Ces deux facteurs l'empêcheront de se déformer ou d'éclater pendant la cuisson.

Après avoir battu l'argile, on l'étale en plaques dans les chapes propres et sèches du moule et on l'y presse soigneusement. Elle doit arriver au niveau du haut des sections, sinon l'assemblage sera imparfait. Préparez ensuite de la barbotine en pressant une motte d'argile dans de l'eau jusqu'à sa dissolution complète et enduisez-en les bords de l'argile pour souder entre elles les différentes parties.

Une fois que vous aurez reconstitué le moule, lissez-en les joints et laissez-le reposer de 4 à 8 heures, soit jusqu'à ce que l'argile ait la consistance du cuir; elle aura alors durci, mais sans avoir commencé à changer de couleur. Ouvrez délicatement le moule et déposez l'épreuve sur un support afin de pouvoir la déplacer sans avoir à y toucher. Percez-la de plusieurs trous d'aiguille pour éviter qu'elle n'éclate durant la cuisson (voir *Poterie,* pp. 321-322).

Coulage à la cire

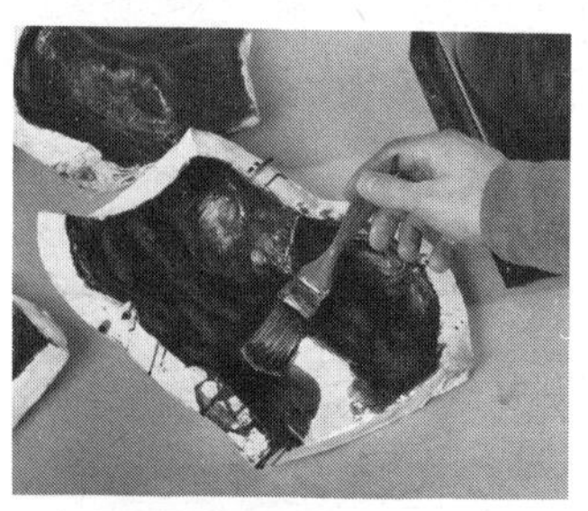

1. Enduisez au pinceau les sections humides et froides du moule d'une couche de cire de ¼ po d'épaisseur.

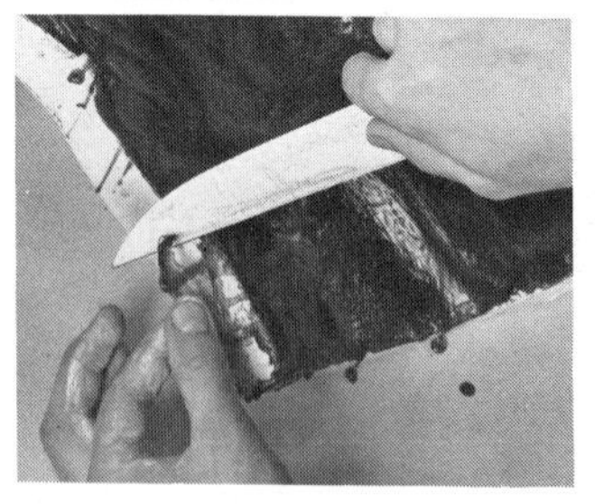

2. Grattez avec le couteau à plâtre toute la cire qui aurait coulé sur les bords du moule.

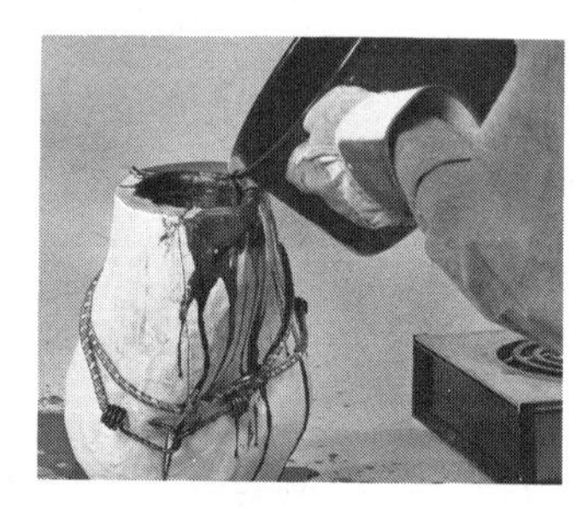

3. Reformez le moule, attachez-le, puis versez-y de la cire jusqu'au tiers de sa hauteur.

4. Inclinez-le dans tous les sens pour bien couvrir les joints et obtenir une épaisseur uniforme. Videz le surplus.

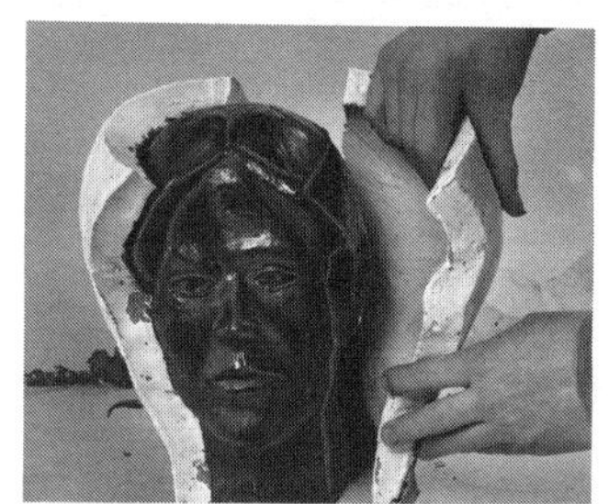

5. Grattez la cire qui se trouve sous le moule. Lorsque l'épreuve aura durci, vous pouvez démouler délicatement.

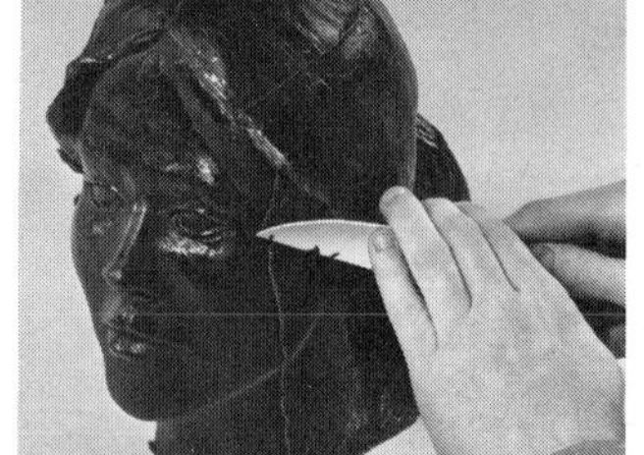

6. Grattez avec le couteau à plâtre les crêtes qui ont été laissées par les joints.

Coulage à l'argile

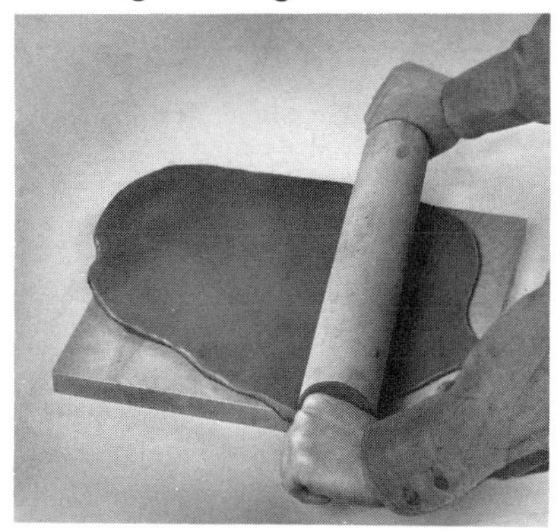

1. Battez une motte d'argile et étalez-la au rouleau en une plaque de ½ po d'épaisseur.

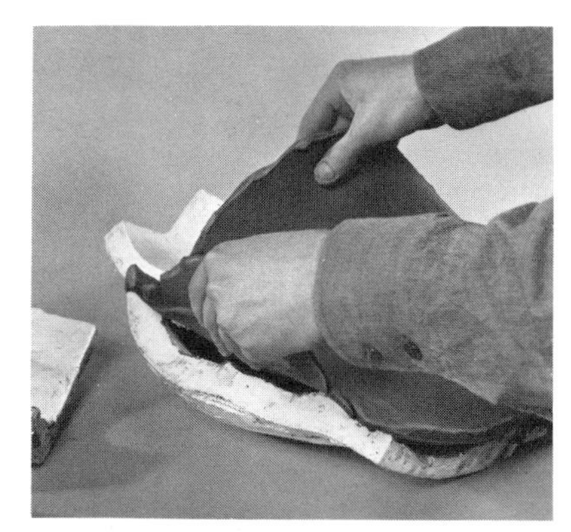

2. Placez la plaque dans une section du moule, parfaitement propre et sèche.

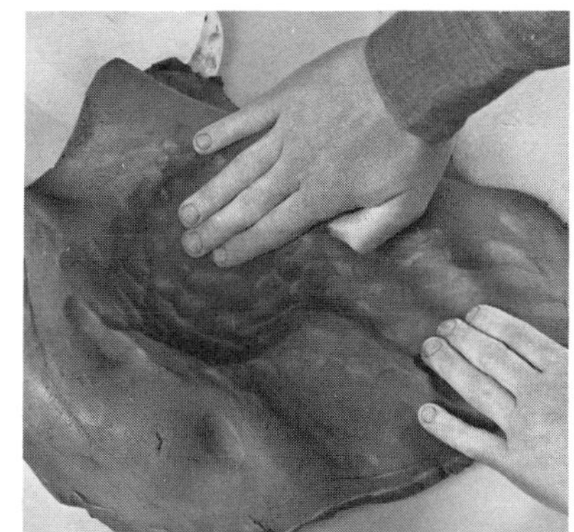

3. Pressez sur l'argile avec les doigts afin qu'elle se loge dans les moindres creux.

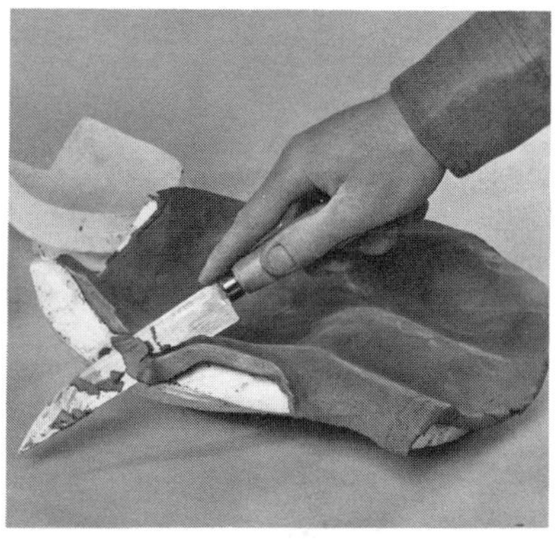

4. Taillez la plaque d'argile parallèlement aux bords de la section du moule.

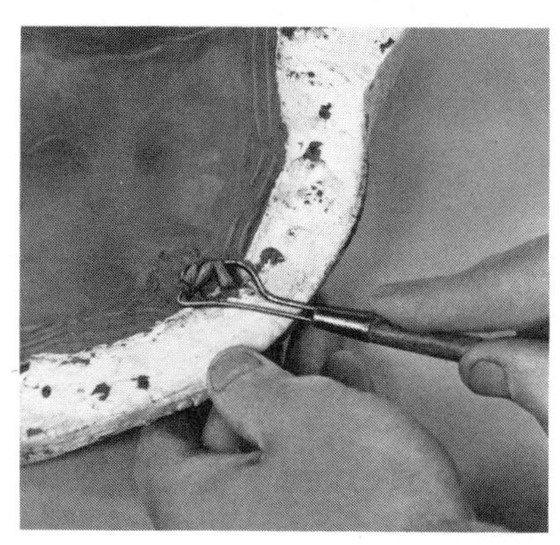

5. Guillochez les bords de l'argile avec la partie dentelée de la mirette.

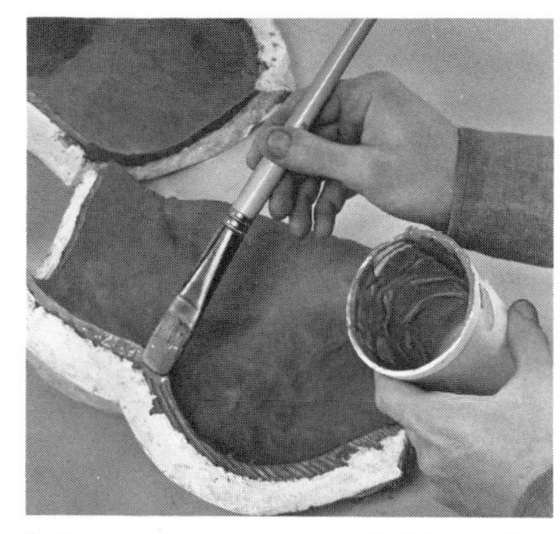

6. Préparez les autres chapes. Enduisez de barbotine les bords des deux premières.

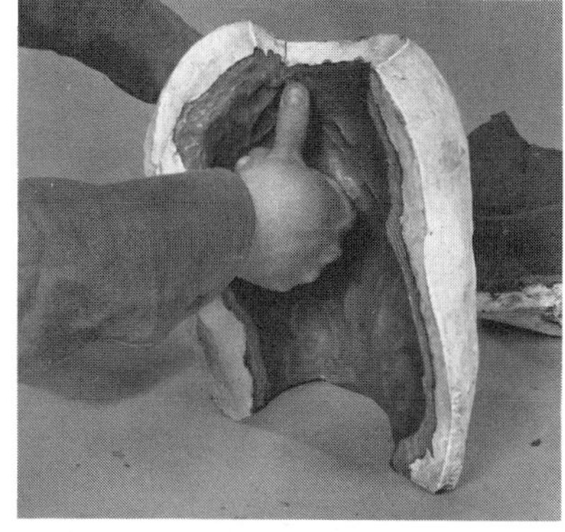

7. Assemblez-les et soudez-les en étalant l'argile du joint avec le pouce.

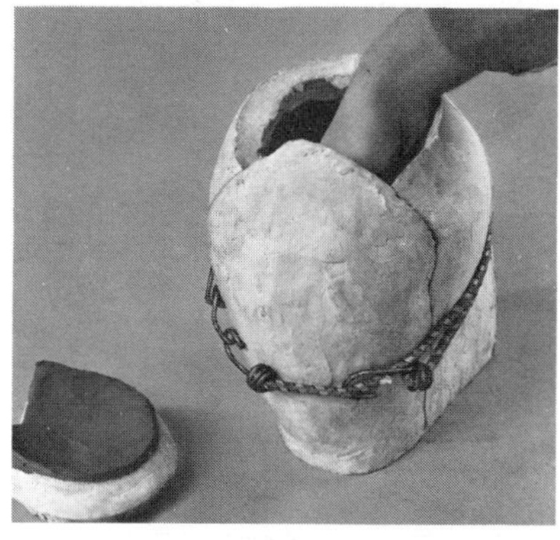

8. Etalez de la barbotine sur les bords de la troisième section, soudez-la avec le pouce.

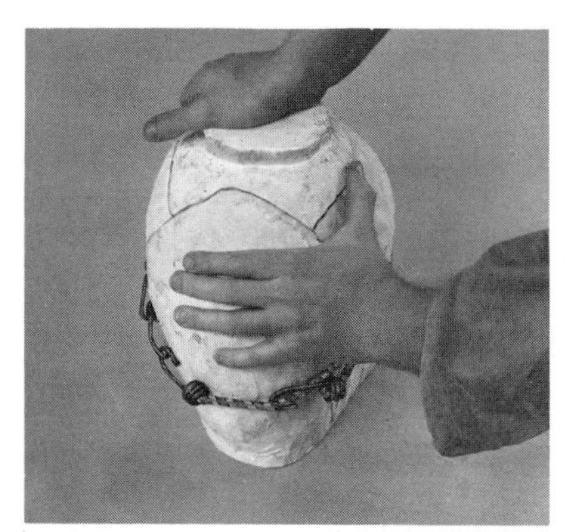

9. Passez de la barbotine sur la dernière chape, soudez les joints et laissez sécher l'argile.

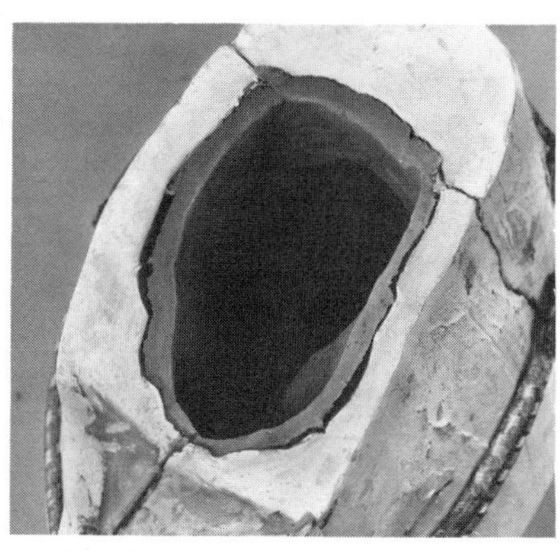

10. Quand l'argile s'est contractée et se sépare du moule, dépouillez la pièce.

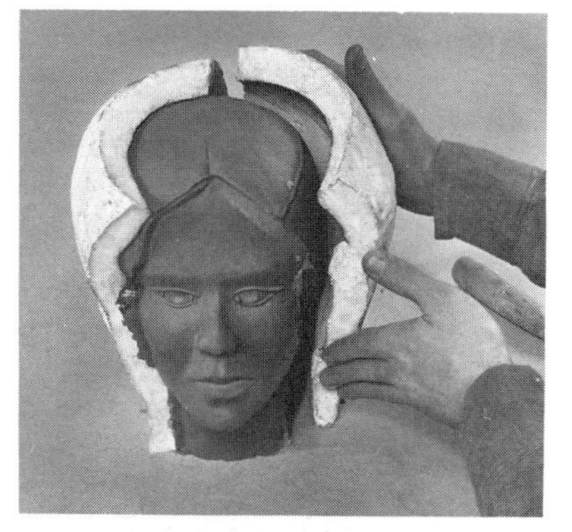

11. Ouvrez délicatement le moule en vous aidant du couteau pour séparer les sections.

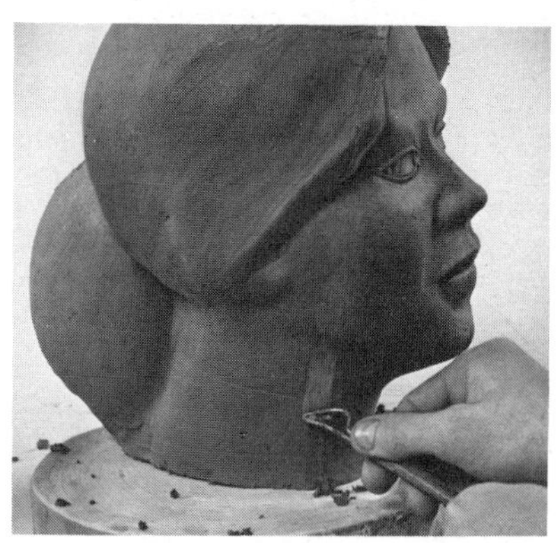

12. Lissez les arêtes avec la mirette. Il ne reste plus qu'à faire cuire la pièce.

Modelage, moulage et coulage

Coulage au béton et à la résine-polyester

Le béton et les composés de résine-polyester sont des substances qui conviennent très bien pour le coulage; ils donnent, par ailleurs, des pièces extrêmement dures et inaltérables.

Les séparateurs. Contrairement à la cire et à l'argile, le béton et la résine-polyester adhèrent au plâtre. Par conséquent, pour pouvoir démouler sans risquer de briser soit le moule, soit la pièce, on enduit le plâtre d'un séparateur avant de procéder au coulage. Cette opération bouche les pores du moule et l'imperméabilise.

Le séparateur le plus efficace est, en fait, une combinaison de plusieurs substances. Tout d'abord, on couvre le plâtre de trois couches de vernis (qu'on enlèvera ultérieurement avec de l'alcool si on veut réutiliser les chapes pour un coulage à l'argile). On l'enduit ensuite d'une couche de cire en pâte (n'utilisez pas de cires liquides ou de cires pour carrosseries, elles contiennent des détergents). L'application doit être uniforme et donner un fini brillant; évitez les aspérités qui marqueraient l'épreuve. Enfin, vaporisez de la silicone sur la cire.

Coulage à la résine-polyester. Le meilleur type de résine synthétique que l'on puisse employer pour obtenir un moulage solide et léger est le mastic avec lequel on répare les fentes et les bosses des carrosseries. Il se vend en gallon accompagné d'un petit tube contenant un produit qui activera sa solidification.

Même si ce mastic donne un très beau moulage, il est désagréable à employer: portez toujours des gants quand vous l'utilisez. Par ailleurs, il est indispensable de travailler dans un endroit très bien aéré parce qu'il dégage des vapeurs délétères; si vous devez y être exposé pendant un bon moment, portez un masque spécial.

Dès que le réactif a été ajouté au mastic, celui-ci durcit presque aussitôt. N'en préparez donc, à la fois, qu'une motte grosse comme une balle de tennis. Suivez le mode d'emploi du fabricant quant aux volumes de réactif et de mastic à mélanger.

Ne trempez pas dans le gallon de mastic frais l'outil que vous aurez utilisé pour le mélanger avec le réactif, sinon vous provoquerez le durcissement de tout le produit. Pour nettoyer l'outil, employez du dissolvant à vernis.

Après avoir enduit toutes les sections de mastic, assemblez-les, retouchez les joints et laissez durcir pendant une trentaine de minutes. Le procédé est très proche du moulage par pression à l'argile (p. 357).

Pour renforcer la résine-polyester — ce qui s'impose dans le cas de grandes pièces —, ajoutez-y de la fibre de verre, que vous pouvez vous procurer chez les marchands spécialisés.

Coulage au béton. Le béton permet d'obtenir des moulages solides, lourds, durables et peu coûteux. Si vous le gâchez vous-même, mélangez en proportions égales du ciment Portland, du sable et du gravier. Si vous l'achetez prémélangé, choisissez-le avec du sable plutôt qu'avec du gravier. Au cas où le béton prémélangé donnerait un moulage trop friable, ajoutez-y un peu de ciment. Il existe également du béton additionné d'acrylique; si vous avez l'intention d'installer la pièce à l'extérieur, utilisez ce mélange pour la couler afin qu'elle résiste aux intempéries.

Après l'application du séparateur, remontez le moule et attachez-le solidement avant de le renverser. S'il est instable, placez-le dans un seau ou liez-le au pied d'une table.

Versez le béton dans le moule et remuez-le pendant environ 5 minutes avec une cuiller ou une baguette pour supprimer les poches d'air.

Laissez le béton prendre pendant plusieurs jours avant de démouler. Eliminez les arêtes (ou crêtes) avec un ciseau, une lime ou du papier de verre.

On peut confectionner des moules de plâtre en plein de la même façon qu'avec le béton.

Coulage au béton

1. Pour le coulage au béton, versez de l'eau dans un seau, puis ajoutez le béton prémélangé.

2. Avant de procéder au coulage, laissez le béton prendre jusqu'à ce qu'il conserve sa forme, tel qu'illustré.

3. Attachez d'abord solidement le moule, puis commencez à le remplir de béton.

4. Interrompez-vous régulièrement pour remuer le béton avec une cuiller et supprimer les poches d'air.

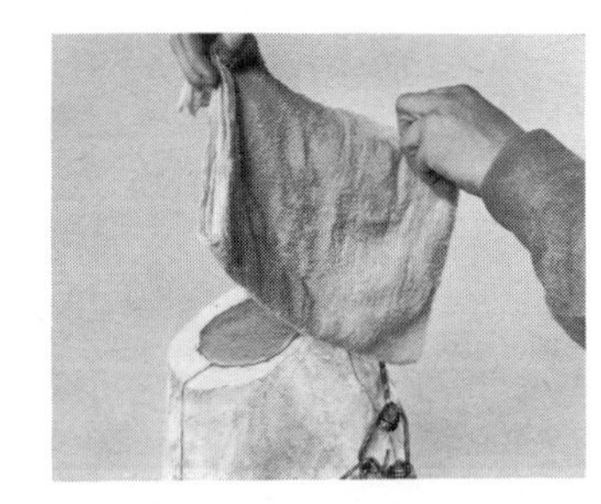

5. Remplissez le moule à ras bords. Couvrez-le d'un linge humide et enveloppez le tout dans du plastique.

6. Démoulez au bout de plusieurs jours. Supprimez les arêtes avec un ciseau, une lime ou du papier de verre.

Coulage avec un composé de résine-polyester

1. Pour une coulée à la résine-polyester ou au béton, enduisez le moule de trois couches de vernis.

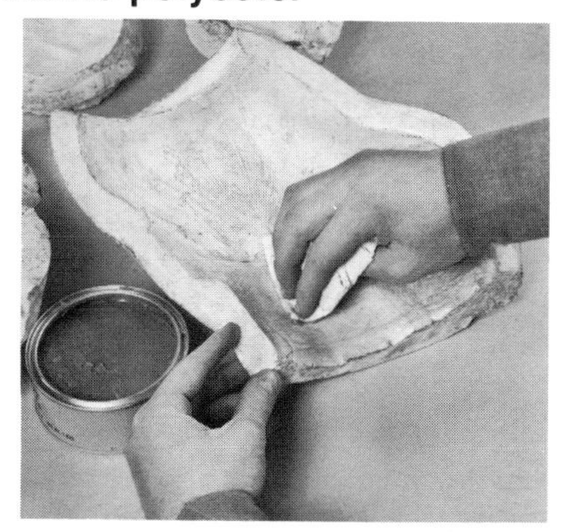

2. Appliquez une couche uniforme de cire en pâte, tel qu'illustré, et vaporisez-y de la silicone.

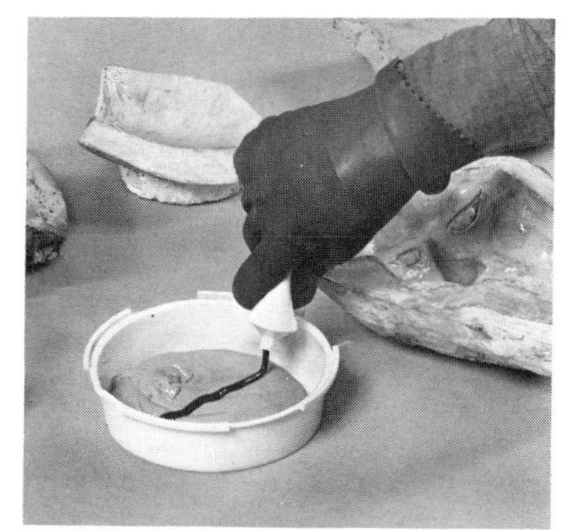

3. Pour un coulage en résine-polyester, mélangez un petit peu de mastic avec du réactif.

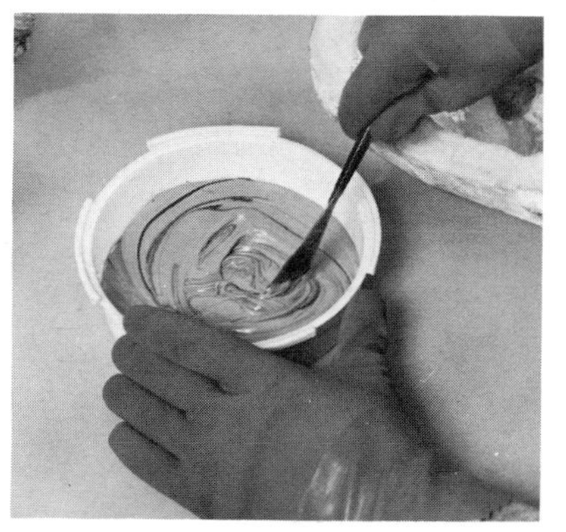

4. Travaillez le mélange à la spatule jusqu'à l'obtention d'une masse parfaitement homogène.

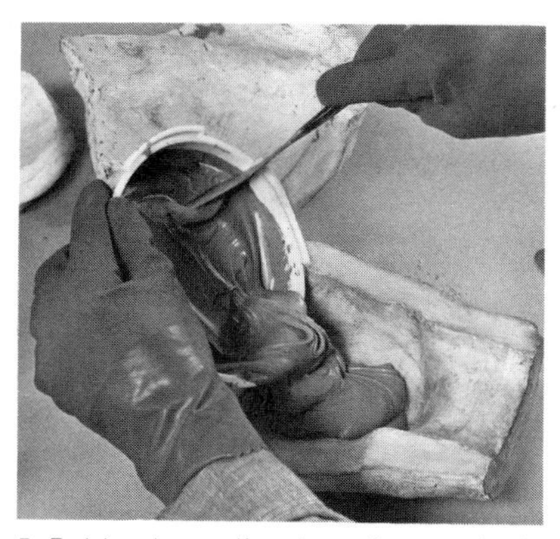

5. Enduisez la première chape d'une couche de mastic de ¼ po d'épaisseur.

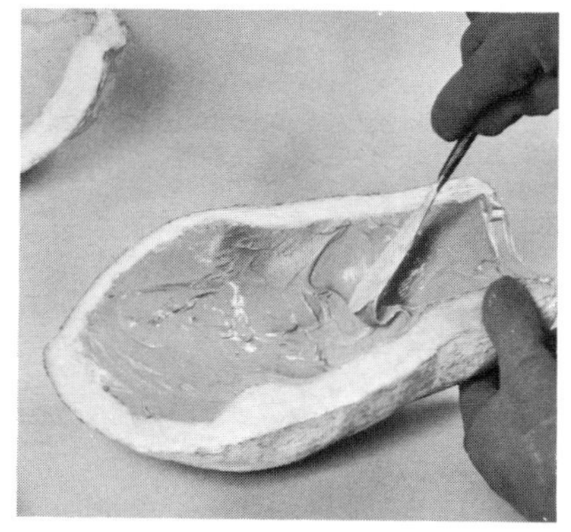

6. Etalez la préparation dans toutes les chapes en remplissant bien les creux.

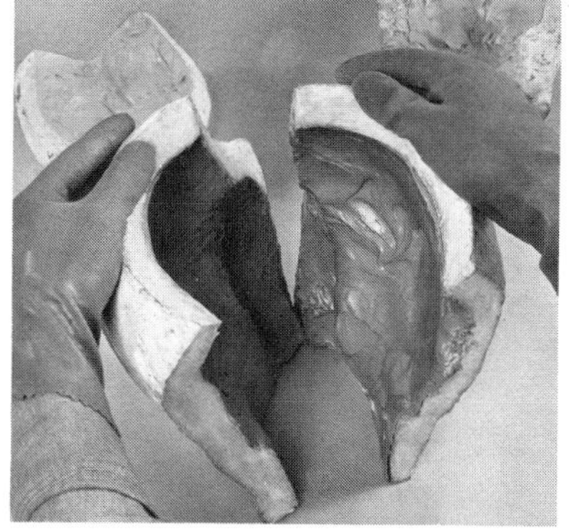

7. Laissez déborder un peu de mastic sur les bords et assemblez les deux premières chapes.

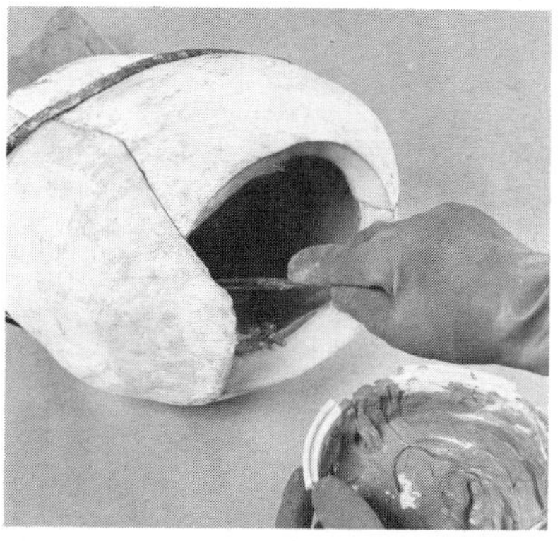

8. Fixez la troisième chape en place. Etalez du mastic sur les joints, à l'intérieur, pour les souder.

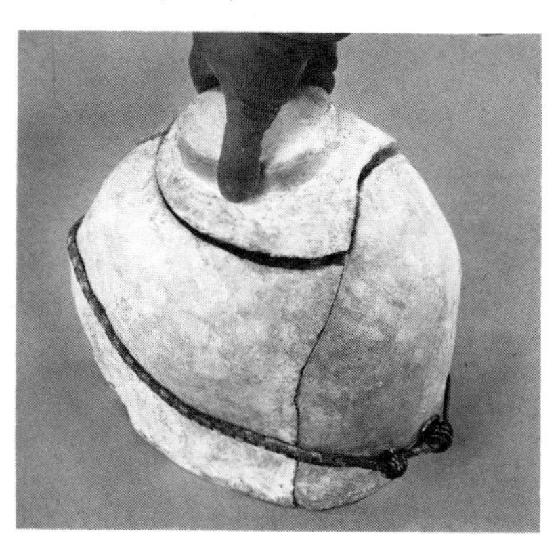

9. Pressez la chape du haut en place. Ses bords doivent être enduits de mastic.

10. Pour bien souder les joints, ajoutez du mastic à la spatule en une couche uniforme de ¼ po.

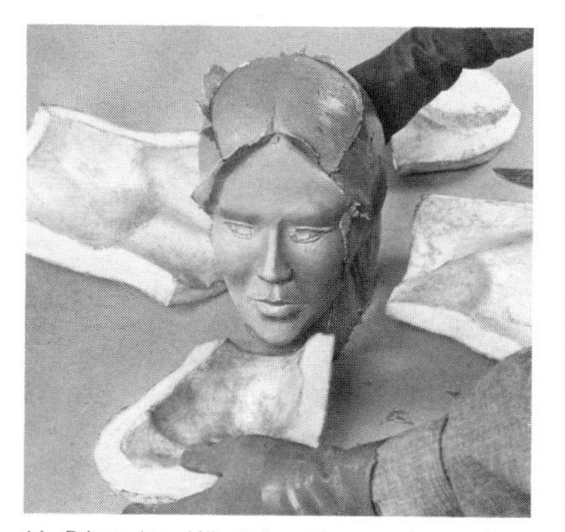

11. Démoulez délicatement lorsque le mastic a durci, après environ 30 min.

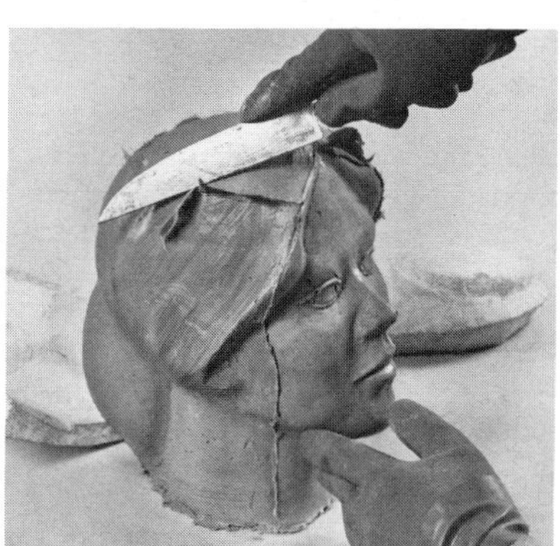

12. Supprimez toutes les arêtes sur la pièce coulée avec le couteau à plâtre.

Modelage, moulage et coulage

Coulage d'objets en étain

A cause de la malléabilité du métal, ces cuillers en étain sont plus épaisses que celles en argent.

L'étain, ou plus précisément le potin, est un alliage blanc argenté composé d'étain et d'autres métaux. Il est excellent pour le coulage artisanal à cause de son éclat argenté, de son point de fusion très bas et de son coût relativement faible (comparativement aux métaux précieux).

Propriétés physiques et chimiques. Il n'y a pas si longtemps encore, on coulait les objets avec de l'étamure (alliage d'étain et de plomb dans des proportions de 80 et de 20 p. 100). Mais, avec le temps, l'objet finissait par noircir à cause du plomb.

Aujourd'hui, on ne mélange plus le plomb et l'étain à cause de la toxicité du premier. On utilise plutôt un alliage composé d'étain (de 91 à 93 p. 100), d'antimoine (6 à 7 p. 100) et de cuivre (1 à 2 p. 100). C'est à l'étain, qui est un métal cassant, que l'alliage doit son éclat et sa résistance à la corrosion. L'antimoine, qui le rend dur et blanc, a aussi la particularité de se dilater en refroidissant, ce qui conserve à la pièce coulée sa forme exacte. Le cuivre augmente la ductilité et la malléabilité de l'alliage (ce qui est important pour le façonnage manuel), ainsi que sa dureté. Cet alliage moderne est plus dur que l'ancien et il ne perd pas sa couleur blanc argenté.

Le point de fusion des différents types de potin varie selon les composants. En général, il se situe entre 227 et 243°C, ce qui est bien en dessous de la température qu'on peut atteindre avec une cuisinière électrique ou au gaz.

Coulage de l'étain. Autrefois, on coulait l'étain dans des moules en cuivre ou en bronze qu'on pouvait chauffer jusqu'au point de fusion du métal de coulée, réduisant ainsi le choc thermique durant l'opération. On pouvait aussi réutiliser ces moules indéfiniment. Malheureusement, ils sont très difficiles à trouver. On pourra en voir dans des foires d'artisanat ou à des expositions sur l'époque coloniale. On peut parfois en dénicher chez les antiquaires ou dans les greniers.

Néanmoins, on n'a pas vraiment besoin de moules en cuivre ou en bronze pour couler l'étain. On peut se servir de ceux qui ont été décrits aux pages 352-355. Ceux en plâtre sont faciles à réaliser et ils retiennent tous les détails de l'épreuve. Par contre, il faut les laisser dans un four chaud pendant plusieurs heures pour éliminer toute l'eau contenue dans le plâtre. Or, après cette opération, les moules deviennent très cassants et ne peuvent plus servir que pour un nombre restreint de coulées.

Pour éliminer ces inconvénients, on peut utiliser des moules en mastic pour carrosserie à base de polyester (p. 359). Ce type de mastic est plus dur et plus durable que le plâtre, mais il ne retient pas les détails aussi fidèlement. Par ailleurs, on ne peut pas l'employer pour faire un moule à creux perdu (voir ci-dessous), parce qu'il serait trop difficile de le briser en morceaux.

Moule à creux perdu. On peut couler l'étain dans n'importe quelle forme. Les chandeliers et les ustensiles coulés dans ce métal sont très recherchés. Pour les pièces simples, on peut préparer un moule en argile. Pour celles qui sont plus complexes, un moule à creux perdu en plâtre et en deux sections est préférable à un moule à pièces nombreuses. Pour obtenir deux chapes, il suffit de placer une bande d'argile le long de l'épreuve à la jointure des sections (voir pp. 352-355). Quand le moule est pris, on le défait pour dépouiller l'épreuve. On le referme pour la coulée et, lorsque l'étain a refroidi, on dégage délicatement la pièce avec un ciseau.

Moule à pièces nombreuses. La façon de couler une cuiller ou tout autre ustensile est décrite à la page suivante. Comme l'étain est un métal mou, l'objet coulé devra être passablement épais si l'on veut qu'il ne soit pas seulement décoratif. En outre, l'épreuve ne devrait pas être trop ornée puisque l'alliage ne pourra pas en reproduire les détails trop délicats.

La confection du moule se déroule, dans l'ensemble, de la même façon que lorsque l'on utilise du plâtre ou du mastic de polyester (voir pp. 352-355). Les quelques différences sont précisées dans les légendes de la page ci-contre.

Quand le moule est prêt et a été retouché, on y perce une ouverture pour la coulée de l'étain fondu. Ce passage s'appelle une *attaque de coulée.* Son ouverture devra être assez large pour que l'opération s'effectue sans encombre.

Une fois l'attaque de coulée soigneusement faite, on laisse le moule en plâtre dans un four chauffé à environ 205°C pendant 20 à 30 heures, afin que toute l'eau s'en évapore. Autrement, celle-ci se pulvériserait au contact de l'étain chaud et provoquerait une coulée incomplète, des bulles d'air, ainsi que d'autres défauts. N'oubliez pas que le plâtre sera très cassant à sa sortie du four: il faudra donc le manipuler avec précaution. Certaines boutiques de matériel d'artisanat ou d'artistes vendent un plâtre spécial qui résiste à la chaleur, mais il coûte infiniment plus cher que le plâtre ordinaire.

Si on n'a pas besoin de chauffer un moule en polyester, il faut, par contre, le laisser reposer quelques jours avant de l'utiliser. Avant la coulée, on en recouvre l'intérieur de carbone en tenant chaque section au-dessus de la flamme d'une bougie. Le carbone, qui fait office de séparateur, facilite le démoulage, en plus de rendre très lisse la surface de la pièce. Pour enlever le carbone autour des motifs, on se sert d'un cure-dents.

On peut acheter de l'étain en lingots, ou saumons, dans certains magasins de matériel d'artisanat ou dans les fonderies. On peut le faire fondre sur une cuisinière électrique ou au gaz, avec un chalumeau ou un bec Bunsen, dans une louche en fer, un poêlon ou un creuset comme ceux qu'emploient les plombiers pour fondre le plomb.

Après l'assemblage du moule (maintenu par des serres), on le place sur une plaque à biscuits pour recueillir tout le métal qui pourrait déborder, puis on verse en un jet ininterrompu l'étain fondu dans l'attaque, jusqu'à ras bords. Comme l'étain refroidit très rapidement, on peut procéder au démoulage au bout de 30 secondes.

Une coulée imcomplète signifie que l'étain a refroidi avant d'atteindre le fond du moule. Dans ce cas, essayez de porter le moule à 205°C avant d'y verser le métal.

Finition. Coupez avec des cisailles de ferblantier l'étain qui a durci dans l'attaque et qui adhère encore à la pièce. Limez les bords ou frottez-les, ainsi que les inégalités, avec une laine d'acier, puis polissez la pièce avec du tripoli.

Entretien de l'étain. Même si l'alliage moderne ne noircit pas comme le plomb, vous pourrez avoir envie de polir vos ustensiles. Lavez-les à l'eau chaude savonneuse ou avec un détergent doux, puis essuyez-les immédiatement avec un linge souple. Pour les polir, utilisez de la potée d'argent ou d'étain.

Ne les mettez jamais dans un lave-vaisselle et ne les frottez pas avec de la laine d'acier. Et surtout, ne vous en servez jamais pour la cuisine.

Coulage d'un ustensile en étain

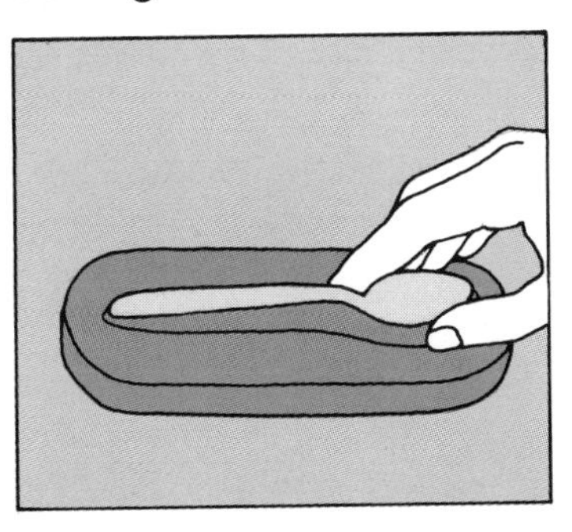

1. Préparez une plaque d'argile de ½ po d'épaisseur. Enfoncez-y une cuiller jusqu'à mi-hauteur. Remplissez tous les vides sous celle-ci pour éviter les contre-dépouilles (voir p. 352) dans le moule.

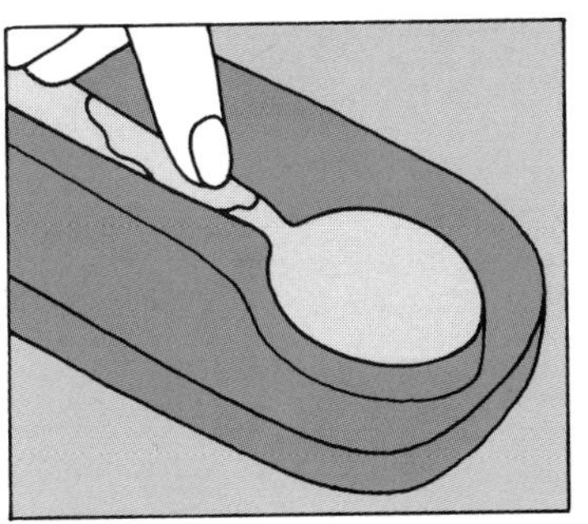

2. Etalez un séparateur — huile, graisse végétale, savon vert ou vaseline — sur la cuiller. N'en mettez pas trop et n'en laissez pas couler dans la cuiller pour ne pas marquer la surface du moule.

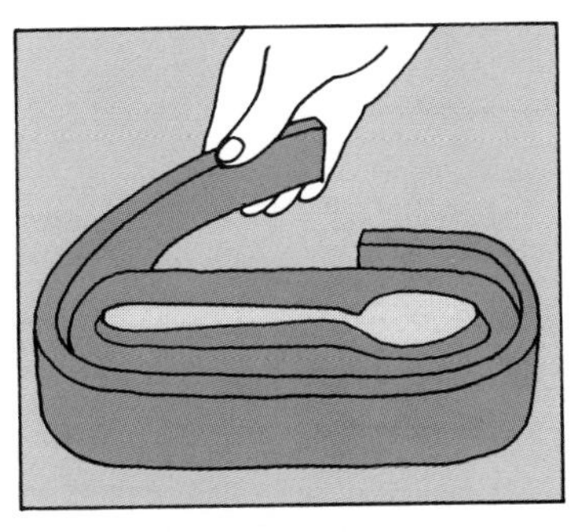

3. Prenez une bande d'argile de ½ po d'épaisseur et de 1½ po de large. Entourez-en la plaque d'argile (voir p. 352) pour retenir la coulée. Assurez-vous que le joint est parfaitement étanche.

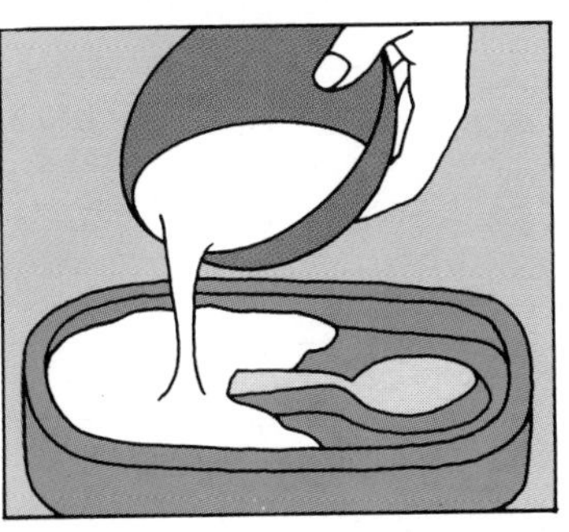

4. Versez le plâtre (voir p. 353) ou le mastic pour carrosserie (voir p. 358) dans le moule, jusqu'à une hauteur de ¾ à 1 po. Frappez un peu sur la table pour chasser les bulles d'air.

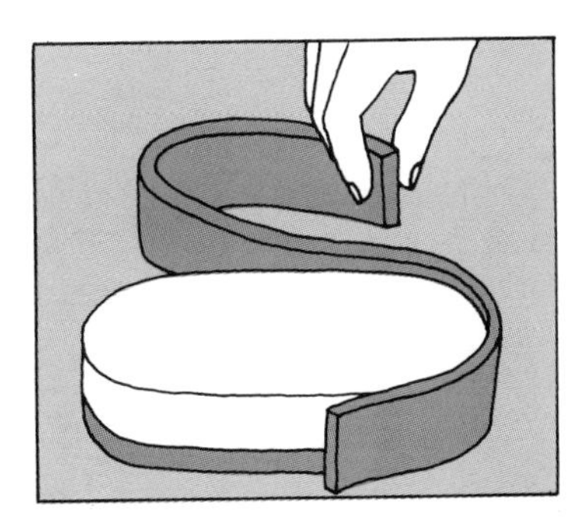

5. Quand le moulage est pris, ôtez la bande d'argile. Elle se séparera bien du plâtre, mais avec du polyester il faudra utiliser du détergent et de l'eau chaude.

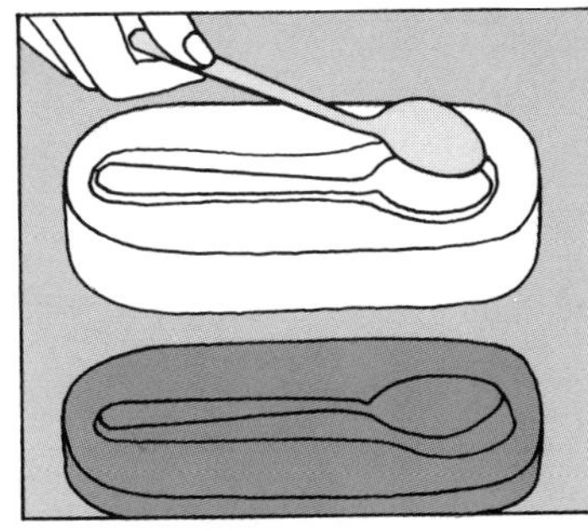

6. Retirez délicatement la cuiller du moule. Si elle colle, grattez le plâtre ou le mastic qui la retient. Au besoin, faites des retouches ou bouchez les poches d'air avec le produit de coulage.

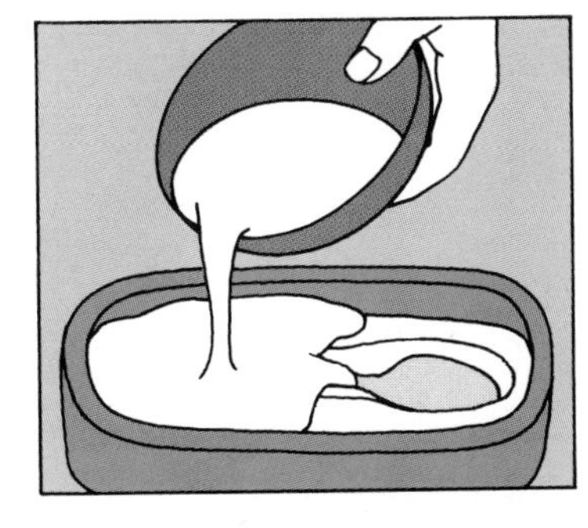

7. Pour faire la seconde partie du moule, remettez la cuiller dans la première et enduisez-la de séparateur, ainsi que toute la surface du moule. Remettez une bande (étape 3) et coulez (étape 4).

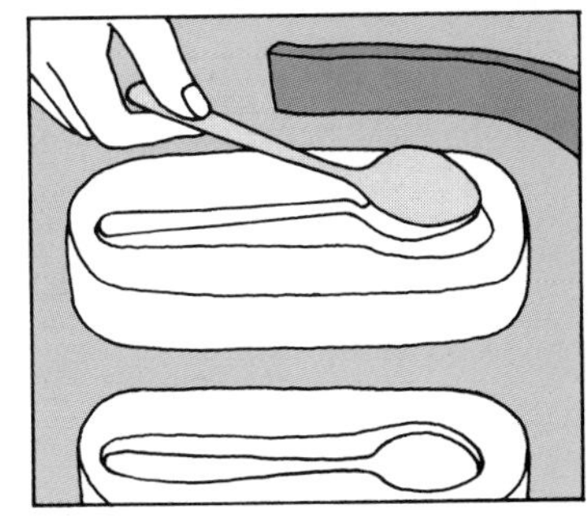

8. Quand le moule s'est solidifié, enlevez la bande d'argile et séparez doucement les sections. Otez la cuiller, puis faites les retouches nécessaires.

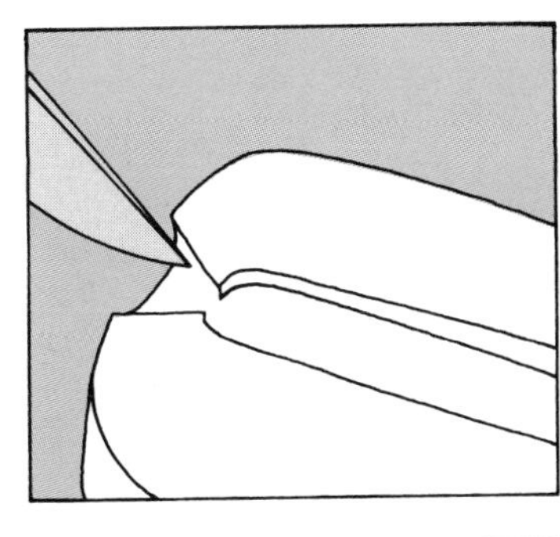

9. Façonnez l'attaque de coulée pour l'étain fondu. Faites-la assez large. Utilisez un couteau à plâtre ou, si le moule est en polyester, une scie ou une lime.

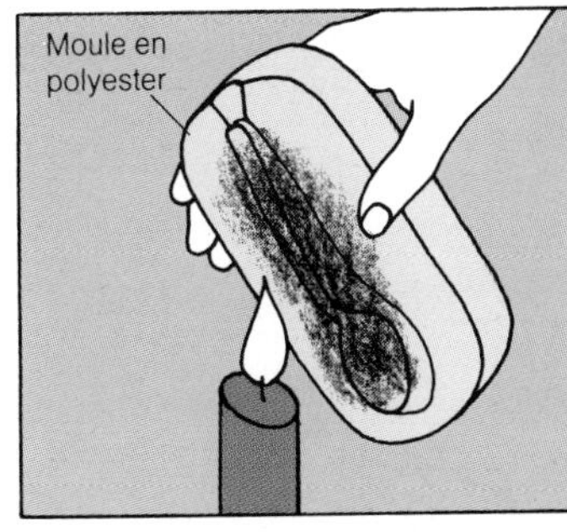

10. Chauffez le moule en plâtre en prévision de la coulée (voir le texte). S'il est en polyester, laissez-le reposer quelques jours, puis enduisez-le de carbone en en tenant les sections au-dessus de la flamme d'une bougie.

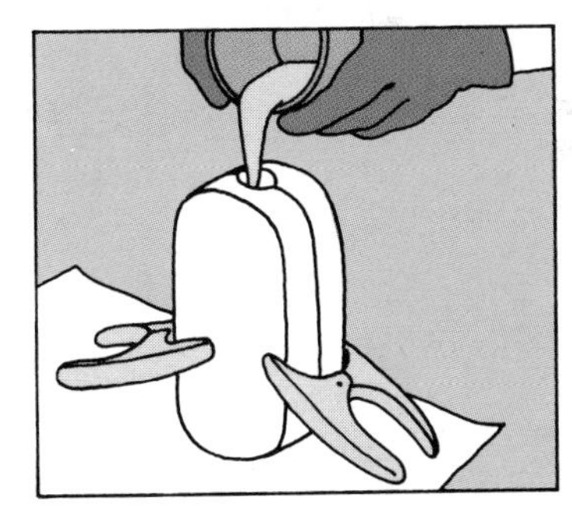

11. Fondez l'étain (voir le texte). Serrez ensemble les deux sections du moule, placez-le sur une plaque à biscuits et versez rapidement l'étain sans vous interrompre jusqu'à ce que le moule soit plein.

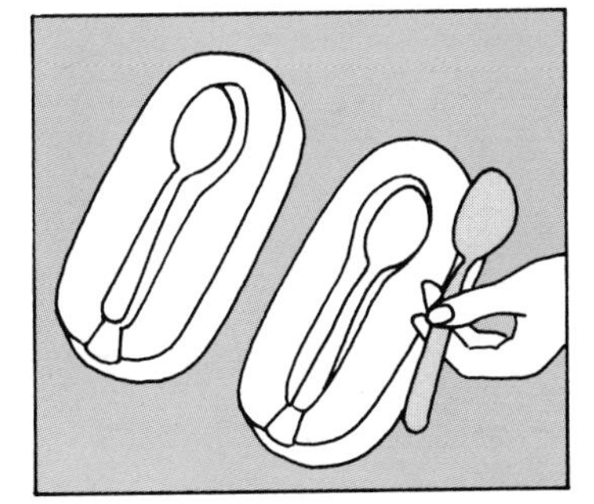

12. Ouvrez le moule et retirez la pièce. Limez-la, puis frottez-la avec une laine d'acier avant de la polir au tripoli pour lui donner un fini lisse et brillant.

Index

D

E

F

G

N

O

P

Q

R

S

Source des photographies

14 *en bas, à gauche* Gottscho-Schleisner, Inc. ; *à droite* Brigitte Baert/photo de Michael Nahmias. **16** Black Star/Fred Ward. **20** *à gauche et à droite* American Bonsai Society ; *au centre* Black Star/Fred Ward. **26** The Metropolitan Museum of Art, don provenant de plusieurs personnes, 1967. **54** Jerry Collings Collection/photo de Jerry Jacka. **76** The Art Institute of Chicago, fonds Samuel P. Avery. **88** Collection privée/photos de W. Sonntag. **92** National Gallery of Art, Washington. **108** Associated American Artists, New York. **120** Philadelphia Museum of Art. **124** The Metropolitan Museum of Art, fonds Rogers, 1958. **130** Détail d'un collage de Henri Matisse. Gracieuseté du Dallas Museum of Fine Arts, collection Foundation for the Arts, don de la fondation Albert and Mary Lasker. **134** Mrs. Howell Howard. **140** *en haut, à gauche et à droite* The American Museum of Natural History. **146** Glen D. Saeger. **152** Museo de Bellas Artes de Cataluña, Barcelone. **158** *à gauche* Museum of Fine Arts, Boston. **166** Musée d'arts appliqués d'Oslo. **186** The Metropolitan Museum of Art, fonds Rogers, 1926. **196** Smithsonian Institution. **208** Mayorcas Ltd, Londres. **220** Sotheby Parke Bernet, Inc., New York. **225** Sears, Roebuck and Co. ; Rockwell International, Power Tool Division. **247** Sears, Roebuck and Co. **261** *en haut* The Baltimore Museum of Art ; *au centre* Greenfield Village et le Henry Ford Museum ; *en bas* The Henry Francis du Pont Winterthur Museum. **270** Victoria and Albert Museum. **284** The Metropolitan Museum of Art, don de Robert E. Tod. **285** *de gauche à droite* Institut d'archéologie, University of London ; The Metropolitan Museum of Art, fonds Rogers, 1920 ; The Brooklyn Museum ; The Metropolitan Museum of Art, fonds Rogers, 1914 ; Victoria and Albert Museum ; Victoria and Albert Museum ; Buten Museum of Wedgwood. **287** *en haut, à droite* Babcock & Wilcox Company, Refractories Division. **328** Vincent et Susan Ceci. **334** George Walter Vincent Smith Art Museum, Springfield, Massachusetts. **346** Museum of Fine Arts, Boston. **347** *en bas, à droite* Royal Library, château de Windsor, avec la permission de S. M. la reine d'Angleterre. **360** The Metropolitan Museum of Art, don de Frederick S. Wait, 1907.

Remerciements

72 Dragon en origami conçu et réalisé par le révérend Robert Neale. **93-97** Illustrations de Larissa Lawrynenko. **98, 100, 101** Illustrations de Nicholas Calabrese. **327** Glaçure à la cendre, par Clair Desbecker. **330** Peinture sous couverte, par Gwen Pemberton. **331** Pièces de raku, *premier plan* Jean Kaskowitz, Randi Feldman, Patt Abi Sabb ; *second plan* Jean Kaskowitz, Annette Tharrington, Dominick Montelbano. **332** Urne avec anses, Tobias Weissman ; assiette et boîtes à épices, Nancy Fern ; bol ébauché, Randi Feldman ; glaçure céladon, Randi Feldman/Chris Hodge. **333** Service à thé, Randi Feldman/Nancy Fern ; service à soupe, Jerry Marshall ; maison en céramique, Ellen Faye Green ; poupées, Ellen Faye Green ; vase, Tobias Weissman. **335** Emaux : *de gauche à droite* Jim Malenda, Helen Hosking, Harold B. Helwig, Barbara Mail, Loren Partridge, Helen Hosking.

Photocomposition
Centre de traitement typographique de Sélection du Reader's Digest

Impression
Pierre Des Marais Inc.

Tableaux de conversion

L'usage du système métrique s'étend graduellement au Canada. Certaines industries se sont déjà « converties » au système métrique, d'autres le feront dans quelques années. Les sujets traités dans ce guide touchent plusieurs industries, et bien que la plupart des matériaux soient encore disponibles en unités impériales (pouces, livres, gallons, etc.), vous pouvez déjà vous familiariser avec le système métrique. Les tableaux suivants ont été préparés dans ce but. Vous pouvez les consulter pour faire des conversions en unités métriques; n'oubliez pas, cependant, que les dimensions en unités métriques ne sont souvent que des équivalents approximatifs. Evitez, autant que possible, d'utiliser les deux systèmes: vous devriez toujours suivre un même système, et vous y tenir.

TEMPÉRATURE

Celsius	−30	−20	−10	0	10	20	30	40	50	60	70	80	90	1
Fahrenheit	−22	−4	14	32	50	68	86	104	122	140	158	176	194	2

Pour convertir des degrés Celsius en degrés Fahrenheit, multipliez les degrés Celsius par 9, divise résultat par 5, puis ajoutez 32. Pour convertir des degrés Fahrenheit en degrés Celsius, soustrayez des degrés Fahrenheit, multipliez le résultat par 5, puis divisez par 9.

MESURES DE LONGUEUR

pouces (64e)	centimètres	pouces (64e)	centimètres
1	0,04	33	1,31
2	0,08	34	1,35
3	0,12	35	1,39
4	0,16	36	1,43
5	0,20	37	1,47
6	0,24	38	1,51
7	0,28	39	1,55
8 (⅛″)	0,32	40 (⅝″)	1,59
9	0,36	41	1,63
10	0,40	42	1,67
11	0,44	43	1,71
12	0,48	44	1,75
13	0,52	45	1,79
14	0,56	46	1,83
15	0,60	47	1,87
16 (¼″)	0,64	48 (¾″)	1,91
17	0,67	49	1,95
18	0,71	50	1,98
19	0,75	51	2,02
20	0,79	52	2,06
21	0,83	53	2,10
22	0,87	54	2,14
23	0,91	55	2,18
24 (⅜″)	0,95	56 (⅞″)	2,22
25	0,99	57	2,26
26	1,03	58	2,30
27	1,07	59	2,34
28	1,11	60	2,38
29	1,15	61	2,42
30	1,19	62	2,46
31	1,23	63	2,50
32 (½″)	1,27	64 (1″)	2,54

MESURES DE SURFACE

pouces carrés	centimètres carrés	pieds carrés	mètres carrés
1	6,45	1	0,09
2	12,90	2	0,19
3	19,35	3	0,28
4	25,80	4	0,37
5	32,25	5	0,46

MESURES DE POIDS

onces	grammes	livres	kilogrammes
1	28,35	1	0,45
2	56,70	2	0,91
3	85,05	3	1,36
4	113,40	4	1,81
5	141,75	5	2,27
6	170,10	6	2,72
7	198,45	7	3,18
8	226,80	8	3,63
9	255,15	9	4,08
10	283,50	10	4,54
11	311,84	15	6,80
12	340,19	20	9,07
13	368,54	25	11,30
14	396,89	30	13,60
15	425,24	40	18,10
16 (1 lb)	453,59	50	22,70

MESURES LIQUIDES ET SÈCHES

chopines	litres	gallons	litres
1	0,57	1	4,55
2 (1 pinte)	1,14	2	9,09
3	1,70	3	13,64
4	2,27	4	18,18
5	2,84	5	22,73
6	3,41	6	27,28
7	3,98	7	31,82
8 (1 gallon)	4,55	8	36,37

Pour les recettes, utilisez les équivalents suivants:

½ tasse	125 ml	1 cuillerée à thé	5 ml
1 tasse	250 ml	½ cuillerée à thé	2 ml
1 cuillerée à soupe	15 ml	¼ cuillerée à thé	1 ml

MULTIPLES

préfixe	facteur
méga	un million de fois
kilo	mille fois
hecto	cent fois
déca	dix fois

SOUS-MULTIPLES

préfixe	facteur
déci	un dixième
centi	un centième
milli	un millième
micro	un millionième

MESURES POUR LE BOIS

pouces*	millimètres	pouces*	millimètres
1 × 2	19 × 38	2 × 4	38 × 89
1 × 3	19 × 64	2 × 6	38 × 140
1 × 4	19 × 89	2 × 8	38 × 184
1 × 5	19 × 114	2 × 10	38 × 235
1 × 6	19 × 140	2 × 12	38 × 286
1 × 8	19 × 184	3 × 4	64 × 89
1 × 10	19 × 235	4 × 4	89 × 89
1 × 12	19 × 286	4 × 6	89 × 140
2 × 2	38 × 38	6 × 6	140 × 140
2 × 3	38 × 64	8 × 8	191 × 191

*Rappelez-vous que ces formats ont été normalisés et qu les dimensions réelles sont légèrement inférieures.

Panneaux et revêtements composés:

pieds	millimètres*	pieds	millimètres*
4	1 200	10	3 000
8	2 400	12	3 600

*Rappelez-vous que ces formats ont été normalisés et qu les dimensions réelles sont légèrement supérieures.

Epaisseurs du contre-plaqué:

Bois dur sablé: Existe en 3, 4, 5, 6, 7, 8, 9 et 10 mn (millimètres) d'épaisseur.*

Bois tendre sablé: Existe en 6, 8, 11, 14, 17 et 19 mn (millimètres) d'épaisseur.*

*Ces dimensions n'ont pas d'équivalents exacts en mesure impériales. Ce sont les nouveaux formats normalisés d l'industrie.

Bois tendre non sablé:

pouces	millimètres**	pouces	millimètres**
¼	6	½	12,5
5/16	7,5	¾	18,5
⅜	9,5		

**Ces mesures ne sont pas des conversions exactes. Elle correspondent par contre aux nouveaux formats normalisés